난 정말

JAVA를

공부한 적이 없다구요

저자소개

윤성우(ripeness21@gmail.com)

벤처회사에서 개발자로 일하던 저자는 IT분야의 집필과 강의로 처음 이름이 알려졌으며, 2004년부터 지금까지 OpenGL-ES 그래픽스 라이브러리의 구현과 3D 가속 칩의 개발 및 크로노스 그룹(모바일 국제 표준화 컨소시엄)의 표준안에 관련된 일에 참여하였다. 또한 핸드폰용 DMB 칩의 개발에도 참여하였으며, 현재는 ㈜액시스소프트의 CTO 로 있으면서 웹 기반 솔루션 개발에 관심을 갖고 있다.

전문 기획 / 감수자 소개

김문석(mskim@metarights.com)

저자와는 비트교육센터를 인연으로 2000년도에 처음 알게 되었다. 대학원 시절에서부터 자바를 연구했고, 10년 이상 자바를 이용해서 프로젝트를 진행해온 자타가 공인하는 자바 전문가이다. 오랜 시간 자바를 강의해온 경험을 토대로 전문가의 관점에서 책의 집필방향과 난이도의 조절에 참여한 감수자는 현재 ㈜메타라이츠의 연구개발부 부장으로 재직 중에 있다.

난 정말 JAVA를 공부한 적이 없다구요!

2009년 8월 12일 1쇄
2011년 4월 17일 4쇄

지은이 | 윤성우
발행인 | 전한철
발행처 | 오렌지미디어 / 서울시 성동구 홍익동 298 우림빌딩 134

출판기획 | 이주연
디자인 | 조수진
표지디자인 | MIX STYLE STUDIO

무단 복제 및 무단 전재를 금합니다.
전 화 | 050-5522-2024
팩 스 | 02-6442-2021
등 록 | 2007년 9월 20일 제 2011-000015호
ISBN | 978-89-960940-2-9

정가 28,000원

이 책에 대한 의견이나 조언을 주시고자 할 때, 그리고 오탈자나 버그 등을 발견했을 때에는 홈페이지에 방문하여 내용을 등록하여 주시면 감사하겠습니다.
http://www.orentec.co.kr

난 정말 JAVA를 공부한 적이 없다구요

윤성우 저 | 김문석 감수

ORANGE MEDIA

저자의 글

■ 정말 쓰기 어려운 머리말

책을 여러 권 집필하다 보니, 책을 어떻게 하면 잘 쓸 수 있냐고 물어오는 분들이 있습니다. 그러면 저는 머리말을 먼저 써 보라고 이야기합니다. 머리말을 잘 쓸 수 있다면 책을 쓸 능력이 충분히 있다고 저는 생각하기 때문입니다. 그만큼 머리말을 쓰는 것이 제게는 매우 어렵게 느껴집니다. 머리말은 독자와 중요한 약속을 하는 것이라고 생각하기 때문입니다.

사실 자바 기본서를 집필해야겠다고 처음 마음먹었을 때, 제일 먼저 한 일이 머리말 작성이었습니다. 그리고 머리말에서 약속한 바에 한치의 오차도 없이 책을 집필하겠다고 다짐을 했고, 그 다짐대로 집필했다고 생각은 하지만, 평가는 독자들의 몫이기 때문에 저는 지금 전혀 다른 머리말을 쓰고 있습니다.

■ 우리를 한번 믿어보지 않으시겠습니까?

이 책을 열심히 공부하면 누구나 자바를 잘할 수 있다고 말씀 드리고 싶지만, 그럼 저는 거짓말을 하는 사람이 되어버립니다. 개개인의 학습성향과 능력에 따라서 자신에게 맞는 책은 달리 결정되어야 하기 때문입니다. 그런데 저를 도와서 기획 및 감수를 해 주신 김문석 부장님과 저는 오랜 시간 학생들에게 자바를 가르쳐왔습니다. 그리고 자바 학습에 필요한 자료를 함께 만들면서 자바 학습에 대한 나름의 기준도 오래 전에 함께 세웠습니다. 물론 이 기준에 근거한 학습은 학생들에게 많은 도움이 되어왔고, 또 여러분에게도 큰 도움이 될 것으로 우리는 믿고 있습니다. 그리고 그 믿음과 소신이 이 책을 집필하는 힘이 되어왔습니다. 저와 김문석 부장이 생각하는 자바 학습에 대한 믿음과 소신에 여러분도 기대를 걸어주셨으면 합니다.

■ 보통 수준의 독자들을 위해서 집필하였습니다.

저는 보통 수준의 학습능력을 갖고 있습니다. 때문에 남들이 경험하는 만큼 고생해 가며 프로그래밍을 공부했고, 남들이 고민하는 만큼 고민해가며 프로그래머가 되었습니다. 때문에 제가 책을 쓰면 상대적으로 좀 쉬운 책이 됩니다. 하지만 그것은 어쩔 수 없는 것 같습니다. 제가 똑똑했다면 똑똑한 분들의 생각을 이해하면서 책을 집필할 수 있었겠지만, 저는 똑똑해 본 경험이 없습니다. 그래서 저와 비슷한 학습능력을 갖춘 독자들에게 가장 어울릴만한 책을 늘 집필합니다. 그렇다고 해도 프로그래밍을 처음 공부하는 과정이 마냥 쉬울 수만은 없습니다. 다만 저는 여러분이 조금이라도 덜 고생하고, 더 많이 알기를 바라면서 집필했을 뿐입니다.

■ 하나님 감사합니다.

현 시대의 사건과 상황이 기독교인에게 그리 우호적이지 않음을 저도 잘 알고 있습니다. 하지만 이 책의 집필을 묵묵히 바라보면서 함께 고생한 나의 가족, 특히 아내에게 감사의 뜻을 전하지 않을 수 없는 것처럼, 하나님께 감사하다는 말씀을 드리지 않을 수 없습니다. 하지만 본 받을 것 없는 모습의 삶을 사는 부족한 저의 신앙고백이 저를 드러내는 결과로 이어지지 않기를 바랍니다.

저자 윤 성 우

감수자의 글

■ 객체지향적 접근이 매우 탄탄합니다.

본 도서의 장점 중 하나는 모든 내용이 매우 유기적으로 연결되어 있다는 것이다. 이러한 특징은 객체지향을 설명하는 부분에서 매우 두드러지는데, 책을 읽는 독자는 저자가 유도하는 흐름적 이해에 깊이 빠져들수록 자바에 대한 이해도가 매우 높아질 것이다. 따라서 반복 학습을 통해서 저자가 전달하고자 하는 내용을 하나도 빠짐 없이 이해하기 바란다.

■ 기본서 다운 기본서

본서에서는 보통의 자바 기본서에서 간단히 언급하거나, 초급 자바 개발자들 조차 개념적으로 부족할 수 있는 부분을 매우 효율적으로 언급하고 있다. 기본서라면 많은 것을 가르쳐주기 보다는 반드시 알아야 할 내용을 깊이 이해할 수 있도록 도와야 한다고 생각한다. 그런 측면에서 이 책은 가장 기본서 다운 기본서가 아닌가 생각한다.

■ 책의 가치를 더욱 높이는 단계별 프로젝트

저자가 오래 전부터 학생들에게 고집스럽게 강조해온 것 중 하나가 "단계별 프로젝트"이다. 이것을 저자의 의도대로 마지막까지 완성하기 위해서는 적지 않은 노력이 필요하다. 그러나 이는 책의 저자가 여러분에게 선사하는 매우 소중한 선물이다. 그리고 이 선물로 인해서 책의 가치는 한층 더 높아졌다고 생각한다. 프로그래머가 되는 것이 목표라면, 이것을 반드시 완성하자. 단계별 프로젝트의 완성은 여러분에게 크나큰 자신감을 안겨줄 것이다.

감수 김 문 석

Contents

Chapter 01. Let's Start JAVA!   011
01-1. 자바의 세계로 오신 여러분을 환영합니다.   012
01-2. 자바 프로그램의 이해와 실행의 원리   022
01-3. 첫 번째 자바 프로그램의 관찰과 응용   026
01-4. 컴파일의 대상에서 제외되는 주석!   029

Chapter 02. 변수(Variable)와 자료형(Data Type)   037
02-1. 변수의 이해와 활용   038
02-2. 정수 표현방식의 이해   044
02-3. 실수 표현방식의 이해   047
02-4. 자료형의 이해   050

Chapter 03. 상수와 형 변환(Type Casting)   059
03-1. 자료형을 기반으로 표현이 되는 상수   060
03-2. 자료형의 변환   064

Chapter 04. 연산자(Operator)   071
04-1. 자바에서 제공하는 이항 연산자들   072
04-2. 자바에서 제공하는 단항 연산자들   089
04-3. 비트와 관련이 있는 연산자들   095

Chapter 05. 실행흐름의 컨트롤   109
05-1. if 그리고 else   110
05-2. switch와 break   118
05-3. for, while 그리고 do~while   124
05-4. continue & break   131
05-5. 반복문의 중첩   137

Chapter 06. 메소드와 변수의 스코프   151
06-1. 메소드에 대한 이해와 메소드의 정의   152
06-2. 변수의 스코프   160
06-3. 메소드의 재귀호출   163

Chapter 07. 클래스와 인스턴스   173
07-1. 클래스의 정의와 인스턴스의 생성   174
07-2. 생성자(Constructor)   190
07-3. 자바의 이름 규칙(Naming Rule)   201

Chapter 08. 클래스 패스와 패키지   **207**

  08-1. 클래스 패스(Class Path)의 지정   208
  08-2. 패키지(Package)의 이해   215

Chapter 09. 접근제어 지시자와 정보은닉, 그리고 캡슐화   **233**

  09-1. 정보은닉(Information Hiding)   234
  09-2. 접근제어 지시자(Access Control Specifiers)   238
  09-3. public 클래스와 default 클래스   243
  09-4. 어떤 클래스를 public으로 선언할까요?   247
  09-5. 캡슐화(Encapsulation)   251

Chapter 10. 클래스 변수와 클래스 메소드   **261**

  10-1. static 변수(클래스 변수)   262
  10-2. static 메소드(클래스 메소드)   270
  10-3. System.out.println & public static void main   277

Chapter 11. 메소드 오버로딩과 String 클래스   **285**

  11-1. 메소드 오버로딩(Overloading)   286
  11-2. String 클래스   292
  11-3. API Document의 참조를 통한 String 클래스의 인스턴스 메소드 관찰   296
  11-4. StringBuilder & StringBuffer 클래스   307
  11-5. 단계별 프로젝트: 전화번호 관리 프로그램 01단계   313

Chapter 12. 콘솔 입력과 출력   **319**

  12-1. 콘솔 출력(Console Output)   320
  12-2. 콘솔 입력(Console Input)   326
  12-3. 단계별 프로젝트: 전화번호 관리 프로그램 02단계   333

Chapter 13. 배열(Array)   **337**

  13-1. 배열이라는 존재가 필요한 이유   338
  13-2. 1차원 배열의 이해와 활용   341
  13-3. 다차원 배열의 이해와 활용   348
  13-4. for-each   356
  13-5. main 메소드로의 데이터 전달   361
  13-6. 단계별 프로젝트: 전화번호 관리 프로그램 03단계   363

Contents

Chapter 14. 클래스의 상속 1: 상속의 기본   375

14-1. 상속은 재활용 + 알파(α)   376
14-2. 상속의 기본문법 이해   377
14-3. 상속과 접근제어 지시자   387
14-4. static 변수(메소드)의 상속과 생성자의 상속에 대한 논의   391

Chapter 15. 클래스의 상속 2: 오버라이딩   397

15-1. 상속을 위한 관계   398
15-2. 하위 클래스에서 메소드를 다시 정의한다면?   405
15-3. 참조변수의 인스턴스 참조와 instanceof 연산자   417

Chapter 16. 클래스의 상속 3: 상속의 목적   421

16-1. 개인정보 관리 프로그램   422
16-2. 모든 클래스가 상속하는 Object 클래스   432
16-3. final 클래스와 final 메소드   434
16-4. 단계별 프로젝트: 전화번호 관리 프로그램 04단계   435

Chapter 17. abstract와 interface 그리고 inner class   443

17-1. abstract 클래스   444
17-2. interface   447
17-3. Inner 클래스   468
17-4. Local 클래스와 Anonymous 클래스   474
17-5. 단계별 프로젝트: 전화번호 관리 프로그램 05단계   482

Chapter 18. 예외처리(Exception Handling)   489

18-1. 예외처리에 대한 이해와 try~catch문의 기본   490
18-2. 프로그래머가 직접 정의하는 예외의 상황   504
18-3. 예외 클래스의 계층도   514
18-4. 단계별 프로젝트: 전화번호 관리 프로그램 06단계   518

Chapter 19. 자바의 메모리 모델과 Object 클래스   525

19-1. 자바 가상머신의 메모리 모델   526
19-2. Object 클래스   532

Chapter 20. 자바의 다양한 기본 클래스   557

20-1. Wrapper 클래스   558
20-2. BigInteger 클래스와 BigDecimal 클래스   566
20-3. Math 클래스와 난수의 생성, 그리고 문자열 토큰(Token)의 구분   570

Chapter 21. 제네릭(Generics)   **583**

21-1. 제네릭 클래스의 이해와 설계   584

21-2. 제네릭을 구성하는 다양한 문법적 요소   592

Chapter 22. 컬렉션 프레임워크(Collection Framework)   **611**

22-1. 컬렉션 프레임워크의 이해   612

22-2. Collection〈E〉 인터페이스를 구현하는 제네릭 클래스들   615

22-3. Set〈E〉 인터페이스를 구현하는 컬렉션 클래스들   628

22-4. Map〈K, V〉 인터페이스를 구현하는 컬렉션 클래스들   646

22-5. 단계별 프로젝트: 전화번호 관리 프로그램 07단계   650

Chapter 23. 쓰레드(Thread)와 동기화   **659**

23-1. 쓰레드의 이해와 생성   660

23-2. 쓰레드의 특성   667

23-3. 동기화(Synchronization)   677

23-4. 새로운 동기화 방식   700

Chapter 24. 파일과 I/O 스트림   **713**

24-1. File I/O에 대한 소개   714

24-2. 필터 스트림의 이해와 활용   722

24-3. 문자 스트림의 이해와 활용   736

24-4. 스트림을 통한 인스턴스의 저장   746

24-5. Random Access 파일과 FILE 클래스   753

24-6. 단계별 프로젝트: 전화번호 관리 프로그램 08단계   765

Chapter 25. Swing 컴포넌트와 이벤트 핸들링   **779**

25-1. Swing을 시작하기에 앞서   780

25-2. Swing 컴포넌트와 이벤트 핸들링   784

25-3. 레이아웃 매니저(Layout Manager)   795

25-4. 이벤트와 이벤트 리스너(Event Listener)   803

25-5. 다양한 Swing 컴포넌트   817

25-6. 단계별 프로젝트: 전화번호 관리 프로그램 09단계   838

APPENDIX A   **853**

APPENDIX B   **863**

Chapter 01

Let's Start JAVA!

학생들의 영어공부 시기가 조금씩 앞당겨지고 있지만, 필자는 중학교 때 처음으로 영어를 접하였다. 그리고 당시에는, 여러분도 기억하듯이 누구나 영어를 신기하게 바라본다. A, B, C를 공부하면서도 이것이 왜? A인지, 이것을 어디에 활용할지 고민하지 않는다. 그러나 시간이 지나면서 누구나 알파벳을 알고, 또 활용하게 된다. 필자는 여러분이 자바도 그러한 생각과 관점에서 바라보았으면 좋겠다.

■ 즐거운 자바 프로그래밍

필자가 처음 자바를 접한 것이 1997년도이다. 지금은 없어진 강남의 어느 서점에서 처음으로 자바 코드를 볼 수 있었다. 그 후 약 1년의 시간이 흐른 다음에야 비로소 본격적으로 자바를 공부하게 되었는데, 지금도 그때의 기억을 잊지 못한다. 자바에 매료되어 국내외에 출간되는 자바 관련 서적 대부분을 구매했었고, 개발 중이던 하드웨어 제품에 자바로 구현한 프로그램을 돌려보고 싶어서 자바 가상머신을 소형 디바이스에 올려보기까지 했었다.

필자에게 자바는 상당히 매력적인 언어이다. 이는 필자의 프로그래밍 스타일과도 관련이 있다. 필자가 작성하는 프로그램 코드는 화려하지 않으며, 세련미가 흘러 넘치는 코드를 만들어내려고 노력하는 편도 아니다. 그런데 자바는 세련미가 흘러 넘치는 코드의 작성을 요구하지 않는다. 완벽한 객체지향 언어로써 코드의 화려함보다 소프트웨어의 구조를 중요시한다. 그리고 '작은 것'과 '간단한 것'이 아름답고 강력할 수 있음을 처음으로 필자에게 보여주었던 언어이다.

좋은 프로그래밍 언어, 좋은 라이브러리 및 좋은 개발환경이 있다면, 그것을 다른 프로그래머에게 권유하고픈 것이 프로그래머이다. 그런데 필자는 자바가 매우 좋은 것이라 생각한다. 그래서 여러분에게 자바로 프로그램을 개발해 볼 것을 권유하고 싶다.

■ 초보자 중심의 자바 프로그래밍

보통 자바 책이라고 하면, 자바의 탄생 배경을 비롯한 자바의 역사와 장점, 그리고 타 프로그래밍 언어와의 비교 등으로 수십 페이지를 사용하게 된다. 그러나 필자는 여러분이 프로그래밍을 처음 시작한다고 가정하여, 이러한 관심이 가지 않는 이야기들을 생략하고자 한다. 예를 들어서 C언어도 모르는 독자들에게 "자바는 포인터가 없습니다."라는 설명은 의미가 없다. 그리고 아직 코드에도 익숙지 못하여 메모리 관리가 뭔지도 모르는 독자들에게 "자바는 메모리 관리를 할 필요가 없습니다."라는 설명도 의미가 없다. 뿐만 아니라 API, 또는 라이브러리가 뭔지도 모르는 독자들에게 자바의 방대한 라이브러리에 대해서 이야기 해 봤자 아무런 의미도 없다. 그래서 필자는 철저히 초보자의 눈으로 시작을 하여 조금씩 깊이를 더해 갈 생각이다. 그러니 여러분도 이 책에서 설명하는 내용을 하나도 빠짐없이 읽고 이해해 나가기 바란다.

■ 자바 프로그래밍의 시작을 위한 최소한의 준비1 : JDK의 다운로드

자바로 프로그램을 개발하기 위해서는 그에 따른 기본적인 도구가 필요하다. 그리고 이 도구를 가리켜 JDK(Java Developement Kit)라 하는데, 이 도구는 무료로 java.sun.com에서 다운로드를 받을 수 있고, 인터넷에서도 쉽게 구할 수 있다. 그러나 자바 프로그래밍을 하려면 자기 집 드나들듯이 드나들어야 할 곳이 java.sun.com이니, 이곳에서 직접 다운로드를 받아보기 바란다. 다운로드 위치는 조금씩 바뀌기 마련인지라, 웹 페이지의 스크린 샷을 제공하는 것은 별 의미가 없겠지만, 참고는 될 수 있어서 현재의(물론 여러분의 입장에서는 과거다) 웹 페이지 구성을 가지고 조금 설명을 하고자 한다.

[그림 1-1 : java.sun.com의 main 페이지중 일부]

위 그림은 java.sun.com의 main 페이지중 일부이다. 자바 개발자라면 누구나 이곳에서 정보를 얻는다. 영어를 못해도 이곳에 있는 내용들은 읽을 수 있다. 읽는 연습을 조금만 하면 누구나 읽을 수 있는 쉬운 문체로 대부분의 내용이 구성되어 있기 때문이다.

자! 지금은 JDK를 다운로드 하는 것이 목적이니, 페이지 상단의 'APIs'와 'Products' 사이에 있는 'Downloads' 위에 마우스 커서를 가져다 놓자. 그러면 다음 그림과 같이 여러분이 다운로드 할 수 있는 것들에 대한 리스트가 열거된다.

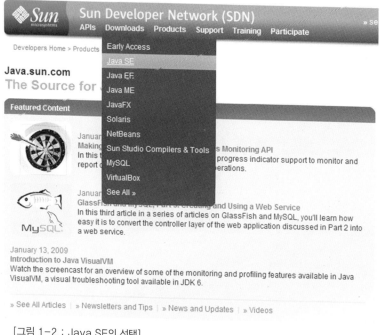

[그림 1-2 : Java SE의 선택]

이중에서 우리가 다운로드 받아야 할 것은 Java SE이다. 참고로 자바는 크게 다음과 같이 나뉜다.

- Java SE(Standard Edition)
- Java EE(Enterprise Edition)
- Java ME(Micro Edition)

Java EE는 기업 솔루션 개발용 자바를 가리키며, Java ME는 마이크로 디바이스(소형 기기)에 탑재가 가능한 솔루션 개발용 자바를 가리킨다. 그리고 우리의 학습범위에 속하는 Java SE는 일반 솔루션 개발용 자바로써, 이는 Java EE와 전혀 별개가 아닌 Java EE의 기반이 되는, 조금 넓게 본다면 다른 모든 자바 개발의 기반이 되는 자바이다. 자 그럼 Java SE를 선택하자!

[그림 1-3 : JDK 다운로드 페이지 1]

위 그림은 Java SE를 선택하면 볼 수 있는 페이지중 일부이다. 대대적인 홈페이지 개편이 없는 한 이곳에서 JDK를 다운로드 할 수 있을 것이다. 위 그림에서 보면 'Java SE Development Kit(JDK)'이라고 되어있는 것을 볼 수 있다. 이 영역에 있는 Download를 선택하면 다음의 페이지를 볼 수 있다.

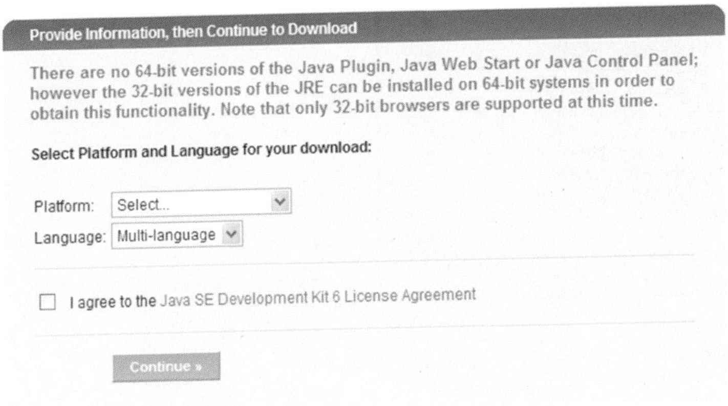

Provide Information, then Continue to Download

There are no 64-bit versions of the Java Plugin, Java Web Start or Java Control Panel; however the 32-bit versions of the JRE can be installed on 64-bit systems in order to obtain this functionality. Note that only 32-bit browsers are supported at this time.

Select Platform and Language for your download:

Platform: Select... ▼
Language: Multi-language ▼

☐ I agree to the Java SE Development Kit 6 License Agreement

Continue »

[그림 1-4 : JDK 다운로드 페이지 2]

여기서 중요한 것은 Platform의 선택이다. Platform(플랫폼)은 자바 프로그램을 개발 및 실행할 운영체제를 뜻하는 것이다. 이 책에서는 Windows를 기본 운영체제로 설명을 진행하니, Windows를 선택하고 License에 동의도 한 다음에 'Continue'를 선택한다.

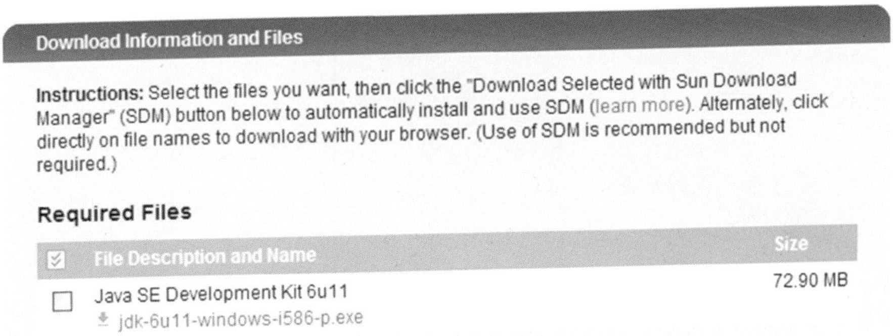

Download Information and Files

Instructions: Select the files you want, then click the "Download Selected with Sun Download Manager" (SDM) button below to automatically install and use SDM (learn more). Alternately, click directly on file names to download with your browser. (Use of SDM is recommended but not required.)

Required Files

☑ File Description and Name	Size
☐ Java SE Development Kit 6u11 ⤓ jdk-6u11-windows-i586-p.exe	72.90 MB

[그림 1-5 : JDK 다운로드 페이지 3]

위의 그림에서 보이는 exe 파일을 선택하면 드디어 다운로드가 시작된다.

■ 자바 프로그래밍의 시작을 위한 최소한의 준비2 : JDK의 설치

다운로드가 완료되었으면, JDK의 설치를 위해서 설치파일을 실행한다. 다음 그림은 설치파일이 실행되었을 때 보게 되는 첫 번째 페이지이다.

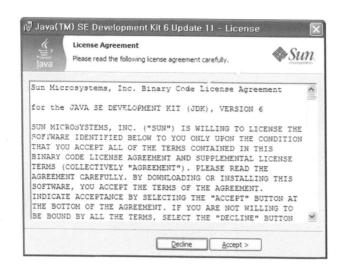

[그림 1-6 : 설치 과정 1]

위의 화면에서 Accept를 선택하면 다음 화면을 볼 수 있다.

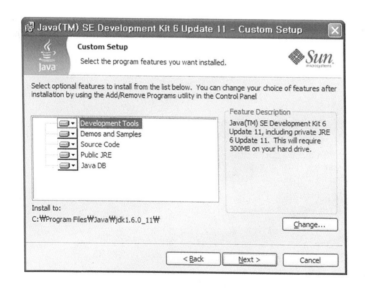

[그림 1-7 : 설치 과정 2]

위의 화면을 통해서 설치 대상이나 경로를 변경할 수 있는데, 그냥 기본 설정 그대로 설치를 진행하기로 하겠다. 이를 위해 바로 'Next'를 선택하자. 그러면 설치가 진행되는데, 설치 중간에 설정 변경을 묻는 내용이 등장하면, 별도의 변경 없이 'Next'를 선택해서 설치를 마치자. 그러면 설치의 끝을 알리는 다음 화면을 보게 된다.

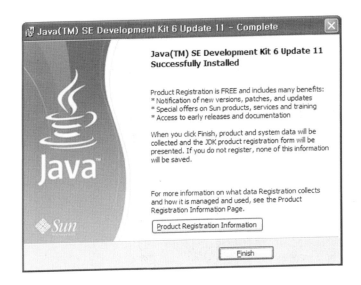

[그림 1-8 : 설치 과정 3]

이제 'Finish'를 선택해서 프로그램의 설치를 종료하자.

■ 설치 이후에 해야 할 추가적인 설정

설치가 제대로 되었는지 확인해 보겠다. 먼저 설치가 완료된 경로로 이동해보자. 그림 1-7의 하단에 보이는 디렉터리의 위치에서(Install to) 다음과 같은 구성의 디렉터리와 파일들을 볼 수 있을 것이다.

이름 ▲	크기	종류
📁 bin		파일 폴더
📁 demo		파일 폴더
📁 include		파일 폴더
📁 jre		파일 폴더
📁 lib		파일 폴더
📁 sample		파일 폴더
COPYRIGHT	4KB	파일
LICENSE	17KB	파일
LICENSE.rtf	18KB	Rich Text Format
README.html	29KB	HTML Document
README_ja.html	26KB	HTML Document
README_zh_CN.html	21KB	HTML Document
register.html	6KB	HTML Document
register_ja.html	6KB	HTML Document
register_zh_CN.html	5KB	HTML Document
ZIP src.zip	19,162KB	알집 zip 파일
THIRDPARTYLICENSEREADME.txt	226KB	텍스트 문서

[그림 1-9 : 설치 완료 디렉터리 구성]

위의 구성에서 여러분이 관심을 둬야 할 부분은 bin 디렉터리이다. 이곳에는 자바 프로그램의 개발에 필요한 실행파일들이 모여 있다. 일단 bin 디렉터리로 이동을 해서 다음의 두 파일이 존재함을 확인하자.

- `javac.exe`   자바 컴파일러(`compiler`)
- `java.exe`   자바 런처(`launcher`)

확인을 하였다면, 이 두 파일이 저장되어 있는 경로를 환경변수 PATH에 추가시켜서 명령 프롬프트상의 디렉터리 경로에 상관없이 실행이 가능하도록 하자. 이를 위해서 먼저 '시스템 등록 정보' 창을 띄우자. 이 창을 띄우는 기본적인 두 가지 방법은 다음과 같다.

- 시작 메뉴에서 실정 → 제어판 → 시스템을 선택한다.
- 바탕화면의 내 컴퓨터에서 마우스 오른쪽 버튼 클릭 → 속성을 선택한다.

참고로 제어판에서 '시스템'을 확인할 수 없다면, '클래식 보기로 전환'이라는 것을 선택해서 확인이 가능하다. 이렇게 해서 '시스템 등록 정보'를 띄운 다음, 고급 탭을 선택하면 다음의 화면을 볼 수 있다.

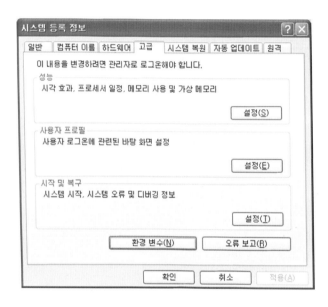

[그림 1-10 : 환경변수 설정 1]

위 그림의 화면에서 하단의 환경변수를 선택하면 다음과 같이 환경변수의 추가 및 생성을 위한 창을 볼 수 있다.

환경변수의 PATH란?

환경변수의 PATH는 Windows가 명령 프롬프트상에서 실행파일을 찾는 경로의 정보가 된다. 따라서 명령 프롬프트상에서 디렉터리 경로에 상관없이 프로그램의 이름을 입력하여, 해당 프로그램을 실행하기 원한다면 환경변수 PATH에 실행파일의 위치를 등록해야 한다. 참고로 이는 자바와 관련 있는 문법이 아닌, 지극히 Windows라는 운영체제의 사용 방법에 관한 이야기이다.

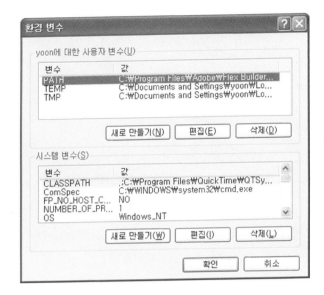

[그림 1-11 : 환경변수 설정 2]

위 그림의 상단에 보면 변수 명 PATH가 존재하는데, 이를 선택한 다음, 중간에 있는 '편집' 버튼을 누르면 다음과 같이 편집이 가능한 창이 뜬다.

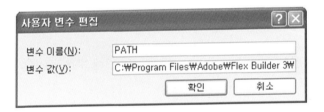

[그림 1-12 : 환경변수 설정 3]

이제 변수 값을 추가할 차례인데, 이를 위해서 현재 필자가 사용하는 시스템의 변수 값이 다음과 같다고 가정을 하겠다(위 그림에서 보면 실제로는 Adobe의 'Flex Builder 3'와 관련된 경로가 설정되어 있다).

```
C:\MyApplication;
```

그럼 이를 다음과 같이 변경해야 한다. 환경변수 PATH의 경로 정보는 세미콜론으로 구분이 되기 때문에 세미콜론을 구분자로 하여 얼마든지 추가가 가능하다.

```
C:\MyApplication;C:\Program Files\Java\jdk1.6.0_11\bin;
```

이로써 자바의 bin 디렉터리에 저장되어 있는 실행파일은 명령 프롬프트의 디렉터리 경로에 상관없이 실행이 가능하게 되었다. 그럼 명령 프롬프트 창을 하나 띄워서 환경변수의 설정이 제대로 되었는지 확인해보자. 먼저 자바 런처인 java.exe를 실행해보자.

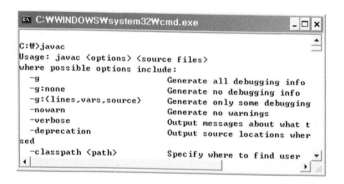

```
C:\WINDOWS\system32\cmd.exe                    _ □ ×

C:\>java
Usage: java [-options] class [args...]
           (to execute a class)
   or  java [-options] -jar jarfile [args...]
           (to execute a jar file)

where options include:
    -client          to select the "client" VM
    -server          to select the "server" VM
    -hotspot         is a synonym for the "client" VM  [depr
                     The default VM is client.
```

[그림 1-13 : 자바 런처의 실행]

명령 프롬프트의 디렉터리 경로에 상관없이 위와 같은 실행의 결과를 보여야 한다. 그럼 이번에는 자바 컴파일러인 javac.exe를 실행해보자.

```
C:\WINDOWS\system32\cmd.exe                    _ □ ×

C:\>javac
Usage: javac <options> <source files>
where possible options include:
    -g                        Generate all debugging info
    -g:none                   Generate no debugging info
    -g:<lines,vars,source>    Generate only some debugging
    -nowarn                   Generate no warnings
    -verbose                  Output messages about what t
    -deprecation              Output source locations wher
sed
    -classpath <path>         Specify where to find user
```

[그림 1-14 : 자바 컴파일러의 실행]

두 가지 모두 제대로 된 실행방식이 아니다 보니, 실행의 결과로 자바 런처와 자바 컴파일러의 사용방법이 출력되었다. 자! 여기까지 완료하였다면 자바 프로그램의 개발을 위한 최소한의 것을 완료한 셈이다.

■ 첫 번째 프로그램의 작성과 실행

설치가 모두 끝났으니, 프로그램을 작성해 볼 차례이다. 그런데 지금까지 설치한 JDK는 자바 프로그램을 컴파일 및 실행하기 위한 도구일 뿐이고(컴파일과 실행에 대해서는 잠시 후에 설명한다), 자바 프로그램의 편집은 별도의 편집기를 사용해야 한다.

일반적으로 대부분의 개발자는 Eclipse나 NetBeans와 같은 자바 프로그램 개발에 편의를 제공하는 무료 소프트웨어를 사용한다. 그리고 실제로 이를 사용하면, 프로그램의 작성과 컴파일 및 실행을 매우 편리하게 진행할 수 있다. 그러나 여러분은 자바를 처음 공부하는 초보자이니, 당분간은 메모장이나, 에디트 플러스와 같은 단순한 편집기의 사용을 권한다. 그러는 편이 자바를 처음 공부하는 여러분에게도, 그런 여러분에게 명료한 설명을 해야 하는 필자에게도 도움이 되기 때문이다.

Eclipse의 설치와 활용

'Chapter 08 클래스 패스와 패키지'를 공부한 이후부터는 Eclipse를 사용해도 좋다. Eclipse의 설치 및 사용방법은 시간이 흐름에 따라서 조금씩 달라질 수 있으므로, 필자가 운영하는 카페 cafe.naver.com/cstudyjava를 통해서 소개하겠으니, 여유가 있다면 들러주기 바란다.

자! 그럼 메모장을 하나 열어서 다음 프로그램 코드를 입력하고, FirstJavaProgram.java라는 이름의 파일로 저장해 보자. 참고로 현재 여러분은 문제가 생기면 문제를 해결할 능력이 없는 상태이니 오타가 발생하지 않도록 주의해서 입력해야 한다.

❖ FirstJavaProgram.java

```
1.  class FirstJavaProgram
2.  {
3.      public static void main(String[] args)
4.      {
5.          System.out.println("Welcome to Java");
6.          System.out.println("First Java program");
7.      }
8.  }
```

그럼 이번에는 위에서 작성한 파일이 C 드라이브의 JavaStudy 디렉터리에 저장했다고 가정하고 컴파일이라는 것을 진행해 보겠다. 명령 프롬프트 창을 하나 띄워서 경로를 JavaStudy로 옮긴 후, 다음과 같이 컴파일을 진행해 보자.

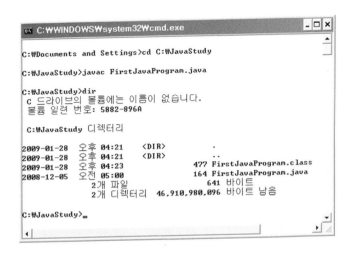

[그림 1-15 : 자바 프로그램의 컴파일]

컴파일이라는 것은 간단히 말해서 "실행을 위한 상태로의 변경"을 의미한다. 즉 여러분이 작성한 FirstJavaProgram.java는 컴파일이라는 과정을 통해서 실행이 가능한 상태로 변경되어, 위 그림에서 보이듯이 FirstJavaProgram.class라는 파일에 저장이 된다. 만약에 입력한 코드에 문제가 있었 다면 컴파일 과정에서 오류가 발생했다는 메시지를 접하게 될 것이다. 그렇다면 오류가 발생한 부분을 다 시 정정해서 컴파일을 완료하자.

컴파일을 완료하였으니 이제 프로그램을 실행할 차례이다. 실행도 FirstJavaProgram.class가 저장 되어 있는 디렉터리상에서 진행해야 한다.

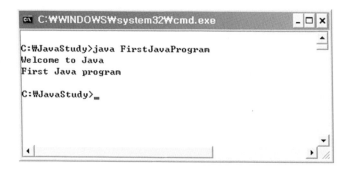

[그림 1-16 : 자바프로그램의 실행]

위 그림에서 보이듯이 실행 과정에서는 확장자인 .class를 제외하고 다음과 같이 입력을 하면 된다. 이 는 java.exe에게 FirstJavaProgram.class의 실행을 요청하는 문장이다.

```
C:\JavaStudy>java FirstJavaProgram
```

이의 실행으로 인해서 문자열 "Welcom to Java"와 문자열 "First Java program"이 출력되었다. 이로써 우리가 이번 Chapter에서 해야 할 모든 것을 완료하였다. 코드의 이해? 너무 서두르지 말자. 아 직은 부분적인 이해만 가능할 뿐 전체를 이해할 수 있는 상황은 아니니 말이다. 대신 관심이 있다면 출력 결과와 프로그램 코드를 비교하면서 관찰을 해 보는 것은 좋다.

01-2 자바 프로그램의 이해와 실행의 원리

이론적인 설명이 처음을 장식하면 부담스러울 것 같아서 JDK의 설치와 첫 번째 프로그램의 작성을 먼저 진행하였다. 그러나 기본적으로 컴파일러와 자바 가상머신, 그리고 프로그램의 실행 구조에 대해서는 간단히 나마 이해하고 있어야 한다.

■ 자바 프로그램의 실행 구조와 자바 가상머신

여러분도 알고 있듯이 일반적인 프로그램은 Windows 또는 Linux와 같은 운영체제 위에서 실행이 된다. 즉 다음과 같은 구조로 실행이 된다.

[그림 1-17 : 일반적인 프로그램의 실행구조]

위 그림이 보이듯이 하드웨어를 기반으로 운영체제가 동작을 하고, 그 위에서 프로그램이 실행되는 구조이다. 다시 말하면 하드웨어 위에서 실행되는 운영체제가 프로그램을 실행시키는 구조이다. 그러나 자바 프로그램은 다음과 같은 구조로 실행이 된다.

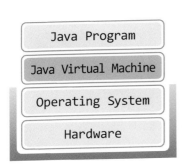

[그림 1-18 : 자바 프로그램의 실행구조]

그림 1-17과 위 그림의 가장 큰 차이점은 운영체제와 자바 프로그램 사이에 자바 가상머신이 존재한다는 점이다. 즉 운영체제는 자바 가상머신을 실행시키고, 자바 가상머신은 자바 프로그램을 실행시키는 구조이다. 그렇다면 자바 가상머신은 무엇일까? 자바 가상머신도 운영체제 위에서 동작을 하는 일종의 소프트웨어이다. 따라서 운영체제 입장에서는 여러분이 주로 사용하는 워드 프로세서나 자바 가상머신이나, 둘 다 소프트웨어일 뿐이다.

그렇다면 왜? 자바 프로그램은 운영체제가 직접 실행을 시키는 구조가 아닌, 자바 가상머신에 의해서 실행되는 구조로 설계한 것일까? 이는 자바 프로그램을 운영체제에 상관없이 실행시키기 위함이다. 프로그램이라는 것은 운영체제에 따라서 달리 구현되기 마련이다. 예를 들어서 Windows에서 동작하도록 구현된 워드 프로그램은 절대로 Linux 기반에서 동작하지 않는다. 따라서 동일한 기능의 워드 프로그램이라 할지라도 Linux에서 동작을 시키려면 Linux를 기반으로 다시 구현해야 한다.

운영체제에 따라서 프로그램을 달리 구현해야 하는 이유는?

운영체제에 따라서 프로그램을 달리 구현해야 하는 이유는 사용하는 프로그래밍 언어가 다르기 때문이 아니다. 사용하는 프로그래밍 언어가 동일할지라도, 운영체제에 따라서 완성하는 방식이 다른 일부 기능이 존재하기 때문이다. 예를 들어서 그래픽, 키보드, 마우스 관련 기능들은 운영체제에 의해서 제공되기 때문에, 운영체제가 달라지면 동일한 프로그래밍 언어를 사용한다 할지라도 기능의 완성방법이 달라진다. 따라서 하나의 프로그램 코드를 가지고 둘 이상의 운영체제에서 실행을 시키는 것은 거의 불가능한 일이다.

하지만 자바로 프로그램을 구현하면 운영체제에 상관없이 프로그램을 동작시킬 수 있다. 운영체제에 따른 차이점을 자바 가상머신이 대신 처리해주기 때문이다.

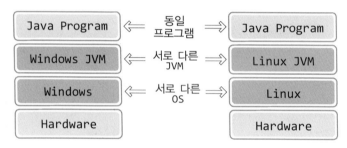

[그림 1-19 : 운영체제에 독립적인 자바 프로그램]

위 그림에서 보이듯이 운영체제 별로 존재하는 차이점을 가상머신이 다 해결해 주기 때문에 자바 프로그램은 운영체제에 상관없이 실행이 된다. 쉽게 말하면 운영체제 별로 존재하는 차이점을 가상머신이 안고 있는 것이다. 다음은 가상머신의 말이다.

"운영체제의 차이에서 오는 문제점은 신경 쓰지마, 내가 다 알아서 처리할 테니"

그런데 차이점을 처리해 주는 대상이 다르다. 다시 말해서 Windows 기반에서 자바 프로그램을 실행시켜주는 가상머신과 Linux 기반에서 자바 프로그램을 실행시켜주는 가상머신이 다르다. 그렇다! 운영체제에 따른 구현의 차이점은 신경 쓰지 않아도 되지만, 운영체제에 따른 적절한 가상머신의 설치는 신경을 써야 한다. 뭐 그리 어려운 일도 아니지만 말이다.

■ **자바 컴파일러와 자바 바이트코드**

자바 프로그램의 실행 구조에 대해서 이해하였으니, 자바 컴파일러의 역할도 다음과 같이 더불어 정리할 수 있다.

"자바 컴파일러는 자바 가상머신이 이해할 수 있는 코드를 생성해 냅니다."

앞서 구현한 FirstJavaProgram.java 파일을 가리켜 '소스파일'이라 하며, 소스파일에 저장된 프로그램 코드를 가리켜 '소스코드'라 한다. 따라서 자바 컴파일러는 소스파일에 저장되어 있는 소스코드를 가상머신이 이해할 수 있는 '자바 바이트코드'로 변환해주는 프로그램으로 정리할 수 있다.

 자바 바이트코드(Java bytecode)
자바 컴파일러에 의해서 생성되는 코드를 가리켜 '자바 바이트코드(Java bytecode)'라 하는데, 이는 자바 컴파일러에 의해서 생성되는 코드의 명령어 크기가 1바이트이기 때문에 붙여진 이름이다.

앞에서도 소개했듯이 javac.exe라는 이름의 실행파일이 자바 컴파일러다. 그렇다면 java.exe는 무엇일까? 앞서 java.exe를 가리켜 '자바 런처(launcher)'라 하지 않았는가? 런처는 '구동기' 또는 '발사대'라는 뜻을 담고 있다. 즉 java.exe는 자바 가상머신을 구동시키고, 그 위에 자바 프로그램이 실행되도록 돕는 프로그램이다. 따라서 대부분의 경우, 자바 프로그램은 java.exe를 이용해서 실행을 시킨다. 다음 그림은 프로그램의 실행과 javac.exe, 그리고 java.exe의 역할을 정리해 놓은 것이다.

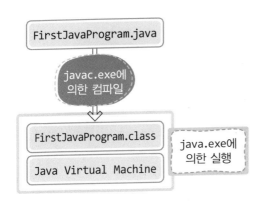

[그림 1-20 : javac.exe & java.exe]

위 그림을 통해서 자바의 소스코드가 javac.exe에 의해서 컴파일 되고, 컴파일 된 파일이 java.exe에 의해서 가상머신을 기반으로 실행이 되는 관계를 정리하기 바란다.

■ 자바 가상머신이 존재하기 때문에 다른 프로그램에 비해서 느릴 수 있겠네요?

필자가 자바나 다른 프로그래밍 언어를 공부하는 학생들에게 간혹 듣는 질문 중 하나는 자바가 C언어보다 느린데 문제가 되지 않느냐는 것이다. 그러면 그때마다 다음과 같은 내용으로, 자바를 필요로 하는 개발환경에서는 자바가 지니는 속도의 핸디캡이 문제가 되지 않음을 설명한다.

- 대부분의 소프트웨어는 속도보다 안전성이 우선시 된다.

- 물론 속도는 중요하다. 하지만 여기서 말하는 속도는 소프트웨어의 개발 속도이다.

- 개발중인 소프트웨어의 90% 이상은 인터넷, 네트워크 기반 소프트웨어이다.

- 인터넷, 네트워크상에서는 소프트웨어의 속도보다 데이터의 전송속도가 더 중요하다.

- 속도가 문제가 되면 대부분의 개발자들은 데이터베이스를 먼저 의심한다. 그리고 그곳에서 대부분 문제를 발견하고 해결한다.

더 열거할 수도 있지만 이 정도로 마무리 하겠다. 그러나 결론은 매우 간단하다. 자바의 실행속도는 오늘날 개발되는 대부분의 소프트웨어에서 문제가 되지 않는다는 것이다. 솔직히 말씀을 드리면, 꽤 오래 전에는 속도를 이유로 자바가 아닌 다른 프로그래밍 언어로 프로그램을 개발한 경험이 필자에게는 있다(참고로 필자는 당시의 상황이 애매하게 자바 탓으로 돌아갔다고 생각한다. 원인은 다른데 있었다). 하지만 그 이후로 자바의 실행속도로 인해서 문제가 된 사례는 한 번도 없었다. 물론 이는 필자의 경험일 뿐이지만 말이다.

01-3 첫 번째 자바 프로그램의 관찰과 응용

다음 Chapter로 넘어가기에 앞서 예제 FirstJavaProgram.java를 통해서 여러분이 관찰한 내용을 정리하고자 한다.

■ 프로그램의 골격과 구성

예제 FirstJavaProgram.java는 하나의 클래스로 이뤄져 있는 프로그램이다. 그리고 그 클래스 안에는 하나의 메소드가 존재한다. 여러분은 아직 클래스와 메소드에 대해서 모르는 상태이지만, 다음 그림에서 설명하는 것처럼 무엇이 클래스이고, 무엇이 메소드인지 정도는 알고 있기를 바란다.

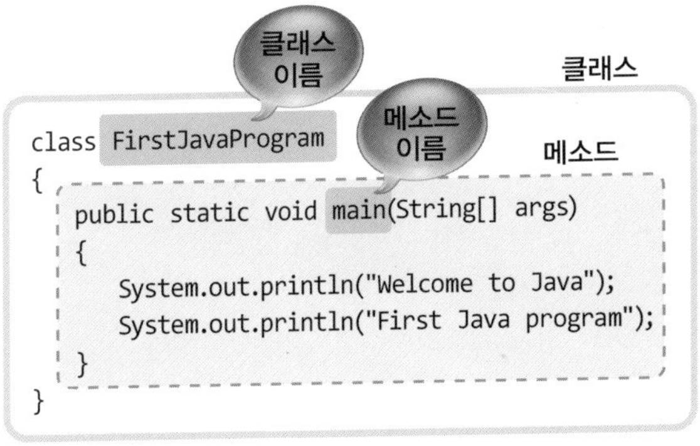

[그림 1-21 : 프로그램의 구조]

위 그림에서 보이듯이 자바 프로그램에서는 중괄호 '{' 그리고 '}'을 이용해서 영역 또는 경계를 형성한다. 즉 클래스의 이름에 이어서 등장하는 중괄호는 클래스의 영역을 알리는 용도로 사용이 되었고, 그 안에 존재하는 메소드의 이름에 이어서 등장하는 중괄호는 메소드의 영역을 알리는 용도로 사용이 되었다. 그리고 예제 FirstJavaProgram.java를 통해서(컴파일 및 실행을 통해서) 더불어 관찰 및 이해할 수 있는 내용들은 다음과 같다.

- 프로그램을 실행시키면 main 메소드 안에 있는 문장이 순차적으로 실행된다.
- 클래스 이름이 MyClass이면, 컴파일 시 생성되는 파일의 이름은 MyClass.class이다."
- System.out.println의 괄호 안에 출력하고픈 것을 큰 따옴표로 감싸서 넣으면 출력이 된다.
- System.out.println은 출력을 한 다음에 행(Line)을 바꾼다.
- System.out.println과 같이 컴퓨터에게 무엇인가 일을 시키는 문장을 가리켜 '명령문 (statement)'이라 한다. 그리고 이러한 명령문의 끝에는 반드시 세미콜론(;)을 붙여서 명령문의 끝을 표시해야 한다.

이 정도만 이해하고 있어도 프로그램의 기본 골격이 눈에 들어올 것이다. 예를 들어서 하나의 파일 안에 몇 개의 클래스가 존재하고, 각각의 클래스 안에는 몇 개의 메소드가 존재하는지 파악할 수 있을 것이다.

■ System.out.println에 대한 다양한 활용

예제를 하나 더 제시하고자 한다. 이 예제는 System.out.println에 대한 추가적인 관찰을 유도하기 위한 것이다.

❖ SystemOutPrintln.java

```
1.   class SystemOutPrintln
2.   {
3.       public static void main(String[] args)
```

```
4.      {
5.          System.out.println(7);
6.          System.out.println(3.15);
7.          System.out.println("3+5=" + 8);
8.          System.out.println(3.15 + "는 실수입니다.");
9.          System.out.println("3+5" + "의 연산결과는 8입니다.");
10.         System.out.println(3+5);
11.     }
12. }
```

해 설

- 5, 6행 : 숫자 7과 숫자 3.15도 출력할 수 있음을 보이고 있다. 그리고 이렇게 숫자를 출력할 때에는 큰 따옴표로 묶지 않아도 됨을 알 수 있다.

- 7, 8, 9행 : 함께 이어서 출력하고자 하는 대상을 + 기호로 묶을 수 있음을 보이고 있다.

- 10행 : 3+5는 큰 따옴표로 묶지 않으면, 덧셈이 진행되어 덧셈의 결과인 8이 출력됨을 보이고 있다. 더불어 + 기호가 덧셈을 진행한다는 사실도 파악할 수 있다.

❖ 실행결과 : SystemOutPrintln.java

```
7
3.15
3+5=8
3.15는 실수입니다.
3+5의 연산결과는 8입니다.
8
```

이 예제를 통해서 추가로 관찰할 수 있는 내용은 이미 소스해설을 통해 모두 설명하였으니 참고하기 바란다. 그리고 앞으로 자바 문법의 이해를 위해서 다양한 예제를 작성할 텐데, 그 때마다 여기서 보인 내용을 토대로 많은 출력을 선보일 예정이다. 그러면 여러분은 그 출력의 내용을 토대로 예제와 더불어 자바의 문법을 이해하게 될 것이다.

문제 1-1 [클래스의 이름과 문자열의 출력]

Question

▶ 문제 1

앞서 보인 예제 FirstJavaProgram.java를 컴파일하면 FirstJavaProgram.class가 생성된다. 그런데 컴파일 시 생성되는 파일의 이름을 변경하고 싶다. SimpleJavaProgram.class가 생성되도록 하려면 어디를 어떻게 변경해야 하는가?

▶ 문제 2

다음 두 문장의 출력 결과를 확인하는 프로그램을 작성해 보자.

```
System.out.println( "2+5=" + 2+5 );
System.out.println( "2+5="+ (2+5) );
```

그리고 자바 프로그램에서 소괄호가 지니는 의미가 무엇인지, 수학에서 의미하는 소괄호와 유사한 의미를 갖는지 생각해 보자. 참고로 이 문제는 코드의 관찰 습관을 유도하기 위한 것이다.

▶ 문제 3

숫자 12를 총 5회 출력하는 프로그램을 작성해 보자. 단 총 5회에 걸쳐서 출력이 이뤄져야 하고, 이를 위해서 구성이 되는 다섯 문장 모두 약간씩이라도 차이를 보여야 한다. 즉 완전히 동일한 문장을 이용해서 2회 이상 숫자 12을 출력하면 안 된다.

01-4 컴파일의 대상에서 제외되는 주석!

주석은 컴파일의 대상에서 제외되는 문장을 의미한다. 따라서 주석을 이용하면 프로그램 코드에 여러분이 원하는 메모를 얼마든지 달 수 있다. 일반적으로 프로그래머들은 소스코드에 많은 양의 주석을 단다. 본인이나 타인이 소스코드를 쉽게 분석할 수 있도록 돕기 위해서, 또는 코드를 활용하는데 있어서 알려줘야 할 주의사항들도 주석을 이용해서 전달한다. 필자 역시 여러분이 코드를 이해하는데 도움이 될만한 내용들은 언제든지 주석으로 달아 놓을 생각이다.

■ 블록(block) 단위 주석 : /* ~ */

예를 들어 다음과 같은 내용을 여러분이 작업한 소스코드의 머리부분에 남겨두고 싶다고 가정해 보자.

파일이름 : SystemOutPrintln.java

작성자 : 홍길동

작성일 : 2012년 9월 25일

작성이유 : System.out.println 메소드 기능 테스트

이럴 때 쓸 수 있는 주석이 블록 단위 주석이다. 주석의 시작을 /* 으로, 그리고 주석의 끝을 */ 으로 표시한다. 위 내용을 예제 SystemOutPrintln.java에 주석으로 삽입해 보겠다.

❖ BlockComment.java

```
1.   /*
2.   파일이름 : BlockComment.java
3.   작성자 : 홍길동
4.   작성일 : 2012년 9월 25일
5.   작성이유 : System.out.println 메소드 기능 테스트
6.   */
7.   class SystemOutPrintln
8.   {
9.       public static void main(String[] args)
10.      {
11.          System.out.println(7);      /* 정수의 출력 */
12.          System.out.println(3.15);
13.          System.out.println("3+5=" + 8);
14.          System.out.println(3.15 + "는 실수입니다.");
15.          System.out.println("3+5" + "의 연산결과는 8입니다.");
16.          System.out.println(3+5);    /* 덧셈 결과 출력 */
17.      }
18. }
```

해 설

- 1~6행 : 블록단위 주석으로 묶였다. 따라서 컴파일러는 이 부분을 완전히 무시한다.
- 11, 16행 : 블록단위 주석을 이용해서 한 줄짜리 주석을 만들었다. 이처럼 블록단위 주석을 이용해서 한 줄짜리 주석도 삽입할 수 있다.

■ 행(line) 단위 주석 : //

한 줄짜리 주석을 삽입할 때에는 행 단위 주석을 활용할 수도 있다. 다음 예제에서는 위 예제의 주석을 행 단위 주석으로 모두 변경하였다.

❖ LineComment.java

```
1.  // 파일이름 : LineComment.java
2.  // 작성자 : 홍길동
3.  // 작성일 : 2012년 9월 25일
4.  // 작성이유 : System.out.println 메소드 기능 테스트
5.
6.  class SystemOutPrintln
7.  {
8.      public static void main(String[] args)
9.      {
10.         System.out.println(7);        // 정수의 출력
11.         System.out.println(3.15);
12.         System.out.println("3+5=" + 8);
13.         System.out.println(3.15 + "는 실수입니다.");
14.         System.out.println("3+5" + "의 연산결과는 8입니다.");
15.         System.out.println(3+5);      // 덧셈 결과 출력
16.     }
17. }
```

• 1~4행 : 이 부분을 행 단위 주석으로 변경하였다.
• 10, 15행 : 역시 행 단위 주석으로 변경하였다.

결과적으로 예제 SystemOutPrintln.java, BlockComment.java, LineComment.java는 완전히 동일하다. 주석의 유무와 주석의 처리방식에만 차이가 있을 뿐, 컴파일 시 생성되는 파일의 이름까지도 완전히 동일하다.

주석은 취향에 따라 달라집니다.

위 예제에서 보여주듯이 블록 단위 주석을 이용해서 행 단위로 주석 처리를 할 수도 있고, 행 단위 주석을 이용해서 특정 블록을 주석처리 할 수도 있다. 어떠한 방식이 더 좋다라고 상대적으로 말할 수는 없다. 모두 좋은 방식이기 때문이다. 실제로 주석처리 방식은 프로그래머의 취향에 따라서 조금씩 달라진다. 그래서 팀 단위로 프로젝트를 진행할 때에는 팀을 구성하는 모든 프로그래머가 주석처리 방식을 통일시키기 위해서 논의를 한다.

문 제 1-2 [잘못된 주석처리]

▶ 문제 1

아래 예제를 보면서 정상적으로 주석처리 된 문장을 모두 찾아내고, 주석처리는 하였으되 문제가 있거나 주석으로 처리되지 않는 부분은 또 어디인지 찾아보자.

```java
1.   class WrongComment
2.   {
3.       public static void main(String[] args)
4.       {
5.           System.out.println("One" /* One은 1 */ );
6.           System.out.println("Two /* Two는 2 */ ");
7.           System.out.println("Three");
8.
9.           /*
10.          System.out.println(2);
11.          // System.out.println("2");
12.          */
13.
14.          /*
15.          System.out.println(3);
16.          /* System.out.println("3");  */
17.          */
18.      }
19. }
```

이 문제는 필자가 별도로 언급하지 않은 주석의 특징을 알게 하는데 목적이 있으니, 반드시 컴파일 및 실행을 통해서 주석에 대한 추가적인 특성을 확인해야 한다. 참고로 예제의 실행을 위해서는 컴파일러가 알려주는 오류를 적절히 수정해야 한다.

■ 문제 1-1의 답안

■ 문제 1

컴파일의 결과로 생성되는, 확장자가 .class인 파일의 이름은 클래스의 이름에 따라 결정이 되므로 클래스의 이름을 SimpleJavaProgram으로 변경하면 된다.

■ 문제 2

아래의 코드는 문제에서 요구한 내용의 프로그램 코드이다.

❖ 소스코드 답안

```
1.    class TwoAddFive
2.    {
3.        public static void main(String[] args)
4.        {
5.            System.out.println( "2+5=" + 2+5 );
6.            System.out.println( "2+5="+ (2+5) );
7.        }
8.    }
```

그리고 다음은 위 예제의 실행결과이다.

```
2+5=25
2+5=7
```

일단 5행의 출력결과가 다음과 같이 두 단계에 걸쳐서 구성되었다고 유추할 수 있다.

- 첫 번째 + 연산의 결과 ➡ "2+5=" + 2 에 의해서 "2+5=2"가 완성되었다.
- 두 번째 + 연산의 결과 ➡ "2+5=2" + 5 에 의해서 "2+5=25"가 완성되었다.

그리고 6행의 출력결과는 다음과 같이 두 단계에 걸쳐서 구성되었다고 유추할 수 있다.

- 소괄호에 의해서 2+5가 먼저 진행이 되어 연산의 결과 7이 만들어졌다.
- "2+5=" + 7 에 의해서 "2+5=7"이 완성되어 출력이 된다.

이를 통해서 관찰할 수 있는 내용은 다음과 같다.

- 덧셈 연산은 수학의 덧셈과 마찬가지로 왼쪽에서부터 진행이 된다.

- 소괄호로 감싸여진 부분은 수학에서와 마찬가지로 우선적으로 연산된다는 특징이 있다.

참고로 이와 관련해서는 이후에 자세한 설명이 별도로 이뤄진다. 그러나 이 예제에서 보이는 것처럼 관찰을 통해서 파악할 수 있는 내용들은 여러분들 나름대로 파악해 보는 것이(제대로 파악을 못했더라도) 이후의 학습에 많은 도움이 된다.

■ 문제 3

이 문제는 System.out.println의 문장 구성 능력을 확인하기 위한 문제이다.

❖ 소스코드 답안

```
1.   class Five12Print
2.   {
3.       public static void main(String[] args)
4.       {
5.           System.out.println( 12 );
6.           System.out.println( "12" );
7.           System.out.println( "1"+"2" );
8.           System.out.println( "1"+2 );
9.           System.out.println( 1+"2" );
10.      }
11.  }
```

필자가 제시한 답안 이외에도 다양한 방법이 있다. 예를 들어서 System.out.println(10+2) 또는 System.out.println(5+5+2)도 동일하게 12를 출력한다. 어떠한 방법을 사용하건 다른 방법을 이용해서 12를 5번 출력하면 정답이다.

■ 문제 1-2의 답안

다음은 문제에서 제시한 코드이다.

❖ 소스코드 답안

```
1.   class WrongComment
2.   {
3.       public static void main(String[] args)
4.       {
5.           System.out.println("One" /* One은 1 */ );
6.           System.out.println("Two /* Two는 2 */ ");
7.           System.out.println("Three");
8.
9.           /*
10.          System.out.println(2);
```

```
11.            // System.out.println("2");
12.            */
13.
14.            /*
15.        System.out.println(3);
16.        /* System.out.println("3");     */
17.            */
18.        }
19. }
```

이 예제를 컴파일하면 14~17행에서 에러가 발생한다. 그런데 에러발생의 원인은 17행에 있다. 일단 14행에 /*이 있으니 여기서부터 주석이 시작된다. 그리고 이어서 처음 */을 만나는 장소가 16행의 끝부분이니, 여기까지가 주석으로 인식이 된다. 결국 17행의 */은 쌍을 이루는 /*이 없는 것으로 판단이 되어 컴파일 에러가 발생을 한다. 정리하면 14~17행이 보이듯이 블록 단위 주석 내에 또 다른 블록 단위 주석을 삽입할 수 없다. 그러나 9~12행이 보이듯이 블록 단위 주석 내에 행 단위 주석은 얼마든지 삽입할 수 있다.

이제 5행과 6행을 보자. 이 부분에서 컴파일 에러가 발생하지 않는 것을 보면, 주석은 어디든 삽입이 가능함을 알 수 있다. 그러나 이 두 문장에 의한 출력결과는 다음과 같다.

```
One
Two /* Two는 2 */
```

이 출력결과를 보면, 큰 따옴표 안에 삽입이 되는 주석은 주석으로 인식이 되지 않음을 알 수 있다.

Chapter **02**

변수(Variable)와 자료형(Data Type)

데이터를 메모리상에 저장하고, 저장된 데이터를 다시 참조하는 일은 프로그래밍의 가장 기본이 된다. 따라서 이번 Chapter에서는 자바를 이용한 메모리 공간의 할당과 참조에 관한 내용을 설명하고자 한다.

02-1 변수의 이해와 활용

나이 어린 조카에게 엘리베이터를 설명해야 하는 상황에 놓여있다고 가정해 보자. 먼저 엘리베이터가 무엇인지를 설명하는 것이 좋겠는가? 아니면 엘리베이터가 필요한 이유를 설명하는 것이 좋겠는가? 엘리베이터가 무엇인지 알아야 필요성도 이해할 수 있지 않겠는가? 아니, 엘리베이터가 무엇인지 알고 나면, 이것이 필요한 이유에 대해서는 많은 설명이 필요하지 않다. 이와 마찬가지로 지금 여러분에게 필요한 것은 변수의 필요성에 대한 이해가 아니라, 변수 자체에 대한 이해이다.

■ 메모리 공간의 활용과 변수와의 관계

컴퓨터 프로그래밍에서 이야기하는 변수를 한 문장으로 정리하면 다음과 같다. 아직 이해가 되진 않겠지만 일단 한번 읽어라도 보자.

"데이터의 저장과 참조를 위해 할당된 메모리 공간"

프로그래머에게는 메모리 공간을 활용할 수 있는 권한이 주어진다. 단! 자바를 사용하는 여러분은 자바에서 정의하는 방법인 '변수'라는 것을 통해서 메모리 공간을 활용해야 한다. 자! 그럼 본격적으로 변수에 대해서 이야기 해 보자. 메모리 공간을 활용한다는 것은 무엇을 뜻하는가? 메모리는 데이터를 저장하고, 저장된 데이터를 참조하기 위한 물리적 장치이기 때문에, 메모리 공간의 활용은 "데이터의 저장 및 참조"라고 정리할 수 있다.

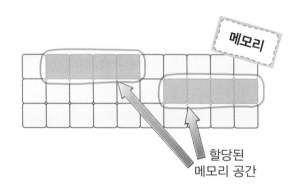

[그림 2-1 : 메모리 공간의 할당]

위 그림은 메모리 공간의 일부를 표현한 것인데, 이 메모리 공간에는 두 개의 영역이 할당되어 있다. 그런데 위 그림을 보면서 여러분은 다음 내용이 궁금할 것이다.

"할당을 어떻게 받았지?"

필자가 메모리 공간의 할당 방법을 설명하지 않았으므로 궁금한 것이 당연하다. 그리고 또 다음 내용도 궁금할 것이다.

"할당된 메모리 공간에 어떻게 접근을 하지?"

다시 말해서 할당된 메모리 공간에 어떻게 데이터를 저장하고, 저장된 데이터를 참조할 수 있느냐는 뜻이다. 이 두 가지 궁금증에 대한 해답은 모두 '변수'에 있다.

■ 변수(Variable)에 대한 간단한 이해

위 그림 2-1을 보면서 이야기를 이어나가자. 기본적으로 메모리 공간의 할당과 접근이라는 두 가지 문제를 해결하기 위해서 자바에서는 변수라는 개념을 도입하였다. 즉 코드상에서 변수라는 것을 선언하면, 그림 2-1과 같이 메모리 공간이 할당된다. 그리고 그 할당된 메모리 공간의 접근을 위해서 이름이(변수의 이름이) 붙여진다. 그럼 변수의 선언이 어떻게 이뤄지는지 살펴보겠다. 예를 들어서 여러분이 다음과 같이 생각했다고 가정하자.

"난 10진수 정수의 저장을 위한 메모리 공간을 할당하겠다."

"그리고 그 메모리 공간의 이름을 num이라 하겠어!"

이 때 여러분은 다음의 문장 하나만 삽입을 하면 된다.

```
int num;
```

여기서 int가 의미하는 바는 다음과 같다.

"10진수 정수를 저장할 메모리 공간을 할당하겠습니다."

그리고 이어서 등장하는 num은 그 메모리 공간에 붙여질 이름으로, 의미하는 바는 다음과 같다.

"그 메모리 공간(변수)에 접근할 때에는 num이라는 이름을 사용하겠습니다."

따라서 그림 2-1과 같이 두 개의 메모리 공간을 할당하고 각각을 num1과 num2라 이름 붙여주고자 한다면, 다음과 같이 두 개의 문장을 삽입하면 된다.

```
int num1;
int num2;
```

이로써 num1과 num2라는 이름의 두 변수가 선언되었는데, 다음 그림은 이 두 변수의 선언결과를 보여준다. 메모리 공간에 이름이 붙여졌음을 확인하기 바란다.

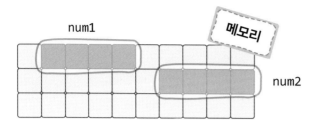

[그림 2-2 : 변수 num1, num2의 선언 결과]

이렇듯 변수가 선언되면, 메모리 공간이 할당되고, 할당된 메모리 공간의 접근을 위한 변수의 이름이 부여된다. 그럼 예제를 통해서 변수를 선언하여 값의 저장과 참조를 진행해 보겠다.

선언(declaration)이란?

프로그램에서 말하는 선언이란, 컴파일러에게 무엇인가를 알리는 행위를 의미한다. 때문에 다음의 문장은 선언에 해당한다.

```
int num;
```

이는 num이라는 변수를 int형 변수로 사용하겠다고 컴파일러에게 알리는 행위이기 때문이다.

❖ UseVariable.java

```
1.  class UseVariable
2.  {
3.      public static void main(String[] args)
4.      {
5.          int num1;
6.          num1=10;
7.
8.          int num2=20;
9.          int num3=num1+num2;
10.         System.out.println(num1+"+"+num2+"="+num3);
11.     }
12. }
```

- 5행 : num1이 선언되었다. 그런데 int로 선언을 하였으니, 이 변수에는 정수를 저장할 수 있다.
- 6행 : 수학에서는 '같음'을 표현할 때 = 기호를 사용한다. 그러나 자바에서는 오른쪽에 등장한 피연산자(연산의 대상이 되는 데이터)를 왼쪽에 저장하라는 의미로 이 기호가 사용된다. 따라서 이 문장에 의해서 변수 num1에는 10이 저장된다. 이처럼 변수에 값을 저장할 때에는 = 기호를 사용한다.

- 8행 : 이 문장에서는 변수를 선언과 동시에 초기화(값을 처음 저장하는 행위)하는 방법을 보여준다. 이처럼 5행과 6행도 int num1=10; 이라는 문장으로 선언과 동시에 초기화하는 것이 가능하다.
- 9행 : 선언과 동시에 초기화를 진행하고 있다. 단! num1과 num2의 덧셈결과로 초기화를 진행하고 있다. 이처럼 초기화의 대상은 숫자가 아닌, 연산의 결과도 될 수 있다.

❖ 실행결과 : UseVariable.java

```
10+20=30
```

참고로 위 예제에서와 같이 정수를 저장하는 용도로 변수를 선언하면, 정수만 저장이 가능하다. 만약에 정수 이외의 값, 예를 들어서 2.24와 같은 실수를 저장할 경우에는 컴파일 에러가 발생한다.

프로그래밍에서 말하는 실수랑?

수학적으로 정수는 실수의 범주에 포함이 된다. 그러나 프로그래밍에서는 보통 '정수가 아닌 실수'를 표현할 때에만 실수라는 단어를 쓴다. 따라서 우리는 앞으로 1.25, 3.14와 같이 소수점 이하의 값이 존재하는 숫자를 의미할 때만 실수라는 단어를 사용하겠다.

■ 자료형의 종류와 구분

앞서 보인 int는 변수에 저장할 데이터의 종류를 알리는 용도로 사용이 되었다. 따라서 이러한 키워드(자바의 문법을 구성하는 단어를 의미함)를 가리켜 '자료형(data type)'이라 한다. 그리고 자바에서 제공하는 자료형의 종류는 다음과 같이 총 8가지가 되는데, 이들을 가리켜 '기본 자료형(primitive data type)'이라 한다. 자바에서 기본적으로 제공하는 자료형들이기 때문이다.

자료형	데이터	메모리 크기	표현 가능 범위
boolean	참과 거짓	1 바이트	true, false
char	문자	2 바이트	모든 유니코드 문자
byte	정수	1 바이트	−128 ~ 127
short		2 바이트	−32768 ~ 32767
int		4 바이트	−2147483648 ~ 2147483647
long		8 바이트	−9223372036854775808 ~ 9223372036854775807

float	실수	4 바이트	$\pm(1.40\times10^{-45} \sim 3.40\times10^{38})$
double		8 바이트	$\pm(4.94\times10^{-324} \sim 1.79\times10^{308})$

[표 2-1 : 자바의 기본 자료형]

위의 표에서 보이는 것처럼 자바는 총 8개의 기본 자료형을 제공하고 있다. 그러나 표현하는 데이터의 종류에 따라서 크게 네 가지로 구분이 된다.

- 정수 표현   byte, short, int, long
- 실수 표현   float, double
- 문자 표현   char
- 참과 거짓의 표현   boolean

그리고 이중에서 정수의 표현에(저장에) 사용되는 자료형과 실수의 표현에 사용되는 자료형은 바이트의 크기에 따라서 그 종류가 둘 이상씩 되는데, 이는 표현하고자 하는(저장하고자 하는) 값의 범위에 따라서 적절한 자료형을 선택할 수 있도록 하기 위함이다. 물론 바이트 크기가 크면 그만큼 표현할 수 있는 값의 범위는 커지기 마련이다. 자료형에 대해서는 잠시 후에 별도로 설명을 진행하니, 일단은 다음 예제를 통해서 실수 자료형을 기반으로 변수 선언의 추가적인 특징을 확인하기로 하자.

❖ VariableDecl.java

```
1.   class VariableDecl
2.   {
3.       public static void main(String[] args)
4.       {
5.           double num1, num2, result;
6.           num1=1.0000001;
7.           num2=2.0000001;
8.           result=num1+num2;
9.
10.          System.out.println(result);
11.      }
12.  }
```

- 5행 : 총 세 개의 double형 변수를 동시에 선언하는 방법을 보이고 있다. 이처럼 콤마(,)를 이용해서 둘 이상의 변수를 한 문장 안에서 선언하는 것도 가능하다. 물론 각각의 변수를 동시에 초기화하는 것도 가능하다.

- 6, 7행 : double형 변수는 표 2-1에서 설명하듯이 실수를 저장할 수 있는 변수이다. 따라서 6행과 7행에서는 실수를 저장하고 있다.

- 8행 : 이 문장은 num1과 num2의 값을 더해서 그 결과를 result에 저장하는 문장이다. 이후에 연산자의 우선순위에 대해서 별도로 언급을 하니, 일단은 = 연산보다 + 연산이 먼저 진행이 된다고 결과적으로만 기억하고 있기 바란다.

```
3.0000001999999997
```

여러분이 예상한 실행결과는 분명 3.0000002이다. 그런데 결과는 다르다. 다시 말해서 8행의 연산결과에 오차가 있었다는 결론이 나온다. 그렇다면 정말로 + 연산에서 오차가 발생한 것일까? 아니다! + 연산에서 오차가 발생한 것이 아니라, 6행과 7행에서, 즉 1.0000001과 2.0000001을 변수에 저장하는 과정에서 오차가 발생하였고, 이렇게 오차가 존재하는 값의 + 연산결과가 출력되었을 뿐이다. 이렇듯 실수의 표현(및 저장)에는 오차가 존재하는데, 이는 매우 중요한 사실이니, 오차가 발생하는 이유에 대해서는 잠시 후에 별도로 설명을 진행하겠다.

■ 변수의 이름을 짓는 방법

자바는 기본적으로 대소문자를 구분한다. 따라서 Num1과 num1이라는 이름은 서로 다른 이름으로 인식된다. 때문에 자료형의 이름 int를 대신하여 Int를 사용할 수 없다. 그리고 변수의 이름을 짓는데 있어서 다음과 같은 제약사항도 존재한다.

"변수의 이름은 숫자로 시작할 수 없습니다."

그래서 1num은 변수의 이름이 될 수 없지만, num1은 변수의 이름이 될 수 있다. 그리고 특수문자와 관련해서는 다음의 제약사항이 존재한다.

"$과 _ 이외의 다른 특수문자는 사용할 수 없습니다."

마지막으로 다음의 제약사항도 존재한다.

"키워드는 변수의 이름으로 사용할 수 없습니다."

int, double과 같이 자바의 문법을 구성하는 단어들을 가리켜 '키워드(keyword)'라 하는데, 이러한 키워드는 변수의 이름으로 사용할 수 없다. 이렇듯 변수 이름을 정의하는데 있어서 총 세 개의 제약사항이 존재하는데, 잘못된 변수의 이름은 컴파일 에러로 이어지니 발견하는데 큰 어려움은 없다. 말이 나온 김에 자바를 구성하는 대표적인 키워드들을 정리해 보겠다.

boolean	if	interface	class	true
char	else	package	volatile	false
byte	final	switch	while	throws
float	private	case	return	native
void	protected	break	throw	implements
short	public	default	try	import

double	static	for	catch	synchronized
int	new	continue	finally	const
long	this	do	transient	enum
abstract	super	extends	instanceof	null

이들은 외울 대상이 아니다. 다만 여러분이 앞으로 공부하게 될 내용들을 한번 보였을 뿐이다.

02-2 정수 표현방식의 이해

자료형에 대해서 이야기하기에 앞서 자바가 정수를 표현하는 방법과 실수를 표현하는 방법에 대해 먼저 이야기하고자 한다. 데이터의 표현방식을 이해하는 것은 자료형을 보다 정확히 이해하는 바탕이 되기 때문이다. 참고로 본문에서는 여러분이 2진수와 8진수 그리고 16진수에 대한 이해를 갖추고 있다고 가정하고 있다. 만약에 이에 대한 이해가 부족하다면, 부록을 참조하여 이에 대한 이해부터 갖추기 바란다.

■ 정수를 표현하는 방식

정수를 표현하는데 있어서 제일 먼저 결정할 사항은 "몇 바이트로 정수를 표현할 것인가?"이다. 정수는 1 바이트, 2바이트 그리고 8바이트로도 표현할 수 있다. 물론 표현하는 바이트 크기가 크면 클수록 표현할 수 있는 정수의 범위는 넓어진다. 그러나 값을 표현하는 기본 원리는 동일하니, 설명의 편의를 위해서 1 바이트를 기준으로 정수의 표현방식을 설명하겠다. 다음 그림은 정수 표현의 기본 원리를 보여준다.

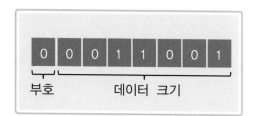

[그림 2-3 : 양의 정수 표현방식]

위 그림에서 보여주듯이 가장 왼쪽에 존재하는 비트는 부호를 표현하는데 사용이 된다. 이 비트가 0이면 양수를, 1이면 음수를 의미하는데, 이 비트가 0인 경우 나머지 일곱 비트는 데이터의 양적인 크기를 의미한다. 즉 위 그림의 경우 나머지 일곱 비트가 0011001이므로 값은 +25이다(16+8+1의 결과). 간단하지 않은가? 실제로 컴퓨터의 데이터 표현방식 중에서는 양의 정수 표현방식이 가장 간단하다.

참고 : MSB(Most Significant Bit)
부호를 결정짓는 가장 왼쪽에 존재하는 비트를 가리켜 MSB라 한다. MSB는 Most Significant Bit의 약자로써 가장 중요한 비트라는 뜻을 지닌다. 이 비트의 설정에 따라서 값의 부호도 달라지고, 나머지 일곱 비트의 해석방식도 달라지기 때문에 가장 중요한 비트임에 틀림이 없다.

■ 음의 정수를 표현하는 방식이 이게 맞아?

양의 정수를 표현하는 방식을 생각하면서 음의 정수를 표현하는 방식도 이와 유사할거라고 생각할 수 있다. 그렇다면 그림 2-3에서 설명한 내용을 근거로 −1을 표현해 보겠는가?

   "음수니까 가장 왼쪽 비트를 1로 설정하고, 데이터의 크기가 1이니 나머지 일곱 비트를 0000001로 채우면 되는 것 아냐? 그래! 10000001이 −1이 되겠군"

그렇다면 검산을 해 보자. 위와 같은 방식으로 컴퓨터가 음의 정수를 표현해도 문제가 되지 않는지를 말이다. 검산 방법은 간단하다. 양의 정수 +1과 음의 정수 −1을 더해서 0이 나오는지 확인하면 된다. 다시 말해서 00000001과 10000001의 합이 0이 나오면 된다.

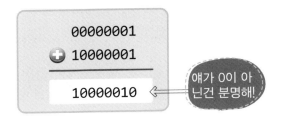

[그림 2-4: 0이 나오는가에 대한 검산]

우리가 함께 생각한 −1과 +1의 덧셈 결과로 0이 나오지 않는다는 사실을 위 그림은 보여준다. 다시 말해서 우리가 생각한 음의 정수를 표현하는 방식은 적절치 않다는 결론이 나온다. 그렇다면 무엇이 적절한 표현방식일까?

   "양의 정수 값에 2의 보수를 취하면 그것이 바로 음의 정수 값이 됩니다."

일단 한 문장으로 음의 정수 표현법을 설명했는데, 이는 사실이다(검증은 잠시 후에). 따라서 다음과 같은 관계가 성립이 된다.

"양의 정수 2를 1바이트로 표현하면 00000010다. 그런데 이 데이터에 2의 보수를 취한 결과로 얻게 되는 데이터는 -2이다."

"양의 정수 5를 1바이트로 표현하면 00000101다. 그런데, 이 데이터에 2의 보수를 취하여 결과로 얻게 되는 데이터는 -5이다."

그렇다면 이것이 사실인지 확인하기 위해서 우리는 2의 보수가 무엇인지부터 알아야 한다.

■ 2의 보수는 말이야!

이 책은 프로그래밍 책인 만큼 보수에 대한 수학적 배경과 설명은 뒤로하고 2의 보수 계산법만 결론적으로 설명하겠다. 다음 그림은 1바이트로 표현된 양의 정수 +5에 대한 2의 보수 계산과정을 보여준다.

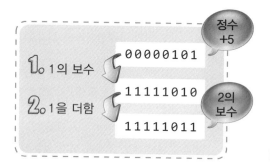

[그림 2-5: 2의 보수 계산과정]

위 그림을 보면 2의 보수 계산 과정의 첫 번째가 1의 보수를 구하는 데서 시작함을 알 수 있다. 그런데 1의 보수는 각 비트 별로 1은 0으로, 0은 1로 변경하여 얻어진다. 이렇게 해서 1의 보수가 구해졌으면 그 다음으로 해야 할 일은 1을 더하는 것이다. 말 그대로 1만 더하면 된다. 그리고 이렇게 해서 얻어진 결과가 우리가 찾던 바로 그 2의 보수이다! 생각보다 2의 보수를 구하는 것은 쉽다. 숙달이 되면 연습장이 필요 없을 정도니 말이다.

그럼 이제 2의 보수가 음수를 구하는 방법으로 적절한지 확인해보자. +5와 그림 2-5에서 계산한 2의 보수를 더해서 그 결과가 0인지만 확인하면 된다. 만약에 결과가 0이라면 분명 2의 보수는 양의 정수에 대한 음수 표현방식으로 컴퓨터가 사용하기에 부족함이 없음을 입증하는 셈이 된다.

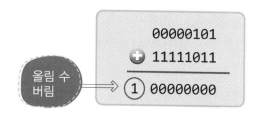

[그림 2-6: 2의 보수 검증과정]

위 그림에서 보여주는 연산결과에 대해서 보충 설명이 조금 필요하다. 컴퓨터는 N바이트 덧셈 연산을 할 경우 그 결과도 N바이트로 만들어 낸다. 따라서 별도의 올림 수 보정의 과정을 거치치 않으면 덧셈과정에서 발생하는 올림 수(carry)는 그냥 버려진다. 이로 인해서 위의 덧셈결과는 0이 되는 것이다. 이로써 2의 보수는 양의 정수에 대한 음수 표현방법으로 사용할 수 있음이 입증되었다. 그리고 실제로 컴퓨터는 이 방법을 통해서 음의 정수를 표현한다.

02-3 실수 표현방식의 이해

실수의 표현방식을 설명하는 이유는 정수의 표현방식과 비교해서 어떠한 차이점이 있는지를 알게 하기 위함이다. 그리고 이를 이해하면 앞서 제시한 예제의 출력결과에 오차가 발생한 이유를 정확히 이해할 수 있다.

■ 실수의 표현방식은 고민거리였습니다.

다소 엉뚱한 질문을 드려보겠다.

"1과 5 사이에 존재하는 정수의 개수는 몇 개인가?"

1과 5를 포함한다면 총 5개이다. 그렇다면 다음 질문에 답해보겠는가?

"1과 2 사이에 존재하는 실수의 개수는 몇 개인가?"

질문의 요지가 파악이 되는가? 1과 2 사이에만도 무한개의 실수가 존재한다. 따라서 소수점 이하 자리수까지 표현해야 하는 실수를 컴퓨터로 표현하는데 한계가 있다. 사람조차 1과 2 사이에 존재하는 실수 전부를 표현하지 못하는데, 어떻게 컴퓨터가 모든 실수를 제대로 표현할 수 있겠는가? 정리하면, 실수를 표현하는데 있어서의 문제점은 다음과 같다.

"그 많은 실수를 어떻게 표현하지?"

여기서 한가지 확실한 사실은 앞서 설명한 정수의 표현방식으로는 무수히 많은 실수의 표현에 한계가 있다는 것이다. 그것도 아주 큰 한계가 말이다.

■ 그래! 정밀도를 포기하고, 대신에 표현의 범위를 넓히자.

여러분도 정수의 표현법을 봐서 알겠지만, 정수는 오차 없이 표현이 가능하다. 오차 없이 완벽히 음의 정수와 양의 정수를 표현해 낼 수 있다. 그러나 오차를 허용하지 않으면서까지 그 광대한 실수를 표현한다는 것은 불가능하다. 때문에 결국엔 다음과 같은 결론에 도달하게 된다.

"정밀도를 포기하고, 대신에 표현의 범위를 넓히자."

아니, 그렇다면 정밀도(값을 정확히 표현할 수 있는 능력)만 포기하면 실수를 폭넓게 표현할 수 있다는 뜻인가? 그렇다! 정밀도만 포기하면 폭넓게 실수를 표현할 수 있다. 다음과 같은 식을 활용하면 충분히 가능하다(아래 식은 지수로 표현되어 있음에 주목해야 한다).

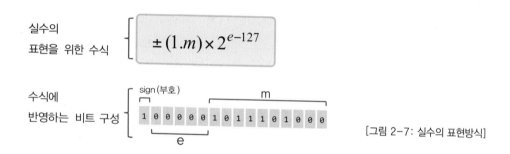

[그림 2-7: 실수의 표현방식]

위의 식은 컴퓨터 시스템에서 실수를 표현하기 위해 약속해 놓은 IEEE 754 표준을 이해하기 쉽게 정리한 것이다. 그리고 자바도 실제로 위의 식을 근거로 실수를 표현한다. 위 식의 e과 m에 눈 짐작으로라도 적당한 값을 넣어보자. 예를 들어서 부호 비트에는 양수를 의미하는 0을, e에는 00000을, 그리고 m에는 0000000001을 넣어보자. 이 때 위 식을 통해서 표현되는 값은 다음과 같다.

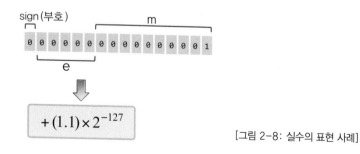

[그림 2-8: 실수의 표현 사례]

위 그림을 보면서 이 값이 어느 정도 되는지 감이 좀 오는가? 대략 써 보면 다음과 같다(필자가 계산기 열심히 두들겨서 계산했다).

-1.7014118346046923173168730371588 x (10의 -38승)

표현할 수 있는 값의 범위가 어마어마하게 증가했음을 알 수 있다. 하지만 단점도 있다. 이러한 표현방식으로는 위의 숫자(-1.701…)보다 아주 조금 작거나, 아주 조금 큰 수를 표현하지 못한다. 이는 m이 1 증가할 때, 전체 값이 얼마나 크게 변경되는지, 그리고 e가 1 증가할 때, 전체 값이 얼마나 크게 변경되는지를 확인하면 쉽게 이해가 가능하다. 즉 표현할 수 있는 값의 범위는 넓어졌지만 상대적으로 표현하는 대부분의 값에는 오차가 존재하게 되었다. 따라서 다음과 같은 문장을 구성하면,

```
double num1=1.0000001;
double num2=2.0000001;
```

그림 2-7에서 보인 식을 기준으로 최대한 1.0000001과 2.0000001에 가까운 수가 만들어질 수 있도록 비트의 열을 구성하여 num1과 num2에 저장하게 된다. 그리고 num1과 num2에 저장된 값을 참조하는 경우에도 num1과 num2에 저장된 비트의 열을 그림 2-7에서 보인 식에 적용하여 그 값을 결정하게 된다.

IEEE(Institute of Electrical and Electronics Engineers)

미국에 있는 IEEE('아이 트리플 이'라 읽는다)는 전기전자공학의 최대 기술조직으로서 주요 표준을 결정하고 발전시키는 역할을 담당한다. 이곳에서 실수 표현방식에 관한 표준도 정의를 하였으며, 이를 가리켜 IEEE 754라 한다. 따라서 여러분이 실수 표현의 정확한 표준을 알고 싶다면 IEEE 754에서 정의하고 있는 32비트로 표현되는 단정도(single precision)와 64비트로 표현되는 배정도(double precision)를 살펴보면 된다. 그런데 위 그림 2-7과 차이가 나는 부분은 m에 할당된 비트 수와 e에 할당된 비트 수 정도이니 쉽게 이해가 가능하다.

여러분은 이제 정수의 표현방식과 실수의 표현방식을 알게 되었다. 중요한 것은 표현방식이 다르다는 사실뿐만 아니라, 실수의 표현에 오차가 존재할 수 밖에 없는 이유를 이해하는 것이다.

정수와 실수의 표현방식이 다르다는 점을 이해했으니, 이제 보다 구체적으로 자료형을 이해할 수 있을 것이다.

■ 정수 자료형 : byte, short, int, long

자바는 총 4개의 정수 자료형을 제공한다. 따라서 이 자료형의 이름을 기반으로 변수를 선언하면, 선언으로 인해 할당된 메모리 공간에는 앞서 설명한 정수의 표현방식을 기준으로 값을 저장 및 참조하게 된다. 즉 자료형의 선언은 메모리 공간의 데이터 저장 및 참조방식을 결정하는 것으로 이해할 수 있다. 따라서 byte, short, int 또는 long형으로 선언이 된 변수에는 소수점 이하의 값을 포함하는 실수를 저장할 수 없다.

그리고 자바에서 제공하는 4개의 정수 자료형이 갖는 차이는, 정수를 표현하는데 사용이 되는 메모리 공간의 크기에 있다. short는 2바이트를 기준으로 정수를 표현하고, int는 4바이트를 기준으로 정수를 표현한다. 따라서 변수를 short로 선언하면 2바이트의 메모리 공간이 할당되고, int로 선언을 하면 4바이트의 메모리 공간이 할당된다.

■ short를 사용할까요? int를 사용할까요?

필자가 두 개의 코드 블록을 보일 테니, 어떠한 코드가 더 합리적인지 판단해 보자. 첫 번째 코드 블록은 다음과 같다.

```
int main(String[] args)
{
    short num1=11, num2=22;
    short result=num1+num2;
    . . . .
}
```

다음은 두 번째 코드 블록이다. 위 코드와의 유일한 차이점은 선언된 변수의 자료형이다.

```
int main(String[] args)
{
    int num1=11, num2=22;
    int result=num1+num2;
    . . . .
}
```

여러분은 어떠한 코드가 보다 일반적이고 합리적이라고 생각이 되는가? 먼저 우리 옆에 있는 동수의 의견을 들어보자(가상인물이니, 동수가 진짜로 있는지 옆을 바라보거나 하지는 말자).

> "숫자 11과 22, 그리고 덧셈결과 33은 2바이트 정수로도 표현이 가능하므로 short형 변수를 선언한 코드가 더 좋은 코드라고 생각이 됩니다."

단순히 메모리 공간만 가지고 보면 이는 틀리지 않은 판단이다. 그런데 중요한 사실은 덧셈연산을 진행한다는데 있다. 일반적으로 여러분이 사용하는 CPU는 int형 정수연산을 가장 고속으로 처리하게끔 설계되어 있다. 따라서 자바는 정수형 연산을 진행할 때(덧셈이건 뺄셈이건), 모든 피연산자를 int형으로 변환하는 과정을 거친다. 때문에 덧셈연산을 위해서 short형 변수에 저장된 값을 int형 데이터로 변환해야 하는 첫 번째 코드 블록보다, 두 번째 코드 블록의 실행속도가 빠르다.

그렇다면 무엇이 답이 될 수 있을까? 오늘날의 컴퓨팅 환경은 넉넉한 메모리 공간을 자랑한다. 따라서 int가 가장 일반적인 선택이 될 수 있다. 때문에 여러분은 정수의 저장을 위한 변수 선언 시 큰 고민 없이 int를 선택하면 된다.

long형에서의 int형으로의 변환은 일어나지 않습니다.

long은 8바이트고 int는 4바이트다. 따라서 long형 데이터를 int형으로 변환해버리면 데이터의 손실이 발생하고 만다. 때문에 long형 데이터를 피연산자로 하는 연산 시에는 int형으로의 자료형 변환이 발생하지 않는다.

■ 그럼 byte와 short는 왜 필요해요?

위의 설명만 듣고 보면 byte와 short는 별 필요가 없어 보인다. 그러나 byte와 short도 매우 유용하게 사용이 된다. 우리가 프로그램상에서 표현하는 데이터들 중에는 연산이 중심이 되는 데이터들도 있지만, 연산보다는 데이터가 지니는 값 자체가 중심이 되는 경우도 있기 때문이다. 예를 들어서 게임 캐릭터의 움직임 표현을 위한 3D 그래픽 정보나, 노래와 같은 음원 정보를 저장하려면 수십만, 아니 수백만 이상의 숫자 정보를 저장해야 하기 때문에, 이러한 경우에는 연산보다 데이터의 표현이 중심이 된다(연산이 전혀 불필요하다는 뜻이 아니다). 그리고 이러한 경우에는 그 크기에 따라서 int보다 작은 byte 또는 short를, 그리고 double보다 작은 float로 데이터를 표현하게 된다.

■ 실수 자료형 : float, double

소수점 이하의 값을 지니는 실수의 저장 및 표현을 위한 자료형은 그 크기에 따라서 float와 double로 나뉜다. 이들은 모두 정밀도를 포기하고 표현의 범위를 넓힌 자료형들이기 때문에 float와 double의 선택 기준은 값의 표현범위에 있지 않다. 물론 8바이트로 표현되는 double이 4바이트로 표현되는 float

보다 넓은 표현범위를 갖는다. 그러나 float도 매우 충분한 값의 표현범위를 갖는다. 잠시 표 2-1을 보자. 이 표에서는 float의 표현 가능 범위를 다음과 같이 정의하고 있다.

$$\pm(1.40 \times 10^{-45} \sim 3.40 \times 10^{38})$$

혹시라도 혼돈이 될 수 있어서 이를 좀 설명하면, 이는 표현할 수 있는 값의 범위가 음수와 양수를 기준으로 각각 다음과 같음을 의미한다.

$$-1.40 \times 10^{-45} \sim -3.40 \times 10^{38}$$
$$+1.40 \times 10^{-45} \sim +3.40 \times 10^{38}$$

double형과 비교하면 작아 보이지만, −45승과 +38승은 우리가 쉽게 상상할 수 있는 범위의 값이 아니다. 그렇다면 float와 double 사이에서 자료형을 선택하는 기준은 어디에 있을까? 이는 정밀도에 있다. 실수를 표현하는데 사용이 되는 바이트의 수가 많으면 아무래도 오차가 발생할 확률은 낮아진다. 실제로 4바이트로 표현되는 float는 6자리의 정밀도(소수점 이하 6자리의 정밀도)를 갖고, double은 15자리의 정밀도(소수점 이하 15자리의 정밀도)를 갖기 때문에, 표현하고자 하는 값에서 요구하는 정밀도를 기준으로 자료형을 선택하게 된다.

소수점 이하 15자리까지 오차가 발생하지 않는다고 해도

double형 데이터 하나만 놓고 보면 소수점 이하 15자리까지는 오차가 발생하지 않는다. 하지만 그 이하에서부터는 오차가 발생하기 때문에, 오차가 존재하는 double형 변수 둘 이상을 더하다 보면, 소수점 이하 15자리가 아니라, 소수점 이하 셋째 자리에서도 오차가 발생할 수 있다. 따라서 실수의 계산은 기본적으로 오차가 존재한다고 인식해야 한다.

■ 실수에 대한 e 표기법과 정수에 대한 16진수 8진수 표현법

지금까지 실수와 정수에 대해서 설명을 했는데, 자바는 소수부가 큰 실수 표현의 편의를 위해 e표기법이라는 것을 지원하며, 데이터의 성격에 적절한 정수의 표현을 위해서 16진수와 8진수 표현을 지원한다. 이는 어렵지 않은 이야기이므로 예제를 통해서 설명하겠다.

❖ ENotation.java

```
1.    class ENotation
2.    {
3.        public static void main(String[] args)
4.        {
```

```
5.        double e1=1.2e-3;
6.        double e2=1.2e+3;
7.
8.        int num1=0xA0E;
9.        int num2=0752;
10.
11.       System.out.println(e1);
12.       System.out.println(e2);
13.       System.out.println(num1);
14.       System.out.println(num2);
15.    }
16. }
```

- 5행 : 이것은 1.2×10^{-3}을 변수 e1에 저장하는 문장이다. 즉 e-3이 의미하는 바를 10^{-3}으로 이해하면 된다(이것이 바로 e 표기법이다). 따라서 e 다음에 등장하는 -를 뺄셈연산으로 이해하지 않도록 주의해야 한다. 그리고 e를 대신해서 대문자 E를 사용해도 됨을 참고로 기억하기 바란다.

- 6행 : 이것은 $1.2 \times 10^{+3}$을 변수 e2에 저장하는 문장이다. 여기서 +를 생략하고 1.2e3으로 표현해도 동일한 문장이며, 마찬가지로 e 다음에 등장하는 +를 덧셈연산으로 이해하지 않도록 주의해야 한다.

- 8행 : 실수가 아닌 정수는 16진수로 표현하는 것이 가능하다. 이 문장에서처럼 0x로 시작을 하면 이는 16진수 표현으로 해석이 된다. 따라서 뒤에 등장하는 16진수 A0E는 10진수로 2574이기 때문에 이에 해당하는 값이 변수 num1에 저장된다.

- 9행 : 실수가 아닌 정수는 8진수로 표현하는 것이 가능하다. 이 문장에서처럼 0으로 시작을 하면 이는 8진수 표현으로 해석이 된다. 따라서 뒤에 등장하는 8진수 752는 10진수로 490이므로, 이에 해당하는 값이 변수 num2에 저장된다.

❖ 실행결과 : ENotation.java

```
0.0012
1200.0
2574
490
```

■ 문자 자료형 : char

컴퓨터 프로그램은 그 종류에 상관없이 인간의 상호작용을 필요로 하기 때문에 문자의 표현은 매우 중요하다고 할 수 있다. 그러나 하드웨어는 기본적으로 문자를 인식하고 표현할 수 있는 장치가 아니라, 오로지 숫자만을 인식하고 표현할 수 있는 장치이다. 따라서 문자의 표현은 하드웨어 위에서 동작하는 소프트웨어의 몫일 수밖에 없다. 그렇다면 소프트웨어상에서는 어떻게 문자를 표현하는 것일까? 별 수 있겠는가? 하드웨어가 숫자밖에 인식을 못하니 문자를 숫자로 표현하는 수밖에 없다. 그래서 문자를 숫자로 표현하기 위한 몇몇 표준이 프로그래밍 언어에 상관없이 만들어졌는데, 자바는 이중에서 유니코드(unicode)라는 표준을 근거로 문자를 표현하고 있다.

유니코드는 문자 하나를 2바이트로 표현하는 문자체계이다. 2바이트로 표현할 수 있는 데이터의 수는 2의 16승 개이므로 총 6만개 이상의 문자표현이 가능하다는 계산이 나온다. 따라서 유니코드는 세계의 모든 언어를 표현할 수 있는 문자체계이다. 다음은 유니코드 문자와 이의 표현을 위해 약속된 값의 정보 중 일부를 보여준다.

	AE0	AE1	AE2	AE3	AE4	AE5	AE6
0	글 AE00	극 AE10	긠 AE20	기 AE30	김 AE40	깐 AE50	깠 AE60
1	긁 AE01	긑 AE11	긡 AE21	긱 AE31	깁 AE41	깑 AE51	깡 AE61
2	긂 AE02	긒 AE12	긢 AE22	긲 AE32	깂 AE42	깒 AE52	깢 AE62

[그림 2-9: 한글 유니코드의 일부]

위 그림은 www.unicode.org에 있는 유니코드 정보 중 일부를 담아놓은 것이다. 이중에는 평생 한번 사용하기 힘든 문자도 포함되어 있는데, 문자의 아래에 있는 것이 해당 문자의 유니코드 값이다(16진수로 표현되어 있는데, 이는 상단에 있는 숫자와 왼편에 있는 숫자의 조합으로 구성된다). 따라서 자바에서 문자 하나를 변수에 저장하면 실제로는 해당 문자의 유니코드 값이 저장된다.

다음은 일본어에 해당하는 유니코드 정보 중 일부이다. 이처럼 유니코드라는 하나의 문자 체계를 가지고 세계 모든 나라의 언어를 표현할 수 있기 때문에, 자바의 유니코드 지원은 한글을 영어와 동일한 수준으로 컨트롤할 수 있다는 장점으로 이어진다. 참고로 자바로 처음 프로그래밍을 시작하는 분들은 무엇 때문에 이를 장점이라 하는지 이해하기 어렵다. 이의 이해를 위해서는 다양한 경험이 필요하기 때문이다. 그러나 타 프로그래밍 언어에 대한 경험이 있는 분들은 이것이 커다란 장점임을 알 수 있을 것이다.

	304	305	306	307	308	309
0		ぐ 3050	だ 3060	ば 3070	む 3080	ゐ 3090
1	ぁ 3041	け 3051	ち 3061	ぱ 3071	め 3081	ゑ 3091
2	あ 3042	げ 3052	ぢ 3062	ひ 3072	も 3082	を 3092

[그림 2-10: 일본어 유니코드의 일부]

자! 그럼 자바를 이용한 문자의 표현방법을 설명하겠다. 아래의 코드는 문자의 저장을 위한 char형 변수를 선언하고, 문자 'A'와 문자 '한'을 저장하는 문장이다.

```
char ch1='A';
char ch2='한';
```

char형은 문자의 표현을 위한 자료형이므로 이를 기반으로 선언된 변수 ch1과 ch2는 그 크기가 각각 2바이트이다. 그리고 문자는 위의 코드가 보이듯이 작은 따옴표로 묶어서 표현하기로 약속되어 있다. 즉 작은 따옴표는 하나의 문자를 표현하는데 사용이 되는 기호이다. 그리고 이렇게 문자가 표현이 되면, 변수 ch1과 ch2에는 각각 문자 'A'의 유니코드 값과 문자 '한'의 유니코드 값이 저장된다. 즉 위의 두 문장은 아래의 문장과 완전히 일치한다고 볼 수 있다.

```
char ch1=65;        // 65는 16진수로 0x41
char ch2=54620;     // 54620은 16진수로 0xD55C
```

문자 'A'의 유니코드 값은 10진수로 65이고, 문자 '한'의 유니코드 값은 10진수로 54620이다. 때문에 이렇게 해당 문자의 유니코드 값을 직접 저장해도 상관없다. 물론 문자의 표현을 위해서 이렇게 직접 유니코드 값을 저장하는 일은 거의 없다. 다만 문자를 저장하는 경우에 해당 문자의 유니코드 값이 저장된다는 사실을 설명하기 위해서 사용했을 뿐이다. 그럼 이와 관련해서 예제를 하나 제시하겠다.

❖ UnicodeChar.java

```
1.  class UnicodeChar
2.  {
3.      public static void main(String[] args)
4.      {
5.          char ch1='A';
6.          char ch2='한';
7.          char ch3=0x3091;
8.          char ch4=0x3092;
9.
10.         System.out.println(ch1);
11.         System.out.println(ch2);
12.         System.out.println(ch3);
13.         System.out.println(ch4);
14.     }
15. }
```

- 5, 10행 : 문자 'A'를 저장 및 출력하고 있다. 이처럼 문자는 System.out.println에 의해 출력이 가능하다.
- 7, 12행 : char형 변수에 0x3091을 저장하고 있다. 그리고 이 값을 출력하고 있다. 따라서 유니코드 값 0x3091에 해당하는 문자가 출력이 된다. 참고로 이는 그림 2-10에서 소개하는 일본 문자 중 하나이다.

❖ 실행결과 : UnicodeChar.java

```
A
한
ぁ
亜
```

위의 예제를 통해서 여러분이 기억해야 할 중요한 내용을 정리하면 다음과 같다.

- 문자는 작은 따옴표로 표현이 된다.
- char형 변수는 문자의 저장을 위해 사용된다.
- char형 변수에 실제 저장되는 것은 저장되는 문자의 유니코드 상수 값이다.
- System.out.println은 char형 데이터, 즉 문자를 적절히 출력해 낸다.

해당 국가의 폰트가 설치되어 있어야 합니다.

자바 프로그램상에서 A라는 언어의 문자를 출력하기 위해서는 해당 언어의 폰트가 운영체제에 설치되어 있어야 한다. 폰트가 설치되어 있지 않다면 정상적인 출력을 보이지 않는다.

■ '참'과 '거짓'을 표현하기 위한 자료형 : boolean

'참'과 '거짓'의 표현을 위한 자료형을 가리켜 논리형이라고도 하는데, 어쨌든 이는 처음 보는 사람에게 매우 생소한 형태의 자료형이다. 아직 여러분에게 소개하지는 않았지만, 프로그램상에서는 참과 거짓을 표현해야만 하는 상황이 매우 빈번하게 등장한다. 그래서 자바는 참과 거짓의 표현을 위해서 다음과 같이 두 개의 키워드를 정의하고 있다.

- true   참을 의미하는 값
- false   거짓을 의미하는 값

이 정도만 설명을 하면 여러분은 다음과 같이 질문할 수 있다. 정수와 실수는 여러분에게 익숙한 개념이지만 '참'과 '거짓'을 데이터화 했다는 사실 자체가 개념적으로 이해가 되지 않을 수 있기 때문이다.

"true와 false가 무엇이냐? 상수냐, 그러니까 숫자인 것이냐?"

이렇게 질문을 하면 필자는 숫자가 아니라고 딱히 부정할 수는 없다. 하지만 이는 의미가 없는 질문이다. 컴퓨터가 표현하는 모든 데이터는 내부적으로 숫자로 표현이 되기 때문이다. 앞서 설명한 문자도 숫자의 형태로 저장이 되지 않는가? 따라서 true와 false는 그 자체를 '참'과 '거짓'의 표현을 위한 약속된 형태의 데이터로 인식하는 것이 더 적절하다. 그리고 이러한 데이터의 표현 및 변수 선언을 위해 정의된 자료형을 boolean으로 인식하기 바란다. 앞으로 true와 false가 유용하게 사용되는 상황을 조금씩 접하게 될 것이다. 그리고 그러한 과정을 거치면서 true와 false, 그리고 더불어서 boolean에 대해서도 구체적으로 이해하게 될 것이다. 따라서 일단은 다음의 예제를 소개하는 정도에서 boolean에 대한 설명을 마무리하고자 한다.

❖ Boolean.java

```
1.  class Boolean
2.  {
3.      public static void main(String[] args)
4.      {
5.          boolean b1=true;
6.          boolean b2=false;
7.
8.          System.out.println(b1);
9.          System.out.println(b2);
10.         System.out.println(3<4);
11.         System.out.println(3>4);
12.     }
13. }
```

- 5, 6행 : 5행과 6행에서는 각각 boolean형 변수를 선언하고, 이를 true와 false로 초기화하고 있다. boolean형 변수에 저장할 수 있는 값은 true 아니면 false이니, 이 두 문장은 모두 적절히 초기화 되었다.

- 8, 9행 : boolean형 변수를 출력하면, 해당 변수가 지니고 있는 값이 그대로 출력된다. 즉 true, 또는 false가 출력된다.

- 10, 11행 : 〈와 〉은 우리가 수학적으로 알고 있는 개념과 동일한 개념의 연산자(연산을 위해 약속된 기호)이다. 즉 3<4은 3이 4보다 작은가를 묻는 것이고, 3>4는 3이 4보다 큰가를 묻는 것이다. 연산의 결과가 참이라면 true가 반환이 되며, 연산의 결과가 거짓이라면 false가 반환이 된다(반환에 대해서는 잠시 후에 별도로 설명한다). 그리고 반환된 결과가 System.out.println에 의해서 그대로 출력이 된다.

❖ 실행결과 : Boolean.java

```
true
false
true
false
```

앞서 Chapter 01에서 우리는 System.out.println(3+5)의 결과로 8이 출력됨을 확인하였다. 이는 3+5의 연산결과로 8이 만들어진 결과인데, 이러한 현상을 보고 일반적으로 "8이 반환되었다."라고 표현한다. 따라서 여러분은 반환되었다는 표현을 "연산의 결과로 값이 만들어졌다."는 뜻으로 이해하면 되겠다. 그럼 위 예제 10행과 11행을 보자. 여기서는 〈, 〉 연산자가 사용이 되었는데, 이 연산자들은 true 또는 false를 반환하는 연산자이다. 즉 부등호가 나타내는 바가 참이라면 true를, 거짓이라면 false를 반환하는 연산자들이다. 따라시 위 예제 10행과 11행은 부등호 연산이 끝나고 나서 다음의 문장으로 이어진다고 볼 수 있다.

```
System.out.println(true);
System.out.println(false);
```

그리하여 각각 true와 false가 출력되었다. 이처럼 true와 false는 참과 거짓을 표현하는 용도로 사용이 되는데, 이는 하나의 예일 뿐이고, 보다 의미 있게 사용이 된다는 사실만 기억하면 좋겠다. 이로써 기본 자료형의 4가지 유형에 대해서 모두 살펴보았는데, 다음 Chapter에서는 이 내용을 기반으로, 상수와 형 변환에 대한 설명을 진행하겠다.

Chapter 03

상수와 형 변환
(Type Casting)

변수 못지않게 중요한 것이 상수이다. 일반적으로 상수에는 큰 의미를 두지 않고 코드를 작성하는 경향이 있는데, 이는 적절치 못하다. 상수 역시 변수와 마찬가지로 메모리 공간에 저장되는 데이터이기 때문에 정확한 이해를 필요로 한다.

03-1 자료형을 기반으로 표현이 되는 상수

아직은 데이터! 라고 하면 변수가 먼저 떠오를 것이다. 그러나 실제 프로그래밍에서 사용되는 데이터 중에서 변수보다 많은 것이 상수이다.

■ 상수를 언제 사용했었지?

다음 코드의 예에서 보이듯이 우리는 무의식적으로 상수를 사용한다.

```
int num=1+5;
System.out.println(2.4+7.5);
```

위의 두 문장에서는 1, 5, 2.4 그리고 7.5 이렇게 총 네 개의 상수가 사용되었다. 이들을 그냥 숫자라 부르지 않고 변수의 상대적 개념인 상수라 하는 이유는 어디에 있을까? 그것은 변수와 마찬가지로 메모리 공간에 값이 저장은 되지만, 변수와 달리 저장된 값의 변경은 불가능하기 때문이다.

  "상수도 메모리 공간에 저장이 된다고?"

간혹 상수는 메모리 공간에 저장이 되지 않는다고 생각하는 경우가 있는데, 이는 잘못된 생각이다. 1과 5의 합을 계산하기 위해서는 CPU를 통해서 덧셈연산이 이뤄져야 한다. 마찬가지로 2.4와 7.5의 합을 계산하기 위해서는 CPU를 통해서 덧셈연산이 이뤄져야 한다. 이렇듯 CPU를 통한 연산의 대상이 되기 위해서는 메모리 공간 어딘가에 저장이 되어 있어야 한다. 때문에 상수도 메모리 공간에 저장이 된다. 단 이렇게 선언이 되는 상수는 다음과 같은 특징이 있다.

- 이름이 없다.
- 이름이 없으므로 메모리에 저장된 상수의 값을 변경시킬 수 없다.

예를 들어서 메모리 주소 100번지와 200번지에 각각 1과 5가 저장되었다고 가정해 보자. 그렇다면 100번지와 200번지에 저장된 값을 각각 2와 7로 변경시킬 수 있겠는가? 없다! 변수는 메모리 공간의 접근을 위한 이름이 존재하지만, 상수는 이름이 없기 때문에 메모리 공간의 접근 자체가 불가능하다.

■ 상수도 자료형을 기반으로 저장이 됩니다.

필자가 상수에 대해서 간단히 설명을 하였으니, 질문을 하나 하겠다.

  "앞서 보인 코드에서 2.4와 7.5는 메모리 공간에 어떻게 저장이 되겠는가? 그리고 1과 5는 또 어떻게 저장이 되겠는가?"

우리는 상수의 메모리 저장을 너무나 당연하게 생각하는 경향이 있다. 그러나 자바의 기본 자료형은 변수, 상수에 상관없이 데이터를 표현하는 기준이 된다. 따라서 상수도 기본 자료형을 기준으로 표현(저장)되어야 한다. 즉 1과 5는 Chapter 02에서 설명한('02-2. 정수 표현방식의 이해'에서 설명한) 정수의 표현방식을 기준으로 저장되어야 하며, 2.4와 7.5는 Chapter 02에서 설명한('02-3. 실수 표현방식의 이해'에서 설명한) 실수의 표현방식을 기준으로 저장되어야 한다. 이를 조금 더 정확히 설명하면 다음과 같다.

"1과 5는 정수 자료형인 byte, short, int, long중 하나의 형태로 표현 및 저장되어야 하며, 2.4와 7.5는 실수 자료형인 float, double중 하나의 형태로 표현 및 저장되어야 한다."

Chapter 02에서 설명한, 정수의 표현방식을 기준으로 만들어진 자바의 자료형은 byte, short, int, long이 전부 아닌가? 표현방식은 동일한데, 사용되는 바이트의 크기만 다를 뿐이므로 이중에서 하나를 선택하여 상수 1과 5를 메모리에 저장해야 한다. 그런데 1과 5는 byte형으로도 표현이 가능할 만큼 값의 크기가 작다. 그렇다면 이러한 경우에는 어떠한 자료형을 기준으로 값을 저장하게 될까?

"효율적으로 관리하겠죠? 1과 5는 크기가 작으니까 byte형으로 메모리에 저장하고, byte형으로 표현할 수 있는 값의 범위를 넘어서는 상수는 short형으로 메모리에 저장하겠죠. 그리고 그보다 더 큰 범위의 값은 int형으로 메모리에 저장하고, 뭐 이런 식 아닐까요?"

이것이 효율적이라면 자바는 이러한 형태로 상수를 저장했을 것이다. 그러나 자바의 저장방식은 다음과 같다.

"기본적으로 모든 정수형 상수는 int형으로 표현 및 저장합니다."

즉 byte와 short가 아닌 int를 기본으로 정수형 상수를 표현한다는 뜻이다. 앞서 Chapter 02에서는 int형으로 변수를 선언하는 것이 보편적인 선택이 될 수 있는 이유에 대해서 설명했는데, 이것과 같은 맥락에서 이해를 하면 된다. 그리고 자바의 실수형 상수의 표현방식은 다음과 같다.

"기본적으로 모든 실수형 상수는 double형으로 표현 및 저장합니다."

따라서 앞서 보인 코드에서 1과 5는 메모리 공간에 4바이트씩 할당되어 저장이 되고, 2.4와 7.5는 메모리 공간에 8바이트씩 할당되어 저장이 된다.

 상수를 가리켜 리터럴(literal)이라고도 합니다.

자바에서 말하는 상수는 자료형을 기반으로 메모리 공간에 저장이 되기 때문에, 그 자체로도 데이터로 인정을 해야 한다. 그래서 상수를 가리켜 리터럴이라고도 표현을 하는데, 리터럴과 상수는 거의 동일한 의미로 사용이 된다.

■ 접미사 이야기 : 그럼 10000000000은 어떻게 표현해요?

다음과 같이 문장을 구성하면, 자바 컴파일러는 컴파일 에러를 발생시킨다. 이유가 무엇인지 알겠는가?

```
int num=10000000000;
```

숫자 10000000000가 int형의 표현범위를 넘어서기 때문에 에러를 발생시키는 것이다. 그렇다면 다음과 같이 문장을 변경하면 괜찮을까?

```
long num=10000000000;
```

숫자 10000000000은 long형 변수에 저장이 가능하다. 하지만 이번에도 컴파일러는 에러를 발생시킨다. 그리고 이 때 발생하는 에러메시지를 적절히 해석하면 다음과 같다.

"정수 10000000000 이거 너무 커!"

아니 long형 변수에 저장이 가능한 값임에도 불구하고 에러메시지를 띄우는 이유는 어디에 있을까? 자바는 상수의 자료형 검사에 엄격하다. 정수형 상수는 무조건 int형으로 표현된다고 하지 않았는가? 따라서 이 커다란 숫자 역시 int형으로 표현이 가능한지를 먼저 판단해본다. 이 값을 저장할 변수 num이 long형인지 아닌지는 그 다음의 문제일 뿐이다. 따라서 이러한 경우에는 이 큰 수를 int형이 아닌 long형으로 표현해 달라고 명시적으로 선언을 해야 한다. 다음과 같이 말이다.

```
long num1=10000000000L;
```

숫자의 뒤에 붙는 접미사 L은 다음의 의미를 지닌다. 그리고 이러한 접미사는(잠시 후에 추가로 하나 더 설명함) 대소문자를 가리지 않으므로 소문자 l을 써도 된다.

"이 정수를 long형으로 표현해 주세요!"

즉 자바는 상수의 크기를 기준으로 자료형을 결정짓지 않는다. 정수는 int형으로, 실수는 double형으로 표현이 되기 때문에 그 이외의 다른 자료형으로 값을 표현해야 한다면, 그에 따른 약속된 접미사를 사용해야 한다. 그럼 이러한 내용을 바탕으로 다음 문장의 문제점도 지적해보자.

```
float num2=12.45;
```

자바는 실수(실수형 상수)를 무조건 double형으로 표현하기 때문에 12.45가 double형으로 표현이 가능한 값인지를 먼저 검사한다. 문제가 없음이 확인되었다면 이번에는 변수 num2에 저장이 가능한지를 확인하게 되는데, 이 경우에는 float형 변수에 저장해야 하기 때문에 컴파일 에러가 발생한다. 그런데 이러한 에러를 보면서 여러분은 다음과 같은 생각을 할 수도 있다.

"아니 12.45는 float형 변수에도 저장이 가능한 값이잖아?"

물론 그렇다. 그러나 자바 컴파일러는 이 상황에서 값의 크기를 기준으로 판단하지 않고, 값의 표현에 사용되는 바이트 크기를 기준으로 판단을 한다. 따라서 8바이트 double형 상수의 값을 4바이트 float형 변수에 저장하는 문장에서는 컴파일 에러가 발생한다. 때문에 이 문장을 컴파일하기 위해서는 다음과 같이 접미사를 사용해야 한다.

```
float num2=12.45F;
```

접미사 F는 해당 실수를 float형으로 표현하라는 의미가 담겨있다. 따라서 12.45F 또는 12.45f는 float형 4바이트 데이터로 인식 및 표현이 된다. 그럼 지금까지 설명한 내용의 확인을 위한 예제 하나를 제시하겠다. 이 예제를 통해서는 그저 컴파일이 되는지 정도만 확인하면 되겠다.

❖ SuffixConst.java

```
1.   class SuffixConst
2.   {
3.       public static void main(String[] args)
4.       {
5.           double e1=7.125;
6.           float e2=7.125F;
7.
8.           long n1=10000000000L;
9.           long n2=150;
10.
11.          System.out.println(e1);
12.          System.out.println(n1);
13.      }
14. }
```

 해 설

- 5행 : 일반적인 double형 변수의 선언 및 초기화를 보이고 있다.
- 6행 : 변수 e2가 float형이므로 double형 데이터를 저장할 수 없다. 따라서 이 문장에서는 접미 사 F를 생략하면 컴파일 에러가 발생한다.
- 8행 : 일반적인 long형 변수의 선언 및 초기화를 보이고 있다.
- 9행 : 150은 int형 상수이다. 그러나 long형이 표현할 수 있는 값의 범위가 더 넓기 때문에 에러 가 발생하지 않는다.

❖ 실행결과 : SuffixConst.java

```
7.125
10000000000
```

위 예제에서 5행과 6행, 그리고 8행은 변수와 이를 초기화하는 상수의 자료형이 일치한다. 그러나 9행은 일치하지 않는다. 그럼에도 불구하고 컴파일이 되는 이유는 자동 형 변환이라는 것이 발생하기 때문인데, 자동 형 변환은 이어서 우리가 논의할 주제이다.

참 고

byte와 short형 상수의 표현을 위한 접미사는 존재하지 않습니다.

숫자 150은 int형 상수이고, 150L은 long형 상수이다. 그렇다면 byte형, 그리고 short형 상수는 어떻게 표현을 할까? 아쉽게도(알고 보면 아쉬운 일도 아니다) 이 둘에 대한 상수의 표현을 자바는 지원하지 않고 있다. 상수는 대부분 연산 및 변수의 초기화를 위해서 사용이 되는데, 자바는 정수에 대한 산술연산을 int형 기반으로 처리하기 때문에, 사실상 byte형과 short형으로 상수를 표현할 일이 없다. 그리고 byte형 변수와 short형 변수에 대해서는 다음과 같이 int형 상수 기반의 초기화를 허용하기 때문에, 더더욱 byte형, 그리고 short형으로 상수를 표현할 일이 없다고 이야기 할 수 있다.

```
byte num1=20;        // 허용된다.
short num2=50;       // 허용된다.
```

물론 이는 정수 20과 50이 byte형으로, 그리고 short형으로 각각 표현이 가능하기 때문에 허용되는 것이다. 만약에 byte형으로 표현이 불가능한 값을 변수 num1에 저장하려든다면 컴파일 에러가 발생하게 된다.

03-2 자료형의 변환

우리의 관점에서 1.0과 1은 동일한 값이다. 그러나 자바의 입장에서는 1.0과 1이 서로 다른 값이다. 왜냐하면 1.0은 double형 상수로써 int형으로 표현되는 정수 1과 전혀 다르기 때문이다. 표현방식이 다른 두 개의 값을 같다고 할 수 있겠는가?

■ 자료형의 변환이 의미하는 것은?

지금부터 할 이야기는 형 변환에 관한 것이다. 그런데 사실 Chapter 02에서 이미 형 변환에 대해서 언급한바 있다. 다음의 코드를 보면 기억할 수 있을 것이다.

```
int main(String[] args)
```

```
{
    short num1=10;
    short num2=20;
    short result = num1 + num2;
    . . . .
}
```

위의 코드에서 num1과 num2는 short형 변수이다. 따라서 덧셈연산의 과정에서 각각의 변수에 저장되어 있는 값은 int형 데이터로 변환된 다음에야 비로소 연산이 이뤄진다(Chapter 02에서 설명한 내용이다). 그렇다면 int형으로 변환된다는 것은 무엇을 뜻하는 것일까? 이는 short형으로 표현되어 있는 값을 int형으로 다시 표현한다는 의미를 갖는다. 즉 2바이트 변수 num1과 num2에는 다음의 형태로 데이터가 저장되어 있는데,

```
num1(10) → 00000000 00001010
num2(20) → 00000000 00010100
```

이 데이터들은 덧셈연산 이전에 다음과 같은 형태로 변환이 되어 덧셈연산이 진행됨을 의미한다.

```
int형 정수 10 → 00000000 00000000 00000000 00001010
int형 정수 20 → 00000000 00000000 00000000 00010100
```

이것이 바로 형 변환이다.

"에이 형 변환이라는 것이 결국 나머지 2바이트를 전부 0으로 채운 것에 지나지 않네요?"

short와 int는 둘 다 정수를 표현하는 자료형으로서 값을 표현하는 기본원리는 동일하고, 값의 표현에 사용되는 바이트 크기만 다르기 때문에 매우 간단한 방식으로 형 변환이 발생한다. 그러나 int형 정수 1의 비트 열은 다음과 같고

```
int형 정수 1 → 00000000 00000000 00000000 00000001
```

float형 실수 1.0의 비트 열은 다음과 같기 때문에(왜 이렇게 되는지는 고민하지 않아도 된다)

```
float형 실수 1.0 → 00111111 10000000 00000000 00000000
```

int형 정수 1이 float형 실수 1.0으로 형 변환되면, 다음과 같이 전혀 다른 비트의 열을 구성하는 데이터로 변환이 된다.

```
00000000 00000000 00000000 00000001 → 00111111 10000000 00000000 00000000
```

이로써 여러분은 형 변환이 의미하는 바를 이해할 수 있게 되었다. 정리하면, 형 변환이라는 것은 값의 표현 방식을 바꾸는 것이다. 자! 그럼 본격적으로 형 변환이 발생하는 상황에 대해서 이야기 해 보자. 자바에는 기본적으로 두 가지 형태의 형 변환이 존재한다. 하나는 연산의 대상이 되는 두 피연산자의 자료형이 일치하지 않아서 자동으로 발생하는 형 변환이고, 다른 하나는 명시적으로 형 변환 연산자를 이용해

서 발생시키는 형 변환이다.

■ 자동 형 변환에 들어가기에 앞서

자동 형 변환에 들어가기에 앞서 CPU의 연산특성에 대해 간단히 설명하고자 한다. 다음 Chapter에서는 자바에서 사용할 수 있는 다양한 연산자들을 공부하게 되지만, 우리가 지금 알고 있는 연산자는 +가 유일하니 이를 가지고 이야기하고자 한다. 먼저 다음 연산문을 보자.

    1.5 + 3

문장의 일부로써 위와 같은 덧셈연산이 등장했다고 가정해 보자. 우리는 단숨에 연산의 결과가 4.5라는 것을 인식하지만 CPU는 이러한 덧셈연산을 진행하지 못한다. 이유는 간단하다. CPU는 하나의 연산에 사용되는 두 피연산자의 자료형이 다를 경우, 연산을 진행하지 못하도록 설계되어 있기 때문이다. 언뜻 생각해보면 이해가 안되지만, 2진수의 표현 관점에서 생각해보면 쉽게 이해가 된다. 먼저 int형 정수 1과 int형 정수 2의 합을 2진수의 형태로 계산해 보겠는가?

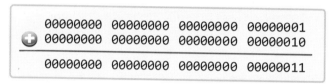

[그림 3-1 : 1 더하기 2는 3]

여러분도 쉽게 계산이 되었을 줄 안다. 정수 1과 정수 2는 바이트 크기도 같고 표현방법도 같기 때문에 매우 쉽게 계산이 가능하다. 그렇다면 int형 정수 1과 float형 실수 1.0의 합도 계산해 보겠는가?

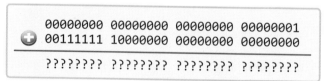

[그림 3-2 : 1 더하기 1.0은?]

이 그림에서 위의 2진수는 정수 1을, 아래의 2진수는 실수 1.0을 표현해 놓은 것이다. 그렇다면 이는 어떻게 계산해야 하겠는가? 변환의 과정을 거치지 않는 계산방법을 여러분이 제시해 줄 수 있겠는가? 이렇듯 CPU뿐만 아니라 우리 인간에게도 표현방식이 다른 두 데이터를 가지고 연산하는 것은 쉽지 않은 일이다. 필자는 아직도 16진수로 표현된 숫자와 2진수로 표현된 숫자의 합과 곱 그리고 나눗셈을 능수능

란하게 하는 기인을 본 적이 없다. 혹 주변에 그런 분이 계시다면 연락 주시기 바라며, 그런 분을 뵌 적이 없다면 CPU가 이러한 기인이기를 바라지 않기 바라겠다.

"그럼 1 더하기 1.0은 어떻게 계산을 해야 하죠?"

이러한 유형의 계산을 위해서는 표현법을 하나로 통일시킨 다음에 계산을 해야 한다. 우리 인간이 2진수 정수와 16진수 정수의 덧셈을 할 때, 둘 다 10진수로 변환을 해서 덧셈을 하거나 16진수를 2진수로 바꿔서 덧셈을 하듯이, CPU도 덧셈을 할 수 있도록 표현법을(자료형을) 하나로 통일시켜 줘야 한다. 때문에 자바는 '자동 형 변환'이라는 과정을 통해서 CPU가 연산을 할 수 있도록 자료형을 하나로 일치시켜 준다.

■ 자동 형 변환(Implicit Conversion)

자동으로(프로그래머가 별도의 형 변환 명령을 내리지 않아도) 형 변환이 발생하는 대표적인 사례는 다음과 같다.

```
double num1=20;
```

선언된 변수 num1은 double형이다. 따라서 이 변수에 저장될 데이터도 double형이어야 한다. 그런데 대입의 대상이 되는 값은 int형 정수 20이다. 따라서 이 경우에는 int형 정수 20이 double형 실수 20.0으로 자동 형 변환되어 변수 num1에 저장이 된다. 그러나 다음의 경우에는 자동으로 형 변환이 발생하지 않는다.

```
int num2=20.5;
```

20.5는 8바이트 double형 상수이다. 그런데 이를 4바이트 int형 변수 num2에 저장하려 하고 있다. 이 경우에도 double형 데이터 20.5가 int형 데이터로 형 변환될까? 변환되지 않는다(그래서 컴파일 오류가 발생한다). 왜냐하면 데이터의 손실이 발생하기 때문이다. 이처럼 자바에서는 데이터의 손실이 발생하지 않거나, 발생하더라도 그 손실이 제한적인 경우에만 자동 형 변환을 허용한다. 다음은 자바에서 정의하고 있는 자동 형 변환 규칙이다.

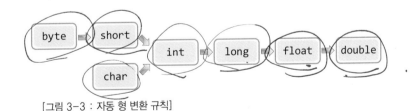

[그림 3-3 : 자동 형 변환 규칙]

위 그림에서 화살표 방향으로는 자동으로 형 변환이 발생한다. 즉 int형 데이터는 필요 시 long, float, double형으로 자동 형 변환된다. 그리고 모든 데이터는 필요 시 double형으로 자동 형 변환된다. 그럼 예를 들어보겠다.

```
float num1=10;
```

위 문장의 왼편에는 float형 변수가 선언되었다. 그리고 오른편에는 int형 상수가 선언되었다. 그런데 int는 float형으로 자동 형 변환이 가능하기 때문에, 10이 10.0f으로 형 변환되어 num1에 저장된다. 한가지 예를 더 들어 보겠다.

```
double num2=3.5f+12;
```

위 문장에서는 총 두 번의 형 변환이 발생하는데, 첫 번째는 덧셈연산 과정에서 발생한다. 이러한 경우에 (두 피연산자의 자료형이 일치하지 않는 경우에) 자바는 CPU가 연산할 수 있도록 자동으로 형 변환을 발생시킨다. 그렇다면 어떠한 자료형을 기준으로 일치를 시켜야 할까? int는 float로 자동 형 변환이 가능하지만, float는 int로 자동 형 변환이 불가능하다. 따라서 이러한 경우에는 int형 데이터 12가 float형으로 변환이 되어서 덧셈 연산이 진행된다. 즉 다음과 같은 형태로 덧셈이 진행된다.

```
3.5f+12.0f;
```

덧셈의 결과는 15.5f이므로 이제 남은 것은 변수 num2에 저장하는 일이다. 즉 다음 문장이 처리되어야 한다.

```
double num2=15.5f;
```

그런데 이 경우에도 자료형이 일치하지 않아서 문제가 발생한다. 다행히도 float형은 double형으로 자동 형 변환이 가능하기 때문에 15.5f는 double형 상수 15.5로 형 변환되어 변수 num2에 저장이 된다.

자동 형 변환 규칙에서의 long과 float
자동 형 변환 규칙의 순서상 8바이트로 표현되는 long형보다 4바이트로 표현되는 float형이 더 높은 위치에 있다. 이는 자바의 자동 형 변환 규칙이 바이트 크기가 아닌, 값의 표현 범위를 기준으로 정의되었기 때문이다.

■ 명시적 형 변환(Explicit Conversion)

자동 형 변환 규칙에 위배되는 상황임에도 불구하고 형 변환이 필요한 경우에는 '명시적 형 변환'을 통해서 형 변환이 이뤄지도록 문장을 구성할 수 있다. 다음 문장은 명시적 형 변환 방법을 보이고 있다.

```
int num=(int)3.15;        // 3.15를 int형으로 형 변환
```

위 문장에서는 double형 상수 3.15를 int형으로 명시적 형 변환하고 있다. 물론 이 과정에서 데이터의 손실이 발생하지만(소수점 이하의 데이터가 잘려나간다), 컴파일 오류의 발생 없이 형 변환이 이루어진

다. 한가지 예를 더 보겠다.

```
long num1 = 2147483648L;
int num2 = (int)num1;
```

실수형 데이터를 정수형 데이터로 형 변환하는 경우에는 소수점 이하가 잘려나가지만, 위와 같이 자료형만 다른 두 정수형 데이터 사이에서 형 변환을 하는 경우에는 상위 바이트가 잘려나가는 방식으로 형 변환이 이뤄진다. 따라서 변수 num1의 상위 4바이트를 제외한 나머지 4바이트가 변수 num2에 채워지게 된다. 물론 다음과 같이 int형 데이터를 long형으로 변환하는 경우에는, 반대로 0으로 채워진 4바이트 데이터가 상위 바이트에 더해지게 된다. 따라서 변수 num4에는 num3에 저장된 값과 동일한 값이 저장된다.

```
int num3 = 100;
long num4 = (long)num3;
```

그리고 형 변환도 값을 반환하는 하나의 연산이다. 즉 위의 두 경우에는 num1과 num3에 저장된 값이 변경되는 것이 아니라, num1과 num3에 저장된 값을 참조하여 int형, 그리고 long형으로 변환된 새로운 값을 만들어서 변수 num2와 num4에 저장하는 것이다. 그럼 이제 명시적 형 변환의 활용 예를 하나 보겠다.

❖ CastingOperation.java

```
1.  class CastingOperation
2.  {
3.      public static void main(String[] args)
4.      {
5.          char ch1='A';
6.          char ch2='Z';
7.
8.          int num1=ch1;
9.          int num2=(int)ch2;
10.
11.         System.out.println("문자 A의 유니코드 값 : "+num1);
12.         System.out.println("문자 Z의 유니코드 값 : "+num2);
13.     }
14. }
```

 해 설

- 8행 : ch1은 char형이고 num1은 int형이다. char형은 int형으로 자동 형 변환이 가능하므로 ch1에 저장된 값이 형 변환되어 num1에 저장된다.
- 9행 : ch2는 char형이고 num2는 int형이니 자동으로 형 변환이 이뤄진다. 그럼에도 불구하고 명시적으로 형 변환 연산을 진행하고 있다. 결과적으로는 8행과 차이가 없다. 그러나 형 변환이 발생된다는 사실을 코드상에서 표현한 것이 되기 때문에 이것이 더 권장하는 코드 구현 방법이다. 가급적이면 자동으로 형 변환이 발생하는 위치에 명시적으로 형 변환이 됨을 표현하기 바란다.

◆ 실행결과 : CastingOperation.java

문자 A의 유니코드 값 : 65
문자 Z의 유니코드 값 : 90

위 예제에서 ch1과 ch2에 실제 저장되는 값은 문자 A와 문자 Z에 해당하는 유니코드 값이다. 따라서 8행과 9행에 의해서 변수 num1과 num2에 저장되는 값은 문자 A와 문자 Z에 해당하는 유니코드 값이다.

Chapter 04

연산자(Operator)

CPU에게 연산(operation)을 시키기 위한 목적으로 정의된 기호들을 가리켜 '연산자(operator)'라 한다. 지금부터 자바의 다양한 연산자들을 소개하고자 한다. 어려운 내용이 아니기 때문에 가급적 간결한 예제를 통해서 연산자들의 기능을 빨리 파악할 수 있도록 돕겠다.

04-1 자바에서 제공하는 이항 연산자들

이항 연산자(binary operator)란 피연산자가 둘인 연산자를 의미한다. 따라서 앞서 본 + 연산자와 = 연산자도 이항 연산자에 속한다. 아무래도 우리에게는 이항 연산자가 익숙하기 때문에, 이항 연산자부터 소개하고자 한다.

■ 자바의 연산자

이항 연산자를 설명하기에 앞서, 일단 자바에서 제공하는 모든 연산자를 하나의 표로 정리하고자 한다. 이는 이후에 참조할 수 있도록 편의를 제공하기 위한 것이다. 그리고 이들 중에는 이번 Chapter에서 설명이 이뤄지지 않는 연산자들도 일부 있는데, 이들은 시기 적절한 때에 설명을 하겠다.

연산기호	결합방향	우선순위
[ ], .	➡	1(높음)
expr++, expr--	⬅	2
++expr, -- expr, +expr, -expr, ~, !, (type)	⬅	3
*, /, %	➡	4
+, -	➡	5
⟨⟨, ⟩⟩, ⟩⟩⟩	➡	6
⟨, ⟩, ⟨=, ⟩=, instanceof	➡	7
==, !=	➡	8
&	➡	9
^	➡	10
|	➡	11
&&	➡	12
||	➡	13
? expr : expr	⬅	14
=, +=, -=, *=, /=, %=, &=, ^=, |=, ⟨⟨=, ⟩⟩=, ⟩⟩⟩=	⬅	15(낮음)

[표 4-1 : 자바의 연산자들]

위의 표를 보면 '결합방향'과 '우선순위'에 대한 정보를 볼 수 있는데, 이들은 하나의 연산식 안에 둘 이상의 연산자가 존재하는 경우의 연산 진행 순서를 결정하는 요소들이므로 부담을 가질 필요가 없다. 다음

072 난 정말 JAVA를 공부한 적이 없다구요!

수식을 계산해 보겠는가? 쉽다고 한번에 후다닥 계산해버리지 말고, 단계별로 순서를 생각하며 한번에 하나의 연산만 진행하기 바란다.

  2 - 1 - 3 × 2

필자의 계산과정은 다음과 같다. 여러분의 계산과정과도 차이가 없으리라 믿는다(믿는다는 표현도 어울리지 않는다. 믿을게 뭐가 있다고).

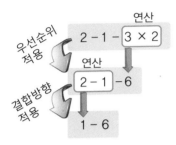

[그림 4-1: 연산의 과정]

자! 순서가 어떻게 되는가? 당연히 곱셈을 먼저 진행해야 한다. 그리고 이는 다음과 같은 수학적 배경을 기초로 한다.

  "덧셈과 뺄셈보다는 곱셈과 나눗셈이 먼저 계산되어야 한다."

이것이 바로 연산자의 '우선순위'이다. 즉 여러분은 이미 연산자의 우선순위를 바탕으로 수학문제를 풀어온 것이다. 그럼 곱셈이 계산되었으니 이제 뺄셈만 두 개 남았다. 어떤 뺄셈을 먼저 하느냐에 따라서 결과가 달라지는데, 이 때에는 다음과 같은 수학적 배경을 기초로 계산이 이뤄진다.

  "뺄셈은 왼쪽에서부터 순서대로 계산한다."

이를 컴퓨터 프로그래밍에서는 다음과 같이 이야기한다.

  "뺄셈 연산자의 결합방향은 왼쪽에서 오른쪽으로 이동한다"

즉 동일한 연산자가 하나의 연산식 안에 둘 이상 놓여있을 때, 연산의 순서를 결정짓는 요소가 바로 연산자의 '결합방향'이다. 표 4-1을 보면 결합방향이 두 가지로 표시되고 있다. 하나는 ⬅ 인데 이는 결합방향이 오른쪽에서 왼쪽으로 이동함을 의미한다. 쉽게 말해서 오른쪽에 있는 연산자부터 먼저 계산됨을 의미한다. 다른 하나는 ➡ 인데 이는 결합방향이 왼쪽에서 오른쪽으로 이동함을 의미한다. 즉 왼쪽에 있는 연산자부터 먼저 계산됨을 의미한다. 정리하면 연산식의 연산순서를 결정짓는 1차적인 요소는 연산자의 '우선순위'이고, 2차적인 요소는 연산자의 '결합방향'이다.

■ 대입 연산자(=)와 산술 연산자(+, -, *, /, %)

지금 소개하는 대입 연산자와 산술 연산자는 대표적인 이항 연산자들이다.

연산자	연산자의 기능	결합방향
=	연산자 오른쪽에 있는 값을 연산자 왼쪽에 있는 변수에 대입한다. 예) val = 20;	←
+	두 피연산자의 값을 더한다. 예) val = 4 + 3;	→
−	왼쪽의 피연산자 값에서 오른쪽의 피연산자 값을 뺀다. 예) val = 4 − 3;	→
*	두 피연산자의 값을 곱한다. 예) val = 4 * 3;	→
/	왼쪽의 피연산자 값을 오른쪽의 피연산자 값으로 나눈다. 예) val = 7 / 3;	→
%	왼쪽의 피연산자 값을 오른쪽의 피연산자 값으로 나눴을 때 얻게 되는 나머지를 반환한다. 예) val = 7 % 3	→

[표 4-2 : 대입 연산자와 산술 연산자]

다음은 위 표에서 정리한 연산자들을 활용한 예제이다. 우선 이 예제를 통해서 연산자의 기능과 더불어 연산의 기본적인 특성도 파악해 보자.

❖ ArithOp.java

```
1.  class ArithOp
2.  {
3.      public static void main(String[] args)
4.      {
5.          int n1=7;
6.          int n2=3;
7.
8.          int result=n1+n2;
9.          System.out.println("덧셈 결과 : " + result);
10.
11.         result=n1-n2;
12.         System.out.println("뺄셈 결과 : " + result);
13.         System.out.println("곱셈 결과 : " + n1*n2);
14.         System.out.println("나눗셈 결과 : " + n1/n2);
15.         System.out.println("나머지 결과 : " + n1%n2);
16.     }
17. }
```

해 설

• 8행 : n1과 n2의 덧셈 결과로 변수 result가 초기화된다. 여기서 주목할 것은 변수를 선언하는 선언문에도 연산식이 올 수 있다는 점이다.

- 11행 : n1에서 n2를 뺀 값이 변수 result에 저장된다.
- 13행 : + 연산자와 * 연산자가 하나의 문장 안에 함께 존재한다. 그런데 + 연산자보다 * 연산자의 연산자 우선순위가 더 높다(표 4-1 참조). 따라서 * 연산이 먼저 진행되고, * 연산의 결과로 반환되는 값을 가지고 + 연산이 진행된다.
- 14, 15행 : 13행과 마찬가지로 / 연산자와 % 연산자의 우선순위가 + 연산자보다 높다. 따라서 / 와 %의 연산결과를 가지고 + 연산이 진행된다.

❖ 실행결과 : ArithOp.java

```
덧셈 결과 : 10
뺄셈 결과 : 4
곱셈 결과 : 21
나눗셈 결과 : 2
나머지 결과 : 1
```

프로그래머들 중 상당수는 연산자의 우선순위를 고려해서 문장을 구성하지 않는다. 즉 위 예제의 13, 14, 15행은 다음과 같이 구성하는 것이 일반적이다.

```
System.out.println("곱셈 결과 : " + (n1*n2));
System.out.println("나눗셈 결과 : " + (n1/n2));
System.out.println("나머지 결과 : " + (n1%n2));
```

이러한 소괄호를 가리켜 '구분자'라 하는데, 이는 여러분이 알고 있는 수학에서의 소괄호와 의미가 동일하다. 따라서 이렇게 소괄호로 연산문의 일부를 묶어주면, 묶여있는 부분이 먼저 연산이 된다(구분이 되어 먼저 연산이 된다). 그리고 이렇게 소괄호를 사용하면, 연산자의 우선순위를 기억하지 않고도 원하는 형태의 연산문을 구성할 수 있기 때문에 실수를 할 확률도 줄어든다. 때문에 프로그래머들 중 상당수는 이렇듯 소괄호를 이용해서 연산자의 연산순서를 결정한다.

■ 나눗셈 연산자와 나머지 연산자에 대해서 보충합니다.

예제 ArithOp.java와 관련해서 추가적인 설명이 조금 더 필요하다. 이 예제의 14행에는 다음 문장이 존재한다.

```
System.out.println("나눗셈 결과 : " + n1/n2);
```

n1은 7이고 n2는 3이니, 나눗셈의 결과는 다음과 같다고 할 수 있다.

2.33333…

또는 다음과 같이 이야기 할 수도 있다.

"몫은 2이고 나머지는 1이다."

이 둘의 차이점을 알겠는가? 둘 다 답이 될 수 있다. 다만 나머지가 존재하는 방식은 정수형 나눗셈의 결과이고, 나머지가 존재하지 않고 실수의 형태로 결과를 보이는 방식은 실수형 나눗셈의 결과일 뿐이다. 그렇다면 실행결과만 보고 다음과 같은 결론을 내릴 수도 있을 것이다.

"아 / 연산자는 정수형 나눗셈을 하는구나!"

그러나 이는 잘못된 관찰결과다. 연산의 방식은 피연산자의 자료형에 따라서 결정이 된다. 두 개의 피연산자가 모두 정수이면 정수형 나눗셈을 하고, 두 개의 피연산자가 실수이면 실수형 나눗셈을 하는데, 다음 예제를 통해서 이 내용을 확인해 보겠다.

❖ DivOpnd.java

```
1.  class DivOpnd
2.  {
3.      public static void main(String[] args)
4.      {
5.          System.out.println("정수형 나눗셈 : " + 7/3);
6.          System.out.println("실수형 나눗셈 : " + 7.0f/3.0f);
7.          System.out.println("형 변환 나눗셈 : " + (float)7/3);
8.      }
9.  }
```

 해 설

- 5행 : 7과 3이 모두 정수이므로 정수형 나눗셈이 계산되어 나머지는 버려지고 몫인 2만 출력된다.
- 6행 : 7.0f와 3.0f가 모두 float형 데이터이므로 float형 나눗셈, 즉 실수형 나눗셈이 진행되어 나머지 없이 2.33333333이 출력된다.
- 7행 : 정수 7을 float형으로 형 변환하고 있다. 따라서 정수 7은 7.0f가 되어 7.0f/3이 진행된다. 그런데 두 피연산자의 자료형이 일치하지 않으므로 형 변환 규칙에 의해 3이 3.0f로 자동 형 변환 된다. 결국 7.0f/3.0f가 진행이 되어 실수형 나눗셈의 결과 2.33333333이 출력된다.

❖ 실행결과 : DivOpnd.java

정수형 나눗셈 : 2
실수형 나눗셈 : 2.3333333
형 변환 나눗셈 : 2.3333333

위 예제에서는 정수 7을 float형으로 형 변환하고 있는데, 이 때에 사용되는 소괄호는 연산의 순서를 지정하기 위해서 사용되는 소괄호와 다르다. 연산의 순서를 지정하기 위해서 사용되는 소괄호는 연산자가 아닌, 연산의 순서를 구분하기 위한 '구분자'라고 하지 않았는가? 하지만 형 변환에 사용되는 소괄호는 구분자가 아닌 연산자이다. 표 4-1을 보면 우선순위 3위에 등록되어 있는 연산자임을 확인할 수 있다. 이번에는 나머지를 반환하는 % 연산자와 관련해서 예제를 보도록 하겠다.

❖ AmpOpnd.java

```
1.  class AmpOpnd
2.  {
3.      public static void main(String[] args)
4.      {
5.          System.out.println("정수형 나머지 : " + 7%3);
6.          System.out.println("실수형 나머지 : " + 7.2 % 2.0);
7.      }
8.  }
```

해 설

• 5행 : 7을 3으로 나누면 나머지가 1이니 1이 출력된다.

• 6행 : 실수형 데이터를 기반으로 하는 % 연산에서 컴파일 오류는 발생하지 않으나, 이는 수학적으로 문제가 있는 연산문이다. 연산의 결과는 1.2로 출력이 되었는데(그 와중에도 오차가 발생하고 있음을 출력결과를 통해서 확인할 수 있다), 엄밀히 따져서 실수형 나눗셈은 나머지가 존재하지 않는다.

❖ 실행결과 : AmpOpnd.java

```
정수형 나머지 : 1
실수형 나머지 : 1.2000000000000002
```

위의 예제는 컴파일도 되고, 실행도 된다. 그러나 실수를 피연산자로 하는 % 연산을 아예 허용하지 않는 프로그래밍 언어도 있다. 이렇듯 실수를 이용한 % 연산의 결과는 의미가 없으니 이러한 연산문을 구성하지 않도록 주의해야 한다.

참 고

의미를 부여하셨나요?

혹 AmpOpnd.java에서 7.2 % 2.0의 연산결과에 나름의 의미를 부여했다면 2.0을 2.1로 바꿔서 다시 실행해 보자. 그리고 그 때에 출력되는 결과값에도 의미를 부여할 수 있는지 생각해보기 바란다.

■ 복합(Compound) 대입 연산자

이번에 소개할 이항 연산자는 복합 대입 연산자이다. 이는 대입 연산자가 다른 연산자와 묶여서 정의된 형태의 연산자로서, 표 4-1의 우선순위 15위에 등록되어 있는 연산자들이다. 이중에서 대입 연산자와 산술 연산자가 합해져서 만들어진 복합 대입 연산자는 총 다섯 개로써 각각의 의미는 다음과 같다.

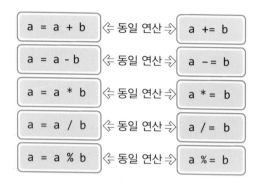

[그림 4-2: 복합 대입 연산자의 의미1]

이에 대한 이해를 위해서는 먼저 다음과 같은 문장도 성립이 됨을 이해하고 있어야 한다.

```
num = num + 5;
```

하나의 문장 안에 num이 두 번 등장하기 때문에 이상하게 생각될 수도 있다. 그러나 덧셈연산이 먼저 진행되고, 그 때 계산된 결과 값으로 대입연산이 진행된다고 생각하면 이상할 것도 없다. 변수 num에 2가 저장되어 있었다면 덧셈의 결과는 7이 된다. 따라서 위의 문장은 덧셈연산 이후에 다음과 같이 된다고 볼 수 있다.

```
num = 7;
```

결국 변수 num에는 7이 저장되는데, 결과적으로는 변수 num에 저장된 값을 5 증가시킨 꼴이 되었다. 그럼 이제 위 그림을 참조하여 다음 식을 분석해 보자.

```
num *= 9;
```

이는 다음 식을 간단히 표현한 것이다. 결론적으로 변수 num에 저장된 값이 9배 증가되었다.

```
num = num * 9;
```

여러분은 위 그림을 통해서 복합 대입 연산자의 구성 원리를 이해해야 한다. 그러면 아직까지 설명되지 않은 연산자들을 기반으로 구성이 되는 복합 대입 연산자들에 대해서도 이해가 가능하다. 표 4-1을 보면 그림 4-2에서 보인 연산자들 이외에도 다음의 복합 대입 연산자들이 존재함을 알 수 있다.

```
&=, ^=, |=, <<=, >>=, >>>=
```

그렇다면 이들이 의미하는 바는 무엇일까? 우리는 아직 &, ^, >>> 등의 연산자를 알지 못한다. 그러나 다음의 문장들이 의미하는 바가

```
A &= B;
A ^= B;
A >>>= B;
```

각각 다음의 문장들과 동일함은 알 수 있다.

```
A = A & B;
A = A ^ B;
A = A >>> B;
```

따라서 여러분은 이후에 &, ^, >>> 등의 연산자들이 지니는 기능만 이해하면, 모든 복합 대입 연산자들에 대해서 이해하고 활용할 수 있을 것이다. 그럼 복합 대입 연산자를 사용하는 다음 예제를 함께 보기로 하자.

❖ Comp.java

```
1.  class Comp
2.  {
3.      public static void main(String[] args)
4.      {
5.          double e=3.1;
6.          e+=2.1;
7.          e*=2;
8.
9.          int n=5;
10.         n*=2.2;
11.
12.         System.out.println(e);
13.         System.out.println(n);
14.     }
15. }
```

- 6행 : 이 문장은 e = e + 2.1과 동일하다. 따라서 변수 e에 저장된 값이 2.1 증가한다.
- 7행 : 이 문장은 e = e * 2와 동일하다. 그런데 이 상황에서 곱셈 연산자의 두 피연산자 자료형이 일치하지 않는다. 따라서 자동 형 변환 규칙에 의해 int형 정수 2가 double형 실수 2.0으로 변환이 되어서 곱셈이 진행된다. 즉 이 문장에서는 복합 대입 연산자의 왼편에 있는 e를 기준으로 형 변환이 발생한다.
- 10행 : 이 문장은 n = n * 2.2와 동일하다. 그렇다면 형 변환은 어떻게 진행이 될까? n이 int형 이므로 형 변환 규칙에 의해서 n의 값이 double형으로 변환이 되어 * 연산이 진행된다. 그리고 그 결과가 다시 변수 n에 저장되어야 하는데, 연산의 결과는 double형 상수 11.0 이고 변수 n은 int형이므로, 여기서 다시 11.0이 int형 상수 11로 형 변환이 되어 변수 n 에 저장된다.

```
10.4
11
```

당분간은 e += 2.1을 e = e + 2.1로 바꿔서 이해하자. 그러나 습관이 되면, 이러한 과정을 거치지 않고 "변수 e에 저장된 값을 2.1 증가시키는 연산"으로 이해하게 되는데, 이것이 보다 바람직한 해석 방법임을 기억하자.

하나의 연산자가 두 번의 자동 형 변환을 발생시켰다.

예제 Comp.java의 10행에 있는 n*=2.2는 매우 재미있는 연산문이다. 왜냐하면 하나의 피연산자가 두 번의 자동 형 변환을 일으켰기 때문이다. 두 번의 형 변환이 발생하는 이유를 이해하기 위해서는 소스해설에서 설명하고 있듯이 n = n * 2.2으로 바꿔서 분석을 해야 한다. 단! 곱셈연산 이후 대입의 과정에서 자료형의 불일치로 인한 문제가 발생은 하지만, 이는 어디까지나 *= 연산의 일부이기 때문에 컴파일 에러를 발생시키지 않는다는 사실에도 주목할 필요가 있다.

■ 관계 연산자 (〈, 〉, 〈=, 〉=, ==, !=)

관계 연산자는 크기 및 동등 관계를 따지는 연산자이다. 즉 관계 연산자는 두 피연산자의 크기 관계를 따져주는 이항 연산자이다. 따라서 '비교 연산자'라고도 한다. 두 피연산자의 값을 비교하기 때문이다.

연산자	연산자의 기능	결합방향
〈	예) n1 〈 n2 n1이 n2보다 작은가?	➡
〉	예) n1 〉 n2 n1이 n2보다 큰가?	➡
〈=	예) n1 〈= n2 n1이 n2보다 같거나 작은가?	➡
〉=	예) n1 〉= n2 n1이 n2보다 같거나 큰가?	➡
==	예) n1 == n2 n1과 n2가 같은가?	➡
!=	예) n1 != n2 n1과 n2가 다른가?	➡

[표 4-3 : 관계 연산자]

위의 관계 연산자들은 연산의 결과에 따라서 Chapter 02에서 설명한 true 또는 false를 반환한다. 즉 다음의 경우에는,

```
A == B
```

A와 B의 값이 동일하다면 true가 반환되고, A와 B의 값이 동일하지 않으면 false가 반환된다. 따라서 다음과 같이 문장을 구성해 놓으면(참고로 연산자의 우선순위가 =보다 ==가 훨씬 높으므로 괄호는 생략할 수 있다),

```
boolean result = (A==B);
```

변수 result에는 A와 B가 같을 경우 true가, 다를 경우 false가 저장된다. 이렇듯 관계 연산자가 제공하는 기능은 우리에게 익숙하기 때문에 연산자의 사용 방법에 대해서는 그리 궁금할 것이 없다. 오히려 여러분은 이러한 연산자들의 활용 방안이 더 궁금할 것이다. 그래서 필자는 다음 Chapter에서 구체적으로 설명하는 if~else문이라는 것을 이용해서 관계 연산자와 더불어 true와 false의 활용에 대해 조금 언급하고자 한다. 참고로 if~else문에 대해서는 다음 Chapter에서 제대로 된 설명이 이뤄지니 여기서는 간단히 맛만 보면 된다.

❖ CmpOp.java

```
1.   class CmpOp
2.   {
3.       public static void main(String[] args)
4.       {
5.           int A=10, B=20;
6.
7.           if(true)
8.               System.out.println("참 입니다!");
9.           else
10.              System.out.println("거짓 입니다!");
11.
12.          if(A>B)
13.              System.out.println("A가 더 크다!");
14.          else
15.              System.out.println("A가 더 크지 않다!");
16.
17.          if(A!=B)
18.              System.out.println("A와 B는 다르다!");
19.          else
20.              System.out.println("A와 B는 같다!");
21.      }
22.  }
```

해설

- 7~10행 : 이 코드 블록은 if~else문을 바탕으로 구성되었다. 그리고 if와 else라는 키워드가 의미하듯이 if의 소괄호에 true가 오면 8행이 실행되고, 반대로 false가 오면 10행이 실행된다.

- 12~15행 : if의 소괄호에 true나 false가 아닌 A〉B라는 연산이 존재한다. 따라서 연산의 결과로 true가 반환되면 13행이 실행되고, 반대로 false가 반환되면 15행이 실행된다.

- 17~20행 : 이번에는 if의 소괄호에 A!=B라는 연산이 존재한다. 따라서 연산의 결과에 따라서 18행 또는 20행이 실행된다.

❖ 실행결과 : CmpOp.java

```
참 입니다!
A가 더 크지 않다!
A와 B는 다르다!
```

이렇듯 관계 연산자와 더불어 true와 false는 프로그램의 흐름을 조절하는 용도로 사용이 된다. 위 예제에서는 A 또는 B에 저장된 값에 따라서 실행되는 문장의 구성이 달라진다. 이제 참과 거짓을 표현하기 위한 데이터 true와 false가 필요한 이유를 조금이라도 이해할 수 있겠는가? 그리고 앞서 if~else에 대해서는 맛만 보자고 하였는데, 위의 예제에서 보여준 것 이상의 내용이 존재하지는 않는다. 따라서 위의 예제만으로도 if~else가 이해되었다면, 다음 Chapter에서 공부할 내용이 그만큼 줄어든 셈이다.

■ 논리 연산자(&&, ||, !)

논리 연산자 역시 true 또는 false를 반환하는 연산자로써 AND(논리곱), OR(논리합), NOT(논리부정)을 의미하는 연산자로 구성되어 있다.

연산자	연산자의 기능	결합방향
&&	예) A && B A와 B 모두 true이면 연산결과는 true (논리 AND)	➡
||	예) A || B A와 B 둘 중 하나라도 true이면 연산결과는 true (논리 OR)	➡
!	예) !A 연산결과는 A가 true이면 false, A가 false이면 true (논리 NOT)	⬅

[표 4-4 : 논리 연산자]

위 연산자들 모두 연산의 결과로 true 또는 false를 반환한다. 그리고 이들 연산자의 연산결과를 나타낸 표를 가리켜 '진리 표(truth table)'라 하는데, 이 표를 보면 논리연산의 결과를 한눈에 확인할 수 있다.

아마도 전기전자컴퓨터 관련 학과의 학생이라면, 이 표를 본적이 있을 것이다.

피 연산자 1(OP1)	피 연산자 2(OP2)	연산결과(OP1 && OP2)
true	true	true
true	false	false
false	true	false
false	false	false

[표 4-5 : AND 연산(&& 연산) truth table]

피 연산자 1(OP1)	피 연산자 2(OP2)	연산결과(OP1 || OP2)
true	true	true
true	false	true
false	true	true
false	false	false

[표 4-6 : OR 연산(|| 연산) truth table]

피 연산자(OP)	연산결과(!OP)
true	false
false	true

[표 4-7 : NOT 연산(! 연산) truth table]

참 고

! 연산자는 단항 연산자입니다.

연산자의 수가 많기 때문에 필자는 이항 연산자와 단항 연산자 그리고 비트와 관련이 있는
연산자를 나눠서 설명하고 있다. 그러나 이는 설명의 편의를 위한 임의적인 구분일 뿐, 연
산자를 구분하는 절대적인 기준은 아니다. 예를 들어서 비트와 관련이 있는 연산자중에는
단항 연산자도 있고 이항 연산자도 있다. 그리고 지금 설명하고 있는 논리 연산자 중에도
단항 연산자 !가 존재한다.

연산의 결과가 한눈에 들어오는 진리 표도 제시를 하였으니, 다음 예제를 통해서 이들 논리 연산자의 기
능을 확인해보자.

❖ LogicOp.java

```
1.   class LogicOp
2.   {
3.       public static void main(String[] args)
4.       {
5.           int num1=10, num2=20;
6.
7.           boolean result1=(num1==10 && num2==20);
8.           boolean result2=(num1<=12 || num2>=30);
9.
10.          System.out.println("num1==10 그리고 num2==20 : " + result1);
11.          System.out.println("num1<=12 또는 num2>=30 : " + result2);
12.
13.          if(!(num1==num2))
14.              System.out.println("num1과 num2는 같지 않다.");
15.          else
16.              System.out.println("num1과 num2는 같다.");
17.      }
18. }
```

해설

- 7행 : 소괄호 부분을 먼저 보자. 여기에는 == 연산자와 && 연산자가 존재하는데, 우선순위는 == 연산자가 더 높다. 따라서 == 연산의 결과를 가지고 && 연산을 진행하게 된다.

- 8행 : 여기서는 소괄호 안에 〈=, 〉= 그리고 || 연산자가 존재하는데, 이중에서 || 연산자의 우선순위가 제일 낮다. 따라서 〈=, 〉= 연산의 결과를 가지고 || 연산을 진행하게 된다.

- 13~16행 : 이 코드 블록도 앞서 보인 if~else문을 바탕으로 구성되었다. 그런데 if의 소괄호 안에는 == 연산의 결과에 !연산을 하도록 구성되어 있다. 따라서 이는 == 연산결과를 뒤집는, 즉 true는 false로, false는 true로 바꾸는 결과로 이어진다.

❖ 실행결과 : LogicOp.java

```
num1==10 그리고 num2==20 : true
num1〈=12 또는 num2〉=30 : true
num1과 num2는 같지 않다.
```

다음 그림은 위 예제 7행의 연산 과정을 보여준다. 복잡해 보이지만 관계연산의 결과를 가지고 논리연산을 한 것뿐이다.

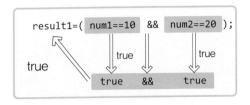

[그림 4-3: 관계연산의 결과로 진행하는 논리연산]

이처럼 true와 false를 피연산자로 연산을 진행하는 것이 논리 연산자라 할 수 있다. 물론 true와 false가 직접 등장하지는 않는다. true 또는 false를 판단(반환)하는 관계 연산문이 대신 등장하는 것이 보다 일반적이다.

■ 연산자 우선순위에 근거해서 판단할 일이냐!

바로 앞에서 보인 예제 LogicOp.java의 다음 연산문을 보면서 필자는 연산자의 우선순위를 근거로 == 연산자가 먼저 진행된다고 설명하였다.

```
num1==10 && num2==20
```

연산자 우선순위가 잘 정리되어 있어서 이렇게 설명을 해도 문제는 되지 않는다. 그러나 이 연산문은 연산자의 우선순위에 의해서 == 연산이 먼저 진행되는 것이 아니다. 예를 들어서 && 연산자의 우선순위가 == 연산자보다 상대적으로 높다고 가정해보자. 그렇다면 위 문장은 && 연산자부터 먼저 연산이 되겠는가? 먼저 연산을 시도하려 들 수는 있을 것이다. 그러나 이내 다음과 같은 판단이 이뤄진다.

"어라? && 연산자의 피연산자로 true와 false가 아닌 비교 연산자가 등장해 있네? 그럼 비교 연산자의 연산결과를 가지고 && 연산을 진행해야 하겠군!"

위의 문장에서는 이래저래 == 연산이 먼저 진행될 수밖에 없다. 이는 && 연산자의 피연산자 위치에 == 연산자가 등장했기 때문이다. 즉 이 문장에서 && 연산자와 == 연산자는 대등한 위치에 놓여있지 않다. && 연산자의 피연산자로 == 연산자가 놓여있는 것이다. 따라서 이러한 경우에는 연산자의 우선순위에 상관없이 == 연산자가 먼저 진행된다. 조금 혼란스러울 수 있어서 다른 연산문을 가지고 비교를 해 보겠다.

```
3 + 5 × 7
```

이 문장의 경우 +와 ×는 서로 대등한 위치에 놓여있다. 3+5의 연산결과도 × 연산자의 피연산자가 될 수 있고, 5×7의 결과도 + 연산자의 피연산자가 될 수 있기 때문이다. 따라서 이러한 경우에는 연산자의 우선순위와 결합방향을 가지고 연산의 순서를 결정하면 된다. 하지만 다음 문장은 상황이 다르다.

```
num1==10 && num2==20
```

이 상황에서는 && 연산의 결과가 == 연산자의 피연산자가 될 수 없다. 하지만 == 연산의 결과는 && 연산자의 피연산자가 될 수 있다. 때문에 연산자의 우선순위에 상관없이 == 연산자가 먼저 진행되어야 한다.

결과적으로 같은 것 아니냐?

여러분은 "결과적으로 같은 것 아니냐"라고 물을 수 있고, 때문에 필자도 처음에는 연산자의 우선순위를 근거로 설명을 한 것이다. 하지만 연산의 순서가 결정되는 기본 원칙의 이해를 바라는 마음에서 몇 자 적은 것이니, 자바라는 큰 대어를 잡는데 있어서 불필요한 내용으로 느껴진다면 이후에 참조할 내용으로 남겨둬도 좋다.

■ 논리 연산자와 Short-Circuit Evaluation(Lazy Evaluation)

자바 연산자의 연산특성 중에 Short-Circuit Evaluation이라는 것이 있다(이하 SCE라 한다). 이제 이와 관련해서 설명을 할 텐데, 여러분은 우선 이에 대한 한글 표현이 궁금할 것이다. 솔직히 필자도 궁금해서 조사를 좀 해 봤다. 그런데 표현 방식이 통일되어 있지 않고, 흔히 사용되는 표현들도 뜻을 충분히 담아내지 못하고 있어서 필자는 영문을 그대로 표기하였다. 그래도 이해를 돕기 위해 이를 한글로 번역하라고 한다면 다음과 같이 번역하면 좋을 것 같다(이해를 돕기 위한 필자의 사견이다).

"가장 빠르게 연산을 진행하기 위한 계산방식"

뭐 딱히 마음에 들지는 않는다(표현하기에도 부적절하고). 어쨌든 이것이 무슨 뜻인지 알아보기 위해서 다음 예제를 실행해 보자. 그리고 실행에 앞서 먼저 출력결과를 예측해 보자.

❖ SCE.java

```
1.  class SCE
2.  {
3.      public static void main(String[] args)
4.      {
5.          int num1=0, num2=0;
6.          boolean result;
7.
8.          result = (num1+=10)<0 && (num2+=10)>0;
9.          System.out.println("result="+result);
10.         System.out.println("num1="+num1+", num2="+num2);
11.
12.         result = (num1+=10)>0 || (num2+=10)>0;
13.         System.out.println("result="+result);
14.         System.out.println("num1="+num1+", num2="+num2);
15.     }
16. }
```

해 설

- 8행 : 이 문장에서는 (num1+=10)<0과 (num2+=10)>0의 연산결과로 반환되는 true 또는 false를 가지고 && 연산이 진행된다.
- 12행 : 8행과 유사하게 (num1+=10)>0과 (num2+=10)>0의 연산결과로 반환되는 true 또는 false를 가지고 || 연산이 진행된다.

❖ 실행결과 : SCE.java

```
result=false
num1=10, num2=0
result=true
num1=20, num2=0
```

이것이 어찌된 일인가? 실행결과를 보니 변수 num2에 저장된 값이 하나도 증가되지 않았다. 다시 말해서 && 연산자와 || 연산자의 오른편에 있는 += 연산이 진행되지 않은 것이다. 이것이 바로 SCE의 연산 특성인데, 다음 그림을 통해서 SCE가 무엇을 말하는지 설명하고자 한다.

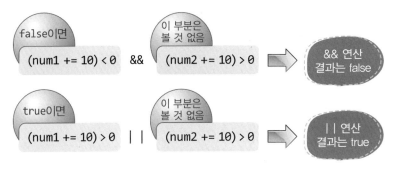

[그림 4-4 : Short-Circuit Evaluation]

위 그림에서 보여주듯이 && 연산자의 왼편에 있는 피연산자가 false이면, 오른편에 있는 피연산자에 상관없이 연산결과는 false가 된다. 따라서 연산속도의 향상을 위해서 && 연산자의 오른편은 확인(실행)하지 않는 편이 낫다는 결론이 나온다. 실제로 자바는 이러한 상황에서 && 연산자의 오른편을 실행하지 않는다. 이것이 바로 SCE이다. 마찬가지로 || 연산자의 왼편에 있는 피연산자가 true이면, 오른편에 있는 피연산자에 상관 없이 || 연산의 결과는 true가 된다. 따라서 이러한 경우에도 || 연산자의 오른편은 실행되지 않는다. 이제 SCE가 가져다 주는 부작용(side effect)이 무엇인지 알았을 것이다. 따라서 위 예제의 8행, 12행과 같은 문장이 구성되지 않도록 주의해야 한다.

문 제 4-1 [연산자의 활용과 연산의 특성 파악]

Question

▶ 문제 1

int형 변수 num1, num2, num3가 각각 10, 20, 30으로 초기화되어 있는 상황에서 다음 문장을 실행하면 각각의 변수에는 얼마가 저장되겠는가?

```
num1=num2=num3;
```

저장이 되는 값을 확인하는 코드를 작성하고, 그러한 결과를 보이는 이유에 대해서 설명해 보자.

▶ 문제 2

예제 SCE.java의 실행결과를 보면 변수 num2의 값이 증가되지 않음을 확인할 수 있는데, 이는 SCE에 의해서 두 번이나 등장하는 연산문 'num2+=10'이 전혀 실행되지 않기 때문이다. 그렇다면 예제를 어떻게 수정해야 num2의 값이 증가되겠는가?

▶ 문제 3

수학식 {(25×5)+(36-4)-72}/5의 계산결과를 출력하는 프로그램을 작성해 보자.

▶ 문제 4

3+6, 3+6+9, 3+6+9+12의 계산 결과를 출력하는 프로그램을 작성하되, 덧셈 연산의 횟수를 최소화하여 작성해 보자.

▶ 문제 5

A={(25+5)+(36/4)-72}*5, B={(25×5)+(36-4)+71}/4, C=(128/4)×2 일 때, A>B>C이면 true를 그렇지 않으면 false를 출력하는 프로그램을 작성하여라.

04-2 자바에서 제공하는 단항 연산자들

단항 연산자는 피연산자가 하나인 연산자로써 이항 연산자에 비해 그 수가 매우 적다. 그러나 이중에서 일부 연산자는 매우 유용하게 사용이 되므로 정확히 이해하고 있어야 한다.

■ 부호 연산자로서의 +와 −

앞서 설명했듯이 +와 − 연산자는 이항 연산자로써 덧셈과 뺄셈의 기능을 제공한다. 그런데 이 두 기호는 단항 연산자로 부호연산의 기능도 제공한다(여러분이 알고 있는 수학적 의미와 동일하다). 다음 예제는 단항 연산자로서의 +와 − 를 설명한다.

❖ UnaryAddMin.java

```
1.    class UnaryAddMin
2.    {
3.        public static void main(String[] args)
4.        {
5.            int n1 = 5;
6.            System.out.println(+n1);
7.            System.out.println(-n1);
8.
9.            short n2 = 7;
10.           int n3 = +n2;
11.           int n4 = -n2;
12.           System.out.println(n3);
13.           System.out.println(n4);
14.       }
15.   }
```

해 설

- 6행 : n1에 저장된 값에 + 연산을 하여 얻은 결과를 출력하고 있다. "에이 이게 무슨 연산이냐?" 라고 물을 수도 있다. 왜냐하면 출력결과를 보면 특별히 연산이 이뤄졌다고 할만한 내용이 없기 때문이다. 이와 관련해서는 잠시 후에 별도로 설명을 진행하겠다.
- 7행 : n1에 저장된 값에 − 연산을 하여 얻은 결과를 출력하고 있다. 변수에 −가 붙으면 변수에 저장된 값의 부호가 바뀜을 확인할 수 있다.
- 10, 11행 : 6행과 7행에서 했던 연산을 다시 진행하고 있다. 그런데 short형 변수 n2에 부호연산을 하여 얻은 값을 short형 변수가 아닌 int형 변수에 저장하고 있음에 주목하기 바란다.

```
5
-5
7
-7
```

먼저 실행결과를 통해서 확인할 수 있는 사실은 다음 두 가지이다.

- 단항 연산자로서 − 는 부호를 바꾸는 역할을 한다.
- 단항 연산자로서 + 는 특별히 하는 일이 없다.

− 연산자에 대해서는 추가로 설명이 필요 없을 것이다. 오히려 설명이 필요한 부분은 + 연산자이다. 붙여주나마나 한 + 단항 연산자를 만든 이유는 무엇일까? 그것은 다음과 같은 코드가 컴파일 되도록 허용하기 위함이다.

```
int n = +128;
```

이렇듯 음수가 아님을 강조하기 위해서 정수 앞에 +를 붙여도 컴파일 에러가 발생하지 않도록 +를 단항 연산자로 정의하고 있다. 그렇다면 정말로 +는 무늬만 연산자 아닐까? 실제로는 연산이 일어나지 않는, 그러니까 컴파일러에 의해서 무시되거나 하는 연산자는 아닐까? 위 예제 10행을 다음과 같이 변경해서 컴파일 해보면 이에 대한 진실을 알 수 있다.

```
short n3 = +n2;
```

n2가 short형 변수이니, 이 문장이 더 적절하다는 생각을 할 수 있다. 그러나 이 문장은 컴파일 에러를 발생시킨다. 정수는 연산이 이뤄지기에 앞서 int형으로 변환이 된다고 하지 않았는가? 따라서 n2에 저장된 값이 int형으로 자동 형 변환이 되어 + 연산이 진행된다. 결국 연산의 결과도 int형이 되어, 이보다 작은 크기의 short형 변수 n3에는 저장이 불가능하다. 따라서 short형 변수에 값을 저장하기 위해서는 다음과 같이 명시적으로 형 변환을 해야만 한다(물론 그 모습이 적절하지는 않다).

```
short n3 = (short)+n2;
```

이로써 단항 연산자 +도 무늬만 연산자가 아닌, 실제 연산의 과정을 거치는 연산자라는 사실이 밝혀졌다. 비록 하는 일은 별로 없지만 말이다.

■ 증가, 감소 연산자(++, −−) : prefix

이번에는 변수에 저장된 값을 하나 증가 및 감소시키는 기능의 연산자를 소개하고자 한다. 이들은 활용의 빈도가 매우 높으면서도 혼동하기 쉬우므로 확실히 이해하고 넘어가야 한다.

연산자	연산자의 기능	결합방향
++ (prefix)	피연산자에 저장된 값을 1 증가 예) val = ++n;	←
-- (prefix)	피연산자에 저장된 값을 1 감소 예) val = --n;	←

[표 4-8 : prefix 증가, 감소 연산자]

이 두 연산자는 prefix 연산자이다(prefix는 접두사라는 뜻이다). 쉽게 설명하면 피연산자의 앞부분에 붙는 연산자라는 뜻이다. 그럼 다음 예제를 통해서 이 두 연산자가 제공하는 기능을 확인해 보자.

❖ PrefixOp.java

```
1.  class PrefixOp
2.  {
3.      public static void main(String[] args)
4.      {
5.          int num1 = 7;
6.          int num2, num3;
7.
8.          num2 = ++num1;      // num1은 8이 됨
9.          num3 = --num1;      // num1은 다시 7이 됨
10.
11.         System.out.println(num1);
12.         System.out.println(num2);
13.         System.out.println(num3);
14.     }
15. }
```

해 설

• 8행 : ++ 연산자가 사용되었다. 피연산자는 num1이다. 따라서 num1의 값은 1이 증가되고, 이렇게 증가된 값이 num2에 저장된다.

• 9행 : -- 연산자가 사용되었다. 이번에도 피연산자는 num1이다. 따라서 num1의 값이 1 감소되고, 이렇게 감소된 값이 num3에 저장된다.

❖ 실행결과 : PrefixOp.java

```
7
8
7
```

■ 증가, 감소 연산자(++, --) : postfix

++, -- 연산자는 postfix 연산자로도 사용이 된다(postfix는 접미사라는 뜻이다). postfix 연산자는 피연산자의 뒤에 붙는 연산자를 의미한다. 물론 조금 전에 설명한 prefix 연산자의 형태로 사용될 때와는 의미가 조금 다르다.

연산자	연산자의 기능	결합방향
++ (postfix)	피연산자에 저장된 값을 1 증가 예) val = n++;	←
-- (postfix)	피연산자에 저장된 값을 1 감소 예) val = n--;	←

[표 4-9 : postfix 증가, 감소 연산자]

위 표에서 언급하는 내용만 보면 ++ 연산자와 -- 연산자를 피연산자의 뒤에 붙인다고 해서 달라질 것은 없어 보인다. 그러나 분명 큰 차이를 보인다. 다음 예제를 통해서 이를 확인해 보겠다.

❖ PostfixOp.java

```
1.  class PostfixOp
2.  {
3.      public static void main(String[] args)
4.      {
5.          int num1 = 7;
6.          int num2, num3;
7.
8.          num2 = num1++;      // num1이 8이 되긴 하는데..
9.          num3 = num1--;      // num1이 다시 7이 되긴 하는데..
10.
11.         System.out.println(num1);
12.         System.out.println(num2);
13.         System.out.println(num3);
14.     }
15. }
```

해 설

- 8행 : ++ 연산자가 피연산자 num1의 뒤에 붙었다. 따라서 num1의 값은 1이 증가한다. 그런데 이번에도 증가된 값이 num2에 저장될까? 실행결과를 확인해 보자.
- 9행 : -- 연산자가 피연산자 num1의 뒤에 붙었다. 따라서 num1의 값이 1 감소한다. 그러나 num3에 저장된 값은 얼마인지 실행결과를 통해서 확인해 볼 필요가 있다.

```
          7
          7
          8
```

실행결과는 PrefixOp.java와 차이가 있다. 분명 위 예제 8행에서는 num1의 값이 증가되었다. 그런데 num2에 저장된 값은 num1이 증가되기 이전의 값이다. 따라서 이 결과를 보고 다음과 같은 추론도 가능하다.

　　"아! 대입연산이 먼저 진행되었군, 대입 연산자가 우선순위가 높은가 보군!"

그러나 표 4-1을 보면 ++와 -- 연산자의 우선순위가 더 높음을 알 수 있다. 즉 대입연산이 먼저 진행된 것은 아니라는 뜻이다. 그렇다면 왜? num2에 저장된 값은 num1이 증가하기 이전의 값일까? 그것은 피연산자의 뒤에 붙는(postfix) ++, -- 연산자의 연산 특성 때문에 그렇다. 이와 관련해서 다음 그림을 보자.

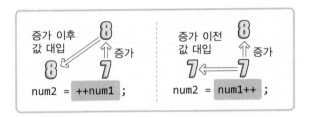

[그림 4-5: prefix ++와 postfix ++의 비교]

위 그림에서 두 ++ 연산자 모두 대입연산보다 먼저 실행이 되어 num1의 값을 8이 되게 한다. 단! postfix ++ 연산자의 경우, 연산이 이뤄진 문장 안에서는 여전히 증가되기 이전의 값 7로 인식된다는 특징이 있다. 그러나 다음문장으로 넘어가면 증가된 값 8로 인식이 된다. 이는 -- 연산자도 마찬가지이다. postfix -- 연산자의 경우, 연산이 이뤄지는 순간 피연산자의 값은 1이 감소한다. 그러나 연산이 이뤄진 문장 내에서는 여전히 감소하기 이전의 값으로 인식이 된다. 그리고 다음 문장으로 넘어가야 비로소 감소된 값으로 인식이 된다. 이해를 돕기 위해서 예제를 하나 더 제시하겠다.

```
1.  class PostfixUst
2.  {
3.      public static void main(String[] args)
4.      {
5.          int num1=7, num2;
6.          num2 = (num1--) + 5;
7.
8.          System.out.println("num1 : " + num1);
9.          System.out.println("num2 : " + num2);
10.     }
11. }
```

해 설

- 6행 : num1의 값을 하나 감소시키고 있다. 따라서 num1의 값은 6이 될 텐데, 이 문장에서는 여전히 7로 인식된다. 아무리 괄호를 치더라도 이는 변함이 없다. 그래서 num2에는 7+5의 결과가 저장된다.

- 8행 : num1의 값은 하나 감소가 되었으므로 6이 출력된다. 비록 6행에서는 7로 인식되었으나 6행을 벗어나는 순간부터는 6으로 정확히 인식이 된다.

❖ 실행결과 : PostfixUst.java

```
num1 : 6
num2 : 12
```

이로써 ++ 연산자와 -- 연산자에 대한 설명이 끝이 났다. 필자는 ++ 연산자가 피연산자의 앞에 올 경우 'prefix ++ 연산자'라 하고, 피연산자의 뒤에 올 경우 'postfix ++ 연산자'라 하여 영문 표현을 그대로 인용하였다. 만약에 이러한 영문 표현이 불편하다면 각각을 '전위 증가 연산자', '후위 증가 연산자'로 표현해도 된다.

비트와 관련이 있는 연산자들

이번에는 비트 단위로 연산을 진행하는 비트 연산자들을 소개하고자 한다. 그런데 비트 단위로 연산이 진행된다고 하면 언뜻 하드웨어의 컨트롤을 떠올리기 쉽다. 물론 그러한 용도로도 사용이 되지만, 일반적인 응용 프로그램 개발에서도 매우 유용하게 사용이 된다. 따라서 비트 연산자들에 대해서도 자세히 알고 있어야 한다.

■ 비트 연산자의 이해

비트 연산자는 비트단위로 연산을 진행하는 연산자이며, 피연산자는 반드시 정수이어야 한다. 실수에 대해서는 비트 연산이 불가능하다. 실수를 가지고 진행하는 비트단위 연산은 의미를 지니지 않기 때문에 자바는 이를 지원하지 않는다. 그럼 먼저 비트 연산자들의 종류와 기능부터 살펴보기로 하자.

연산자	연산자의 기능	결합방향
&	비트단위로 AND 연산을 한다. 예) n1 & n2;	➡
|	비트단위로 OR 연산을 한다. 예) n1 | n2;	➡
^	비트단위로 XOR 연산을 한다. 예) n1 ^ n2;	➡
~	피연산자의 모든 비트를 반전시켜서 얻은 결과를 반환 예) ~n;	⬅

[표 4-10 : 비트 연산자]

여러분은 위의 표를 이해하기에 앞서 비트단위 연산이 의미하는 바를 이해할 필요가 있다. 이에 다음 예제를 통해서 비트단위 연산이 의미하는 바를 설명하고자 한다.

❖ BitOpUst.java

```
1.   class BitOpUst
2.   {
3.      public static void main(String[] args)
4.      {
5.         byte n1=13;
6.         byte n2=7;
7.         int n3=n1&n2;
```

```
8.            System.out.println(n3);    // 숫자 5가 출력된다.
9.        }
10. }
```

위 예제 5행과 6행에는 byte형 변수 두 개가 선언되어 있으며, 7행에서는 이 두 변수를 피연산자로 하여
비트단위 & 연산을 진행하고 있다. 물론 정수는 연산에 앞서 int형으로의 자동 형 변환 과정을 거치고, 이
로 인해서 연산의 결과도 int형이 되지만(그래서 변수 n3를 int형으로 선언했지만), 설명의 편의를 위해
서 이러한 형 변환을 고려하지 않고 7행에서 진행되는 & 연산의 과정 및 결과를 그림으로 보이고자 한다.

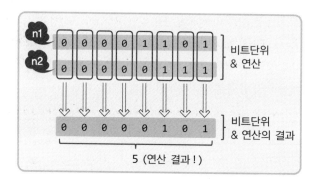

[그림 4-6: 비트단위 연산의 의미]

& 연산자는 비교의 대상이 되는 두 비트가 모두 1인 경우에만 1을 반환하여 연산결과를 구성하는 연산자
이다. 그런데 필자는 지금 당장 & 연산자를 설명하려는 것이 아니다. 필자는 위의 예제와 그림을 통해서
다음 사실을 먼저 설명하고자 하는 것이다.

  • 비트 연산자는 비트단위로 연산을 진행한다.

  • 비트 연산자는 비트 단위로 진행된 연산의 결과를 묶어서 하나의 연산결과를 반환한다.

그림을 보면 & 연산의 과정에서 변수 n1과 n2의 동일한 위치에 있는 비트들끼리 연산이 이뤄지고 있음
을 알 수 있다(둘 다 1인 경우에만 1을 반환한다). 그리고 이렇게 해서 얻어진 결과를 가지고 하나의 연
산결과를 구성하는 것도 알 수 있다. 이렇듯 비트 연산자는 비트 단위로, 다시 말해서 동일한 위치에 있
는 비트 별로 연산하여 그 결과를 하나의 정수로 반환하는 연산자이다.

■ 비트 연산자 : &, |, ^, ~

비트 연산자의 연산 특성에 대해서 이해하였으니, 이제 & 연산자부터 시작해서 비트 연산자들을 하나씩
살펴보기로 하자. & 연산자(비트 AND 연산자)는 && 연산자(논리 AND 연산자)와 유사하다. && 연산
자가 두 피연산자 모두 true일 때에만 true를 반환한다면, & 연산자는 두 비트가 모두 1일 때에만 1을

반환하여 하나의 연산결과를 구성한다. 다음은 & 연산자에 대한 진리 표(truth table)이다.

비트 A	비트 B	비트 A & 비트 B
1	1	1
1	0	0
0	1	0
0	0	0

[표 4-11 : 비트단위 AND 연산 truth table]

이어서 소개할 | 연산자(비트 OR 연산자)는 || 연산자(논리 OR 연산자)와 유사하다. || 연산자가 두 피연산자 중 하나만 true라도 true를 반환한다면, | 연산자는 두 비트 중 하나만 1이라도 1을 반환하여 하나의 연산결과를 구성한다. 다음은 | 연산자에 대한 진리 표이다.

비트 A	비트 B	비트 A	비트 B
1	1	1
1	0	1
0	1	1
0	0	0

[표 4-12 : 비트단위 OR 연산 truth table]

마지막으로 두 비트의 값이 서로 다른 경우에만 1을 반환하는 ^ 연산자(비트 XOR 연산자)와 1은 0으로, 0은 1로 반전시키는 ~ 연산자(비트 NOT 연산자)에 대한 진리 표를 제시하겠다.

비트 A	비트 B	비트 A ^ 비트 B
1	1	0
1	0	1
0	1	1
0	0	0

[표 4-13 : 비트단위 XOR 연산 truth table]

비트	~비트
1	0
0	1

[표 4-14 : 비트단위 NOT 연산 truth table]

그럼 하나의 예제를 통해서 지금까지 설명한 비트 연산자들의 연산방식을 전부 확인해 보겠다.

❖ BitOperator.java

```
1.   class BitOperator
2.   {
3.       public static void main(String[] args)
4.       {
5.           int num1=5;    /* 00000000 00000000 00000000 00000101 */
6.           int num2=3;    /* 00000000 00000000 00000000 00000011 */
7.           int num3=-1;   /* 11111111 11111111 11111111 11111111 */
8.
9.           System.out.println(num1 & num2);
10.          System.out.println(num1 | num2);
11.          System.out.println(num1 ^ num2);
12.          System.out.println(~num3);
13.      }
14.  }
```

해 설

• 9행 : num1과 num2의 & 연산결과는 0으로 채워지는 상위 3바이트를 생략하면 00000001이
  다. 즉 연산결과는 정수 1이다.

• 10행 : num1과 num2의 | 연산결과는 0으로 채워지는 상위 3바이트를 생략하면 00000111이
  다. 즉 연산결과는 정수 7이다.

• 11행 : num1과 num2의 ^연산결과는 0으로 채워지는 상위 3바이트를 생략하면 00000110이
  다. 즉 연산결과는 정수 6이다.

• 12행 : −1로 초기화 된 변수 num3의 모든 비트는 1로 채워진다(2의 보수 표현법 참조). 따라서
  num3에 대한 ~ 연산의 결과는 모든 비트가 0으로 채워지는 정수 0이다.

❖ 실행결과 : BitOperator.java

```
1
7
6
0
```

■ 비트 쉬프트(Shift) 연산자 : 《, 》, 》》

비트 쉬프트 연산자는 피연산자의 비트 열을 왼쪽 또는 오른쪽으로 이동시키는 연산자이다. 이러한 비트
쉬프트 연산자들도 두 개의 피연산자가 필요한 이항 연산자이며, 비트 연산자들과 마찬가지로 피연산자

는 모두 정수이어야 한다. 자바는 총 3개의 비트 쉬프트 연산자를 제공하는데, 이들의 기능을 정리하면 다음과 같다.

연산자	연산자의 기능	결합방향
〈〈	• 피연산자의 비트 열을 왼쪽으로 이동 • 이동에 따른 빈 공간은 0으로 채움 • 예) n 〈〈 2; → n의 비트 열을 두 칸 왼쪽으로 이동 시킨 결과 반환	➡
〉〉	• 피연산자의 비트 열을 오른쪽으로 이동 • 이동에 따른 빈 공간은 음수의 경우 1, 양수의 경우 0으로 채움 • 예) n 〉〉 2; → n의 비트 열을 두 칸 오른쪽으로 이동 시킨 결과 반환	➡
〉〉〉	• 피연산자의 비트 열을 오른쪽으로 이동 • 이동에 따른 빈 공간은 0으로 채움 • 예) n 〉〉〉 2; → n의 비트 열을 두 칸 오른쪽으로 이동 시킨 결과 반환	➡

[표 4-15 : 비트 쉬프트 연산자]

예제를 보이기에 앞서 비트 쉬프트 연산자의 연산 방식에 대해 간단히 설명하고자 한다. 변수 A, B가 존재할 때, 다음 형식으로 문장을 구성할 수 있다(A와 B는 상수도 될 수 있다).

```
int num = A << B;
```

그리고 이는 다음과 같은 의미를 지닌다.

"A의 비트 열을 B만큼 왼쪽으로 이동시켰을 때, 얻게 되는 정수 값을 변수 num에 저장해라!"

일단 이 정도의 이해를 가지고 다음 예제를 관찰하자. 이 예제를 통해서 비트 쉬프트 연산이 지니는 특별한 의미를 함께 설명하겠다.

❖ BitShiftOp.java

```
1.  class BitShiftOp
2.  {
3.      public static void main(String[] args)
4.      {
5.          System.out.println(2 << 1);    // 4 출력
6.          System.out.println(2 << 2);    // 8 출력
7.          System.out.println(2 << 3);    // 16 출력
8.
9.          System.out.println(8 >> 1);    // 4 출력
10.         System.out.println(8 >> 2);    // 2 출력
11.         System.out.println(8 >> 3);    // 1 출력
```

```
12.
13.        System.out.println(-8 >> 1);    // -4 출력
14.        System.out.println(-8 >> 2);    // -2 출력
15.        System.out.println(-8 >> 3);    // -1 출력
16.
17.        System.out.println(-8 >>> 1);   // 2147483644 출력
18.    }
19. }
```

위 예제 5~7행에서는 정수 2의 비트 열을 왼쪽으로 각각 1, 2, 3 칸씩 이동시킨 결과를 출력하고 있다. 그렇다면 얼마가 출력될지 먼저 계산해 보자. 단 int형으로 표현되는 정수 2의 상위 3바이트는 0으로 채워지니 이를 제외한 나머지 부분만을 가지고 계산을 진행해 보겠다.

- 정수 2 → 00000010 → 정수 2
- 2 << 1 → 00000100 → 정수 4
- 2 << 2 → 00001000 → 정수 8
- 2 << 3 → 00010000 → 정수 16

어렵지 않게 계산이 가능하다. 그리고 여기서 중요한 결론 하나를 내릴 수 있다.

"왼쪽으로의 비트 열 이동은 2의 배수의 곱으로 이어진다."

즉, 왼쪽으로 비트 열을 1칸 이동시키면 이는 2를 곱하는 꼴이 된다. 그리고 왼쪽으로 비트 열을 2칸 이동시키면 이는 4를 곱하는 꼴이 된다. 이렇듯 왼쪽으로 비트 열을 n칸 이동시키면, 이는 2의 n승을 곱하는 결과로 이어지는데, 이것이 바로 2진수 정수의 특성이다. 만약에 이 현상이 이해되지 않는다면 임의의 정수를 가지고 여러분이 직접 확인해 보자. 2진수 정수의 비트 열을 왼쪽으로 한 칸씩 이동시킬 때마다 정말로 값이 두 배씩 증가가 되는지를 말이다. 이를 확인하였다면 여러분은 더불어서 다음의 결론도 내릴 수 있다.

"오른쪽으로의 비트 열 이동은 2의 배수의 나눗셈으로 이어진다."

비트 열을 왼쪽으로 이동시키면 2의 배수의 곱으로 이어지니, 오른쪽으로 이동시키면 2의 배수의 나눗셈으로 이어지는 것은 당연한 일이다. 즉 오른쪽으로 비트 열을 n칸 이동시키면, 이는 2의 n승으로 나누는 결과로 이어진다. 따라서 위 예제의 9~11행의 출력 결과는 별도의 계산 과정이 없어도 4, 2, 1이 출력됨을 쉽게 판단할 수 있다.

그렇다면 지금 설명한 비트 쉬프트 연산에 따른 값의 증가 및 감소는 음의 정수에도 동일하게 적용이 될까? << 연산자와 >> 연산자를 이용해서 비트 열을 이동시키면, 대부분의 경우에는 동일하게 적용이 된다. 왜냐하면 << 연산자와 >> 연산자는 값의 부호를 결정하는 MSB(가장 왼쪽 비트)를 그대로 유지하기 때문이다. 즉 MSB가 1이면 >>연산에 따른 빈 공간을 1로 채우고, MSB가 0이면 >>연산에 따른 빈 공간을

0으로 채운다. 그러나 >>> 연산자는 이동에 따른 빈 공간을 무조건 0으로 채우기 때문에, 위 예제 17행의 출력결과가 보이듯이 음수의 경우 2의 배수와 전혀 상관없는 값이 만들어진다는 사실을 기억하자.

비트 연산자 그리고 비트 쉬프트 연산자의 유용성

CPU에게 있어서 곱셈과 나눗셈은 매우 부담이 되는 작업이지만, 비트를 이동시키는 연산은 전혀 부담되지 않는 작업이다. 따라서 CPU의 연산능력이 약한 소형 컴퓨터상에서 동작하는 프로그램의 구현에서는 2의 배수 단위로 값을 증가 및 감소시켜야 하는 경우에 실제로 비트 쉬프트 연산자를 사용하기도 한다. 그리고 비트 연산자와 비트 쉬프트 연산자는 그 활용의 범위를 한정 지을 수 없을 만큼 다양하게 활용이 된다. 때문에 프로그래머의 구현 능력을 판단하는 기준 중 하나로 비트 쉬프트 연산자의 활용 능력을 꼽는 분들도 있다.

문제 4-2 [비트 연산자 그리고 비트 쉬프트 연산자]

여러분이 프로그래밍에 익숙하지 않은 초보자라면, 아래의 문제 2와 3은(특히 문제 3은) 많은 부담이 될 수 있다. 따라서 해결하지 못했다고 해서 실망할 필요는 없다.

▶ 문제 1
정수 7의 비트 열을 기반으로 2의 보수를 취하면 −7이 됨을 앞서 설명하였다. 실제로 그런지 정수 7에 대한 2의 보수를 계산하여 출력하는 프로그램을 작성해 보자.

▶ 문제 2
int형 정수 15678의 오른쪽에서 세 번째 비트와 다섯 번째 비트가 각각 어떻게 되는지 확인하여 출력하는 프로그램을 작성해 보자.

▶ 문제 3
<< 연산은 대부분의 경우에 피연산자의 값에 2의 배수를 곱하는 결과를 보인다. 그러나 MSB를 변경시켜서 전혀 엉뚱한 결과를 보이는 경우도 있다. 음의 정수와 양의 정수를 하나씩 예로 들어서 엉뚱한 결과가 언제 어떻게 발생하는지 설명하고, 이를 증명하기 위한 간단한 프로그램도 작성해 보자.

■ 문제 4-1의 답안

■ 문제 1

다음 예제의 실행을 통해서 변수 num1, num2, num3에 저장된 값을 확인할 수 있다.

❖ 소스코드 답안

```
1.   class AssignSteResult
2.   {
3.       public static void main(String[] args)
4.       {
5.           int num1=10, num2=20, num3=30;
6.           num1=num2=num3;
7.
8.           System.out.println(num1);
9.           System.out.println(num2);
10.          System.out.println(num3);
11.      }
12.  }
```

출력결과를 통해서 num1, num2, num3에 모두 30이 저장되어 있음을 알 수 있다. 그렇다면 이러한 결과가 나온 이유는 어디에 있을까? 위 예제 6행의 문장에는 = 연산자가 두 개 존재하는데, 이 연산자의 결합방향이 ◀(오른쪽에서 왼쪽)이므로 오른쪽에 있는 = 연산이 먼저 진행된다. 즉 연산의 순서는 다음과 같다.

```
num1=(num2=num3);
```

때문에 1차적으로 num3에 저장된 값이 num2에 저장이 되고, num2에 저장된 값이 다시 num1에 저장이 되어서 num1, num2, num3에 모두 30이 저장되는 것이다.

■ 문제 2

+= 연산자가 논리 연산자와 함께 있어서 문제가 된 것이므로 이 둘을 별도의 문장에서 실행되도록 변경하면 된다.

❖ 소스코드 답안

```
1.   class SCEReImpl
2.   {
3.       public static void main(String[] args)
4.       {
5.           int num1=0, num2=0;
6.           boolean result;
7.
8.           num1+=10;
9.           num2+=10;
10.          result = (num1<0) && (num2>0);
11.          System.out.println("result="+result);
12.          System.out.println("num1="+num1+", num2="+num2);
13.
14.          num1+=10;
15.          num2+=10;
16.          result = (num1>0) || (num2>0);
17.          System.out.println("result="+result);
18.          System.out.println("num1="+num1+", num2="+num2);
19.      }
20.  }
```

비록 예제를 구성하는 문장의 수는 늘었지만 문장은 훨씬 간결해졌다. 그리고 SCE.java에서 보인 원치 않는 결과도 발생하지 않게 되었다.

■ 문제 3

자바의 연산자에는 수학에서 의미하는 중괄호가 존재하지 않는다(중괄호가 있긴 하지만, 다른 의미로 사용이 된다). 대신 중괄호도 그냥 소괄호로 처리하면 된다.

❖ 소스코드 답안

```
1.   class SimpleOpSte
2.   {
3.       public static void main(String[] args)
4.       {
5.           int result=((25*5)+(36-4)-72)/5;
6.           System.out.println(result);
7.       }
8.   }
```

■ 문제 4

덧셈의 수를 최소화하려면 이전 덧셈의 결과를 변수에 저장해야 한다.

❖ 소스코드 답안

```
1.   class AddNumMin
```

```
2.   {
3.       public static void main(String[] args)
4.       {
5.           int result=3+6;
6.           System.out.println("3+6=" + result);
7.
8.           result+=9;
9.           System.out.println("3+6+9=" + result);
10.
11.          result+=12;
12.          System.out.println("3+6+9+12=" + result);
13.      }
14.  }
```

■ 문제 5

논리 연산자의 활용에 관한 문제이다.

❖ 소스코드 답안

```
1.   class BiggestResult
2.   {
3.       public static void main(String args[])
4.       {
5.           int A=((25+5)+(36/4)-72)*5;
6.           int B=((25*5)+(36-4)+71)/4;
7.           int C=(128/4)*2;
8.
9.           boolean isBig = (A>B) && (B>C);
10.          System.out.println(isBig);
11.      }
12.  }
```

■ 문제 4-2의 답안

■ 문제 1

❖ 소스코드 답안

```
1.   class TwosComp
2.   {
3.       public static void main(String[] args)
4.       {
5.           int num=7;
6.           num = ~num;
7.           num += 1;
8.           System.out.println(num);
9.      }
10.  }
```

위 예제의 6행에서는 num에 저장된 비트를 모두 반전시켜서 다시 num에 저장하고 있다. 그리고 7행에서는 1을 더하고 있는데, 이것이 이전에 소개한 2의 보수를 계산하는 방법이다. 그리고 실행의 결과로 -7이 출력됨을 확인할 수 있다.

■ 문제 2

이 문제의 해결방식은 하나가 아니므로, 여러분은 필자와 다른 방식으로 문제를 해결했을 수도 있다. 그러나 필자의 구현방식도 이해하고 있을 필요는 있다. 다음은 이 문제의 해결을 위한 필자의 답안이다.

❖ 소스코드 답안

```
1.   class BitSearch
2.   {
3.       public static void main(String[] args)
4.       {
5.           int num=15678;
6.           System.out.println( (num>>2) & 1);
7.           System.out.println( (num>>4) & 1);
8.       }
9.   }
```

위 예제에서 15678로 초기화 된 변수 num의 비트 열은 다음과 같다.

00000000 00000000 00111101 00111110

이러한 변수 num의 비트 열을 오른쪽으로 2칸씩 이동시키면, 변수 num의 세 번째 비트가(오른쪽 끝에서부터 세 번째) 오른쪽 끝으로 이동하게 된다. 즉 num>>2의 연산결과는 다음과 같다.

00000000 00000000 00001111 01001111

바로 이 연산결과와 int형 정수 1과의 & 연산을 통해서 15678로 초기화 된 변수 num의 오른쪽 세 번째 비트를 확인할 수 있다. 오른쪽 세 번째 비트가 1이라면 연산의 결과도 1이고, 0이라면 연산의 결과도 0이다. 그리고 15678의 다섯 번째 비트를 확인하기 위해서는 변수 num에 저장된 비트의 열을 4칸씩 이동시켜서 지금 설명한 일련의 연산 과정을 그대로 거치면 된다.

■ 문제 3

예제를 작성하기에 앞서 어떠한 경우에 엉뚱한 결과를 보이는지 먼저 파악해야 한다. 먼저 int형 양의 정수에서 문제가 발생하는 경우를 예로 들면 다음과 같다.

01000000 00000000 00001000 00100000

이 비트 열의 왼쪽에서 두 번째 비트는 현재 1이다. 이러한 정수를 왼쪽으로 한 칸씩 이동시키면 다음과 같이 되어서 음의 정수가 되어버린다.

10000000 00000000 00010000 01000000

이렇듯 비트의 이동으로 인해서 MSB가 0에서 1로 바뀌면 엉뚱한 결과를 보이게 된다. 유사하게 다음과 같은 int형 음의 정수를 왼쪽으로 한 칸씩 이동시켜도 문제가 발생한다.

10000001 00001000 11100000 01110000

이동의 결과, 1이었던 MSB가 다음과 같이 0으로 바뀌어서 전혀 상관이 없는 양의 정수가 되어버린다.

00000010 00010001 11000000 11100000

종합해 보면 MSB가 0에서 1로, 그리고 1에서 0으로 바뀌는 상황에서 엉뚱한 결과가 만들어진다고 정리할 수 있다. 그럼 예제를 통해서 이를 다시 한번 확인해 보겠다. 그런데 이의 확인을 위한 예제의 작성이 그리 쉽지만은 않다. 코드상에서 2진수를 직접 표현하는 방법이 없기 때문이다.

❖ 소스코드 답안

```
1.    class BitShiftNotExpect
2.    {
3.        public static void main(String[] args)
4.        {
5.            int num = 7;
6.            int bitset = 1<<30;
7.            num |= bitset;        // num = num | bitset;
8.            System.out.println(num);
9.            System.out.println(num <<= 1);
10.
11.           num=-12;
12.           bitset = ~0;
13.           bitset ^= (1<<30);    // bitset = bitset ^ (1<<30);
14.           num &= bitset;        // num = num & bitset;
15.           System.out.println(num);
16.           System.out.println(num <<= 1);
17.       }
18.   }
```

위 예제 5행에서는 변수 num을 선언과 동시에 양의 정수 7로 초기화하고 있다. 이제 비트 쉬프트 연산을 했을 때, MSB가 0에서 1로 바뀔 수 있도록 변수 num의 31번째 비트(MSB의 바로 오른편에 있는 비트)에 1을 채워주고자 한다. 이를 위해서 6행에서는 변수 bitset을 선언하고 1<<30의 연산결과로 초기화하였다. 따라서 변수 bitset에는 다음의 비트 열이 저장된다. 이는 정수 1의 비트 열을 30칸 왼쪽으로 이동시킨 결과이다.

01000000 00000000 00000000 00000000

따라서 7행의 연산에 의해서 변수 num의 31번째 비트는 1이 된다. 이제 9행의 출력결과를 통해서 MSB가 0에서 1로 변경되었음을 확인할 수 있다.

음수와 관련해서도 이와 유사한 방식으로 진행이 되고 있다. 일단 11행에서는 변수 num에 −12를 저장하고 있다. 이제 비트 쉬프트 연산을 했을 때, MSB가 1에서 0으로 바뀔 수 있도록 변수 num의 31번째 비트를 0으로 바꿔줄 차례이다. 이를 위해서 12행에서는 정수 0의 비트 열을 반전시켜서 다음의 비트 열 정보를 변수 bitset에 저장하였다.

11111111 11111111 11111111 11111111

그리고 13행의 연산에 의해 bitset에 저장된 비트 열의 정보는 다음과 같이 변경된다(31번째 비트가 0으로 바뀌었다).

10111111 11111111 11111111 11111111

따라서 14행의 연산에 의해서 변수 num의 31번째 비트는 0이 된다. 이제 16행의 출력결과를 통해서 MSB가 1에서 0으로 변경되었음을 확인할 수 있다.

Chapter 05

실행흐름의 컨트롤

이번 Chapter와 다음 Chapter를 통해서 프로그램의 실행흐름에 대한 컨트롤 방법을 소개하는데, 이 내용만 숙지를 해도 여러분이 구현할 수 있는 프로그램의 범위는 지금까지와는 비교할 수 없을 정도로 넓어진다. 이제 서서히 프로그래밍에 재미를 붙일 때가 되었다.

특정 조건이 만족될 때에만 실행하고픈 문장이 있다면 키워드 if를 사용하면 된다. 그리고 조건에 따라서 실행하고픈 문장을 달리하고 싶다면 키워드 else를 추가로 사용하면 된다.

■ if문과 if~else문

영어는 문장을 통으로 공부하는 것이 효율적이라고 했던가? 자바의 각종 문법들도 예제를 통해서 통으로 공부하는 것이 효율적이다. 따라서 if문과 더불어 if~else문이 제공하는 기능을 여러분 스스로 파악할 수 있도록 예제를 하나 제시하겠다.

❖ IEBasic.java

```
1.    class IEBasic
2.    {
3.        public static void main(String[] args)
4.        {
5.            if(true)
6.            {
7.                System.out.println("if & true");
8.            }
9.
10.           if(false)
11.           {
12.               System.out.println("if~else & true");
13.           }
14.           else
15.           {
16.               System.out.println("if~else & false");
17.           }
18.       }
19.   }
```

위 예제 5~8행에서 보이는 부분을 가리켜 if문이라 하는데(둘 이상의 라인에 형성되어 있어도 하나의 문장으로 간주한다), 이 문장의 기본골격은 다음과 같다.

```
if (true or false)
{

    /* true 시 실행되는 영역 */

}
```

[그림 5-1: if문의 기본구조]

먼저 키워드 if의 오른편에 오는 소괄호를 보자. 이 소괄호에는 참과 거짓을 의미하는 true 또는 false가 오게 되어 있다. 그리고 이곳에 true가 오면, 이어서 등장하는 중괄호 내부가 실행되고, 반대로 false가 등장하면 중괄호 내부가 실행되지 않는 방식으로 if문은 동작한다. 그럼 이러한 기본지식을 가지고 위 예제 5~8행을 보자. if문의 소괄호에 true가 왔으니, 중괄호 내에 존재하는 7행은 당연히 실행이 된다. 만약에 이 부분에 false를 삽입하고 다시 컴파일 및 실행을 한다면 7행이 실행되지 않음을 확인할 수 있다. 물론 if문의 소괄호 안에다가 대 놓고 true 또는 false를 써 넣는 일은 없다. 처음부터 false를 써 넣을 생각이었다면 애초에 문장을 삽입하지 않으면 되고, true를 써 넣을 생각이었다면 if문 없이 그냥 실행하고픈 문장을 삽입하면 되니 말이다. true 또는 false가 올 수 있다는 것은 true 또는 false를 반환하는 연산문이 올 수 있다는 것으로 확장이 가능하기 때문에 의미가 있는데, 이와 관련해서는 잠시 후에 별도로 예제를 제시하겠다. 그럼 이번에는 위 예제의 10~17행을 보자. 이를 가리켜 if~else문이라 하는데, 앞서 보인 if문의 뒤에 else를 붙인 구조이다.

```
if (true or false)
{
    /* true 시 실행되는 영역 */
}
else
{
    /* false 시 실행되는 영역 */
}
```

[그림 5-2: if~else문의 기본구조]

위 그림이 보이듯이 if~else문은 소괄호에 true가 오면 if에 이어서 등장하는 중괄호 내부가 실행되고, if의 소괄호에 false가 오면 else에 이어서 등장하는 중괄호 내부가 실행이 된다. 따라서 위 예제의 경우에는 10행의 소괄호에 true가 오면 12행이 실행되고, 반대로 false가 오면 16행이 실행된다. 그럼 이어서 if~else문의 실질적인 활용의 예를 보이도록 하겠다.

❖ IEUsage.java

```
1.    class IEUsage
2.    {
3.        public static void main(String[] args)
```

```
4.      {
5.          int num=10;
6.
7.          if(num>0)
8.              System.out.println("num은 0보다 크다.");
9.
10.         if((num%2)==0)
11.             System.out.println("num은 짝수");
12.         else
13.             System.out.println("num은 홀수");
14.     }
15. }
```

해 설

- 7행 : true 또는 false가 와야 하는 위치에 비교 연산문이 등장하였다. 그런데 비교 연산자는 연산의 결과로 true 또는 false를 반환하므로 이는 적절한 구성이다. 이렇듯 if문의 소괄호에는 true 또는 false를 반환하는 연산문이 등장하는 것이 보통이며, 이러한 경우에는 연산이 먼저 진행되고 그 결과를 가지고 if문이 실행된다.

- 8행 : 이 문장은 7행의 비교연산 결과가 true인 경우에만 실행이 된다. 앞서 그림 5-1에서는 중괄호로 묶어줘야 하는 것처럼 표현했지만, 이처럼 true인 경우에 실행시킬 문장이 하나라면 중괄호를 생략할 수 있다.

- 10~13행 : 연산문 (num%2)==0 역시 true 또는 false를 반환한다. 이 연산문은 num이 짝수인 경우에 true를 반환하므로 num이 짝수인 경우에는 11행이 실행되고, 그렇지 않은 경우에는 13행이 실행된다. 그리고 코드에서 보이듯이 if~else문도 if문과 마찬가지로 true 또는 false시 실행시킬 문장이 하나인 경우에는 중괄호의 생략이 가능하다.

❖ 실행결과 : IEUsage.java

```
num은 0보다 크다.
num은 짝수
```

참 고

if~else문은 하나의 문장입니다.

자바는 하나의 문장을 둘 이상의 라인에 구성할 수 있을 뿐 아니라, 두 개의 문장을 하나의 라인에 구성할 수도 있다. 즉 자바에서 라인의 수는 결코 중요하지 않다. 앞서 설명한 if~else문도 하나의 문장이다. 따라서 반드시 한 줄에 표현해야 할 필요는 없지만, 그 중간에 다른 문장이 오면 에러가 발생한다.

■ if~else문의 중첩 그리고 중괄호의 생략

필요하다면 if문, 그리고 if~else문 내에 또 다시 if문이나 if~else문을 삽입할 수 있다. 다음 예제에서 보이듯이 말이다.

❖ IEReit.java

```
1.   class IEReit
2.   {
3.       public static void main(String[] args)
4.       {
5.           int num=120;
6.
7.           if(num<0)
8.           {
9.               System.out.println("0 미만");
10.          }
11.          else
12.          {
13.              if(num<100)
14.              {
15.                  System.out.println("0이상 100 미만");
16.              }
17.              else
18.              {
19.                  System.out.println("100 이상");
20.              }
21.          }
22.      }
23.  }
```

위 예제는 별도의 설명이 없어도 이해가 가능하다. if~else문의 else 부분에 다시 if~else문이 삽입 된 것만 파악을 한다면 말이다. 간단히 코드의 흐름을 정리하면, 7행의 비교연산에 의해서 num이 0보다 작다면 9행이 실행되면서 프로그램은 종료된다. 그러나 num이 0보다 작지 않으면 else의 중괄호 내에 존재하는 13~20행이 실행되는데, 이 부분도 if~else문으로 구성되어 있으므로 num이 100보다 작으면 15행이 실행되고 프로그램은 종료되며, 반대로 num이 100 이상이라면 19행이 실행되면서 프로그램은 종료된다. 즉 num의 값에 따라서 9행, 15행, 19행 중 하나만 실행이 되는 구조로써 다음과 같이 정리가 된다.

- num < 0 이라면 9행 실행
- 0 ≤ num < 100 이라면 15행 실행
- 100 ≤ num 이라면 19행 실행

매우 간단한 것을 코드상에서 보니 오히려 복잡하다는 느낌이 든다. 그래서 위의 코드를 조금 변경하고자 한다. 우선 불필요한 중괄호를 빼 보자. 그러면 위 예제 7~ 21행은 다음과 같이 정리가 된다. 하나의 문장으로 이뤄진 경우에는 중괄호를 생략할 수 있으므로, 다음과 같이 변경이 가능하다.

```java
if(num<0)
    System.out.println("0 미만");
else
{
    if(num<100)
        System.out.println("0이상 100 미만");
    else
        System.out.println("100 이상");
}
```

그런데 아직 완벽하게 제거가 되지 않았다. 필자가 if~else문이 하나의 문장이라고 하지 않았는가(참고를 통해서)? 따라서 위의 코드는 다음과 같이 되어야 제거 가능한 중괄호를 완벽히 제거한 꼴이 된다.

```java
if(num<0)
    System.out.println("0 미만");
else
    if(num<100)
        System.out.println("0이상 100 미만");
    else
        System.out.println("100 이상");
```

이제 마지막으로 라인을 좀 정리하고자 한다. 어차피 라인의 조절은 코드에 영향을 미치지 않으니 다음과 같이 정리가 가능하다.

```java
if(num<0)
    System.out.println("0 미만");
else if(num<100)
    System.out.println("0이상 100 미만");
else
    System.out.println("100 이상");
```

어떤가? 한결 간단하게 정리되지 않았는가? if~else문을 이렇게 구성하면 코드를 작성하기도, 코드를 분석하기도 한결 수월해진다. 그리고 위의 구조는 얼마든지 다음과 같은 형태로 일반화가 가능하다.

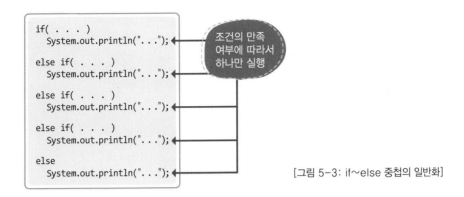

```
if( . . . )
   System.out.println(". . .");

else if( . . . )
   System.out.println(". . .");

else if( . . . )
   System.out.println(". . .");

else if( . . . )
   System.out.println(". . .");

else
   System.out.println(". . .");
```

조건의 만족
여부에 따라서
하나만 실행

[그림 5-3: if~else 중첩의 일반화]

위 그림에서 보이듯이 얼마든지 중간에 else if(. . .)를 삽입할 수 있다. 그리고 if의 소괄호에 존재하는 모든 조건이 만족되지 않으면 마지막에 있는 else에 의해서 마지막 문장이 실행되므로, 최소한 하나의 문장은 실행되는 구조이다. 물론 중괄호를 이용해서 조건의 만족여부에 따라 둘 이상의 문장을 실행하도록 구성하는 것도 가능하다.

문 제 5-1 [if와 if~else]

Question

▶ 문제 1

다음 예제에서는 두 개의 if문을 사용하고 있다. 이를 하나의 if문만 사용하는 방식으로 변경해 보자.

```java
class IfReit
{
    public static void main(String[] args)
    {
        int num=120;

        if(num>0)
        {
            if((num%2)==0)
                System.out.println("양수이면서 짝수");
        }
    }
}
```

▶ 문제 2

예제 IEReit.java의 기능을 정리하면 다음과 같다.

• num < 0 이라면 "0 미만" 출력

- 0 ≤ num 〈100 이라면 "0이상 100 미만" 출력
- 100 ≤ num 이라면 "100 이상" 출력

이를 다음과 같이 보다 세분화하여 출력이 이뤄지도록 예제를 변경해 보자.
- num 〈 0 이라면 "0 미만" 출력
- 0 ≤ num 〈100 이라면 "0이상 100 미만" 출력
- 100 ≤ num 〈 200이라면 "100 이상 200 미만" 출력
- 200 ≤ num 〈 300이라면 "200 이상 300 미만" 출력
- 300 ≤ num이라면 "300 이상" 출력

■ if~else와 유사한 성격의 조건 연산자

조건 연산자는 피연산자가 세 개인 유일한 연산자이다. 이러한 조건 연산자는 간단한 if~else문을 대체하는 용도로 주로 사용된다. 일단 다음 예제를 통해서 조건 연산자의 기본구성과 동작 원리를 확인해 보겠다.

❖ CondOp.java

```
1.   class CondOp
2.   {
3.       public static void main(String[] args)
4.       {
5.           int num1=50, num2=100;
6.           int big, diff;
7.
8.           big = (num1>num2) ? num1 : num2;
9.           System.out.println(big);
10.
11.          diff = (num1>num2)? num1-num2 : num2-num1;
12.          System.out.println(diff);
13.      }
14.  }
```

❖ 실행결과 : CondOp.java

```
100
50
```

위 예제 8행에서 보이듯이 조건 연산자는 다음의 구조를 지닌다.

true or false ? 숫자 1 : 숫자 2   [그림 5-4: 조건 연산자의 기본구조]

기호 ?와 : 이 하나의 연산자를 이루는 구조다 보니 조금 어색할 수 있다. 그러나 복잡한 구조는 아니며, 연산의 방식도 다음과 같이 두 가지로 나눠서 정리할 수 있다.

- ? 기호의 왼편에 true가 등장하면, : 기호의 왼편에 있는 숫자가 반환된다.
- ? 기호의 왼편에 false가 등장하면, : 기호의 오른편에 있는 숫자가 반환된다.

물론 ? 기호의 왼편에 true나 false를 직접 입력하지는 않는다. 대신에 true 또는 false를 반환하는 연산문이 등장하는 것이 일반적이다. 그럼 위 예제 8행을 보자. 8행의 문장 중 조건 연산자와 관련이 있는 부분만 보도록 하자.

```
(num1>num2) ? num1 : num2
```

우선 여기서 소괄호는 생략할 수 있으며 이는 조건 연산자의 일부도 아니다. 그러나 코드를 읽기 쉽도록 소괄호를 사용하는 것이 보편적이라서 이를 보이고자 하였다. 자! 이 상황에서 num1의 값이 num2의 값보다 크다면, > 연산의 결과로 ? 기호의 왼편에는 true가 온다. 따라서 num1이 반환되는데, 이렇듯 조건 연산자는 값을 반환하기 때문에 다음과 같은 형태로(위 예제 8행과 같은 형태로) 사용이 된다.

```
big = (num1>num2) ? num1 : num2;
```

결과적으로 이 문장의 실행결과로 num1>num2가 true라면 num1의 값이, false라면 num2의 값이 변수 big에 저장된다. 그리고 위 예제 11행에서 보이듯이 숫자가 와야 할 자리에 숫자가 아닌, 숫자를 반환하는 연산문이 올 수도 있음을 더불어 기억하기 바란다.

문 제 5-2 [조건 연산자]

Question
위 예제 CondOp.java를 조건 연산자를 사용하지 않고, 대신에 if~else를 사용하는 형태로 변경해 보자.

이번에 소개하는 switch문도 조건에 따라서 실행시킬 코드를 구분한다는 측면에서는 if문, 그리고 if~else문과 유사하다. 그러나 조건의 따른 실행의 경우 수가 많다면 switch문이 좋은 선택이 될 수 있다.

■ switch문의 기본 구성

다음 그림은 switch문의 기본 구성을 보여준다. switch문은 아래의 그림에서 보이듯이 키워드 switch 와 case, 그리고 default로 구성이 된다.

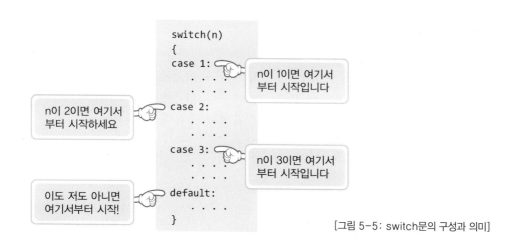

[그림 5-5: switch문의 구성과 의미]

switch문을 이해하려면 키워드 case와 default가 지니는 의미를 먼저 이해해야 한다. 따라서 이를 이해하는 데서부터 시작을 하고자 한다. 위 그림에 존재하는 키워드 case와 default를 가리켜 '레이블(label)'이라 한다. 레이블이라고 발음하니까 생소하게 느낄 수도 있겠다. 그럼 아주 세련되게 발음해 주겠다.

"라벨!!!"

"아줌마 공책에 붙일 라벨(견출지) 주세요!!"

이제 좀 친근하게 느껴지는가? 다음 그림은 대표적인 대한민국 라벨(레이블)이다.

[그림 5-6: 대한민국 대표 라벨]

필자가 이 소중한 지면을 이용해서 별로 웃기지도 않는 소리를 계속하는 이유는 다음 사실을 강조하기 위해서다.

"레이블은 위치를 표시해 두기 위해 사용된다."

즉 case와 default는 위치 정보를 표시하기 위해 사용된다. 그림 5-5에서 보여주는 switch문은 처음 보면 다소 복잡하게 보인다. 그러나 case와 default가 위치 정보를 표시하는데 사용된 레이블이라는 사실을 알면 상당히 간단한 구성임을 알 수 있다. 예를 들어 case 2라는 레이블이 있다. 이는 다음의 의미를 지닌다.

"n이 2이면, 이 위치서부터 실행하겠습니다."

마찬가지로 case 3이라는 레이블은 다음의 의미를 지닌다.

"n이 3이면, 이 위치서부터 실행하겠습니다."

그리고 case 레이블과는 달리 default 레이블은 다음의 의미를 지닌다. 그리고 불필요하다면 생략도 가능하다.

"n에 해당하는 레이블이 없으면, 여기서부터 실행하겠습니다."

즉 레이블은 실행 위치를 지정하는 역할을 담당한다. 그럼 이제 예제를 통해서 구체적인 이해를 갖추도록 하겠다.

❖ SwitchBasic.java

```
1.    class SwitchBasic
2.    {
3.        public static void main(String[] args)
4.        {
5.            int n=3;
6.
7.            switch(n)
8.            {
9.            case 1 :
10.                System.out.println("Simple Java");
11.            case 2 :
```

```
12.           System.out.println("Funny Java");
13.       case 3 :
14.           System.out.println("Fantastic Java");
15.       default :
16.           System.out.println("The best programming language");
17.       }
18.
19.       System.out.println("Do you like coffee?");
20.   }
21. }
```

해 설

- 7행 : 변수 n이 switch문에 전달되고 있다. 이 값에 따라서 실행의 위치가 달라진다. 따라서 여러 분은 변수 n의 값을 변경해 가면서 실행을 해봐야 한다. 그리고 이 위치에는 반드시 정수(또는 문자)가 와야 한다는 사실을 기억하자. 다시 말해서 소수점 이하의 값을 지니는 실수는 올 수 없다. 물론 연산의 결과로 정수를 반환하는 연산식은 올 수 있다.

- 9, 11, 13행 : 정수 1, 2, 3으로 case 레이블이 구성되었다. 이렇듯 case 레이블 구성에는 반 드시 정수(또는 문자)가 와야 하며, 7행에서와 달리 변수가 올 수 없으며, 정수를 반환한다 할지라도 연산식 또한 올 수 없다. 쉽게 말해서 상수의 형태로 정수 또는 문자만 올 수 있다.

이 예제는 소스코드의 해설보다 실행의 결과가 이해에 더 많은 도움을 준다. 따라서 두 가지 실행의 예를 이어서 제시하겠다.

❖ SwitchBasic.java의 실행결과 1 : 변수 n이 3일 때

```
Fantastic Java
The best programming language
Do you like coffee?
```

❖ SwitchBasic.java의 실행결과 2 : 변수 n이 5일 때

```
The best programming language
Do you like coffee?
```

실행결과의 결론은 레이블이 지정하는 위치서부터 switch문의 마지막까지 실행되고, 그 다음(위 예제의 경우 19행)을 이어서 실행하게 된다는 것이다.

■ switch문 + break문 : switch문의 일반적인 사용 모델

실행의 흐름을 컨트롤하는데 사용되는 키워드 중에서 break라는 것이 있다. 이는 switch문 안에서 사용할 수 있으며, switch문 안에서는 다음의 의미를 지닌다.

　"switch문을 그냥 빠져 나가겠습니다!"

따라서 switch문 안에서 break문을 적절히 활용하면, 다음 그림과 같은 구조의 실행을 기대할 수 있다. 그림 5-5에서 보여준 switch문은 특정 레이블의 위치에서부터 switch문의 마지막까지 쫙~ 실행하는 구조였다면, 지금 보여드리는 형식은 각 레이블마다 영역을 형성하여, 해당 영역만 실행하는 구조이다.

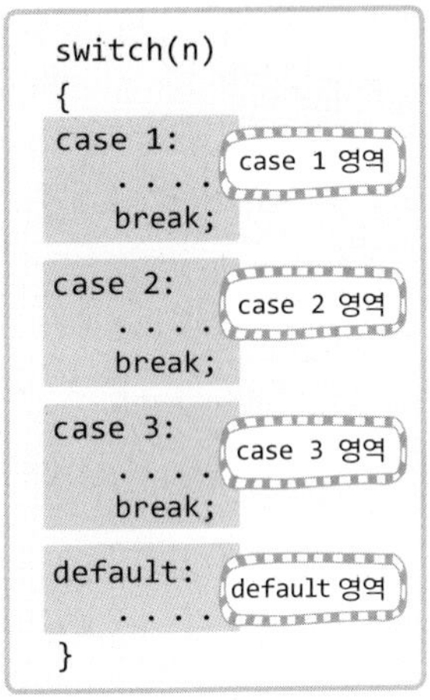

```
switch(n)
{
case 1:
    . . . .        case 1 영역
    break;
case 2:
    . . . .        case 2 영역
    break;
case 3:
    . . . .        case 3 영역
    break;
default:
    . . . .    default 영역
}
```

[그림 5-7: swtich문과 break문의 구성]

그림 5-5와 비교했을 때, 실질적인 차이는 break문의 존재여부 하나이다. 하지만 이 break문 덕분에 레이블 별로(case 1, 2, 3 그리고 default) 영역을 형성하여, 해당 영역만 실행할 수 있게 되었다. 예를 들어 switch문에 2가 전달되었다고 가정해 보자. 그렇다면 일단 case 2의 위치로 이동을 해서 실행을 시작할 것이다. 그러다가 break문을 만나면서 switch문을 벗어나게 된다. 결과적으로는 case 2가 구성한 영역만 실행이 된다. 다음 예제는 break문의 이해를 돕기 위해서 예제 SwitchBasic.java에 break문만 삽입한 것이다.

❖ SwitchBreak.java

```
1.   class SwitchBreak
2.   {
3.       public static void main(String[] args)
4.       {
5.           int n=3;
6.
7.           switch(n)
```

```
8.          {
9.        case 1 :
10.            System.out.println("Simple Java");
11.            break;
12.        case 2 :
13.            System.out.println("Funny Java");
14.            break;
15.        case 3 :
16.            System.out.println("Fantastic Java");
17.            break;
18.        default :
19.            System.out.println("The best programming language");
20.        }
21.
22.        System.out.println("Do you like coffee?");
23.    }
24. }
```

소스코드에 대해서는 이미 설명하였으니, 몇몇 실행결과를 통해서 코드의 이해를 돕겠다.

❖ SwitchBreak.java의 실행결과 1 : 변수 n이 2일 때

```
Funny Java
Do you like coffee?
```

❖ SwitchBreak.java의 실행결과 2 : 변수 n이 3일 때

```
Fantastic Java
Do you like coffee?
```

그리고 그림 5-6에서 보이는 레이블(라벨)을 책의 한 페이지에 둘 이상 붙일 수 있듯이, switch문의 레이블 역시 한 줄에 둘 이상 붙일 수 있음을 기억하고 필요 시 활용하기 바란다. 즉 다음과 같은 형태의 switch문 구성도 가능하다는 것을 기억하자.

```
    switch(n)
    {
        case 1 : case 2 : case 3 :
            System.out.println("Simple Java");
            break;
        case 4 : case 5 :
            System.out.println("Funny Java");
            break;
        . . . . .
    }
```

위의 switch문의 경우에는 switch문에 전달되는 정수가 1, 2, 3인 경우, 동일하게 다음의 두 문장이
실행된다.

```
    System.out.println("Simple Java");
    break;
```

그리고 switch문에 전달되는 정수가 4, 5인 경우에는 동일하게 다음의 두 문장이 실행된다.

```
    System.out.println("Funny Java");
    break;
```

 문 제 5-3 [switch문의 이해와 활용]

▶ 문제 1
예제 SwitchBreak.java를 switch문이 아닌, if~else문을 이용하는 형태로 변경해 보자.

▶ 문제 2
아래의 예제를 if~else문이 아닌 switch문을 활용하는 형태로 변경해 보자.
```
    class NumberRange
    {
        public static void main(String[] args)
        {
            int n=24;

            if(n>=0 && n<10)
                System.out.println("0이상 10미만의 수");
            else if(n>=10 && n<20)
                System.out.println("10이상 20미만의 수");
```

```
            else if(n>=20 && n<30)
                System.out.println("20이상 30미만의 수");
            else
                System.out.println("음수 혹은 30 이상의 수");
        }
    }
```

05-3 for, while 그리고 do~while

앞서 소개한 컨트롤 문장들은 조건에 따른 선택적 실행을 위한 것들이었다. 그러나 지금부터 소개하는 컨트롤 문장들은 일부 코드의 반복 실행을 위한 것이다.

■ while 반복문

while문의 동작방식을 이해하는 것은 if문을 이해하는 것만큼이나 쉽다. 따라서 매우 간단한 예제와 실행결과를 통해서 여러분께 먼저 관찰할 수 있는 기회를 제공하고자 한다.

❖ WhileBasic.java

```
1.  class WhileBasic
2.  {
3.      public static void main(String[] args)
4.      {
5.          int num=0;
6.
7.          while(num<5)
8.          {
9.              System.out.println("I like Java " + num);
10.             num++;
```

```
11.          }
12.      }
13. }
```

❖ 실행결과 : WhileBasic.java

```
I like Java 0
I like Java 1
I like Java 2
I like Java 3
I like Java 4
```

소스코드와 실행결과를 관찰해 보면 9행과 10행이 총 5회 반복 실행되었음을 알 수 있다. 즉 7행의 while문에 이어서 등장한 중괄호 영역이 총 5회 반복 실행된 것이다.

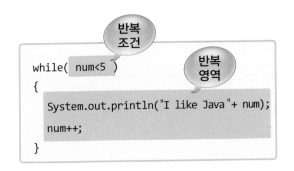

[그림 5-8: while문의 흐름]

이 그림은 위 예제 7~11행의 문장구성을 설명하고 있다. 그림에서 보이듯이 while문의 소괄호에는 반복의 조건을 명시한다(true 또는 false를 반환하는 연산문으로 구성되어야 한다). 그리고 그 조건이 만족되는 동안에는(연산의 결과가 true인 동안에는) 횟수에 상관없이 while문의 중괄호를 반복 실행하게 된다. 즉 다음의 순서로 while문은 실행이 된다.

반복조건 검사 → true면 반복영역 실행 → 반복조건 검사 → true면 반복영역 실행 → . . .

이렇듯 반복의 조건이 만족되는 동안에는 위의 과정을 계속해서 반복하게 되는데, 이러한 while문이 지니는 특징을 정리하면 다음과 같다.

- 반복조건을 먼저 검사 한 후에 반복영역의 실행여부를 결정한다.
- 반복조건을 먼저 검사하기 때문에 반복영역이 한 차례도 실행되지 않을 수 있다.

이렇듯 while문은 매우 단순한 구조를 지닌다. 때문에 활용하는 데에도 큰 어려움은 없다. 하지만 반복의 조건이 계속해서 만족되어(연산의 결과로 계속해서 true만 반환이 되어), while문을 빠져나가지 못하는 상황을 만들지 않도록 주의해야 한다. 예를 들어서 위 예제의 10행을 실수로 빼먹는다면, 프로그램은 종료되지 않고 계속해서 while문만 반복 실행하게 될 것이다.

중괄호는 필요에 따라서 삽입하면 됩니다.

while문의 중괄호는 반복 실행해야 할 문장이 둘 이상인 경우에 필요한 것이다(if문에서의 중괄호와 역할이 같다). 따라서 반복 실행할 문장이 하나라면, 굳이 중괄호를 할 필요는 없다. 그리고 이는 잠시 후에 소개하는 do~while문과 for문에서도 마찬가지이다.

■ do~while 반복문

while문과 do~while문의 유일한 차이점은 반복조건 검사의 시점에 있다. while문은 반복조건을 검사한 다음에 실행여부를 결정하는 반면, do~while문은 일단 한번 실행을 한 다음에 반복의 조건을 검사한다. 그럼 다음 예제를 통해서 do~while문의 동작 방식을 관찰해 보자.

❖ DoWhileBasic.java

```
1.   class DoWhileBasic
2.   {
3.       public static void main(String[] args)
4.       {
5.           int num=0;
6.
7.           do
8.           {
9.               System.out.println("I like Java " + num);
10.              num++;
11.          }while(num<5);
12.      }
13.  }
```

위 예제는 예제 WhileBasic.java를 단순히 do~while 문을 이용하는 형태로 바꿔놓은 것이다. 따라서 실행의 결과는 완전히 동일하다.

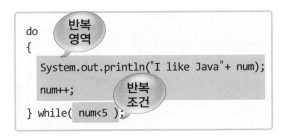

[그림 5-9: do~while문의 흐름]

이 그림은 위 예제 7~11행의 문장구성을 설명하고 있다. 그림에서 보이듯이 do~while문은 while문과 달리 반복의 조건을 마지막 부분에 명시하게 되어 있다. 따라서 while문과는 달리 다음의 순서대로 실행이 된다.

반복영역 실행 → 반복조건 검사 → true면 반복영역 실행 → 반복조건 검사 → true면 . . .

차이점이 무엇인지 알겠는가? do~while문은 while문과 달리 반복의 영역을 일단 한번 실행한 다음에 반복조건을 검사한다. 따라서 do~while문의 특징을 정리하면 다음과 같다.

• 반복영역을 먼저 실행 한 다음에 반복조건을 검사한다.
• 반복영역을 먼저 실행하기 때문에, 반복조건을 만족하지 않더라도 한 차례는 실행된다.

그래서 최소한 한 차례의 실행을 필요로 하는 경우에는 do~while문을 쓰고, 그 이외의 경우에는 while문, 또는 잠시 후에 소개하는 for문을 사용하는 것이 일반적이다.

문 제 5-4 [while문과 do~while문의 활용]

반복문과 관련해서는 많은 예제를 보는 것 보다 많은 문제를 풀어보는 것이 열 배는 더 효율적이다. 따라서 여기서 제시하는 문제들은 반드시 해결을 하고 진도를 이어가기 바란다.

▶ 문제 1
1부터 99까지의 합을 구하는 프로그램을 작성하되 while문을 이용해서 작성해 보자.

▶ 문제 2
1부터 100까지 출력을 하고 난 다음에, 다시 거꾸로 100에서부터 1까지 출력을 하는 프로그램을 작성해 보자. 단 while문과 do~while문을 각각 한번씩 사용해서 구현해야 한다.

▶ 문제 3
1000 이하의 자연수 중에서 2의 배수이면서 7의 배수인 숫자를 출력하고, 그 출력된 숫자들의 합을 구하는 프로그램을 while문을 이용해서 작성해 보자.

■ for 반복문

while문을 이용해서 "I love Java"라는 문장을 총 5회 출력하기 위해서는 다음의 형태로 문장을 구성해야 한다.

```
public static void main(String[] args)
{
    int num=0;
    while(num<5)
    {
        System.out.println("I love Java");
        num++;
    }
    . . . .
}
```

그런데 이처럼 반복의 횟수가 정해져 있는 상황에서는 for문을 이용하여 다음과 같이 보다 간단히 구현할 수가 있다(반복의 대상이 한 문장이므로 중괄호는 생략 가능하다).

```
public static void main(String[] args)
{
    for(int num=0; num<5; num++)
    {
        System.out.println("I love Java");
    }
    . . . .
}
```

이렇듯 정해진 횟수의 반복을 위해서 존재하는 것이 for문이다. 그럼 먼저 for문의 이해를 위해서 while문과 비교해 보겠다.

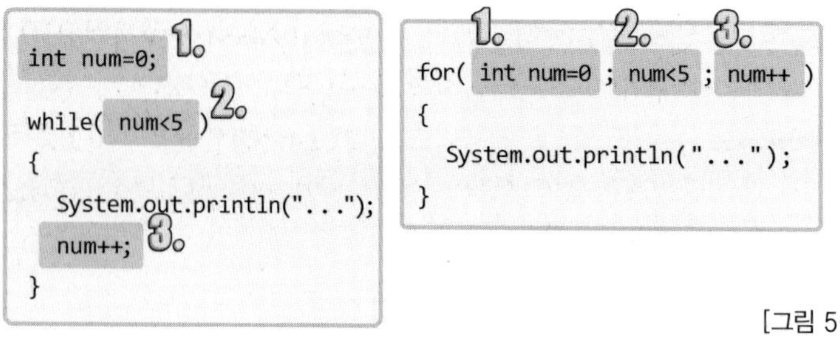

[그림 5-10: for문과 while문의비교]

위 그림에서 while문과 for문의 ①, ②, ③이 갖는 의미는 둘 다 다음과 같다.

①. → 반복의 횟수를 세기 위한 변수

②. → 반복의 조건

③. → 반복의 조건을 무너뜨리기 위한 연산

위 그림을 보면, for문은 while문과 달리 반복에 필요한 모든 것을 한 줄에 나열하고 있음을 알 수 있다. 이것이 바로 for문의 장점이다. 그림 예제를 통해서 for문의 실행을 확인하기로 하자.

❖ ForBasic.java

```
1.  class ForBasic
2.  {
3.      public static void main(String[] args)
4.      {
5.          for(int i=0; i<3; i++)
6.              System.out.println("I love Java " + i);
7.      }
8.  }
```

❖ 실행결과 : ForBasic.java

```
I love Java 0
I love Java 1
I love Java 2
```

그림 5-10의 내용과 위의 소스코드 및 실행결과를 참조하면 for문의 실행순서를 이해할 수 있으니 여러분 나름대로 관찰을 한 다음에 다음 그림을 보자.

첫 번째 루프의 흐름
1 ⇨ 2 ⇨ 3 ⇨ 4 [i=1]

두 번째 루프의 흐름
2 ⇨ 3 ⇨ 4 [i=2]

세 번째 루프의 흐름
2 ⇨ 3 ⇨ 4 [i=3]

네 번째 루프의 흐름
2 [i=3]따라서 탈출 !

```java
          1.        2.    4.
for(  int i=0 ;  i<3 ;  i++ )
{     3.
      System.out.println("...");
}
```

[그림 5-11: for문의 실행 흐름]

위 그림에서 보이듯이 for문에 진입하게 되면 제일 먼저 변수의 선언 및 초기화가 이뤄진다. 그리고 반복의 조건이 만족되는지를 확인한 다음에 반복영역을 실행하게 된다. 그리고 나서 마지막으로 i 값의 증가가 진행되어, for문을 한 바퀴 돌고 나면 i는 1이 된다. 그 다음부터는 변수의 선언을 제외한 나머지 과정을 반복한다고 생각하면 된다. 즉 2, 3, 4를 순서대로 반복 실행하게 된다.

참 고

for문과 콤마 연산자

콤마 연산자를 이용해서 다음의 형태로 for문을 구성하는 것도 가능하다.

```java
for(int i=0, j=7; i<j; i++, j--)
      System.out.println("I love Java " + i + j);
```

반복의 조건을 명시하는 위치에는 콤마 연산자를 사용할 수 없지만, 그 이외의 영역에서는 콤마 연산자를 사용해서 둘 이상의 변수 선언 및 둘 이상의 연산문 삽입이 가능하다. 참고로 위의 문장을 실행하면 다음의 출력결과를 확인할 수 있다.

I love Java 07
I love Java 16
I love Java 25
I love Java 34

그리고 for문의 반복을 위해 그림 5-11의 1에 선언되는 변수는 for문 내에서만 유효한 변수이다. 따라서 for문의 외부나 다른 for문 내에서는 동일한 이름의 변수 선언이 가능하다.

문 제 5-5 [for문의 활용]

▶ 문제 1
1부터 10까지를 곱해서 그 결과를 출력하는 프로그램을 for문을 이용해서 작성하자.

▶ 문제 2
구구단 중 5단을 출력하는 프로그램을 for문을 이용해서 작성하자.

05-4 continue & break

continue와 break는 반복문 내에 삽입이 되어, 반복문의 실행 흐름을 조절하는데 사용되는 키워드이다. 따라서 이 둘을 적절히 활용하면, 보다 다양한 형태의 반복문을 구성할 수 있다.

■ break문

break문은 앞서 switch문을 빠져나가는 용도로 소개한 바 있는데, 마찬가지로 반복문을 빠져나가는 용도로도 사용이 된다. 보통은 if문과 함께 사용이 되어서 특정 조건이 만족될 때, 반복문을 빠져나가도록 구성이 된다. break는 이해와 적용이 어렵지 않은 키워드이므로 예제를 통해서 바로 설명을 진행하고자 한다.

❖ BreakBasic.java

```
1.    class BreakBasic
2.    {
3.        public static void main(String[] args)
4.        {
```

```
5.          int num=1;
6.          boolean search=false;
7.
8.          while(num<100)
9.          {
10.             if(num%5==0 && num%7==0)
11.             {
12.                 search=true;
13.                 break;
14.             }
15.             num++;
16.         }
17.
18.         if(search)
19.             System.out.println("찾는 정수 : " + num);
20.         else
21.             System.out.println("찾지 못했습니다.");
22.     }
23. }
```

❖ 실행결과 : BreakBasic.java

찾는 정수 : 35

먼저 위 예제 13행을 보자. break문이 등장하고 있다. 이렇게 break문을 실행하게 되면, 해당 break 문을 감싸고 있는 반복문 하나를 빠져나가게 된다.

"break문을 감싸고 있는 것은 if문인데요?"

물론 break문을 직접 감싸고 있는 것은 if문이다. 그러나 이는 문제가 되지 않는다. break문이 실행되면, 가장 근접한 거리에서 자신을 감싸는 반복문을 찾아서, 해당 반복문을 빠져나가기 때문이다. 즉 13 행의 break문이 실행되면, 이 break문을 가장 근접한 거리에서 감싸는 8행의 while문을 빠져나가게 된다. 그리고는 이어서 18행을 실행하게 된다.

이처럼 break문은 그 이름이 의미하듯이 반복문의 반복을 중단시킨다. 그리고 이러한 break문의 기능을 정확히 이해했다면, 위의 예제에서는 1이상 100미만의 자연수 중에서 5의 배수이자 7의 배수인 가장 작은 자연수를 찾아서 출력하고 있음을 알 수 있다.

■ continue문

이번에 소개할 continue문은 break문과 헷갈릴 수 있어서 정확한 이해가 필요하다. continue문은 반복문의 탈출과 거리가 멀다. continue문은 실행하던 반복문의 나머지 부분을 생략하고 프로그램의 흐름을 조건검사 부분으로 이동시킬 뿐이다. 이에 대한 정확한 이해를 위해서 다음 그림을 보자.

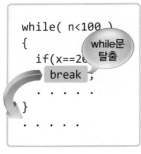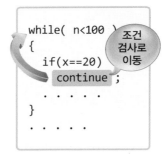

[그림 5-12 : break문과 continue문의 비교]

위 그림에서 보여주듯이 continue문을 만나게 되면, 반복문의 나머지 부분을 실행하지 않고, 반복문의 맨 위로 이동하여 조건검사부터 다시 실행을 이어나간다(단 do~while문의 경우 조건검사가 존재하는 맨 아래로 이동). 예제를 하나 제시할 테니, 위 그림과 더불어 참조하여 continue문을 완벽히 이해하자. 이 예제는 100 이하의(미만이 아니다) 자연수 중에서 5의 배수이자 7의 배수인 정수를 전부 출력하고, 그 수를 세어보는 프로그램이다.

❖ ContinueBasic.java

```
1.   class ContinueBasic
2.   {
3.       public static void main(String[] args)
4.       {
5.           int num=0;
6.           int count=0;
7.
8.           while(num++<100)
9.           {
10.              if(num%5!=0 || num%7!=0)
11.                  continue;
12.
13.              count++;
14.              System.out.println(num);
15.          }
16.
17.          System.out.println("count : " + count);
18.      }
19. }
```

해설

- 8행 : 변수 num에 postfix ++ 연산이 되고 있음에 주의하자. 즉 〈 연산 이후에 num의 값이 1 증가하기 때문에 자연수 100도 검사의 범위에 포함이 된다.

- 10, 11행 : 변수 num에 저장된 값이 5의 배수가 아니거나 7의 배수가 아니라면 11행의 continue문을 실행하게 되어서 조건의 검사를 위해 8행으로 이동하게 된다. 다시 말해서 13행과 14행을 건너 띄게 된다.

❖ 실행결과 : ContinueBasic.java

```
35
70
count : 2
```

위 예제는 매우 간단하지만, continue문이 활용되는 전형적인 모델을 보여준다. 그리고 이를 정확히 이해했다면 continue문이 if문과 함께 유용하게 사용될 수 있음을 알 수 있을 것이다.

■ 무한루프와 break

무한루프라는 것은 반복의 조건이 true로 명시되어서 해당 반복문을 빠져나가지 못하도록 구성 된 반복문을 의미한다. 즉 while문을 이용한 무한루프는 다음과 같이 구성이 된다.

```
while(true)
{
    . . . .
}
```

그리고 do~while문을 이용한 무한루프는 다음과 같이 구성이 된다.

```
do
{
    . . . .
} while(true);
```

유사하게 for문도 반복의 조건을 명시하는 부분에 true를 삽입하면 무한루프가 형성된다. 그러나 다음과 같이 반복의 조건을 명시하는 부분을 그냥 비워도 무한루프가 형성되기 때문에, 그냥 비워두는 것이 보다 일반적인 구현 방식이다(for문에만 해당하는 이야기이다).

```
for( ; ; )
{
    . . . .
}
```

그렇다면 이러한 무한루프는 어떠한 용도로 사용될 수 있을까? 물론 그 자체만 가지고는 특별히 의미를 부여하기 힘들다. 그러나 다음 예제에서와 같이 break문과 결합이 되어 의미를 부여할 수도 있다.

❖ InfLoop.java

```
1.  class InfLoop
2.  {
3.      public static void main(String[] args)
4.      {
5.          int num=1;
6.
7.          while(true)
8.          {
9.              if(num%6==0 && num%14==0)
10.                 break;
11.             num++;
12.         }
13.
14.         System.out.println(num);
15.     }
16. }
```

❖ 실행결과 : InfLoop.java

```
42
```

여러분도 파악했듯이 위 예제에서는 6의 배수이면서 동시에 14의 배수인 가장 작은 자연수를 찾고 있다. 그리고 7행에서 보이듯이 while문은 무한루프로 형성되어 있다. 그렇다면 이 부분에서 무한루프를 형성한 이유는 무엇일까? 이는 6의 배수이면서 14의 배수가 되는 자연수의 크기를 예측할 필요가 없어지기 때문이다. 만약에 이를 무한루프로 구현하지 않는다면, 6의 배수이면서 14의 배수인 자연수가 얼마 이상 되지 않는지에 대한 대략적인 계산이 선행되어야 한다. 그래야 다음과 같이 반복문을 잘못 구성하는 실수를 범하지 않게 된다.

```
    while(num<30)
    {
        if(num%6==0 && num%14==0)
            break;

        num++;
    }
```

이렇듯 무한루프는 break문과 함께 유용하게 사용될 수 있다. 따라서 여러분은 무한루프에 대한 활용능력도 갖춰야 한다.

문 제 5-6 [continue문과 break문의 활용]

▶ 문제 1
예제 ContinueBasic.java의 내부에 존재하는 while문을 for문으로 변경해서 예제를 재 구현해 보자.

▶ 문제 2
자연수 1부터 시작해서 모든 홀수와 3의 배수인 짝수를 더해 나간다. 그리고 그 합이 언제 (몇을 더했을 때) 1000을 넘어서는지, 그리고 1000을 넘어선 값은 얼마가 되는지 계산하여 출력하는 프로그램을 작성해 보자. 단 프로그램 내에서 반복문을 필요로 한다면 반드시 while문을 무한루프로 구성해야 한다.

이번에는 반복문과 관련해서 새로운 내용을 배우려는 것이 아니고, 응용을 해보려는 것이다. 여러분은 이미 for문 안에 if문이 삽입될 수 있음을 알고 있다. 그런데 for문 안에는 while문도, do~while문도, 그리고 for문도 삽입될 수 있다. 마찬가지로 while문 안에도 if문을 비롯해서 다양한 반복문이 삽입될 수 있다. 이처럼 하나의 반복문 안에, 또 다른 반복문이 삽입될 경우 "반복문이 중첩되었다"라고 이야기 한다. 그리고 이러한 반복문의 중첩은 프로그램 개발에 있어서 아주 중요한 위치를 차지한다.

■ 생각해 볼 수 있는 중첩의 종류는?

일단 반복문의 종류가 세 가지이니, 총 아홉 가지의 형태로 중첩이 가능하다($3 \times 3 = 9$).

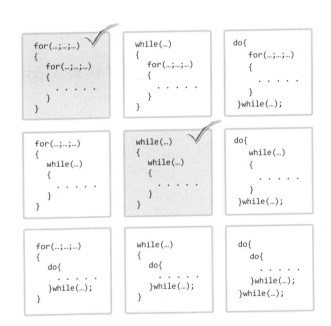

[그림 5-13 : 아홉 가지 형태의 반복문 중첩]

그런데 이거 뭐 일일이 설명할 내용은 아니다. 이 아홉 가지 중에서 한가지 구조로만 중첩을 할 줄 알아도, 나머지 구조로 얼마든지 중첩시킬 수 있기 때문이다. 따라서 우리는 이중에서 가장 일반적으로 많이 사용되는 중첩 구조를 기준으로 공부해 보겠다. 위 그림에서 두 가지 중첩 케이스에 체크 표시를 해 두었다. 이 두 가지를 기준으로 반복문의 중첩을 공부하겠다.

■ 가장 많이 등장하는 중첩은 for문의 중첩!

가장 활용도가 높고, 또 이해하기도 좋은 것이 for문의 중첩이다. 따라서 for문을 이용해서 반복문의 중첩을 설명해 보겠다. 일단 여러분이 알고 있는 for문의 지식을 가지고 다음 예제를 분석해보자. 이 예제는 중첩된 for문의 실행 흐름을 파악할 수 있도록 디자인되었다.

❖ DupFor.java

```java
1.  class DupFor
2.  {
3.      public static void main(String[] args)
4.      {
5.          for(int i=0; i<3; i++)
6.          {
7.              System.out.println("변수 i의 값 : " + i);
8.              for(int j=0; j<3; j++)
9.                  System.out.println("***변수 j의 값 : " + j);
10.         }
11.     }
12. }
```

해설

- 5행 : 바깥쪽 for문의 구성을 보니 i가 0, 1, 2일 때 반복이 되고, 3일 때 빠져 나오게 되어있다. 즉 7행과 8행의 for문을 총 3회 반복한다.
- 8행 : 안쪽 for문이다. 단순하게 보면 된다. 9행을 총 3회 반복한다.

❖ 실행결과 : DupFor.java

```
변수 i의 값 : 0
***변수 j의 값 : 0
***변수 j의 값 : 1
***변수 j의 값 : 2
변수 i의 값 : 1
***변수 j의 값 : 0
***변수 j의 값 : 1
***변수 j의 값 : 2
변수 i의 값 : 2
***변수 j의 값 : 0
***변수 j의 값 : 1
***변수 j의 값 : 2
```

필자가 말했던 대로 새로운 무엇인가를 배우는 것이 아니라, for문의 중첩 사례를 한번 살펴볼 뿐이다. 그렇다면 이러한 for문의 중첩은 어떠한 경우에 사용이 될까? 가장 쉬운 예로 구구단의 출력을 들 수 있다. 2단부터 9단까지 출력을 하려면 for문을 중첩시켜야 한다. 일단 다음 그림을 통해서 안쪽 for문과 바깥쪽 for문이 담당하는 영역이 어떻게 되는지 관찰해보자.

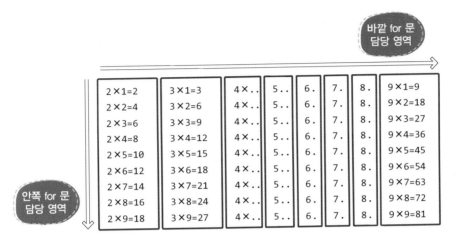

[그림 5-14 : 구구단의 출력을 위한 for문의 중첩 모델]

위 그림은 구구단 전체를 출력하는데 있어서 반복문의 중첩이 필요한 이유를 설명한다. 일단 각 단마다 1부터 9까지 곱을 진행해야 하니, 이를 위한 반복문이 하나 필요하다. 그리고 구구단은 2단부터 9단까지 있다. 따라서 이를 위해서도 반복문이 하나 필요하다. 결과적으로 반복문은 중첩되어야 한다. 다음 예제는 위 그림이 보여주는 내용을 코드로 옮겨 놓은 것이다.

❖ ByTimes.java

```
1.  class ByTimes
2.  {
3.      public static void main(String[] args)
4.      {
5.          for(int i=2; i<10; i++)
6.          {
7.              for(int j=1; j<10; j++)
8.                  System.out.println(i + " x " + j + " = " + i*j);
9.          }
10.     }
11. }
```

• 5행 : i가 2부터 시작해서 9가 될 때까지 몸체 부분을(7, 8행을) 반복한다. i가 2일 때는 2단을, i 가 9일 때는 9단을 출력한다.

• 7, 8행 : 안쪽 for문으로서, 각 단별로 1부터 9까지 곱한 결과를 출력한다.

❖ 실행결과 : ByTimes.java

```
2 x 1 = 2
2 x 2 = 4
2 x 3 = 6
/* ~중간생략~ */
9 x 7 = 63
9 x 8 = 72
9 x 9 = 81
```

위 코드는 몇 줄이 되지 않는다. 그럼에도 불구하고, 구구단의 전체 출력이라는 큰 일을 해내고 있다. 이 것이 바로 프로그래밍의 매력이다. 작은 코드로 많은 일을 할 수 있는 것이 컴퓨터 프로그래밍이다!

■ while문도 중첩해 봅시다.

반복문의 중첩을 for문을 통해서 이해하였다. 이 이해를 바탕으로 while문의 중첩도 시도해 보자. 기본 구성은 동일하다. for문의 예제를 통해서 얻은 이해를 그대로 반영하면 된다. 다음은 ByTimes.java를 while문의 중첩을 통해 재 구현한 것이다. 소스코드를 바로 보기에 앞서 여러분이 직접 while문의 중첩 형태로 ByTimes.java를 재 구현해보면 좋겠다. 만약에 성공한다면, 반복문의 중첩에 대한 자신감이 상당히 높아질 테니 말이다.

❖ ByTimes2.java

```
1.   class ByTimes2
2.   {
3.       public static void main(String[] args)
4.       {
5.           int i=2, j;
6.           while(i<10)
7.           {
8.               j=1;
9.               while(j<10)
10.              {
11.                  System.out.println(i + " x " + j + " = " + i*j);
12.                  j++;
13.              }
14.              i++;
15.          }
16.      }
17.  }
```

별 다른 설명이 필요한 예제는 아니다. 다만 for문으로 구현했을 때보다 코드의 구성이 조금 더 복잡해 보인다. 그리고 실행의 결과도 차이가 없으니 생략하겠다.

■ break문은 반복문을 하나밖에 못 벗어 나네요? : 레이블을 설정하는 break문

반복문의 탈출 기능을 제공하는 break문에 대해서 잠시 이야기하자. break문은 자신이 속한 반복문의 탈출 기능을 제공한다. 그런데 break문이 탈출하는 반복문은 오로지 하나이다. 따라서 일반적인 break 문은 중첩된 반복문 전부를 빠져나가지 못한다. 이와 관련해서 다음 예제를 보자.

❖ BreakPoint.java

```
1.  class BreakPoint
2.  {
3.      public static void main(String[] args)
4.      {
5.          for(int i=1; i<10; i++)
6.          {
7.              for(int j=1; j<10; j++)
8.              {
9.                  System.out.println("[" + i +", " + j + "]");
10.                 if(i%2==0 && j%2==0)
11.                     break;
12.             }
13.         }
14.     }
15. }
```

❖ 실행결과 : BreakPoint.java

```
[1, 1]
[1, 2]
/* ~중간생략~ */
[1, 9]
[2, 1]
[2, 2]
[3, 1]
[3, 2]
/* ~중간생략~ */
[9, 8]
[9, 9]
```

위 예제의 실행결과를 보면 안쪽 반복문에 포함되어 있는 break문이 어디로 벗어나는지를 알 수 있다. 10행의 조건이 처음 true가 되는 때는 i와 j가 모두 2가 되는 순간이다. 만약에 11행의 break문을 통해서 중첩된 반복문 전부를 벗어났다면, 마지막으로 출력이 되는 i와 j의 값은 각각 2가 되어야 한다. 그러나 실행결과를 보면 11행의 break문을 통해서 7행에 있는 안쪽 반복문만 벗어났음을 알 수 있다. 이렇듯 break문은 자신을 감싸는 반복문 하나만 탈출을 한다.

그런데 프로그램을 구현하다 보면 중첩된 반복문 전부를 벗어나야 할 때도 있다. 그럼 이러한 경우에는 어떻게 구현해야 할까? break문을 구성할 때 빠져나갈 위치를 명시해 주면 된다. 다음 예제에서 보이듯이 말이다.

❖ LabeledBreak.java

```
1.   class LabeledBreak
2.   {
3.       public static void main(String[] args)
4.       {
5.           outerLoop :
6.           for(int i=1; i<10; i++)
7.           {
8.               for(int j=1; j<10; j++)
9.               {
10.                  System.out.println("[" + i +", " + j + "]");
11.                  if(i%2==0 && j%2==0)
12.                      break outerLoop;
13.              }
14.          }
15.      }
16.  }
```

❖ 실행결과 : LabeledBreak.java

```
[1, 1]
[1, 2]
[1, 3]
[1, 4]
[1, 5]
[1, 6]
[1, 7]
[1, 8]
[1, 9]
[2, 1]
[2, 2]
```

위 예제의 5행은 6행의 for문에 붙은 레이블이다. 즉 다음과 같이 구성되어야 할 것을 보기 좋게 두 줄에 걸쳐서 표현한 것으로 생각하면 된다.

```
outerLoop : for(int i=0; i<10; i++)
```

그리고 12행의 break문은 "outerLoop라고 표시되어 있는 반복문을 빠져나가겠다!"는 선언으로 이해하면 된다. 결과적으로 12행의 실행은 6행의 바깥쪽 for문을 빠져나갔음을 실행결과를 통해서 확인할 수 있다.

문 제 5-7 [반복문의 중첩]

Question

▶ 문제 1
구구단의 짝수 단(2, 4, 6, 8단)만 출력하는 프로그램을 작성하되, 2단은 2×2까지, 4단은 4×4까지, 6단은 6×6까지, 8단은 8×8까지만 출력하도록 구현하자.

▶ 문제 2
다음 식을 만족하는 모든 A와 B의 조합을 구하는 프로그램을 작성해 보자.

$$\begin{array}{r} A\,B \\ +\,B\,A \\ \hline 9\,9 \end{array}$$

■ 문제 5-1의 답안

■ 문제 1

❖ 소스코드 답안

```
1.   class IfReit2
2.   {
3.       public static void main(String[] args)
4.       {
5.           int num=120;
6.           if(num>0 && (num%2)==0)
7.               System.out.println("양수이면서 짝수");
8.       }
9.   }
```

■ 문제 2

❖ 소스코드 답안

```
1.   class IEReit2
2.   {
3.       public static void main(String[] args)
4.       {
5.           int num=120;
6.
7.           if(num<0)
8.               System.out.println("0 미만");
9.           else if(num<100)
10.              System.out.println("0이상 100 미만");
11.          else if(num<200)
12.              System.out.println("100이상 200 미만");
13.          else if(num<300)
14.              System.out.println("200 이상 300 미만");
15.          else
16.              System.out.println("300 이상");
17.      }
18.  }
```

■ 문제 5-2의 답안

```
1.   class CondOp2
2.   {
3.       public static void main(String[] args)
4.       {
5.           int num1=50, num2=100;
6.           int big, diff;
7.
8.           if(num1>num2)
9.               big=num1;
10.          else
11.              big=num2;
12.          System.out.println(big);
13.
14.          if(num1>num2)
15.              diff=num1-num2;
16.          else
17.              diff=num2-num1;
18.          System.out.println(diff);
19.      }
20.  }
```

■ 문제 5-3의 답안

■ 문제 1

```
1.   class SwitchBreakToIE
2.   {
3.       public static void main(String[] args)
4.       {
5.           int n=3;
6.
7.           if(n==1)
8.               System.out.println("Simple Java");
9.           else if(n==2)
10.              System.out.println("Funny Java");
11.          else if(n==3)
12.              System.out.println("Fantastic Java");
13.          else
14.              System.out.println("The best programming language");
15.
16.          System.out.println("Do you like coffee?");
17.      }
18.  }
```

■ 문제 2

```
1.   class NumberRange2
2.   {
3.       public static void main(String[] args)
4.       {
5.           int n=24;
6.
7.           switch(n/10)
8.           {
9.           case 0 :
10.              System.out.println("0이상 10미만의 수");
11.              break;
12.          case 1 :
13.              System.out.println("10이상 20미만의 수");
14.              break;
15.          case 2 :
16.              System.out.println("20이상 30미만의 수");
17.              break;
18.          default :
19.              System.out.println("음수 혹은 30 이상의 수");
20.          }
21.      }
22.  }
```

■ 문제 5-4의 답안

■ 문제 1

```
1.   class SumTo99
2.   {
3.       public static void main(String[] args)
4.       {
5.           int num=1, sum=0;
6.
7.           while(num<100)
8.           {
9.               sum+=num;
10.              num++;
11.          }
12.
13.          System.out.println(sum);
14.      }
15.  }
```

■ 문제 2

❖ 소스코드 답안

```
1.  class PrintRev
2.  {
3.      public static void main(String[] args)
4.      {
5.          int num=1;
6.
7.          while(num<=100)
8.              System.out.println(num++);
9.
10.         do {
11.             System.out.println(--num);
12.         }while(num>1);
13.     }
14. }
```

■ 문제 3

❖ 소스코드 답안

```
1.  class Multiple2And7
2.  {
3.      public static void main(String[] args)
4.      {
5.          int num=1, sum=0;
6.
7.          while(num<=1000)
8.          {
9.              if(num%2==0 && num%7==0)
10.             {
11.                 System.out.println(num);
12.                 sum+=num;
13.             }
14.             num++;
15.         }
16.
17.         System.out.println("합 : " + sum);
18.     }
19. }
```

■ 문제 5-5의 답안

■ 문제 1

❖ 소스코드 답안

```
1.  class MultipleOneToTen
```

```
2.  {
3.      public static void main(String[] args)
4.      {
5.          int result=1;
6.          for(int i=1; i<=10; i++)
7.              result*=i;
8.
9.          System.out.println("1~10까지의 곱 : "+result);
10.     }
11. }
```

■ 문제 2

❖ 소스코드 답안

```
1.  class ByTimes5
2.  {
3.      public static void main(String[] args)
4.      {
5.          for(int i=1; i<10; i++)
6.              System.out.println("5 x " + i + " = " +(5*i));
7.      }
8.  }
```

■ 문제 5-6의 답안

■ 문제 1

❖ 소스코드 답안

```
1.  class ContinueBasic2
2.  {
3.      public static void main(String[] args)
4.      {
5.          int count=0;
6.
7.          for(int num=1; num<=100; num++)
8.          {
9.              if(num%5!=0 || num%7!=0)
10.                 continue;
11.
12.             count++;
13.             System.out.println(num);
14.         }
15.
16.         System.out.println("count : " + count);
17.     }
18. }
```

■ 문제 2

```
1.   class Exceed1000
2.   {
3.       public static void main(String[] args)
4.       {
5.           int sum=0, num=1;
6.
7.           while(true)
8.           {
9.               if(num%2!=0)
10.              {
11.                  sum+=num;
12.              }
13.              else
14.              {
15.                  if(num%3==0)
16.                      sum+=num;
17.              }
18.              if(sum>1000)
19.              {
20.                  System.out.println(num+" 더할 때 1000을 넘는다.");
21.                  System.out.println("초과된 값: " + sum);
22.                  break;
23.              }
24.              num++;
25.          }
26.      }
27.  }
```

■ 문제 5-7의 답안

■ 문제 1

```
1.   class PartialByTimes
2.   {
3.       public static void main(String[] args)
4.       {
5.           for(int i=2; i<10; i+=2)
6.           {
7.               for(int j=1; j<10; j++)
8.               {
9.                   System.out.println(i + " x " + j + " = " + i*j);
10.                  if(j>=i)
11.                      break;
12.              }
13.          }
14.      }
15.  }
```

■ 문제 2

```
1.   class Search99
2.   {
3.       public static void main(String[] args)
4.       {
5.           for(int i=0; i<10; i++)
6.           {
7.               for(int j=0; j<10; j++)
8.               {
9.                   if((i*10+j)+(j*10+i)==99)
10.                      System.out.println(i + ", " + j);
11.               }
12.           }
13.       }
14.  }
```

메소드와 변수의 스코프

변수를 이해하고 나면, 변수라고 이름이 불리는 이유를 이해할 수 있다. 마찬가지로 while문을 이해하고 나면, while이라 이름 붙은 이유를 이해할 수 있다. 그러나 메소드(method)라는 단어의 이해는 상대적으로 조금 어려운 편이다. 이는 객체지향과 연관해서 부여된 이름이기 때문이다. 따라서 이번 Chapter에서는 메소드가 무엇인지에 대해서만 이해하도록 노력을 하자. 용어에 대한 이해는 다음기회로 미루도록 하자.

우리는 예제를 작성할 때마다 main이라는 이름의 메소드를 정의하고 있다. 그리고 우리는 이 메소드가 실행되는 원리를 이해함으로써 메소드의 기본적인 성질을 파악할 수 있다.

■ main 메소드에 대해서 우리가 아는 것과 모르는 것

앞서 그림 1-21을 통해서 main이 메소드이고, 이 메소드는 클래스라는 것의 내부에 존재해야 함을 간단히 보였으며, 지금까지 작성한 많은 예제들을 통해서 이미 이러한 사실에는 익숙해져 있으리라 생각한다. 그렇다면 다음의 메소드를 보면서, 우리기 아는 것과 모르는 것들을 정리해 보겠다.

```java
public static void main(String[] args)
{
    int num1=5, num2=7;
    System.out.println("5+7="+(num1+num2));
}
```

아는 것은 다음 두 가지 정도로 정리가 된다.

- 메소드의 이름은 main이다.
- 메소드의 중괄호 내에 존재하는 문장들이 위에서 아래로 순차적으로 실행된다.

모르는 것들은 다음과 같다.

- public, static 그리고 void가 왜 붙어있어야 하는가?
- 이름은 왜 항상 main이어야 하는가?
- 메소드의 이름 옆에 있는 소괄호와 그 안에 존재하는 String[] args, 이건 또 뭔가?

이번 Chapter에서도 public과 static에 대해서는 언급하지 않는다. 이 둘은 보다 적절한 시기에 설명하는 것이 여러분의 이해에 부담이 없기 때문이다. 따라서 당분간은 "그냥 붙여줘야 하는 키워드" 정도로 기억하고 있자. 아쉽지만 말이다.

■ 다른 이름의 메소드를 만들어 보자.

우리가 지금까지 만들어온 메소드의 이름이 항상 main인 이유는 다음과 같은 약속에 근거를 한다.

"자바 프로그램의 시작은 main이라는 이름의 메소드를 실행하는 데서부터 시작한다."

따라서 프로그램의 시작을 목적으로 메소드를 만드는 것이 아니라면, 굳이 이름이 main일 필요는 없다. 즉 다음과 같이 main이 아닌 다른 이름의 메소드도 얼마든지 만들 수 있다.

```java
public static void hiEveryone(int age)
{
    System.out.println("좋은 아침입니다.");
    System.out.println("제 나이는 "+ age+"세 입니다.");
}
```

위 메소드의 이름은 hiEveryone이다. 따라서 이러한 경우 "hiEveryone이라는 이름의 메소드를 정의하였다."라고 한다. 메소드를 만드는 것을 가리켜 '메소드의 정의'라 하기 때문이다. 그럼 이번에는 메소드의 이름 오른편에 있는 소괄호를 보자. 이곳에는 age라는 이름의 변수 선언이 와 있다. main 메소드의 경우에는 "String[] args"라는 선언이 와 있었는데, 이것 역시 일종의 변수 선언이다. 다만 아직 우리가 이해하기에는 무리가 있는 변수선언이므로, 필자는 이를 대신하여, 우리가 이해할 수 있는 변수의 선언을 삽입하였다. 자! 그럼 다음 예제를 통해서 이 메소드의 실행방법을 보이도록 하겠다.

❖ MethodDefAdd.java

```java
1.  class MethodDefAdd
2.  {
3.      public static void main(String[] args)
4.      {
5.          System.out.println("프로그램의 시작");
6.          hiEveryone(12);
7.          hiEveryone(13);
8.          System.out.println("프로그램의 끝");
9.      }
10.
11.     public static void hiEveryone(int age)
12.     {
13.         System.out.println("좋은 아침입니다.");
14.         System.out.println("제 나이는 "+ age+"세입니다.");
15.     }
16. }
```

해설

• 6행 : 이것이 메소드의 실행을 명령하는 문장이다(메소드 호출문이라 한다). 즉 hiEveryone이라는 이름의 메소드 실행을 명령하고 있다. 그리고 소괄호 안에는 정수 12를 삽입하였는데, 이는 hiEveryone이라는 메소드에게 전달할 데이터를 표시해 둔 것이다. 이 문장에 의해서, hiEveryone 메소드가 완전히 실행된 다음에야 비로소 다음 행을 이어서 실행하게 된다.

• 7행 : 6행과 마찬가지로 hiEveryone 메소드의 실행이 요청되고 있다. 전달하는 값의 크기가 6행과의 유일한 차이점이다.

- 11행 : 앞서 우리가 정의한 메소드이다. 6행과 7행을 보면, 메소드의 실행을 명령하면서 각각 정수 12와 13을 전달하고 있는데, 이 정수는 메소드의 이름 옆에 선언된 변수 age에 전달되어 저장이 된다. 그리고 이렇게 초기화 된 변수는 hiEveryone 메소드 내에서 접근이 가능하다.
- 14행 : 11행에 선언된 변수에 저장된 값을 출력하는 문장이 구성되어 있다.

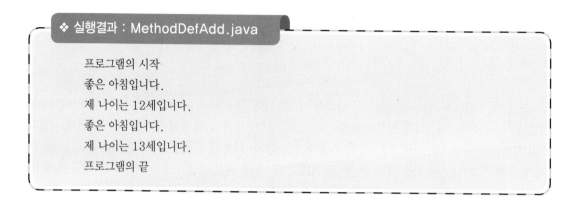

❖ 실행결과 : MethodDefAdd.java

```
프로그램의 시작
좋은 아침입니다.
제 나이는 12세입니다.
좋은 아침입니다.
제 나이는 13세입니다.
프로그램의 끝
```

여러분은 실행결과와 소스코드를 참조하여 메소드의 호출과 관련된 프로그램의 흐름을 이해할 수 있을 것이다. 이를 그림으로 정리하면 다음과 같다.

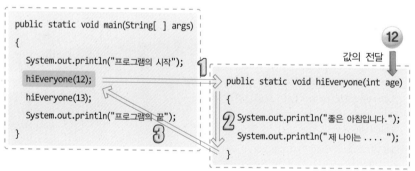

[그림 6-1 : 메소드의 호출과 값의 전달과정]

위 그림을 통해서 필자가 말하려는 바는 다음과 같다.

"메소드 호출문을 접하면, 해당 메소드의 실행이 완료된 다음에야 비로소 그 다음을 실행하게 된다."

더불어 위 예제를 통해서 추가로 다음 사항들도 이해할 수 있다.

- 메소드의 이름 오른편에 등장하는 변수에 저장되는 값에 대하여
- 메소드의 실행방법과 데이터를 전달하는 방법

• 메소드는 한번 정의되면 여러 번 실행이 가능하다는 사실

메소드의 정의에서 메소드의 이름 오른편에 등장하는 변수를 가리켜 '매개변수(parameter)'라 하는데, 위 예제에서 보이듯이, 메소드 호출 시 전달되는 값의 저장을 위한 용도로 사용되므로, 메소드 호출 시 전달되는 값의 자료형과 매개변수의 자료형은 항상 일치해야 한다. 또한 메소드가 정의되는 위치는 프로그램에 영향을 미치지 않음도 기억하자. 즉 위 예제의 경우 main 메소드가 hiEveryone 메소드보다 먼저 등장을 하건, 나중에 등장을 하건 프로그램의 실행결과에는 아무런 차이가 없다.

자! 그럼 예제를 하나 더 제시하겠다. 앞에서 정의한 메소드는 매개변수가 하나였는데, 이번에는 매개변수가 두 개인 메소드와 매개변수가 존재하지 않는 메소드를 동시에 정의해 보이고자 한다.

❖ Method2Param.java

```
1.  class Method2Param
2.  {
3.      public static void main(String[] args)
4.      {
5.          double myHeight=175.9;
6.          hiEveryone(12, 12.5);
7.          hiEveryone(13, myHeight);
8.          byEveryone();
9.      }
10.
11.     public static void hiEveryone(int age, double height)
12.     {
13.         System.out.println("제 나이는 "+ age+"세 입니다.");
14.         System.out.println("저의 키는 "+ height+"cm 입니다.");
15.     }
16.
17.     public static void byEveryone()
18.     {
19.         System.out.println("다음에 뵙겠습니다.");
20.     }
21. }
```

• 6행 : 메소드 호출 시, 전달해야 할 데이터가 둘 이상일 경우, 콤마(,)를 이용해서 구분하게 됨을 보이고 있다.

• 7행 : 메소드를 호출하면서 변수에 저장된 값을 전달할 수도 있음을 보이고 있다.

• 8행 : 이 문장은 값의 전달 없이 메소드를 호출하는 방법을 보이고 있다.

• 11행 : 매개변수 선언을 보면, int형 변수 age와 double형 변수 height가 순서대로 등장하고 있다. 따라서 이 메소드를 호출할 때에는 6행과 7행에서 보이듯이, int형 데이터와 double형 데이터가 순서대로 전달되어야 한다.

• 17행 : 매개변수의 선언부분이 빈 상태로 정의되었다. 즉 메소드 호출 시, 값을 전달받지 않도록 정의된 메소드이다. 따라서 이 메소드를 호출할 때에는 8행에서 보이듯이 값의 전달이 없어야 한다.

❖ 실행결과 : Method2Param.java

제 나이는 12세 입니다.
저의 키는 12.5cm 입니다.
제 나이는 13세 입니다.
저의 키는 175.9cm 입니다.
다음에 뵙겠습니다.

메소드에 대해서 간단히 설명을 하였는데, 여러분이 공부하는 자바가 객체지향 프로그래밍 언어가 아니었다면(절차지향 프로그래밍 언어였다면), 이 시점에서 메소드가 지니는 의미(또는 장점)도 함께 공부를 해야 한다. 그러나 여러분은 자바를 이용해서 객체지향 프로그래밍을 공부하고 있기 때문에, 아직은 이른 감이 있다. 따라서 이번 Chapter에서는 메소드의 문법적인 구성과 문제를 통한 기본적인 활용 능력을 키우는데 초점을 맞추기 바란다.

문제 6-1 [메소드의 정의]

▶ 문제 1
두 개의 정수를 전달받아서, 두 수의 사칙연산 결과를 출력하는 메소드와 이 메소드를 호출하는 main 메소드를 정의해 보자. 단 나눗셈은 몫과 나머지를 각각 출력해야 한다.

▶ 문제 2
두 개의 정수를 전달받아서, 두 수의 차의 절대값을 계산하여 출력하는 메소드와 이 메소드를 호출하는 main 메소드를 정의해 보자. 단 메소드 호출 시 전달되는 값의 순서에 상관없이 절대값이 계산되어서 출력되어야 한다.

■ 값을 반환하는 메소드

지금까지는 메소드가 값을 전달받을 수 있음에 대해서만 설명하였다. 그러나 거꾸로 메소드는 메소드를 호출한 영역으로 값을 전달할(반환할) 수도 있는데, 다음 예제를 통해서 이를 설명해 보이겠다.

❖ MethodReturns.java

```
1.   class MethodReturns
```

```
 2.  {
 3.      public static void main(String[] args)
 4.      {
 5.          int result=adder(4, 5);
 6.          System.out.println("4와 5의 합 : " + result);
 7.          System.out.println("3.5의 제곱 : " + square(3.5));
 8.      }
 9.
10.      public static int adder(int num1, int num2)
11.      {
12.          int addResult=num1+num2;
13.          return addResult;
14.      }
15.
16.      public static double square(double num)
17.      {
18.          return num*num;
19.      }
20.  }
```

❖ 실행결과 : MethodReturns.java

```
4와 5의 합 : 9
3.5의 제곱 : 12.25
```

먼저 우리에게 익숙한 3행의 main 메소드를 보자. main이라는 이름의 왼편에는 void라는 키워드가 존재하는데 이는 다음의 의미를 지닌다.

"이 메소드는 값을 반환하지(메소드를 호출한 영역으로 값을 전달하지) 않는다."

이렇듯 메소드의 이름 왼편에는 메소드가 반환하는 값의 정보를 삽입하게 되어 있다. 그리고 우리가 지금까지 정의한 모든 메소드들은 값을 반환하지 않기 때문에 이곳에 항상 void를 삽입했던 것이다. 자! 그럼 이번에는 10행과 16행에 정의되어 있는 메소드들을 살펴보자. 메소드의 이름 왼편에 각각 int와 double이라는 자료형 이름이 삽입되어 있다. 따라서 이들이 의미하는 바는 각각 다음과 같다.

"adder 메소드는 int형 데이터를 반환합니다."

"square 메소드는 double형 데이터를 반환합니다."

그럼 과연 값의 반환은 어떻게 구성을 하는 것일까? 이에 대한 이해를 위해서 adder 메소드를 조금 더 자세히 관찰해 보기로 하겠다.

```
public static int adder(int num1, int num2)
{
    int addResult=num1+num2;
    return addResult;
}
```

[그림 6-2 : 값의 반환과 return]

위 그림에서는 adder 메소드의 두 군데를 강조하고 있다. 하나는 메소드의 이름 왼편에 존재하는 반환형 (반환하는 데이터의 자료형)이고, 다른 하나는 메소드의 몸체(중괄호 내부)에 존재하는 return이라는 키워드이다. 바로 이 return이 값의 반환을 명령하는 키워드로써, 위 그림의 return문은 다음의 의미를 담고 있다.

"addResult에 저장되어 있는 값을 반환한다."

즉 return의 오른편에 등장하는 대상을 반환하게 되는데, 이곳에는 반환의 대상이 되는 상수나 변수, 또는 위 예제의 18행과 같이 연산문이 올 수 있으며(이런 경우, 연산의 결과를 반환하게 된다), 이렇게 구성이 되는 return문을 실행하게 되면, 메소드는 종료가 되고, 메소드를 호출한 영역으로 값은 반환이 된다. 따라서 위 예제 5행의 메소드 호출 이후에는 값이 반환되어 다음과 같은 문장 구성을 이루게 된다.

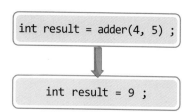

[그림 6-3 : 값의 반환이 의미하는 바]

위 그림은 값의 반환이 의미하는 바를 보여준다. 값의 반환? 사실 좀 막연한 표현이다. 그러나 위 그림은 값의 반환이 의미하는 바가 다음과 같음을 여러분에게 알리고 있다.

"값의 반환은 메소드의 호출문장이, 반환된 값으로 대체됨을 의미한다."

따라서 정수가 와야 할 위치에 정수를 반환하는 메소드의 호출문이 대신 올 수 있고, 실수가 와야 할 위치에 실수를 반환하는 메소드의 호출문이 대신 올 수도 있다. 위 예제 7행처럼 말이다. 즉 위 예제 7행은 square 메소드 호출 이후에 반환되는 값을 이용해서 다음과 같은 문장을 실행하게 된다.

```
System.out.println("3.5의 제곱 : " + 12.25);
```

마지막으로, 메소드에 둘 이상의 값을 전달할 수는 있어도, 메소드는 오직 하나의 값만을 반환할 수 있다는 사실을 기억할 필요가 있다.

■ 키워드 return이 지니는 두 가지 의미

키워드 return에 대해서 조금 더 설명하고자 한다. return은 다음 두 가지 의미를 담고 있다.

- 값의 반환
- 메소드의 종료

따라서 메소드 중간에 return문이 실행되면, 메소드의 나머지 부분은 실행이 이뤄지지 않고 메소드를 빠져나가게 된다. 그리고 다음 예제에서 보이듯이 반환형으로 void 표시가 된 메소드 내에서도 값의 반환 목적이 아닌, 오로지 메소드의 종료를 목적으로 return문을 사용할 수 있다.

❖ OnlyExitReturn.java

```java
1.   class OnlyExitReturn
2.   {
3.       public static void main(String[] args)
4.       {
5.           divide(4, 2);
6.           divide(6, 2);
7.           divide(9, 0);
8.       }
9.
10.      public static void divide(int num1, int num2)
11.      {
12.          if(num2==0)
13.          {
14.              System.out.println("0으로는 값을 나눌 수 없습니다.");
15.              return;
16.          }
17.          System.out.println("나눗셈 결과 : " + (num1/num2));
18.      }
19.  }
```

❖ 실행결과 : OnlyExitReturn.java

```
나눗셈 결과 : 2
나눗셈 결과 : 3
0으로는 값을 나눌 수 없습니다.
```

위 예제 15행에 있는 return문은 반환의 대상 없이 그냥 키워드 return으로만 구성이 되어있는데, 이 것이 의미하는 바는 다음과 같다.

"값을 반환하지 않고, 단순히 이 메소드를 빠져나가겠다(종료하겠다)."

따라서 반환형이 void인 메소드 내에서도 return문은 삽입이 가능하다. 반환의 대상만 명시하지 않으면 말이다.

문 제 6-2 [값을 반환하는 메소드의 정의]

▶ 문제 1
원의 반지름 정보를 전달하면, 원의 넓이를 계산해서 반환하는 메소드와 원의 둘레를 계산 해서 반환하는 메소드를 각각 정의하고, 이를 호출하는 main 메소드를 정의하자.

▶ 문제 2
전달된 값이 소수(prime number)인지 아닌지를 판단하여, 소수인 경우 true를, 소수가 아닌 경우 false를 반환하는 메소드를 정의하고, 이를 이용해서 1 이상 100 이하의 소수 를 전부 출력할 수 있도록 main 메소드를 정의하자.

06-2 변수의 스코프

스코프(scope)는 한글로 '범위' 또는 '영역'이라는 뜻을 갖고 있다. 그런데 여기서 말하는 영역은 변수의 접근, 또는 변수가 존재할 수 있는 영역을 의미한다.

■ 가시성(Visibility) : 여기서는 저 변수가 보여요.

중괄호 { . . . } 가 사용되었던 때를 기억해 보자. 이들 기호는 언제 사용이 되었는가?

- 메소드의 몸체 부분을 정의하는 용도로 사용된다.
- if문, 또는 if~else문을 정의하면서 사용이 된다.
- switch문과 다양한 반복문에서도 사용이 된다.

이처럼 중괄호는 다양한 경우에 사용이 된다. 그런데 이렇게 중괄호로 영역이 형성되면, 감싸이는 영역은 변수에 관한 별도의 스코프를 형성하게 된다. 잠시 다음 예제를 보자. 이 예제에서는 동일한 이름의 변수가 여러 개 선언되고 있다.

❖ LocalVariable.java

```java
1.   class LocalVariable
2.   {
3.       public static void main(String[] args)
4.       {
5.           boolean scope=true;
6.           if(scope)
7.           {
8.               int num=1;
9.               num++;
10.              System.out.println(num);
11.          }
12.          else
13.          {
14.              int num=2;
15.              System.out.println(num);
16.          }
17.
18.          simple();
19.      }
20.
21.      public static void simple()
22.      {
23.          int num=3;
24.          System.out.println(num);
25.      }
26.  }
```

위 예제에서는 num이라는 이름의 변수 세 개를 선언하고 있다. 이렇듯 동일한 이름의 변수를 다수 선언할 수 있는 이유는 선언된 변수가 속하는 중괄호의 영역(스코프)이 다르기 때문이다. 각각의 변수가 속하는 스코프를 정리하면 다음과 같다.

- 8행의 num → 6행의 if에 속하는 중괄호

- 14행의 num → 12행의 else에 속하는 중괄호

- 23행의 num → 21행의 메소드 simple에 속하는 중괄호

기본적으로 변수는 자신이 속한 중괄호 내에서만(물론 선언된 이후부터) 접근이 가능하다. 때문에 속한 영역이 다르면 이름이 동일할지라도 문제가 되지 않는다. 그리고 이러한 변수의 스코프는 반드시 중괄호에 의해서만 형성되는 것은 아니다. for문의 일부로 선언되는 변수와 메소드의 매개변수는 중괄호 내에 선언되지는 않지만, 이어서 등장하는 중괄호 내에서만 접근이 가능하다.

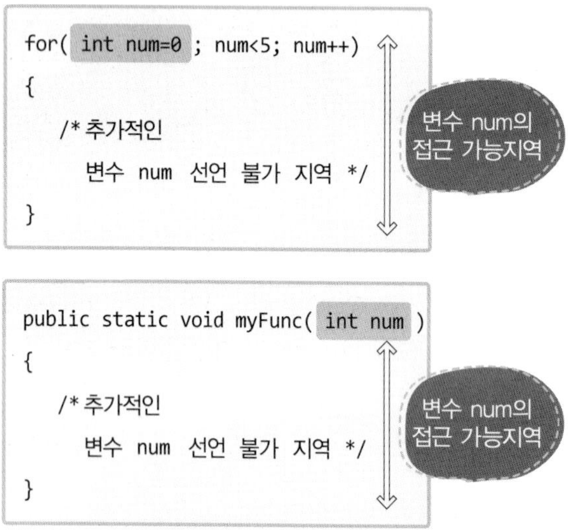

```
for( int num=0 ; num<5; num++)
{
    /* 추가적인
       변수 num 선언 불가 지역 */
}
```
변수 num의
접근 가능지역

```
public static void myFunc( int num )
{
    /* 추가적인
       변수 num 선언 불가 지역 */
}
```
변수 num의
접근 가능지역

[그림 6-4 : for문의 변수선언과 매개변수 선언]

위 그림에서 보이듯이 for문의 변수 num은 for문 내에서 접근이 가능한 변수이기 때문에 for문의 중괄호 내에서 num이라는 이름의 변수 선언이 불가능하다. 마찬가지로 매개변수도 선언된 메소드 내에서 접근이 가능하기 때문에 동일한 이름의 변수 선언이 불가능하다.

■ 해당 영역을 벗어나면 사라져버립니다.

지금까지 보아온, 중괄호 내에 선언이 되는 변수들을 가리켜 '지역변수(local variable)'라 한다(사실 지금까지 여러분이 봐 왔던 변수는 모두 지역변수였다). 뿐만 아니라 for문에서 선언되는 변수와 매개변수까지도 지역변수의 범주에 포함을 시킨다. 그리고 이러한 지역변수들이 갖는 중요한 특징이 있다.

"지역변수는 선언된 지역을 벗어나 버리면 메모리 공간에서 소멸됩니다."

여기서 중요한 사실은 자동으로 소멸이 된다는 것이다. 만약에 자동으로 소멸되지 않고 계속해서 메모리 공간에 남아있게 된다면, 계속되는 프로그램의 실행에 문제가 발생할 수도 있다. 그런데 다행히도 이러한 일은 발생하지 않는다. 지역변수들은 자신이 선언된 영역을 벗어나버리면 자동으로 사라지기 때문이다.

06-3 메소드의 재귀호출

자바는 메소드의 재귀호출을 지원한다. 따라서 순서상 재귀호출에 대해서 설명을 할 텐데, 여러분이 이 내용에 부담을 느낀다면, 이 책을 한차례 완전히 공부한 다음에 재귀호출을 공부하는 것이 바람직하다. 메소드의 재귀는 자료구조와 알고리즘의 구현에 유용하게 사용되는 문법이기 때문에 지금 당장 이를 이해하지 못한다고 해서 진도를 나가는데 문제가 되지는 않는다.

■ 수학적 측면에서의 재귀적인(순환적인) 사고

이 세상에는 해결하기 어려운 문제들이 많이 있다. 그런데 다행히도 이러한 문제들의 해결방법을 자료구조와 알고리즘이라는 학문을 통해서 공부할 수 있다. 그리고 이 두 학문에서 빠질 수 없는 개념 중 하나가 바로 '재귀(recursion)'이다. 재귀 또는 재귀적 사고는 어려운 문제를 쉽게 해결하는 열쇠가 되기 때문이다. 따라서 이번에는 자료구조와 알고리즘의 학습에 도움이 될 수 있도록 재귀 메소드의 이해와 정의방법에 대해서 간단히 설명하고자 한다.

우리는 고등학교 수학시간에 팩토리얼(factorial)의 개념을 공부한 적이 있다. 기호 !으로 표현되는 팩토리얼의 계산방식은 다음과 같다.

- $5! = 5 \times 4 \times 3 \times 2 \times 1$
- $4! = 4 \times 3 \times 2 \times 1$
- $3! = 3 \times 2 \times 1$

- $2! = 2 \times 1$

- $1! = 1$

따라서 이 계산식은 다음과 같이 달리 쓸 수도 있다.

- $5! = 5 \times 4!$

- $4! = 4 \times 3!$

- $3! = 3 \times 2!$

- $2! = 2 \times 1!$

- $1! = 1$

여기서 우리는 자바에서 말하는 재귀(순환)를 발견할 수 있다. 팩토리얼의 계산식에 다시 팩토리얼이 등장한 이 상황이 바로 재귀이다. 그럼 이를 수학의 함수식으로 정의해 보자.

$$f(n) = \begin{cases} n \times f(n-1) & n \text{이 2 이상} \\ 1 & n = 1 \end{cases}$$

[그림 6-5 : 팩토리얼의 수학적 함수식]

위의 식은 팩토리얼에 대한 수학적인 함수식이다(이해의 편의를 위해서 0 이상이 아닌, 1 이상에 대해서 정의하였다). 그런데 여기서도 보이듯이 함수 f의 정의에 함수 f의 실행문이 삽입되어 있다. 그리고 이는 수학적으로 전혀 문제되지 않는다. 마찬가지로 자바는 메소드의 재귀를 지원한다. 즉 메소드 f의 몸체(중괄호) 부분에서 메소드 f의 호출문이 삽입되는 것을 허용하고 있다.

■ 재귀적 메소드의 정의

그림 6-5의 수학식을 메소드로 정의해 보겠다. 참고로 여러분은 아직 재귀적인 형태의 메소드를 정의해 본 경험이 없지만, 그림 6-5를 힌트로 하여 직접 정의해보는 것은 매우 좋은 시도가 될 수 있다.

❖ ReculFactorial.java

```
1.   class ReculFactorial
2.   {
3.       public static void main(String[] args)
4.       {
5.           System.out.println("3 factorial : " + factorial(3));
```

```
6.            System.out.println("12 factorial : " + factorial(12));
7.        }
8.
9.      public static int factorial(int n)
10.      {
11.          if(n==1)
12.              return 1;
13.          else
14.              return n*factorial(n-1);
15.      }
16.  }
```

❖ 실행결과 : ReculFactorial.java

```
3 factorial : 6
12 factorial : 479001600
```

그림 6-5의 수학식과 위 예제 factorial 메소드의 관계는 다음과 같다.

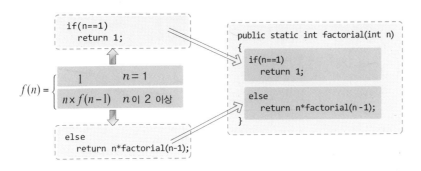

[그림 6-6 : 팩토리얼에 대한 재귀적 메소드 정의]

그리고 factorial 메소드가 실제로 동작하는 방식을 5행의 메소드 호출을 기준으로 정리하면 다음과 같다. 이 그림에서 보여주는 실행의 순서와 전달되는 값을 관찰하여 재귀 메소드의 동작방식을 완전히 이해하기 바란다.

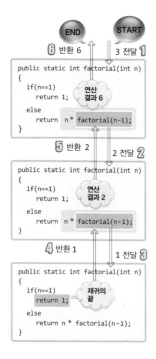

```
public static int factorial(int n)
{
  if(n==1)
    return 1;                    연산
  else                           결과 6
    return  n * factorial(n-1);
}
```

```
public static int factorial(int n)
{
  if(n==1)
    return 1;                    연산
  else                           결과 2
    return  n * factorial(n-1);
}
```

```
public static int factorial(int n)
{
  if(n==1)
    return 1;                    재귀의
  else                           끝
    return n * factorial(n-1);
}
```

[그림 6-7 : 재귀 메소드의 실행과정]

위 그림을 보면서 여러분은 "아직 실행이 완료되지 않은 메소드를 어떻게 다시 호출할 수 있는가?"라고 질문할 수 있다. 그러나 이는 다음 사실을 알고 나면 이해할 수 있는 부분이다.

"메모리에 저장된 메소드를 구성하는 명령문이 CPU로 이동해서 실행이 된다."

메소드를 구성하는 명령문은 얼마든지 CPU로 이동해서 실행이 가능하므로, 기존에 호출된 메소드가 완료되지 않았다고 해서 호출이 불가능한 것은 아니다. 메소드의 앞 부분을 구성하는 명령문만 반복해서 CPU로 이동시킬 수 있기 때문이다.

■ 잘못된 재귀 메소드의 정의 : 종료 조건이 없어요!

이번에는 잘못 정의된 재귀 메소드를 통해서 주의사항을 살펴보겠다. 다음 예제를 관찰하고 실행해 보자. 그리고 이 예제의 문제점을 찾아보자.

❖ InfRecul.java

```
1.  class InfRecul
2.  {
3.      public static void main(String[] args)
4.      {
5.          showHi(3);
6.      }
```

```
7.
8.      public static void showHi(int cnt)
9.      {
10.         System.out.println("Hi~ ");
11.         showHi(cnt--);
12.         if(cnt==1)
13.             return;
14.     }
15. }
```

위 예제의 showHi 메소드는 재귀의 고리를 끊을 수 없다. 이유는 12행의 조건을 만족시킬 수 없기 때문이다. 11행에 보면 cnt의 값을 감소시키는 코드가 다음의 형태로 존재한다.

    cnt--

문제가 무엇인가? -- 연산자가 cnt 변수 뒤에 붙었기 때문에 11행의 메소드 호출을 통해서 인자(매개변수에 전달되는 값)가 전달되고 난 다음에야 비로소 cnt의 값이 하나 감소한다. 따라서 5행에서 전달된 값 3은 줄지 않고 계속해서 매개변수의 초기화 값으로 사용이 된다. 이것이 바로 위 예제의 첫 번째 문제점이다. 그럼 이 문제를 해결해보자. 대략 다음과 같은 형태로 고쳐서 쉽게 해결이 가능하다.

    --cnt

이제 모든 문제가 해결이 되었는가? 아니다. 문제는 여전히 남아있다. 분명 cnt의 값은 하나씩 줄어들면서 showHi 메소드의 인자로 전달이 된다. 그러나 재귀의 고리는 끊을 수 없다. 위 예제의 12, 13행이 실행되지 않기 때문이다. 즉 재귀의 고리를 끊기 위한 조건 검사의 위치가 잘못 지정되었다. 조건 검사는 재귀 메소드가 호출되기 이전에 이뤄져야 한다. 그래야 조건 검사를 재귀의 매 과정마다 진행할 수 있을 것 아닌가? 따라서 위 예제는 다음과 같이 정정되어야 한다.

❖ RightRecul.java

```
1.  class RightRecul
2.  {
3.      public static void main(String[] args)
4.      {
5.          showHi(3);
6.      }
7.
8.      public static void showHi(int cnt)
9.      {
10.         System.out.println("Hi~ ");
11.         if(cnt==1)
12.             return;
```

```
13.        showHi(--cnt);
14.    }
15. }
```

❖ 실행결과 : RightRecul.java

```
Hi~
Hi~
Hi~
```

위의 예제를 통해서 기억해야 할 재귀 메소드 정의의 주의 사항 두 가지는 다음과 같다.

- 재귀의 연결 고리를 끊기 위한 조건검사의 위치가 적절해야 한다.
- 재귀의 연결 고리를 끊기 위한 조건검사가 true가 되도록 적절한 연산이 이뤄져야 한다.

마지막으로 재귀 메소드로 문제를 해결할 때에는 빈번한 메소드의 호출(메소드의 호출이 완료되지 않은 상태에서 계속해서 메소드가 다시 호출됨)이 문제가 될 수 있다. 이는 과도한 메모리의 사용으로 인해서 성능의 저하로 이어지기 때문이다. 그럼에도 불구하고 재귀 메소드가 지니는 다음의 장점으로 인해서 재귀는 자료구조와 알고리즘에서 매우 중요한 위치를 차지한다.

- 재귀적 사고는 복잡한 문제를 간결하게 해결하는 열쇠가 된다.
- 수백 줄 이상의 코드가 요구되는 문제를 불과 수십 줄의 코드로 해결할 수 있다.

무엇보다도 이전과 달리 컴퓨터 성능의 놀라운 발전으로 인해서 실무 프로그램에서도 재귀 메소드를 활용하고 있다는 점에 주목할 필요가 있다.

문 제 6-3 [재귀 메소드의 정의]

Question

▶ 문제 1
정수 N을 전달받아서, 2의 N승을 계산하여 반환하는 메소드를 재귀의 형태로 정의하고, 이의 테스트를 위한 main 메소드도 함께 정의하자.

▶ 문제 2
10진수 정수를 전달받아서, 전달받은 정수에 해당하는 2진수를 출력하는 메소드를 재귀의 형태로 정의하고, 이의 테스트를 위한 main 메소드도 함께 정의하자. 참고로 아직은 다양한 출력방법을 소개하지 않았으니, 여러 줄에 걸쳐서 출력이 이뤄지도록 메소드를 정의하자.

Chapter 06 프로그래밍 문제의 답안

■ 문제 6-1의 답안

■ 문제 1

❖ 소스코드 답안

```
1.   class SimpleOperation
2.   {
3.       public static void main(String[] args)
4.       {
5.           simpleOpr(7, 3);
6.       }
7.
8.       public static void simpleOpr(int n1, int n2)
9.       {
10.          System.out.println("덧셈 결과 : " + (n1+n2));
11.          System.out.println("뺄셈 결과 : " + (n1-n2));
12.          System.out.println("곱셈 결과 : " + (n1*n2));
13.          System.out.println("나눗셈의 몫 : " + (n1/n2));
14.          System.out.println("나눗셈의 나머지 : " + (n1%n2));
15.      }
16.  }
```

■ 문제 2

❖ 소스코드 답안

```
1.   class ABS
2.   {
3.       public static void main(String[] args)
4.       {
5.           abs(7, 3);
6.           abs(-5, -3);
7.           abs(4, -3);
8.       }
9.
10.      public static void abs(int n1, int n2)
11.      {
12.          if(n1>n2)
13.              System.out.println(n1-n2);
14.          else
15.              System.out.println(n2-n1);
16.      }
17.  }
```

■ 문제 6-2의 답안

■ 문제 1

❖ 소스코드 답안

```
1.   class CircleCalculator
2.   {
3.       public static void main(String[] args)
4.       {
5.           System.out.println("원 둘레(2.4) : " + calCircleRound(2.4));
6.           System.out.println("원 넓이(2.4) : " + calCircleArea(2.4));
7.       }
8.
9.       public static double calCircleArea(double rad)
10.      {
11.          double pi=3.14;
12.          return rad*rad*pi;
13.      }
14.
15.      public static double calCircleRound(double rad)
16.      {
17.          double pi=3.14;
18.          return rad*2*pi;
19.      }
20.  }
```

■ 문제 2

❖ 소스코드 답안

```
1.   class FindPrimeNumber
2.   {
3.       public static void main(String[] args)
4.       {
5.           for(int i=1; i<=100; i++)
6.           {
7.               if(isPrimeNumber(i))
8.                   System.out.println(i);
9.           }
10.      }
11.
12.      public static boolean isPrimeNumber(int num)
13.      {
14.          if(num==1)
15.              return false;
16.
17.          for(int i=2; i<num; i++)
18.          {
19.              if(num%i==0)
20.                  return false;
21.          }
22.          return true;
23.      }
24.  }
```

■ 문제 6-3의 답안

■ 문제 1

❖ 소스코드 답안

```
1.  class ReculsivePowerOfTwo
2.  {
3.      public static void main(String[] args)
4.      {
5.          System.out.println("2의 5승 : " + powerOfTwo(5));
6.          System.out.println("2의 7승 : " + powerOfTwo(7));
7.      }
8.
9.      public static int powerOfTwo(int n)
10.     {
11.         if(n==0)
12.             return 1;
13.
14.         return 2*powerOfTwo(n-1);
15.     }
16. }
```

■ 문제 2

❖ 소스코드 답안

```
1.  class DecimalToBinary
2.  {
3.      public static void main(String[] args)
4.      {
5.          toBinary(10);
6.      }
7.
8.      public static int toBinary(int decimal)
9.      {
10.         if(decimal>0)
11.         {
12.             int bin;
13.             bin=decimal%2;
14.             decimal/=2;
15.             toBinary(decimal);
16.             System.out.println(bin);
17.         }
18.         return 0;
19.     }
20. }
```

Chapter 07

클래스와 인스턴스

이제 객체지향을 이야기할 차례가 왔다. 그런데 기본서에서, 그것도 프로그래밍 언어를 이야기 하는 기본서에서 객체지향을 100% 설명하겠다고 한다면 그건 거짓이다. 프로그래밍 서적이 아니더라도, 한 권의 책에서 객체지향을 전부 말하겠다고 하면 그것 역시 거짓이다. 왜냐하면 다양한 객체지향 언어로 10년 이상 개발해오고, 객체지향과 관련된 서적과 논문만도 수없이 봐온 저자의 몇몇 친구들 중에서도 객체지향을 100% 말할 수 있는 사람이 없기 때문이다. 사실 100%를 완성하는 것은 중요하지 않다. 객체지향이라는 패러다임의 특성상 쉽게 100%를 이야기할 수 없기 때문이다.

클래스와 인스턴스를 이해하는 것은 자바를 이해하는 것과 다름이 없다. 그만큼 자바를 이해하는데 있어서 클래스와 인스턴스의 개념은 중요하다.

■ 객체지향 프로그래밍의 이해

자바는 완벽한 객체지향 언어이다. 따라서 객체지향에 대한 이해가 필요한데, 이를 위해서 필자는 책 전반에 걸쳐서 객체지향의 우월성을 강조할 것이다. 그러나 이것이 C언어와 같은 절차지향적 언어보다 모든 면에서 우월함을 뜻하는 것은 아니다. 물론 절차지향적 특성이 갖지 못하는 많은 장점을 객체지향은 지니고 있다. 그러나 절차지향도 그 나름의 장점이 있다.

필자는 객체지향이 훨씬 우월하다고 말하고 싶습니다만!

필자는 대학원에서 객체지향 시스템 설계 및 소프트웨어 개발 방법론을 공부하였다. 때문에 객체지향이 절차지향에 비해 우월하다는 선입견을 가지고 있다. 그러나 이는 필자, 그리고 필자와 비슷한 이력의 개발자들이 지니고 있는 생각일 뿐, 여전히 많은 개발자들은 C언어가 지니고 있는 절차지향적 특성에 매력을 느끼고 있다.

객체는 영어로 Object이다. 그리고 이의 사전적 의미는 다음과 같다. 물론 더 많은 의미가 있지만 자바에서 말하는 Object의 의미는 이것이다.

    "물건, 또는 대상"

즉 Object는 우리 주변에 존재하는 물건(연필, 나무, 지갑, 돈 등등)이나 대상(철수, 친구, 선생님 등등) 전부를 의미한다. 그렇다면 객체를 지향하는 프로그래밍이라는 것은 무엇일까? 예를 들어서 다음 상황을 시뮬레이션 하는 프로그램을 작성한다고 가정해보자.

    "나는 과일장수에게 두 개의 사과를 구매했다!"

이 문장에 삽입되어 있는 객체의 종류는 다음과 같다.

    나(me), 과일장수, 사과

그렇다면 '나(me)'라는 객체는 '과일장수'라는 객체로부터 '과일' 객체의 구매라는 액션을 취할 수 있어야 한다. 그런데 객체지향 프로그래밍에서는 '나' 그리고 '과일장수'와 같은 객체를 등장시킬 수 있을 뿐만 아니라, '나'라는 객체가 '과일장수'라는 객체로부터 '과일' 객체를 구매하는 행위도 그대로 표현할 수 있다. 즉 객체지향 프로그래밍은 현실에 존재하는 사물과 대상, 그리고 그에 따른 행동을 있는 그대로 실체화시키는 형태의 프로그래밍이다. 이의 확인을 위해서 '나'와 '과일장수'라는 객체를 생성하여 다음의 행동을 실체화시켜 보겠다.

"나는 과일장수에게 2,000원을 주고 두 개의 사과를 구매했다."

참고로 사과도 객체로 실체화시킬 수 있으나, 코드의 간결성을 유지하기 위해서 '나'와 '과일장수'만 객체화시키도록 하겠다.

■ 객체를 이루는 것은 데이터와 기능입니다.

프로그램상에서 과일장수 객체가 존재한다고 가정해 보자. 이 객체는 무엇으로 이뤄져야 하겠는가? 물론 과일장수는 한 가정의 아버지이면서, 토요일이면 축구 클럽의 아마추어 선수로서 활동하고 있을 수도 있다. 그러나 프로그램상에서 바라보는 과일장수의 관점은 "과일의 판매"에 있다. 따라서 프로그램상에서 바라보는 과일장수는 다음과 같은 형태이다.

- 과일장수는 과일을 팝니다.
- 과일장수는 사과 20개, 오렌지 10개를 보유하고 있습니다.
- 과일장수의 과일판매 수익은 50,000원입니다.

이중에서 첫 번째는 과일장수의 '행동(behavior)'을 의미한다. 그리고 두 번째와 세 번째는 과일장수의 '상태(state)'를 의미한다. 이처럼 객체는 하나 이상의 상태 정보(데이터)와 하나 이상의 행동(기능)으로 구성이 되며, 상태 정보는 변수를 통해서 표현이 되고(변수에 상태 정보를 저장할 수 있으므로), 행동은 메소드를 통해서 표현이 된다. 그럼 먼저 과일장수의 상태 정보를 변수로 표현해보겠다(이 과일장수는 사과만 판매한다고 가정한다).

- 보유하고 있는 사과의 수 → int numOfApple;
- 판매 수익 → int myMoney;

이번에는 과일장수의 행위인 과일의 판매를 메소드로 표현해보겠다. 참고로 이 메소드 내에서는 과일장수의 현재 상태를 나타내는 변수 numOfApple과 변수 myMoney에 직접 접근이 가능하다고 가정하자(이와 관련해서 자세한 것은 잠시 후에 설명한다).

```
int saleApple(int money)        // 사과 구매액이 메소드의 인자로 전달
{
    int num = money/1000;       // 사과가 개당 1000원이라 가정
```

```
        numOfApple -= num;      // 사과의 수가 줄어들고,
        myMoney += money;       // 판매 수익이 발생한다.
        return num;             // 실제 구매가 발생한 사과의 수를 반환
    }
```

이렇게 해서 과일장수 객체를 구성하게 되는 변수와 메소드가 마련되었으니, 이제 이들을 묶어서 객체라는 것을 통해서 실체화하는 일만 남았다.

■ 클래스(class)라는 틀을 기반으로 객체가 생성됩니다.

객체를 생성하기에 앞서 객체의 생성을 위한 '틀(mold)'을 먼저 만들어야 한다. 이는 현실 세계에서 물건을 만들기 위해 물건의 틀을 짜는 행위에 비유할 수 있다. 겨울에 맛있게 먹는 붕어빵을 만들기 위해서는 붕어빵 틀이 필요하다. 마찬가지로 '나' 또는 '과일장수' 객체를 생성하기 위해서는 이 둘을 위한 틀을 먼저 만들어야 하는데, 틀을 구성하는 방식은 다음과 같다.

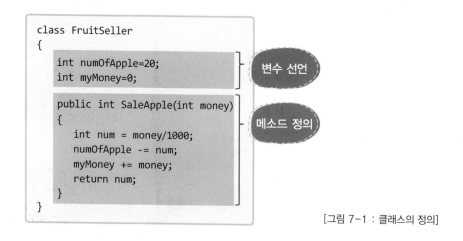

[그림 7-1 : 클래스의 정의]

위 그림에서 키워드 class와 이어서 등장하는 FruitSeller는 다음의 의미를 지닌다.

　　"FruitSeller라는 이름의 틀을 정의합니다."

즉 과일장수를 의미하는 FruitSeller라는 이름의 틀을 정의한 것이다. 그리고 이러한 틀을 가리켜 '클래스(class)'라 한다. 따라서 그림 7-1에서는 FruitSeller라는 이름의 클래스를 정의한 것이다. 그럼 이번에는 FruitSeller의 구성요소를 살펴보자. 그 안에는 두 개의 변수가 선언되어 있고, 하나의 메소드가 정의되어 있다. 이처럼 클래스는 객체를 구성하는데 필요한 변수와 메소드로 이뤄진다. 그리고 클래스 안에 정의된 메소드 내에서는 동일한 클래스 안에 선언된 변수에 접근이 가능하다. 때문에 위 그림에서 정의된 메소드 내에서는 한 클래스 내에 선언된 변수 numOfApple과 myMoney에 접근이 가능하다.
그런데 위 그림의 FruitSeller 클래스 내에 정의된 메소드를 보면, 이전에 우리가 정의한 메소드들과 달

리 static이라는 키워드가 삽입되지 않음을 알 수 있다. 이에 대해서는(static의 유무에 따른 차이점에 대해서는) Chapter 10에서 설명을 하니, 당분간은 main을 제외한 나머지 메소드들에는 static 키워드를 삽입하지 않겠다.

■ '과일장수' 클래스 정의와 키워드 final

그럼 이제 앞서 말한 다음의 상황을 시뮬레이션 하기 위해서 필요한 클래스들을 정의해 보겠다.

"나는 과일장수에게 2,000원을 주고 두 개의 사과를 구매했다."

먼저 과일장수를 정의해야 하는데, 과일장수 클래스는 이미 그림 7-1을 통해서 정의를 하였다. 하지만 여기에 한가지 기능을 더 추가하고자 한다. 우리는 과일장수에게 다음과 같은 질문을 할 수 있다.

"오늘 과일 좀 많이 파셨어요?"

그러면 과일장수는 다음과 같이 대답을 할 것이다.

"2,000원 벌었어, 남은 사과는 18개이고 말이야!"

이러한 대화가 가능하도록 메소드를 하나 더 추가하겠다. 그리하여 우리가 정의하는 과일장수 클래스의 최종(1차 최종이다)은 다음과 같다.

```
class FruitSeller
{
    final int APPLE_PRICE=1000;    // 사과 가격
    int numOfApple=20;
    int myMoney=0;

    public int saleApple(int money)
    {
        int num=money/APPLE_PRICE;
        numOfApple-=num;
        myMoney+=money;
        return num;       // 판매한 과일의 수를 반환
    }
    public void showSaleResult()      // 추가된 메소드
    {
        System.out.println("남은 사과 : " + numOfApple);
        System.out.println("판매 수익 : " + myMoney);
    }
}
```

우선, 오늘 좀 많이 파셨냐는 질문에 대한 답변의 기능을 showSaleResult 메소드를 통해 구현하였다. 그리고 위의 코드를 보면 그림 7-1의 클래스 정의와 달리 변수 APPLE_PRICE가 추가되었고, 이 변수의 선언에 final이라는 키워드가 삽입되었음을 확인할 수 있다. 이렇게 선언이 되는 변수를 가리켜 'final 변수'라 하는데(변수가 상수화 된 것이기 때문에 final 상수라고도 한다), 이 선언은 다음과 같은 의미를 담고 있다.

"한번 값이 결정된 이 변수의 값은 변경이 불가능하다!"

즉 final은 변수를 상수화시키는 키워드이다. 위의 클래스 정의에서는 사과의 가격 정보를 표시하기 위해서 final 변수가 삽입되었다. 참고로 지역변수가 final로 선언되면, 딱 한번 값의 초기화가 가능하다. 위의 클래스 정의에서는 선언과 동시에 초기화되었지만, 지역변수의 형태로 다음과 같이 선언만 하는 것도 가능하다.

```
final int APPLE_PRICE;
```

그리고 이렇게 선언이 되면 이후에 딱 한번 다음과 같이 초기화를 할 수 있다.

```
APPLE_PRICE=1000;
```

정리하면 사과의 가격은 변경되지 않는다는 가정이 들어가있고, 때문에 사과의 가격 정보를 담고 있는 변수 APPLE_PRICE는 final로 선언되었다.

■ '나(me)' 클래스 정의

이제 '나(me)' 클래스를 정의할 차례인데, 이는 과일 구매자를 표현하기 위한 것이니, 클래스의 이름을 FruitBuyer라 하겠다. 그렇다면 FruitBuyer 클래스에는 어떠한 변수들과 메소드들이 삽입되어야 할까? 먼저 데이터적인 측면을 바라보자. 구매자에게 있어서 가장 중요한 것은 돈! 이다. 돈이 있어야 구매가 가능하기 때문이다. 그리고 구매를 했다면 해당 물품을 소유하게 된다. 따라서 다음의 두 변수를 FruitBuyer 클래스에 삽입할 변수로 생각해 볼 수 있다.

- 소유하고 있는 현금 → int myMoney;
- 소유하고 있는 사과의 수 → int numOfApple;

자! 이제 기능적 측면을 생각해 볼 차례이다. 과일 구매자가 지녀야 할 기능은 과일의 구매이다. 따라서 이 기능을 담당할 메소드를 클래스에 삽입해야 한다. 이 메소드의 이름을 buyApple로 정의하면 FruitBuyer 클래스는 다음과 같이 정의가 된다.

```
class FruitBuyer
{
    int myMoney=5000;
    int numOfApple=0;
```

```
        public void buyApple(FruitSeller seller, int money)
        {
            numOfApple+=seller.saleApple(money);
            myMoney-=money;
        }
        public void showBuyResult()
        {
            System.out.println("현재 잔액 : " + myMoney);
            System.out.println("사과 개수 : " + numOfApple);
        }
    }
```

위 클래스 정의를 보면서 buyApple 메소드의 매개변수와 그 안에서 일어나는 일들에 대해 궁금할 것이다. 그러나 이 메소드에 대해서는 잠시 후에 구체적인 설명을 진행할 것이니, 잠시만 기다리기 바란다.

■ 클래스를 기반으로 객체 생성하기

우리는 지금 막 두 개의 클래스를 정의하였다. 그렇다면 이 두 개의 클래스 안에 존재하는 변수에 접근하고, 클래스 안에 존재하는 메소드를 호출하는 것이 가능할까? 언뜻 생각해보면 가능할 것처럼 보인다. 그러나 이들은 '실체(다시 말해서 객체)'가 아닌 '틀'에 지나지 않는다고 하지 않았는가? 따라서 접근도 호출도 불가능하다. 이는 자동차의 엔진과 자동차의 외형을 생산할 수 있는 틀이 있다고 해서, 이들을 타고 달릴 수 없는 것과 같은 이치이다. 자! 그럼 이제 우리가 해야 할 일은 앞서 정의한 클래스를 실체화시키는 것이다. 즉 객체화시키는 것이다. 다음은 자바에서 정의하고 있는 객체 생성방법이다.

```
    ClassName name = new ClassName();
```

따라서 우리가 정의한 FruitSeller 클래스와 FruitBuyer 클래스의 객체 생성방식은 다음과 같다.

```
    FruitSeller seller = new FruitSeller();
    FruitBuyer buyer = new FruitBuyer();
```

이 문장의 정확한 이해를 위해서 먼저 대입 연산자의 오른편을 보자. 다음과 같이 문장이 구성되어 있다.

```
    new FruitSeller();
    new FruitBuyer();
```

여기서 키워드 new는 객체 생성을 명령하는 명령어이다. 즉 위의 두 문장은 각각 다음의 의미를 담고 있다(소괄호의 의미는 잠시 후에 설명한다).

"FruitSeller 객체를 생성해라!"

"FruitBuyer 객체를 생성해라!"

실제로 위의 두 문장만으로도 메모리 공간에 객체가 생성되는데, 이렇게 객체를 생성하는 행위를 가리켜 '인스턴스화(instantiation)' 한다고 표현한다. 그리고 이렇게 생성이 된 객체를 가리켜 '인스턴스(instance)'라고도 부른다.

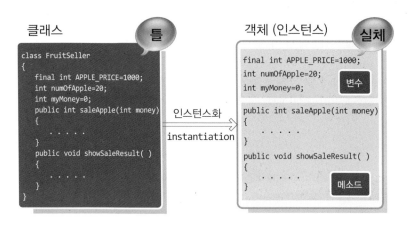

[그림 7-2 : 인스턴스화(instantiation)]

위 그림은 FruitSeller 클래스가 인스턴스화 된 상황을 보여준다. 그런데 그림만 놓고 보면 클래스와 객체에 큰 차이가 없다. 그러나 메모리 관점에서 바라보면 이 둘은 아주 큰 차이를 보인다. 클래스에 존재하는 변수와 메소드는 메모리 공간에 할당된 형태로 존재하지 않는다. 따라서 접근도 호출도 불가능한, 말 그대로 하나의 틀로서만 역할을 다할 뿐이다. 반면 객체는 메모리 공간에 할당이 이뤄진다. 즉 객체를 구성하는 모든 변수는 그 크기대로 메모리 공간에 할당이 되고, 메소드도 호출할 수 있는 형태로 메모리 공간에 존재하게 된다.

그럼 이번에는 다음 문장을 보자. 이는 바로 위에서 소개한 객체 생성문의 나머지 부분이다(대입 연산자의 왼편).

```
FruitSeller seller = . . . ;
FruitBuyer buyer = . . . ;
```

이는 사실 여러분에게 익숙한 변수의 선언문이다. 예를 들어서 이름이 num인 int형 변수는 다음과 같이 선언한다.

```
int num;
```

즉 자료형의 이름이 왼쪽에 오고 변수의 이름이 오른쪽에 온다. 마찬가지로 변수의 이름이 seller인 FruitSeller형 변수와 이름이 buyer인 FruitBuyer형 변수는 각각 다음과 같이 선언하면 된다.

```
FruitSeller seller;
FruitBuyer buyer;
```

그렇다면 여러분은 다음과 같이 질문을 할 것이다.

　"우리가 정의하는 클래스의 이름도 int, double과 같은 자료형의 이름인가요?"

사실 클래스를 정의하는 것은 자료형을 정의하는 것이다. 클래스를 정의하는 것은 자바에서 제공하는 기본 자료형 이외에 프로그래머가 새로운 이름의 자료형을 정의하는 것과 같다. 그럼 이제 다음 두 문장을 다시 분석하자.

```
FruitSeller seller = new FruitSeller();
FruitBuyer buyer = new FruitBuyer();
```

첫 번째 문장에서는 FruitSeller 객체를 생성하고 이를 seller라는 이름의 변수로 참조하는 문장이고, 두 번째 문장은 FruitBuyer 객체를 생성하고 이를 buyer라는 이름의 변수로 참조하는 문장이다. 따라서 위의 두 문장이 실행된 이후부터는 seller와 buyer를 통해서 각각의 객체에 접근을 할 수 있게 된다. 그래서 seller와 buyer와 같은 변수를 가리켜 '참조변수'라 한다.

■ 객체 생성과 참조의 관계를 정확히 말하라!

구체적으로 참조변수에는 무엇이 저장될까? 다음 그림은 객체와 참조변수와의 관계를 설명한다.

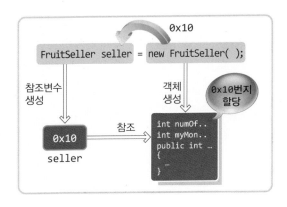

[그림 7-3 : 객체와 참조변수]

위 그림에서 보이듯이 키워드 new에 의한 객체 생성시 생성된 객체는 메모리에 저장되고, 저장된 메모리의 주소 값이 반환되어 참조변수에 저장된다. 때문에 참조변수에 의한 객체 접근이 가능한 것이며, 주소 값이 저장되었기 때문에 다음과 같은 문장도 구성이 가능하다.

```
FruitSeller seller1 = new FruitSeller();
FruitSeller seller2 = seller1;    // seller1에 저장된 주소 값 seller2에 저장
```

그리고 위의 두 문장이 실행되고 나면, 두 개의 참조변수가 하나의 객체를 참조하게 된다. 즉 다음 그림과 같은 형태가 된다.

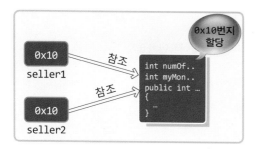

[그림 7-4 : 참조변수의 특성]

new에 의해 반환되는 주소 값

자바에서는 new에 의해 반환되는 주소 값(참조변수가 저장하고 있는 값)을 가리켜 '참조' 또는 영어 표현 그대로 'reference(레퍼런스)'라 한다. 따라서 필자 역시 가급적 주소 값 이라는 표현을 자제하고 '참조'라는 표현을 쓰되, 일반적인 의미의 참조와 혼동될 수 있어서 '참조 값'이라는 표현을 사용하고자 한다. 즉 '주소 값'을 대신해서 '참조 값'이라는 표현을 사용하겠다.

■ 생성된 객체의 접근방법

객체의 생성 방법까지 알았으니, 생성된 객체의 접근방법을 살펴볼 차례이다. 앞서 우리는 다음과 같은 형태로 객체가 생성됨에 대해서 공부하였다.

```
FruitSeller seller = new FruitSeller();
```

이렇게 객체를 생성하고 나서, 참조변수 seller가 참조하는 객체의 변수 numOfApple에 값을 저장할 때에는 다음과 같이 문장을 구성하면 된다.

```
seller.numOfApple=20;  // seller가 참조하는 객체의 변수 numOfApple에 20 저장
```

그리고 seller가 참조하는 객체의 메소드를 호출할 때에는 다음과 같이 문장을 구성하면 된다.

```
seller.saleApple(10);  // seller가 참조하는 객체의 메소드 saleApple 호출
```

즉 . 연산자를 이용해서 객체의 변수 또는 메소드에 접근하면 된다. 단 실제로 접근이 가능 하려면 접근 권한이 있어야 하는데, 이와 관련해서는 이후 Chapter에서 설명을 하니, 그때까지는 필자가 제안하는 형태의 실습만 진행하기 바란다.

■ 참조변수와 메소드의 관계

이미 여러분은 객체의 생성과 참조변수와의 관계를 이해하였으니, 다음 코드의 메소드 호출에 대해 예상해 볼 수 있다.

```
public void myMethod()
{
    FruitSeller seller1 = new FruitSeller();
    instMethod(seller1); // seller1이 메소드의 매개변수로 전달됨에 주목!
    . . . .
}
```

위의 코드에서는 instMethod라는 이름의 메소드를 호출하면서 참조변수 seller1에 저장된 값을 전달하고 있다. 여기서 호출된 메소드 instMethod는 다음과 같이 정의되어 있다고 가정하자.

```
public void instMethod(FruitSeller seller2) // 매개변수 형이 FruitSeller이다.
{
    . . . . .
}
```

필자가 여러분에게 무엇을 말하려는지 이해가 되는가? 이처럼 메소드를 호출하면서 참조변수를 전달할 경우, 값의 전달은 어떻게 진행이 되겠는가? 여기서 생각해볼 수 있는 경우의 수는 두 가지이다. 그 중 첫 번째는 다음과 같다.

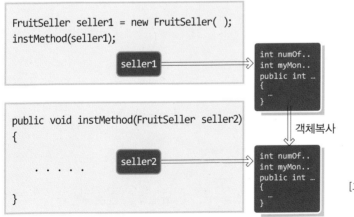

[그림 7-5 : 참조 값 전달에 대한 첫 번째 예상]

이처럼 참조변수가 메소드의 인자로 전달되면, 동일한 형태의 객체가 생성되어(복사되어), 매개변수가 이를 참조하게 된다고 생각해볼 수 있다. 이어서 생각해볼 수 있는 두 번째 상황은 다음과 같다.

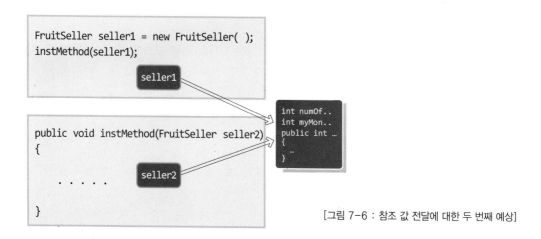

FruitSeller seller1 = new FruitSeller( );
instMethod(seller1);

seller1

int numOf..
int myMon..
public int …
{
    …
}

public void instMethod(FruitSeller seller2)
{

    . . . . .

seller2

}

[그림 7-6 : 참조 값 전달에 대한 두 번째 예상]

위 그림은 매개변수로 선언된 seller2에 seller1이 저장하고 있는 객체의 참조 값(주소 값)이 전달되는 상황을 설명한다. 즉 참조변수 seller1과 seller2가 하나의 객체를 동시에 참조하는 상황이다. 무엇이 정답일까? 이의 확인을 위해서 예제를 하나 작성해 보겠다.

❖ PassInstance.java

```
1.   class Number
2.   {
3.       int num=0;
4.       public void addNum(int n)
5.       {
6.           num+=n;
7.       }
8.       public int getNumber()
9.       {
10.          return num;
11.      }
12.  }
13.
14.  class PassInstance
15.  {
16.      public static void main(String[] args)
17.      {
18.          Number nInst=new Number();
19.          System.out.println("메소드 호출 전 : "+nInst.getNumber());
20.
21.          simpleMethod(nInst);
22.          System.out.println("메소드 호출 후 : "+nInst.getNumber());
23.      }
24.      public static void simpleMethod(Number numb)
25.      {
```

```
26.        numb.addNum(12);
27.    }
28. }
```

해 설

- 1~12행 : Number라는 이름의 클래스를 정의하였다. 참고로 클래스 안에 존재하는 메소드와 변수의 위치는 아무래도 상관이 없다.
- 18행 : 객체를 생성하고 있다. 그리고 참조변수 nInst로 이를 참조하고 있다.
- 19행 : nInst가 참조하는 객체의 getNumber 메소드를 호출하고 있다. 따라서 객체 내에 존재하는 변수 num의 값이 반환되는데, 이 때는 0이 반환된다.
- 21행 : 24행에 정의되어 있는 메소드를 호출하면서 인자로 nInst가 전달되었으며, 호출된 메소드 내에서는 매개변수 numb로 이를 받고 있다. 그리고 26행에서는 매개변수 numb를 이용해서 addNum 메소드를 호출하고 있다. 이로써 numb가 참조하는 객체에 저장된 변수 num의 값은 12가 증가한다.
- 22행 : 다시 nInst가 참조하는 객체의 getNumber 메소드를 호출하고 있다.

❖ 실행결과 : PassInstance.java

메소드 호출 전 : 0
메소드 호출 후 : 12

위의 실행결과는 메소드로의 참조변수 전달이 그림 7-6의 형태로 진행됨을 보여준다(즉 참조변수가 저장하고 있는 객체의 주소 값이 전달됨을 보여준다). 만약에 그림 7-5의 형태로 진행된다면, 메소드 simpleMethod 호출 후의 출력결과는 0이 되어야 한다. 그러나 출력의 결과는 위 예제 26행에서 진행된 값의 증가가 18행에서 생성한 객체에 영향이 미쳤음을 증명한다. 다시 말해서 26행에서 접근한 객체와 18행에서 생성된 객체가 동일함을 증명한다.

참 고

생성되는 클래스 파일의 수

확장자가 .class인 클래스 파일은 정의되는 클래스의 수만큼 생성된다. 즉 정의되는 클래스의 수와 생성되는 클래스 파일의 수는 동일하다. 예를 들어서 앞에서 소개한 예제 PassInstance.java를 컴파일 하면, Number.class와 PassInstance.class가 생성된다.

■ 참조변수의 null 초기화

이제 하나만 더 이야기하고 실제 예제를 완성해보겠다. 참조변수 선언 시, 특정 객체로 초기화가 이뤄지지 않는다면, 다음과 같이 null로 초기화를 할 수도 있다.

```
MyInst my=null;    // MyInst라는 클래스의 참조변수 my의 선언
```

그리고 참조변수 my가 객체를 참조하고 있는지 확인하기 위해서 다음과 같이 if문을 구성할 수도 있다.

```
if(my==null)
    System.out.println("참조변수 my는 현재 참조하는 객체가 없습니다.");
```

그리고 이렇게 null로 초기화된 참조변수를 System.out.println 메소드로 출력하면, 문자열 null이 출력된다는 특징도 더불어 기억하기 바란다.

■ 사과장수 시뮬레이션 완료!

그럼 이제 사과장수 시뮬레이션 프로그램을 완성해보겠다. 이미 여러분은 이어서 제시하는 예제를 완벽히 이해할 수 있을 정도의 지식을 갖추었다. 만약에 아래의 코드가 이해되지 않는다면, 앞서 설명한 내용들을 꼼꼼히 다시 한번 확인하기 바란다.

❖ FruitSalesMain1.java

```
1.  class FruitSeller
2.  {
3.      int numOfApple=20;
4.      int myMoney=0;
5.      final int APPLE_PRICE=1000;
6.
7.      public int saleApple(int money)
8.      {
9.          int num=money/APPLE_PRICE;
10.         numOfApple-=num;
11.         myMoney+=money;
12.         return num;
13.     }
14.     public void showSaleResult()
15.     {
16.         System.out.println("남은 사과 : " + numOfApple);
17.         System.out.println("판매 수익 : " + myMoney);
18.     }
19. }
20.
21. class FruitBuyer
```

```
22. {
23.     int myMoney=5000;
24.     int numOfApple=0;
25.
26.     public void buyApple(FruitSeller seller, int money)
27.     {
28.         numOfApple+=seller.saleApple(money);
29.         myMoney-=money;
30.     }
31.     public void showBuyResult()
32.     {
33.         System.out.println("현재 잔액 : " + myMoney);
34.         System.out.println("사과 개수 : " + numOfApple);
35.     }
36. }
37.
38. class FruitSalesMain1
39. {
40.     public static void main(String[] args)
41.     {
42.         FruitSeller seller = new FruitSeller();
43.         FruitBuyer buyer = new FruitBuyer();
44.         buyer.buyApple(seller, 2000);    // seller에게 2000원어치 사과 구매
45.
46.         System.out.println("과일 판매자의 현재 상황");
47.         seller.showSaleResult();
48.
49.         System.out.println("과일 구매자의 현재 상황");
50.         buyer.showBuyResult();
51.     }
52. }
```

 해 설

- 26행 : 이 예제에서 어렵게 느껴질 수 있는 부분이다. buyApple은 사과의 구매 기능을 담당하는 메소드이다. 즉 이 메소드 내에서 사과의 구매가 완성되어야 한다. 그렇다면 생각해 보자. 사과를 구매하는데 있어서 필요한 것 두 가지는 무엇인가? FruitBuyer 클래스 안에 존재하지 않지만 필요한 것 말이다. 그것은 바로 '구매대상'과 '구매금액'이다. 그래서 이 둘의 정보가 인자로 전달되도록 메소드가 정의되었다.

- 28행 : 먼저 seller가 참조하는 객체의 saleApple 메소드가 호출이 되고, 이 때 반환되는 값의 크기만큼 numOfApple의 값이 증가하게 된다.

- 44행 : 이 줄의 메소드 호출로 인해서 결과적으로 seller가 참조하는 객체는 사과를 판매하고 수익이 생긴다. 반면 buyer가 참조하는 객체는 돈을 지불하고 사과를 얻게 된다. 이의 확인을 위한 출력이 47행과 50행에서 이뤄지고 있다.

❖ 실행결과 : FruitSalesMain1.java

```
과일 판매자의 현재 상황
남은 사과 : 18
판매 수익 : 2000
과일 구매자의 현재 상황
현재 잔액 : 3000
사과 개수 : 2
```

우선 전체적인 실행의 과정을 파악하기 바란다. 그리고 28행과 44행을 특히 주목해서 보자. 이는 코드의 흐름 이상의 것을 담고 있으니 주목해서 볼 필요가 있다. 이어서 이 부분에 대한 설명을 진행하겠다.

■ 객체간의 대화 방법(Message Passing 방법)

FruitSalesMain1.java의 28행을 보면 FruitBuyer 객체에 존재하는 메소드에서 FruitSeller 객체의 메소드를 호출하고 있음을 알 수 있다. 이 한 문장은 현실 세계에서 다음과 같이 반영이 된다.

"seller 아저씨, 사과 2,000원어치 주세요"

뭔가 느껴지는 것이 없는가? 이는 객체지향에서 매우 중요한 의미를 갖는다. 앞서 필자가 다음과 같이 이야기했던 것을 기억하는가?

" '나'라는 객체가 '과일장수'라는 객체로부터 '과일' 객체를 구매하는 행위도 그대로 표현할 수 있다."

즉 FruitSalesMain1.java의 28행은 FruitBuyer 객체가 FruitSeller 객체에게 다음과 같은 메시지를 전달하는 상황이다.

"seller 아저씨, 사과 2,000원어치 주세요"

이처럼 하나의 객체가 다른 하나의 객체에게 메시지를 전달하는 방법은(어떠한 행위의 요구를 위한 메시지 전달) 메소드 호출을 기반으로 한다. 그래서 객체지향에서는 이러한 형태의 메소드 호출을 가리켜 '메시지 전달(Message Passing)'이라 한다.

여러분께 보여드린 예제의 수준은?

자바를 공부한 학생들에게 하나의 독립된 클래스를 정의하라면 잘 정의한다. 그러나 둘 이상의 클래스를 정의하되 FruitSalesMain1.java에서 보여준 것처럼 관계를 형성해서 정의하라고 하면 헤매는 경우를 종종 보게 된다. 때문에 FruitSalesMain1.java는 매우 중요하다. 단순히 메소드의 호출 관점에서 보면 별 것 아니지만, 메시지 전달의 관점에서 보면 상대적으로 수준이 있는 예제이다.

■ 객체가 맞냐? 인스턴스가 맞냐? 이거 고민할 문제인가?

여러분은 어렴풋이나마 객체와 인스턴스에 대해서 알고 있다. 그렇다면 누군가가 객체 또는 인스턴스의 차이점이 무엇이냐고 묻는다면 어떻게 답을 해주겠는가? 필자는 지식iN의 답변이 궁금해서 다음과 같이 검색을 해 봤다.

NAVER `객체 인스턴스 차이` ▼ `검색`

정말 혼란스러웠다. 필자가 처음 자바를 강의하던 2000년도에 이 질문을 받았는데, 상황이 그때와 크게 다르지 않았다. 물론 그 중에는 멋진 답변도 있었다. 그럼 멋진 답변을 바탕으로 필자가 한번 정리해 보겠다. 인스턴스(instance)의 사전적 의미는 다음과 같다.

보기, 사례, 경우, 실례, 실제

여기서 '실제'라는 단어에 주목하자. 즉 인스턴스는 클래스라는 틀을 기반으로 실제화 된 대상이라는 뜻을 담고 있다. 이처럼 클래스라는 틀을 기반으로 실제화되었음을 강조할 때에는 객체를 대신해서 '인스턴스'라는 단어를 사용한다.

그럼 이번에는 객체(object)에 대해서 정리해 보자. 이에 대한 사전적 의미는 앞서 설명하였듯이 우리 주변에 존재하는 사물이나 대상을 의미한다고 하였다. 예제 FruitSalesMain1.java에서도 보였듯이 FruitSeller 객체는 현실에 존재하는 과일장수를, FruitBuyer 객체는 과일 구매자를 나타낸다. 이처럼 현실 세계의 사물이나 대상을 프로그램상에서 표현되었음을 강조할 때에는 '객체'라는 단어를 사용한다.

결국 인스턴스와 객체는 자바에서 동일한 의미로 사용이 된다. 그러나 인스턴스라는 표현이 더 어울리는 상황도 있고, 객체라는 표현이 더 어울리는 상황도 있다. 예를 들어서 다음의 경우에는 객체라는 말이 더 어울린다.

"과일장수를 하시는 옆집 철수 아버님을 의미하는 객체를 생성한다."

이는 철수 아버님을 프로그램상에서 표현한 것이므로 객체라는 표현이 더 어울린다. 반면 다음과 같은 문장에서는 인스턴스라는 말이 더 어울린다.

"클래스 FruitSeller의 인스턴스를 두 개 생성한다."

이 경우에는 FruitSeller 클래스가 틀로 사용됨을 강조하였으므로 인스턴스라는 표현이 더 어울린다. 그러나 필자는 여러분의 혼란을 최소화하기 위해서 특별한 상황이 아니면 인스턴스라는 표현을 주로 사용하겠다(위에서는 객체라는 표현을 사용해왔다). 더불어 클래스 안에 선언 및 정의되어서, 인스턴스가 생성되어야만 접근이 가능한 변수와 메소드를 가리켜 각각 '인스턴스 변수', '인스턴스 메소드'라 한다는 사실도 함께 기억을 하자.

인스턴스 변수와 인스턴스 메소드

메소드라는 이름이 붙은 이유는 메소드가 인스턴스의 행위 및 행동을 표현하는 방법 (method)으로 사용되기 때문이다. 또한 자바에서는 인스턴스 변수를 가리켜 인스턴스 필드(field)라고 부르기도 한다.

07-2 생성자(Constructor)

이번에는 앞서 구현한 시뮬레이션 프로그램을 조금 확장해 보겠다. 현실적으로 볼 때 사과를 판매하는 과일장수도, 사과를 구매하는 과일 구매자도 둘 이상일 테니 말이다.

■ 두 명의 과일장수와 한 명의 구매자

두 명의 과일장수가 있는데, 이 둘의 판매 내용은 다음과 같다.

- 과일장수1 : 보유하고 있는 사과의 수는 30개이고, 개당 가격은 1,500원
- 과일장수2 : 보유하고 있는 사과의 수는 20개이고, 개당 가격은 1,000원

그리고 과일장수와 마찬가지로 둘 이상의 과일 구매자가 등장할 수도 있지만, 과일 구매자는 한 명만 등장을 시키겠다. 이번에 우리가 시뮬레이션 할 상황은 다음과 같다.

"나는 과일장수1에게 4,500원어치 사과를 구매했고, 과일장수2에게 2,000원어치 사과를 구매했다."

그런데 여기 한가지 문제가 있다. 프로그램상에서 두 개의 과일장수 인스턴스를 생성해야 하는데, 과일장수의 사과 보유 수와 개당 가격이 다르기 때문에 인스턴스 변수의 초기 값도 달라져야 한다. 따라서 FruitSalesMain1.java에서 보였던 것처럼 클래스를 정의하면서 변수 값을 초기화할 수 없다. 생성되는 인스턴스마다 변수 값을 달리해야 하기 때문이다. 결국 현재로서는 다음의 전략이 최선이다.

"인스턴스를 생성하고 나서, 인스턴스 변수를 각각 초기화합니다."

이러한 전략을 수행하기 위해서 인스턴스 변수의 초기화를 위한 별도의 메소드를 FruitSeller 클래스에 정의하여 예제를 작성하겠다. 참고로, 인스턴스 변수에 직접 접근하는 방법도 있지만, 이는 객체지향의 기본 원칙에 어긋나기 때문에(이유는 Chapter 09에서 설명한다), 별도의 메소드를 추가로 삽입하였다.

❖ FruitSalesMain2.java

```java
1.  class FruitSeller
2.  {
3.      int numOfApple;
4.      int myMoney;
5.      int APPLE_PRICE;         // 이전 예제에서는 final로 선언되었다!
6.
7.      public int saleApple(int money)
8.      {
9.          int num=money/APPLE_PRICE;
10.         numOfApple-=num;
11.         myMoney+=money;
12.         return num;
13.     }
14.     public void showSaleResult()
15.     {
16.         System.out.println("남은 사과 : " + numOfApple);
17.         System.out.println("판매 수익 : " + myMoney);
18.     }
19.     public void initMembers(int money, int appleNum, int price)
20.     {
21.         myMoney=money;
22.         numOfApple=appleNum;
23.         APPLE_PRICE=price;
24.     }
25. }
26.
27. class FruitBuyer
28. {
29.     int myMoney=10000;       // 여기서도 클래스의 변경이 발생!
30.     int numOfApple=0;
31.
32.     public void buyApple(FruitSeller seller, int money)
33.     {
34.         numOfApple+=seller.saleApple(money);
35.         myMoney-=money;
36.     }
37.     public void showBuyResult()
38.     {
39.         System.out.println("현재 잔액 : " + myMoney);
```

```
40.            System.out.println("사과 개수 : " + numOfApple);
41.        }
42. }
43.
44. class FruitSalesMain2
45. {
46.     public static void main(String[] args)
47.     {
48.         FruitSeller seller1 = new FruitSeller();
49.         seller1.initMembers(0, 30, 1500);
50.
51.         FruitSeller seller2 = new FruitSeller();
52.         seller2.initMembers(0, 20, 1000);
53.
54.         FruitBuyer buyer = new FruitBuyer();
55.         buyer.buyApple(seller1, 4500);
56.         buyer.buyApple(seller2, 2000);
57.
58.         System.out.println("과일 판매자1의 현재 상황");
59.         seller1.showSaleResult();
60.
61.         System.out.println("과일 판매자2의 현재 상황");
62.         seller2.showSaleResult();
63.
64.         System.out.println("과일 구매자의 현재 상황");
65.         buyer.showBuyResult();
66.     }
67. }
```

 해설

- 19행 : 19행에는 클래스 FruitSeller의 인스턴스 변수의 초기화를 위한 메소드가 삽입되었다. 때문에 48, 49행 그리고 51, 52행에서와 같이 초기화가 가능해졌다.

- 48, 49행 : 앞서 말한, 보유하고 있는 사과의 수가 30개이고, 개당 가격이 1,500원인 과일장수 인스턴스가 생성되고 초기화되었다.

- 51, 52행 : 앞서 말한, 보유하고 있는 사과의 수가 20개이고, 개당 가격이 1,000원인 과일장수 인스턴스가 생성되고 초기화되었다.

```
과일 판매자1의 현재 상황
남은 사과 : 27
판매 수익 : 4500
과일 판매자2의 현재 상황
남은 사과 : 18
판매 수익 : 2000
과일 구매자의 현재 상황
현재 잔액 : 3500
사과 개수 : 5
```

■ 예제 FruitSalesMain2.java의 문제점은 두 가지!

예제 FruitSalesMain2.java는 컴파일도 제대로 되고 실행도 무리 없이 되지만, 두 가지 문제점을 지니고 있다. 첫 번째 문제점은 다음과 같다.

"FruitSeller 클래스의 인스턴스는 생성하고 난 다음에 초기화를 해야 합니다. 즉 두 줄에 걸쳐서 문장을 구성해야 하나의 인스턴스 생성을 완료할 수 있지요."

자바와 같은 객체지향 프로그래밍에서 인스턴스의 생성은 매우 빈번한 일이다. 그런데 이렇게 빈번한 인스턴스의 생성 및 초기화가 두 줄에 걸쳐서 진행된다는 것은 문제점이라 할 수 있다. 그리고 두 번째 문제점은 다음과 같다.

"FruitSeller 클래스의 인스턴스 변수 APPLE_PRICE의 final 선언이 사라졌습니다."

필자가 앞서 초기화가 이뤄지지 않은 final 변수는 한 번의 초기화 기회를 갖는다고 설명하였다. 그러나 인스턴스 메소드 내에서 final 인스턴스 변수의 값을 초기화하는 행위는 허용되지 않는다. 이유는 다음과 같다.

"인스턴스 메소드는 두 번 이상 호출이 가능하잖아요!"

즉 final 인스턴스 변수의 초기화가 인스턴스 메소드 내에서 이뤄진다는 것은, 한번 초기화 된 final 변수의 값이 다시 초기화되는 실수를 범할 수 있는 상황에 노출시키는 것이기 때문에 이러한 형태의 초기화는 허용되지 않는다. 그러나 딱 한번만 호출이 되는 인스턴스 메소드가 존재한다면, 이 메소드 내에서는 final 변수의 초기화가 허용될 수 있다. 딱 한번만 호출되기 때문에 final 변수의 값을 두 번 이상 초기화하는 실수가 발생하지 않기 때문이다. 그렇다면 이렇게 딱 한번만 호출이 되는 메소드가 있을까? 있다! 이러한 메소드를 가리켜 '생성자(Constructor)'라 한다.

final이 빠진 것이 왜 문제가 되는 거죠?

앞서 처음 FruitSeller 클래스를 정의할 때, 과일장수가 판매하는 사과의 가격은 변경되지 않는다는 가정을 두고, 인스턴스 변수 APPLE_PRICE를 final로 선언하였다. 이렇듯 인스턴스 생성 이후에 변경되지 않을 인스턴스 변수를 final로 선언함으로 인해서 프로그램의 안전성을 향상시켰다. 그런데 FruitSalesMain2.java에서는 인스턴스 메소드 내에서 초기화를 하려다 보니 어쩔 수 없이 final 선언을 삭제시킬 수 밖에 없다. 결국 인스턴스 변수 APPLE_PRICE에 저장된 값은 프로그래머의 실수로 인해서 변경될 수 있는 상황에 놓인 것이다. 그리고 이러한 실수는 컴파일 시 발견되지 않기 때문에 매우 위험한 상황으로 이어질 수 있다.

■ 딱 한번만 호출되는 메소드! 생성자!

생성자는 인스턴스 생성시 딱 한번 호출되는 메소드로써, 인스턴스 변수의 초기화를 목적으로 정의되는 메소드이다. 이에 대한 이해를 위해서 일단 다음 예제를 실행하고 나서 설명을 이어가겠다.

❖ Constructor1.java

```
1.  class Number
2.  {
3.      int num;
4.
5.      public Number()      // 생성자!
6.      {
7.          num=10;
8.          System.out.println("생성자 호출!");
9.      }
10.     public int getNumber()
11.     {
12.         return num;
13.     }
14. }
15.
16. class Constructor1
17. {
18.     public static void main(String[] args)
19.     {
20.         Number num1=new Number();
21.         System.out.println(num1.getNumber());
22.
23.         Number num2=new Number();
24.         System.out.println(num2.getNumber());
```

```
25.    }
26. }
```

❖ 실행결과 : Constructor1.java

```
생성자 호출!
10
생성자 호출!
10
```

위 예제의 5행에 정의되어 있는 메소드가 바로 생성자이다! 이러한 생성자가 되기 위해서는 다음의 조건을 갖춰야 한다(public 선언이 들어가 있는 이유는 Chapter 09에서 설명한다).

• 클래스의 이름과 동일한 이름의 메소드

• 반환형이 선언되어 있지 않으면서, 반환하지 않는 메소드

따라서 5행의 메소드는 생성자의 조건에 부합된다. 그럼 이제 실행결과를 보자. 이 실행결과는 main 메소드 내에서 인스턴스가 생성될 때마다 생성자가 호출되었음을 보여준다. 이처럼 생성자는 인스턴스 생성시 딱 한번 호출되는 메소드이다. 그리고 뒤늦은 이야기지만 인스턴스의 생성 문장에는 호출될 생성자를 명시하는 부분이 존재한다. 위 예제 20, 23행을 다시 보자.

• Number num1=new Number();

• Number num2=new Number();

여기서 키워드 new의 오른편에 있는 부분이 인스턴스의 생성과정에서 호출될 생성자를 명시하는 부분이다. 즉 Number()는 인자를 전달받지 않는 생성자의 호출을 의미한다. 따라서 다음과 같이 이해하면 좋겠다.

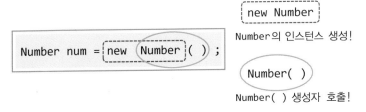

new Number
Number의 인스턴스 생성!

Number( )
Number( ) 생성자 호출!

[그림 7-7 : 인스턴스 생성문과 생성자의 호출]

위 그림의 내용을 보면서 여러분은 다음과 같이 질문할 수도 있다.

"Number에 대한 의미 해석이 두 번 이뤄지네요?"

그러나 클래스의 이름과 생성자의 이름은 항상 동일해야 하기 때문에, 이는 지극히 당연한 것이다. 그리고 인스턴스의 생성문에서 보이듯이 인스턴스 생성시에는 반드시 생성자가 호출되어야 한다. 이는 중요한 내용이니 아래의 문장으로 정리해 놓겠다.

"자바의 인스턴스 생성시에는 반드시 생성자가 호출되어야 합니다."

■ 값을 전달받는 생성자의 정의

생성자는 여느 메소드들과 마찬가지로 값을 전달받을 수 있다. 생성자의 조건에는 생성자의 이름과 반환형에 대해서만 언급하고 있지 않은가? 따라서 값을 전달받는 형태의 생성자도 얼마든지 정의가 가능하다. 즉 다음과 같은 형태로 얼마든지 인스턴스를 생성할 수 있다.

```
Number num = new Number(10);
Number num = new Number(30);
```

위의 문장은 int형 데이터를 값으로 전달받는 생성자의 호출을 명시하고 있다. 따라서 위와 같은 형태의 인스턴스 생성을 위해서는 다음과 같은 형태의 생성자가 정의되어 있어야 한다.

```
public Number(int n)
{
    . . . . .
}
```

예제를 통해서 이를 직접 확인해 보기로 하자.

❖ Constructor2.java

```
1.   class Number
2.   {
3.       int num;
4.
5.       public Number(int n)
6.       {
7.           num=n;
8.           System.out.println("인자 전달 : "+n);
9.       }
10.      public int getNumber()
11.      {
12.          return num;
```

```
13.     }
14. }
15.
16. class Constructor2
17. {
18.     public static void main(String[] args)
19.     {
20.         Number num1=new Number(10);
21.         System.out.println("메소드 반환 값 : "+num1.getNumber());
22.
23.         Number num2=new Number(20);
24.         System.out.println("메소드 반환 값 : "+num2.getNumber());
25.     }
26. }
```

 해 설

- 5행 : int형 데이터 하나를 인자로 전달받는 생성자가 정의되었다. 이것이 Number 클래스의 유일한 생성자이니, 인스턴스 생성시에는 반드시 이 생성자가 호출되어야 한다.
- 20, 23행 : int형 데이터를 인자로 전달받는 생성자의 호출을 요구하는 인스턴스 생성문이다. 요구하는 형태의 생성자가 5행에 정의되어 있으니, 이 문장은 적절한 인스턴스 생성문이다.

❖ 실행결과 : Constructor2.java

```
인자 전달 : 10
메소드 반환 값 : 10
인자 전달 : 20
메소드 반환 값 : 20
```

예제의 실행결과는 생성자의 정의와 인스턴스의 생성문이 적절했음을 보여준다. 더불어 이 예제를 통해서 다음 사실을 파악할 수 있다.

"생성자를 이용하면 인스턴스 변수의 초기화를 한결 수월하게 진행할 수 있겠구나!"

이것이 바로 생성자가 존재하는 이유이다. 생성자를 통해서 인스턴스 변수를 초기화하면, 인스턴스를 생성과 동시에 초기화할 수 있다. 뿐만 아니라, 이는 딱 한번만 호출되는 메소드이니, final로 선언된 인스턴스 변수의 초기화에도 사용이 가능하다.

■ 예제 FruitSalesMain2.java의 개선

생성자의 장점을 이해했으니, 이를 활용하여 예제 FruitSalesMain2.java를 개선시킬 차례가 되었다.

사실 이는 여러분의 몫으로 남겨두고 싶을 정도로 여러분에게 매력적인 문제이다. 그러나 학습의 흐름을 고려해서 필자가 아래에 코드를 제시하니, 여유가 된다면 이는 여러분이 스스로의 힘으로 먼저 진행해 보기 바란다.

❖ FruitSalesMain3.java

```
1.   class FruitSeller
2.   {
3.       int numOfApple;
4.       int myMoney;
5.       final int APPLE_PRICE;
6.
7.       public FruitSeller(int money, int appleNum, int price)
8.       {
9.           myMoney=money;
10.          numOfApple=appleNum;
11.          APPLE_PRICE=price;
12.      }
13.      public int saleApple(int money)
14.      {
15.          int num=money/APPLE_PRICE;
16.          numOfApple-=num;
17.          myMoney+=money;
18.          return num;
19.      }
20.      public void showSaleResult()
21.      {
22.          System.out.println("남은 사과 : " + numOfApple);
23.          System.out.println("판매 수익 : " + myMoney);
24.      }
25.  }
26.
27.  class FruitBuyer
28.  {
29.      int myMoney;
30.      int numOfApple;
31.
32.      public FruitBuyer(int money)
33.      {
34.          myMoney=money;
35.          numOfApple=0;
36.      }
37.      public void buyApple(FruitSeller seller, int money)
38.      {
39.          numOfApple+=seller.saleApple(money);
40.          myMoney-=money;
41.      }
```

```
42.     public void showBuyResult()
43.     {
44.         System.out.println("현재 잔액 : " + myMoney);
45.         System.out.println("사과 개수 : " + numOfApple);
46.     }
47. }
48.
49. class FruitSalesMain3
50. {
51.     public static void main(String[] args)
52.     {
53.         FruitSeller seller1 = new FruitSeller(0, 30, 1500);
54.         FruitSeller seller2 = new FruitSeller(0, 20, 1000);
55.
56.         FruitBuyer buyer = new FruitBuyer(10000);
57.         buyer.buyApple(seller1, 4500);
58.         buyer.buyApple(seller2, 2000);
59.
60.         System.out.println("과일 판매자1의 현재 상황");
61.         seller1.showSaleResult();
62.
63.         System.out.println("과일 판매자2의 현재 상황");
64.         seller2.showSaleResult();
65.
66.         System.out.println("과일 구매자의 현재 상황");
67.         buyer.showBuyResult();
68.     }
69. }
```

 해 설

- 7행 : 총 세 개의 인스턴스 변수를 초기화할 수 있는 생성자가 정의되었다. 그리고 이 생성자 내에서는 final 변수의 초기화가 가능하기 때문에 5행의 변수 APPLE_PRICE가 다시 final로 선언되었다.

- 32행 : FruitBuyer 클래스에도 적절한 생성자가 정의되었다. 인스턴스 변수 myMoney는 생성자로 전달되는 값으로 초기화되고, 인스턴스 변수 numOfApple은 0으로 초기화되도록 정의되었다.

- 53, 54, 56행 : 인스턴스가 생성과 동시에 적절히 초기화되고 있다. 이것이 바로 생성자의 장점이다.

❖ 실행결과 : FruitSalesMain3.java

```
과일 판매자1의 현재 상황
남은 사과 : 27
판매 수익 : 4500
과일 판매자2의 현재 상황
```

```
남은 사과 : 18
판매 수익 : 2000
과일 구매자의 현재 상황
현재 잔액 : 3500
사과 개수 : 5
```

■ 생성자가 없어도 인스턴스 생성이 가능한 이유 : 디폴트 생성자(Default Constructor)

앞서 구현한 예제 FruitSalesMain1.java를 보면 FruitSeller 클래스와 FruitBuyer 클래스에 아무런 생성자가 정의되어 있지 않음에도 불구하고 다음과 같은 방식으로 인스턴스의 생성이 가능했다.

```
FruitSeller seller = new FruitSeller();
FruitBuyer buyer = new FruitBuyer();
```

위 문장을 보면, 각각의 인스턴스 생성과정에서 인자를 받지 않는 생성자의 호출을 요구하고 있는데, 우리는 이러한 생성자를 예제 FruitSalesMain1.java에서 삽입하지 않았다. 뿐만 아니라 필자가 인스턴스의 생성과정에서 반드시 생성자가 호출되어야 한다고 했는데, 그렇다면 예제 FruitSalesMain1.java에서는 어떻게 인스턴스의 생성이 가능했던 것일까?

클래스에는 반드시 생성자가 존재해야 한다. 따라서 프로그래머가 생성자를 삽입하지 않으면 자바 컴파일러가 생성자를 대신 삽입해 주는데, 이렇게 삽입되는 생성자를 가리켜 '디폴트 생성자(Default Constructor)'라 하며, 이는 다음과 같이 정의가 된다.

```
public FruitSeller()
{
    // 텅 비어있다!
}
```

이는 예제 FruitSalesMain1.java의 FruitSeller 클래스에 삽입이 되는 디폴트 생성자이다. 이처럼 디폴트 생성자는 인자를 받지 않으며 하는 일이 아무것도 없다. 이렇듯 자동으로 삽입이 되는 생성자가 존재했기 때문에, 예제 FruitSalesMain1.java에서도 인스턴스의 생성이 가능했던 것이다.

디폴트 생성자는 public이 아닐 수도 있습니다.

디폴트 생성자는 public으로 선언이 될 수도, public으로 선언이 되지 않을 수도 있는데, 이에 대해서는 Chapter 09에서 설명한다. 지금은 public이 의미하는 바를 알지 못하는 상황인데, 지금까지 모든 메소드에 public을 붙여왔기 때문에, 위의 디폴트 생성자에도 public을 붙여서 여러분에게 소개하고 있다.

07-3 자바의 이름 규칙(Naming Rule)

이번 Chapter를 정리하면서 자바 프로그래머들이 일반적으로 적용하는 이름 규칙(클래스나 메소드의 이름을 짓는 규칙) 하나를 소개하고자 한다. 사실 이름 규칙은 여러분 스스로가 멋들어지게 하나 만들어서 사용해도 된다(그렇다고 정말로 만들려고 하면 안 된다). 그러나 가장 보편적으로 사용되는 규칙을 따르면 여러분의 코드를 다른 이들에게 보여줄 때뿐만 아니라, 여러분이 다른 이들의 코드를 볼 때에도 도움이 된다.

■ 클래스의 이름 규칙

객체지향 프로그래밍 언어에서 가장 보편적으로 선택하는 이름 규칙을 가리켜 'Camel Case'라 한다. Camel Case의 기본 규칙은 다음과 같다.

- 첫 문자는 대문자로 시작한다.
- 둘 이상의 단어가 묶여서 하나의 이름을 구성할 때, 새로 시작하는 단어는 대문자로 한다.

즉 circle이라는 단어와 point라는 단어를 묶어서 Camel Case 모델로 클래스의 이름을 정의하면 CirclePoint가 된다. 이렇게 지어진 이름의 모습은 울룩불룩한 것이 마치 낙타의 등과 같다고 해서 Camel Case라 한다. 이 책에서도 클래스의 이름은 Camel Case를 기준으로 정의하고 있다.

■ 메소드와 변수의 이름 규칙

메소드와 변수의 이름은 클래스의 이름과 구분이 되어야 코드의 가독성을 높일 수 있다. 그래서 변형된 (?) Camel Case를 적용하는 것이 일반적이다. 변형된 Camel Case는 첫 문자를 소문자로 시작한다. 즉 아래의 이름들이 변형된 Camel Case에 해당하며, 메소드나 변수의 이름을 짓는데 사용이 된다.

- addYourMoney
- yourAge

■ 상수의 이름 규칙

상수는 변수와 구분이 되도록 이름을 지어주기 위해서 모든 문자를 대문자로 구성하는 것이 관례이다. 즉 final을 이용한 상수의 선언은 다음과 같이 하는 것이 좋다.

```
final int COLOR=7;
```

단 둘 이상의 단어가 연결이 되어야 하는 경우에는 다음과 같이 _(언더바)를 사용한다.

```
final int COLOR_RAINBOW=7;
```

 문 제 7-1 [생성자를 포함하는 클래스의 정의]

아래의 문제에서 요구하는 클래스들을 정의하되, 위에서 설명한 Camel Case 이름 규칙을 적용하여 메소드와 변수, 그리고 클래스의 이름을 지어주자. 그리고 정의한 클래스의 확인을 위한 main 메소드도 적절히 정의하자.

▶ 문제 1

밑변과 높이 정보를 저장할 수 있는 Triangle 클래스를 정의하자. 그리고 생성과 동시에 초기화가 가능한 생성자도 정의하자. 끝으로 밑변과 높이 정보를 변경시킬 수 있는 메소드와 삼각형의 넓이를 계산해서 반환하는 메소드도 함께 정의하자.

▶ 문제 2

요즘은 흔히 볼 수 없는 광경이 되었지만, 필자도 딱지를 손에 들고, 호주머니에는 구슬을 잔뜩 넣고 놀이터에서 한나절을 보낸 어린 시절의 기억이 있다. 이 시절의 기억을 되살려서 (이 책의 독자들도 이런 추억이 있을 것으로 생각한다), 다음 조건을 만족하는 클래스를 정의해 보자.
• 어린아이가 소유하고 있는 구슬의 개수 정보를 담을 수 있다.
• 놀이를 통한 구슬의 주고받음을 표현하는 메소드가 존재한다.
• 어린이의 현재 보유자산(구슬의 수)을 출력하는 메소드가 존재한다.

위의 두 번째 조건은 두 아이가 구슬치기를 하는 과정에서 구슬의 잃고 얻음을 의미하는 것이다(이 문제의 마지막까지 읽어야 필요한 메소드가 무엇인지 정확히 파악할 수 있다). 위의 조건을 만족하는 클래스를 정의하였다면, 다음 조건을 만족하는 인스턴스를 각각 생성하자.
• 어린이1의 보유자산 → 구슬 15개
• 어린이2의 보유자산 → 구슬 9개

인스턴스의 생성이 완료되면 다음의 상황을 main 메소드 내에서 시뮬레이션 하자.
"1차 게임에서 어린이1은 어린이2의 구슬 2개를 획득한다."
"2차 게임에서 어린이2는 어린이1의 구슬 7개를 획득한다."

마지막으로 각각의 어린이가 보유하고 있는 구슬의 수를 출력하면서 프로그램을 종료한다. 참고로 이 문제는 예제 FruitSalesMain3.java의 관찰과 더불어, 여러분의 다양한 고민을 유도하고 있다. 물론 자바를 처음 공부하는 분들에게는 다소 수준이 있는 문제이지만, 이 문제는 여러분의 실력에 많은 보탬이 될 것이다.

■ 문제 7-1의 답안

■ 문제 1

❖ 소스코드 답안

```
1.    class Triangle
2.    {
3.        double bottom;
4.        double height;
5.
6.        public Triangle(double bt, double hg)
7.        {
8.            bottom=bt;
9.            height=hg;
10.       }
11.
12.       public void setBottom(double bt)
13.       {
14.           bottom=bt;
15.       }
16.       public void setHeight(double hg)
17.       {
18.           height=hg;
19.       }
20.       public double getArea()
21.       {
22.           return bottom*height/2;
23.       }
24.   }
25.
26.   class TriangleInstanceTest
27.   {
28.       public static void main(String[] args)
29.       {
30.           Triangle tr=new Triangle(10.2, 17.3);
31.           System.out.println("삼각형의 넓이 : " + tr.getArea());
32.
33.           tr.setBottom(7.5);
34.           tr.setHeight(9.2);
35.           System.out.println("삼각형의 넓이 : " + tr.getArea());
36.       }
37.   }
```

■ 문제 2

이 문제의 답안과 예제 FruitSalesMain3.java의 두드러지는 차이점은 다음과 같다.

"구슬 게임을 하는 두 인스턴스가 모두 동일한 클래스의 인스턴스이다."

예제 FruitSalesMain3.java에서는 물건을 사고 파는 과정에서 FruitBuyer의 인스턴스와 FruitSeller의 인스턴스 사이에 메소드 호출이 있었다. 그러나 이 문제에서는 동일한 클래스의 인스턴스 사이에서의 메소드 호출을 유도하고 있다. 따라서 여러분이 다소 혼란을 느낄 수도 있는데, 아래의 예제에서 보이듯이 메소드의 호출 관계가, 서로 동일한 클래스의 인스턴스 사이에서 진행된다고 해서 달라지는 것은 없다.

❖ 소스코드 답안

```
1.   class ChildProperty
2.   {
3.       int numOfBead;    // 구슬의 개수
4.
5.       public ChildProperty(int bead)
6.       {
7.           numOfBead=bead;
8.       }
9.
10.      public void obtainBead(ChildProperty child, int obtainCount)
11.      {
12.          int obtainBeadCount=child.loseBead(obtainCount);
13.          numOfBead+=obtainBeadCount;
14.      }
15.
16.      public int loseBead(int loseCount)
17.      {
18.          if(numOfBead<loseCount)
19.          {
20.              int retValue=numOfBead;
21.              numOfBead=0;
22.              return retValue;
23.          }
24.
25.          numOfBead-=loseCount;
26.          return loseCount;
27.      }
28.
29.      public void showProperty()
30.      {
31.          System.out.println("보유 구슬의 개수 : " + numOfBead);
32.      }
33.  }
34.
35.  class MarblesMain
36.  {
37.      public static void main(String[] args)
38.      {
39.          ChildProperty child1=new ChildProperty(15);
40.          ChildProperty child2=new ChildProperty(9);
41.
42.          System.out.println("게임 전 구슬의 보유 개수");
43.          System.out.println("어린이1*****");
44.          child1.showProperty();
45.          System.out.println("어린이2*****");
```

```
46.        child2.showProperty();
47.
48.        /* 1차 게임! 어린이1은 어린이2의 구슬 2개 획득 */
49.        child1.obtainBead(child2, 2);
50.
51.        /* 2차 게임! 어린이2는 어린이1의 구슬 7개 획득 */
52.        child2.obtainBead(child1, 7);
53.
54.        System.out.println("");
55.        System.out.println("게임 후 구슬의 보유 개수");
56.        System.out.println("어린이1*****");
57.        child1.showProperty();
58.        System.out.println("어린이2*****");
59.        child2.showProperty();
60.    }
61. }
```

참고로 이 예제의 18행에는 numOfBead의 수가 0보다 작아지는 상황을 막기 위한 if문도 삽입되어 있음에 주목을 하자.

Chapter 08

클래스 패스와 패키지

자바를 공부하는 분들 중에서 클래스 패스와 패키지에 대한 개념이 매우 빈약한 경우를 종종 본다. 특히 클래스의 설계와 거리가 조금 멀게 느껴지는 이러한 내용을 귀찮게 생각하는 분들도 없지 않다. 그러나 자바에 있어서 클래스 패스 그리고 패키지의 개념은 매우 중요하다. 따라서 앞으로 공부하는데 있어서 불편함이 없도록 이번 Chapter의 내용을 완벽히 이해하고 넘어가기 바란다.

패스(path)는 경로의 의미를 지닌다. 즉 클래스 패스는 "클래스의 경로(클래스가 존재하는 경로)"를 뜻하는 것이다. 자바 가상머신은 프로그램의 실행과정에서 실행에 필요한 클래스를 찾을 때, 바로 이 클래스 패스를 기준으로 찾게 된다.

■ 컴파일 된 클래스 파일의 위치를 이동시킵시다.

클래스 패스의 구체적인 이해를 위해서 먼저 필자가 요구하는 대로 실습을 진행하기 바란다. 일단 myclass라는 이름의 디렉터리를 만들어서 이곳에 다음 예제를 저장 및 컴파일 해 보자. 참고로 디렉터리의 위치는 상관이 없다. C 드라이브에 생성해도 되고, D 드라이브의 서브 디렉터리 중 하나에 생성해도 된다.

❖ ClassPath.java

```
1.  class AAA
2.  {
3.      public void printName()
4.      {
5.          System.out.println("AAA");
6.      }
7.  }
8.
9.  class BBB
10. {
11.     public void printName()
12.     {
13.         System.out.println("BBB");
14.     }
15. }
16.
17. class ClassPath
18. {
19.     public static void main(String[] args)
20.     {
21.         AAA aaa=new AAA();
22.         aaa.printName();
23.
24.         BBB bbb=new BBB();
25.         bbb.printName();
```

```
26.     }
27. }
```

필자가 요구한대로 디렉터리를 생성해서 컴파일 했다면, 다음과 같은 디렉터리 구성을 볼 수 있다.

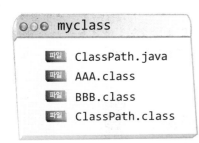

[그림 8-1 : myclass 디렉터리 구성]

그리고 이 상태에서 여러분은 무리 없이 예제를 실행해서 다음의 결과도 확인할 수 있다. 예를 들어 myclass가 C 드라이브의 서브 디렉터리로 존재한다면 다음과 같이 실행하여 실행의 결과를 확인할 수 있다.

    C:\myclass> java ClassPath

그렇다면 이번에는 myclass의 서브 디렉터리로 mysubclass를 만들어서 AAA.class와 BBB.class 를 이곳으로 이동시키자. 즉 디렉터리의 구성을 다음과 같이 바꿔놓자.

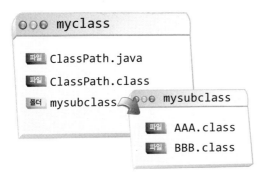

[그림 8-2 : mysubclass 디렉터리의 추가 및 구성 변경]

이 상태에서도 위와 동일한 방식으로(실행의 디렉터리 변경 없이) 실행이 가능할까? 실행해 보면 다음과 같은 메시지를 받을 뿐 실행은 되지 않는다.

"찾고자 하는 클래스가 보이지 않아요!"

여기서 문제가 되는 것은 ClassPath.class가 아니다. 이 파일은 java.exe가 실행되는 myclass 디렉터리에 존재하니, 이 파일은 무리 없이 찾을 수 있다. 그러나 AAA.class와 BBB.class는 찾을 수 없다. 기본적으로 아무런 설정을 하지 않으면, java.exe가 실행된 디렉터리에서만 가상머신에 올려질 클래스를 찾기 때문이다. 그렇다면 이러한 상황에서는 어떻게 실행을 해야 할까? 이 문제는 mysubclass 디렉터리에 저장된 클래스를 찾지 못하는 데에서 비롯되었으니, 다음과 같은 메시지를 전달할 방법을 찾아야 한다.

"mysubclass 디렉터리에서 클래스를 찾아보세요."

아니다. 이렇게 메시지를 전달하면 제대로 찾을 수 없다. 다음과 같은 형태로 정확히 전달을 해야 한다. 그래야 mysubclass 디렉터리의 생성 위치에 상관없이 클래스를 찾을 수 있다.

"java.exe를 실행시킨 현재 디렉터리의 서브 디렉터리인 mysubclass 디렉터리에서 클래스를 찾아보세요."

참 고

명령 프롬프트가 위치하는 현재 디렉터리

명령 프롬프트가 다음의 상태에 놓여 있다고 가정해 보자.
　　C:\myclass\mysubclass>

이 때 명령 프롬프트의 현재 디렉터리는 C:\myclass\mysubclass가 된다. 이처럼 명령 프롬프트의 현재 디렉터리는 cd 커맨드를 이용해서 이동하는 위치를 의미한다.

■ 환경변수(Environment Variable)에 대한 이해

지금 설명한 형태의 메시지는 환경변수라는 것을 이용해서 전달해야 한다. 따라서 환경변수를 이해하는 것이 우선인데, 이에 대한 이해를 위해서 다음과 같이 명령 프롬프트상에서 계산기 프로그램을 실행해 보겠다.

　　C:\myclass> calc.exe

계산기 프로그램이 실행되는 것을 확인하였는가? 그렇다면 이번에는 다음과 같이 실행을 하여 파일 탐색기를 띄워 보자.

```
C:\myclass> explorer.exe
```

마찬가지로 파일 탐색기가 실행되는 것을 확인하였을 것이다. 분명히 myclass 디렉터리에는 calc.exe 와 explorer.exe가 존재하지 않는다. 그럼에도 불구하고 어떻게 실행이 가능한 것일까? 여러분은 명령 프롬프트도 일종의 프로그램임을 알고 있을 것이다(실행파일 이름은 cmd.exe). 이렇게 다른 프로그램의 실행 능력을 지니는 명령 프롬프트는 환경변수 path를 참조하여, 실행파일의 위치를 탐색하게 된다. 그럼 일단 환경변수 path에 저장된 정보(문자열 형태의 정보)가 무엇인지 확인해 보기로 하자. 이를 위해서 다음과 같이 실행을 하자.

```
C:\myclass> echo %path%
```

여기서 echo는 출력을 명하는 명령어이고, 그 오른쪽에 오는 것이 출력의 대상이 된다. 참고로 %path%는 환경변수 path의 내용을 출력하기 위한 구성이다. 자바를 공부하는데 중요한 내용은 아니니 이 정도만 알고 있기 바란다. 위 명령문을 실행해 보면, 상당히 긴 문자열이 출력되는 것을 확인할 수 있다. 다음은 출력되는 문자열의 일부이다.

```
.;C:\WINDOWS\system32;C:\Program Files\Java\jdk1.6.0_10\bin;
```

이 문자열을 이루는 데이터는 세미콜론에 의해서 구분이 된다. 따라서 이 문자열에는 다음과 같이 세 개의 경로 정보가 담겨 있다.

- 경로 1 → `.`
- 경로 2 → `C:\WINDOWS\system32`
- 경로 3 → `C:\Program Files\Java\jdk1.6.0_10\bin`

이들은 모두 명령 프롬프트상에서 프로그램을 실행시킬 때, 해당 프로그램의 실행파일을 찾는 경로 정보로 활용이 된다. 가장 첫 번째 등장한 `.`(dot)는 명령 프롬프트가 위치하는 현재 디렉터리를 의미한다. 때문에 명령 프롬프트가 위치하는 디렉터리의 실행파일은 무엇이든 실행이 가능하다.

그리고 두 번째로 등장한 system32 디렉터리에는 calc.exe와 explorer.exe가 저장되어 있다. 때문에 계산기 프로그램과 파일 탐색기의 실행이 가능하였다. 그리고 마지막으로 등장한 bin 디렉터리에는 javac.exe와 java.exe가 저장되어 있다. 때문에 우리는 명령 프롬프트가 어느 디렉터리에 위치해 있건 항상 자바 프로그램을 컴파일 및 실행시킬 수 있는 것이다.

■ 환경변수에 classpath 설정하기

환경변수라는 것은 path 하나만 존재하는 것이 아니다. 필요에 따라서 얼마든지 추가할 수 있는 것이 환경변수이다. 때문에 자바에서는 클래스의 검색 경로를 지정할 수 있도록 classpath라는 환경변수를 정의하고 있다. 따라서 여러분이 클래스의 경로 정보를 classpath라는 환경변수에 추가함으로 인해서 클래스의 검색 경로를 확장할 수 있다. 그럼 일단 다음과 같이 실행을 해서 classpath에 설정되어 있는 문자열 정보를 확인해 보자.

```
C:\myclass> echo %classpath%
```

만약에 아무런 classpath도 설정되어 있지 않다면, 다음의 출력 결과를 보일 것이다.

```
%classpath%
```

그럼 명령 프롬프트의 현재 디렉터리 정보를 환경변수 classpath에 추가해 보자. 이를 위해서는 다음과 같이 실행을 하면 된다(. 가 현재 디렉터리를 의미하므로).

```
C:\myclass>set classpath=.;
```

이처럼 set 명령어를 이용해서 classpath를 설정하면 된다. 참고로 세미콜론은 path에서와 마찬가지로 정보를 구분하는 용도로 사용이 된다. 따라서 세미콜론을 이용해서 얼마든지 경로를 추가할 수 있다. 그럼 이번에는 제대로 경로가 설정되었는지 확인해 보겠다.

```
C:\myclass>echo %classpath%
.;
```

이렇게 해서 명령 프롬프트의 현재 디렉터리도 클래스를 찾는 경로에 포함이 되었다(사실 현재 디렉터리는 별도로 classpath에 추가하지 않아도 기본적인 클래스 파일의 탐색경로에 포함이 된다).

■ 문제의 해결을 위한 classpath의 설정

그럼 지금까지 설명한 내용을 가지고 예제 ClassPath.java를 그림 8-2의 상황에서 실행 가능하도록 classpath를 설정해 보겠다. 앞서 우리는 다음과 같이 실행을 하였다.

```
C:\myclass> java ClassPath
```

이 때 C:\myclass의 서브 디렉터리인 mysubclass에 저장된 AAA.class와 BBB.class를 찾을 수 없어서 문제가 되었으므로, mysubclass 디렉터리를 classpath에 추가해야 한다. 추가하는 방법에는 두 가지가 있다. 그 중 첫 번째는 드라이브 명을 포함하는 완전 경로를 지정하는 방식이다. 즉 다음과 같이 실행하는 방식이다.

```
C:\myclass> set classpath=.;C:\myclass\mysubclass;
```

명령 프롬프트의 현재 디렉터리와 mysubclass를 동시에 classpath로 지정하였다. 그런데 이렇게 classpath를 지정하면, 여러분은 필자와 완전히 동일한 위치에 디렉터리를 생성해야만 실행이 가능하다. 따라서 다음과 같이 상대경로(현재 디렉터리를 기준으로 경로를 지정하는 방식)를 지정하는 것이 더 권장할만하다.

```
C:\myclass> set classpath=.;.\mysubclass;
```

명령 프롬프트의 현재 디렉터리와 현재 디렉터리의 서브 디렉터리인 mysubclass를 동시에 classpath

로 지정하였으니, 프로그램이 실행되는 위치의 서브 디렉터리인 mysubclass에 저장되어 있는 클래스 파일도 검색 대상에 포함이 되었다. 따라서 그림 8-2의 상황에서도 정상적인 실행을 확인할 수 있다.

■ 왜 이런 방법을 택해서 설명을 하나요?

위에서 소개한 방식으로 환경변수를 설정하면, 이는 해당 명령 프롬프트 창에서만 유효한 환경변수가 된다. 즉 명령 프롬프트 창을 종료하고 새로 띄우면, 다시 환경변수를 설정해야만 한다. 그러니 처음에는 Windows상에서 "제어판 ➡ 시스템 ➡ 고급 ➡ 환경 변수" 버튼을 눌러서 진행하는 설정 방식을 선호하게 된다(Chapter 01에서 이미 한번 소개한 방식이다). 이렇게 설정을 하면, 설정된 값은 새로 실행되는 모든 명령 프롬프트상에 적용되기 때문이다. 하지만 위와 같이 명령 프롬프트상에서 설정하는 방식도 경험해 볼 필요가 있다.

여러분이 개발한 자바 프로그램을 100대의 컴퓨터에 설치해야 한다고 가정해 보자. 그러면 100대의 컴퓨터 앞에 앉아서 일일이 "제어판 ➡ 시스템 ➡ 고급 ➡ 환경 변수" 버튼을 눌러서 classpath를 설정할 수 있겠는가(대답이 YES라면 질문을 바꿔서 100을 10,000으로 늘리겠다!)? 실무에서는 이러한 일련의 반복작업을 배치 파일(Windows) 또는 스크립트 파일(Linux)이라는 것을 구성해서 해결하는데, 이러한 파일의 구성을 위해서는 앞서 보인 방식으로 path와 classpath를 구성할 줄 알아야 한다.

■ 배치 파일의 생성

말이 나온 김에 배치 파일을 한번 만들어 보겠다. Windows에서의 배치 파일 생성은 매우 간단하다. 먼저 우리가 만들 배치 파일 안에서 해야 할 일들의 순서를 정리하자.

1. 예제 ClassPath.java를 컴파일
2. 그림 8-2의 구조로 실행하기 위해서 mysubclass 디렉터리 생성
3. AAA.class와 BBB.class를 mysubclass 디렉터리로 이동(복사)
4. mysubclass 디렉터리를 classpath로 추가
5. 실행

이의 순차적인 실행을 위한 배치 파일은 다음과 같다. 참고로 이는 어디까지나 경험상 여러분에게 한번 보이기 위함이니, 아래의 내용을 이해하기 위해서 부담을 느끼지 않았으면 좋겠다.

❖ distribute.bat

```
1.   javac ClassPath.java
2.   md mysubclass
3.   copy AAA.class .\mysubclass\AAA.class
4.   copy BBB.class .\mysubclass\BBB.class
5.   del AAA.class
6.   del BBB.class
7.   set classpath=.;.\mysubclass
```

```
8.  java ClassPath
9.  pause
```

위의 배치 파일 내용 중 3~6행은 AAA.class와 BBB.class를 mysubclass 디렉터리에 이동(복사 후 삭제)시키는 역할을 담당하며, 9행은 프로그램 종료 후 엔터 키가 입력될 때까지 정지시키는 역할을 담당한다. 참고로 copy와 del이라는 명령어를 대신해서 move라는 명령어를 사용할 수도 있으나, 배치 파일의 흐름을 조금이라도 길게 보이기 위해서 copy와 del의 조합으로 move를 대신하였다.

다음은 distribute.bat와 ClassPath.java가 함께 있는 상태에서 distribute.bat를 실행하여 얻은 결과이다. 참고로 distribute.bat와 ClassPath.java가 함께 있으면 실행의 위치는 어디든 상관없다.

❖ 실행결과 : distribute.bat

```
C:\myclass>javac ClassPath.java
C:\myclass>md mysubclass
C:\myclass>copy AAA.class .\mysubclass\AAA.class
        1개 파일이 복사되었습니다.
C:\myclass>copy BBB.class .\mysubclass\BBB.class
        1개 파일이 복사되었습니다.
C:\myclass>del AAA.class
C:\myclass>del BBB.class
C:\myclass>set classpath=.;.\mysubclass
C:\myclass>java ClassPath
AAA
BBB

C:\myclass>pause
계속하려면 아무 키나 누르십시오 . . .
```

이제 이 배치파일과 ClassPath.java만 가지고도 쉽게 컴파일 및 실행을 할 수 있게 되었다. 자바 프로그램의 배포는 이러한 형태로 이뤄진다는 것을 기억하기 바란다. 그럼 지금부터는 classpath에 대한 개념을 가지고 패키지에 대해서 살펴보기로 하자.

난 정말 JAVA를 공부한 적이 없다구요!

이번에 소개하는 패키지는 개념적으로 쉽게 와 닿지 않을 수 있다. 그러나 클래스를 완전히 이해하기 위해서는 반드시 필요한 개념이니, 몇 차례 반복 학습을 통해서 패키지가 필요한 이유와 패키지의 선언방법을 완벽히 이해하기 바란다.

■ 제 1부 : 팀장 회의

다음은 Orange 연구소(오렌지를 개발하는 연구소 아니다)의 클래스 설계를 위한 두 팀장의 회의 내용이다. Orange 연구소는 두 개의 팀으로 이뤄져 있으며, 각 팀의 이름은 perimeter와 area이다.

- perimeter팀장 : A사에 원의 넓이 및 둘레를 구하는 기능의 클래스를 제공하기로 하였습니다.
- area팀장 : 음! A사로부터 클래스에 대한 세부 요구사항이 있었나요?

- perimeter팀장 : 아뇨. 개발자 위주의 사용 편의성과 활용을 위한 문서화만 요구하였습니다.
- area팀장 : 그럼! 둘레를 구하는 기능의 클래스는 perimeter팀에서 개발을 하세요. 넓이를 구하는 기능의 클래스는 저희 팀에서 개발을 하겠습니다.

- perimeter팀장 : 그럼 두 개의 클래스를 디자인하자는 뜻인가요?
- area팀장 : 네! 아무래도 우리 팀의 개발자는 넓이에 강하고, perimeter팀의 개발자는 둘레에 강하니, 그렇게 개발을 하는 것이 좋을 듯 합니다.

참고로 이처럼 기능만을 기준으로 클래스를 나누는 것은 제대로 된 클래스의 설계방식이 아니다. 뿐만 아니라, 이 둘은 효율적이지도 못한 클래스 모델을 이야기하고 있다. 그러나 지금은 패키지의 필요성을 인식하는 것이 목적이니, 두 팀장의 대화내용대로 클래스를 설계하는 것을 목표로 하겠다.

■ 제 2부 : 클래스 디자인

perimeter팀과 area팀은 3일 뒤에 다시 모여서 그간 개발한 클래스를 테스트하기로 하였다. 그리하여 3일이 지났고, 두 팀은 한자리에 모였다. 그리고 perimeter팀에서 먼저 클래스를 공개하였다.

```
1.   class Circle
2.   {
3.       double rad;
4.       final double PI;
5.
6.       public Circle(double r)
7.       {
8.           rad=r;
9.           PI=3.14;
10.      }
11.      public double getPerimeter()
12.      {
13.          return (rad*2)*PI;
14.      }
15. }
16.
17. class CirclePerimeter
18. {
19.     public static void main(String[] args)
20.     {
21.         Circle c=new Circle(1.5);
22.         System.out.println("반지름이 1.5인 원의 둘레 : "+c.getPerimeter());
23.     }
24. }
```

❖ 실행결과 : CirclePerimeter.java

반지름이 1.5인 원의 둘레 : 9.42

위 예제에서 보여주듯이 perimeter팀에서는 원의 둘레 계산을 위한 클래스의 이름을 Circle로 정의하였다. 그런데 이를 본 area팀에서는 다소 당황하는 기색을 보이기 시작했다. 자신들이 정의한 클래스의 이름도 Circle이기 때문이다. 다음은 area팀에서 공개한 클래스이다.

❖ CircleArea.java

```
1.   class Circle
2.   {
3.       double rad;
4.       final double PI;
```

```
5.
6.        public Circle(double r)
7.        {
8.            rad=r;
9.            PI=3.14;
10.       }
11.       public double getArea()
12.       {
13.           return (rad*rad)*PI;
14.       }
15. }
16.
17. class CircleArea
18. {
19.       public static void main(String[] args)
20.       {
21.           Circle c=new Circle(1.5);
22.           System.out.println("반지름이 1.5인 원의 넓이 : "+c.getArea());
23.       }
24. }
```

❖ 실행결과 : CircleArea.java

반지름이 1.5인 원의 넓이 : 7.065

어찌되었든 양 팀은 소기의 목적을 달성하였다. 그래서 CirclePerimeter와 CircleArea 클래스 안에 정의되어 있는 main 메소드를 참조하여 클래스의 사용법을 문서화하는 일만 남았다고 생각할 수도 있다. 그러나 이에 앞서 해결해야 할 문제가 하나 존재한다.

■ 제 3부 : 문제의 발견

두 팀이 설계한 클래스에는 어떠한 문제가 있는가? 클래스의 이름이 동일하다는 문제가 있다. 이것이 어떻게 문제가 되는지 생각해 보자. 일단 위의 두 파일을 컴파일 하면, 총 네 개의 클래스 파일이 생성되는데, 이중에서 두 개의 파일 이름이 중복되기 때문에 하나의 디렉터리에서 컴파일 하는 것은 불가능하다. 그렇다면 디렉터리 경로만 달리해서 컴파일 하면 문제가 해결이 될까? 단순히 경로만 달리한다고 해서 해결될 일이 아니다. 예를 들어서 컴파일이 완료된 두 개의 Circle 클래스가 서로 다른 경로에 저장되어 있다고 가정해 보자(적절히 classpath도 설정했다고 가정하자). 그리고 main 메소드에서는 다음과 같이 Circle 클래스의 인스턴스를 각각 생성한다고 가정해 보자.

```
Circle c1 = new Circle(1.5);    // 이건 넓이를 구하기 위한 Circle 인스턴스 생성입니다.
Circle c2 = new Circle(2.5);    // 이건 둘레를 구하기 위한 Circle 인스턴스 생성입니다.
```

적절히 인스턴스가 생성되겠는가? 물론 생성되지 않는다. 동일한 이름을 이용해서 인스턴스를 생성하는데, 상황에 맞게 각각 다른 클래스의 인스턴스가 생성되기를 바라는 것은 욕심이 아니겠는가?

■ 제 4부 : 문제의 해결을 위한 방안 모색

그렇다면 답은 무엇인가? 가장 쉽게 생각할 수 있는 답은 클래스의 이름을 달리하는 것이다. 그러나 위의 사례에서 보였듯이 클래스를 개발하는 팀이 둘 이상이 되면, 이것도 그리 좋은 해결책은 될 수 없다. 그럼 아래의 대화를 통해서 두 팀장이 제시하는 해결책이 무엇인지 확인해 보자.

- perimeter팀장 : 참 난감하군요. 생각 못했던 문제는 아니지만요. 클래스의 이름을 바꿀까요?
- area팀장 : 두 팀 사이에서 자주 발생하는 일이니, 이제는 근본적인 대책을 세워야 합니다.

- perimeter팀장 : 그럼 일단 클래스 파일의 이름이 동일하니 디렉터리 구조는 다음과 같이 가져가기
                 로 합시다.

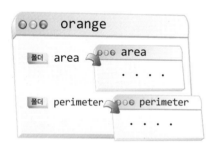

[그림 8-3 : perimeter 팀장의 제안]

- area팀장 : 그럼 area 디렉터리에는 저희 팀에서 개발한 클래스의 파일을, perimeter 디렉터리에는
           perimeter 팀에서 개발한 클래스의 파일을 저장하면 되겠네요?

- perimeter팀장 : 그렇습니다. 그리고 area팀에서 개발한 Circle 클래스의 인스턴스 생성과
                 perimeter팀에서 개발한 Circle 클래스의 인스턴스 생성은 다음과 같이 경로 정보
                 를 이용해서 구분 짓도록 하면 문제는 해결이 됩니다.

```
orange.area.Circle c1=new orange.area.Circle();
orange.perimeter.Circle c2=new orange.perimeter.Circle();
```

- area팀장 : 좋은 방법이군요. 이렇게 하면 클래스 파일의 이름 중복 문제를 더 이상 고민하지 않아
           도 되겠군요! 클래스 파일이 저장되어 있는 위치도 다르고, 인스턴스의 생성 방법에도

차이를 보이니 말입니다.

위의 대화 내용에서 제시하는 해결책은 다음과 같이 두 가지로 정리가 가능하다.

"컴파일 완료된 동일한 이름의 클래스 파일을 서로 다른 디렉터리에 저장한다."

"인스턴스 생성시, 저장되어 있는 디렉터리 정보를 표시해서 클래스를 구분하게 한다."

이렇듯 클래스 파일이 저장되어 있는 디렉터리 정보를 표시해서 인스턴스를 생성하기 위해 등장한 것이 바로 '패키지(package)'라는 문법적 요소이다. 이제 여러분은 패키지가 필요한 이유와 패키지가 제공하는 기능적 특성을 간단하게나마 이해하였을 것이다. 특히 패키지를 이용하면, 클래스의 디렉터리 정보를 표시하는 방식으로 인스턴스의 생성이 가능해지는 부분에 주목하기 바란다.

■ 패키지의 이해

위의 대화를 정리하면 Orange 연구소의 두 팀장은 orange 디렉터리와 orange 디렉터리의 서브 디렉터리로 area와 perimeter 디렉터리를 만들고, 각각의 디렉터리에 컴파일 완료된 Circle의 클래스 파일을 저장하고 나서, 다음과 같은 방식으로 인스턴스가 생성되길 원하고 있다.

```
orange.area.Circle c1=new orange.area.Circle();
orange.perimeter.Circle c2=new orange.perimeter.Circle();
```

이 때 orange를 가리켜 패키지라 한다(물론 orange는 디렉터리의 이름이기도 하다). 그리고 area와 perimeter를 가리켜 orange의 서브 패키지라 한다(이 둘은 orange의 서브 디렉터리이기도 하다). 따라서 여러분이 orange 패키지와 orange 패키지의 서브 패키지인 area와 perimeter 패키지를 구성하고, 각각의 패키지에 해당하는 디렉터리에 Circle의 클래스 파일을 저장하면, 위와 같은 방식으로 인스턴스를 구분 지어 생성할 수 있다.
단 여기서 주의해야 할 사실은 패키지는 단순히 디렉터리를 나누는 개념이 아니라는 점이다. 패키지는 소스파일에 별도의 선언을 통해서 만들어진다. 즉 디렉터리도 나누고 패키지 선언이라는 것도 별도로 해야만 위와 같은 방식으로 인스턴스를 생성할 수 있다.

■ 디렉터리의 구분 이외에 패키지의 선언이 별도로 필요한 이유

지금까지 설명한 내용을 여러분이 제대로 이해했는지 염려스러워서 필자가 한마디만 더 하고 다음으로 넘어가고자 한다. 앞서 소개한 대화의 내용을 잘못 정리하면 "Cirlcle의 클래스 파일을 서로 다른 디렉터리에 저장하자!"라는 50점짜리 결론만 내릴 수도 있다. 물론 서로 다른 디렉터리에 저장을 하면, 동일한 이름의 클래스 파일을 나눠서 저장할 수는 있다. 그러나 이것만으로 다음과 같이 인스턴스를 생성하지 못한다.

```
orange.area.Circle c1=new orange.area.Circle();
orange.perimeter.Circle c2=new orange.perimeter.Circle();
```

이렇게 서로 다른 디렉터리에 저장되어 있는 동일한 이름의 클래스를 디렉터리의 이름으로 구분해서 인스턴스를 생성하려면, area 디렉터리에 존재하는 Circle 클래스와(Circle 클래스 파일과) perimeter 디렉터리에 존재하는 Circle 클래스를 각각 패키지 선언이라는 것을 통해서 패키지의 개념으로 묶어줘야 한다. 만약에 패키지의 선언 없이 단순히 디렉터리의 위치만 구분해 놓는다면, 위와 같은 방식으로는 인스턴스를 생성할 수 없다.

간단하게나마 패키지에 대해서 이해했으니, 지금 당장 패키지의 선언 방법을 알고 싶을 것이다. 필자도 "어서 빨리 패키지의 선언 방법이나 좀 알려줘!"라는 여러분의 함성이 귀에 들리는 듯 하다. 하지만 아직은 아니다(그래서 필자도 마음이 아프다). 먼저 패키지와 클래스 패스의 관계를 이해해야 한다. 그래야 예제다운 예제를 작성할 수 있기 때문이다.

■ 패키지와 클래스 패스의 관계

여러분이 이해했듯이, 자바의 패키지는 인스턴스 생성시, 디렉터리의 경로 정보를 함께 명시할 수 있도록 돕는다. 그렇다면 클래스 패스(클래스를 찾는 경로)와 패키지는 어떠한 관계가 있을까? 엄밀히 말해서 이 둘은 관계를 따질만한 그런 성격의 대상이 아니다. 그러나 많은 분들이 이 둘의 역할을 혼란스러워하기 때문에 다음 그림을 통해서 각각이 담당하는 역할을 정리하고자 한다.

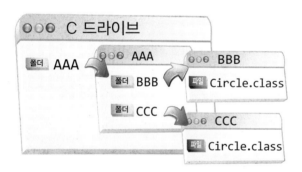

[그림 8-4 : 디렉터리 구성의 예]

위 그림과 같은 구조로 디렉터리가 구성되어 있고, 디렉터리 BBB와 CCC에 Circle이라는 동일한 이름의 클래스 파일이 저장되어 있다고 가정하자. 그렇다면 이 상황에서 Circle 인스턴스는 어떻게 생성을 해야 할까? 이는 패키지를 어떻게 구성하느냐에 따라 달라진다. 예를 들어서 다음과 같이 인스턴스를 생성하고 싶다고 가정해 보자.

```
BBB.Circle c1=new BBB.Circle();
CCC.Circle c2=new CCC.Circle();
```

위의 두 문장에서는 BBB와 CCC가 패키지 이름이다. 따라서 이때에는 AAA 디렉터리가 클래스 패스에 포함되어야 하고, BBB와 CCC는 패키지의 이름으로 선언되어야 한다. 그렇다면 다음과 같이 인스턴스를 생성하고 싶다면 어떻게 클래스 패스를 설정하고 패키지를 선언해야 할까?

```
AAA.BBB.Circle c1=new AAA.BBB.Circle();

AAA.CCC.Circle c2=new AAA.CCC.Circle();
```

위의 두 문장에서는 AAA.BBB와 AAA.CCC가 패키지의 이름이다(BBB와 CCC는 AAA의 서브 패키지이다). 이때에는 C드라이브가 클래스 패스에 포함되어야 하고, AAA.BBB와 AAA.CCC가 패키지의 이름으로 선언되어야 한다.

이제 클래스 패스와 패키지의 관계가 정리되는가? 기본적으로 클래스의 이름과 패키지의 이름은 클래스 패스를 기준으로 찾게 된다. 예를 들어서 다음과 같이 인스턴스를 생성하는 상황에서는 제일 먼저 AAA 패키지를 찾게 된다(패키지 선언된 AAA 디렉터리를 찾게 된다).

```
AAA.BBB.Circle c1=new AAA.BBB.Circle();
```

이 때 AAA 패키지 역시 클래스 패스를 참조하여 찾게 되고, 그 다음에 AAA의 서브 패키지로 존재하는 BBB(패키지 선언된 서브 디렉터리 BBB)를 찾게 되는 것이다. 물론 BBB는 AAA의 서브 패키지로 존재하는 경우에만 정상적으로 컴파일이 되기 때문에, 이 때에는 클래스 패스를 참조하지 않는다.

■ 패키지의 선언

드디어 패키지의 선언방법을 소개할 차례가 되었다. 따라서 지금까지 이해한 내용을 바탕으로 그림 8-3 에서 보이는 형태대로 패키지를 직접 구성해보기로 하겠다. 이를 위해서는 다음의 두 가지를 패키지로 선언해야 한다. 물론 패키지 선언에 앞서 orange 디렉터리와 orange 디렉터리의 서브 디렉터리인 area 와 perimeter가 미리 만들어져 있어야 한다.

- orange.area
- orange.perimeter

패키지의 구조대로 디렉터리가 생성되었다면, 패키지의 선언을 소스파일의 윗부분에 명시해서 컴파일만 하면 된다. 즉 앞서 정의한 Circle 클래스를 컴파일 할 때, 다음과 같은 내용의 선언을 소스파일에 추가해서 컴파일만 하면 각각의 클래스 파일은 orange.area 패키지와 orange.perimeter 패키지로 묶이게 된다.

"이 클래스는 orange.area 패키지에 묶겠다!"

"이 클래스는 orange.perimeter 패키지에 묶겠다!"

그럼 이러한 형태의 선언은 어떻게 해야 할까? 매우 간단하다. "이 클래스는 orange.area 패키지에 묶겠다!"는 선언은 다음과 같이 하면 된다.

```
package orange.area;        // orange.area 패키지 선언
```

마찬가지로 "이 클래스는 orange.perimeter 패키지에 묶겠다!"는 선언은 다음과 같이 하면 된다.

```
package orange.perimeter;              // orange.perimeter 패키지 선언
```

그럼 실제로 실습을 진행해 보자. 먼저 orange 디렉터리를 생성하고, 이 디렉터리의 서브 디렉터리로 area를 생성하여 다음 파일을 저장하자.

❖ Circle.java(orange.area 패키지 버전)

```
1.   package orange.area; // 패키지 선언
2.
3.   public class Circle
4.   {
5.       double rad;
6.       final double PI;
7.
8.       public Circle(double r)
9.       {
10.          rad=r;
11.          PI=3.14;
12.      }
13.      public double getArea()
14.      {
15.          return (rad*rad)*PI;
16.      }
17. }
```

위 예제 1행에 다음 패키지 선언이 존재한다.

```
    package orange.area;
```

이는 이 파일 내에서 생성되는 모든 클래스를 orange.area 패키지에 묶겠다는 선언이다. 이처럼 패키지 선언은 소스파일의 맨 앞부분에 등장하여 파일 안에 정의된 모든 클래스에 영향을 미친다. 그리고 3행에서 시작하는 클래스의 정의 앞에 public 선언이 추가되었다. 일단은 그냥 삽입하자. 이것이 의미하는 바는 조만간 설명이 되니 말이다. 그럼 이번에는 orange의 서브 디렉터리로 perimeter를 생성하여 다음 파일을 저장하자(파일의 이름이 동일하지만 저장되는 디렉터리가 다르므로 문제는 발생하지 않는다).

❖ Circle.java(orange.perimeter 패키지 버전)

```
1.   package orange.perimeter; // 패키지 선언
2.
3.   public class Circle
4.   {
5.       double rad;
6.       final double PI;
```

```
7.
8.        public Circle(double r)
9.        {
10.            rad=r;
11.            PI=3.14;
12.        }
13.        public double getPerimeter()
14.        {
15.            return (rad*2)*PI;
16.        }
17. }
```

이 예제도 1행의 선언으로 인해서 3행에 정의되어 있는 Circle 클래스는 orange.perimeter 패키지로 묶이게 된다. 그리고 이번에도 마찬가지로 3행에서 시작하는 클래스의 정의 앞에 public 선언이 추가되었음을 기억하기 바란다.

그럼 이제 위의 두 자바 파일을 컴파일하자. 해당 소스파일이 저장되어 있는 위치로 이동을 해서 각각 컴파일을 진행해야 한다. 컴파일을 완료하였는가? 그렇다면 여러분은 두 개의 Circle 클래스 중 하나는 orange.area 패키지로, 또 다른 하나는 orange.perimeter 패키지로 묶는데 성공하였다. 이로써 Circle 클래스의 인스턴스 생성시에는 반드시 패키지 명을 명시해야만 인스턴스 생성이 가능하게 되었다.

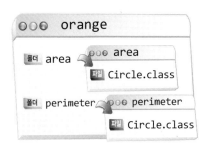

[그림 8-5 : Circle 클래스의 패키지 선언]

지금까지 제대로 진행해 왔다면, 위의 그림과 같은 디렉터리 구조를 바탕으로 다음 예제를 실행할 수 있다.

❖ PackageCircle.java

```
1.    class PackageCircle
2.    {
3.        public static void main(String[] args)
4.        {
```

```
5.          orange.area.Circle c1=new orange.area.Circle(1.5);
6.          System.out.println("반지름이 1.5인 원의 넓이 : "+c1.getArea());
7.
8.          orange.perimeter.Circle c2 = new orange.perimeter.Circle(2.5);
9.          System.out.println("반지름이 2.5인 원의 둘레 : "+c2.getPerimeter());
10.     }
11. }
```

 해설

- 5행 : orange.area 패키지에 묶여있는 Circle 클래스의 인스턴스를 생성하고 있다.
- 8행 : orange.perimeter 패키지에 묶여있는 Circle 클래스의 인스턴스를 생성하고 있다.

❖ 실행결과 : PackageCircle.java

반지름이 1.5인 원의 넓이 : 7.065
반지름이 2.5인 원의 둘레 : 15.700000000000001

위 예제는 어디에 위치해야 하겠는가? 그리고 그림 8-5를 기준으로 어느 위치가 클래스 패스에 포함되어야 하겠는가? 사실 위 예제는 어디에 위치하든 상관없다. 어차피 클래스는 클래스 패스를 기준으로 찾기 때문에 클래스 패스만 정확히 지정해 주면 위 예제의 실행위치는 어디든 상관이 없다.

그럼 클래스 패스의 설정을 위해 그림 8-5를 보자. 여기서 orange도 패키지의 선언에 해당하므로, orange 디렉터리의 상위 디렉터리가 클래스 패스에 포함되어야 한다. 따라서 이 상황에서는 다음과 같이 설정하고 실행하는 것이 가장 편리하다.

- PackageCircle.java를 orange 디렉터리의 상위 디렉터리(orange 디렉터리가 존재하는 디렉터리)로 옮겨서 컴파일 한다.

- 현재 디렉터리를 클래스 패스에 추가한다(이미 되어있다).

이 경우 프로그램의 실행을 위해서는 명령 프롬프트를 PackageCircle.class 파일이 생성된 디렉터리로 이동해야 하는데, 그곳이 바로 orange 디렉터리가 존재하는 곳이다. 따라서 현재 디렉터리만 클래스 패스에 추가를 하면(자동으로 추가된다), orange 디렉터리를 포함하는 상위 디렉터리가 클래스 패스에 추가되어 정상적인 실행결과를 확인할 수 있다.

■ 패키지의 그룹

소스파일 AAA.java와 BBB.java가 존재하고, 이 두 파일의 첫 줄에는 다음의 패키지 선언이 동시에 삽입되었다고 가정하자.

```
package orange.best;
```

그렇다면 AAA.java와 BBB.java에 정의되어 있는 클래스들 모두 orange.best라는 하나의 패키지로 묶이겠는가? 일반적으로 우리는 소스파일이 가져다 주는 경계에 큰 의미를 부여하는 편이다. 그러나 자바에서는 파일의 경계가 큰 의미를 갖지 않는다. 예를 들어서 세 개의 클래스가 하나의 파일에 정의되어 있다고 가정해 보자. 이 파일에 정의되어 있는 클래스 중 하나를 다른 파일에 저장했을 때, 별도로 신경 써야 할 부분이 있을까? 없다! 추가되는 코드도 없고(물론 패키지 선언이 추가될 수는 있다), 삭제되는 코드는 더더욱 없다.

그럼 다시 묻겠다. AAA.java와 BBB.java에 정의되어 있는 클래스들 모두 orange.best라는 하나의 패키지로 묶이겠는가? 당연히 묶인다. 파일의 경계가 클래스에 미치는 영향은 제로이므로, 여러 파일에 나누어 정의되어 있는 클래스들도 하나의 패키지로 묶을 수 있다.

■ 이름 없는 패키지

패키지를 처음 설명하면서, 클래스의 완전한 이해를 위해서 패키지의 개념이 필요하다고 하였는데, 이유는 다음과 같다.

   "자바의 클래스는 반드시 특정 패키지에 포함되어야 한다."

다시 말해서 클래스는 반드시 하나의 패키지에 포함되어야 한다. 그런데 앞서 우리는 패키지를 선언하지 않고 클래스를 정의해 왔다. 그런데도 문제를 일으키지 않았는데 이유는 무엇일까?

별도의 패키지 선언이 존재하지 않는 파일에 정의되어 있는 클래스들은 "이름 없는 패키지"라는 것으로 묶이게 된다고 자바에서는 명시하고 있다. 즉 우리가 이전에 정의한 클래스들은 이름 없는 패키지로 묶였던 것이다.

그렇다면 자바에서는 왜 이렇게 패키지에 연연해 하는 것일까? 클래스를 패키지로 묶을 수도 있고, 묶지 않을 수도 있는 일인데, 무엇 때문에 이름 없는 패키지의 개념까지 도입을 하면서 클래스를 반드시 패키지에 묶어 두려는 것일까? 이는 접근제어와 관련이 있는데, 이에 대한 궁금증은 다음 Chapter에서 속 시원히 풀릴 것이다. 참고로 미리 말해두면, 이는 패키지 선언을 하지 않은 클래스들간의 패키지 접근권한이라는 것을 부여하기 위함이다(이 역시 다음 Chapter에 가야 이해할 수 있는 설명이다).

참고

패키지 컴파일을 위한 컴파일 옵션

패키지의 구성을 위해서 패키지의 구성과 동일한 형태로 디렉터리를 만드는 것이 귀찮다면 다음과 같이 −d 옵션을 추가해서 컴파일을 하자.

```
C:\myclass>javac -d "패키지 생성 디렉터리" "컴파일 할 파일 이름"
```

그러면 패키지에서 명시하는 디렉터리가 자동으로 생성된다. 그리고 "패키지 생성 디렉터리"를 통해서 패키지의 생성 위치를 지정하게 되어 있다. 예를 들어서 다음과 같이 컴파일을 하면, 현재 디렉터리인 myclass에 패키지가 생성된다.

```
C:\myclass>javac -d . best.java
```

반면 다음과 같이 컴파일을 하면, myclass의 서브 디렉터리인 mydir에 패키지가 생성된다.

```
C:\myclass>javac -d mydir best.java
```

■ import 선언

예제 PackageCircle.java만 봐도 패키지로 묶여있는 클래스의 인스턴스 생성이 조금 귀찮게 느껴질 수 있다(패키지의 이름을 함께 명시해야 하므로). 특히 인스턴스의 생성 빈도수가 높을수록 귀찮게 느껴지기 마련이다. 그렇다면 import 선언을 활용하자. 예를 들어서 PackageCircle.java의 앞 부분에 다음의 import 선언을 추가할 수 있다.

```
import orange.area.Circle;
```

이는 다음의 내용을 선언하는 문장이다.

"orange.area 패키지의 Circle을 의미할 때에는 다 생략하고 Circle만 표시하겠다!"

즉 참조변수 선언 시에나, 인스턴스 생성시에는 orange.area.Circle을 대신해서 Circle만 표시하겠다는 뜻이다. 따라서 위의 import 선언 이후부터는 orange.area.Circle 인스턴스를 다음 두 가지 방식으로 생성할 수 있다.

```
orange.area.Circle c1=new orange.area.Circle(1.5);
Circle c2=new Circle(2.5);
```

import 선언이 되었다고 해서 이전 방식으로(패키지 이름을 전부 나열하는 방식으로) 인스턴스 생성이 불가능한 것은 아니다.

■ *을 이용한 import

일반적으로 둘 이상의 클래스가 하나의 패키지로 묶이기 마련이므로 다음 상황을 생각해 볼 필요가 있다.

"orange.area 패키지로 묶여있는 Circle과 Triangle 클래스의 인스턴스를 생성해야 한다."

그렇다면 다음과 같은 형태로 두 클래스의 인스턴스를 생성해야 한다(Triangle 클래스의 생성자는 세 개의 정수를 인자로 전달받는다고 가정하였다).

```
orange.area.Circle cl=new orange.area.Circle(10);    // Circle 인스턴스 생성
orange.area.Triangle tri=new orange.area.Triangle(1, 4, 5);    // Triangle 인스턴스 생성
```

물론 다음의 import 선언이 가능하다.

```
import orange.area.Circle;
import orange.area.Triangle;
```

그리고 이 선언으로 인해서 다음의 형태로 인스턴스 생성이 가능해진다.

```
Circle cl=new Circle(10);    // Circle 인스턴스 생성
Triangle tri=new Triangle(1, 4, 5);    // Triangle 인스턴스 생성
```

그런데 만약에 orange.area 패키지로 묶여있는 클래스의 수가 많다면, 각각의 클래스 별로 import 선 언을 추가하는 것도 귀찮은 일이 될 수 있다. 이럴 때에는 다음과 같이 import 선언을 하면 된다.

```
import orange.area.*;
```

이는 다음의 내용을 선언하는 문장이다.

"orange.area 패키지로 묶여있는 클래스의 인스턴스 생성에서는 패키지의 이름은 생략하고 클래스의 이름만 명시하겠다."

비록 *를 이용하면 import 선언이 한결 간단해지지만, 패키지 별로 여러분이 사용할 클래스의 수가 많지 않다면, 클래스 별로 import 선언을 해서 잘못된 클래스가 생성될 확률을 최소한으로 줄이는 것이 좋다. 그리고 클래스 별로 import 선언을 하면, 프로그램에서 사용되는 클래스의 이름을 소스코드의 앞부분에 명시하는 효과도 더불어 얻을 수 있다.

■ import로 인한 모호함(Ambiguous)

예제 PackageCircle.java에서는 이름은 같고, 묶여있는 패키지가 다른 두 Circle 클래스의 인스턴스를 생성하였다. 그런데 이 소스파일에서도 인스턴스 생성의 편의를 위해서 다음 import 선언을 삽입하면 어떠한 일이 벌어지겠는가?

```
import orange.area.Circle;
import orange.perimeter.Circle;
```

이는 orange.area.Circle 클래스의 인스턴스도 Circle이라는 이름으로, orange.perimeter.
Circle 클래스의 인스턴스도 Circle이라는 이름으로 생성하겠다는 의미가 되니, 다음 상황에서는 문제
가 발생하게 된다.

```
Circle cl=new Circle(1.5);
```

Cirlce 클래스에 대한 import 선언이 두 개나 존재하니, 위 문장에서 의미하는 Circle이 어느 패키지
에 묶여있는 Circle인지를 구분할 수 있는 방법이 사라져버렸다. 때문에 이러한 경우에는 컴파일 에러가
발생한다. 따라서 import 선언을 할 때에는 이러한 종류의 모호함이 발생하지 않도록 주의해야 한다.

문 제 8-1 [클래스 패스의 지정과 패키지 선언]

Chapter 07에서 소개한 FruitSalesMain3.java를 가지고 아래의 문제를 해결해 보자.

▶ 문제 1
FruitSalesMain3.java의 FruitSeller 클래스를 다음의 패키지에 묶어서 컴파일 하
자. 단 앞서 예제 Circle.java의 Circle 클래스에서 보였듯이, FruitSeller 클래스는
public으로 선언을 해야 한다(이유는 다음 Chapter에서 알게 된다).
  orange.seller

그리고 FruitBuyer 클래스를 다음의 패키지에 묶어서 컴파일 하자. 마찬가지로
FruitBuyer 클래스도 public으로 선언하자.
  orange.buyer

마지막으로 적절히 import 선언을 해서 FruitSalesMain3 클래스의 main 메소드가 정
상적인 실행결과를 보이도록 하자. 참고로 '현재 디렉터리'는 기본적으로 클래스 패스에 포
함된다는 사실을 적극 활용하기 바라며, 컴파일 시에도 앞서 '참고'를 통해서 설명한 -d 옵
션을 활용하기 바란다.

▶ 문제 2
비록 우리의 공부대상은 자바이지만, 배치파일을 직접 한번 만들어 보는 것은 매우 좋은 경
험이 될 수 있다. 따라서 앞서 보인 distribute.bat를 참조해서 문제 1의 해결과정을 하
나의 배치파일로 만들어보면 좋겠다. 이는 distribute.bat만 참조해도 충분히 가능하니
말이다.

■ 문제 8-1의 답안

▪ 문제 1

클래스를 묶을 패키지가 다르므로, 클래스당 하나의 소스파일을 형성해야 한다. 다음은 FruitSeller 클래스를 담고 있는 소스파일 FruitSeller.java이다.

❖ 소스코드 답안

```
1.   /*
2.    * 파일이름 : FruitSeller.java
3.    */
4.
5.   package orange.seller;
6.
7.   public class FruitSeller
8.   {
9.       int numOfApple;
10.      int myMoney;
11.      final int APPLE_PRICE;
12.
13.      public FruitSeller(int money, int appleNum, int price)
14.      {
15.          myMoney=money;
16.          numOfApple=appleNum;
17.          APPLE_PRICE=price;
18.      }
19.
20.      public int saleApple(int money)
21.      {
22.          int num=money/APPLE_PRICE;
23.          numOfApple-=num;
24.          myMoney+=money;
25.          return num;
26.      }
27.      public void showSaleResult()
28.      {
29.          System.out.println("남은 사과 : " + numOfApple);
30.          System.out.println("판매 수익 : " + myMoney);
31.      }
32.  }
```

다음은 FruitBuyer 클래스를 담고 있는 소스파일 FruitBuyer.java이다. 이 소스파일에서는 package 선언과 동시에 import 선언이 들어가야 함에 주목을 하자. orange.seller 패키지로 묶여있는 FruitSeller의 참조변수를 선언하기 때문에 import 선언도 더불어 추가되어야 한다.

```
1.  /*
2.   * 파일이름 : FruitBuyer.java
3.   */
4.
5.  package orange.buyer;
6.
7.  import orange.seller.FruitSeller;
8.
9.  public class FruitBuyer
10. {
11.     int myMoney;
12.     int numOfApple;
13.
14.     public FruitBuyer(int money)
15.     {
16.         myMoney=money;
17.         numOfApple=0;
18.     }
19.
20.     public void buyApple(FruitSeller seller, int money)
21.     {
22.         numOfApple+=seller.saleApple(money);
23.         myMoney-=money;
24.     }
25.     public void showBuyResult()
26.     {
27.         System.out.println("현재 잔액 : " + myMoney);
28.         System.out.println("사과 개수 : " + numOfApple);
29.     }
30. }
```

마지막으로 main 메소드를 포함하는 소스파일을 제시하겠다. 이 파일에는 위의 두 클래스에 대한 import 선언이 필요하다.

```
1.  /*
2.   * 파일이름 : FruitSalesPackageMain.java
3.   */
4.
5.  import orange.seller.FruitSeller;
6.  import orange.buyer.FruitBuyer;
7.
8.  class FruitSalesPackageMain
9.  {
10.     public static void main(String[] args)
11.     {
12.         FruitSeller seller1 = new FruitSeller(0, 30, 1500);
13.         FruitSeller seller2 = new FruitSeller(0, 20, 1000);
14.
15.         FruitBuyer buyer = new FruitBuyer(10000);
16.         buyer.buyApple(seller1, 2000);
17.         buyer.buyApple(seller2, 4500);
```

```
18.
19.          System.out.println("과일 판매자1의 현재 상황");
20.          seller1.showSaleResult();
21.
22.          System.out.println("과일 판매자2의 현재 상황");
23.          seller2.showSaleResult();
24.
25.          System.out.println("과일 구매자의 현재 상황");
26.          buyer.showBuyResult();
27.     }
28. }
```

위의 세 파일이 C:\YourJava 디렉터리에 존재한다고 가정하고 컴파일을 진행하겠다. 물론 디렉터리의 위치는 중요하지 않다. 자! 그럼 이제 컴파일을 진행하자.

```
C:\YourJava>javac -d . *.java
```

−d 옵션에 대해서는 앞서 '참고'를 통해 설명하였다. 그럼 이제 제대로 패키지가 생성되었는지 확인하기 바란다. 확인이 되었다면, 이어서 실행을 하자.

```
C:\YourJava>java FruitSalesPackageMain
```

이로써 여러분은 예제의 실행결과를 확인할 수 있을 것이다.

■ 문제 2

컴파일 시 −d 옵션을 사용하기 때문에 단 두 개의 문장으로 배치파일을 구성할 수 있다.

❖ 소스코드 답안

```
1.   javac -d . *.java
2.   java FruitSalesPackageMain
```

위의 두 문장으로 배치파일을 만들면 어느 디렉터리에서건 컴파일 및 실행을 한번에 진행할 수 있다.

Chapter **09**

접근제어 지시자와
정보은닉, 그리고 캡슐화

이번 Chapter의 주제는 정보은닉과 캡슐화이다. 이 둘은 객체지향 기반 클래스 설계의 가장 기초가 되는 원칙들로써, 자바에서 정의하는 모든 클래스들은 이 두 가지 특성을 만족해야 한다. 따라서 여러분은 이 두 가지 원칙이 의미하는 바를 이해해야 하고, 모든 클래스 정의에 적용할 수 있어야 한다.

정보은닉이 무엇인지를 설명하기에 앞서, 정보은닉의 필요성을 인식할 수 있는 상황을 하나 연출해 보겠다. 이 상황은 Chapter 07에서 보인 예제 FruitSalesMain3.java를 바탕으로 구성하였다.

■ 객체지향 관점에서 넌 빵점이야!

과일장수와 과일 구매자 사이에 논쟁이 벌어졌다! 과일 구매자가 과일장수의 손을 거치지 않고 그냥 과일을 가져갔기 때문이다.

- 과일장수 : 왜 과일을 그냥 가져가?
- 구매자 : 아니에요, 저기 있는 돈 바구니에 돈 넣었어요!

- 과일장수 : 과일을 사려면 내게 돈을 직접 주고 과일을 건네 받아야지
- 구매자 : 아무렴 어때요?

한마디로 참 한심한 구매자다! 이 상황에서는 누구도 과일 구매자를 욕할 수 밖에 없다. 그런데 이러한 어처구니 없는 상황이 우리가 작성한 프로그램상에서 얼마든지 일어날 수 있다. 다음 예제를 통해서 이 상황을 연출해 보겠다.

❖ FruitSalesMain4.java

```
1.   class FruitSeller
2.   {
3.       /* FruitSalesMain3.java에 정의되어 있는
4.          FruitSeller 클래스와 동일하여 생략합니다. */
5.   }
6.
7.   class FruitBuyer
8.   {
9.       /* FruitSalesMain3.java에 정의되어 있는
10.         FruitBuyer 클래스와 동일하여 생략합니다. */
11.  }
12.
13.  class FruitSalesMain4
14.  {
15.      public static void main(String[] args)
16.      {
```

```
17.          FruitSeller seller = new FruitSeller(0, 30, 1500);
18.          FruitBuyer buyer = new FruitBuyer(10000);
19.
20.          seller.myMoney += 500;        // 돈 500원 내고!
21.          buyer.myMoney -= 500;
22.
23.          seller.numOfApple -= 20;      // 사과 스무 개 가져가는 꼴!
24.          buyer.numOfApple += 20;
25.
26.          System.out.println("과일 판매자의 현재 상황");
27.          seller.showSaleResult();
28.
29.          System.out.println("과일 구매자의 현재 상황");
30.          buyer.showBuyResult();
31.      }
32. }
```

해 설

- 20, 21행 : 이 두 문장은 과일 구매자가 과일장수의 돈 바구니에 500원을 넣은 상황을 연출한 것이다.
- 23, 24행 : 이 두 문장은 과일 구매자가 과일장수의 사과 스무 개를 말없이 가져간 상황을 연출한 것이다.

❖ 실행결과 : FruitSalesMain4.java

```
과일 판매자의 현재 상황
남은 사과 : 10
판매 수익 : 500
과일 구매자의 현재 상황
현재 잔액 : 9500
사과 개수 : 20
```

과일장수에게 돈을 지불하고, 과일을 건네 받는 정상적인 행동이 FruitBuyer 클래스의 buyApple이라는 메소드로 표현되어 있다. 그런데 위 예제의 main 메소드 내에서는 이러한 정상적인 과일 구매의 과정이 무시되었다. 결과적으로 과일 구매자가 단 돈 500원만 내고 스무 개의 사과를 가져가는 상황이 연출되었다. 이는 현실세계에서건 객체지향 프로그래밍의 세계에서건 일어나지 말아야 할 상황이다.

■ 정보은닉이란? 인스턴스 변수에 private 선언을 하는 것

예제 FruitSalesMain4.java를 보면서 "이런 어처구니 없는 코드를 누가 작성하냐!"라고 반문할 수 있다. 그렇다면 멀리서 찾을 필요 없다. 오래 전 필자가 그랬고, 필자의 선후배도 그랬으니 말이다. 그리고 이러한 어처구니 없는 코드는 프로그래머의 실수로 오늘날에도 어디선가 만들어지고 있을지 모른다.

예제 FruitSalesMain4.java와 같은 문제가 발생한 가장 큰 이유는 외부에서 인스턴스 변수에 직접 접근이 가능했기 때문이다. 따라서 인스턴스 변수에 직접 접근하는 것을 막아버리면, 실수로라도 예제 FruitSalesMain4.java의 20~24행과 같은 코드는 만들어지지 않는다. 좋다! 그럼 직접적인 접근을 막아버리자. 방법은 간단하다. 인스턴스 변수의 앞에 private 선언만 추가하면 된다. 다음 예제에서 보이듯이 말이다.

❖ FruitSalesMain5.java

```
1.   class FruitSeller
2.   {
3.       private int numOfApple;
4.       private int myMoney;
5.       private final int APPLE_PRICE;
6.
7.       public FruitSeller(int money, int appleNum, int price)
8.       {
9.           myMoney=money;
10.          numOfApple=appleNum;
11.          APPLE_PRICE=price;
12.      }
13.
14.      public int saleApple(int money)
15.      {
16.          int num=money/APPLE_PRICE;
17.          numOfApple-=num;
18.          myMoney+=money;
19.          return num;
20.      }
21.      public void showSaleResult()
22.      {
23.          System.out.println("남은 사과 : " + numOfApple);
24.          System.out.println("판매 수익 : " + myMoney);
25.      }
26.  }
27.
28.  class FruitBuyer
29.  {
30.      private int myMoney;
31.      private int numOfApple;
32.
33.      public FruitBuyer(int money)
34.      {
35.          myMoney=money;
36.          numOfApple=0;
```

```
37.        }
38.
39.        public void buyApple(FruitSeller seller, int money)
40.        {
41.            numOfApple+=seller.saleApple(money);
42.            myMoney-=money;
43.        }
44.        public void showBuyResult()
45.        {
46.            System.out.println("현재 잔액 : " + myMoney);
47.            System.out.println("사과 개수 : " + numOfApple);
48.        }
49. }
50.
51. class FruitSalesMain5
52. {
53.        public static void main(String[] args)
54.        {
55.            FruitSeller seller = new FruitSeller(0, 30, 1500);
56.            FruitBuyer buyer = new FruitBuyer(10000);
57.
58.            buyer.buyApple(seller, 4500);        // 유일한 과일 구매 방법
59.
60.            System.out.println("과일 판매자의 현재 상황");
61.            seller.showSaleResult();
62.
63.            System.out.println("과일 구매자의 현재 상황");
64.            buyer.showBuyResult();
65.        }
66. }
```

예제 FruitSalesMain5.java에 정의된 클래스의 인스턴스 변수가 모두 private으로 선언되었다. 이렇게 인스턴스 변수가 private으로 선언되면, 해당 변수가 선언된 클래스 외부에서는 접근이 불가능하다. 즉 buyApple 메소드가 과일 구매의 유일한 수단이 된 것이다.

■ 공식처럼 생각합시다.

우리는 예외적인 상황을 매우 존중하는 편이다. 그래서 "private으로 모든 인스턴스 변수를 선언해야 하는 것은 아니죠? 예외 상황이 있을 듯 한데요"라고 물으면, 필자 역시 "아! 물론 예외적인 상황이 있을 수 있습니다."라고 대답할 것이다. 그런데 내심 속으로는 이렇게 말할 것이다. "그런 예외적인 상황을 만들었다는 자체를 반성해야지!" 그러나 정말로 어쩔 수 없는 상황이라는 것도 존재할 수 있음은 인정해야 한다(오~ 끝까지 빠져나갈 구멍을 만들어 놓는 저자의 이 소심함). 어쨌거나 인스턴스 변수를 private으

로 선언해서 프로그램에 안전성을 높이는 것은 매우 중요한 일이다. 따라서 이후부터 제시하는 모든 예제의 인스턴스 변수는 가급적 private으로 선언하기로 하자!

데이터 성격이 매우 강한 클래스

FruitBuyer 클래스와 FruitSeller 클래스 모두, 데이터(변수)와 기능(메소드)이 어우러져서 정의된 클래스이다. 그러나 클래스 중에는 데이터의 표현에만 초점을 맞춰서 설계된, 매우 간단하게 정의된 클래스도 존재한다. 그리고 이러한 경우에는 편의상 인스턴스 변수를 public으로 선언하기도 한다.

 접근제어 지시자(Access Control Specifiers)

public 그리고 private과 같은 키워드를 가리켜 '접근제어 지시자'라 한다. 그리고 앞서 private을 통해서 간단히 보였듯이, 이들은 접근의 허용 범위를 제한하는 용도로 사용이 된다. 자바가 제공하는 접근제어 지시자는 public, private, protected 이렇게 세 가지이지만, 아무런 선언도 하지 않는 경우까지 포함하여, 총 네 가지 형태의 접근제어 선언이 가능하다.

■ private과 public

이미 예제를 통해서 간단히 확인하였듯이, private으로 선언되는 인스턴스 변수와 메소드는 선언된 클래스 내부에서만 접근이 가능하다. 반면 public으로 선언이 되면, public이라는 이름이 의미하듯이 어디서든 접근 가능한 인스턴스 변수 및 메소드가 된다. 이에 대한 이해를 점검하기 위해서 예를 하나 들겠다.

```
class AAA
{
    private int num;
```

```
        public void setNum(int n) { num=n; }
        public int getNum() { return num; }
        . . . .
    }

    class BBB
    {
        public accessAAA(AAA inst)
        {
            inst.num=20;    // AAA 클래스의 private 변수 num에 직접 접근! 컴파일 에러!
            inst.setNum(20);
            System.out.println(inst.getNum());
        }
        . . . .
    }
```

위의 코드를 보면, 클래스 AAA의 변수 num은 private으로 선언되어있다. 따라서 클래스 BBB 내에서의 직접적인 접근은 컴파일 에러를 발생시킨다. 반면, AAA의 메소드 setNum과 getNum은 public으로 선언되어있다. 따라서 BBB 클래스의 내부에서뿐만 아니라, 다른 어떤 곳에서도 직접 접근이 가능하다.

참 고

정보은닉과 Access 메소드

인스턴스 변수는 정보은닉의 대상이다. 따라서 대부분의 인스턴스 변수는 private으로 선언이 된다. 대신에 외부에서 private으로 선언된 이 변수의 간접접근을 허용하기 위해서 추가적인 메소드를 제공하는데, 이러한 유형의 메소드를 가리켜 'Access 메소드'라 한다. 이러한 Access 메소드는 일반적으로 다음의 형태로 정의된다.

```
    class Person
    {
        private int age;
        public void setAge(int ag) { age=ag; }
        public int getAge( ) { return ag; }
        . . . .
    }
```

즉 변수의 이름이 XXX이면, XXX의 값을 변경하는 메소드의 이름은 setXXX, 그리고 XXX의 값을 반환하는 메소드의 이름은 getXXX로 정의한다. 그런데 모든 인스턴스 변수마다 Access 메소드를 정의해야 하는 것은 아니다. 클래스의 성격과 필요에 따라서 정의하면 된다.

■ 접근제어 지시자를 선언하지 않는 경우 : (default)

인스턴스 변수와 인스턴스 메소드에는 아무런 접근제어 지시자도 선언하지 않을 수 있는데, 이러한 형태의 선언을 가리켜 '디폴트 선언'이라 하며(이후 default로 표현하겠다), default로 선언된 인스턴스 변수 및 인스턴스 메소드는 동일 패키지 내에서의 접근을 허용한다. 이에 대한 정확한 이해를 위해서 다음 코드를 보자.

```
package orange;

class AAA     // package orange로 묶인다.
{
    int num;
    . . . .
}

class BBB     // package orange로 묶인다.
{
    public init(AAA a) { a.num=20; }    // AAA 클래스의 멤버 num에 직접접근!
    . . . .
}
```

위의 두 클래스는 orange라는 이름의 동일한 패키지로 묶여있다. 그런데 BBB 클래스의 init 메소드에는 AAA 클래스의 인스턴스 변수 num에 접근하는 코드가 삽입되어있다. 컴파일이 되겠는가? 된다! 왜냐하면 변수 num은 default로 선언이 되었으므로 orange 패키지로 함께 묶여있는 모든 클래스의 접근을 허용하기 때문이다. 반면 변수 num이 private으로 선언되면, 이 부분에서 컴파일 에러가 발생한다.

■ protected

protected는 상속(상속은 Chapter 14~16에서 설명한다)의 개념이 빠지면 default와 동일하다. 단 상속의 개념이 들어가면서 default보다는 접근하는데 있어서 유연함을 보인다. 따라서 "default + 알파!" 이렇게 기억해 두면 이해하기 좋을 것이다. 그럼 default는 허용하지 않지만 protected는 허용을 하는 알파가 무엇인지 살펴보겠다. 이를 위해 다음 예를 보자.

```
class AAA
{
    protected int num;
    . . . .
}

class BBB extends AAA
{
```

```
    protected int num;          // 상속된 인스턴스 변수

    public init(int n) { num=n; }     // 상속된 변수 num의 접근!
    . . . .
    }
```

아직 상속을 모르는 상태이나 간단한 설명을 통해서 위의 코드 정도는 이해할 수 있으니, 일단 설명을 들어보자(설명을 듣고도 이해가 안되면 상속을 공부하고 난 다음, 이 부분을 다시 보면 된다). 클래스 BBB의 정의에는 "extends AAA"라는 구문이 추가되어 있다. 이는 클래스 AAA를 상속한다는 의미로, 결과적으로는 클래스 AAA를 구성하는 모든 멤버들이(인스턴스 변수와 인스턴스 메소드들이) 클래스 BBB의 멤버가 된다. 따라서 BBB의 인스턴스가 생성되면, 이 안에는 AAA의 멤버들도 존재하게 된다.

자! 그럼 BBB 클래스의 init 메소드를 보자. 이 메소드에서는 변수 num에 접근하는 코드가 있는데, 이 부분이 무리 없이 컴파일 되겠는가? 된다! 왜냐하면 protected는 상속을 받는 클래스(위의 경우 BBB 클래스)의 접근을 허용하는 지시자이기 때문이다.

그럼 변수 num이 private으로 선언되어도 접근이 가능하겠는가? 가능하다고 생각하는 분들이 있을 줄 안다. 왜냐하면 상속으로 인해서 변수 num이 BBB의 인스턴스 변수가 되기 때문이다. 그러나 접근제어 지시자에 의한 접근 허용여부는 인스턴스가 아닌 클래스를 기준으로 따지는 것이다(매우 중요한 이야기이다). 따라서 변수 num은 클래스 BBB 관점에서 외부에 존재하는 변수이고, 때문에 private으로 선언이 되면 접근이 불가능한 변수가 된다.

■ 접근제어 지시자의 관계

지금까지 설명한 접근제어 지시자의 접근 허용범위를 정리하면 다음과 같다.

지시자	클래스 내부	동일 패키지	상속받은 클래스	이외의 영역
private	●	×	×	×
default	●	●	×	×
protected	●	●	●	×
public	●	●	●	●

[표 9-1 : 접근제어 지시자]

위 표에서 말하는 '이외의 영역'은 서로 다른 패키지에 각각 포함되어 있는 두 클래스 사이의 접근을 의미한다. 즉 아무런 관계가 없는, 완전히 남남인 두 클래스간의 접근을 의미하는 것이다. 그리고 위 표를 통해서 접근허용에 대한 다음 식이 성립함을 알 수 있다.

```
public > protected > default > private
```

아직 상속을 제대로 공부하지 않았기 때문에, 이와 관련해서 다소 혼란스러운 부분이 있을 수 있다. 그렇다면 표 9-1의 완벽한 이해는 상속을 공부한 이후로 미뤄도 좋다.

문제 9-1 [정보은닉 기반의 클래스 정의]

Question

먼저 다음 코드를 보고 문제가 될만한 소지가 있는 부분을 찾아보기 바란다.

```java
class Rectangle
{
    int ulx, uly;        // 좌 상단 x, y 좌표
    int lrx, lry;        // 우 하단 x, y 좌표

    public void showArea()
    {
        int xLen=lrx-ulx;
        int yLen=lry-uly;
        System.out.println("넓이 : "+(xLen*yLen));
    }
}

class RectangleTest
{
    public static void main(String[] args)
    {
        Rectangle rec=new Rectangle();
        rec.ulx=22; rec.uly=22;
        rec.lrx=10; rec.lry=10;
        rec.showArea();
    }
}
```

위에서 정의한 Rectangle 클래스는 직사각형을 표현한 것이다. 직사각형을 표현하는데 있어서 필요한 정보는 좌 상단의 x, y 좌표와 우 하단의 x, y 좌표이기 때문에, 이들 정보를 저장할 수 있는 형태로 클래스가 정의되었다. 사실 위의 클래스 정의만 놓고 봐서는 문제가 있다고 말하기 어렵다. 그러나 다음의 제약사항을 둔다면, 많은 문제점이 발견된다.

- x좌표는 0이상 100이하의 범위를 갖는다. 오른쪽으로 이동할수록 값은 증가한다.
- y좌표는 0이상 100이하의 범위를 갖는다. 아래로 이동할수록 값은 증가한다.

즉 좌 상단의 좌표는 [0, 0]이고, 우 하단의 좌표는[100, 100]이라는 뜻이다. 때문에 위에서 정의한 클래스의 인스턴스 변수는 모두 0이상 100이하의 값만이 저장되어야 한다. 그리고 우 하단의 x, y 좌표 값이 좌 상단의 x, y 좌표 값보다 작아서는 안 된다(위 예제의 문제점). 즉 저장되는 값은 항상 다음조건을 만족시켜야 한다.

    lrx>ulx, lry>uly

그러나 Rectangle 클래스는 정보은닉이 되어있지 않아서, 0이상 100이하가 아닌 값이 저장될 수도 있고, 우 하단의 x, y 좌표 값이, 좌 상단의 x, y 좌표 값보다 작을 수도 있다. 따라서 이러한 문제가 발생하지 않도록 적절히 정보은닉을 시키기 바란다. 이 과정에서 추가로 메소드를 정의해야 함은 물론이다.

public 클래스와 default 클래스

접근제어 지시자중에서 public과 default는 클래스의 정의에도 사용이 되는데, 여기서 말하는 default 도 아무런 접근제어 지시자가 선언되지 않은 형태를 의미한다.

■ 지금까지 정의해온 default 클래스

지금까지 우리가 정의해온 클래스는 모두 default 클래스였다. 따라서 default 클래스를 정의하는 방 법에 대해서는 별도의 설명이 필요 없을 것이다. 그런데 이렇게 default로 선언되는 클래스의 인스턴스 는 동일한 패키지로 묶여있는 클래스 내에서만 생성이 가능하다는 특징을 지니게 된다.

```
package apple;
class AAA    // default 클래스 선언
{
    . . . .
}

package pear;
class BBB    // default 클래스 선언
{
    public void make()
    {
        apple.AAA inst=new apple.AAA();
        . . . .
    }
    . . . .
}
```

위의 두 클래스가 정의된 패키지는 서로 다르다(물론 이렇게 정의하려면 두 개의 소스파일에 나눠서 담 아야 한다). 그런데 BBB 클래스의 make 메소드는 다른 패키지에 정의되어 있는 클래스의 인스턴스를 생성하려 든다. 인스턴스의 생성 방법은 옳다. 그러나 생성할 수 없다. AAA 클래스가 default 클래스 로 선언되었기 때문이다. AAA 클래스가 default 클래스로 선언되었으므로, AAA 클래스가 속해있는 apple 패키지에 함께 묶여있는 클래스 내에서만 인스턴스의 생성이 허용된다.

■ public 클래스는 누구나가 인스턴스를 생성할 수 있다.

어디서건 인스턴스 생성이 가능하도록 하려면 클래스를 public으로 선언해야 한다. 클래스를 public으로 선언하는 방법은 간단하다. 클래스 정의 앞부분에 public 선언만 추가하면 된다.

```
package apple;
public class AAA      // public 클래스 선언
{
    . . . .
}


package pear;
public class BBB      // public 클래스 선언
{
    public void make()
    {
        apple.AAA inst=new apple.AAA();
        . . . .
    }
    . . . .
}
```

앞서 보였던 소스코드와의 유일한 차이점은 클래스 AAA가 public 클래스로 선언되었다는 점이다. 그런데 이로 인해서 make 메소드 내에서도 AAA 클래스의 인스턴스 생성이 가능하게 되었다. 그리고 클래스를 public으로 선언하려면 다음의 제약사항을 반드시 지켜야 한다.

- 하나의 소스파일에는 하나의 클래스만 public으로 선언할 수 있다.
- public 클래스의 이름과 소스파일의 이름은 완전히 일치해야 한다.

이는 프로그램의 기능(내용)을 이해하는데 중요한 역할을 하는 public 클래스와 소스파일의 관계를 형성하기 위함인데, 이러한 제약사항이 존재하지 않는 다른 객체지향 프로그래밍 언어에서도 이미 오래 전부터 이러한 형태로 클래스 및 소스파일을 관리해오고 있었다. 다만 자바에서는 이를 문법으로 표준화했을 뿐이다.

■ 클래스는 default 클래스인데, 생성자가 public이야? 이거 어디다 써먹어?

일반적으로 메소드는 public으로 선언을 한다. 그리고 이것이 어떠한 의미를 지니는지 여러분은 이미 알고 있다. 그렇다면 생성자를 private으로 선언하면 어떠한 일이 벌어지게 될까? 다음 예를 보자.

```
public class AAA
{
```

```
        private AAA(){…}
        ....
    }

    class BBB
    {
        public void make()
        {
            AAA inst=new AAA();
            ....
        }
        ....
    }
```

BBB 클래스의 make 메소드에는 AAA 클래스의 인스턴스 생성문이 존재한다. 컴파일이 되겠는가? 안
된다! 왜냐하면 이 문장은 인스턴스 생성과정에서 인자를 받지 않는 생성자의 호출을 요구하게 되는데,
이 생성자가 private으로 선언되었기 때문이다. 생성자도 private으로 선언이 되면 클래스 내부에서만
호출이 가능하다. 이는 결국 외부에서의 인스턴스 생성을 허용하지 않겠다는 뜻이 된다.

생성자가 private으로 선언되는 경우도 종종 있습니다.

생성자도 private으로 선언될 수 있다. 이러한 생성자의 private 선언이 활용되는 상
황을 설명하기에는 아직 이르다. 그래도 유용하게 활용될 수 있다는 사실을 기억하자. 몇
Chapter가 지나지 않아서 이것이 어떻게 활용될 수 있는지를 보게 될 테니 말이다(단계
별 프로젝트를 통해서).

그렇다면 생성자의 접근제어 지시자는 어떻게 선언이 되어야 할까? 일반적으로 생각할 수 있는 것이
default와 public이다. default로 선언이 되면, 동일 패키지 내에서의 인스턴스 생성이 가능해지고,
public으로 선언이 되면 어디서건 인스턴스 생성이 가능해진다. 그런데 여기서 한가지 짚고 넘어갈 것이
있다. 다음 코드를 보자.

```
    public class AAA
    {
        AAA(){…}
        ....
    }
```

클래스는 public으로 선언이 되었으므로, 어디서든 인스턴스 생성이 가능할 것처럼 보인다. 그런데 생

성자가 default로 선언이 되었다. 따라서 실제 인스턴스 생성은 동일 패키지 내에서만 가능하다. 한마디로 아구가 맞지 않는 상황이다. 다음 코드도 보자.

```
class BBB
{
    public BBB(){…}
    . . . .
}
```

이 경우에는 생성자가 public으로 선언이 되어, 어디서든 인스턴스 생성이 가능해 보인다. 그러나 클래스가 default로 선언이 되어, 실제로는 동일 패키지 내에서만 생성이 가능하다. 이 역시 아구가 맞지 않는 상황이다. 그런데 이러한 아구가 맞지 않는 상황을 우리는 수시로 연출한다. 일반적으로 동일한 패키지 상에서(주로 default 패키지) 프로그램을 작성하므로 큰 문제가 발생하지는 않겠지만, 상황에 따라서는 적절치 않을 수 있으니 이러한 부분도 주의해야 한다.

참 고

본서에서는 기본적으로 생성자와 메소드를 public으로 선언하고 있습니다.

여러분도 알다시피 소스파일 하나당 public 클래스는 하나밖에 담지 못한다. 따라서 본서에서는 대부분의 클래스를 default로 선언하고 있다. 반면 생성자는 public으로 선언하고 있다. 이 상황을 바로 위에서 언급한 바를 근거로 이야기하면, "아구가 맞지 않는 상황"이긴 하지만, 클래스를 public으로 선언하고픈 마음을 대변한 것으로 이해해주면 좋겠다. 참고로 클래스의 선언에 상관없이 생성자는 public으로 정의하는 개발자들이 실제로 많이 있다.

■ 디폴트 생성자도 public 클래스냐, 그냥 클래스냐에 따라서 달라집니다!

이제 디폴트 생성자의 정확한 형태를 보일 때가 되었다. 디폴트 생성자는 때로는 public으로, 때로는 default로 선언이 된다.

```
public class AAA
{
    public AAA() {…}    // 자동 삽입되는 디폴트 생성자
    . . . .
}

class BBB
{
    BBB() {…}    // 자동 삽입되는 디폴트 생성자
```

```
      . . . .
   }
```

추가적인 설명이 필요한가? 이렇게 삽입되는 것이 당연하다는 생각이 들지 않는다면, 앞서 설명한 내용들을 제대로 이해했는지 점검해봐야 한다.

09-4 어떤 클래스를 public으로 선언할까요?

클래스가 public으로 선언되면, 클래스의 이름이 소스파일의 이름과 같아야 하고, 다른 public 클래스를 하나의 소스파일에 함께 담지 못하는 등의 제약사항이 따르기 때문에, 단지 귀찮다는 이유만으로 public으로 클래스를 선언하지 않는 경우가 많다. 그러나 필요한 상황에서는 반드시 클래스를 public으로 선언해야 한다.

■ 자바의 라이브러리는 클래스로 이뤄져 있다.

자바에서 말하는 라이브러리는 "이미 만들어져서 필요 시 언제나 사용이 가능한 클래스와 클래스를 구성하는 메소드들"을 의미한다. 그럼 간단하게 라이브러리를 하나 만들어 보겠다. 라이브러리라고 해서 별다를 것 없다. 사용하기 좋게, 그리고 누구나 사용할 수 있게 클래스를 잘 정의하면 그만이다.

❖ Calculator.java

```
1.  package orange.cal;
2.
3.  public class Calculator
4.  {
5.      private Adder adder;
6.      private Subtractor subtractor;
7.
8.      public Calculator()
9.      {
```

```
10.            adder = new Adder();
11.            subtractor = new Subtractor();
12.       }
13.     public int addTwoNumber(int num1, int num2)
14.     {
15.            return adder.addTwoNumber(num1, num2);
16.     }
17.     public int subTwoNumber(int num1, int num2)
18.     {
19.            return subtractor.subTwoNumber(num1, num2);
20.     }
21.     public void showOperatingTimes()
22.     {
23.            System.out.println("덧셈 횟수 : " + adder.getCntAdd());
24.            System.out.println("뺄셈 횟수 : " + subtractor.getCntSub());
25.     }
26. }
27.
28. class Adder
29. {
30.     private int cntAdd;
31.
32.     Adder() { cntAdd=0; }
33.     int getCntAdd() { return cntAdd; }
34.     int addTwoNumber(int num1, int num2)
35.     {
36.         cntAdd++;
37.         return num1 + num2;
38.     }
39. }
40.
41. class Subtractor
42. {
43.     private int cntSub;
44.
45.     Subtractor() { cntSub=0; }
46.     int getCntSub() { return cntSub; }
47.     int subTwoNumber(int num1, int num2)
48.     {
49.         cntSub++;
50.         return num1 - num2;
51.     }
52. }
```

• 3행 : Calculator 클래스는 public으로 선언되었다. 이는 이 클래스를 라이브러리 형태로 노출 시키기 위함이다. 어디서건 인스턴스를 생성할 수 있으려면, 당연히 클래스는 public으로 선언되어야 한다.

- 5, 6행 : 이렇듯 참조변수도 인스턴스 변수로 선언될 수 있다. 뿐만 아니라 참조변수 선언 시, 동시에 인스턴스의 생성도 함께 진행할 수 있다. 그러나 이 예제에서는 생성자를 통해서 인스턴스를 생성하고 있다.

- 13, 17, 21행 : 각각의 행에 정의되어 있는 메소드들은 Calculator 클래스가 라이브러리로써 제공하는 기능들이다. 그런데 이 기능들이 Adder 클래스와 Subtractor 클래스의 도움으로 완성된다는 사실에 주목해야 한다.

- 28행 : Adder 클래스는 Calculator 클래스의 일부로 존재한다. 즉 Calculator 클래스를 완성하는 목적으로 정의된 클래스일 뿐, 라이브러리의 형태로 노출시키기 위해서 정의된 클래스는 아니다.

- 41행 : Subtractor 클래스도 마찬가지로 Calculator 클래스의 완성을 목적으로 정의된 클래스이다.

- 36, 49행 : 연산이 이뤄진 횟수를 카운트하기 위해 삽입되었다. 다양한 기능을 제공한다는 측면에서 삽입하였으니, 큰 의미를 두지 않아도 된다.

- 33, 46행 : 연산이 이뤄진 횟수를 반환하는 메소드이다.

위 예제에서 정의하고 있는 Calculator 클래스에는 보다 다양한 연산기능이 담겨야 하는데, 간결한 예제의 작성을 위해서 간단히 정의하였다. 그리고 Adder 클래스와 Subtractor 클래스가 제공하는 덧셈과 뺄셈의 기능은 그 구현이 복잡하여 완성하는데 최소한 열다섯 줄 이상의 코드가 소모되었다고 가정하자(이는 현실적인 클래스의 디자인을 논의하기 위함이다). 그리고 나서 이어지는 설명을 읽기 바란다.

위 예제에서 정의하고 있는 클래스들은 orange.cal 패키지로 묶이게 되는데, Calculator.java를 디자인한 프로그래머의 생각을 추출해 보면 다음과 같다.

- 계산기 기능을 제공하고자 합니다.
- orange.cal 패키지에 존재하는 Calculator 클래스가 기능을 제공합니다.

즉 Calculator.java를 구현한 프로그래머는 Calculator 클래스만을 노출시키고 싶어한다. 나머지 클래스들은 Calculator 클래스를 완성하기 위해서 정의한 것일 뿐, 라이브러리의 형태로 제공하기 위해서 디자인한 클래스들은 아니다.

사실 Calculator 클래스를 라이브러리로 활용하고자 하는 프로그래머들도 Calculator 클래스 이외의 영역에 대해서는 별 관심이 없다. 즉 Calculator 클래스의 인스턴스가 생성되면, 더불어서 Adder와 Substractor의 인스턴스가 생성이 되어, 이 두 인스턴스가 실질적인 덧셈과 뺄셈을 담당한다는 사실에 아무런 관심이 없다는 뜻이다. 그래서 일반적으로 라이브러리 형태의 클래스들을 정의할 때에는 최소한의 클래스만 public으로 선언하는 것이 좋다. 모든 클래스를 public으로 선언하는 것은 라이브러리의 개발자도, 라이브러리의 사용자도 원치 않는다. 다음은 Calculator 클래스를 이용해서 구현한 프로그램이다.

```
1.  import orange.cal.Calculator;
2.
3.  class CalculatorMain
4.  {
5.      public static void main(String[] args)
6.      {
7.          Calculator cal = new Calculator();
8.          System.out.println("1+2=" + cal.addTwoNumber(1, 2));
9.          System.out.println("2+4=" + cal.addTwoNumber(2, 4));
10.         System.out.println("5-1=" + cal.subTwoNumber(5, 1));
11.         cal.showOperatingTimes();
12.     }
13. }
```

❖ 실행결과 : CalculatorMain.java

```
1+2=3
2+4=6
5-1=4
덧셈 횟수 : 2
뺄셈 횟수 : 1
```

위 예제에서 주목할 것은 위 예제를 개발한 사람이 Calculator이외의 클래스를 알지도 못하고, 알 필요도 없다는 사실이다.

■ 클래스를 하나로 만들면 안될까요?

예제 Calculator.java를 보면서 다음과 같은 질문을 할 수도 있다.

"계산기의 기능을 Calculator 클래스 하나에 담아두면 안되나요?"

물론 Calculator 정도의 크기와 기능의 클래스는 하나의 클래스에 담아도 된다. 그러나 클래스를 작은 크기로 디자인하여 하나의 완성된 클래스로 묶는다면, 다음과 같은 이점이 생긴다.

• 변경이 필요할 때, 변경되는 클래스의 범위를 최소화 할 수 있다.
• 작은 크기의 클래스를 다른 클래스의 정의에도 활용할 수 있다.

예를 들어서 아주 혁신적인 덧셈 이론(물론 가정이다)이 등장하여, Calculator 클래스의 덧셈 방식을 변경시키고자 한다고 가정해 보자. 이 때 변경시킬 대상은 Adder라는 아주 작은 클래스 하나뿐이다. 만약에 Calculator 클래스에 모든 것을 담았다면(물론 그만큼 Calculator 클래스는 커질 것이다), 변경의 대상은 Adder보다 큰 Calculator 클래스가 된다.

그리고 클래스를 추가로 정의해서 orange.cal 패키지에 함께 묶는다고 가정해보자. 그런데 이 클래스에는 덧셈과 뺄셈의 기능이 필요하다(덧셈과 뺄셈은 그 구현이 복잡하여 완성하는데 최소한 열다섯 줄 이상의 코드가 소모되었다고 가정했음을 잊지 말자). 이러한 상황에서 Calculator.java는 또 한번 빛을 발한다. 이미 Adder와 Subtractor 클래스가 정의되어 있는 관계로 덧셈과 뺄셈의 기능을 추가로 구현할 필요가 없기 때문이다. 즉 Adder와 Subtractor 클래스의 재활용이 가능하다.

09-5 캡슐화(Encapsulation)

정보은닉에 대한 이야기가 나왔으니, 캡슐화에 대한 이야기를 빼 놓을 수 없다. 이 둘은 객체지향 기반의 클래스 설계에서 가장 기본이면서도 가장 중요한 원칙들이기 때문이다.

■ 콘택600을 아시나요?

"걸렸구나! 하면 콘택600"이라는 광고문구를 기억하는지 모르겠다. 2008년에 이뤄진 부평구약사회의

조사 결과에 따르면 콘택600을 콧물감기약으로 정확히 알고 있는 주민은 38.5%에 지나지 않으며, 나머지는 종합감기약 또는 두통, 몸살 그리고 기침감기약으로 알고 있다고 한다. 그런데 이는 코와 관련이 있는 증상의 감기약이다. 그리고 필자의 경우, 군복무 시절에 계절성 알레르기 비염의 완화를 위해서 이 약을 복용하였는데, 효과가 괜찮았던 것으로 기억한다.

여러분은 저자가 자바를 이야기하다 말고, 이게 갑자기 무슨 꿩궈 먹는 소리인가 싶을 것이다. 그런데 필자는 콘택600을 비유해서

캡슐화를 설명하려고 한다. 그러니 그림을 통해서 콘택600이 어떻게 생겼는지 관찰을 좀 하기 바란다.

■ 콘택600에 숨겨져 있는 캡슐화와 캡슐화의 중요성

캡슐화를 콘택600에 비유하는 이유는 많은 학생들이 캡슐화와 정보은닉의 차이를 이해하지 못하기 때문이다. 따라서 이 비유를 통해서 필자가 말하고자 하는 바를 정확히 이해하기 바란다. 하나의 캡슐로 이뤄져 있는 콘택600의 복용자에게 제공되는 기능은 "재채기, 콧물, 코막힘"의 완화이다. 그런데 이러한 콘택600이 재채기용 캡슐, 콧물용 캡슐, 그리고 코막힘용 캡슐로 나눠져 있다면, 그래서 코감기에 걸렸을 때, 총 세 알의 캡슐을 복용해야 한다면, 이는 캡슐화가 성립되지 않는 상황이다. 그런데 콘택600은 "코감기의 강력한 처방"이라는 하나의 목적 하에 둘 이상의 기능이 모여서 하나의 목적을 달성하고 있다. 다시 말해서 캡슐화가 되어있는 상황이다. 그렇다면 이러한 캡슐화가 중요한 이유는 어디에 있을까? 이는 예제를 통해서 여러분에게 설명을 하겠다.

❖ Encapsulation1.java

```
1.    class SinivelCap     // 콧물 처치용 캡슐
2.    {
3.        public void take(){System.out.println("콧물이 싹~ 납니다.");}
4.    }
5.
6.    class SneezeCap     // 재채기 처치용 캡슐
7.    {
8.        public void take() {System.out.println("재채기가 멎습니다.");}
9.    }
10.
11.   class SnuffleCap     // 코막힘 처치용 캡슐
12.   {
13.       public void take() {System.out.println("코가 뻥 뚫립니다.");}
14.   }
15.
16.   class ColdPatient
17.   {
18.       public void takeSinivelCap(SinivelCap cap){cap.take();}
19.       public void takeSneezeCap(SneezeCap cap){cap.take();}
20.       public void takeSnuffleCap(SnuffleCap cap){cap.take();}
21.   }
22.
23.   class Encapsulation1
24.   {
25.       public static void main(String[] args)
26.       {
27.           ColdPatient sufferer = new ColdPatient();
28.           sufferer.takeSinivelCap(new SinivelCap());
29.           sufferer.takeSneezeCap(new SneezeCap());
```

```
30.          sufferer.takeSnuffleCap(new SnuffleCap());
31.     }
32. }
```

- 1, 6, 11행 : 콧물, 재채기, 코막힘용 캡슐을 클래스로 정의하였다(물론 매우 간단히 정의하였다).
- 16행 : 감기환자를 클래스로 간단히 정의하였다. 이 환자는 감기의 치료를 위해서 앞서 정의한 클래스의 인스턴스를 복용해야 한다.
- 28~30행 : 코감기의 처치를 위해서 콧물, 재채기, 코막힘의 처치를 위한 캡슐을 순서대로 복용하고 있다. 참고로 인스턴스가 생성이 되면, 생성된 인스턴스의 주소 값이 반환됨을 앞서 설명하였다. 따라서 28~30행에서는 인스턴스 생성 후 반환되는 주소 값을 인자로 전달하여, 참조변수로 선언되어 있는 매개변수를 초기화한다.

❖ 실행결과 : Encapsulation1.java

> 콧물이 싹~ 납니다.
> 재채기가 멎습니다.
> 코가 뻥 뚫립니다.

위 예제에 다음 내용을 가정해버리면, 캡슐화가 무너진 대표적인 사례가 된다.

　　"코감기는 항상 콧물, 재채기, 코막힘을 동반한다."

제일 먼저 눈으로 확인 가능한 문제점은 복용의 절차가 너무 복잡하다는데 있다. 코감기는 항상 콧물, 재채기, 코막힘을 동반하므로 위 예제 28~30행의 복용 과정을 항상 거쳐야만 한다. 그런데 이를 콘택600처럼 하나의 캡슐로 만들어 놓았다면(캡슐화 해 놓았다면), 28~30행의 복용 과정이 훨씬 간소화된다. 그런데 이보다도 큰 문제가 있다. 만약에 필자가 다음과 같은 가정을 한다면 위의 클래스 설계는 매우 위험한 구조가 될 수밖에 없다.

　　"약의 복용은 반드시 SinivelCap, SneezeCap, SnuffleCap 순으로 이뤄져야 한다."

이제 위의 예제에서 정의하고 있는 약들을 복용하기 위해서는 SinivelCap, SneezeCap, SnuffleCap 클래스들의 상호관계도 매우 잘 알아야 하는 상황에 놓였다. 만약에 순서가 틀어지면 부작용이라는 무서운 결과를 초래하기 때문이다. 정리하면, 캡슐화가 무너지면 인스턴스의 생성 및 활용이 매우 어려워진다. 뿐만 아니라, 캡슐화가 무너지면 클래스 상호간의 관계가 복잡해지기 때문에 이는 프로그램 전체의 복잡도를 높이는 결과로 이어진다.

■ 콘택600의 구현을 통한 캡슐화의 정확한 이해

캡슐화가 필요한 이유를 개념적으로 이해하였으니, 이번에는 이를 코드상에서 확인해 보겠다. 예제 Encapsulation1.java에 정의된 클래스에 캡슐화라는 처방을 내려보자!

❖ Encapsulation2.java

```
1.   /* SinivelCap, SneezeCap, SnuffleCap 클래스의
2.      정의는 Encapsulation1.java와 동일하므로 생략합니다. */
3.
4.   class CONTAC600
5.   {
6.       SinivelCap sin;
7.       SneezeCap sne;
8.       SnuffleCap snu;
9.
10.      public CONTAC600()
11.      {
12.          sin=new SinivelCap();
13.          sne=new SneezeCap();
14.          snu=new SnuffleCap();
15.      }
16.      public void take()
17.      {
18.          sin.take();
19.          sne.take();
20.          snu.take();
21.      }
22.  }
23.
24.  class ColdPatient
25.  {
26.      public void takeCONTAC600(CONTAC600 cap){ cap.take(); }
27.  }
28.
29.  class Encapsulation2
30.  {
31.      public static void main(String args[])
32.      {
33.          ColdPatient sufferer = new ColdPatient();
34.          sufferer.takeCONTAC600(new CONTAC600());
35.      }
36.  }
```

해 설

- • 4행 : 캡슐화가 되어있는 코 감기약 CONTAC600 클래스가 정의되어 있다.
- • 24행 : 이전 예제와 비교해서 ColdPatient 클래스가 매우 간결해졌음을 알 수 있다. 이는 이 클래스와 관련 있는 CONTAC600 클래스의 적절한 캡슐화의 결과이다.
- • 34행 : 이 부분 역시 이전 예제와 비교해서 매우 간결해졌음을 알 수 있다. 그리고 이제는 약의 복용순서를 고민하지 않아도 된다. 약의 복용순서가 바뀌어도 고민할 필요가 없다. 16행에 정의되어 있는 take 메소드에서 이를 컨트롤하기 때문이다.

캡슐화를 한다고 해서 하나의 클래스로만 모든 것을 구성해야 하는 것은 아니다. 위 예제에서 보이듯이 다른 클래스를 활용해도 된다. CONTAC600 클래스가 SinivelCap, SneezeCap, SnuffleCap 클래스를 활용하는 것처럼 말이다. 문제는 어떻게 구성을 하느냐가 아니고, 어떠한 내용으로 구성을 하느냐에 있다.

■ 그럼, 제대로 캡슐화하려면 기침, 몸살, 두통까지 넣어야 하지 않나요?

당연히 이런 질문을 할 수 있다. 그런데 이에 대한 논의에 앞서 여러분께 드리고 싶은 질문이 있다. 여러분은 캡슐화가 쉽게 느껴지는가? 어렵게 느껴지는가? 관련 있는 메소드와 변수를 하나의 클래스 안에 묶는 것이 캡슐화이므로(결론적으로는 그렇다), 별로 어렵게 느껴지지 않을 수 있다. 그러나 캡슐화는 어려운 개념이다. 왜냐하면 캡슐화의 범위를 결정하는 일이 쉽지 않기 때문이다. 제대로 캡슐화를 하려면 기침, 몸살, 두통까지 넣어야 하지 않느냐는 질문도 캡슐화의 범위와 관련이 있는 문제이다.

참 고

정보를 은닉시키기는 쉽다. 그러나 캡슐화는 어렵다.

경험 많은 객체지향 프로그래머를 구분하는 첫 번째 기준은 캡슐화이다. 캡슐화는 일관되게 적용할 수 있는 단순한 개념이 아니고, 구현하는 프로그램의 성격과 특성에 따라서 적용하는 범위가 달라지는, 흔히 하는 말로 정답이란 것이 딱히 없는 개념이기 때문이다.

캡슐화를 위해서 과연 CONTAC600 클래스에 기침, 몸살, 두통까지 넣어야 할까? 이에 대한 답변은 상황에 따라 달라지므로, 몇 가지 상황을 가정하여 답변을 제시해 보겠다. 먼저 다음 상황을 가정하여 이야기 해 보자.

"감기는 코감기, 목감기, 몸살감기가 항상 함께 동반된다."

이러한 경우에는 CONTAC600 클래스 역시 캡슐화가 적절히 이뤄지지 않은 클래스로 평가 받을 수밖에 없다. 코감기, 목감기, 몸살감기가 항상 함께 동반된다는 것은 CONTAC600이외의 클래스가 항시 필요하다는 뜻이 되므로, Encapsulation1.java에서 보인 상황을 그대로 연출하게 된다. 따라서 이러한 경우에는 CONTAC600 클래스가 종합감기약으로 거듭나야 한다. 그럼 이번에는 다음 상황을 가정하여 이야기 해 보자. 이는 훨씬 더 애매모호한 상황이다.

"감기는 코감기, 목감기, 몸살감기가 함께 동반되기도 하고, 개별적으로 진행되기도 한다."

이 경우에는 답을 내릴 수 없다. 보다 구체적인 정보와 가정이 필요하다. 종합감기약이 답일 수도 있고, 목 감기약, 코 감기약, 몸살 감기약이 별도로 존재하는 것이 답일 수도 있다. 그래서 클래스를 캡슐화시키는 능력은 오랜 시간을 두고 다양한 사례를 접하면서 길러져야 한다.

참 고

캡슐화에는 정보은닉이 기본적으로 포함된다.

캡슐화는 감싸는 개념이다. 그런데 감싸려면 안전하게 감싸야 한다. 다시 말해서 이왕이면 인스턴스 변수가 보이지 않게 정보를 은닉해서 감싸는 것이 좋다. 그래서 캡슐화는 기본적으로 정보은닉을 포함하는 개념이라고도 이야기한다. 그러나 지금 여러분은 이 둘을 별개의 개념으로 접근하고 이해하는 것이 우선이다.

문 제 9-2 [다양한 클래스의 정의]

Question

필자가 먼저 여러분에게 Point라는 이름의 클래스를 제시하겠다.

```java
class Point
{
    int xPos, yPos;

    public Point(int x, int y)
    {
        xPos=x;
        yPos=y;
    }
    public void showPointInfo() { System.out.println("["+xPos+", "+yPos+"]"); }
}
```

이 클래스를 기반으로(활용하여) 원을 의미하는 Circle 클래스를 정의하자. Circle 클래스는 좌표상의 위치 정보 (원의 중심좌표)와 반지름의 길이 정보를 저장할 수 있어야 한다.
그리고 여러분이 정의한 Circle 클래스를 기반으로 Ring 클래스를 정의하자. 링은 두 개의 원으로 표현 가능하므로(바깥쪽 원과 안쪽 원), 두 개의

Circle 인스턴스를 기반으로 정의가 가능하다. 참고로 안쪽 원과 바깥쪽 원의 중심좌표가 동일하다면 두께가 일정한 링을 표현하는 것이 되며, 중심좌표가 동일하지 않다면 두께가 일정하지 않은 링을 표현하는 셈이 된다. 이렇게 해서 클래스의 정의가 완료되었다면, 다음 main 메소드를 기반으로 실행을 시키자.

```java
public static void main(String[] args)
{
    Ring ring=new Ring(1, 1, 4, 2, 2, 9);
    ring.showRingInfo();
}
```

Ring의 생성자를 통해서 전달된 1, 1, 4는 안쪽 원의 정보에 해당하며(순서대로 X좌표, Y좌표, 반지름), 이어서 전달된 2, 2, 9는 바깥쪽 원의 정보에 해당한다(순서대로 X좌표, Y좌표, 반지름). 그리고 실행의 결과는 다음과 같거나 유사해야 한다.

```
Inner Circle Info...
radius : 4
[1, 1]
Outter Circle Info...
radius : 9
[2, 2]
```

참고로 하나의 클래스를 정의하더라도, 항상 캡슐화를 고민하기 바란다. 이 문제의 답안도 캡슐화에 대한 고민여부에 따라서 약간의 차이를 보일 수 있다.

■ 문제 9-1의 답안

❖ 소스코드 답안

```
1.    class Rectangle
2.    {
3.        private int ulx, uly;      // 좌 상단 x, y 좌표
4.        private int lrx, lry;      // 우 하단 x, y 좌표
5.
6.        private boolean isProperRange(int pos)
7.        {
8.            if(0<=pos && pos<=100)
9.                return true;
10.           else
11.               return false;
12.       }
13.       public void setRectanglePoint(int lx, int ly, int rx, int ry)
14.       {
15.           if(lx>=rx || ly>=ry)
16.           {
17.               System.out.println("좌표 지정이 잘못되었습니다.");
18.               return;
19.           }
20.           if(!isProperRange(lx) || !isProperRange(ly))
21.           {
22.               System.out.println("좌 상단 좌표의 범위가 잘못되었습니다.");
23.               return;
24.           }
25.           if(!isProperRange(rx) || !isProperRange(ry))
26.           {
27.               System.out.println("우 하단 좌표의 범위가 잘못되었습니다.");
28.               return;
29.           }
30.
31.           ulx=lx; uly=ly; lrx=rx; lry=ry;
32.       }
33.
34.       public void showArea()
35.       {
36.           int xLen=lrx-ulx;
37.           int yLen=lry-uly;
38.           System.out.println("넓이 : "+(xLen*yLen));
39.       }
40.   }
41.
42.   class RectangleTest
43.   {
44.       public static void main(String[] args)
45.       {
```

```
46.        Rectangle rec=new Rectangle();
47.        rec.setRectanglePoint(-3, -1, 2, 7);
48.        rec.showArea();
49.
50.        rec.setRectanglePoint(2, 2, 8, 8);
51.        rec.showArea();
52.    }
53. }
```

위 예제 6행에 정의된 메소드는 클래스 내부적으로 호출하기 위해 정의하였다. 때문에 private으로 선언을 해서 불필요하게 외부에서 호출되는 일이 없도록 하였다. 그리고 setRectanglePoint 메소드는 인스턴스 변수를 private으로 선언함에 따라 추가된 메소드이다. 메소드를 통해서 인스턴스 변수에 접근하도록 유도했기 때문에, 값의 유효성 검사를 진행할 수 있게 되었다.

■ 문제 9-2의 답안

❖ 소스코드 답안

```
1.  class Point
2.  {
3.      int xPos, yPos;
4.
5.      public Point(int x, int y)
6.      {
7.          xPos=x;
8.          yPos=y;
9.      }
10.     public void showPointInfo() { System.out.println("["+xPos+", "+yPos+"]"); }
11. }
12.
13. class Circle
14. {
15.     int rad;          // 반지름
16.     Point center;     // 원의 중심
17.
18.     public Circle(int x, int y, int r)
19.     {
20.         center=new Point(x, y);
21.         rad=r;
22.     }
23.     public void showCircleInfo()
24.     {
25.         System.out.println("radius : "+rad);
26.         center.showPointInfo();
27.     }
28. }
29.
30. class Ring
31. {
32.     Circle inCircle;
33.     Circle outCircle;
```

```
34.
35.        public Ring(int inX, int inY, int inR, int outX, int outY, int outR)
36.        {
37.            inCircle=new Circle(inX, inY, inR);
38.            outCircle=new Circle(outX, outY, outR);
39.        }
40.        public void showRingInfo()
41.        {
42.            System.out.println("Inner Circle Info...");
43.            inCircle.showCircleInfo();
44.            System.out.println("Outter Circle Info...");
45.            outCircle.showCircleInfo();
46.        }
47. }
48.
49. class RingTest
50. {
51.        public static void main(String[] args)
52.        {
53.            Ring c=new Ring(1, 1, 4, 2, 2, 9);
54.            c.showRingInfo();
55.        }
56. }
```

Chapter 10

클래스 변수와
클래스 메소드

이번 Chapter에서 설명하는 static 변수와 static 메소드를 가리켜 각각 '클래스 변수', '클래스 메소드'라 한다. 그렇다면 클래스 변수, 클래스 메소드라 이름 붙은 이유는 어디에 있을까? 여러분은 이번 Chapter를 공부하고 나서, 이 질문에 답을 할 수 있어야 한다.

static 변수(클래스 변수)

인스턴스 변수는 인스턴스가 생성되었을 때 접근이 가능한 변수이기 때문에 인스턴스 변수라는 이름이 붙게 되었다. 반면 클래스 변수는 클래스가 정의만 되어도 접근이 가능한 변수이기 때문에 클래스 변수라는 이름이 붙게 되었다. 자 그럼 이러한 특성을 지니는 클래스 변수에 대해서 하나씩 알아가기로 하자.

■ 한 클래스의 모든 인스턴스가 공유하는 static 변수

인스턴스 변수의 선언 앞에 static 선언이 오면 어떠한 변화를 가져오게 되는지, 예제를 통해서 먼저 확인해 보자.

❖ ClassVar.java

```
1.   class InstCnt
2.   {
3.       static int instNum=0;
4.
5.       public InstCnt()
6.       {
7.           instNum++;
8.           System.out.println("인스턴스 생성 : "+instNum);
9.       }
10.  }
11.
12.  class ClassVar
13.  {
14.      public static void main(String[] args)
15.      {
16.          InstCnt cnt1=new InstCnt();
17.          InstCnt cnt2=new InstCnt();
18.          InstCnt cnt3=new InstCnt();
19.      }
20.  }
```

❖ 실행결과 : ClassVar.java

```
인스턴스 생성 : 1
인스턴스 생성 : 2
인스턴스 생성 : 3
```

위 예제는 static 변수의 이해에만 초점이 맞춰져 있어서, 이 예제만으로도 static 변수의 특성을 파악할 수 있다. 일단 생성자를 보면, 3행에 선언되어 있는 변수 instNum의 값을 1 증가시킨 다음에, 증가된 instNum의 값을 출력하고 있다. 그런데 출력결과를 보면, 그 값이 1씩 증가함을 알 수 있다. 그리고 이는 다음의 사실을 파악할 수 있도록 돕는다.

"static으로 선언된 변수는 변수가 선언된 클래스의 모든 인스턴스가 공유하는 변수이다."

즉 인스턴스 변수가 인스턴스 별로 각각 존재하는 변수라면, static 변수는 딱! 하나만 존재해서 모든 인스턴스가 공유하는 형태의 변수이다.

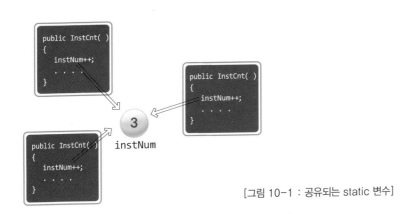

[그림 10-1 : 공유되는 static 변수]

위 그림은 예제 ClassVar.java의 인스턴스 구성을 보여준다. 이 그림에서 변수 instNum이 공유되고 있다는 사실에 주목해야 한다. 참고로 만약에 변수 instNum에 static 선언이 없었다면, 다음 그림과 같은 형태의 인스턴스가 구성되었을 것이다.

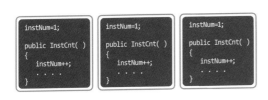

[그림 10-2 : 인스턴스 각각에 존재하는 인스턴스 변수]

그리고 위 예제에서는 static 변수가 선언된 클래스 내부에서만 변수의 접근이 이뤄지고 있지만, 사실 static 변수는 클래스 내부에서뿐만 아니라, 외부에서도 접근이 가능한 변수이다. 물론 이를 위해서는 static 변수가 public으로 선언되어야 하지만 말이다. 따라서 바로 위에서 정의한 다음 결론은 사실 많이 부족한 결론이다.

"static으로 선언된 변수는 변수가 선언된 클래스의 모든 인스턴스가 공유하는 변수이다."

이는 다음과 같이 정정되어야 한다.

"static으로 선언된 변수는 메모리 공간에 하나만 존재하며, 어디서나 접근이 가능한 변수이다. 단 어디서나 접근이 가능 하려면 static 변수도 public으로 선언되어야 한다."

■ static 변수의 접근방법

static 변수에 접근하는 방법은 크게 클래스 내부에서 접근하는 방법과 외부에서 접근하는 방법으로 나뉘어진다. 다음 예제는 static 변수의 다양한 접근 방법을 보여준다.

❖ ClassVarAccess.java

```
1.  class AccessWay
2.  {
3.      static int num=0;
4.
5.      AccessWay()
6.      {
7.          incrCnt();
8.      }
9.      public void incrCnt() { num++; }   // 방법 1
10. }
11.
12. class ClassVarAccess
13. {
14.     public static void main(String[] args)
15.     {
16.         AccessWay way=new AccessWay();
17.         way.num++;       // 방법 2
18.         AccessWay.num++;    // 방법 3
19.         System.out.println("num="+AccessWay.num);
20.     }
21. }
```

해 설

- 9행 : 클래스 내부(인스턴스 메소드 및 생성자)에서는 얼마든지 직접 접근이 가능하다.
- 17, 18행 : 이처럼 인스턴스의 이름이나 클래스의 이름을 통해서 접근하는 것도 가능하다. 물론 이러한 형태의 접근이 가능한 이유는 클래스 AccessWay와 클래스 ClassVarAccess가 동일한 패키지(default 패키지)로 묶였고, 3행의 변수 num의 접근제어 지시자가 default로(동일 패키지 내에서의 접근 허용) 선언되었기 때문이다.

❖ 실행결과 : ClassVarAccess.java

```
num=3
```

위 예제 17행과 18행에서 보이듯이 클래스 변수는 인스턴스의 이름으로도, 클래스의 이름으로도 접근이 가능하다. 그러나 17행과 같이 접근을 하면, 인스턴스 변수의 접근방법과 구분이 되지 않기 때문에 18행에서 보이는 방법으로 접근하는 것이 좋다.

■ static 변수의 초기화 시점

static 변수는 인스턴스가 생성되기 이전에 별도의 메모리 공간에 할당되어 초기화까지 완료가 되는데, 이는 다음 예제를 통해서 간단히 확인이 가능하다.

❖ StaticValNoInst.java

```
1.  class InstCnt
2.  {
3.      static int instNum=100;
4.
5.      public InstCnt()
6.      {
7.          instNum++;
8.          System.out.println("인스턴스 생성 : "+instNum);
9.      }
10. }
11.
12. class StaticValNoInst
13. {
14.     public static void main(String[] args)
15.     {
16.         InstCnt.instNum-=15;
17.         System.out.println(InstCnt.instNum);
18.     }
19. }
```

해 설

- 16행 : 인스턴스의 생성 없이 바로 static 변수에 접근하고 있다.
- 17행 : 마찬가지로 인스턴스의 생성 없이 static 변수에 접근하고 있다.

❖ 실행결과 : StaticValNoInst.java

```
85
```

위 예제의 main 메소드 내에서는 인스턴스를 하나도 생성하지 않고 있다. 그럼에도 불구하고 클래스의 이름을 통해서 static 변수에는 접근을 하고 있다. 그렇다면 static 변수가 초기화되는 시점은 정확히 언제일까? 이를 이해하기 위해서는 자바 프로그램의 실행 원리를 이해할 필요가 있다.

일반적으로 다른 언어로 구현되어 있는 프로그램은 컴파일이 완료되면 하나의 실행파일이 만들어진다(확장자가 exe인 파일). 그런데 자바 프로그램은 컴파일이 완료되어도 하나의 실행파일로 만들어지지 않고, 여러 개의 클래스 파일들만 생성이 된다. 이러한 특징 때문에 자바를 조금 부족한 언어로 생각하는 분들을 뵌 적 있는데, 이는 자바 프로그램의 실행원리와 그에 따른 장점을 이해하지 못한 데에서 비롯된 것이다.

하나의 실행파일로 만들어진 프로그램은 실행이 되기 위해서 실행파일 전부가 한꺼번에 메모리 공간에 올라가야 한다. 하지만 자바는 필요한 만큼만 메모리 공간에 올리는 방식으로 실행이 된다(그만큼 유연하다). 예를 들어서 하나의 자바 프로그램이 다음과 같이 총 세 개의 클래스 파일로 이뤄져 있다고 가정해 보자. 그리고 프로그램 사용자의 사용형태에 따라서 Client.class와 Listener.class는 필요할 수도, 필요하지 않을 수도 있다고 가정하자.

- MainFunc.class   // main 메소드가 정의되어 있는 클래스
- Client.class
- Listener.class

그리고 프로그램의 실행을 위해서 다음의 명령이 내려졌다고 가정하자.

```
C:\java>java MainFunc
```

이 때 JVM은 MainFunc.class 하나만 메모리 공간에 올려서 프로그램을 실행한다. 그리고 이후에 Client.class가 필요한 상황을 만나게 되면, 그 때에 가서야 비로소 Client.class 파일을 메모리 공간에 올린다. 그리고 프로그램이 종료될 때까지 Listener.class가 필요하지 않다면, 이 클래스 파일은 메모리 공간에 올려지지 않는다. 이러한 자바의 특성으로 인해서(On-demand 실행 방식으로 인해서) 다음과 같은 프로그램도 존재할 수 있다.

```
1.  class AAA
2.  {
3.      int aaa;
4.      public AAA(int num){ aaa=num; }
5.
6.      public static void main(String[] args)
7.      {
8.          AAA ins1=new AAA(10);
9.          BBB ins2=new BBB(20);
10.
11.         System.out.println("ins1.aaa="+ins1.aaa);
12.         System.out.println("ins2.bbb="+ins2.bbb);
13.     }
14. }
15.
16. class BBB
17. {
18.     int bbb;
19.     public BBB(int num){ bbb=num; }
20.
21.     public static void main(String[] args)
22.     {
23.         AAA ins1=new AAA(11);
24.         BBB ins2=new BBB(22);
25.
26.         System.out.println("ins1.aaa="+ins1.aaa);
27.         System.out.println("ins2.bbb="+ins2.bbb);
28.     }
29. }
```

- 6, 21행 : AAA 클래스 안에도, 그리고 BBB 클래스 안에도 main 메소드가 존재한다. 이처럼 main 메소드는 어디에건 존재할 수 있다.
- 8, 24행 : main 메소드 내에서는 자기 자신을 감싸고 있는 클래스의 인스턴스도 생성 가능하다. 이것이 가능한 이유는 잠시 후에 설명한다.
- 9, 23행 : main 메소드가 정의되어 있는 클래스의 인스턴스 생성도 가능하다. 이것이 가능한 이유도 잠시 후에 설명한다.

이는 여러 개의 클래스 파일들이 묶여서 둘 이상의 프로그램이 구성될 수 있음을, 그리고 프로그램의 경계가 다른 언어에 비해서 유연함을 간단히 보이기 위한 예제이다(코드 자체를 지금 이해하려 들면 머리만 아프다). 컴파일이 완료되면 두 개의 클래스 파일이 생성되는데, 다음과 같이 두 가지 방식으로 실행이 가능하다.

```
C:\JavaStudy>java AAA
ins1.aaa=10
ins2.bbb=20

C:\JavaStudy>java BBB
ins1.aaa=11
ins2.bbb=22
```

예제를 보면서 조금 당황했을 텐데, 이번 Chapter의 내용을 마지막까지 공부하면, 쉽게 이해할 수 있는 코드이다. 따라서 코드분석은 잠시 후에 하기로 하고, 다시 본론으로 돌아와서 static 변수의 초기화 시점에 대해서 이야기하겠다.

　　"static 변수가 초기화되는 시점은 JVM에 의해서 클래스가 메모리 공간에 올라가는 순간이다."

때문에 static 변수를 생성자를 통해서 초기화하는 실수를 범하면 안 된다. 만약에 생성자를 통해서 초기화를 하면, 인스턴스가 생성될 때마다 새로운 값이 대입되는 꼴이 되어버린다.

　　개체의 이동성
　　필자는 자바의 On-demand 실행 방식을 통해서 웹과 네트워크를 통한 객체의 이동성에 대해 처음 눈을 뜨게 되었다.

■ static 변수의 유용한 활용

예제 ClassVar.java를 통해서 static 변수가 유용하게 활용되는 상황 한가지는 이미 설명이 된 셈이다. 이 상황을 정리하면 다음과 같다.

　　"인스턴스 간에 데이터 공유가 필요한 상황에서는 static 변수를 선언한다."

단순히 "생성되는 인스턴스의 수를 세어야 하는 상황"으로 기억하고 있어도 좋지만, 이는 위 상황의 한 사례에 지나지 않는다. 그리고 다음은 static 변수가 활용될 수 있는 또 다른 사례를 보여준다.

```
1.   class Circle
2.   {
3.       static final double PI=3.1415;
4.       private double radius;
5.
6.       public Circle(double rad){ radius=rad; }
7.       public void showPerimeter()    // 둘레 출력
8.       {
9.           double peri=(radius*2)*PI;
10.          System.out.println("둘레 : "+peri);
11.      }
12.      public void showArea()       // 넓이 출력
13.      {
14.          double area=(radius*radius)*PI;
15.          System.out.println("넓이 : "+area);
16.      }
17. }
18.
19. class ClassVarUse
20. {
21.      public static void main(String[] args)
22.      {
23.          Circle cl=new Circle(1.2);
24.          cl.showPerimeter();
25.          cl.showArea();
26.      }
27. }
```

❖ 실행결과 : ClassVarUse.java

```
둘레 : 7.5396
넓이 : 4.52376
```

위 예제 3행에서는 PI의 값이 상수로 정의되어 있다. 그런데 인스턴스 변수가 아닌, static 변수로 선언되어 있다. 이는 PI의 값이 변경되는 값도 아니고, 원의 둘레와 넓이의 계산을 위해서 모든 Circle의 인스턴스가 참조해야 하는 값이기에 static으로 선언한 것이다. 단순히 생각해서 PI의 값을 인스턴스 별로 고유한 값으로 유지할 필요가 없지 않은가? 따라서 static으로 선언하였다. 뿐만 아니라, 이 값은 변경되지 않는 값이기 때문에 final 선언에 의해서 상수화하였다. 이처럼 변경이 되지 않으면서, 참조의 용도로만 선언되는 변수는 static final로 선언하는 것이 적절하다. 이 상황을 정리하면 다음과 같다.

"클래스 내부 또는 외부에서 참조의 용도로만 선언된 변수는 static final로 선언한다."

static과 final의 선언 위치

변수 선언 시 static, final 그리고 public과 같은 접근제어 지시자 까지도 이어서 선언이
가능하며, 그 순서에는 상관이 없다.

한가지 더 주목해서 볼 부분은 PI의 값이 private으로 선언되지 않았다는 점이다. 어차피 static과 더
불어 final로 선언된 변수는 변경이 불가능하기 때문에, 외부에서의 접근을 허용한다고 해서 문제가 되
지 않는다. 그리고 이렇게 외부 접근을 허용함으로 인해서 PI라는 상수 값이 프로그램상에서 하나만 존
재할 수 있기 때문에 이는 의미 있는 일로 볼 수 있다.

 static 메소드(클래스 메소드)

static 메소드는 static 변수와 성격이 유사하다. 앞서 예제 ClassVarAccess.java에서 보여준
static 변수의 접근 방식과 동일한 방식으로 호출하게 되며, static 변수와 마찬가지로 static 메소드가
삽입된 클래스의 모든 인스턴스로부터 접근이(호출이) 가능하다.

■ static 메소드의 정의와 호출

먼저 static 메소드의 동작원리를 이해하기 위한 예제 하나를 제시하겠다. 이미 static 변수를 이해한
상태이니, 쉽게 이해가 가능하다.

```
1.   class NumberPrinter
2.   {
3.       public static void showInt(int n){ System.out.println(n); }
4.       public static void showDouble(double n) { System.out.println(n); }
5.   }
6.
7.   class ClassMethod
8.   {
9.       public static void main(String[] args)
10.      {
11.          NumberPrinter.showInt(20);
12.          NumberPrinter np=new NumberPrinter();
13.          np.showDouble(3.15);
14.      }
15.  }
```

해 설

• 11행 : 클래스의 이름을 이용한 static 메소드의 호출방법을 보여준다.
• 13행 : 인스턴스 변수의 이름을 이용한 static 메소드의 호출방법을 보여준다.

❖ 실행결과 : ClassMethod.java

```
20
3.15
```

이 예제를 통해서 가장 주목해야 할 부분은 다음과 같다.

"인스턴스를 생성하지 않아도, static 메소드를 호출할 수 있습니다."

앞서 인스턴스를 생성하지 않아도 static 변수에 접근이 가능함을 설명했기 때문에(static 변수는 인스턴스 생성 이전에 별도의 메모리 공간에 할당이 되어 초기화까지 완료된다고 설명하였다), 이를 다시 강조하는 것은 새삼스러운 일이 아닐 수 없다. 그럼에도 불구하고 이를 강조하는 이유는 어디에 있을까? 이는 static 메소드를 정의하는 이유와 관련이 있다.

■ 인스턴스로서 존재할 가치가 있는가?

static 메소드에 대해서 더 이야기하기에 앞서, 다음 예제를 분석하는 시간을 갖겠다. 그리고 이 예제에서 생성하는 인스턴스의 가치에 대해서 논의해 보기로 하겠다. 참고로 이 예제에서는 덧셈과 뺄셈, 그리고 곱셈이 메소드로 정의할 정도의 복잡도를 가지는(단순히 하나의 연산자로 계산이 되는 연산이 아닌) 연산이라고 가정하고 있으니, 여러분도 그렇게 생각을 하고 예제를 보기 바란다.

❖ HowMethod.java

```
1.  class SimpleMath    // 단순 계산 클래스
2.  {
3.      public static final double PI=3.1415;
4.      public double add(double n1, double n2) { return n1+n2; }
5.      public double min(double n1, double n2) { return n1-n2; }
6.      public double mul(double n1, double n2) { return n1*n2; }
7.  }
8.
9.  class AreaMath      // 넓이 계산 클래스
10. {
11.     public double calCircleArea(double rad)
12.     {
13.         SimpleMath sm=new SimpleMath();
14.         double result=sm.mul(rad, rad);
15.         result=sm.mul(result, SimpleMath.PI);
16.         return result;
17.     }
18.     public double calRectangleArea(double width, double height)
19.     {
20.         SimpleMath sm=new SimpleMath();
21.         return sm.mul(width, height);
22.     }
23. }
24.
25. class PerimeterMath     // 둘레 계산 클래스
26. {
27.     public double calCirclePeri(double rad)
28.     {
29.         SimpleMath sm=new SimpleMath();
30.         double result=sm.mul(rad, 2);
31.         result=sm.mul(result, SimpleMath.PI);
32.         return result;
33.     }
34.     public double calRectanglePeri(double width, double height)
35.     {
36.         SimpleMath sm=new SimpleMath();
37.         return sm.add(sm.mul(width, 2), sm.mul(height, 2));
38.     }
39. }
40.
41. class HowMethod
42. {
```

```
43.      public static void main(String[] args)
44.      {
45.          AreaMath am=new AreaMath();
46.          PerimeterMath pm=new PerimeterMath();
47.
48.          System.out.println("원의 넓이 : "+am.calCircleArea(2.4));
49.          System.out.println("직사각형 둘레 : "+pm.calRectanglePeri(2.0, 4.0));
50.      }
51. }
```

해 설

• 48행 : 반지름이 2.4인 원의 넓이를 계산하여 출력하고 있다.

• 49행 : 가로 세로가 각각 2, 4인 직사각형의 둘레를 계산하여 출력하고 있다.

❖ 실행결과 : HowMethod.java

원의 넓이 : 18.09504
직사각형 둘레 : 12.0

코드의 양은 조금 많지만, 여러분 스스로 예제의 구성과 흐름을 충분히 파악했을 것이다. 그렇다면 다음 질문에 답을 해보자.

"SimpleMath 클래스의 인스턴스는 생성할만한 가치가 있는가?"

이는 SimpleMath 클래스에 정의되어 있는 메소드들을 인스턴스 메소드로 정의할만한 가치가 있는지를 묻고 있는 것이다. SimpleMath 클래스의 add, min, mul 메소드는 인스턴스 메소드로 정의되어 있다. 따라서 이들 메소드의 호출을 위해서는 13행과 20행에서 보이듯이(물론 더 있다) 인스턴스의 생성이 불가피한 상황이다. 이어서 질문을 하나 더 하겠다. 다음 질문에도 답을 해보자.

"AreaMath 클래스와, PerimeterMath 클래스는 인스턴스를 생성할만한 가치가 있는가?"

SimpleMath 클래스와 마찬가지로 AreaMath 클래스와 PerimeterMath 클래스의 메소드들도 인스턴스 메소드로 정의할만한 가치가 있는지를 묻고 있는 것이다. 먼저 SimpleMath 클래스에 대해서 이야기해 보겠다. 결론부터 말하면 add, min, mul 메소드는 인스턴스의 생성 없이 호출할 수 있도록 static으로 선언하는 것이 좋다. 이 메소드들은 단순히 외부에 기능을 제공할 뿐, 인스턴스 단위로 행하여지는 일(인스턴스 변수에 저장된 값을 변경하거나 참조하는 일)을 하지 않기 때문에 최대한 사용하기 편리하도록 정의하는 것이 좋다. 이 메소드들을 static으로 선언하면, 위 예제의 13, 20, 29, 36행이 불필요한 코드가 되어버려 사용하기 편리해진다.

이어서 AreaMath 클래스와 PerimeterMath 클래스에 대해서 이야기 해 보자. 이 두 클래스에 정의되어 있는 메소드들 역시! 단순히 외부에 기능을 제공할 뿐, 인스턴스 단위로 행하여지는 일을 아무것도 하지 않으므로 static으로 선언을 해서 호출의 과정을 최소화시키는 것이 좋다.

이제 static으로 선언해야 할 메소드들에 대해서 정리가 되었는가? 인스턴스 메소드는 그 이름이 의미하듯이 인스턴스 단위로 진행해야 할 일들을 처리하기 위해서 정의되는 메소드이다. 따라서 인스턴스 단위로 진행해야 할 일들이 존재하지 않는다면(인스턴스 변수에 접근하지 않는다면), 이는 인스턴스 메소드가 아닌 static 메소드로 정의해야 하는 상황임을 인식해야 한다. 자! 그럼 static으로 선언해야 할 메소드를 static으로 선언했을 때 코드가 얼마가 간결해지는지를 확인해 보겠다.

❖ ChangeToStaticMethod.java

```java
1.  class SimpleMath
2.  {
3.      public static final double PI=3.1415;
4.      public static double add(double n1, double n2) { return n1+n2; }
5.      public static double min(double n1, double n2) { return n1-n2; }
6.      public static double mul(double n1, double n2) { return n1*n2; }
7.  }
8.
9.  class AreaMath
10. {
11.     public static double calCircleArea(double rad)
12.     {
13.         double result=SimpleMath.mul(rad, rad);
14.         result=SimpleMath.mul(result, SimpleMath.PI);
15.         return result;
16.     }
17.     public static double calRectangleArea(double width, double height)
18.     {
19.         return SimpleMath.mul(width, height);
20.     }
21. }
22.
23. class PerimeterMath
24. {
25.     public static double calCirclePeri(double rad)
26.     {
27.         double result=SimpleMath.mul(rad, 2);
28.         result=SimpleMath.mul(result, SimpleMath.PI);
29.         return result;
30.     }
31.     public static double calRectanglePeri(double width, double height)
32.     {
33.         return SimpleMath.add(SimpleMath.mul(width, 2), SimpleMath.mul(height, 2));
34.     }
35. }
```

```
36.
37.  class ChangeToStaticMethod
38.  {
39.      public static void main(String args[])
40.      {
41.          System.out.println("원의 넓이 : "+AreaMath.calCircleArea(2.4));
42.          System.out.println("직사각형 둘레 : "+PerimeterMath.calRectanglePeri(2.0, 4.0));
43.      }
44.  }
```

위 예제는 HowMethod.java를 적절히 변경한 것이다. 코드의 내용과 실행의 결과는 완전히 동일하다. 다만 static으로 선언을 해야 할 메소드들을 static으로 선언했을 뿐이다.

물론 섞일 수 있습니다.

위 예제에서는 한 클래스의 모든 메소드를 static으로 선언하였는데, 실제로 이러한 형태로 클래스를 정의하기도 한다. 그러나 한 클래스 내에서 static 메소드와 인스턴스 메소드가 함께 정의되는 경우가 더 많다.

■ static 메소드의 인스턴스 변수 접근? 말이 안되잖아!

다음과 같은 내용으로 질문하는 친구들을 만난 적이 있다. 그런데 필자는 이러한 시도 및 질문을 할 수 있다는 것 자체가 많은 발전의 가능성을 보이는 것이라고 생각한다.

"왜? static 메소드는 인스턴스 변수에 접근이 불가능하죠?"

static 메소드 내에서는 static 변수나 static 메소드가 아닌, 인스턴스 변수나 인스턴스 메소드의 접근이 불가능하다. 한 클래스 내에 선언되었다 하더라도 말이다. 때문에 아래와 같은 코드에서는 컴파일 에러가 발생하는데, 위 질문은 바로 아래의 코드에서 에러가 발생하는 이유를 묻는 것이다. 무엇이 문제인지 여러분이 먼저 찾아보겠는가?

```
class AAA
{
    int num1;
    static int num2;
    static void changeNum()
    {
        num1++;      // 문제 됨!
```

```
        num2++;        // 문제 안됨!
    }
        . . . .
    }
```

언뜻 보면, 전혀 문제가 없어 보인다. 그런데 이는 문제가 된다. 문제가 되는 이유는 static 변수와 static 메소드가 인스턴스들에 의해 공유된다는 사실에서 찾을 수 있다. 일단 클래스 AAA의 인스턴스 세 개가 생성된 상황을 그림으로 그려보겠다.

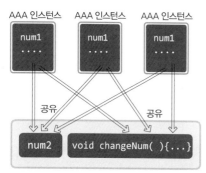

AAA 인스턴스에 의해 공유되는 static멤버

[그림 10-3 : AAA 클래스의 static 멤버]

위 그림에서는 하나의 changeNum 메소드를 모든 AAA 인스턴스가 접근할 수 있음을 보이고 있다. 즉 changeNum 메소드는 인스턴스의 소유가 아니라는 뜻이다. 이처럼 인스턴스 변수와 static 메소드는 존재하는 경계가 다르기 때문에 static 메소드에서는 인스턴스 변수로의 접근뿐만 아니라, 인스턴스 메소드의 호출도 불가능하다. 따라서 위 코드의 다음 문장은 문제가 되는 것이다.

```
    num1++;
```

물론 변수 num1이 존재하므로, num1의 값이 증가하는 것 아니냐고 질문할 수도 있다. 그렇다면 그림 10-3을 다시 보자. num1이 몇 개가 있는가? 세 개가 있다. 그리고 인스턴스의 수가 늘어나는 만큼 num1의 수도 증가하게 된다. 이러한 상황에서 changeNum 메소드 내에서 num1의 값을 적절히 증가시킬 수 있겠는가? num1의 값 증가 시, 어떤 인스턴스의 num1 값을 증가시켜야 하겠는가? 이러한 인스턴스 변수와 static 메소드와의 관계를 통해서도 static 메소드는 인스턴스 멤버(변수와 메소드)에 접근이 불가능한 이유를 이해할 수 있다.

우리는 이미 static 메소드를 정의하고 호출해 왔다. 문자열의 출력을 위해 사용해 왔던 println이 바로 static 메소드이고, main도 static 메소드이다.

■ System하고 out이 무엇이냐?

이제 static에 대해서 이해를 했으니, System.out.println 메소드의 정체를 이해할 수 있는 상태가 되었다. 일단 println이 메소드의 이름인 것은 확실하다. 무엇보다도 인스턴스를 생성하지 않고 호출한 메소드이므로 static 메소드임이 분명하다. 그렇다면 System은 무엇일까? 이는 클래스의 이름이다. java.lang이라는 패키지에 묶여있는 클래스의 이름이다. 따라서 다음과 같이 println 메소드를 호출해도 된다.

```
java.lang.System.out.println(". . . . . ");
```

하지만 이렇게 호출하지 않아도 되는 이유는 컴파일러에 의해서 다음 문장이 자동으로 삽입되기 때문이다.

```
import java.lang.*;
```

때문에 java.lang 패키지로 묶여 있는 클래스를 활용할 때에는 java.lang을 삽입하지 않아도 된다. 이제 System이 무엇인지도 알았고, println이 무엇인지도 알았으니, out이 무엇인지는 여러분이 맞출 수 있다.

> "클래스의 이름을 통해서 접근하는 것을 보면 static 변수가 아닐까요? 아! out을 통해 println 메소드를 호출하는걸 보니, static 변수이되 참조변수이겠네요!"

매우 정확한 유추이다. out은 static 변수이되 참조변수이다. out은 System 클래스 안에 다음의 형태로 선언되어 있다.

```
public class System
{
    public static final PrintStream out;
    . . . .
}
```

일단 변수 out이 PrintStream 클래스의 참조변수로써, static final로 선언되어 있다는 사실에만 주목을 하자. PrintStream 클래스가 무엇인지는 한참 뒤에서 설명이 이뤄지니 말이다. 어쨌거나 우리는 이제 System.out.println에 대해서 조금 더 깊이 있게 이해하게 되었다.

원래 System 클래스는….

원래 System 클래스는 다음과 같이 정의되어 있다.

```
public final class System extends Object
{
    . . . .
}
```

그러나 우리가 아직 배우지 않은 선언들이 일부 포함되어 있어서 앞에서는 조금 달리 표현해 놓았다.

■ public static void main

이제 여러분은 자바의 소스코드를 볼 수 있는 시야가 매우 넓어졌다. 따라서 이번에는 main이 static으로 선언되어 있는 이유에 대해서 설명하고자 한다. 하나의 프로그램에서 main은 하나만 있으면 충분하다. 그리고 이 main은 프로그램의 시작과 끝을 구성하는 메소드이기 때문에 인스턴스의 생성과는 사실상 아무런 상관이 없는 메소드이다. 그렇다면 JVM에 의해서 딱 한번 호출되는 이러한 main 메소드는 어느 클래스에 정의를 해야 좋겠는가?

안타깝게도(사실 안타까울 일도 아니지만), main 메소드를 정의해야 하는 클래스라는 것은 존재하지 않는다. 이상하게 들릴지도 모르지만, main은 어느 클래스에 정의되건 상관이 없다. 그래서 main 메소드를 담고 있는(프로그램의 시작과 끝을 표현하는) 클래스를 별도로 정의하기도 한다. 이에 대한 이해를 위해서 다음 예제를 보겠다.

❖ NoMainClass.java

```
1.   class Employer        /* 고용주 */
2.   {
3.       private int myMoney;
4.
5.       public Employer(int money)
6.       {
7.           myMoney=money;
8.       }
9.       public void payForWork(Employee emp, int money)
10.      {
11.          if(myMoney<money)
12.              return;
```

```
13.            emp.earnMoney(money);
14.            myMoney-=money;
15.        }
16.        public void showMyMoney()
17.        {
18.            System.out.println(myMoney);
19.        }
20. }
21.
22. class Employee        /* 고용인 */
23. {
24.        private int myMoney;
25.
26.        public Employee(int money)
27.        {
28.            myMoney=money;
29.        }
30.        public void earnMoney(int money)
31.        {
32.            myMoney+=money;
33.        }
34.        public void showMyMoney()
35.        {
36.            System.out.println(myMoney);
37.        }
38. }
```

위 예제에서 정의하고 있는 두 개의 클래스를 보면 급여 지불과 관련이 있는 예제임을 알 수 있다. 그럼 이제 컴파일을 해 보자. 컴파일이 완료되었는가? 그럼 이번에는 실행을 해보자. 앗! 그런데 필자가 실수로 main을 정의하지 않았다. 따라서 컴파일은 되지만 실행은 불가능한 상황이다. 그래서 다음의 내용으로 main 메소드를 구성해서 삽입하기로 하겠다.

```
Employer emr=new Employer(3000); // 3000원이 있는 고용주
Employee eme=new Employee(0);     // 0원이 있는 고용인

emr.payForWork(eme, 1000);        // 고용인에게 1000원 지불
emr.showMyMoney();                // 고용주의 보유금액 출력
eme.showMyMoney();                // 고용인의 보유금액 출력
```

그런데 위의 내용으로 구성이 되는 main 메소드를 어디에 삽입하면 좋겠는가? 물론 클래스를 하나 더 정의해서 삽입해도 된다. 그러나 Employer 클래스와 Employee 클래스 중 하나를 선택해서 삽입해야 한다면 어디를 선택하겠는가? 너무 고민하지 말자 어디에 삽입을 하건 상관이 없으니 말이다. 단 main

메소드는 인스턴스의 생성과 상관없이 JVM에 의해 호출이 되므로(이것이 핵심이다), 반드시 static으로 선언해야 한다.

main 메소드가 어디에도 존재할 수 있다는 것을 말하려는 것이다.

main의 위치도 가급적이면 상황과 코드의 구성을 고려해서 선택해야 한다. 다만 문법적으로는 어디든 존재할 수 있음을 설명하기 위해서 어디든 넣어도 좋다고 말하고 있는 것이다.

■ main 메소드의 위치에 따른 실행방식의 차이

예제 NoMainClass.java에는 Employer 클래스와 Employee 클래스가 존재한다. 따라서 이 두 개의 클래스 중 하나를 선택해서 main 메소드를 삽입하면 되는데, Employer 클래스에 삽입이 되면, 다음의 방식으로 실행해야 한다. 이 명령문은 "Employer 클래스에 삽입되어 있는 main 메소드의 호출을 통해 프로그램을 시작하라."의 의미를 담고 있기 때문이다.

```
C:\JavaStudy>java Employer
```

반대로 Employee 클래스에 삽입이 되면, 다음의 방식으로 실행을 해야 한다.

```
C:\JavaStudy>java Employee
```

어디에 main 메소드를 삽입해서 실행을 하건, 결과는 100% 동일하다.

■ main 메소드 내에서도 자신이 속한 클래스의 인스턴스 생성이 가능하네요?

메소드의 특성 중에서 아직 설명하지 않은 것이 하나 있으니, 이를 정리하면 다음과 같다.

"메소드는 자신이 속해있는 클래스의 인스턴스 생성이 가능하다."

이는 다음 클래스 정의에 아무런 문제가 없음을 의미한다.

```
class AAA
{
    public static void makeAAA()
    {
        AAA a1 = new AAA();
        . . . .
    }
    . . . .
}
```

즉 자바에서는 메소드의 종류에 상관없이 메소드 내에서 자신이 속해있는 클래스의 인스턴스 생성을 허용한다. 따라서 main 메소드가 어디든 존재할 수 있는 것이다(어디에 속하든, 자신이 속한 클래스의 인스턴스 생성이 가능하므로). 이제 main이 어디든 존재할 수 있는 이유를 완벽히 설명하였다. 더불어 앞서 보인 예제 DualMain.java를 이해할 수 있는 충분한 설명도 이루어졌다.

문 제 10-1 [static 메소드와 인스턴스 생성]

클래스 중에는 반드시 하나의 인스턴스만 생성해야 하는 클래스도 존재한다. 참고로 이러한 유형의 클래스도 '단계별 프로젝트'라는 것을 통해서 조만간 접하게 될 텐데, 이에 앞서 어떠한 상황에서건 반드시 하나의 인스턴스만 생성 가능한 클래스의 정의 방법을 이 문제를 통해서 살펴보기로 하겠다. 먼저 다음 코드와 실행의 결과(주석을 통해 표시해 둠)를 관찰하자.

```java
class SimpleNumber
{
    int num=0;
    private SimpleNumber(){}     // 생성자 private
    public void addNum(int n) { num+=n; }
    public void showNum(){ System.out.println(num); }

    public static SimpleNumber getSimpleNumberInst()
    {
        return new SimpleNumber();
    }
}

class OnlyOneInstance
{
    public static void main(String[] args)
    {
        SimpleNumber num1=SimpleNumber.getSimpleNumberInst();
        num1.addNum(20);

        SimpleNumber num2=SimpleNumber.getSimpleNumberInst();
        num2.addNum(30);

        num1.showNum();        // 20 출력
        num2.showNum();        // 30 출력
    }
}
```

SimpleNumber 클래스는 생성자가 private으로 선언되었기 때문에, 클래스 외부에서는 인스턴스의 생성이 불가능한 상태이다. 그러나 클래스 내에서는 인스턴스의 생성이 가능하다. 비록 그 대상이 static 메소드라 할지라도 말이다. 그래서 위 예제에서는 getSimpleNumberInst라는 static 메소드 내에서 인스턴스를 생성 및 반환하도록 클래스를 정의하였다.

이번에는 실행결과를 보자. main 메소드 내에서는 총 두 개의 인스턴스를 생성하고 있다. 이는 출력결과를 통해서도 확인이 가능하다. 즉 num1이 참조하고 있는 인스턴스와 num2가 참조하고 있는 인스턴스는 그 대상이 서로 다르다.

자! 그럼 문제를 제시하겠다. 위 예제를 변경해서 num1이 참조하는 인스턴스와 num2가 참조하는 인스턴스가 동일한 인스턴스가 되도록 SimpleNumber 클래스를 변경해 보자. 단 main 메소드는 조금도 변경하면 안 된다. 그리고 제대로 구현이 되었다면, 실행결과로 20, 30이 아니라 50, 50이 출력되어야 한다. 참고로 이는 SimpleNumber의 인스턴스가 하나만 생성될 수 있도록 제한함을 의미한다.

■ 문제 10-1의 답안

SimpleNumber의 인스턴스를 하나만 생성해 놓고, getSimpleNumberInst 메소드가 호출될 때마다 이 인스턴스의 참조 값이 반환되도록 메소드를 변경하는 것이 핵심이다.

❖ 소스코드 답안

```
1.   class SimpleNumber
2.   {
3.       int num=0;
4.       private SimpleNumber(){}
5.       public void addNum(int n) { num+=n; }
6.       public void showNum(){ System.out.println(num); }
7.
8.       private static SimpleNumber snInst=null;
9.       public static SimpleNumber getSimpleNumberInst()
10.      {
11.          if(snInst==null)
12.              snInst=new SimpleNumber();
13.
14.          return snInst;
15.      }
16.  }
17.
18.  class OnlyOneInstance
19.  {
20.      public static void main(String[] args)
21.      {
22.          SimpleNumber num1=SimpleNumber.getSimpleNumberInst();
23.          num1.addNum(20);
24.
25.          SimpleNumber num2=SimpleNumber.getSimpleNumberInst();
26.          num2.addNum(30);
27.
28.          num1.showNum();
29.          num2.showNum();
30.      }
31.  }
```

위 예제의 8행에 선언된 참조변수도 static으로 선언되었음에 주목하자. static 메소드는 인스턴스 변수가 아닌, static 변수에 접근이 가능하기 때문에 이렇듯 static으로 참조변수를 선언해야 한다.

Chapter 11

메소드 오버로딩과
String 클래스

이제 드디어 String 클래스를 소개할 차례가 되었다. String 클래스는 우리가 인식할 수 있는 문자열의 표현을 위해 정의된 클래스이다. 따라서 이번 Chapter의 내용을 공부하고 나면, 여러분은 다양한 형태로 문자열 데이터를 표현하고 활용할 수 있을 것이다. 그리고 이번 Chapter를 시작으로 '단계별 프로젝트'라는 것이 시작됨에 주목하자.

메소드 오버로딩은 대부분의 객체지향 언어가 지원하는 문법적인 요소이다. 이로 인해서 자바에서는 동일한 이름의 메소드를 둘 이상 정의할 수 있다.

■ 매개변수의 형(type)이 다르거나 개수가 다르거나

기본적으로 동일한 이름의 메소드는 정의가 불가능하다고 생각할 것이다. 그러나 매개변수의 선언형태가 다르면 동일한 이름의 메소드를 정의할 수 있는데, 이를 가리켜 메소드 오버로딩이라 한다. 다음은 메소드가 오버로딩 된 예를 보여준다.

```
class AAA
{
    void isYourFunc(int n) { . . . }
    void isYourFunc(int n1, int n2) { . . . }
    void isYourFunc(int n1, double n2) { . . . }
    . . . .
}
```

위의 클래스에는 총 세 개의 isYourFunc 메소드가 정의되어 있다. 그런데 이렇게 하나의 클래스 내에 세 개의 메소드가 정의될 수 있는 이유는 세 메소드 상호간에 매개변수의 자료형, 또는 매개변수의 개수가 다르기 때문이다. 그렇다면 이렇게 동일한 이름의 메소드가 둘 이상 정의되어도 메소드 호출 시에 문제가 되지는 않을까? 메소드 호출 시 전달되는 값의 형태에 따라서 호출되어야 할 메소드가 구분되기 때문에 문제되지 않는다. 다음 코드를 보자.

```
AAA inst = new AAA();
inst.isYourFunc(10);         // isYourFunc(int n) 호출
inst.isYourFunc(10, 20);     // isYourFunc(int n1, int n2) 호출
inst.isYourFunc(12, 3.15);   // isYourFunc(int n1, double n2) 호출
```

위의 코드에서 보이듯이 전달되는 데이터의 개수 및 자료형에 따라서 호출되어야 할 메소드의 구분이 가능하기 때문에 메소드의 오버로딩이 가능한 것이다.

■ 요런! 아주 기막히게 애매한 상황!

오버로딩 된 메소드의 호출을 위해서 다음과 같이 메소드를 호출하는 아주 애매한 상황은 가급적이면 만

들지 않는 것이 좋다. 다음 코드를 앞서 정의한 AAA 클래스를 바탕으로 분석해 보자.

```
AAA inst = new AAA();
inst.isYourFunc(10, 'a');    // is..(int n1, int n2)이냐, 아니면 is..(int n1, double n2)이냐
```

위의 코드가 애매한 이유는 메소드의 인자 전달 과정에서 발생하게 되는 자동 형변환 때문이다. 엄밀히 따지면 int형 정수 10과 char형 문자 'a'를 인자로 전달받는 메소드는 정의되어 있지 않다. 그러나 메소드로의 인자 전달과정에서는 그림 3-3에서 소개한 규칙을 기반으로 자동 형 변환이 발생한다. 따라서 이를 기준으로 놓고 보면, 위의 문장으로 호출이 가능한 메소드는 다음 두 가지가 된다. int와 double 모두 char형으로부터의 형 변환이 가능하기 때문이다.

```
void isYourFunc(int n1, int n2) { . . . }
void isYourFunc(int n1, double n2) { . . . }
```

결론부터 말씀을 드리면 이러한 상황에서는 void isYourFunc(int n1, int n2) 메소드가 호출된다. 그림 3-3에서 소개한 규칙을 적용하되, 가장 가까운 위치에 놓여있는 자료형으로 변환이 이뤄지기 때문이다.

■ 반환형이 다른 것은 메소드 오버로딩이 성립 안됩니다!

다음과 같은 상황도 메소드 오버로딩으로 착각하기 쉽다. 그러나 이는 메소드 오버로딩이 될 수 없다. 메소드 호출문을 기준으로 호출되어야 할 메소드를 구분할 수 없기 때문이다.

```
class BBB
{
    int isYourFunc(int n) { . . . }
    boolean isYourFunc(int n) { . . . }
    . . . .
}
```

■ 생성자도 오버로딩의 대상이 됩니다.

생성자를 메소드의 범주에 포함시켜야 하는지에 대해서는 전문가들마다 의견이 약간씩 엇갈린다. 그러나 "특수한 형태의 메소드"이기 때문에 메소드의 범주에 포함을 시키는 것이 일반적인 의견인 듯 하다. 지금 우리에게는 이러한 논의가 중요한 것이 아니다. 다만 필자가 말하고픈 내용은 다음과 같다.

"자바는 생성자의 오버로딩도 지원합니다."

그리고 이는 다음과 같은 멋진 결론으로 이어진다.

"생성자의 오버로딩으로 인해서 하나의 클래스를 기반으로 다양한 형태의 인스턴스 생성이 가능합니다."

이와 관련해서 예제를 하나 보면서 이야기를 이어가겠다. 이 예제는 생성자의 오버로딩이 유용할 수 있음을 간단히 보인다.

❖ Overloading.java

```java
1.  class Person
2.  {
3.      private int perID;
4.      private int milID;
5.
6.      public Person(int pID, int mID)
7.      {
8.          perID=pID;
9.          milID=mID;
10.     }
11.     public Person(int pID)
12.     {
13.         perID=pID;
14.         milID=0;
15.     }
16.     public void showInfo()
17.     {
18.         System.out.println("민번 : "+perID);
19.         if(milID!=0)
20.             System.out.println("군번 : "+milID+'\n');
21.         else
22.             System.out.println("군과 관계 없음 \n");
23.     }
24. }
25.
26. class Overloading
27. {
28.     public static void main(String[] args)
29.     {
30.         Person man=new Person(950123, 880102);
31.         Person woman=new Person(941125);
32.         man.showInfo();
33.         woman.showInfo();
34.     }
35. }
```

 해 설

- 3행 : 주민등록번호의 저장을 위한 변수이다. 아직 문자열의 저장방법을 소개하지 않아서 int형으로 처리하였다.
- 4행 : 군번(군대에서 부여 받는 개별번호)의 저장을 위한 변수이다. 마찬가지로 문자열의 저장방법을 소개하지 않아서 int형으로 처리하였다.
- 6행 : 주민등록번호와 군번이 동시에 있는 사람의 인스턴스 생성을 위한 생성자이다.

- 11행 : 주민등록번호는 있으나 군번이 없는 여성, 또는 군 면제자의 인스턴스 생성을 위한 생성자
이다.

❖ 실행결과 : Overloading.java

```
민번 : 950123
군번 : 880102


민번 : 941125
군과 관계 없음
```

위 예제에서 보이듯이, 생성자도 오버로딩이 가능하기 때문에 생성하고자 하는 인스턴스의 성격에 맞춰서 생성자를 호출할 수 있다. 이처럼 생성자 그리고 메소드의 오버로딩은 인스턴스의 생성과 메소드의 호출에 매우 큰 유연성을 부여한다.

■ 키워드 this를 이용한 다른 생성자의 호출

다음과 같이 오버로딩 된 메소드들이 있다고 가정해 보자.

```
void yourFunc(int n) { . . . }
void yourFunc(int n1, int n2) { . . . }
void yourFunc(int n1, int n2, int n3) { . . . }
```

이 때 위의 세 메소드는 대부분 상당히 유사하게 정의가 된다. 약간의 차이로 인해서 이들이 오버로딩 되기 때문이다. 따라서 오버로딩 과정에서 중복되는 코드의 삽입이 부담스럽게 느껴질 수 있다. 그러나 메소드 내에서는 오버로딩 된 다른 메소드의 호출이 가능하기 때문에(일반적인 메소드의 호출방법을 그대로 적용해서 호출이 가능하기 때문에), 이러한 코드 중복의 문제를 쉽게 해결할 수 있다. 하지만 이 문제를 생성자로 옮기면 이야기는 조금 달라진다.

오버로딩 된 생성자들도 경우에 따라서는 코드 구성이 상당히 유사하다. 때문에 생성자 내에서, 오버로딩 된 다른 생성자의 호출이 필요한 경우가 발생할 수 있는데, 생성자는 인스턴스의 생성과정에서만 자동으로 호출될 뿐, 그 이외의 영역에서는 명시적으로 호출할 수 있는 대상이 아니기 때문에 문제가 된다. 그런데 다행히도 지금 이야기하고 있는 이 상황의 해결을 위해서, 생성자 내에 한해서(잊지 말자 생성자 내에서 만이다) 오버로딩 된 다른 생성자의 호출을 허용하고 있다. this라는 키워드를 이용하면 되는데, 이와 관련해서 다음 예제를 소개하겠다.

```java
1.   class Person
2.   {
3.       private int perID;
4.       private int milID;
5.       private int birthYear;
6.       private int birthMonth;
7.       private int birthDay;
8.
9.       public Person(int perID, int milID, int bYear, int bMonth, int bDay)
10.      {
11.          this.perID=perID;
12.          this.milID=milID;
13.          birthYear=bYear;
14.          birthMonth=bMonth;
15.          birthDay=bDay;
16.      }
17.      public Person(int pID, int bYear, int bMonth, int bDay)
18.      {
19.          this(pID, 0, bYear, bMonth, bDay);
20.      }
21.      public void showInfo()
22.      {
23.          System.out.println("민번 : "+perID);
24.          System.out.println(
25.              "생년월일 : "+birthYear+"/"+birthMonth+"/"+birthDay);
26.          if(milID!=0)
27.              System.out.println("군번 : "+milID+'\n');
28.          else
29.              System.out.println("군과 관계 없음 \n");
30.      }
31.  }
32.
33.  class CstOverloading
34.  {
35.      public static void main(String[] args)
36.      {
37.          Person man=new Person(951203, 880102, 1995, 12, 3);
38.          Person woman=new Person(991107, 1999, 11, 7);
39.          man.showInfo();
40.          woman.showInfo();
41.      }
42.  }
```

해 설

- 9행 : 군번이 있는 사람의 인스턴스 생성을 위한 생성자이다. 따라서 이 생성자 내에서는 클래스 내에 정의되어 있는 모든 인스턴스 변수를 초기화한다.

- 11, 12행 : 이 두 문장에서는 키워드 this의 사용 예를 보이고 있다. this는 인스턴스 자신을 의미하는 키워드로써 this.perID는 인스턴스 멤버 perID를 의미하고, this.milID는 인스턴스 멤버 milID를 의미한다. this에 대해서는 아래에서 추가로 보충하여 설명하겠다.

- 17행 : 군대와 관련 없는 사람의 인스턴스 생성을 위한 생성자이다. 19행의 두 번째 전달인자로 0이 전달됨에 주목하기 바란다.

- 19행 : 키워드 this의 또 다른 사용 예를 보이고 있다. 19행에서 보이는 이 문장은 오버로딩 된 다른 생성자의 호출을 요구하는 문장이다. 이로 인해서 17행에 정의된 생성자가 호출되면, 19행에 의해서 9행에 정의되어 있는 생성자가 추가로 호출된다.

❖ **실행결과 : CstOverloading.java**

민번 : 951203
생년월일 : 1995/12/3
군번 : 880102

민번 : 991107
생년월일 : 1999/11/7
군과 관계 없음

위 예제 11행과 12행을 다시 보자. 생성자의 매개변수 이름이 perID와 milID이기 때문에 생성자 내에서는 인스턴스 변수 perID와 milID에 이름만 가지고 접근을 할 수 없다. 때문에 이러한 경우에는 키워드 this를 이용해야만 인스턴스 변수에 접근이 가능하다. this는 인스턴스 자신을 의미하는 키워드로써, 이를 통해서 접근하는 것은 인스턴스 변수와 인스턴스 메소드이기 때문이다. 그리고 19행에서는 키워드 this를 이용한 생성자의 호출을 보여준다. 만약에 이러한 형태의 생성자 호출이 불가능했다면, 이 한 줄은 다음과 같이 다섯 줄로 표현이 되어야 한다.

```
this.perID=perID;
this.milID=0;
birthYear=bYear;
birthMonth=bMonth;
birthDay=bDay;
```

이로써 메소드 오버로딩과 키워드 this에 대한 설명을 마치고 자바에서 중요하게 여겨지는(뭐하나 중요하지 않은 클래스가 없지만), 클래스 중에 하나인 String 클래스에 대해서 소개를 하겠다.

자바는 문자열도 인스턴스로 처리하기 위해서 String이라는 이름의 클래스를 정의하고 있다. 때문에 자바의 문자열은 대부분의 상황에서 String의 인스턴스로 처리가 된다.

■ String 클래스의 인스턴스 생성

String 클래스의 인스턴스 생성은 다른 클래스의 인스턴스 생성과 그 방법에 있어서 약간의 차이를 보인다. 지금까지 보아온 클래스들은 키워드 new를 이용해서 인스턴스를 생성했지만, String의 인스턴스는 큰따옴표만으로도 생성이 가능하다. 즉 다음의 형태로 인스턴스 생성이 가능하다.

```
String str1 = "String Instance";
String str2 = "My String";
```

위의 문장에서 중요한 것은 대입 연산자의 왼편이 아닌, 오른편이다. 왼편은 인스턴스 생성시 반환되는 참조 값의 저장을 위한 참조변수일 뿐이고, 실제 인스턴스 생성은 대입 연산자의 오른편에서 이뤄진다.

"그럼 지금까지 우리는 수도 없이 String 인스턴스를 생성해 본거네요?"

맞다! 여러분은 지금까지 예제를 작성할 때마다 String 인스턴스를 생성해 왔다. 예를 들어 다음의 경우에도 String 인스턴스가 생성되어 메소드의 인자로 전달이 된다.

```
System.out.println("Hello JAVA!");
System.out.println("My Coffee");
```

따라서 println 메소드는 매개변수형이 String이다. 즉 println 메소드 중 하나는(println 메소드는 오버로딩 되어있다), 다음의 형태로 정의되어 있다.

```
public void println(String str) { . . . }
```

그럼 예제를 통해서 큰따옴표로 표현된 문자열의 표시가 실제로 인스턴스의 생성으로 이어지는지를 확인해 보겠다.

❖ StringInstance.java

```
1.   class StringInstance
2.   {
3.       public static void main(String[] args)
```

```
4.      {
5.          java.lang.String str="My name is Sunny";
6.
7.          int strLen1=str.length();
8.          System.out.println("길이 1 : "+strLen1);
9.
10.         int strLen2="한글의 길이는 어떻게?".length();
11.         System.out.println("길이 2 : "+strLen2);
12.     }
13. }
```

- 5행 : String 클래스가 java.lang이라는 이름의 패키지에 묶여있음을 보이기 위한 문장이다.
- 7행 : 문자열의 길이를 반환하는 length라는 이름의 메소드를 호출하고 있다. 이는 5행에서 생성된 것이 인스턴스임을 증명한다. 메소드의 호출이기 때문이다.
- 10행 : 큰따옴표로 묶이는 문자열로 인해서 인스턴스가 생성됨을 보다 직접적으로 보여주기 위한 문장이다.

❖ 실행결과 : StringInstance.java

```
길이 1 : 16
길이 2 : 12
```

위 예제를 통해서 우리가 알 수 있는 사실이 매우 많다. 우선 10행을 보자. 이는 여러분에게 매우 생소하게 느껴질 수 있는 문장이다. 그러나 AAA 클래스가 있고, AAA 클래스에 bbb라는 메소드가 있을 때, 다음 문장이 실행될 수 있음을 이해한다면 쉽게 이해할 수 있다.

```
(new AAA()).bbb();
```

인스턴스가 생성이 되면, 인스턴스를 참조할 수 있는 참조 값(주소 값)이 반환된다고 하였다. 우리는 보통 이 값을 참조변수에 저장한 다음, 참조변수를 통해서 메소드를 호출한다. 그러나 위의 문장처럼 인스턴스 생성시 반환되는 참조 값을 바로 이용해서 메소드를 호출할 수도 있다. 그럼 이제 위 예제의 10행을 다시 보자. 큰따옴표로 표현되는 문자열이 인스턴스의 생성임을 보다 확실히 이해할 수 있을 것이다.

큰따옴표로 문자열을 표현하면, 키워드 new를 이용해서 인스턴스를 생성할 때와 마찬가지로 인스턴스 생성 후에, 생성된 인스턴스의 참조 값이 반환된다. 때문에 10행과 같은 문장의 구성이 가능하다.

■ String 클래스의 인스턴스는 상수 형태의 인스턴스입니다.

String의 인스턴스는 상수의 성격을 갖는다고 표현을 한다. 이는 String의 인스턴스에 저장된 문자열 데이터의 변경이 불가능하기 때문이다. 다음과 같이 String 인스턴스를 생성했다고 가정해 보자.

```
String str = "Constant String";
```

그러면 String 인스턴스는 배열이라는 것을 기반으로(배열에 대해서는 Chapter 13에서 설명한다) 큰 따옴표로 명시된 문자열 데이터를 저장하게 되는데, 이렇게 저장된 문자열 데이터는 결코 바꿀 수 없다. 바꾸는 메소드가 제공되지 않을 뿐만 아니라, 문자열 데이터에 직접적인 접근도 불가능하기 때문에 바꿀 수 있는 방법이 전혀 없다. 즉 데이터의 변경이 불가능하도록 String 클래스는 정의되어 있다. 그렇다면 이렇게 상수의 형태로 String 클래스를 정의한 이유는 무엇일까?

인스턴스의 생성은 시스템에 부담이 되는 요소이다. 그런데 자바에서는 문자열을 표현할 때마다 인스턴스가 생성되니, 인스턴스의 생성을 최소화할 필요가 있었다. 그래서 다음과 같은 원칙을 기준으로 인스턴스가 생성되도록 String 클래스를 정의하였다.

"문자열이 동일한 경우에는 하나의 String 인스턴스만 생성해서 공유하도록 한다!"

이 문장이 무엇을 뜻하는지 다음 예제를 통해서 확인해 보겠다. 그리고 이 문장은 String 인스턴스가 상수화되어야만 하는 이유가 되는데, 이에 대해서도 생각해 보자.

❖ ImmutableString.java

```
1.   class ImmutableString
2.   {
3.      public static void main(String[] args)
4.      {
5.         String str1="My String";
6.         String str2="My String";
7.         String str3="Your String";
8.
9.         if(str1==str2)
10.            System.out.println("동일 인스턴스 참조");
11.         else
12.            System.out.println("다른 인스턴스 참조");
13.
14.         if(str2==str3)
15.            System.out.println("동일 인스턴스 참조");
16.         else
17.            System.out.println("다른 인스턴스 참조");
18.
19.      }
20.   }
```

• 5, 6행 : 동일한 문자열을 기준으로 String 인스턴스를 생성하고 있다.
• 7행 : 5, 6행과는 다른 문자열을 기준으로 String 인스턴스를 생성하고 있다.

- 9, 14행 : 자바에서 참조변수에 저장된 값은 눈으로 확인이 불가능하다. 그러나 이렇게 동등비교
  를 위한 == 연산을 통해서 참조변수가 저장하고 있는 참조 값의 동등비교는 가능하다.

❖ 실행결과 : ImmutableString.java

동일 인스턴스 참조
다른 인스턴스 참조

위의 실행결과는 5행과 6행에서 생성한 인스턴스와 참조변수와의 관계가 다음과 같음을 증명한다.

[그림 11-1 : String 인스턴스의 공유]

즉 처음 5행에서 "My String"을 문자열로 하여, String 인스턴스를 생성했을 때에는 실제로 인스턴스
가 생성되었지만, 6행에서 동일한 문자열로 String 인스턴스를 생성했을 때에는 이전에 생성된 인스턴
스의 참조 값이 반환되었을 뿐, 새로운 인스턴스의 생성은 이뤄지지 않았다. 이처럼 동일한 문자열을 데
이터로 하여 인스턴스를 생성하면, 그 수가 몇 개가 되건 하나의 인스턴스만 생성이 되어 함께 참조를 하
게 된다.

여러분도 위 예제를 보면서 이러한 String 클래스의 특성으로 인해서, 생성되는 인스턴스의 수가 확실
히 줄어 성능 향상에는 도움이 된다는 사실에는 공감할 것이다. 그런데 이렇게 해도 과연 문제가 발생하
지 않을까? 물론 그림 11-1에 이어서 다음과 같은 상황이 연출된다면 문제는 발생하게 된다.

[그림 11-2 : 인스턴스 공유의 문제 상황]

위 그림은 그림 11-1의 형태로 String 인스턴스가 생성 및 참조된 이후에, 참조변수 str2를 이용해서
저장되어 있던 문자열이 "Oh String"으로 변경된 상황을 보여준다. 그리고 이러한 상황이 연출되면 함
께 인스턴스를 참조하던 str1은 자신의 동의도 없이 바뀌어버린 문자열을 확인하면서 당황할 것이다. 그

러나 이러한 상황은 결코 발생하지 않는다. 왜냐하면 String 인스턴스의 문자열 변경은 불가능하기 때문이다. 자! 그럼 지금까지 설명한 내용을 다음과 같이 하나의 문장으로 정리하자.

"자바는 인스턴스 생성의 수를 줄이기 위해서 동일한 문자열 데이터로 구성되는 String 인스턴스의 생성을 하나로 제한한다. 그리고 이를 통한 문제의 발생을 막기 위해서 String 인스턴스의 데이터 변경은 허용을 하지 않고 있다."

String 인스턴스 생성의 특징은 자바만의 장점?

그림 11-1에서 보이는 문자열 데이터의 공유는 자바뿐만 아니라, 오늘날 주로 사용되는 대부분의 프로그래밍 언어가 갖추고 있는 특징이다.

11-3 API Document의 참조를 통한 String 클래스의 인스턴스 메소드 관찰

String 클래스에는 많은 메소드가 정의되어 있다. 그리고 이러한 메소드를 이용하면 여러분이 원하는 대부분의 문자열 처리가 가능하다.

■ 생성자를 뺀 순수 메소드의 수만 50개가 넘습니다

String 클래스가 제공하는 메소드를 살펴볼 차례인데, 그 수가 50개가 넘는다. 그리고 시간이 흐름에 따라서 그 수는 얼마든지 증가할 수 있다. 따라서 여러분은 자바의 모든 API를 설명하고 있는 API Document(이하 'API 문서'라 한다)의 참조 능력을 길러야 한다. 그런데 너무 걱정하지 않아도 된다. 자바의 API 문서는 어느 문서보다도 쉽게, 그리고 잘 정리되어 있어서 보는 습관만 들이면 누구나 볼 수 있기 때문이다. 따라서 필자는 String 클래스를 구성하는 메소드를 설명하기에 앞서 API 문서의 참조 방법을 먼저 설명 드리고자 한다. 그러면 여러분은 앞으로 필자가 설명하는 표준 메소드들에 대해서 필자의 설명으로만 끝내지 말고, 반드시 API 문서상에서 다시 한번 확인하는 습관을 들이기 바란다. 그러면 어느 순간부터는 필자의 API 설명이 아닌, Document의 API 설명을 참조하고 있는 여러분의 모습을 보게 될 것이며, 이 때가 진정한 자바 개발자로의 시작이 가능한 시기임을 여러분께 말씀 드리고 싶다.

■ 자바 개발자라면 항상 기억하고 있는 java.sun.com

필자가 기억하고 있는 웹 페이지의 주소 중에는 java.sun.com이 항상 존재한다. 이는 자바 개발자라면 누구나 마찬가지일 것이다. 지금 당장 이곳으로 들어가자. 그리고 그 안에 존재하는 여러 가지 정보들을 시간이 날 때마다 자주 접하자. 이는 자바의 실력향상을 위한 기본조건이다. 그리고 자바의 API 문서는 다운로드 할 수도 있지만, 필자는 가급적이면 java.sun.com에 접속해서 확인하는 편이다. 이곳에 들어가면 수많은 기술 문서들과 예제들, 그리고 각종 최신 정보들을 쉽게 접할 수 있기 때문이다.

Java.sun.com에서는 모든 것을 쉽게 찾을 수 있습니다.

사실 java.sun.com에서 API 문서를 참조하는 방법은 별도의 설명이 필요 없다. 이곳의 홈페이지는 화려하지 않지만, 필요한 것을 쉽게 찾을 수 있도록 구성이 잘 되어있기 때문이다. 따라서 여러분이 java.sun.com에 들어가서 이곳 저곳을 돌아다녀보기 바란다.

일단 java.sun.com에 들어가면 홈페이지 상단에서 어렵지 않게 'APIs' 라는 메뉴를 찾을 수 있다. 그리고 이어서 'JAVA SE'를 선택하면, 여러분이 원하는 자바 버전 별 API 문서를 선택해서 볼 수 있다. 다음 그림은 'JAVA SE 6'의 API 문서를 선택하면 보게 되는 첫 화면이다.

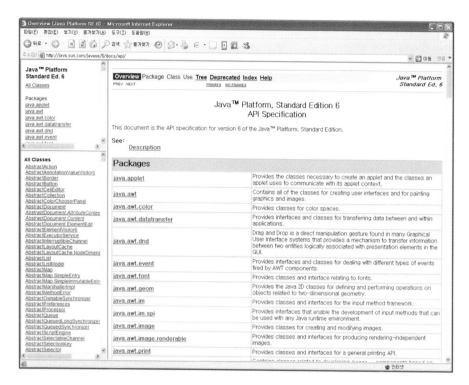

[그림 11-3 : Java API Specification]

위 화면상에서 좌측 하단을 보면 'All Classes'라고 이름 붙어있는 공간을 확인할 수 있다. 이곳에서 여러분이 참조하고픈 클래스의 이름을 찾아서 클릭하면, 해당 클래스의 정보를 확인할 수 있다. 예를 들어서 우리가 지금 이야기하는 String 클래스에 대해서 자세히 알고 싶다면 String 클래스를 찾아서 클릭하면 된다. 다음 그림은 String 클래스를 클릭했을 때 보게 되는 페이지이다.

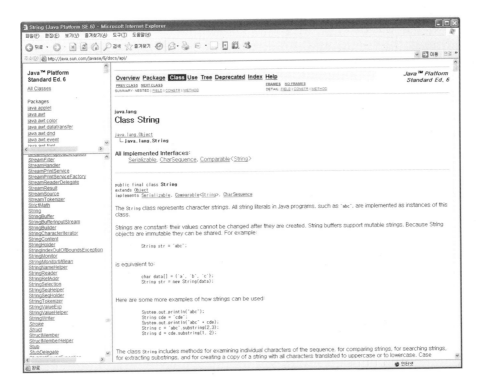

[그림 11-4 : API 문서상의 String class]

이제부터는 String 클래스와 관련해서 여러분이 알고 싶은 내용들을 찾아가면 되는데, 당분간은 'Constructor Summary'와 'Method Summary'라는 제목의 표를 통해서, 제공되는 생성자와 메소드의 종류 및 기능을 확인하는 데에만 주목하기 바란다. 그리고 앞으로 자바를 더 알아갈수록 더 많은 것들이 눈에 들어올 테니, 지금 당장 문서의 전부가 눈에 들어오지 않는다고 해서 실망할 필요는 없다.

영어를 정말 못하는 개발자를 본 적이 있습니다.

영어는 중학교 시절을 마지막으로 손도 대지 않았다는 개발자를 만난 적이 있다. 그러나 필자는 계속해서 API 문서의 참조를 강요했고, 그 개발자는 약 3개월이 지나면서부터 별 무리 없이 API 문서를 볼 수 있게 되었다. 그만큼 API 문서를 보는 데에는 영어 실력이 중요하지 않다.

■ String 클래스가 제공하는 유용한 메소드들

지금 당장 String 클래스가 제공하는 메소드 전부를 알아야 할 필요는 없다. 그리고 이보다는 하루 빨리 API 문서 참조에 익숙해지는 것이 우선이다. 따라서 String 클래스의 메소드 중 일부를 API 문서를 통해 참조하는 시간을 가져보고자 한다. 다음은 대표적인(그리고 자주 필요로 하는) 문자열 관련 기능들이다. 따라서 이 기능들에 대응하는 String 클래스의 메소드를 찾아서 예제 프로그램을 작성해 보고자 한다. 필자의 설명이 진행되기에 앞서 여러분이 먼저 해당 기능의 메소드를 찾아보기 바란다.

- 문자열의 길이 반환
- 두 문자열의 결합
- 두 문자열의 비교
- 문자열의 복사

찾아보았는가? 메소드의 이름이 상당히 직관적으로 정의되어 있어서 크게 어렵지는 않았을 것이다. 먼저 '문자열의 길이 반환'에 대응하는 메소드를 소개하겠다.

```
public int length()
```

앞서 이미 이 메소드를 호출한적이 있다. 메소드의 이름이 의미하듯이, 이 메소드는 String 인스턴스가 저장하고 있는 문자열의 길이를 반환한다. 그리고 다음은 '두 문자열의 결합'에 대응하는 메소드이다.

```
public String concat(String str)
```

이 메소드에서 주목할 부분은 반환형이다. String 인스턴스는 저장하고 있는 문자열 데이터의 변경이 불가능하다고 하지 않았는가? 따라서 하나의 문자열을 다른 하나의 문자열 뒤에 덧붙이는 형태의 연산이 이뤄지는 것이 아니라, 서로 다른 두 개의 문자열을 이어서 새로운 하나의 String 인스턴스가 생성되는 형태의 연산이 이뤄진다. 즉 이 메소드가 반환하는 값은 새롭게 생성된 String 인스턴스의 참조 값이다. 이어서 '두 문자열의 비교'에 대응하는 메소드를 소개하겠다.

```
public int compareTo(String anotherString)
```

이 메소드는 비교의 대상이 되는 String 인스턴스를(String 인스턴스의 참조 값을) 인자로 받아서 문자열 비교를 진행한다. 그리고 두 문자열의 내용이 동일하면 0을, 동일하지 않으면 0이 아닌 값을 반환하는데, 사전편찬 순서상 앞서고 뒤섬의 관계에 따라서 0보다 큰 값이 반환되기도 하고, 0보다 작은 값이 반환되기도 한다. 0보다 큰 값, 또는 작은 값을 반환하는 기준은 예제를 통해서 확인하기로 하겠다. 그럼 지금까지 설명한 메소드의 기능을 예제를 통해서 직접 확인해보겠다. 아! 그리고 보니 '문자열의 복사'에 해당하는 메소드의 소개가 없었는데, 이는 단순히 메소드의 호출로 이뤄지는 일이 아니기 때문에 잠시 후에 별도로 소개를 하고자 한다.

❖ StringMethod.java

```
1.   class StringMethod
2.   {
3.       public static void main(String[] args)
4.       {
5.           String str1="Smart";
```

```
6.          String str2=" and ";
7.          String str3="Simple";
8.          String str4=str1.concat(str2).concat(str3);
9.
10.         System.out.println(str4);
11.         System.out.println("문자열 길이 : "+str4.length());
12.
13.         if(str1.compareTo(str3)<0)
14.             System.out.println("str1이 앞선다");
15.         else
16.             System.out.println("str3이 앞선다");
17.     }
18. }
```

해 설

- 8행 : 먼저 str1.concat(str2)가 실행된다. 그리고 이 결과로 반환되는 String 인스턴스의 참조
  값을 통해서 concat(str3)가 호출된다. 결과적으로 str1의 뒤에 str2를 이어서 새로운 문
  자열을 생성하고, 이렇게 생성된 문자열의 뒤에 다시str3를 이은 새로운 문자열을 생성하는
  셈이다. 이에 대해서는 잠시 후에 추가로 설명을 진행하겠다.

- 11행 : length 메소드의 호출을 통해서 str4의 문자열 길이를 출력하고 있다.

- 13행 : str1과 str3를 비교하고 있다. 이렇게 메소드가 호출이 되면 반환 값은 str1을 기준으로
  결정이 되는데, str1이 인자로 전달되는 문자열보다 사전편찬 순서상 앞에 위치하면 0보다
  작은 값이, 뒤에 위치하면 0보다 큰 값이 반환한다.

❖ 실행결과 : StringMethod.java

```
Smart and Simple
문자열 길이 : 16
str3이 앞선다
```

위 예제의 8행을 주목해서 볼 필요가 있다. 이 문장에서는 총 세 개의 문자열을 하나로 묶고 있는데, 이를 위해서 추가로 생성된 인스턴스의 수가 두 개나 된다. 추가로 생성되는 첫 번째 인스턴스는 다음의 메소드 호출에 의해서 이뤄진다.

```
str1.concat(str2)
```

이 메소드 호출을 통해서 str1의 문자열과 str2의 문자열로 구성이 되는 String 인스턴스가 생성되고, 이렇게 생성된 인스턴스의 참조 값이 반환된다. 그리고 이렇게 반환되는 참조 값을 통해서 다음의 메소드 호출이 이뤄진다.

```
(참조 값).concat(str3)
```

이 메소드 호출로 인해서 최종적으로 str1, str2 그리고 str3의 문자열로 구성이 되는 String 인스턴스가 하나 더 생성되고, 이렇게 생성된 인스턴스의 참조 값이 최종적으로 반환된다. 참고로 위 예제의 8행은 여러분이 잘 아는 문자열의 + 연산(System.out.println 메소드를 호출하면서 사용해 왔던 + 연산)을 통해서도 동일한 결과를 얻을 수 있다.

```
String str4=str1+str2+str3;
```

그렇다면 혹시 위의 문장은 컴파일러에 의해서 위 예제 8행의 문장형태로 변환되는 것은 아닐까? 만약에 그렇다면 다음과 같은 문장은 결코 만들어선 안 된다. + 연산자의 수만큼 인스턴스가 추가로 생성되니, 매우 비효율적인 문자열의 결합으로 이어지기 때문이다.

```
String longStr="AAA"+"BBB"+"CCC"+"DDD"+"EEE"+"FFF"+"GGG";
```

안타깝게도 자바의 문자열 결합 과정에서 + 연산자의 수만큼(혹은 그 이상) 인스턴스가 생성되는 것으로 알고 있는 분들이 매우 많다. 하지만 이는 사실이 아니다. 아무리 많은 수의 문자열을 결합하더라도 실제 생성되는 인스턴스의 수는 최대 두 개를 넘지 않는데, 이와 관련해서는 잠시 후에 설명을 진행하겠다.

■ 자바에서는 문자열을 복사한다는 표현을 쉽게 찾아보기 어렵습니다.

C라는 언어에 익숙한 분들에게는 '문자열의 복사'라는 표현이 매우 익숙하다. 그러나 자바에서는 그리 익숙한 표현이 아니다. 왜냐하면 자바에서는 문자열의 변경이 불가능하기 때문이다. 문자열의 변경이 가능해야 복사도 가능하지 않겠는가? 아래의 문장에서 보이듯이, 복사라는 과정이 복사할 영역의(아래의 문장에서는 str2) 데이터 변경을 요구하니 말이다.

"String 인스턴스 str1에 저장된 문자열을 String 인스턴스 str2에 복사하자!"

하지만 String 인스턴스를 새로 생성함과 동시에 복사하는 것이 목적이라면, 다음과 같이 코드를 구성하면 된다.

```
String str1="Best String";
String str2=new String(str1);
```

String 클래스에는 다음과 같이 정의되어 있는 생성자가 존재한다.

```
public String(String original)
```

물론 이는 새로운 인스턴스를 생성함과 동시에 문자열을 복사할 때 호출하는 생성자이다. 즉 위와 같이 문장을 구성하면 메모리상에 다음과 같은 형태의 인스턴스가 구성된다.

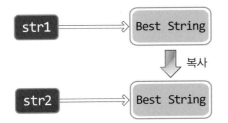

[그림 11-5 : 복사된 문자열]

그럼 예제를 통해서 String의 복사와 관련된 내용을 확인해보자. 다음은 String 인스턴스 생성의 두 가지 형태와 차이점을 확인하기 위한 예제이다.

❖ StringCopy.java

```
1.  class StringCopy
2.  {
3.      public static void main(String[] args)
4.      {
5.          String str1="Lemon";
6.          String str2="Lemon";
7.          String str3=new String(str2);
8.
9.          if(str1==str2)
10.             System.out.println("str1과 str2는 동일 인스턴스 참조");
11.         else
12.             System.out.println("str1과 str2는 다른 인스턴스 참조");
13.
14.         if(str2==str3)
15.             System.out.println("str2와 str3는 동일 인스턴스 참조");
16.         else
17.             System.out.println("str2와 str3는 다른 인스턴스 참조");
18.     }
19. }
```

해 설

• 5, 6행 : 동일한 문자열을 구성했기 때문에, 5행에서 생성한 인스턴스를 6행의 참조변수 str2도 참조하게 된다.

• 7행 : str2의 문자열을 별도의 인스턴스에 저장하기 위해서 새로운 String 인스턴스를 생성하고 있다.

❖ 실행결과 : StringCopy.java

str1과 str2는 동일 인스턴스 참조
str2와 str3는 다른 인스턴스 참조

참고로 바로 위에서 소개한 생성자를 API 문서에서는 다음과 같이 소개하고 있다.

"Unless an explicit copy of original is needed, use of this constructor is unnecessary since Strings are immutable."

간단히 정리하면, 명시적으로 복사본이 필요한 상황이 아니라면, 문자열은 변경이 불가능하기 때문에 (immutable) 이 생성자는 별로 필요가 없다는 뜻이다.

자바에서의 문자열 복사는 과연 필요한가?

자바는 문자열의 복사를 지원하지 않는 것이 아니다. 오히려 문자열을 직접 복사할 필요를 못 느낄 만큼 많은 것을 지원하는 것이다.

■ + 연산과 += 연산의 진실

+ 연산자를 통해서 문자열의 결합이 가능하다는 사실을 여러분은 이미 알고 있다. 그런데 조금 더 깊이 들어가면, 이것도 그리 단순하지 않음을 알 수 있다. 일단 다음 예제를 보고 나서 이야기를 이어가겠다.

❖ StringAdd.java

```
1.  class StringAdd
2.  {
3.      public static void main(String[] args)
4.      {
5.          String str1="Lemon"+"ade";
6.          String str2="Lemon"+'A';
7.          String str3="Lemon"+3;
8.          String str4=1+"Lemon"+2;
9.          str4+='!';
10.
11.         System.out.println(str1);
12.         System.out.println(str2);
13.         System.out.println(str3);
14.         System.out.println(str4);
15.     }
16. }
```

```
Lemonade
LemonA
Lemon3
1Lemon2!
```

위 예제 5행은 컴파일러에 의해서 다음과 같이 변환이 되어 처리된다고 생각할 수 있다.

```
String str1="Lemon".concat("ade");
```

이처럼 문자열의 + 연산이 가능한 이유는 자바 컴파일러가 + 연산자를 적절한 형태의 메소드 호출문으로 변환하기 때문이다. 그렇다면 6행과 7행은 어떻게 처리된다고 생각할 수 있을까? char형 데이터 또는 int형 데이터를 인자로 받는 concat 메소드는 정의되어 있지 않으므로(API 문서로 직접 확인하자), 다음과 같이 변환되어 처리되는 것이 아님을 알 수 있다.

```
String str2="Lemon".concat('A');      // 이건 아니야!
String str3="Lemon".concat(3);        // 이건 아니야!
```

실제로 컴파일을 해 보면, 위의 두 문장에서는 에러가 발생한다. 그렇다면 이 두 문장을 다음과 같이 바꿔서 컴파일 및 실행을 해 보자.

```
String str2="Lemon".concat(String.valueOf('A'));
String str3="Lemon".concat(String.valueOf(3));
```

위의 두 문장이 의미하는 바는 잘 몰라도, 예제 StringAdd.java의 6행과 7행을 대신하고 있음은 알 수 있을 것이다. 자! 그럼 String 클래스에 정의되어 있는 valueOf 메소드에 대해서 소개하겠다. valueOf 메소드는 String 클래스 내에서 다음과 같이 오버로딩 되어 있다.

```
public static String valueOf(boolean b)
public static String valueOf(char c)
public static String valueOf(int i)
public static String valueOf(long l)
public static String valueOf(float f)
public static String valueOf(double d)
```

이들은 모두 전달되는 데이터를 문자열(String 인스턴스)로 변환해서, 해당 인스턴스의 참조 값을 반환하는 static 메소드들이다. 따라서 다음 두 문장에서 String.valueOf 메소드의 호출이 완료되고 나면,

```
String str2="Lemon".concat(String.valueOf('A'));
String str3="Lemon".concat(String.valueOf(3));
```

다음과 같은 문장이 구성되어, 문제없이 컴파일이 되는 것이다.

```
String str2="Lemon".concat("A"));
String str3="Lemon".concat("3"));
```

물론 이러한 사실을 잘 몰라도 문자열 기반의 다양한 연산이 가능하지만, 알고 있으면 보다 다양한 형태의 응용이 가능할 것이다.

사실은 참조 값이 옵니다.

다음 두 문장에서 valueOf 메소드의 호출이 완료되고 나면,
```
String str2="Lemon".concat(String.valueOf('A'));
String str3="Lemon".concat(String.valueOf(3));
```

다음과 같은 문장이 구성된다고 설명해야 정확하다.
```
String str2="Lemon".concat(문자열 "A"의 인스턴스 참조 값);
String str3="Lemon".concat(문자열 "3"의 인스턴스 참조 값);
```

그렇다면 지금 설명한 concat 메소드와 String.valueOf 메소드가 문자열의 + 연산에 대한 완전한 해답일까? 이 둘을 기반으로 컴파일러는 문자열의 모든 + 연산을 허용하는 것일까? 이에 대한 답을 내리기에 앞서, 예제 StringAdd.java의 8번째 줄을 함께 보겠다.

```
String str4=1+"Lemon"+2;
```

concat 메소드와 String.valueOf 메소드가 전부라면, 위의 문장은 컴파일러에 의해서 다음과 같이 변환되어야 한다.

```
String str4=String.valueOf(1).concat("Lemon").concat(String.valueOf(2));
```

그리고 이 문장은 두 번의 valueOf 메소드 호출과 두 번의 concat 메소드 호출에 의해서, 총 다섯 개의 String 인스턴스 생성으로 이어지는데, 이는 두 번의 + 연산에 대한 결과로는 너무 과혹하다.

■ 문자열 결합의 최적화 : Optimization of String Concatenation

다행히도 자바 컴파일러의 문자열 결합 연산에 대한 최적화 수행으로 인하여 문자열의 + 연산에 대한 참혹한 결과는 발생하지 않는다. 즉 예제 StringAdd.java의 8행은 다음과 같은 형태로 최적화가 이뤄진

상태로 변환이 되며, 이는 단순히 두 개의 인스턴스 생성만 유발할 뿐이다(이 문장에 대한 설명은 잠시 후에 이어진다).

```
String str4=new StringBuilder().append(1).append("Lemon").append(2).toString();
```

그리고 이는 아무리 많은 + 연산을 하더라도, 추가적인 인스턴스의 생성은 두 개로 제한이 됨을 의미한다. 그럼 이 문장에 대한 이해를 위해서 StringBuilder 클래스에 대해서 소개하겠다.

11-4 StringBuilder & StringBuffer 클래스

String은 변경이 불가능한 문자열의 표현을 위한 클래스이지만, StringBuilder와 StringBuffer는 변경이 가능한 문자열의 표현을 위한 클래스들이다. 단 String 인스턴스와 달리 StringBuilder와 StringBuffer의 인스턴스를 가리켜 문자열이라 하지는 않음을 더불어 기억하기 바란다.

■ StringBuilder

StringBuilder는 문자열의 저장 및 변경을 위한 메모리 공간(이를 가리켜 '버퍼'라 한다)을 내부에 지니는데, 이 메모리 공간은 그 크기가 자동으로 조절된다는 특징이 있다. 그리고 이 클래스에서 가장 중요하게 여겨지는 메소드는 append와 insert인데, 다음 예제를 통해서 이 두 메소드의 기능을 소개하겠다.

❖ BuilderString.java

```
1.  class BuilderString
2.  {
3.      public static void main(String[] args)
4.      {
5.          StringBuilder strBuf=new StringBuilder("AB");
6.          strBuf.append(25);
7.          strBuf.append('Y').append(true);
```

```
8.          System.out.println(strBuf);
9.
10.         strBuf.insert(2, false);
11.         strBuf.insert(strBuf.length(), 'Z');
12.         System.out.println(strBuf);
13.     }
14. }
```

- 5행 : 문자열 "AB"를 인자로 StringBuilder의 인스턴스를 생성하고 있다. StringBuilder 클래스도 java.lang 패키지로 묶여있기 때문에 원하는 순간에 특별한 추가 선언 없이 인스턴스 생성이 가능하다.

- 6행 : append 메소드를 호출하고 있다. 이 append 메소드는 전달된 값을, StringBuilder의 인스턴스가 저장하고 있는 문자열 데이터의 끝에 문자의 형태로 추가한다. 즉 이 문장의 실행을 통해서 문자 'A'와 문자 'B'만 저장되어 있는 메모리 공간의 끝에 문자 '2'와 문자 '5'가 추가로 저장된다.

- 7행 : 문자 'Y'와 boolean형 데이터 true를 저장하고 있다. 그런데 이 문장에서 중요한 사실은 append 메소드가 두 번 이어서 호출되었고, 8행의 출력결과에서 보이듯이 두 번의 append 메소드 호출 결과가 참조변수 strBuf에 그대로 반영되었다는 점이다.

- 10행 : insert 메소드가 호출되고 있다. 그리고 첫 번째 전달인자가 2인데, 이는 위치가 2인 지점에(0이 맨 앞을 의미하므로 실질적으로는 세 번째 문자 위치에), 두 번째 전달인자를 문자 형태로 저장하겠다는 의미이다.

- 11행 : StringBuilder의 length 메소드는 버퍼의 길이가 아닌, 저장된 문자의 개수 정보를 반환한다. 따라서 이 문장은 문자 'Z'를 인자로 append 메소드를 호출하는 것과 같다.

❖ 실행결과 : BuilderString.java

```
AB25Ytrue
ABfalse25YtrueZ
```

위 예제의 7행을 보면 다음의 문장이 구성되어 있다.

```
strBuf.append('Y').append(true);
```

이 문장에서 주목할 것은 단순히 append 메소드가 두 번 이어서 호출되었다는 사실이 아니라, 두 번째 append 메소드의 호출 결과가 참조변수 strBuf에 반영되었다는 사실이다. 이렇게 되기 위해서는 strBuf.append('Y')의 실행결과로 strBuf가 반환되어야 하기 때문이다. 그런데 자바에서 이는 생각보다 어렵지 않은 일이므로, 예제를 통해서 이를 간단히 보이고자 한다.

❖ SelfReference.java

```
1.  class SimpleAdder
```

```
2.  {
3.      private int num;
4.      public SimpleAdder() {num=0;}
5.
6.      public SimpleAdder add(int num)
7.      {
8.          this.num+=num;
9.          return this;
10.     }
11.     public void showResult()
12.     {
13.         System.out.println("add result : "+num);
14.     }
15. }
16.
17. class SelfReference
18. {
19.     public static void main(String[] args)
20.     {
21.         SimpleAdder adder=new SimpleAdder();
22.         adder.add(1).add(3).add(5).showResult();
23.     }
24. }
```

 해설

- 6행 : 반환형이 SimpleAdder이고 9행에서는 this를 반환한다. 이 때 this는 인스턴스 자신을 뜻하므로 이 문장은 자기 자신을 참조할 수 있는 참조 값의 반환으로 이어진다.
- 22행 : adder.add 메소드의 반환 값이 adder이기 때문에 반환되는 참조 값을 통한 메소드의 호출이 가능하다.

❖ 실행결과 : SelfReference.java

```
add result : 9
```

위 예제 22행에서 adder.add(1) 메소드가 호출되면, add 메소드가 호출된 인스턴스의 참조 값이 반환되니, 사실상 참조변수 adder가 그대로 반환된 셈이다. 따라서 adder.add(1)의 호출결과로 반환된 참조 값을 이용해서 다음과 같이 다시 add 메소드를 호출할 수 있다.

```
'adder의 참조 값'.add(3);
```

그리고 이는 사실상 다음과 동일한 문장이다.

```
adder.add(3);
```

이 정도만 이해하면, 위 예제 22행의 문장과 이 문장의 실행결과를 이해할 수 있을 것이다. 그리고 StringBuilder의 append 메소드도 위의 add 메소드와 반환의 형태가 동일하다. 때문에 연이은 메소드의 호출이 가능한 것이다. 이제 여러분은 API 문서에서 메소드를 볼 때, 반환형이 클래스의 이름과 동일하다면, 위 예제에서 보여주는 방식으로 메소드가 정의되어 있는지를 확인해야 한다. 그리고 필요하다면 이러한 정의 형태를 적극 활용할 수 있어야 한다.

문 제 11-1 [StringBuilder의 API 문서 참조]

여기서 제시하는 문제들은 여러분께 API 문서의 참조기회를 제공하는데 목적이 있다. 따라서 API 문서를 참조하여, 여러분 나름대로의 코드를 작성해 보는 기회로 삼기 바란다. 그리고 API 문서가 처음에는 잘 보이지 않아도 계속해서 보도록 노력해야 한다는 사실을 기억하자.

▶ 문제 1
다음의 형태로 String 인스턴스를 하나 생성한다.
```
String str="ABCDEFGHIJKLMN";
```

그리고 이 문자열을 역순으로 다시 출력하는 프로그램을 작성하자. 참고로 이 문제는 StringBuilder 클래스를 이용하면 쉽게 해결이 가능하다.

▶ 문제 2
다음의 형태로 주민등록번호를 담고 있는 String 인스턴스 하나를 생성하자.
```
String str="990208-1012752";
```

그리고 이 문자열을 활용하여 중간에 삽입된 −를 삭제한 String 인스턴스를 생성해보자. 물론 이 문제의 해결을 위해서도 StringBuilder 클래스를 활용해야 한다.

■ StringBuilder는 버퍼의 크기를 스스로 확장합니다.

StringBuilder의 내부에 존재하는 버퍼는 자동으로 크기가 증가하도록 설계되어 있다. 그러나 필요에 따라서는 그 크기를 조절할 수도 있다. 우선 이와 관련해서 StringBuilder의 대표적인 생성자 셋을 소개하겠다.

```
• public StringBuilder()          // 16개의 문자 저장 버퍼 생성
```

```
• public StringBuilder(int capacity)   // capacity개의 문자 저장 버퍼 생성
• public StringBuilder(String str)     // str.length() + 16개의 문자 저장 버퍼 생성
```

위의 생성자들 중에서 첫 번째 생성자는 빈 버퍼 상태의 StringBuilder 인스턴스를 생성할 때 사용된다. 그리고 이렇게 생성자에 아무런 값도 전달하지 않으면, 16개의 문자를 저장할 수 있는 버퍼가 생성되는데, 이는 어디까지나 초기의 버퍼 크기이고, 이는 문자가 저장됨에 따라서 자동으로 증가하게 된다. 그리고 두 번째 생성자는 프로그래머가 인스턴스의 초기 버퍼 크기를 지정할 때 사용이 되며, 세 번째 생성자는 문자열 정보를 저장하는 인스턴스의 생성에 사용이 되는데, 이 때에도 문자열의 길이보다 16개의 문자를 더 저장할 수 있는 크기의 버퍼가 생성되어 문자열이 저장된다.

StringBuilder의 효율적인 사용을 위한 지침

버퍼의 크기를 확장하는 작업은 많은 연산이 요구되는 작업이다. 따라서 가급적이면 필요로 하는 버퍼의 크기를 미리 할당하는 것이 성능에 도움이 된다.

■ String str4=new StringBuilder().append(1).append("Lemon").append(2). toString();

위의 문장이 실제로 생성하는 인스턴스의 수가 두 개에 지나지 않는다고 앞서 설명하였는데, 이제 이 부분에 대해서 확인을 할 차례이다. 제일 먼저 실행되는 부분은 다음과 같다.

```
new StringBuilder()
```

이 부분에 의해서 StringBuilder의 인스턴스 하나가 생성되고, 이어서 append 메소드가 호출된다.

```
new StringBuilder().append(1)
```

그리고 앞서 append 메소드는 인스턴스 자신의 참조 값(this)을 반환함에 대해 설명하였다. 따라서 다음과 같이 이어서 append 메소드의 호출이 얼마든지 가능하다.

```
new StringBuilder().append(1).append("Lemon").append(2)
```

이렇게 해서 문자열 데이터 "1Lemon2"를 버퍼에 저장하는 StringBuilder 인스턴스가 완성되었는데, 우리가 여기서 원하는 것은 String 인스턴스이다. 따라서 다음과 같이 이어서 toString 메소드가 호출된다.

```
new StringBuilder().append(1).append("Lemon").append(2).toString();
```

toString 메소드는 StringBuilder 인스턴스가 저장하고 있는 문자 데이터들을 하나로 모아서 String

인스턴스를 생성하여, 생성된 인스턴스의 참조 값을 반환한다. 따라서 이 과정에서 또 하나의 인스턴스가 생성된다. 결국 총 2개의 인스턴스가 생성되는 셈이다.

■ StringBuffer 클래스는 Thread-safe합니다.

StringBuffer 클래스와 StringBuilder 클래스가 제공하는 메소드들은 다음 세가지가 동일하다.

- 메소드의 수(생성자 포함)
- 메소드의 기능
- 메소드의 이름과 매개변수 형

따라서 예제 BuilderString.java에서 StringBuilder만 StringBuffer로 바꿔도(클래스의 이름만 바꿔도) 컴파일 및 실행이 된다. 그렇다면 이 둘의 차이점은 무엇일까?

"StringBuffer는 쓰레드에 안전하지만, StringBuilder는 쓰레드에 안전하지 못합니다."

이 문장이 의미하는 바를 이해하려면 쓰레드에 대한 이해가 반드시 선행되어야 한다. 따라서 일단은 이 정도만 기억을 했으면 좋겠다. 그리고 이후에 쓰레드를 공부하고 나면, 여기서 설명하는 내용은 자동으로 이해가 되니 너무 걱정하지 않았으면 좋겠다.

문 제 11-2 [StringBuffer의 API 문서 참조]

Question
StringBuffer 클래스가 제공되기 시작한 시점과 StringBuilder가 제공되기 시작한 시점을 API 문서에서 찾아보자.

자바를 공부하는 이유는 자바로 프로그램을 작성하기 위해서다. 그런데 이는 자바의 문법만 열심히 공부한다고 해서 길러지는 능력이 아니다. 물론 책 중간에 등장하는 크고 작은 문제들을 많이 풀어보면 어느 정도 도움은 되겠지만, 이것 역시 실력향상에는 한계가 있다. 프로그래밍 실력을 향상시키고 싶은가? 그렇다면 크고 작은 프로그램들을 직접 만들어봐야 한다.

■ 단계별 프로젝트의 이해와 도입의 이유

크고 작은 프로그램들을 직접 만들어봐야 프로그래밍 실력이 향상된다고는 했지만, 아무것도 없는 상태에서 문법적 이해만 가지고 하나의 프로그램을 작성하는 것은 사실 쉬운 일이 아니다. 무엇이든 그렇겠지만, 처음 프로그래밍을 할 때에는 나름대로의 가이드가 필요하다. 그래서 필자는 여러분에게 "전화번호 관리 프로그램"이라는 주제로 단계별 프로젝트의 진행을 유도하고자 한다. 이는 여러분에게 작은 프로젝트 하나를 완성할 수 있는 잘 다져진 계단처럼 느껴질 것이다.

단계별 프로젝트는 총 9단계로 구성이 된다. 총 9단계에 걸쳐서 전화번호를 관리할 수 있는 프로그램을 완성해 보는 것이다. 매 단계마다 여러분에게 문제의 형태로 주제를 제공하는데, 이는 여러분이 현재 학습중인 내용과 연계할 것이다. 예를 들어서 여러분이 상속을 공부하고 나면 상속과 관련해서 프로젝트를 확장해 나아가고, 파일을 공부하면 파일과 관련해서 프로젝트를 확장할 것이다. 그리하여 최종적으로는 실제 사용이 가능한 수준의 프로그램을 완성할

것이다. 물론 다른 사람에게 나눠주기에는 부족한 프로그램이다. 하지만 여러분 스스로 완성한 프로젝트라는데 큰 의미가 있으며, 여러분 나름대로는 쓸만한 프로그램으로 인정할지도 모른다. 원래 프로그래머는 자신의 프로그램에 관대하기 때문이다.

■ 전화번호 관리 프로그램 01단계 문제

클래스를 하나 정의하자. 클래스의 이름은 PhoneInfo이다. 그리고 이 클래스에는 다음의 데이터들이 문자열의 형태로 저장 가능해야 하며, 저장된 데이터의 적절한 출력이 가능하도록 메소드도 정의되어야 한다.

- 이름   name   String
- 전화번호   phoneNumber   String
- 생년월일   birthday   String

단 생년월일 정보는 저장을 할 수도, 저장하지 않을 수도 있게끔 생성자를 정의하자. 생년월일 정보를 모른다고 해서 저장이 불가능하면 말이 되겠는가? 그리고 정의된 클래스의 확인을 위한 main 메소드도 간단히 정의하자.

01단계인 만큼, 전혀 부담 없는 주제를 여러분에게 제시하였다. 이 책을 공부하는 분들이라면 이 프로젝트에 누구나 동참해야 함을 강조하기 위함이다.

■ 필자의 구현 사례

프로젝트의 원활한 진행을 위해서 문제를 제시한 다음에 바로 이어서 필자의 구현 사례를 제시한다. 그러나 반드시 필자의 코드와 동일해야 할 필요는 없다. 여러분들 나름대로 조금 더 멋있고 다양한 기능을 포함하는 형태로 프로젝트를 진행해도 좋다. 그러나 구현방법에 문제가 있다고 생각이 되면, 필자가 제시한 사례를 적극 참조하기 바란다.

❖ PhoneBookVer01.java

```java
/*
 * 전화번호 관리 프로그램 구현 프로젝트
 * Version 0.1
 */

class PhoneInfo
{
    String name;
    String phoneNumber;
    String birth;

    public PhoneInfo(String name, String num, String birth)
    {
        this.name=name;
        phoneNumber=num;
        this.birth=birth;
    }

    public PhoneInfo(String name, String num)
    {
        this.name=name;
        phoneNumber=num;
        this.birth=null;
    }

    public void showPhoneInfo()
    {
        System.out.println("name : "+name);
        System.out.println("phone : "+phoneNumber);
        if(birth!=null)
```

```
            System.out.println("birth : "+birth);

        System.out.println("");     // 출력되는 데이터의 구분을 위해
    }
}

class PhoneBookVer01
{
    public static void main(String[] args)
    {
        PhoneInfo pInfo1=new PhoneInfo("이정훈", "323-1111", "92,09,12");
        PhoneInfo pInfo2=new PhoneInfo("김효준", "321-2222");
        pInfo1.showPhoneInfo();
        pInfo2.showPhoneInfo();
    }
}
```

■ 문제 11-1의 답안

■ 문제 1

이 문제의 해결을 위해서는 먼저 다음 메소드를 찾을 수 있어야 한다.

```
public StringBuilder reverse()
```

이 메소드가 호출되면, StringBuilder 인스턴스에 저장된 문자열이 역순으로 저장된다. 그리고 toString 메소드가 호출되면, StringBuilder에 저장된 데이터를 기반으로 String 인스턴스가 생성이 되고, 이의 참조 값이 반환된다.

❖ 소스코드 답안

```
1.    class ReverseString
2.    {
3.        public static void main(String[] args)
4.        {
5.            String str="ABCDEFGHIJKLMN";
6.            StringBuilder sbuf=new StringBuilder(str);
7.            sbuf.reverse();
8.            str=sbuf.toString();
9.            System.out.println(str);
10.       }
11.   }
```

그리고 위의 예제 구성을 위해서는 다음과 같이 정의된 생성자도 확인을 했어야 한다.

```
public StringBuilder(String str)
```

물론 본문의 뒷부분에서 이 생성자를 설명하지만, 필자는 여러분이 문제를 해결하는 과정에서 이 생성자를 확인하기 바랐다.

■ 문제 2

이 문제의 해결 방법은 몇 가지가 있다. 우선 charAt 메소드와 deleteCharAt 메소드 기반의 구현사례를 소개하겠다.

❖ 소스코드 답안

```
1.    class RemoveBarOne
```

```
2.  {
3.      public static void main(String[] args)
4.      {
5.          String str="990208-1012752";
6.          StringBuilder sbuf=new StringBuilder(str);
7.
8.          for(int i=0; i<sbuf.length(); i++)
9.          {
10.             if(sbuf.charAt(i)=='-')
11.             {
12.                 sbuf.deleteCharAt(i);
13.                 break;
14.             }
15.         }
16.         str=sbuf.toString();
17.         System.out.println(str);
18.     }
19. }
```

다음은 lastIndexOf 메소드와 deleteCharAt 메소드를 활용해서 구현한 예이다. 이 경우에는 위 예제와 비교해서 반복문이 필요 없다는 특징이 있다.

❖ 소스코드 답안

```
1.  class RemoveBarTwo
2.  {
3.      public static void main(String[] args)
4.      {
5.          String str="990208-1012752";
6.          StringBuilder sbuf=new StringBuilder(str);
7.
8.          int idx=sbuf.lastIndexOf("-");
9.          if(idx!=-1)
10.             sbuf.deleteCharAt(idx);
11.
12.         str=sbuf.toString();
13.         System.out.println(str);
14.     }
15. }
```

■ 문제 11-2의 답안

StringBuffer는 JDK 버전 1.0에서부터 제공되어 왔고, StringBuilder는 JDK 버전 1.5에서부터 제공되어 왔다.

Chapter 12

콘솔 입력과 출력

이번 Chapter에서는 키보드와 모니터 기반
의 다양한 입출력 방식을 소개한다. 특히 이번
Chapter에서 소개하는 키보드 기반의 데이터
입력방식은 단계별 프로젝트에서 당장 필요로 하
고 있는 주제이다.

콘솔은 입력장치와 출력장치를 총칭하는 말이다. 특히 키보드는 대표적인 콘솔 입력장치이고, 모니터는 대표적인 콘솔 출력장치이다.

■ System.out.println과 System.out.print

자바의 대표적인 콘솔 출력 메소드는 System.out.println이다. 이 메소드는 문자열을 출력하고 나서 개행처리를 하는(행을 바꾸는) 특징이 있다. 반면에 문자열의 출력 이후에 개행처리를 하지 않는 System.out.print라는 메소드도 존재한다. 이 메소드 역시 사용하기 쉬운 메소드이므로 추가적인 설명은 생략을 하고, 대신에 여러분이 관심 있어 할만한 예제를 하나 제시하겠다.

❖ StringToString.java

```
1.   class Friend
2.   {
3.       String myName;
4.       public Friend(String name)
5.       {
6.           myName=name;
7.       }
8.
9.       public String toString()
10.      {
11.          return "제 이름은 "+myName+"입니다.";
12.      }
13.  }
14.
15.  class StringToString
16.  {
17.      public static void main(String[] args)
18.      {
19.          Friend fnd1=new Friend("이종수");
20.          Friend fnd2=new Friend("현주은");
21.
22.          System.out.println(fnd1);
23.          System.out.println(fnd2);
24.
25.          System.out.print("출력이 ");
26.          System.out.print("종료되었습니다.");
```

```
27.        System.out.println("");
28.    }
29. }
```

해 설

- 9행 : toString 메소드가 정의되어 있다. 이 메소드는 11행에서 문자열을 구성하여(물론 문자열 구성의 결과로 String 인스턴스가 생성된다), String 인스턴스의 참조 값을 반환하고 있다. 따라서 반환형도 String으로 선언되어 있다.

- 22, 23행 : Friend형 참조변수가 System.out.println의 인자로 전달되고 있다. 즉 참조변수에 저장된 참조 값이 인자로 전달되고 있다. 그런데 실행결과를 보면, Friend 클래스의 toString 메소드가 호출이 되고, 이 때 반환되는 문자열이 출력됨을 알 수 있다.

- 25, 26행 : System.out.print 메소드가 문자열은 출력을 하되, 개행 처리는 하지 않음을 보이기 위한 단순한 문장들이다.

❖ 실행결과 : StringToString.java

```
제 이름은 이종수입니다.
제 이름은 현주은입니다.
출력이 종료되었습니다.
```

위 예제의 실행결과는 다음 사실을 뒷받침한다.

"println의 인자로 인스턴스의 참조 값이 전달되면, 해당 인스턴스의 toString 메소드가 호출되면서 반환되는 문자열이 출력된다!"

실제로 위 예제에서는 toString 메소드가 호출이 되면서 반환되는 문자열이 출력되었다. 이렇듯 System.out.println 메소드와 System.out.print 메소드는 문자열이 아닌 인스턴스의 참조 값이 전달되면, 해당 인스턴스의 toString 메소드를 호출하여, 이 때 반환되는 문자열을 출력한다.

참 고

문자열의 반환이 의미하는 것은

예제 StringToString.java에 보면 다음 문장이 존재한다.
```
return "제 이름은 "+myName+"입니다.";
```

그리고 필자는 이 문장을 보며 "문자열이 반환된다."고 이야기하고 있다. 그러나 여러분도 알다시피 문자열 자체가 반환되는 것이 아니다. 위의 문장에서 return문이 실행되기 이전에 문자열의 조합으로 하나의 String 인스턴스가 생성되고, 실제로 반환되는 것은 이 인스턴스의 참조 값이다. 그러나 편의상(그리고 관례상) 문자열이 반환된다고 표현을 하고자 한다. 따라서 앞으로도 이 부분에 대해서 오해가 없기를 바라겠다.

우리는 여기서 한가지 이상한 사실을 발견할 수 있다. println 메소드가 Friend 인스턴스의 참조 값을 전달받기 위해서는 다음의 형태로 메소드가 오버로딩 되어있어야 한다.

```
public void println(Friend fren) { . . . }
```

그런데 Friend 클래스는 우리가 정의한 클래스 아닌가? 따라서 이러한 형태의 메소드 오버로딩을 기대하는 것은 말도 안 된다(System.out.println 메소드를 정의할 때 우리가 Friend 클래스를 정의할거라고 예측이나 했겠는가?). 그렇다면 어떻게 Friend 클래스의 toString 메소드가 호출된 것일까? 아니! 조금 더 문제를 구체적으로 바라보자. Friend 클래스의 인스턴스뿐만 아니라, 우리가 정의하는 모든 클래스의 인스턴스는(인스턴스의 참조 값은) println에 전달될 수 있다. 그리고 위 예제에서 보인 것처럼 toString 메소드가 호출되면서 반환되는 문자열이 출력된다. 과연 매개변수형이 어떻게 선언되었길래 모든 클래스의 인스턴스가 println의 인자가 될 수 있는 것일까?

이는 상속(Inheritance)과 매우 깊은 관련이 있는 내용이기 때문에, 아쉽지만 상속을 공부할 때까지 이에 대한 궁금증은 묻어둘 수밖에 없다. 그러니 일단은 이러한 신기한(?) 현상에 대해서만 기억하고 있기 바란다.

■ 이스케이프 시퀀스(Escape Sequence)

문자열 안에서 특별한 의미로 해석이 되는 문자들이 있다. 이러한 문자들을 가리켜 '이스케이프 시퀀스'라 하며, 대표적인 이스케이프 시퀀스는 다음과 같다.

- \n   개행
- \t   탭(Tab)
- \"   큰 따옴표(Quatation mark)
- \\   역슬래쉬(Backslash)

위에서 보이듯이 모든 이스케이프 시퀀스는 \으로 시작을 한다. 따라서 컴파일러는 문자열 안에서 \를 만나면 그 다음에 등장하는 문자를 다른 의미로 해석해야 한다고 인식을 한다. 예를 들어서 다음의 문장을 실행하면,

```
System.out.println("안녕하세요 \t 여러분 \n 모두 반갑습니다. ");
```

문자열의 출력 도중에 \t를 만나는 순간 탭(tab)이 입력되고, \n을 만나는 순간 개행처리가 이뤄진다. 뿐만 아니라, 이스케이프 시퀀스는 다음과 같이 잘못 구성된 문자열의 해결책도 된다.

```
System.out.println("제가 어제 "당신 누구세요?" 라고 물었더니");
```

위 문장을 통해서 출력하고픈 문자열은 다음과 같다.

　　제가 어제 "당신 누구세요?" 라고 물었더니

그러나 컴파일러는 큰 따옴표를 문자열 표현의 도구로 인식하기 때문에, 이 경우에는 "제가 어제"와 " 라

고 물었더니"가 각각 문자열로 인식되어 컴파일 에러가 발생한다. 이게 다 문자열의 중간에 삽입된 큰 따옴표 때문이다. 따라서 이러한 경우에는 다음과 같이 문장을 구성해야 한다.

```
System.out.println("제가 어제 \"당신 누구세요?\"라고 물었더니");
```

이제 컴파일러는 문자열 내에 존재하는 큰 따옴표를 문자열의 구분자가 아닌, 출력의 대상으로 인식을 하여 정상적으로 컴파일 및 실행이 이뤄진다.

■ 문자열을 조합해서 출력하는 System.out.printf 메소드

System.out.println과 System.out.print는 단순히 문자열을 있는 그대로 출력하는 메소드들이다. 반면에 System.out.printf는 문자열의 내용을 조합해서 출력하는 기능의 메소드이다. 이 메소드의 사용방법은 다음과 같다.

```
System.out.printf("정수는 %d, 실수는 %f, 문자는 %c ", 12, 24.5, 'A');
```

위의 메소드 호출과정에서 printf 메소드로 전달되는 데이터는 크게 다음과 같이 나눌 수 있다.

- 출력할 문자열의 기본구성   → "정수는 %d, 실수는 %f, 문자는 %c"
- 문자열에 채워질 데이터   → 12, 24.5, 'A'

먼저 '출력할 문자열의 기본구성'을 보자. 이것이 출력하고자 하는 문자열의 기본형태이다. 그런데 중간 중간에 보면 %로 시작하는 것이 세 개 등장한다. 그 중 하나는 %d인데 이는 다음의 의미를 갖는다.

"저 데이터를 10진수 정수의 형태로 이곳에 출력하기 원한다."

그리고 %f와 %c도 각각 다음의 의미를 갖는다.

"저 데이터를 10진수 실수의 형태로 이곳에 출력하기 원한다."
"저 데이터를 문자의 형태로 이곳에 출력하기 원한다."

그렇다면 이들 문장에서 말하는 '저 데이터'는 무엇을 뜻하는 것일까? 이는 바로 이어서 등장하는 '문자열에 채워질 데이터'를 의미하는 것이다. 따라서 이들의 관계를 정리하면 다음과 같다.

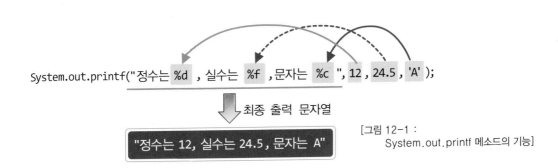

[그림 12-1 :
System.out.printf 메소드의 기능]

이로써 System.out.printf의 대략적인 기능은 이해하였을 것이다. 그리고 %d, %f와 같은 문자를 가리켜 '서식문자(또는 변환문자)'라 하는데, 이러한 자바의 대표적인 서식문자들을 정리하면 다음과 같다.

서식문자	출력의 형태
%d	10진수 정수 형태의 출력
%o	8진수 정수 형태의 출력
%x	16진수 정수 형태의 출력
%f	실수의 출력
%e	e 표기법 기반의 실수 출력
%g	출력의 대상에 따라서 %e 또는 %f 형태의 출력
%s	문자열 출력
%c	문자 출력

[표 12-1 : System.out.printf의 서식문자]

그럼 지금까지 소개한 내용을 보다 정확히 이해하기 위해서 printf 메소드의 다양한 호출문을 예제를 통해 보이겠다.

❖ FormatString.java

```
1.   class FormatString
2.   {
3.       public static void main(String[] args)
4.       {
5.           int age=20;
6.           double tall=175.7;
7.           String name="홍자바";
8.
9.           System.out.printf("제 이름은 %s입니다. \n", name);
10.          System.out.printf("나이는 %d이고, 키는 %e입니다. \n", age, tall);
11.          System.out.printf("%d %o %x \n", 77, 77, 77);
12.          System.out.printf("%g %g \n", 0.00014, 0.000014);
13.      }
14.  }
```

- 9행 : %s는 문자열의 출력을 의미하는 서식문자이다. 따라서 메소드의 두 번째 전달 값으로 문자열이 왔다(String 인스턴스가 왔다). 그리고 System.out.printf는 자동으로 개행을 해주지 않기 때문에 \n을 삽입해서 개행을 하고 있다.

- 10행 : %d와 %e가 왔으니, age에 저장된 값은 10진수 정수의 형태로, tall에 저장된 값은 e 표기법 기반으로 실수가 출력된다. 참고로 e 표기법에 대해서는 잠시 후에 별도로 설명하겠다.

- 11행 : 정수 77을 %d, %o, %x로 출력했을 때의 결과를 보이기 위한 문장이다. %d, %o, %x는 각각 정수를 10진수, 8진수, 16진수의 형태로 출력하는 서식문자이다.

- 12행 : %g는 실수를 %e 또는 %f의 형태로 출력하는 서식문자이다. %f는 10진수 실수의 출력을 의미하지만 %e는 e 표기법에 의한 출력을 의미한다. 이와 관련해서도 잠시 후에 별도로 설명을 진행하겠다.

❖ 실행결과 : FormatString.java

```
제 이름은 홍자바입니다.
나이는 20이고, 키는 1.757000e+02입니다.
77 115 4d
0.000140000 1.40000e-05
```

먼저 e 표기법에 대한 이해를 위해서 다음 숫자를 관찰하자.

   0.00000000000000000001

이 숫자는 다음과 같이 지수형태로 간단히 표현할 수 있다.

   1.0×10^{-20}

그런데 프로그램상에서는 지수(위 식에서 −20)를 표현할 수 없기 때문에, 이를 다음과 같이 표현하기로 약속하였다.

   1.0e-20

이 둘 사이의 관계가 파악되는가? 정리하면, 10^{-20}을 e−20으로 표현한 것이다. 마찬가지로 10^{+20}은 e+20으로 표현이 된다. 이것이 바로 e 표기법이다. 그럼 이해를 다지기 위해서 다음 수들을 제시하겠다. 이 수들을 e 표기법으로 여러분이 직접 바꿔보기 바란다.

   $1.2 \times 10^{+12}$, 1.15×10^{-12}, 1.7×10^{-15}

위의 수들을 e 표기법으로 표현하면 다음과 같다.

   1.2e+12,   1.15e-12,   1.7e-15

어려운 내용이 아니니, 이 정도면 e 표기법에 대해서는 완전히 파악이 되었을 것이다. 이제 e 표기법에 대해서도 알았으니, 서식문자 %g에 대해서 살펴보자. 3.14와 같이 간단한 실수라면 %f로 출력하는 것이 수의 파악에 용이할 것이고, 0.000002와 같은 실수라면 %e로 출력하는 것이 수의 파악에 용이할 것이다. 이처럼 값의 형태에 따라서 수의 파악이 용이하도록 %f 또는 %e로 출력을 해주는 서식문자가 바로 %g이다.

System.out.printf는 훨씬 다양한 출력이 가능합니다.

만약에 System.out.printf 메소드와 관련해서 보다 다양한 형태의 조합 및 출력 방식을 알고 싶다면 API 문서를 참조하기 바란다. 그러나 지금은 System.out.printf 메소드의 완벽한 사용방법을 이해하는 것이 중요한 시기는 아니니, API 문서의 참조 시기를 조금 늦추는 것도 나쁘지 않다.

12-2 콘솔 입력(Console Input)

키보드는 대표적인 콘솔 입력장치이다. 따라서 이번에는 키보드로부터 데이터를 입력 받는 방법에 대해서 살펴보겠다.

■ 자바에서의 콘솔 입력은 골칫거리였답니다.

자바에서 키보드로부터 데이터를 받아들이는 일은 골칫거리로 인식되어왔다. 그도 그럴만한 것이 숫자 하나를 입력 받기 위해서는 다음과 같이 조금 부담스러운 형태의 코드 조합이 필요했기 때문이다.

```
BufferedReader br=new BufferedReader(new InputStreamReader(System.in));
String str=br.readLine();
int num=Integer.parseInt(str);
```

사실 자바에 익숙한 개발자들은 위의 코드에 그리 부담을 느끼지 않는다. 그러나 자바에 익숙하지 않은 분들이 공부하는 과정에서 접하기에는 부담스러운 것이 사실이다. 위의 코드를 이해하기 위해서는 다음 사항들에 대해 알고 있어야 하기 때문이다.

- 자바 I/O
- Wrapper 클래스

- String 처리

- 예외처리(Exception Handling)

결국 자바를 공부하는 학생들은 자바 책의 뒷부분까지 공부를 해야 비로소 콘솔 입력이 가능했으며, 이는 학생들에게 상대적으로 부담스럽게 느껴지기에 충분하였다. 때문에 한때는 자바로 콘솔 입력이 가능하지 않다는 오해를 받기도 하였다. 그러나 자바는 버전 5.0을 발표하면서 이 부분에 대한 대안을 내놓았다. 따라서 이제는 위의 복잡한 코드를 대신하여 다음의 간단한 코드 구성만으로도 키보드로부터 정수를 입력 받을 수 있게 되었다.

```
Scanner kb=new Scanner(System.in);
int num=kb.nextInt();
```

코드가 훨씬 간결해졌을 뿐만 아니라, 입력된 값이 int형으로 반환되니, 문자열을 정수로 변환하는 과정도 필요 없게 되었다(앞의 코드에서는 문자열을 int형 데이터로 변환하는 과정을 거치고 있다). 따라서 이 책에서는 자바 버전 5.0에서 처음 소개된 키보드 입력 방식을 소개하고자 하는데, 그래도 이전 방식에 대한 예제 하나 정도는 싣는 것이 예의라 생각되어, 다음 예제를 여러분께 보이고자 한다. 참고로 이 코드는 지금 당장 이해가 되지 않는 것이 정상이니 부담 없이 즐기기(?) 바란다.

❖ PastReadInt.java

```
1.    import java.io.*;
2.
3.    class PastReadInt
4.    {
5.        public static void main(String[] args)
6.        {
7.            try {
8.                InputStreamReader isr=new InputStreamReader(System.in);
9.                BufferedReader br=new BufferedReader(isr);
10.               System.out.print("정수 입력 : ");
11.               String str=br.readLine();
12.               int num=Integer.parseInt(str);
13.               System.out.println("입력된 정수 : "+num);
14.           }catch(Exception ex){
15.               ex.printStackTrace();
16.           }
17.       }
18.   }
```

- 8, 9행 : 실제 프로그래밍에서는 이 둘을 앞서 보인 코드에서처럼 한 줄에 표현한다. 그러나 이 예제에서는 여러분이 보기 좋도록 두 줄에 나눠서 표현하였다.

- 12행 : str에 저장되어 있는(str이 참조하는 인스턴스에 저장되어 있는) 문자열 데이터를 정수로

변환하기 위한 메소드 호출이다. 참고로 Integer 클래스에 대해서는 Chapter 20에서 별도로 설명을 한다.

❖ 실행결과 : PastReadInt.java

```
정수 입력 : 1234
입력된 정수 : 1234
```

위 예제의 7행에, 그리고 14~16행에 붙어있는 아주 어색한 코드가 보일 텐데, 이는 예외처리와 관련 있는 코드이니 지금 이해하기 위해서 노력하지 않아도 된다.

■ 자! 그럼 Scanner 클래스에 대해서 공부해 봅시다.

Scanner 클래스는 java.util 패키지에 묶여서 제공이 되는 클래스이다. 그리고 Scanner 클래스는 다음과 같이 매우 많은 수의 생성자를 제공한다.

- Scanner(File source)
- Scanner(InputStream source)
- Scanner(Readable source)
- Scanner(String source)

이들은 Scanner 클래스가 제공하는 생성자의 일부인데, 이렇게 많은 생성자가 있음을 여러분께 알리는 이유는 다음과 같다.

"Scanner는 키보드의 입력을 위해서만 디자인 된 클래스가 아닙니다."

정확히 말해서 Scanner는 생성자로 전달되는 대상으로부터(그 대상은 파일일수도 있다) 데이터를 추출하는 기능의 제공을 위한 클래스이다. 다만 생성자로 키보드를 의미하는 그 무엇인가를 전달할 수 있어서, 이를 활용하여 키보드로부터 입력되는 데이터를 필요한 형태로 추출할 뿐이다. 위에서 매개변수의 자료형이 String인 생성자를 보았는가? 이를 이용하면 문자열에 저장되어 있는 데이터도, 원하는 형태로 추출할 수 있는데, 이를 먼저 예제를 통해 보이겠다.

❖ StringScanning.java

```
1.   import java.util.Scanner;
2.
3.   class StringScanning
4.   {
```

```
5.       public static void main(String[] args)
6.       {
7.           String source="1 5 7";
8.           Scanner sc=new Scanner(source);
9.
10.          int num1=sc.nextInt();
11.          int num2=sc.nextInt();
12.          int num3=sc.nextInt();
13.          int sum=num1+num2+num3;
14.
15.          System.out.printf(
16.              "문자열에 저장된 %d, %d, %d의 합은 %d \n",
17.              num1, num2,num3, sum);
18.      }
19. }
```

 해 설

- 7, 8행 : 7행에서 생성된 String 인스턴스의 참조 값을 생성자로 전달하면서 Scanner 인스턴스를 생성하였다. 이로써 Scanner 인스턴스와 7행에 선언된 문자열이 연결되었다.
- 10~12행 : nextInt 메소드는 문자열에 저장되어 있는 데이터를 순서대로 int형으로 반환한다.

❖ 실행결과 : StringScanning.java

문자열에 저장된 1, 5, 7의 합은 13

이 예제에서는 Scanner 인스턴스를 문자열에 연결했지만, 이어서 소개하는 예제에서는 Scanner 인스턴스를 콘솔 입력(키보드)에 연결해서 키보드로부터 입력되는 데이터를 추출할 것이다.

■ 키보드에 적용해 봅시다.

키보드는 물리적인 성격의 장치이다. 따라서 대부분의 프로그래밍 언어는 키보드의 컨트롤을 위해서 별도의 방법을 제공한다. 이는 자바도 마찬가지이다. 자바는 System 클래스에 static으로 선언된 변수 in을 통해서(간단히 말해서 System.in을 통해서) 키보드 입력에 관한 세부적인 부분을 프로그래머가 신경 쓰지 않도록 해준다. 따라서 여러분은 System.in이 콘솔의 입력을 의미한다고 이해하기 바란다. 사실 System.in은 InputStream이라는 클래스의 인스턴스인데, 이 클래스에 대해서는 자바 I/O 부분에서 상세히 설명하겠다.

자! 그럼 예제를 보자. 이 예제는 앞서 소개한 StringScanning.java를 콘솔 입력 버전으로 바꾼 것에 지나지 않는다. 여러분은 이 두 예제를 비교하면서(반드시 비교해보자) 차이가 나는 부분이 어디인지도 확인하기 바란다.

❖ KeyboardScanning.java

```java
1.   import java.util.Scanner;
2.
3.   class KeyboardScanning
4.   {
5.       public static void main(String[] args)
6.       {
7.           Scanner sc=new Scanner(System.in);
8.
9.           int num1=sc.nextInt();
10.          int num2=sc.nextInt();
11.          int num3=sc.nextInt();
12.          int sum=num1+num2+num3;
13.
14.          System.out.printf(
15.              "입력된 정수 %d, %d, %d의 합은 %d \n",
16.              num1, num2,num3, sum);
17.      }
18. }
```

해 설

• 7행 : System.in을 기반으로 Scanner 인스턴스를 생성하고 있다. 이로써 Scanner 인스턴스가 키보드에 연결되었다.

❖ 실행결과1 : KeyboardScanning.java

```
1 5 7
입력된 정수 1, 5, 7의 합은 13
```

❖ 실행결과2 : KeyboardScanning.java

```
2
8
12
입력된 정수 2, 8, 12의 합은 22
```

두 가지 형태의 실행결과를 보인 이유는 모든 공백(스페이스 바, 탭, 엔터 키의 입력)이 데이터를 구분하는 기준임을 보이기 위해서다. 그리고 이 예제를 StringScanning.java와 비교해 보면, Scanner 인

스턴스를 생성하는 부분을 제외하면 차이가 없음을 알 수 있다. 이것이 자바 I/O의 기본 개념이다. 여기서 말하는 I/O는 입력과 출력을 의미하는 Input과 Output인데, 입력과 출력의 대상이 무엇이건 간에 입출력의 기본 방식 및 원리를 동일하게 구성하겠다는 것이 자바 I/O의 기본 원칙이다.

■ Scanner 클래스를 구성하는 주요 메소드들

이제 Scanner 클래스의 다양한 메소드만 설명하면, 여러분은 키보드로부터 다양한 입력을 받을 수 있다. 따라서 콘솔 입력에 유용하게 사용할 수 있는 일부 메소드를 소개하고자 한다.

- public boolean nextBoolean()
- public byte nextByte()
- public short nextShort()
- public int nextInt()
- public long nextLong()
- public float nextFloat()
- public double nextDouble()
- public String nextLine()

메소드의 이름이 직관적이기 때문에, 별도로 설명하지 않아도 어떠한 데이터의 입력을 위한 메소드인지 전부 파악이 되었을 것이다. 따라서 부연설명 없이 다음 예제를 통해서 위 메소드들이 제공하는 기능을 보이도록 하겠다.

❖ ScanningMethods.java

```
1.   import java.util.Scanner;
2.
3.   class ScanningMethods
4.   {
5.       public static void main(String[] args)
6.       {
7.           Scanner keyboard=new Scanner(System.in);
8.
9.           System.out.print("당신의 이름은? ");
10.          String str=keyboard.nextLine();
11.          System.out.println("안녕하세요 "+str+'님');
12.
13.          System.out.print("당신은 스파게티를 좋아한다는데, 진실입니까? ");
14.          boolean isTrue=keyboard.nextBoolean();
15.          if(isTrue==true)
16.              System.out.println("오~ 좋아하는군요.");
17.          else
18.              System.out.println("이런 아니었군요.");
19.
```

```
20.          System.out.print("당신과 동생의 키는 어떻게 되요? ");
21.          double num1=keyboard.nextDouble();
22.          double num2=keyboard.nextDouble();
23.          double diff=num1-num2;
24.          if(diff>0)
25.              System.out.println("당신이 "+diff+"만큼 크군요.");
26.          else
27.              System.out.println("당신이 "+(-diff)+"만큼 작군요.");
28.      }
29. }
```

해 설

- 10행 : nextLine 메소드를 통해서 문자열을 입력 받고 있다. 입력되는 문자열의 끝은 엔터 키로 구분이 되기 때문에, 엔터 키가 입력되어야 문자열의 입력이 완료된다.

- 14행 : boolean형 데이터의 입력을 위한 메소드가 호출되었다. 실제 입력에서는 true 또는 false를 입력해야 하며, 15행에서 보이듯이 이는 문자열이 아닌 참과 거짓을 의미하는 true 또는 false로 해석이 된다.

- 21, 22행 : 실수의 입력을 위해서 nextDouble 메소드가 호출되고 있다.

❖ 실행결과 : ScanningMethods.java

> 당신의 이름은? **이은주**
> 안녕하세요 이은주님
> 당신은 스파게티를 좋아한다는데, 진실입니까? **true**
> 오~ 좋아하는군요.
> 당신과 동생의 키는 어떻게 되나요? **162.4   170.9**
> 당신이 8.5만큼 작군요.

그리고 위 예제에서 보이지는 않았지만, nextByte, nextShort, nextInt, nextLong은 모두 정수의 입력을 위한 메소드들이다. 다만 입력된 정수의 반환형에만 차이가 있을 뿐이다. 예를 들어서 키보드로부터 동일하게 7이 입력되어도 nextInt로 읽으면 int형 데이터 7이 반환되고, nextLong으로 읽으면 long형 데이터 7이 반환된다.

이번 Chapter에서는 콘솔 입력과 출력에 관한 다양한 메소드를 소개하였다. 이로써 여러분이 구현할 수 있는 프로그램의 범위가 매우 넓어졌다. 따라서 필자는 이를 기반으로 단계별 프로젝트의 주제를 제시할 생각이다. 좋은 생각 아닌가?

단계별 프로젝트는 계속해서 이어지는 형태의 프로젝트이다. 즉 전화번호 관리 프로그램 01단계의 결과를 확장 또는 수정하여 02단계를 진행해야 한다.

■ 전화번호 관리 프로그램 02단계 문제

01단계의 핵심은 PhoneInfo 클래스의 정의에 있었다. 반면 02단계의 핵심은 다음과 같다.

   "프로그램 사용자로부터의 데이터 입력"

즉 프로그램 사용자로부터 데이터를 입력 받아서 PhoneInfo 클래스의 인스턴스를 생성하는 것이 핵심이다. 단 반복문을 이용해서 프로그램의 흐름이 계속 유지되도록 하자. 프로그램 사용자가 종료를 명령하지 않으면, 다음의 과정이 반복적으로 이뤄져야 한다.

[그림 12-2 : 02단계의 프로그램 흐름]

그리고 매 실행 때마다 생성된 인스턴스는 유지되지 않아도 되며(이것은 다음 단계에서 진행한다), 프로그램의 흐름을 계속해서 이어갈지, 아니면 종료할지 프로그램 사용자가 선택할 수 있도록 해야 한다.

■ 전화번호 관리 프로그램 02단계 프로그램의 실행 예

필자가 요구하는 형태의 프로그램을 보다 정확히 이해할 수 있도록 실행의 예를 보이겠다. 이 실행결과를 토대로 동일한 형태로 동작하는 프로그램을 작성해보자.

```
C:\>java PhoneBookVer02
선택하세요...
1. 데이터 입력
2. 프로그램 종료
선택 : 1
이름 : 홍길동
전화번호 : 222-3333
생년월일 : 99년 12월 25일생

입력된 정보 출력...
name : 홍길동
phone : 222-3333
birth : 99년 12월 25일생

선택하세요...
1. 데이터 입력
2. 프로그램 종료
선택 :
```

■ 필자의 구현 사례

첫 번째 단계에 비해서 코드의 양이 제법 많이 늘어났다. 그러나 내용적으로 어려운 코드의 구현을 요구하지는 않았으니, 잘 돌아가지 않는 코드라도 여러분의 힘으로 한번 만들어보기 바란다.

❖ PhoneBookVer02.java

```java
/*
 * 전화번호 관리 프로그램 구현 프로젝트
 * Version 0.2
 */

import java.util.Scanner;

class PhoneInfo
{
    String name;
    String phoneNumber;
    String birth;

    public PhoneInfo(String name, String num, String birth)
    {
        this.name=name;
        phoneNumber=num;
        this.birth=birth;
    }
```

```java
    public PhoneInfo(String name, String num)
    {
        this.name=name;
        phoneNumber=num;
        this.birth=null;
    }

    public void showPhoneInfo()
    {
        System.out.println("name : "+name);
        System.out.println("phone : "+phoneNumber);
        if(birth!=null)
            System.out.println("birth : "+birth);

        System.out.println("");    // 데이터 구분을 위해
    }
}

class PhoneBookVer02
{
    static Scanner keyboard=new Scanner(System.in);

    public static void showMenu()
    {
        System.out.println("선택하세요...");
        System.out.println("1. 데이터 입력");
        System.out.println("2. 프로그램 종료");
        System.out.print("선택 : ");
    }

    public static void readData()
    {
        System.out.print("이름 : ");
        String name=keyboard.nextLine();
        System.out.print("전화번호 : ");
        String phone=keyboard.nextLine();
        System.out.print("생년월일 : ");
        String birth=keyboard.nextLine();

        PhoneInfo info=new PhoneInfo(name, phone, birth);
        System.out.println("\n입력된 정보 출력...");
        info.showPhoneInfo();
    }

    public static void main(String[] args)
    {
        int choice;
        while(true)
        {
            showMenu();
            choice=keyboard.nextInt();
            keyboard.nextLine();        // 아래에서 설명!

            switch(choice)
            {
            case 1:
                readData();
                break;
            case 2:
```

```
                    System.out.println("프로그램을 종료합니다.");
                    return;
                }
            }
        }
    }
```

참고로 위의 main 메소드를 보면 다음의 문장 구성을 볼 수 있다.

```
choice=keyboard.nextInt();
keyboard.nextLine();              // 아래에서 설명!
```

첫 번째 문장을 통해서 정수를 하나 읽어 들인 다음에 nextLine 메소드의 호출을 통해서 문자열을 하나 읽어 들이고 있다. 여기서 nextLine 메소드의 호출이 필요한 이유는 어디에 있을까? 키보드를 이용해서 하나의 정수를 입력할 때, 입력의 끝을 의미하는 목적으로 엔터 키를 누르게 된다. 즉 정수 7을 입력할 때, 입력의 형태는 다음과 같다.

```
7 + enter
```

여기서 7은 nextInt 메소드의 호출을 통해서 읽혀진다. 하지만 enter는 여전히 읽혀지지 않은 상태로 남아 있게 된다. 물론 이어서 nextLine 이외의 메소드가 호출이 되면, 이렇게 남아있는 enter는 문제가 되지 않는다. 그냥 읽혀서 버려지기 때문이다. 하지만 이어서 nextLine 메소드가 호출되면 이야기는 달라진다. nextLine 메소드는 enter 키를 읽어 들일 때까지 데이터를 읽는 메소드이다. 때문에 enter 키의 입력이 남아있으면, 이를 읽으면서 문자열의 입력을 그냥 완료해버린다. 이로 인해서 결국은 프로그램 사용자가 문자열을 입력할 기회조차 얻지 못한다. 위 예제의 main 메소드에 존재하는 nextLine 메소드의 호출부분을 주석처리하고 실행을 해 보면, 필자의 설명을 보다 정확히 이해할 수 있을 것이다.

Chapter 13

배열(Array)

문법 하나하나에 부여된 의미(필요성)를 설명하는 것도 책을 집필하는 저자의 책임이라고 필자는 생각한다. 해당문법이 필요한 이유를 이해하면 문법 자체를 이해하고 활용하는 것은 문제가 되지 않기 때문이다. 우리가 지금 공부할 내용은 배열이다. 그리고 배열과 관련해서 다음과 같은 내용을 이해하는 것은 쉽다.

"배열은 이러이러한 특성을 지니고요. 이렇게 동작합니다."

하지만 다음과 같은 내용이 훨씬 더 중요하다.

"이러이러한 상황 때문에 배열이라는 것이 필요합니다."

그래서 필자는 처음부터 필요성을 강조하여 설명을 진행할 테니, 여러분도 배열의 필요성에 관심을 두기 바란다.

우선 배열을 모르는 상태에서 하나의 문제를 생각해 보기로 하자. 배열의 필요성을 이해하는데 도움이 되는 이 문제는 여러분이 배열을 이해하고 난 이후에, 배열을 활용하는 과정에서도 많은 도움을 줄 것이다.

■ 성적을 계산하는 프로그램의 작성!

배열 이전까지의 내용만 알고 있는 여러분에게 교수님께서 다음의 주제로 프로그램의 구현을 요구하셨다.

"열 명의 수강생 점수를 입력 받아서, A 학점의 기준이 되는 점수를 출력한다."

"단 A 학점은 최고 점수를 취득한 2명에게만 준다고 가정한다."

이러한 내용의 프로그램 구현이 문제로 주어졌다고 생각을 하고, 여러분이 직접 구현해보기 바란다. 이는 직접 경험해 봐야, 필자가 설명하는 내용에 공감할 수 있는 부분도 있기 때문이다. 그럼 여러분도 구현해 보았으리라 믿고 필자의 답안을 제시하겠다. 단 이 예제는 열 명이 아닌, 세 명을 기준으로 작성되었다(지면을 아끼기 위해 그리하였다).

❖ WhyNeedArray.java

```
1.   import java.util.Scanner;
2.
3.   class WhyNeedArray
4.   {
5.       public static void main(String[] args)
6.       {
7.           int fstHighScore=0;    // 1등 점수
8.           int sndHighScore=0;    // 2등 점수
9.
10.          Scanner sc=new Scanner(System.in);
11.
12.          System.out.print("점수 입력 : ");
13.          int score1=sc.nextInt();
14.
15.          if(score1>=fstHighScore)
16.          {
17.              sndHighScore=fstHighScore;
18.              fstHighScore=score1;
19.          }
20.          else if(score1<fstHighScore && score1>sndHighScore)
```

```
21.          {
22.              sndHighScore=score1;
23.          }
24.
25.          System.out.print("점수 입력 : ");
26.          int score2=sc.nextInt();
27.
28.          if(score2>=fstHighScore)
29.          {
30.              sndHighScore=fstHighScore;
31.              fstHighScore=score2;
32.          }
33.          else if(score2<fstHighScore && score2>sndHighScore)
34.          {
35.              sndHighScore=score2;
36.          }
37.
38.          System.out.print("점수 입력 : ");
39.          int score3=sc.nextInt();
40.
41.          if(score3>=fstHighScore)
42.          {
43.              sndHighScore=fstHighScore;
44.              fstHighScore=score3;
45.          }
46.          else if(score3<fstHighScore && score3>sndHighScore)
47.          {
48.              sndHighScore=score3;
49.          }
50.
51.          System.out.printf("A 학점은 %d점 이상입니다. \n", sndHighScore);
52.      }
53. }
```

 해설

- 12~23행 : 총 3회에 걸쳐서 유사한 코드가 반복되었다. 25~36행, 38~49행이 이와 유사하다. 유일한 차이점은 변수의 이름에 있다. 이것이 바로 이 예제에서 가장 주목할 부분이다.

- 15행 : 점수를 입력 받고 나서 최고 점수인지를 확인하고 있다.

- 17, 18행 : 입력된 점수가 최고 점수일 경우, 기존에 저장된 최고 점수를 두 번째 높은 점수로 변경하고(17행), 새로 입력된 점수를 최고 점수로 지정하고 있다(18행).

- 20행 : 입력된 점수가 최고 점수는 아니지만, 두 번째 점수보다는 높은 점수인지 확인하고 있다.

- 22행 : 입력된 점수가 두 번째로 높은 점수일 경우, 이를 두 번째 점수로 지정하고 있다.

❖ 실행결과 : WhyNeedArray.java

```
점수 입력 : 85
점수 입력 : 90
점수 입력 : 97
A 학점은 90점 이상입니다.
```

위 예제를 구현하면서 여러분이 느꼈을 답답함이 있었을 것이다. 그럼 이제 여러분이 느꼈을 답답함을 바탕으로 배열이라는 것이 필요한 이유를 설명하겠다.

■ 변수를 선언하다 질려버렸다!

예제 WhyNeedArray.java가 총 열명의 점수를 기반으로 구현되었다면, 필요한 변수의 선언은 score1, score2, score3. . . 에서부터 시작해서 score10까지 이어져야 한다. 그리고 현실적으로 이치에 맞도록 구현한다면(대학이 학부과정으로 바뀌면서 300명이 넘는 학부도 있다고 들었다), 변수의 선언은 감당하기가 매우 부담스럽다. 그런데 다행히도 배열이라는 것이 이러한 상황의 해결을 돕는다. 왜냐하면 배열은 많은 수의 변수 선언에 편의를 제공하기 때문이다.

"배열의 선언은 둘 이상의 변수 선언에 편의를 제공한다."

배열에 대해서 모르는 상태이지만, 어떠한 상황에서 배열이 유용하게 사용이 되는지에 대한 첫 번째 힌트를 제공하였다.

■ 코드를 반복적으로 사용하면서도 반복문을 사용할 수 없다니!

위 예제의 더 큰 문제는 실행되는 코드의 패턴이 100% 일치함에도 불구하고 변수의 이름이 다르다는 이유로 반복문을 사용할 수 없다는데 있다. 위 예제 12~23행, 25~36행, 38~49행의 코드 구성은 변수의 이름을 제외하면 100% 동일하다. 따라서 for문과 같은 반복문의 구성을 고려해 볼 수 있는데, 문제는 변수의 이름이다. 이름이 다르기 때문에 반복문을 구성할 수가 없다. 이러한 상황에서 300명 정도되는 학생들을 기준으로 프로그램을 구현한다면, 이와 같은 코드 블록이 총 300번이나 등장해야 하니, 이쯤 되면 프로그래밍이 아니라 진정한 문서 타이핑이 되어버린다. 그러나 다행히도 배열은 이러한 문제의 해결도 돕는다. 즉 배열을 사용하면 둘 이상의 변수에 동일한 코드를 적용시킬 수 있다.

"배열로 선언된 변수들에는 반복문을 이용해서 동일한 코드 패턴을 적용할 수 있다."

아직 배열에 대해서 설명하지 않았지만, 그래도 이 두 가지 결론을 기억하기 바란다. 배열을 사용하는 가장 큰 이유가 되니 말이다.

이제 본격적으로 배열에 대해서 설명하도록 하겠다. 배열은 그 형태에 따라서 1차원 배열과 2차원 이상의 다차원 배열로 나뉘는데, 먼저 1차원 배열에 대해서 살펴보기로 하자.

■ 배열 인스턴스의 생성방법

소제목이 "배열 인스턴스의 생성방법"이다. 그렇다면 배열이라는 것도 변수와 메소드로 구성이 되는 인스턴스라는 뜻인가? 그렇다! 배열도 인스턴스이다. 솔직히 문자열이 인스턴스라는 사실에 비하면, 배열이 인스턴스라는 사실은 그리 놀랄만한 일도 아니다. 그럼 배열이라는 것은 어떻게 생성을 해야 하며, 어떠한 특성을 지니고 있는지 알아보자. 앞서 우리는 다음의 형태로 인스턴스를 생성해 왔다.

```
AAA ref=new AAA(5);
```

여기서 new AAA(5)가 인스턴스의 생성을 의미하고, AAA ref는 참조변수의 선언을 의미한다. 즉 인스턴스의 생성은 일반적으로 참조변수의 선언을 동반한다. 따라서 위의 문장은 다음과 같이 두 개의 문장으로 나눠서 쓸 수도 있다.

```
AAA ref;            // 참조변수 선언
ref=new AAA(5);     // 인스턴스 생성
```

그럼 이번에는 배열과 관련된 참조변수의 선언과 인스턴스 생성에 대해서 살펴보자. 다음은 배열 인스턴스의 참조변수 선언이다.

```
int[] ref;           // 배열의 참조변수 선언
```

여기서 ref는 참조변수의 이름이고 int[]는 참조할 대상에 대한 자료형 정보이다. 그렇다면 int[]는 어떻게 해석해야 할까?

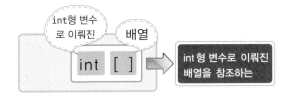

[그림 13-1 : 배열의 참조변수 형]

위 그림에서 보이듯이 '[]'는 참조의 대상이 배열임을 의미하고, 배열은 배열이되 int형 변수로 이뤄진 배열임은 'int'로 표현이 된다. 즉 위에서 선언한 변수 ref는 int형 변수로 이뤄진 배열의 참조변수이다. 그럼 이번에는 int형 변수로 이뤄진 배열을 생성해 보자.

```
int[] ref = new int[5];
```

키워드 new가 등장한 것으로 봐서 인스턴스의 생성임에 틀림이 없다. 그리고 이어서 등장하는 int[5]는 5개의 int형 데이터가 저장 가능한 배열을 의미한다. 즉 이 문장에 의해서 생성되는 인스턴스의 형태는 다음과 같다.

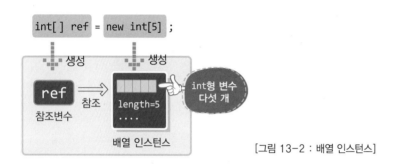

[그림 13-2 : 배열 인스턴스]

위 그림에서 보이듯이 배열 안에는 다섯 개의 int형 변수가 존재한다. 뿐만 아니라, 인스턴스 변수(length)도 존재한다. 자! 그럼 지금까지 설명한 내용을 바탕으로 몇몇 배열 선언의 예를 보이도록 하겠다.

• 길이가 7인 int형 배열	`int[] arr1 = new int[7];`
• 길이가 10인 double형 배열	`double[] arr2 = new double[10];`
• 길이가 6인 boolean형 배열	`boolean[] arr3 = new boolean[6];`

그런데 배열은 int, double과 같은 기본 자료형으로만 선언해야 하는 것이 아니다. 여러분이 정의한 클래스를 기반으로도 선언이 가능하다.

• 길이가 5인 FruitSeller형 인스턴스 배열	`FruitSeller[] arr4 = new FruitSeller[5];`
• 길이가 8인 FruitBuyer형 인스턴스 배열	`FruitBuyer[] arr5 = new FruitBuyer[8];`

위의 코드는 이전에 우리가 정의한 FruitSeller와 FruitBuyer 클래스를 기반으로 하는 인스턴스 배열의 선언 방법을 보여준다. 단 여기서 주의할 것은 인스턴스 배열은 '참조변수의 배열'이라는 점이다. 즉 인스턴스로 이뤄진 배열이 아니라, 인스턴스의 참조 값을 저장할 수 있는 참조변수로 이뤄진 배열이라는 점에 주의해야 한다.

■ 배열의 접근방법

자! 그럼 이번에는 배열의 접근방법에 대해서 살펴보자. 배열이 갖는 가장 큰 의미는 값의 저장과 참조이다. 따라서 자바는 참조변수를 통한 매우 간단한 접근방법을 제공하고 있다.

```
public static void main(String[] args)
{
    int[] arr = new int[7];
    arr[0]=10;        // 배열의 첫 번째 요소에 10 저장
    arr[1]=20;        // 배열의 두 번째 요소에 20 저장
    . . . .
}
```

위 코드에서 arr[0]은 arr이 참조하는 배열의 첫 번째 요소(변수)를 의미한다. 그리고 arr[1]은 arr이 참조하는 배열의 두 번째 요소를 의미한다. 즉 arr이 참조하는 배열의 N번째 요소에 접근을 하려면 arr[N-1]을 이용하면 된다. 그럼 예제를 통해서 이 사실을 확인하겠다.

❖ AccessArray.java

```
1.    class AccessArray
2.    {
3.        public static void main(String[] args)
4.        {
5.            int[] arr = new int[3];
6.            arr[0]=1;
7.            arr[1]=2;
8.            arr[2]=3;
9.
10.           int sum=arr[0]+arr[1]+arr[2];
11.           System.out.println(sum);
12.       }
13.   }
```

해 설

• 5행 : 길이가 3인 int형 배열을 선언하고 있다.
• 6~8행 : 배열의 첫 번째 요소부터 마지막 요소까지 값을 저장하고 있다.
• 10행 : 배열에 저장된 값을 전부 더하여 변수 sum에 저장하고 있다.

❖ 실행결과 : AccessArray.java

```
6
```

배열의 특성을 파악하기 위한 예제 하나를 더 제시하겠다. 이 예제는 참조변수로 이뤄진 배열의 선언을 보이며, 더불어 앞서 간단히 언급한 length라는 인스턴스 변수에 대해서도 소개하고 있다.

❖ InstanceArray.java

```
1.  class InstanceArray
2.  {
3.      public static void main(String[] args)
4.      {
5.          String[] strArr=new String[3];
6.          strArr[0]=new String("Java");
7.          strArr[1]=new String("Flex");
8.          strArr[2]=new String("Ruby");
9.
10.         for(int i=0; i<strArr.length; i++)
11.             System.out.println(strArr[i]);
12.     }
13. }
```

해 설

- 5행 : String 클래스의 배열을 선언하고 있다. 이
  로써 String 인스턴스의 참조 값 세 개를 저
  장할 수 있는 배열이 만들어졌다.

- 6~8행 : 배열에 String 인스턴스를 저장하고 있
  다. String 인스턴스 생성을 위해서 굳이
  키워드 new를 사용할 필요는 없지만, 인
  스턴스의 참조 값이 저장된다는 사실을 부
  각시키기 위해서 이렇게 인스턴스를 생성
  하였다. 이로써 그림 13-3의 형태로 배
  열이 구성된다.

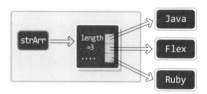

[그림 13-3 : 배열의 데이터 저장 모델]

- 10행 : strArr은 참조변수이다. 따라서 strArr.length는 length라는 인스턴스 변수에 접근을
  시도하는 것이다. 이렇듯 모든 배열(배열 인스턴스)에는 length라는 인스턴스 변수가 존재
  한다. 그리고 이 변수에는 배열의 길이 정보가 저장되어 있다.

❖ 실행결과 : InstanceArray.java

```
Java
Flex
Ruby
```

참고로 위 예제에서 간과하지 말아야 할 것은, 배열을 기반으로 for문을 이용한 반복문의 구성이 가능하다는 사실이다. 이는 배열에 저장되어 있는 문자열의 수가 100개이건 1000개이건, 단 두 줄이면 배열 전체에 대한 출력이 가능함을 의미한다. 앞서 다음과 같이 이야기했던 것을 기억하는가?

"배열로 선언된 변수들에는 반복문을 이용해서 동일한 코드 패턴을 적용할 수 있다."

이것이 바로 배열이 지니는 큰 의미이다.

■ 배열의 선언과 동시에 초기화

배열도 일반 변수와 마찬가지로 선언과 동시에 초기화가 가능하다. 기본적인 배열의 선언 방식이 다음과
같다고 할 때,

```
int[] arr = new int[3];
```

배열을 선언과 동시에 초기화를 하려면 초기화 할 값들을 중괄호를 이용해서 나열하면 된다. 즉 위의 배
열을 1, 2, 3으로 초기화하고자 한다면 다음과 같이 문장을 구성하면 된다.

```
int[] arr = new int[3] {1, 2, 3};
```

단 초기화 대상의 개수를 통해서 배열의 길이를 결정할 수 있으므로, 이러한 경우에는 길이 정보를 생략
하기로 약속되어 있다. 즉 다음과 같이 문장을 구성해야 한다.

```
int[] arr = new int[ ] {1, 2, 3};
```

그리고 위 문장은 다음과 같이 줄여서 표현할 수도 있고, 또 이것이 보다 일반적인(프로그래머들이 주로
사용하는) 문장 구성이다.

```
int[] arr = {1, 2, 3};
```

여러분이 보기에도 이 문장이 훨씬 더 간결하고 사용하기도 편해 보이지 않는가?

참조변수 선언에서의 int[] arr와 int arr[]

참조변수 선언 시, 'int[] arr'과 'int arr[]'는 동일한 의미를 갖는다. 따라서 다음 두 문장
은 완전히 동일하다.
- int[] arr = new int[5];
- int arr[] = new int[5];

어느 방식을 사용하건 상관없다. 그러나 필자는 첫 번째 방식의 사용을 권한다. 이유는 자
바를 만든 '제임스 고슬링'의 문서를 비롯하여 저명한 자바서적 모두가 첫 번째 방식을 사
용하기 때문이다(이는 농담이다. 웃기지 않았다면 정말로 죄송하다). 사실은 첫 번째 방식
이 참조변수의 이름(arr)과 참조변수의 형(int[])을 구분하여 선언하는 방식이기 때문이다.

■ 배열과 메소드

배열은 인스턴스이므로 메소드 호출시의 인자전달 및 반환에 대한 처리가 인스턴스와 다르지 않다. 다음 예제를 통해서 필자가 말하고픈 내용을 보이겠다.

❖ ArrayAndMethods.java

```
1.  class ArrayAndMethods
2.  {
3.      public static int[] addAllArray(int[] ar, int addVal)
4.      {
5.          for(int i=0; i<ar.length; i++)
6.              ar[i]+=addVal;
7.
8.          return ar;
9.      }
10.
11.     public static void main(String[] args)
12.     {
13.         int[] arr={1, 2, 3, 4, 5};
14.         int[] ref;
15.
16.         ref=addAllArray(arr, 7);
17.
18.         if(arr==ref)
19.             System.out.println("동일 배열 참조");
20.         else
21.             System.out.println("다른 배열 참조");
22.
23.         for(int i=0; i<ref.length; i++)
24.             System.out.print(arr[i]+" ");
25.     }
26. }
```

해 설

- 3행 : addAllArray는 int형 1차원 배열의 참조
  값을 전달받고 반환하는 메소드이기 때문에,
  매개변수형과 반환형이 둘 다 int[]으로 선언
  되었다.

- 16행 : addAllArray 메소드를 호출하면서 arr을
  인자로 전달하였다. arr은 배열의 참조변수
  이다. 따라서 이 값으로 매개변수가 초기화
  되고 나면, 그림 13-4의 구조가 된다(인스
  턴스의 참조 값 전달과 동일). 그리고 6행
  에서는 매개변수 ar을 통해서 배열에 접근
  하고 있다.

- 8, 16행 : 매개변수 ar을 반환하고, 반환된 값을 참조변수 ref에 저장하고 있다. addAllArray

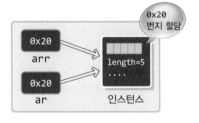

[그림 13-4 : 참조변수의 메소드 전달]

메소드 내에 선언된 매개변수는 메소드를 빠져나오면 소멸되기 때문에 8행의 return문 실행 후에는 그림 13-5의 구조가 된다.

• 23, 24행 : 배열의 길이는 참조변수 ref로 구하고, 출력은 참조변수 arr을 이용해서 진행하고 있다. 이는 ref와 arr이 동일한 배열 인스턴트를 참조하고 있음을 강조하기 위한 코드이다.

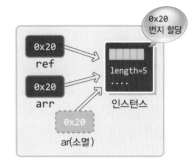

[그림 13-5 : 참조변수의 메소드 반환]

❖ 실행결과 : ArrayAndMethods.java

```
동일 배열 참조
8 9 10 11 12
```

위 예제에서 보이듯이, 메소드와 관련해서 배열을 인스턴스와 달리 생각할 부분은 존재하지 않는다. 배열도 인스턴스이기 때문이다.

문 제 13-1 [배열과 메소드]

int형 1차원 배열을 매개변수로 전달받아서, 배열에 저장된 최대값, 그리고 최소값을 구해서 반환하는 메소드를 다음의 형태로 각각 정의하자.

```
public static int minValue(int[] arr) { . . . . }    // 최소값 반환
public static int maxValue(int[] arr) { . . . . }    // 최대값 반환
```

물론 위의 두 메소드는 인자로 전달되는 배열의 길이에 상관없이 동작하도록 정의되어야 한다. 그리고 정의가 완료되면, 두 메소드의 실행을 확인하기 위한 main 메소드도 함께 정의하자. 단 선언된 int형 배열에 채워질 정수는 프로그램 사용자로부터 입력 받아야 하며, 배열의 길이는 임의로 결정하면 된다.

13-3 다차원 배열의 이해와 활용

2차원 이상의 배열을 가리켜 다차원 배열이라 한다. 그러나 실질적으로는 2차원을 초과하는 형태의 배열은 잘 사용되지 않는다. 따라서 우리도 2차원 배열에 초점을 맞춰서 다차원 배열을 공부할 것이다. 그러나 걱정하지 않아도 된다. 2차원 배열을 정확히 이해하면, 2차원을 초과하는 형태의 배열도(그래 봤자 3차원 배열) 충분히 다룰 수 있으니 말이다.

■ 1차원 배열 vs. 2차원 배열

1차원 배열은 그 이름이 의미하듯이 둘 이상의 변수가 1차원의 형태로 존재하는 배열이었다. 따라서 2차원 배열은 둘 이상의 변수가 2차원의 형태로 존재하는 배열이다. 물론 2차원 배열도 인스턴스를 기반으로 구성이 된다. 따라서 값의 저장이 가능한 변수(메모리)의 관점에서만 바라보면 다음과 같다.

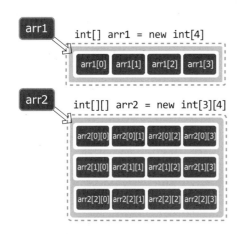

[그림 13-6 : 2차원 배열의 메모리 구조]

그리고 위 그림에서 보이듯이 세로 3, 가로 4인 int형 배열은 다음과 같이 생성을 한다.

```
int[][] arr2 = new int[3][4];
```

즉 int[][]은 2차원 배열의 참조변수 형을 의미하고, int[3][4]에서 3은 세로의 길이, 4는 가로의 길이를 의미한다. 그럼 이를 근거로 예를 몇 가지 더 들어보자.

- 가로길이가 2이고, 세로길이가 7인 int형 배열
  → int[][] arr1 = new int[7][2];

- 가로길이가 5이고, 세로길이가 3인 double형 배열
  → double[][] arr2 = new double[3][5];

- 가로길이가 7이고, 세로길이가 3인 String 배열
  → String[][] arr3 = new String[3][7];

그리고 이렇게 선언된 2차원 배열에 접근할 때에는 세로와 가로의 위치를 각각 지정하는데(그림 13-6에서 이것도 함께 보이고 있다), 1차원 배열과 마찬가지로 0에서부터 시작을 한다. 예를 들어서 2차원 배열 arr의 세로 N, 가로 M인 위치에 20을 저장하려면 다음과 같이 문장을 구성하면 된다.

    arr[N-1][M-1]=20;

여기서 N과 M에 -1을 한 이유는 위치를 지정하는데 있어서 1이 아닌 0부터 시작을 하기 때문이다. 자! 그럼 예제를 통해서 2차원 배열의 선언과 접근 방식을 보이도록 하겠다.

2차원 배열의 참조변수 선언

1차원 배열의 참조변수와 마찬가지로 2차원 배열의 참조변수 선언에서도 []의 위치는, 참조변수 이름의 앞과 뒤에 자유롭게 올 수 있기 때문에 다음의 두 선언은 완전히 동일하다.
```
int[][] arr = new int[4][4];
int arr[][] = new int[4][4];
```

이뿐만 아니라 []의 위치는 너무도 자유로워서 다음과 같은 선언도 가능하긴 하지만, 굳이 이렇게 선언을 해서 혼란을 초래할 필요는 없다.
```
int []arr[] = new int[4][4];
```

❖ TwoDimenArray.java

```
1.   class TwoDimenArray
2.   {
3.       public static void main(String[] args)
4.       {
5.           int[][] arr=new int[3][4];
6.
7.           for(int i=0; i<3; i++)
8.               for(int j=0; j<4; j++)
9.                   arr[i][j]=i+j;
10.
11.          for(int i=0; i<3; i++)
12.          {
13.              for(int j=0; j<4; j++)
14.                  System.out.print(arr[i][j]+" ");
```

```
15.
16.              System.out.println("");
17.          }
18.      }
19. }
```

 해 설

- 5행 : 가로가 4이고 세로가 3인 2차원 배열을 선언하고 있다.
- 7~9행 : 2차원 배열을 초기화하고 있다. 이는 2차원 배열에 값을 저장하는 방법을 보이기 위한 코드이다.
- 14행 : 초기화 된 배열의 값을 출력하고 있다.
- 16행 : 단순히 한 줄을 건너 띄우기 위한 코드이다.

❖ 실행결과 : TwoDimenArray.java

```
0 1 2 3
1 2 3 4
2 3 4 5
```

이 정도의 코드만 이해하고 있어도 2차원 배열을 충분히 활용할 수 있다. 그러나 다음 예제에서 보이는 2차원 배열의 특성을 이해하면 2차원 배열에 대한 활용도가 더 높아질 것이다. 다음 예제는 바로 앞에서 보인 예제를 일부만 변경한 것이다(실행결과는 예제 TwoDimenArray.java와 동일하므로 생략한다). 어느 부분이 달라졌는지를 유심히 관찰하기 바란다.

❖ TwoDimenArrayInstance.java

```
1.  class TwoDimenArrayInstance
2.  {
3.      public static void main(String[] args)
4.      {
5.          int[][] arr=new int[3][4];
6.
7.          for(int i=0; i<arr.length; i++)
8.              for(int j=0; j<arr[i].length; j++)
9.                  arr[i][j]=i+j;
10.
11.         for(int i=0; i<arr.length; i++)
12.         {
13.             for(int j=0; j<arr[i].length; j++)
14.                 System.out.print(arr[i][j]+" ");
```

```
15.
16.            System.out.println("");
17.        }
18.    }
19. }
```

해설

- 7, 11행 : arr.length 연산에 의해서 arr이 인스턴스를 참조하는 참조변수임을 알 수 있다.
- 8, 13행 : arr[i].length 연산에 의해서 arr[i]도 인스턴스를 참조하는 참조변수임을 알 수 있다.

자! 위 예제에서 여러분에게 관심이 가는 부분, 혹은 이해가 되지 않는 부분은 8행과 13행에 있는 arr[i].length 일거라고 짐작해본다. 그런데 다음 그림에서 보이는 2차원 배열의 구조를 이해하면 이 부분에 대한 궁금증이 풀릴 것이다. 다음 그림은 위 예제의 5행에서 생성하는 배열의 실질적인 구조를 보여준다.

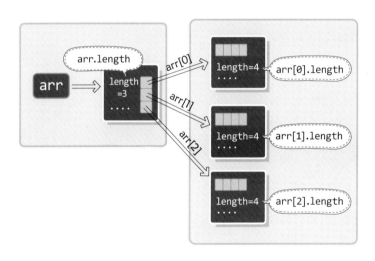

[그림 13-7 : 2차원 배열의 인스턴스 구조]

위 그림에서 보이듯이 2차원 배열은 순수하게 둘 이상의 1차원 배열이 묶여서 만들어진다. 즉 arr이 참조하는 인스턴스 안에는 1차원 배열의 참조 값 저장을 위한 배열이 존재할 뿐이다. 이러한 2차원 배열의 구조를 이해하면 앞서 소개한 예제의 8행과 13행이 이해가 될 것이다. 물론 일반적으로는 2차원 배열을 그림 13-6의 형태로 이해한다. 그리고 이는 배열의 논리적인 모델로써, 실제 프로그래밍을 하는데 있어서 많은 도움이 된다. 아니, 이렇게 인식을 하고 프로그래밍을 하는 것이 옳다. 그러나 그 구성의 형태가 그림 13-7의 형태로 표현됨을 더불어 기억할 필요는 있다.

■ 2차원 배열의 선언 및 초기화

1차원 배열과 마찬가지로(1차원 배열에서도 이와 유사한 형태로 배열의 선언 및 초기화가 가능하였다),

2차원 배열도 다음과 같이 선언과 동시에 초기화가 가능하다.

```
int[ ][ ] arr={
    {1, 2, 3, 4},      // 1행 초기화
    {5, 6, 7, 8},      // 2행 초기화
    {9, 10, 11, 12}    // 3행 초기화
};
```

위의 선언에 의해 가로, 세로의 길이가 각각 4, 3인 2차원 배열이 생성되어서 초기화까지 완료된다. 물론 다음과 같이 선언을 해도 된다. 이 둘은 완전히 동일한 선언이다.

```
int[ ][ ] arr=new int[ ][ ] {
    {1, 2, 3, 4},
    {5, 6, 7, 8},
    {9, 10, 11, 12}
};
```

그렇다면 다음과 같이 선언하면 어떠한 배열이 생성될까?

```
int[ ][ ] arr={
    {1, 2},            // 1행 초기화
    {3, 4, 5},         // 2행 초기화
    {6, 7, 8, 9}       // 3행 초기화
};
```

예제를 통해서 직접 확인해보기로 하자. arr[0].length, arr[1].length 그리고 arr[2].length를 출력해 봄으로써 어떠한 배열이 생성되는지 확인할 수 있으니 말이다.

❖ PartiallyFilledArray.java

```
1.    class PartiallyFilledArray
2.    {
3.        public static void main(String[] args)
4.        {
5.            int[][] arr={
6.                {1, 2},
7.                {3, 4, 5},
8.                {6, 7, 8, 9}
9.            };
10.
11.            System.out.println("배열의 세로길이 : "+arr.length);
12.
13.            for(int i=0; i<arr.length; i++)
```

```
14.            System.out.printf("%d행의 길이 : %d \n", i+1, arr[i].length);
15.    }
16. }
```

 해설
- 11행 : 배열의 세로길이를 출력하는 문장이다.
- 13행 : 배열의 가로길이를 각각 출력하기 위한 for문이다.

❖ 실행결과 : PartiallyFilledArray.java

```
배열의 세로길이 : 3
1행의 길이 : 2
2행의 길이 : 3
3행의 길이 : 4
```

실행결과를 보면, 위 예제에서 생성되는 배열의 구조가 다음과 같음을 알 수 있다.

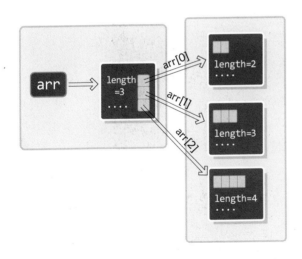

[그림 13-8 : 가로길이가 일정치 않은 2차원 배열]

물론 실제 프로그래밍을 할 때에는 다음의 형태로 인식을 한다. 즉 위의 배열을 논리적인 모델로 다시 그리면 다음과 같다.

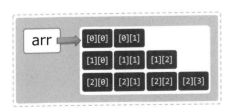

[그림 13-9 : 그림 13-8의 논리적 모델]

그리고 이렇게 행(가로)의 길이가 일정하지 않은 2차원 배열은 사용하는데 있어서 보다 더 세심한 주의가 필요하다.

■ 행과 열의 분리선언

2차원 배열은 둘 이상의 1차원 배열을 묶어서 선언하는 형태이기 때문에, 세로를 담당하는 배열(둘 이상의 1차원 배열을 묶기 위한 배열)의 생성과 가로를 담당하는 배열(실제 데이터 저장을 위한 1차원 배열)의 생성을 분리할 수도 있다. 다음은 세로를 담당하는 배열의 생성을 위한 코드이다.

```
int[ ][ ] arr= new int[3][ ];      // 가로길이는 명시되지 않았다.
```

위 문장이 실행되면, 그림 13-8의 왼편에 해당하는 인스턴스가 생성된다. 즉 메모리상에 다음 그림의 구조로 인스턴스가 생성된다.

[그림 13-10 : 2차원 배열의 세로 인스턴스]

그리고 이어지는 다음 문장의 실행을 통해서, 그림 13-8의 형태를 완성시킬 수 있다.

```
arr[0] = new int[2];
arr[1] = new int[3];
arr[2] = new int[4];
```

이러한 배열의 특성은 배열의 활용에 많은 유연성을 가져다 준다. 그러나 그만큼 사용하는데 있어서 주의가 필요하다는 사실도 기억해야 한다.

Ragged Array

그림 13-8의 배열처럼 가로의 길이가 일정하지 않은 배열을 가리켜 'Ragged Array'라 한다. 여기서 Ragged는 '울퉁불퉁'의 의미로 해석이 되어, 가로 길이가 일정치 않은 배열의 모습을 표현한다.

▶ 문제 1

다음 메소드는 int형 1차원 배열에 저장된 값을 두 번째 매개변수로 전달된 값의 크기만큼
전부 증가시킨다.

```
public static void addOneDArr(int[] arr, int add)
{
    for(int i=0; i<arr.length; i++)
        arr[i]+=add;
}
```

이 메소드를 기반으로(이 메소드를 호출하는 형태로) int형 2차원 배열에 저장된 값 전부를
증가시키는 메소드를 다음의 형태로 정의하자.

```
public static void addTwoDArr(int[][] arr, int add) { . . . . }
```

단 위 메소드는 2차원 배열의 가로, 세로 길이에 상관없이 동작해야 하며, 위의 메소드가
제대로 동작하는지 확인하기 위한 main 메소드도 함께 정의해야 한다.

▶ 문제 2

다음의 형태로 표현된 2차원 배열이 존재한다고 가정해보자.

```
1       2       3
4       5       6
7       8       9
```

이러한 형태를 갖는 int형 2차원 배열이 인자로 전달되면, 다음의 형태로 배열의 구조를 변
경시키는 메소드를 정의해보자.

```
7       8       9
1       2       3
4       5       6
```

즉 총 N행으로 이뤄진 2차원 배열이 존재한다면, 메소드 호출 시, 1행은 2행으로, 2행은
3행으로 한 행씩 아래로 이동을 하고, 마지막으로 N행은 1행으로 이동이 이뤄져야 한다.
이번에도 마찬가지로 배열의 가로, 세로길이에 상관없이 동작을 하도록 메소드가 정의되어
야 하며, 정의된 메소드의 확인을 위한 main 메소드도 함께 정의하기 바란다.

13-4 for-each

'for-each문' 또는 'enhanced for문'으로 불리는 반복문이 자바 버전 5.0 이후부터 추가되었다. 사실 이 반복문은 다른 곳에서(collection 관련부분에서) 더 유용하게 사용이 되는데, 배열에서도 활용할 수 있는 반복문이기에, 여기서 먼저 소개를 하고자 한다.

■ for-each문의 이해와 활용

배열을 사용하다 보면, 다음과 같은 상황을 쉽게 접하게 된다.

"배열 요소에 저장되어 있는 값을 전부 더해라."

즉 배열에 저장되어 있는 값의 참조가 필요할 때, 참조의 대상이 배열의 일부가 아닌, 배열 전체인 경우를 쉽게 접할 수 있다. 그리고 이러한 상황에서는 전통적인 for문보다 for-each문의 구성이 더 간단할수 있다. 이에 대한 이해를 위해서 다음 배열을 보겠다.

```
int arr[3]={1, 2, 3};
```

이 배열을 기준으로 "배열 arr에 저장되어 있는 값을 모두 출력하여라!"라는 요구사항을 만족하는 반복문을 구성하면 다음과 같다.

```
for(int i=0; i<arr.length; i++)
    System.out.print(arr[i]+" ");
```

그런데 이를 for-each문을 활용하면 다음과 같이 간단히 작성할 수 있다.

```
for(int e : arr)
    System.out.print(e+" ");
```

어떤가, 한결 간단해지지 않았는가(여러분의 지금 심정을 충분히 이해한다. 필자도 처음 봤을 때, 영~ 어색했다)? 위의 두 문장을 단순 비교해보면, for-each문의 장점 두 가지를 발견할 수 있다.

- 코드의 분량이 짧아졌다.
- 필요로 하는 이름이 arr, i, length에서 e와 arr로 그 수가 하나 줄었다.

이러한 장점들은 버그 발생의 확률을 낮추는 효과로도 이어지기 때문에 이후에 프로그래머들에 의해서 많이 사용될 것으로 전문가들은 보고 있다. 자! 그럼 for-each문에 대해서 설명을 하겠다. 먼저 아래 그림
에서 언급하는 내용을 1, 2, 3 순서대로 해석해보자. 참고로 순서대로 해석을 해야 어색함이 덜하다.

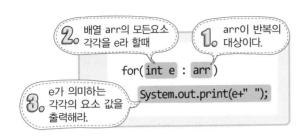

[그림 13-11 : for-each문의 기본구성]

위 그림에서 설명하듯이 for-each문에서 등장하는 것 두 가지는 다음과 같다.

- 배열의 이름 : arr
- 배열 요소를 지칭하는 변수 : e

이중에서 배열의 이름은 for-each문을 적용할 배열의 이름을 의미하는 것으로써, 그리 혼란스러울 것
이 없다. 그러나 배열 요소를 지칭하는 변수 e는 다소 혼란스러울 수 있다. 그런데 이것이 필요한 이유를
이해하면 전혀 혼란스럽지 않다.
for-each문은 모든 배열 요소의 참조를 위해 사용하는 반복문이다. 따라서 모든 요소에 적용할 참조의
방법을 명시해야 하는데, 이를 명시하기 위해서는 하나의 변수가 필요하다(배열 요소가 사실상 변수이므
로), 그래서 배열 요소를 지칭하기 위한 변수가 하나 선언된 것이며, 이 변수를 대상으로 행해지는 연산
(참조연산)은 배열의 모든 요소 각각을 대상으로 그대로 진행이 된다. 따라서 배열 요소를 지칭하는 변
수는 배열 요소의 자료형과 일치해야 하며(이것이 논리적으로 타당하지 않은가?), 만약에 일치하지 않으
면, 형 변환 규칙에 의해서 자동으로 형 변환이 되거나 컴파일 에러가 발생하게 된다. 그럼 예제를 통해
서 for-each문을 실제로 사용해 보겠다.

❖ EnhancedFor.java

```
1.    class EnhancedFor
2.    {
3.        public static void main(String[] args)
4.        {
5.            int[] arr={1, 2, 3, 4, 5};
6.
7.            int sum=0;
8.            for(int e : arr)
9.                sum+=e;
10.
11.            System.out.println("배열 요소의 합 : "+sum);
12.
```

```
13.        for(int e : arr)
14.        {
15.            e++;
16.            System.out.print(e+" ");
17.        }
18.
19.        System.out.println("");
20.        for(int e : arr)
21.            System.out.print(e+" ");
22.    }
23. }
```

 해설

- 8, 9행 : 배열 요소에 저장되어 있는 모든 값을 변수 sum에 더하고 있다.

- 15, 16행 : 15행에서는 변수 e에 저장된 값을 하나 증가시켜서, 증가된 값을 16행에서 출력하고 있다. 따라서 배열 요소 각각에 저장된 값보다 1이 큰 값이 출력되는데, 이는 실제로 배열에 반영이 되는 값이 아니고 for-each문 내에서만 의미 있는 값이다.

❖ 실행결과 : EnhancedFor.java

```
배열 요소의 합 : 15
2 3 4 5 6
1 2 3 4 5
```

위 예제에서 보이듯이, 변경된 변수 e의 값은 for-each문 내에서만 의미를 지니므로, 배열 요소의 값을 변경시키는 연산이 필요한 경우에는 for-each문의 사용이 적절하지 않다. 그래서 필자가 앞서 for-each문을 설명하면서, '참조가 필요할 때'로 상황을 제한했던 것이다.

 문제 13-3 [for-each문의 활용]

Question

문제 13-1을 for-each문을 활용하는 형태로 변경해 보자. 간단히 말해서 문제 13-1에서 정의한 다음 두 메소드를 for-each문을 활용하는 형태로 변경하라는 뜻이다.
```
public static int minValue(int[] arr) { . . . . }    // 최소값 반환
public static int maxValue(int[] arr) { . . . . }    // 최대값 반환
```

■ 인스턴스 배열에 대한 for-each

우리가 일반적으로 말하는 인스턴스 배열은 인스턴스로 이뤄진 배열이 아닌, 인스턴스의 참조변수로 이뤄진 배열이다. 그렇다면 앞서 설명한 다음 내용을 인스턴스 배열에는 어떻게 적용해야 할까?

"for-each문은 값의 참조만 가능하고, 변경은 불가능합니다."

만약에 이를 다음과 같이 해석한다면 큰 오산이다. 이는 인스턴스 배열이 인스턴스의 참조변수로 이뤄진 배열이라는 사실을 잊고 해석한 결과이기 때문이다.

"음 배열에 저장되어 있는 인스턴스들의 멤버 변수(인스턴스 변수)에 저장된 값은 변경이 불가능하겠군!"

다음과 같이 해석을 해야 제대로 된 해석이다.

"음 배열에 저장되어 있는 참조 값의 변경이 불가능하겠군!"

그럼 예제를 통해서 이것이 말하는 바가 무엇인지 구체적으로 정리하겠다.

❖ EnhancedForInst.java

```
1.   class Number
2.   {
3.       public int num;    // 편의상 public!
4.       public Number(int num) { this.num=num; }
5.       public int getNum() { return num; }
6.   }
7.
8.   class EnhancedForInst
9.   {
10.      public static void main(String[] args)
11.      {
12.          Number[] arr=new Number[] {
13.              new Number(2),
14.              new Number(4),
15.              new Number(8)
16.          };
17.
18.          for(Number e : arr)
19.              e.num++;
20.
21.          for(Number e : arr)
22.              System.out.print(e.getNum()+" ");
23.
24.          System.out.println("");
25.          for(Number e : arr)
26.          {
27.              e=new Number(5);
```

```
28.              e.num+=2;
29.              System.out.print(e.getNum()+" ");
30.          }
31.
32.          System.out.println("");
33.          for(Number e : arr)
34.              System.out.print(e.getNum()+" ");
35.      }
36. }
```

해설

- 12~16행 : Number의 인스턴스 배열을 생성하고 있다.

- 18, 19행 : for-each문을 이용해서 배열에 저장되어 있는 인스턴스 멤버 num의 값을 1씩 증가 시키고 있다. 이는 배열에 저장되어 있는 참조 값을 통해서, 인스턴스의 값을 변경시 킨 것이다. 즉 배열에 저장된 참조 값을 변경시킨 것이 아니기 때문에, 인스턴스의 값 은 실제 변경이 된다.

- 27행 : 27행에서는 배열의 참조를 위해 선언된 변수 e의 값을 변경시키고 있다. 그런데 앞서 for-each문 내에서 변경된 e의 값은, for-each문 내에서만 유효하다고 하지 않았는가? 따라서 이 문장을 통해 이뤄진 연산의 결과는 실제 배열에는 반영되지 않는다.

❖ 실행결과 : EnhancedForInst.java

```
3 5 9
7 7 7
3 5 9
```

이제 위 예제를 통해서 인스턴스 배열을 기반으로 for-each문을 구성할 때, 되는 것과 안 되는 것을 구 분할 수 있을 것이다. 이는 다소 혼란스러울 수 있지만, 중요한 내용이므로 잘 정리해 두기 바란다.

13-5 main 메소드로의 데이터 전달

String에 대해서도, 배열에 대해서도 제대로 이해를 하였다면, main 메소드의 매개변수 선언이 눈에 들어올 것이다.

■ main의 매개변수 선언

자바의 main 메소드는 다음과 같이 선언이 된다.

```
public static void main(String[] args) { . . . . }
```

이중에서 public과 static이 의미하는 바는 이미 설명이 되었으니, 매개변수에 대해서만 설명이 되면, main 메소드를 완벽히 이해하게 된다. main의 매개변수는 다음과 같이 선언되어 있다.

```
String[] args
```

이는 String 인스턴스 배열의 참조 값을 전달받기 위한 매개변수 선언이다. 따라서 다음과 같이 선언된 배열의 참조 값이 main 메소드에 전달될 수 있다.

```
String[] strArr1={"AAA", "BBB", "CCC"};
String[] strArr2={"public", "static", "void", "main"};
```

■ main으로의 데이터 전달방법

그렇다면 main 메소드에 전달되는 String 인스턴스의 배열은 어떻게 형성되는 것일까? 이에 대한 이해를 위해서 다음 예제를 실행해 보겠다. 매개변수의 정체를 알았으니, 배열에 저장되어 있는 데이터를 출력해 보면 감을 잡을 수 있지 않겠는가?

❖ MainParam.java

```
1.   class MainParam
2.   {
3.       public static void main(String[] args)
4.       {
5.           for(String e : args)
6.               System.out.println(e);
7.       }
8.   }
```

• 5, 6행 : 이 상황이 for-each문을 사용해서 좋을 대표적인 상황이다. 배열의 길이를 알 필요도 없으니, 문장의 구성이 매우 용이하다.

❖ 실행결과 1 : MainParam.java

```
C:\JavaStudy>java MainParam
```

위와 같이 실행하면 아무것도 출력되지 않는다. 그렇다면 이번에는 다음과 같이 실행해보자.

❖ 실행결과 2 : MainParam.java

```
C:\JavaStudy>java MainParam AAA BBB CCC
AAA
BBB
CCC
```

위의 출력결과는 main으로 전달되는 String 배열이 어떻게 형성되는지를 설명한다. 이를 정리하면 다음과 같다.

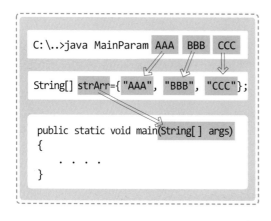

[그림 13-12 : main으로의 데이터 전달과정]

위 그림에서 보여주듯이 프로그램이 실행되면, 실행할 클래스 파일의 이름 뒤로 이어지는 문자열들이(문자열들은 공백으로 구분된다) 하나의 배열로 묶여서 main의 인자로 전달된다. 이로써 main과 관련된 모든 설명이 완료되었다(main 메소드 하나를 완벽히 이해하는데 생각보다 오랜 시간이 걸렸다).

우리는 이번 Chapter를 통해서 배열을 공부하였다. 따라서 이제는 둘 이상의 데이터를 저장할 수 있는
형태로 프로젝트를 확장할 수 있게 되었다.

■ 전화번호 관리 프로그램 O3단계 문제

배열을 이용해서, 프로그램 사용자가 입력하는 정보가 최대 100개까지 유지되도록 프로그램을 변경하
자. 그리고 다음의 기능을 추가로 삽입하자.

- 저장   이름, 전화번호, 생년월일 정보를 대상으로 저장의 과정을 진행한다.
- 검색   이름을 기준으로 데이터를 찾아서 해당 데이터의 정보를 출력해준다.
- 삭제   이름을 기준으로 데이터를 찾아서 삭제의 과정을 진행한다.

우리가 저장하는 데이터 중에는 동명이인(同名異人)의 데이터가 존재하지 않는다고 가정하겠다. 그리고
데이터의 삭제는 다음의 형태로 이뤄져야 한다.

  "배열의 중간에 저장된 데이터를 삭제할 경우에는, 해당 요소의 뒤에 저장된 요소들을 한 칸씩 앞으로
  이동시키는 형태로 삭제를 진행한다."

예를 들어서 다음의 형태로 배열이 구성되었다고 가정해보자.

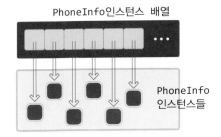

PhoneInfo인스턴스 배열

PhoneInfo
인스턴스들

[그림 13-13 : 삭제의 과정 1]

이 상황에서 두 번째 요소에 저장된 데이터를 삭제하는 경우에는 인스턴스 배열에 저장된 참조의 관계를
다음과 같이 변경하면 된다.

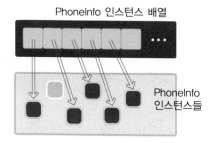

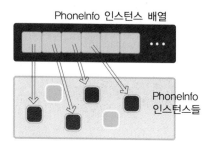

[그림 13-14 : 삭제의 과정 2]

위의 배열상황에서 다시 네 번째 배열 요소에 저장된 데이터를 삭제하는 경우에는 인스턴스 배열에 저장된 참조의 관계를 다음과 같이 변경하면 된다.

[그림 13-15 : 삭제의 과정 3]

이러한 방식으로 삭제를 진행하는 이유는, 삭제로 인해서 비게 된 공간에 새로운 데이터의 삽입을 편히 하기 위함이다. 그리고 배열로부터 참조를 잃는(참조되었다가 삭제 과정에서 참조를 잃는) 인스턴스는 자동으로 소멸이 되는데, 이는 이후에 다른 Chapter에서 별도로 설명을 하니, 지금은 이 부분에 대해서 고민하지 않아도 된다. 끝으로 다음의 기능을 담당하는 Manager 클래스를(또는 Control 클래스라 불리는) 정의해서 프로그램을 완성하자.

- 데이터의 저장
- 데이터의 검색
- 데이터의 삭제

위의 세가지는 프로그램이 제공하는 실질적인 '기능'에 해당한다. 그리고 이렇듯 기능의 완성을 담당하는, 기능적 성격이 강한 클래스를 가리켜 Manager 클래스라 한다. 모든 프로그램에는 이러한 성격의 Manager 클래스가 반드시 하나 이상 존재하기 마련이다. 그래야 프로그램 사용자의 요청에 따라서 적절한 프로그램의 흐름을 구성할 수 있기 때문이다. 때문에 PhoneInfo와 같이 데이터적 성격이 강한 클래스도 필요하지만, 프로그램의 흐름을 구성하는 Manager 클래스도 필요하다.

사실 경험해 본적 없는 Manager 클래스의 등장은 당황스러울 수 있다. 그러나 프로그램의 기능을 완성하는 클래스라는 생각을 가지고 일단 한번 완성해보기 바란다. 그리고 필자가 제공하는 예와 비교를 하자. 참고로 다음과 같이 고민하는 친구들도 많이 있다.

"클래스를 어디서부터 어떻게 설계해야 할지 모르겠어요!"

물론 클래스의 설계가 쉬운 것은 아니다. 그러나 전혀 손도 못 대겠다고 한다면, 이는 PhoneInfo와 같은 데이터적 성격이 강한 클래스와 이번에 소개하는 기능적 성격이 강한 Manager 클래스에 대한 인식이 너무 부족한 경우이다. 따라서 Manager 클래스가 등장하는 이 프로젝트를 마지막까지 완성한다면, 클래스 설계에 대한 최소한의 기준은 나름대로 마련이 될 테니, 그러한 자부심을 가지고 최선을 다하기 바란다. 참! Manager 클래스에 대해서 설명만 하다가 정작 Manager 클래스의 이름을 제시하지 않을 뻔했다. Manager 클래스의 이름은 PhoneBookManager로 정의하자.

끝으로 여러분이 프로그램을 구현하는 과정에서 추가로 클래스가 필요하다고 생각이 되면, 언제든 주저 없이 클래스를 추가하면서 프로젝트를 진행하기 바란다.

■ 전화번호 관리 프로그램 03단계 프로그램의 실행 예

데이터의 입력, 검색, 삭제 기능별 실행의 예를 각각 보이도록 하겠다. 여기서는 비록 하나의 데이터를 기준으로 실행의 예를 보이지만, 문제에서 제시했듯이, 프로그램은 둘 이상의 데이터를 기준으로 동작 가능해야 한다.

❖ 실행의 예1 : 데이터의 입력

```
선택하세요...
1. 데이터 입력
2. 데이터 검색
3. 데이터 삭제
4. 프로그램 종료
선택 : 1
데이터 입력을 시작합니다..
이름 : 이인석
전화번호 : 555-7777
생년월일 : 99년 04월 07일생
데이터 입력이 완료되었습니다.

선택하세요...
1. 데이터 입력
2. 데이터 검색
3. 데이터 삭제
4. 프로그램 종료
선택 :
```

선택하세요...
1. 데이터 입력
2. 데이터 검색
3. 데이터 삭제
4. 프로그램 종료
선택 : **2**
데이터 검색을 시작합니다..
이름 : **이인석**
name : 이인석
phone : 555-7777
birth : 99년 04월 07일생
데이터 검색이 완료되었습니다.

선택하세요...
1. 데이터 입력
2. 데이터 검색
3. 데이터 삭제
4. 프로그램 종료
선택 :

선택하세요...
1. 데이터 입력
2. 데이터 검색
3. 데이터 삭제
4. 프로그램 종료
선택 : **3**
데이터 삭제를 시작합니다..
이름 : **이인석**
데이터 삭제가 완료되었습니다.

선택하세요...
1. 데이터 입력
2. 데이터 검색
3. 데이터 삭제
4. 프로그램 종료
선택 :

■ 필자의 구현 사례

갑자기 증가한 코드의 양 때문에 부담을 느꼈을 수도 있다. 그러나 실력향상을 위해서 어차피 경험해야
할 일이다. 그리고 지금까지 배운 내용을 토대로 완성한 결과물이니, 여러분 스스로도 이 정도 예제는 이
해할 수 있어야 한다는 부담을 조금은 느낄 필요도 있다.

❖ PhoneBookVer03.java

```java
/*
 * 전화번호 관리 프로그램 구현 프로젝트
 * Version 0.3
 */

import java.util.Scanner;

class PhoneInfo
{
    String name;
    String phoneNumber;
    String birth;

    public PhoneInfo(String name, String num, String birth)
    {
        this.name=name;
        phoneNumber=num;
        this.birth=birth;
    }

    public PhoneInfo(String name, String num)
    {
        this.name=name;
        phoneNumber=num;
        this.birth=null;
    }

    public void showPhoneInfo()
    {
        System.out.println("name : "+name);
        System.out.println("phone : "+phoneNumber);
        if(birth!=null)
            System.out.println("birth : "+birth);

        System.out.println("");    // 데이터 구분을 위해
    }
}

class PhoneBookManager
{
    final int MAX_CNT=100;
    PhoneInfo[] infoStorage=new PhoneInfo[MAX_CNT];
    int curCnt=0;

    public void inputData()
    {
        System.out.println("데이터 입력을 시작합니다..");

        System.out.print("이름 : ");
        String name=MenuViewer.keyboard.nextLine();
```

```java
            System.out.print("전화번호 : ");
            String phone=MenuViewer.keyboard.nextLine();
            System.out.print("생년월일 : ");
            String birth=MenuViewer.keyboard.nextLine();

            infoStorage[curCnt++]=new PhoneInfo(name, phone, birth);
            System.out.println("데이터 입력이 완료되었습니다. \n");
    }

    public void searchData()
    {
            System.out.println("데이터 검색을 시작합니다..");

            System.out.print("이름 : ");
            String name=MenuViewer.keyboard.nextLine();

            int dataIdx=search(name);
            if(dataIdx<0)
            {
                System.out.println("해당하는 데이터가 존재하지 않습니다. \n");
            }
            else
            {
                infoStorage[dataIdx].showPhoneInfo();
                System.out.println("데이터 검색이 완료되었습니다. \n");
            }
    }

    public void deleteData()
    {
            System.out.println("데이터 삭제를 시작합니다..");

            System.out.print("이름 : ");
            String name=MenuViewer.keyboard.nextLine();

            int dataIdx=search(name);
            if(dataIdx<0)
            {
                System.out.println("해당하는 데이터가 존재하지 않습니다. \n");
            }
            else
            {
                for(int idx=dataIdx; idx<(curCnt-1); idx++)
                    infoStorage[idx]=infoStorage[idx+1];

                curCnt--;
                System.out.println("데이터 삭제가 완료되었습니다. \n");
            }
    }

    private int search(String name)
    {
            for(int idx=0; idx<curCnt; idx++)
            {
                PhoneInfo curInfo=infoStorage[idx];
                if(name.compareTo(curInfo.name)==0)
                    return idx;
            }
            return -1;
    }
```

```
    }

    class MenuViewer
    {
        public static Scanner keyboard=new Scanner(System.in);

        public static void showMenu()
        {
            System.out.println("선택하세요...");
            System.out.println("1. 데이터 입력");
            System.out.println("2. 데이터 검색");
            System.out.println("3. 데이터 삭제");
            System.out.println("4. 프로그램 종료");
            System.out.print("선택 : ");
        }
    }

    class PhoneBookVer03
    {
        public static void main(String[] args)
        {
            PhoneBookManager manager=new PhoneBookManager();
            int choice;

            while(true)
            {
                MenuViewer.showMenu();
                choice=MenuViewer.keyboard.nextInt();
                MenuViewer.keyboard.nextLine();

                switch(choice)
                {
                case 1:
                    manager.inputData();
                    break;
                case 2:
                    manager.searchData();
                    break;
                case 3:
                    manager.deleteData();
                    break;
                case 4:
                    System.out.println("프로그램을 종료합니다.");
                    return;
                }
            }
        }
    }
```

위 예제에서 한가지 특이한 점은 MenuViewer 클래스의 등장에 있다. 이 클래스는 필자가 임의로 삽입한 클래스로써, 키보드의 입력을 위한 Scanner 인스턴스까지 함께 묶어두었다. 이 클래스에는 크게 의미를 부여하지 않아도 된다. 필자는 프로젝트에 static 변수와 static 메소드를 담고 있는 클래스를 하나 정의해서, static에 대한 학습을 유도하고자 한 것뿐이니 말이다. 하지만 이번 단계의 핵심 클래스인 PhoneBookManager에는 큰 관심을 둬야 한다. 특히 프로그램의 기능에 대한 실질적인 흐름을 담당한다는, 아주 명확한 의미가 부여되어 있음에 주목해야 한다.

■ 문제 13-1의 답안

❖ 소스코드 답안

```
1.    import java.util.Scanner;
2.
3.    class ArrayMinMax
4.    {
5.        public static int maxValue(int[] arr)
6.        {
7.            int max=arr[0];
8.            for(int i=1; i<arr.length; i++)
9.            {
10.                if(max<arr[i])
11.                    max=arr[i];
12.            }
13.            return max;
14.        }
15.
16.        public static int minValue(int[] arr)
17.        {
18.            int min=arr[0];
19.            for(int i=1; i<arr.length; i++)
20.            {
21.                if(min>arr[i])
22.                    min=arr[i];
23.            }
24.            return min;
25.        }
26.
27.        public static void main(String[] args)
28.        {
29.            Scanner keyboard=new Scanner(System.in);
30.
31.            int[] intArr=new int[7];
32.            for(int i=0; i<intArr.length; i++)
33.            {
34.                System.out.print("정수 입력 : ");
35.                intArr[i]=keyboard.nextInt();
36.            }
37.
38.            System.out.println("최소값 : "+minValue(intArr));
39.            System.out.println("최대값 : "+maxValue(intArr));
40.        }
41.    }
```

■ 문제 13-2의 답안

■ 문제 1

❖ 소스코드 답안

```
1.   class TwoDimensionalArrayAdder
2.   {
3.       public static void addOneDArr(int[] arr, int add)
4.       {
5.           for(int i=0; i<arr.length; i++)
6.               arr[i]+=add;
7.       }
8.
9.       public static void addTwoDArr(int[][] arr, int add)
10.      {
11.          for(int i=0; i<arr.length; i++)
12.              addOneDArr(arr[i], add);
13.      }
14.
15.      public static void main(String[] args)
16.      {
17.          int[][] arr={
18.              {1, 2, 3, 4},
19.              {5, 6, 7, 8},
20.              {9, 10, 11, 12}
21.          };
22.
23.          addTwoDArr(arr, 2);
24.
25.          for(int i=0; i<arr.length; i++)
26.          {
27.              for(int j=0; j<arr[i].length; j++)
28.                  System.out.print(arr[i][j]+" ");
29.
30.              System.out.println("");
31.          }
32.      }
33.  }
```

■ 문제 2

❖ 소스코드 답안

```
1.   class ShiftArray
2.   {
3.       public static void shiftTwoDArr(int[][] arr)
4.       {
5.           int[] lastLow=arr[arr.length-1];
6.           for(int low=arr.length-1; low>0; low--)
7.               arr[low]=arr[low-1];
8.
9.           arr[0]=lastLow;
10.      }
11.
```

```
12.      public static void showTwoDArr(int[][] arr)
13.      {
14.          for(int i=0; i<arr.length; i++)
15.          {
16.              for(int j=0; j<arr[i].length; j++)
17.                  System.out.print(arr[i][j]+" ");
18.
19.              System.out.println("");
20.          }
21.      }
22.
23.      public static void main(String[] args)
24.      {
25.          int[][] arr={
26.              {1, 2, 3},
27.              {4, 5, 6},
28.              {7, 8, 9}
29.          };
30.
31.          System.out.println("1차 shift...");
32.          shiftTwoDArr(arr);
33.          showTwoDArr(arr);
34.          System.out.println("2차 shift...");
35.          shiftTwoDArr(arr);
36.          showTwoDArr(arr);
37.          System.out.println("3차 shift...");
38.          shiftTwoDArr(arr);
39.          showTwoDArr(arr);
40.      }
41. }
```

■ 문제 13-3의 답안

❖ 소스코드 답안

```
1.   import java.util.Scanner;
2.
3.   class ArrayMinMaxForEachVer
4.   {
5.      public static int maxValue(int[] arr)
6.      {
7.          int max=arr[0];
8.
9.          /*
10.         for(int i=1; i<arr.length; i++)
11.         {
12.             if(max<arr[i])
13.                 max=arr[i];
14.         }
15.         */
16.         for(int e : arr)
17.         {
18.             if(max<e)
19.                 max=e;
20.         }
```

```
21.
22.          return max;
23.      }
24.
25.      public static int minValue(int[] arr)
26.      {
27.          int min=arr[0];
28.
29.          /*
30.          for(int i=1; i<arr.length; i++)
31.          {
32.              if(min>arr[i])
33.                  min=arr[i];
34.          }
35.          */
36.          for(int e : arr)
37.          {
38.              if(min>e)
39.                  min=e;
40.          }
41.
42.          return min;
43.      }
44.
45.      public static void main(String[] args)
46.      {
47.          Scanner keyboard=new Scanner(System.in);
48.
49.          int[] intArr=new int[7];
50.          for(int i=0; i<intArr.length; i++)
51.          {
52.              System.out.print("정수 입력 : ");
53.              intArr[i]=keyboard.nextInt();
54.          }
55.
56.          System.out.println("최소값 : "+minValue(intArr));
57.          System.out.println("최대값 : "+maxValue(intArr));
58.      }
59. }
```

Chapter 14

클래스의 상속 1 :
상속의 기본

자바를 공부하면서 상속을 어떻게 이해하는가는 매우 중요하다. 그저 상속이 무엇인지 알고, 코드로 이를 표현할 줄 아는 것이 전부가 아니다. 따라서 단순히 문법의 이해에만 만족하지 말고, 필자가 의도하는 바대로 모든 것을 이해하기 위해서 노력하기 바란다.

상속은 재활용 + 알파(α)

처음에는 상속을 재활용의 목적으로 이해하게 된다. 그러나 상속이 지니는 의미는 그 이상이다. 아니, 그와는 전혀 다른 관점의 중요한 의미가 담겨있고, 여러분은 그것이 무엇인지 이해해야 한다.

■ 객체지향에서의 상속에 대한 논의와 CBD(Component Based Development)

이 책을 집필중인 현 시점에서 소프트웨어 공학을 연구하는 전문가들의 다음 의견을 싣는 것이 필자 입장에서는 매우 불안한 일이다(그러나 이는 이미 오래 전에 내려진 결론이다).

"객체지향 패러다임은 재활용의 관점에서 실패한 패러다임이다."

이는 대부분의 자바 기본서에서 말하는 다음의 관점에 위배되는 의견이기 때문에 필자는 고민에 빠질 수밖에 없다.

"자바에서의 상속은 기존의 클래스를 재활용하여 새로운 클래스를 작성하기 위한 문법입니다."

상속을 재활용의 관점에서 바라보는 것은 문제가 될 수 있다. 상속에 대한 보다 중요한 다른 측면을 보지 못할 수도 있기 때문이다. 그리하여 집필 방향에 대한 고민에 빠져서 추운 겨울에 광화문 거리를 홀로 걷다가(이 부분에서 '아주 노래를 불러라'라는 감수자의 첨언이 있었다) 어느새 교보문고에 발이 닿았다. 그리하여 기존에 출간되어있는 자바 서적들을 둘러보다가 다음과 같이 설명하고 있는 서적을 발견하였다(외국 저자의 책이다).

"재활용할 수 있다는 이유만으로 상속을 사용하면 안됩니다."

그리고 이 서적에서는 다음과 같은 설명도 덧붙이고 있었다.

"상속을 통해 연관된 일련의 클래스에 대한 공통적인 규약을 정의할 수 있습니다."

이는 조금 어려운 표현이긴 하지만, 매우 매력적인 설명이다(필자는 여러분이 위의 표현을 이해할 수 있도록 돕겠다). 그리고 필자 역시 용기를 얻어서 다음과 같이 이야기하고자 한다. 이는 조금 더 과격한 표현이긴 하다.

"이전에 개발해 놓은 클래스의 재활용을 보인 사례는 매우 드물다. 즉 상속은 재활용의 측면에서 바라보면 별로 매력적이지 않다!"

그리고 재활용에 대한 이슈는 객체지향 패러다임에서 CBD라는 패러다임으로 옮겨 간지 오래이다. CBD에 대한 언급은 이 책의 범위를 벗어나기 때문에 추가적인 언급은 하지 않겠지만, CBD 역시 객체지향을 기반으로 형성된 패러다임이기 때문에 현재 여러분이 공부하고 있는 객체지향은 매우 중요하다고 할 수 있다.

■ 객체지향이 재활용의 관점에서 실패한 이유는

객체지향에서 언급하는 재활용은 클래스 단위의 재활용이다. 그런데 이는 다음과 같은 문제점을 안고 있다.

- 클래스 하나를 재활용하는 것이 새롭게 디자인하는 것보다 더 큰 노력이 든다.
- 재활용을 고려해서 클래스를 디자인할 경우, 설계에 필요한 시간이 몇 배 더 길어진다.

아마도 "그냥 내가 하나 만드는 게 훨씬 낫겠다!"라는 푸념을 들어본 적이 있을 것이다. 위에서 보인 첫 번째 문제점은 바로 이러한 푸념과 맥락이 비슷하다. 따라서 필자 역시 상속을 재활용의 관점이 아닌, 다른 관점에서 설명해 나가고자 한다. 그런데 이에 앞서 상속에 대한 기본적인 문법을 이해하는 것이 우선이기 때문에, 이번 Chapter에서는 문법의 이해에 초점을 맞춰서 설명을 진행하겠다. 그리고 상속이 가져다 주는 큰 의미는 이후에 별도의 Chapter를 통해 설명하고자 한다.

14-2 상속의 기본문법 이해

앞서 조금 어려운 이야기를 했는데, 이에 대해서는 잠시 접어두고, 문법적인 측면에서의 상속을 먼저 공부하겠다.

■ 상속의 가장 기본적인 특성

단순하게 이야기하면, 상속은 기존에 정의된 클래스에 메소드와 변수를 추가하여 새로운 클래스를 정의하는 것이다. 예를 들어서 다음의 클래스가 정의되어 있다고 가정해 보자.

```
class Man
```

```
{
    public String name;            // 편의상 public 변수 선언
    public void tellYourName() { System.out.println("My name is "+name); }
}
```

이 때, 우리는 이 클래스를 상속해서 다음과 같이 새로운 클래스를 정의할 수 있다. 참고로 키워드 extends는 상속을 표현하기 위한 키워드이다. 즉 extends Man은 Man 클래스를 상속한다는 의미이다.

```
class BusinessMan extends Man
{
    public String company;         // 회사이름
    public String position;        // 직급
    public void tellYourInfo()
    {
        System.out.println("My company is "+company);
        System.out.println("My position is "+position);
        tellYourName();             // Man 클래스를 상속했기 때문에 호출 가능!
    }
}
```

그리고 이렇게 Man 클래스를 상속하는 BusinessMan 클래스의 인스턴스를 생성하면, 다음과 같은 형태의 인스턴스가 생성된다.

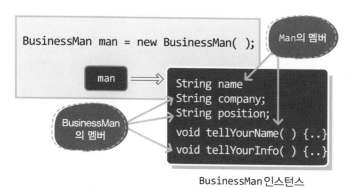

[그림 14-1: 상속한 클래스의 인스턴스]

위 그림에서 중요한 것은 상속을 받은 BusinessMan 클래스의 인스턴스에는 상속의 대상인 Man 클래스에 정의된 메소드와 변수가 존재한다는 사실이다. 그래서 BusinessMan의 메소드인 tellYourInfo 내에서 Man의 메소드인 tellYourName을 호출할 수 있는 것이다. 그리고 이것이 바로 상속의 가장 기본적인 특성이다.

■ 용어정리! 상위 클래스와 하위 클래스

상속 관계에 있어서 상속을 받은 클래스를 가리켜 '하위 클래스(sub class)' 또는 '유도 클래스(derived class)'라 부르고, 상속의 대상이 된 클래스를 가리켜 '상위 클래스(super class)' 또는 '기초 클래스(base class)라 부른다. 즉 앞서 보인 간단한 예제의 경우, Man이 상위 또는 기초 클래스가 되는 것이고, BusinessMan이 하위 또는 유도 클래스가 되는 것이다. 필자는 이 책에서 상위 클래스와 하위 클래스라는 용어를 이용해서 상속의 관계를 표현하겠다. 그러나 여러분은 이를 다르게 표현해도 상관없고, 또 어떻게 표현을 하건 이해할 수 있어야 한다. 참고로 위 그림 14-1의 클래스를 기준으로 용어를 정리하면 다음과 같다.

- 클래스 Man   상위 클래스, 기초 클래스
- 클래스 BusinessMan   하위 클래스, 유도 클래스

■ 상속과 생성자

그럼 예제를 통해서 위에서 언급한 내용을 실제로 확인해 보겠다. 단! 바로 위에서 보여준 예에서는 설명의 편의를 위해서 인스턴스 변수를 public으로 선언했지만, 다음 예제에서는 인스턴스 변수를 private으로 선언하고(합리적이고 실제적인 구현을 위해), 그에 따른 적절한 생성자를 삽입하겠다.

❖ BasicInheritance.java

```
1.   class Man
2.   {
3.       private String name;
4.       public Man(String name) { this.name=name;}
5.       public void tellYourName() { System.out.println("My name is "+name); }
6.   }
7.
8.   class BusinessMan extends Man
9.   {
10.      private String company;        // 회사이름
11.      private String position;       // 직급
12.      public BusinessMan(String name, String company, String position)
13.      {
14.          super(name);         // 상위 클래스의 생성자 호출문
15.          this.company=company;
16.          this.position=position;
17.      }
18.      public void tellYourInfo()
19.      {
20.          System.out.println("My company is "+company);
21.          System.out.println("My position is "+position);
22.          tellYourName();      // Man 클래스를 상속했기 때문에 호출 가능!
23.      }
```

```
24.  }
25.
26. class BasicInheritance
27. {
28.     public static void main(String[] args)
29.     {
30.         BusinessMan man1
31.             =new BusinessMan("Mr. Hong", "Hybrid 3D ELD", "Staff Eng.");
32.         BusinessMan man2
33.             =new BusinessMan("Mr. Lee", "Hybrid 3D ELD", "Assist Eng.");
34.
35.         System.out.println("First man info.........");
36.         man1.tellYourName();
37.         man1.tellYourInfo();
38.         System.out.println("Second man info.........");
39.         man2.tellYourInfo();
40.     }
41. }
```

 해설

- 14행 : super는 상위 클래스의 생성자 호출을 위한 키워드이다. 이처럼 하위 클래스의 생성자에서는 제일 먼저 상위 클래스의 생성자를 호출해야 하는데, 이에 대해서는 잠시 후에 별도의 설명을 진행하겠다.

- 22행 : tellYourName은 상위 클래스의 메소드이다. 이처럼 하위 클래스는 상위 클래스에 정의되어 있는 변수나 메소드에 접근이 가능하다. 왜냐하면 인스턴스 생성시 상위 클래스의 멤버가 함께 포함되기 때문이다.

- 36행 : man1은 BusinessMan 인스턴스를 참조하고 있다. 그리고 상속관계로 인해서 man1이 참조하는 인스턴스 내에는 tellYourName 메소드가 존재한다. 따라서 이 메소드의 호출이 가능하다.

❖ 실행결과 : BasicInheritance.java

```
First man info.........
My name is Mr. Hong
My company is Hybrid 3D ELD
My position is Staff Eng.
My name is Mr. Hong
Second man info.........
My company is Hybrid 3D ELD
My position is Assist Eng.
My name is Mr. Lee
```

아직 super에 대한 설명이 이뤄지지 않은 상태이니, 위 예제에서 클래스 Man이 다음과 같이 정의되어 있고,

```
class Man
{
    String name;
    public void tellYourName() { System.out.println("My name is "+name); }
}
```

BusinessMan의 생성자가 다음과 같이 정의되었다면, 여러분의 이해는 훨씬 빨랐을 것이다. super라는 처음 보는 키워드에 대해 고민하지 않아도 되니 말이다.

```
public BusinessMan(String name, String company, String position)
{
    this.name=name;         // Man의 인스턴스 변수 초기화
    this.company=company;
    this.position=position;
}
```

물론 이렇게 구현을 해도 컴파일 및 실행은 된다. 그러나 인스턴스 변수의 초기화는 인스턴스 변수가 선언된 클래스의 생성자를 통해서 진행하는 것이 가장 좋은 모델이다. 왜냐하면 클래스가 정의될 때, 적절한 인스턴스 변수의 초기화 방식도 함께 결정되기 때문이다.

만약에 상위 클래스의 인스턴스 변수에 대한 초기화가 상위 클래스의 생성자를 통해서 진행되지 않으면, 상위 클래스를 상속하는 모든 하위 클래스가 상위 클래스의 모든 인스턴스 변수를 초기화해야 하는데, 이는 상황에 따라서 매우 부담스러운 일이 되기도 한다. 그래서 상위 클래스의 인스턴스 변수는 상위 클래스의 생성자 내에서 초기화가 되어야 하고, 단지 하위 클래스에서는 상위 클래스의 인스턴스 변수를 초기화하는데 필요한 데이터를 키워드 super를 통해서 전달만 하는 것이 합리적이다. 예제 BasicInheritance.java에서 보여주듯이 말이다.

■ 상위 클래스의 생성자 호출! super!

예제 BasicInheritance.java의 완벽한 이해를 위해서 키워드 super를 정확히 설명하고자 한다. 먼저 다음 문장을 보자.

```
super(1, 3, 5);
```

이는 다음의 의미를 지니는 문장이다.

　　"상위 클래스의 생성자를 호출하면서 1, 3, 5를 인자로 전달해라!"

즉 이는 세 개의 정수를 전달받을 수 있는 상위 클래스의 생성자를 호출하면서 1, 3, 5를 매개변수에 전달하는 문장이다. 그렇다면 다음 super문이 지니는 의미는 무엇이겠는가?

```
super("Mr. Lee", 24, 19.5);
```

이는 상위 클래스의 생성자를 호출하면서 "Mr. Lee", 24, 19.5를 매개변수에 전달하는 문장이다. 그럼 지금 설명한 내용을 바탕으로, 예제 BasicInheritance.java의 다음 문장에 의한 인스턴스의 생성과정을 단계별로 정리해 보겠다.

```
new BusinessMan("Mr. Hong", "Hybrid 3D ELD", "Staff Eng.");
```

위 문장에 의해서 제일 먼저 일어나는 일은 메모리 공간의 할당과 모든 인스턴스 변수의 디폴트(기본적인) 초기화이다. 즉 다음 그림 형태의 인스턴스가 생성된다(참고로 생성자의 호출이 완료되지 않았으니, 이는 완전한 인스턴스로 볼 수 없다).

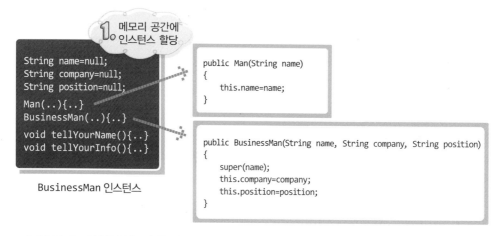

[그림 14-2 : 상속한 클래스의 인스턴스 생성과정 1]

 참 고

생성자가 인스턴스 안에?

생성자는 인스턴스의 생성과정에서 인스턴스 변수의 초기화를 위해서 딱 한번 호출될 뿐, 인스턴스 내에 계속해서 존재하는 메소드는 아니다. 그러나 그림 14-2와 이어서 제시하는 그림상에서는 설명의 편의를 위해서 인스턴스의 멤버로 표현하였으니, 이 부분에 오해가 없기를 바란다.

그리고 지금까지 언급하지는 않았지만, 인스턴스 변수에 별도의 초기화를 진행하지 않으면, 모든 인스턴스 변수는 다음의 디폴트 값(기본이 되는 값)으로 초기화된다.

자료형	디폴트 값
int	0
long	0
double	0
boolean	false
String(or any object)	null

[표 14-1 : 자료형 별 디폴트 값]

위 표에서 String(or any object)은 참조변수를 의미한다. 즉 클래스의 종류에 상관없이 모든 참조변수가 인스턴스 변수로 선언이 되면 null로 초기화된다.

자! 그럼 인스턴스 생성의 두 번째 단계를 살펴보자. 인스턴스가 메모리 공간에 할당되면, 두 번째로 해야 할 일은 생성자의 호출이다. 현재 우리가 모델로 삼고 있는 것이 BusinessMan 클래스이니, BusinessMan의 생성자가 호출되어야 한다. 이와 관련해서 다음 그림을 보자.

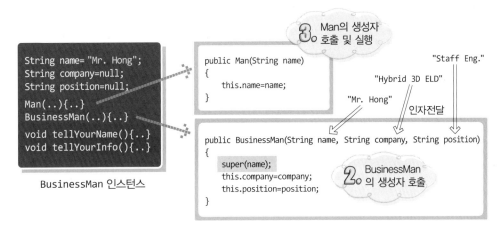

[그림 14-3 : 상속한 클래스의 인스턴스 생성과정 2]

위 그림에서 보이듯이 우선 하위 클래스의 생성자가 호출된다. 그러나 이어서 등장하는 super문에 의해서 상위 클래스의 생성자가 먼저 실행이 된다. 여기서 주목할 부분은 생성자의 실행이다. 비록 하위 클래스의 생성자가 인자의 전달을 위해서 먼저 호출되었지만, 실행은 상위 클래스의 생성자가 먼저 이뤄졌다. 그리고 결과적으로 상위 클래스의 멤버가 먼저 초기화되었다.

상위 클래스의 생성자 실행이 완료되면, 하위 클래스의 생성자가 실행이 된다. 즉 인스턴스 생성의 마지막 단계는 다음과 같다.

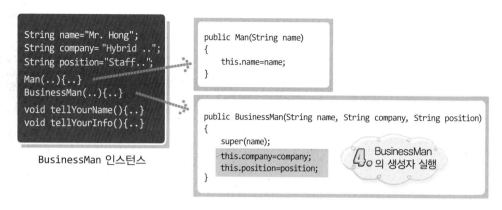

[그림 14-4 : 상속한 클래스의 인스턴스 생성과정 3]

이로써 인스턴스의 생성이 완료되었다. 그림에서는 인스턴스 변수가 전부 초기화된 사실도 보이고 있다.

문 제 14-1 [상속과 생성자의 호출]

Question

앞서 상속관계에 놓여있는 클래스의 생성자 정의 및 호출 방식에 대해 설명하였다. 이 내용을 바탕으로 다음 클래스에 적절한 생성자를 삽입해보자. 그리고 이의 확인을 위한 main 메소드도 적절히 정의해 보자.

```
class Car     // 기본 연료 자동차
{
    int gasolineGauge;
}


class HybridCar extends Car    // 하이브리드 자동차
{
    int electricGauge;
}


class HybridWaterCar extends HybridCar        // 하이브리드 워터카
{
    int waterGauge;

    public void showCurrentGauge()
    {
        System.out.println("잔여 가솔린 : "+gasolineGauge);
        System.out.println("잔여 전기량 : "+electricGauge);
        System.out.println("잔여 워터량 : "+waterGauge);
```

```
        }
    }
```

Car 클래스는 가솔린으로 동작하는 자동차를 표현한 것이고, HybridCar 클래스는 가솔린과 전기로 동작하는 자동차를 표현한 것이다. 그리고 마지막으로 HybridWaterCar 클래스는 가솔린과 전기뿐만 아니라, 물도 동시에 연료로 사용할 수 있는, 가상의 자동차를 표현한 것이다. 그러나 이 문제는 위의 클래스들이 의미하는 바를 몰라도 해결이 가능하다. 그리고 위의 코드에서는 앞서 보인 예제와 달리 상속의 깊이(몇 단계에 걸쳐서 상속이 이뤄지고 있는가를 의미함)가 한 단계 더해졌지만, 그로 인해서 여러분이 더 알아야 할 문법적 지식이 있거나, 해석하는 방식에 있어서 차이가 있는 것은 아니니, 이 부분에 부담을 느끼지 않았으면 좋겠다.

■ 반드시 호출되어야 하는 상위 클래스의 생성자!

위에서 설명한 하위 클래스의 인스턴스 생성과정에서는 super문이 있기 때문에 상위 클래스의 생성자가 호출된 것처럼 보일 수 있다. 그러나 이는 약속이다. 다시 말해서 하위 클래스의 생성자 내에서는 반드시 상위 클래스의 생성자가 호출되어야 한다. 만약에 상위 클래스의 생성자를 호출할 수 없는 구조로 하위 클래스의 생성자가 정의된다면, 하위 클래스의 인스턴스 생성은 불가능하다. 이에 대한 이해를 위해서 다음 코드를 보겠다(설명의 편의를 위해서 잠시 클래스의 이름을 AAA, BBB로 일관한다).

```
class AAA
{
    int num1;
}

class BBB extends AAA
{
    int num2;
}
```

위와 같이 두 클래스가 정의되면, 상위 클래스인 AAA에는 다음과 같은 디폴트 생성자가 자동으로 삽입된다(이미 아는 이야기이다).

```
AAA() { }
```

그러나 BBB 클래스에 삽입되는 디폴트 생성자는 다음과 같다.

```
BBB() { super(); }
```

즉 하위 클래스의 디폴트 생성자 내에는, 인자를 전달받지 않는 상위 클래스의 생성자 호출을 위한 문장이 추가된다. 따라서 위와 같이 클래스가 정의되면 컴파일러는 문제없이 컴파일을 해낸다. 그렇다면 BBB 클래스가 다음과 같이 정의되어도 컴파일이 가능할까?

```
class AAA
{
    int num1;
}

class BBB extends AAA
{
    int num2;
    BBB() { num2=0; }
}
```

명시적으로 생성자를 정의하였으므로, BBB 클래스에 디폴트 생성자는 추가되지 않는다. 그런데 BBB 클래스에 정의된 생성자 내에는 상위 클래스의 생성자 호출을 위한 super문이 보이지 않는다. 그럼에도 불구하고 컴파일은 정상적으로 이뤄진다. 왜냐하면 하위 클래스의 생성자 내에 super문이 보이지 않으면, 인자를 전달받지 않는 상위 클래스의 생성자 호출을 위한 super문이 자동으로 삽입되기 때문이다. 즉 위 클래스의 생성자 내에는 다음과 같이 super문이 추가된다.

```
class BBB extends AAA
{
    int num2;
    BBB()
    {
        super();      // 자동으로 삽입된 super!
        num2=0;
    }
}
```

그렇다면 다음과 같이 정의된 BBB 클래스의 경우에는 어떠할까? 이 경우에도 컴파일이 가능하겠는가?

```
class BBB extends AAA
{
    int num2;
    BBB()
    {
        super(5);    // 프로그래머에 의해 삽입된 super!
        num2=0;
    }
}
```

안타깝게도(뭐 그리 안타까운 일도 아니지만), 이 경우에는 컴파일이 되지 않는다. 왜냐하면 앞서 정의한 상위 클래스 AAA에는 5를 인자로 전달받는 생성자가 존재하지 않기 때문이다. 이처럼 임의의 클래스를 상속하는 하위 클래스를 정의할 때에는 상위 클래스에 대한 생성자 정보가 필요하다. 그래야 상위 클래스의 생성자 호출을 위한 super문을 구성할 수 있기 때문이다.

14-3 상속과 접근제어 지시자

이전에 접근제어 지시자인 public, default, private에 대해서 한차례 설명하였는데, 그 때에는 상속에 대한 개념이 없어서 protected에 대해서는 완벽한 설명을 진행할 수 없었다. 그러나 이제 protected에 대해서도 이해할 수 있게 되었다.

■ protected 지시자

protected에 대해 정리하기에 앞서 표 9-1에서 정리한 접근제어 지시자를 다시 한번 보겠다(편의상 한 번 더 싣는다).

지시자	클래스 내부	동일 패키지	상속받은 클래스	이외의 영역
private	●	×	×	×
default	●	●	×	×
protected	●	●	●	×
public	●	●	●	●

[표 14-2 : 표 9-1에서 보인 접근제어 지시자]

위 표에서 protected와 default를 함께 보자. 그리고 다음 코드를 이해하는데 활용해 보자.

```
class AAA
{
    int num1;
    protected int num2;
}

class BBB extends AAA
{
    BBB()
    {
        num1=10;    // AAA 클래스의 default 멤버에 접근
        num2=20;    // BBB 클래스의 protected 멤버에 접근
    }
}
```

위의 BBB 클래스에서는 AAA 클래스의 default 멤버와 protected 멤버에 접근하는 코드를 볼 수 있다. 어떤가? 조금 혼란스럽지 않은가? num2에 접근이 가능한 것은 이해가 되는데, num1에 접근이 가능한 것은 이해가 되지 않을 수 있다. 왜냐하면 위의 표에서 default 멤버는 상속 관계에서 접근이 불가능하다고 표시되어 있기 때문이다.

"num1은 default 멤버이니 접근이 불가능하지 않나?"

하지만 num1에도 접근이 가능하다. 왜냐하면 AAA 클래스와 BBB 클래스는 default 패키지라는 하나의 패키지로 묶이기 때문이다. 그럼 이번에는 protected에 대해서 생각해보자. protected는 단순히 하위 클래스에서의 접근을 허용하는 접근제어 지시자가 아니다. protected는 "다른 패키지에 존재할지라도 상속관계에 놓이면 접근을 허용하는 접근제어 지시자"이다. 바로 이점을 이해해야 protected를 정확히 이해하는 셈이 된다.

■ private 멤버도 상속이 됩니다. 그러나 간접적으로 접근해야 합니다.

private 멤버도 상속은 된다. 다만 private 멤버는 선언된 클래스 내에서만 접근이 가능하기 때문에 하위 클래스에서 접근이 불가능할 뿐이다. 따라서 "그럼 상속이 되나마나 아닌가요?"라고 물을 수도 있다. 하지만 간접적인 접근을 허용하기 때문에 충분히 의미가 있다. 이와 관련해서 예제를 하나 소개하겠다. 참고로 이는 private의 상속 이외에도 얻을 것이 많은 예제이다.

❖ PrivateInheritance.java

```
1.  class Accumulator        // 숫자를 누적하는 기능의 클래스
2.  {
3.      private int val;
4.
```

```
5.      Accumulator(int init){ val=init; }
6.      protected void accumulate(int num)
7.      {
8.          if(num<0)   // 음수는 누적 대상에서 제외!
9.              return;
10.         val+=num;
11.     }
12.     protected int getAccVal(){return val;}
13. }
14.
15. class SavingAccount extends Accumulator    // 적금통장을 표현한 클래스
16. {
17.     public SavingAccount(int initDep)
18.     {
19.         super(initDep);      // 적금통장 개설 시 입금액
20.     }
21.     public void saveMoney(int money)
22.     {
23.         accumulate(money);        // 돈의 입금
24.     }
25.     public void showSavedMoney()
26.     {
27.         System.out.print("지금까지의 누적금액 : ");
28.         System.out.println(getAccVal());
29.     }
30. }
31.
32. class PrivateInheritance
33. {
34.     public static void main(String[] args)
35.     {
36.         SavingAccount sa=new SavingAccount(1000);
37.         sa.saveMoney(1000);
38.         sa.saveMoney(1000);
39.         sa.showSavedMoney();
40.     }
41. }
```

- 1행 : Accumulator 클래스는 단순히 수의 누적이 가능한 클래스로 이해하면 된다. 수의 누적이 필요한 상황은 우리의 실생활에서 매우 빈번하게 등장한다. 각종 계량기, 자동차의 주행거리 측정기, 만보기 등 그 수를 셀 수 없을 정도이다.

- 8, 9행 : 0보다 작은 음수가 누적되는 상황을 방지하고 있다. 즉 3행의 멤버 val을 private으로 선언해서 접근을 막는 대신에, 6행의 메소드를 제공하여 안정적 접근이 가능하도록 유도하고 있다. 이로써 3행의 변수 val에 0보다 작은 값이 누적되는 일은 발생하지 않는다.

- 15행 : 여기서의 SavingAccount 클래스는 적금 통장을 의미한다. 적금은 매달 일정금액을 고정적으로 입금하며 만기가 되기 전에는 돈을 찾지 않는다. 따라서 앞서 정의한 Accumulator 클래스를 확장하여(상속하여) 클래스를 정의하고 있다.

❖ 실행결과 : PrivateInheritance.java

지금까지의 누적금액 : 3000

이 예제는 private 멤버의 상속이 지니는 의미를 우리에게 설명한다. Accumulator 클래스를 디자인한 사람은 변수 val에 누군가 직접 접근하는 것을 원치 않았다. 그것이 Accumulator 클래스를 직접 상속하는 하위 클래스라 하더라도 말이다. 그래서 변수 val을 private으로 선언하였다. 따라서 Accumulator를 상속한 SavingAccount 클래스에서는 변수 val에 직접적인 접근이 불가능하다. 대신에 Accumulator가 제공하는 protected 메소드를 통해서 안정적인 형태로 접근이 가능하다. 이렇듯 인스턴스 변수를 private으로 선언해서 상속시키는 가장 큰 이유는 안전성의 보장에 있다.

■ 예제 PrivateInheritance.java가 재활용의 대표적인 사례입니다. 그런데!

예제 PrivateInheritance.java에서는 Accumulator 클래스를 재활용하여(상속하여) SavingAccount 클래스를 정의하였다. 그렇다면 Accumulator 클래스의 상속은 적절했다고 생각하는가? 이에 대한 결론을 내리기에 앞서 다음 대화의 내용을 읽어보자.

- 철수 : 난 어제 회사에서 만보기에 들어갈 소프트웨어를 자바로 만들었지!
- 동수 : 그럼 너 혹시 숫자를 누적하는 기능을 담당하는 클래스도 만들었냐?

- 철수 : 왜 너 그거 필요해?
- 동수 : 어! 난 적금과 관련된 소프트웨어를 만들어야 하거든

- 철수 : 그래? 내가 Accumulator라는 이름의 숫자를 누적하는 클래스를 만들었거든
- 동수 : 그럼 그거 나 좀 가져다 써도 되냐?

- 철수 : 물론이지, 그럼 그거 어떻게 줄까? 메일로 보내줄까?
- 동수 : 내가 요즘 메일 잘 확인 안 하거든, 회사 FTP 주소 알려줄 테니 거기에 좀 올려줘라.

- 철수 : 알았어, 낼 5시까지는 올려 놓으면 되지?
- 동수 : 안돼! 늦어도 4시까지는 보내줘, 참 클래스 사용방법은 어떻게 되냐? 문서는 있냐?

… 그 뒤로도 이 둘의 대화는 계속 되었다… ^^

이 대화가 조금 쓸데없이 들릴 수도 있지만, 이는 다른 사람이 만든 클래스를 재활용하는 것이 얼마나 어려운 일인지를 말하려는 것이다. 실제로 예제 PrivateInheritance.java에서, Accumulator 클래스를 상속함으로 인해서 눈에 띄는 이점이 있는 것도 아니다. 코드의 양이 크게 줄었는가? 아니다. 그럼 구현하는데 있어서 시간이 줄었겠는가? Accumulator 클래스를 분석해야 상속이 가능하므로 그것도 아니다. 결국 이 예제는 상속이 활용된 좋은 모델이 될 수 없다(비록 필자가 만들었지만). 그런데 이는 이 예제에만 국한된 이야기가 아니다. 대부분의 경우 하나의 클래스를 재활용하는 것은 노력에 비해 얻는 것이 너무 미비하다.

패키지 단위의 재활용은 고려할 만 한다.

예를 들어서 A사에서 병원관리 시스템을 만들었는데, 그 중에서 수납업무와 관련 있는 클래스의 수가 30개이고, 이들이 receipt라는 패키지로 묶여있다고 가정하자. 이러한 상황에서 수납업무가 필요한 다른 병원의 시스템에 이를 적용하기 위해서 정작 알아야 할 클래스의 수는 몇 개 되지 않는다. 즉 몇 개 안 되는 클래스를 이해함으로써 병원의 수납업무와 관련 있는 기능 전부를 재활용할 수 있는 것이다. 때문에 패키지 단위의 재활용은 의미가 있다. 그리고 바로 이것이 CBD(Component Based Development)라는 패러다임을 구성하는 근간이다. 즉 CBD에서는 클래스 단위의 재활용을 논의하지 않는다. 자바의 패키지 혹은 그 이상의 규모에 대한 재활용을 논의한다.

14-4 static 변수(메소드)의 상속과 생성자의 상속에 대한 논의

이제 static 변수(메소드)와 생성자의 상속과 관련해서 논의하고 이번 Chapter를 마무리하겠다. 그리고 상속에 대한 매우 중요한 설명은 다음 Chapter로 넘기고자 한다.

■ static 변수도 상속이 되나요?

static 변수의 상속여부를 말하기에 앞서 static 변수의 특성을 먼저 기억해보자. 클래스 메소드, 클래스 변수라 불리는 static 메소드와 static 변수는 생성되는 인스턴스마다 독립적으로 존재하는 멤버가 아니고, 생성되는 인스턴스가 함께 공유하는 변수 및 메소드이다. 따라서 "static 변수도 상속이 되나요?"라는 질문 대신에 다음의 질문이 더 잘 어울린다.

"상위 클래스에 정의되어 있는 static 변수에 하위 클래스도 그냥 접근이 가능한가요?"

static 변수는 public으로 선언이 되면, 클래스의 이름을 통해서 어디서든 접근이 가능하지 않은가? 따라서 접근의 가능 여부가 관심사가 아니고, 접근의 방법이 관심사이다. 그럼 static 변수가 상속관계에 놓였을 때, 어떠한 방식으로 접근이 가능한지 다음 예제를 통해서 확인하겠다. 참고로 이 예제는 static 변수와 상속의 관계를 확인하기 위한 예제일 뿐, 상속의 가치 관점에서는 빵점짜리 예제이다.

❖ StaticInheritance.java

```java
1.    class Adder
2.    {
3.        public static int val=0;
4.        public void add(int num) { val+=num; }
5.    }
6.
7.    class AdderFriend extends Adder
8.    {
9.        public void friendAdd(int num) { val+=num; }
10.       public void showVal() { System.out.println(val); }
11.   }
12.
13.   class StaticInheritance
14.   {
15.       public static void main(String[] args)
16.       {
17.           Adder ad=new Adder();
18.           AdderFriend af=new AdderFriend();
19.           ad.add(1);
20.           af.friendAdd(3);
21.           AdderFriend.val+=5;
22.           af.showVal();
23.       }
24.   }
```

- 3행 : static 변수가 선언되었다. 따라서 이 변수는 모든 Adder 인스턴스들에게 공유가 된다(물론 다른 영역에서도 접근이 가능하다).

- 9, 10행 : AdderFriend 클래스가 상속하는 Adder 클래스에 선언된 static 변수에 접근하고 있다. 이처럼 static 변수 및 메소드는 상속을 하는 하위 클래스에서도 이름만으로 접근이 가능하다.

- 21행 : 클래스의 이름을 통해서도 static 변수에 접근이 가능하다는 것을 설명한바 있다. 그런데 이 줄에서 보이듯이 상속을 하고 있는 하위 클래스의 이름을 통해서도 상위 클래스의 static 변수 및 메소드에 접근이 가능하다.

```
9
```

위의 실행결과가 보이듯이 상위 클래스에 정의되어 있는 static 변수는 하위 클래스에서도 변수의 이름만으로 접근이 가능하다.

■ 생성자도 상속이 되나요?

지금까지 설명한 내용을 잘 이해했다면 "생성자도 상속이 되나요?"라는 질문은 여러분에게 필요한 질문이 아니다. 그런데 지금 이 시점에서 이를 설명하는 이유는 필자가 이 질문으로 인해서 참으로 오랜 시간 고통을 겪었기 때문이다(농담으로 하는 말이다. 정말로 고통스러웠다는 뜻은 아니니, 오해 없기 바란다). 필자는 오래 전 다음과 같은 질문을 메일을 통해서 매우 많이 받았다.

"자바의 생성자는 상속이 안되나요?"

여러분은 어떻게 생각하는가? 자바의 생성자는 상속이 된다고 보는가? 되지 않는다고 보는가? 무어라 대답해도 크게 상관은 없다. 관점의 따라서 달리 말할 수 있으니, 크게 문제시 삼을 일은 아니다. 그런데 앞과 뒤도 없이 다음과 같은 글을 읽는다면 혼란스러울 수밖에 없다.

"자바의 생성자는 상속이 되지 않습니다."

일반적으로 생성자는 상속이 되지 않는다고 말한다. 그런데 여기서 말하는 상속이란 지금까지 설명한 상속과는 약간의 차이를 보인다. 아! 물론 관점에 따라 동일하게 볼 수도 있다. 그러나 여러분 중 상당수는 차이가 있다고 느낄 것이다. 먼저 다음 클래스 정의를 보자.

```
class AAA
{
    int num;
    AAA(int n) { num=n; }
}

class BBB extends AAA
{
    BBB() { super(0); }
}
```

위와 같이 정의된 클래스를 기준으로 다음과 같이 인스턴스를 생성할 수 있겠는가?

```java
public static void main(String[] args)
{
    BBB b1=new BBB();      // 가능
    BBB b2=new BBB(1);     // 불가능
    . . . .
}
```

b1이 참조하는 인스턴스의 생성은 가능하지만, b2가 참조하는 인스턴스의 생성은 불가능하다(이유는 여러분이 알고 있는 그대로다. 적절한 생성자가 존재하지 않는다). 그리고 위에서 말한 "자바의 생성자는 상속이 되지 않습니다."는 b2가 참조하는 인스턴스의 생성이 불가능함을 두고 말하는 것이다. 즉 생성자의 상속이란, 위에서 정의한 AAA 클래스의 다음 생성자가,

```java
AAA(int n) { num=n; }
```

AAA 클래스를 상속하는 BBB 클래스에게 다음의 형태로 상속됨을 뜻하는 것이다.

```java
BBB(int n) { num=n; }
```

이제 누군가, 혹은 어디선가 "자바의 생성자는 상속이 되지 않습니다."라고 말하더라도 여러분은 흔들리지 말아야 한다. 지금 내용은 이것을 바라는 마음에서 쓴 것이니 말이다.

자바는 단일상속만 지원합니다.

지금까지 상속에 대해서 설명하였는데, 자바는 하나의 클래스만을 상속할 수 있다. 반면에 C++이라는 객체지향 언어는 둘 이상의 클래스를 상속할 수 있는 다중상속을 지원한다. 하지만 다중상속을 지원하지 않는다고 해서 자바가 C++보다 부족한 언어는 결코 아니다. 언어를 처음 개발한 디자이너가 언어를 통해 추구한 바가 약간 달랐을 뿐이고, 그것이 이러한 차이를 만들었을 뿐이니 말이다.

■ 문제 14-1의 답안

❖ 소스코드 답안

```
1.   class Car     // 기본 연료 자동차
2.   {
3.       int gasolineGauge;
4.
5.       public Car(int oil)
6.       {
7.           gasolineGauge= oil;
8.       }
9.   }
10.
11.  class HybridCar extends Car     // 하이브리드 자동차
12.  {
13.      int electricGauge;
14.
15.      public HybridCar(int oil, int ele)
16.      {
17.          super(oil);
18.          electricGauge=ele;
19.      }
20.  }
21.
22.  class HybridWaterCar extends HybridCar        // 하이브리드 워터카
23.  {
24.      int waterGauge;
25.
26.      public HybridWaterCar(int oil, int ele, int wat)
27.      {
28.          super(oil, ele);
29.          waterGauge=wat;
30.      }
31.
32.      public void showCurrentGauge()
33.      {
34.          System.out.println("잔여 가솔린 : "+gasolineGauge);
35.          System.out.println("잔여 전기량 : "+electricGauge);
36.          System.out.println("잔여 워터량 : "+waterGauge);
37.      }
38.  }
39.
40.  class ConstructorAndSuper
41.  {
42.      public static void main(String[] args)
43.      {
44.          HybridWaterCar hwCar1=new HybridWaterCar(4, 2, 3);
45.          hwCar1.showCurrentGauge();
```

```
46.          HybridWaterCar hwCar2=new HybridWaterCar(9, 5, 7);
47.          hwCar2.showCurrentGauge();
48.     }
49. }
```

클래스의 상속 2 : 오버라이딩

상속을 하는 이유와 상속을 했을 때 얻게 되는
이점에 대해서는 다음 Chapter에서 자세히 설
명 한다. 그러나 이제 상속과 관련해서 두 번째
Chapter에 들어섰으니, 상속을 위한 기본 조건
정도는 알고 있을 필요가 있다.

15-1 상속을 위한 관계

상속을 위한 관계! 제목에서 이야기하듯이 상속으로 클래스의 관계를 구성하기 위해서는 조건이 필요하다. 그리고 조건과 필요가 충족되지 않으면 상속은 하지 않는 것만 못하다고 전문가들은 이야기한다.

■ 상속을 위한 기본 조건인 IS-A 관계의 성립

상속의 기본 문법에서 보이듯이, 하위 클래스는 상위 클래스가 지니는 모든 것을 지니고, 거기에다가 하위 클래스만의 추가적인 특성이 더해진다. 그렇다면 현실 세계에서는 이러한 상황이 언제 연출이 될까? 필자는 다음 두 가지를 예로 들어보겠다.

- 전화기 → 무선 전화기
- 컴퓨터 → 노트북 컴퓨터

요즘 시대에 맞게 무선이라는 이슈로 예를 들어보았다. 위의 예에서 보인 전화기와 컴퓨터의 기본 기능은 각각 '통화'와 '계산'이다. 그런데, 무선 전화기와 노트북 컴퓨터는 여기에다가 '이동성'이라는 특성이 추가되었다. 따라서 전화기와 컴퓨터를 상위 클래스로, 그리고 무선 전화기와 노트북 컴퓨터를 각각의 하위 클래스로 정의하는 것은 매우 타당하다. 그리고 이러한 상속 관계가 성립이 되면, 다음과 같이 문장이 구성되는 특징이 있다.

- 무선 전화기는 일종의 전화기입니다.
- 노트북 컴퓨터는 일종의 컴퓨터입니다.

다시 말해서 무전 전화기도 전화기이고, 노트북 컴퓨터도 컴퓨터인 것이다. 이 두 문장을 영어 반, 한글 반 섞어서 표현하면 다음과 같다(영어로 "is a"는 한글로 "일종의 ~이다."로 해석된다).

- 무선 전화기 is a 전화기.
- 노트북 컴퓨터 is a 컴퓨터.

즉 상속관계가 성립하려면 상위 클래스와 하위 클래스에는 IS-A 관계가 성립해야 한다. 만약에 여러분이 상속관계로 묶고자 하는 두 클래스가 IS-A 관계로 표현되지 않는다면, 이는 적절한 상속의 관계가 아닐 확률이 매우 높은 것이니, 신중한 판단이 필요하다. 그럼 이와 관련해서 간단한 예제를 보이되, 지금까지와는 달리 상속의 깊이를(몇 단계에 걸쳐서 상속이 이뤄지고 있는가를 의미함) 하나 더 해서 예제를 작성하겠다.

```
1.  class Computer
2.  {
3.      String owner;
4.
5.      public Computer(String name){owner=name;}
6.  ──── public void calculate() { System.out.println("요청 내용을 계산합니다."); }
7.  }
8.
9.  class NotebookComp extends Computer
10. {
11.     int battery;
12.
13.     public NotebookComp(String name, int initChag)
14.     {
15.         super(name);
16.         battery=initChag;
17.     }
18.     public void charging() { battery+=5; }
19.     public void movingCal()
20.     {
21.         if(battery<1)
22.         {
23.             System.out.println("충전이 필요합니다.");
24.             return;
25.         }
26.
27.         System.out.print("이동하면서 ");
28.         calculate();
29.         battery-=1;
30.     }
31. }
32.
33. class TabletNotebook extends NotebookComp
34. {
35.     String regstPenModel;
36.
37.     public TabletNotebook(String name, int initChag, String pen)
38.     {
39.         super(name, initChag);
40.         regstPenModel=pen;
41.     }
42.
43.     public void write(String penInfo)
44.     {
45.         if(battery<1)
46.         {
```

```
47.           System.out.println("충전이 필요합니다.");
48.           return;
49.       }
50.
51.       if(regstPenModel.compareTo(penInfo)!=0)
52.       {
53.           System.out.println("등록된 펜이 아닙니다.");
54.           return;
55.       }
56.
57.       System.out.println("필기 내용을 처리합니다.");
58.       battery-=1;
59.   }
60. }
61.
62. class ISAInheritance
63. {
64.     public static void main(String[] args)
65.     {
66.         NotebookComp nc=new NotebookComp("이수종", 5);
67.         TabletNotebook tn=new TabletNotebook("정수영", 5, "ISE-241-242");
68.
69.         nc.movingCal();
70.         tn.write("ISE-241-242");
71.     }
72. }
```

해설

- 1~7행 : 모든 컴퓨터의 공통적인 특성을 Computer 클래스 하나에 표현하였다. 모든 컴퓨터는 소유자가 있으니 소유자 정보를 저장할 수 있도록 정의했고, 또 계산의 기능도 있으니 계산과 관련된 메소드를 하나 정의하였다.

- 9~31행 : NotebookComp는 노트북 컴퓨터를 표현한 클래스이다. 노트북 컴퓨터는 배터리가 있어서 이동이 가능하므로 이와 관련된 변수 및 메소드를 추가하였고, 컴퓨터를 사용할 때마다(movingCal 메소드가 호출될 때마다) 배터리가 소모되는 상황을 표현하였다.

- 33~60행 : TabletNotebook은 펜이 있어서 필기가 가능한 노트북 컴퓨터를 표현한 클래스이다. 펜을 등록하고 등록이 된 펜을 사용해야 필기가 가능한 상황을 표현하였다(실제와는 조금 다르지만).

❖ 실행결과 : ISAInheritance.java

이동하면서 요청 내용을 계산합니다.
필기 내용을 처리합니다.

위 예제를 통해서 여러분이 제일 먼저 관찰해야 할 사실은 다음과 같다.

"TabletNotebook의 인스턴스 생성시, 제일먼저 Computer의 생성자가 실행되고, 그 다음으로 NotebookComp의 생성자가 실행되고, 마지막으로 TabletNotebook의 생성자가 실행된다.

이렇게 진행되는 이유는 생성자의 가장 첫 번째 줄에 존재하는(없으면 자동으로 삽입되는) super문에 의한 것임을 알고 있을 것이다. 이렇듯 상속 관계에 있는 모든 클래스의 생성자가 호출되어야, 모든 인스턴스 변수들이 적절히 초기화된다. 그리고 위 예제에서 보이는 클래스들은 다음의 관계가 성립이 된다.

- NotebookComp(노트북 컴퓨터)는 Computer(컴퓨터)이다.
- TabletNotebook(타블렛 컴퓨터)는 NotebookComp(노트북 컴퓨터)이다.

뿐만 아니라, 다음의 관계도 성립이 된다.

- TabletNotebook(타블렛 컴퓨터)는 Computer(컴퓨터)이다.

때문에 IS-A 관계의 관점에서만 보면 위 클래스들의 상속관계는 적절했다고 볼 수 있다.

■ HAS-A 관계도 상속의 조건은 되지만 복합 관계로 이를 대신하는 것이 일반적이다.

여러분은 "IS-A 관계 외에도 상속이 형성될만한 관계가 있지 않은가?"라고 질문할 수 있다. 물론 한가지 더 있다. 바로 소유의 관계이다. 상속의 기본문법이 보이듯이 하위 클래스는 상위 클래스가 지니고 있는 모든 것을 소유한다. 따라서 다음 예제와 같이 소유의 관계도 상속으로 표현이 가능하다.

❖ HASInheritance.java

```
1.  class Gun
2.  {
3.      int bullet;     // 장전된 총알의 수
4.
5.      public Gun(int bnum) { bullet=bnum; }
6.      public void shut()
7.      {
8.          System.out.println("BBANG!");
9.          bullet--;
10.     }
11. }
12.
13. class Police extends Gun
14. {
15.     int handcuffs;      // 소유한 수갑의 수
16.
17.     public Police(int bnum, int bcuff)
18.     {
```

```
19.        super(bnum);
20.        handcuffs=bcuff;
21.    }
22.    public void putHandcuff()
23.    {
24.        System.out.println("SNAP!");
25.        handcuffs--;
26.    }
27. }
28.
29. class HASInheritance
30. {
31.    public static void main(String[] args)
32.    {
33.        Police pman=new Police(5, 3);       // 총알 5, 수갑 3
34.        pman.shut();
35.        pman.putHandcuff();
36.    }
37. }
```

해 설

• 1~11행 : Gun은 총을 표현한 클래스이다. 표현의 간결함을 위해서 총알을 추가로 장전하는 등의 기능은 생략하였다.

• 13~27행 : Police는 경찰을 표현한 클래스이다. 경찰은 기본적으로 수갑을 지닌다고 가정하였고, 수갑을 추가로 지니는 등의 기능은 예제의 간결함을 위해 생략하였다.

❖ 실행결과 : HASInheritance.java

```
BBANG!
SNAP!
```

위 예제는 권총을 소유하는 경찰을 표현하고 있다. 따라서 이를 영어 반, 한글 반 섞어서 표현하면 "경찰 has a 총"이 된다(영어로 "has a"는 한글로 "~을 소유한다."로 해석이 된다). 즉 HAS-A 관계도 상속으로 표현할 수 있다. 그런데 이러한 소유의 관계는 다른 방식으로도 얼마든지 표현이 가능하다. 다음 예제에서는 HASInheritance.java에서 보여주는 관계를 상속이 아닌 다른 방식으로 표현하고 있다.

❖ HASComposite.java

```
1.  class Gun
2.  {
3.      int bullet;     // 장전된 총알의 수
```

```
4.
5.        public Gun(int bnum){bullet=bnum;}
6.        public void shut()
7.        {
8.            System.out.println("BBANG!");
9.            bullet--;
10.       }
11. }
12.
13. class Police
14. {
15.       int handcuffs;        // 소유한 수갑의 수
16.       Gun pistol;           // 소유하고 있는 권총
17.
18.       public Police(int bnum, int bcuff)
19.       {
20.           handcuffs=bcuff;
21.           if(bnum!=0)
22.               pistol=new Gun(bnum);
23.           else
24.               pistol=null;
25.       }
26.       public void putHandcuff()
27.       {
28.           System.out.println("SNAP!");
29.           handcuffs--;
30.       }
31.       public void shut()
32.       {
33.           if(pistol==null)
34.               System.out.println("Hut BBANG!");
35.           else
36.               pistol.shut();
37.       }
38. }
39.
40. class HasComposite
41. {
42.       public static void main(String[] args)
43.       {
44.           Police haveGun=new Police(5, 3);    // 총알 5, 수갑 3
45.           haveGun.shut();
46.           haveGun.putHandcuff();
47.
48.           Police dontHaveGun=new Police(0, 3);    // 총알 0, 수갑 3
49.           dontHaveGun.shut();
50.       }
51. }
```

해 설

- 16행 : 이전 예제와 달리 Gun 클래스를 상속하는 것이 아니라, 생성자에서 Gun 클래스의 인스턴스를 생성해서 이를 참조하고 있다.

- 31행 : Gun 클래스를 상속한다면 별도의 shut 메소드를 정의할 필요가 없다. 그러나 인스턴스 멤버로 두었기 때문에 이렇게 별도의 메소드가 정의되어야 한다.

- 48행 : 총을 소유하지 않은 경찰의 인스턴스를 생성하고 있다. 생성자의 첫 번째 인자로 0이 전달되면, 16행의 인스턴스 변수는 null로 초기화되어 총의 사용이 불가능해진다(총을 소유하지 않은 상태의 표현이다).

❖ 실행결과 : HASComposite.java

```
BBANG!
SNAP!
Hut BBANG!
```

이전 예제와 비교해서 어떠한 느낌이 드는가? 일반적인 상황에서는 앞서 보여드린 상속 기반의 예제보다 위의 예제가 보다 좋은 모델이다. "코드의 양이 늘었는데도요?"라고 질문하는 분도 있을 것이다. 그러나 이 상황에서 이는 큰 문제가 되지 않는다. 아니, 오히려 HASInheritance.java의 코드 양이 훨씬 더 많아질 가능성이 매우 높다. 왜냐하면 HASInheritance.java에서 보여준 방식으로는 다음의 요구사항을 반영하기가 쉽지 않기 때문이다.

- 권총을 소유하지 않은 경찰을 표현해야 합니다.

- 경찰이 권총과 수갑뿐만 아니라, 전기봉도 소유하기 시작했습니다.

상속으로 묶인 두 개의 클래스는 강한 연관성을 띤다. 즉 Gun 클래스를 상속하는 Police 클래스로는 총을 소유하는 경찰만 표현 가능하다. 하지만 바로 위의 예제에서는 인스턴스 변수 pistol을 null로 초기화함으로써 권총을 소유하지 않은 경찰을 매우 간단히 표현하였다. 그리고 HASComposite.java 에서 보이는 방식으로는 전기봉을 소유하는 경찰의 표현을 위해서 Police 클래스를 확장하는 것도 어렵지 않다. 전기봉을 표현하는 클래스의 참조변수를 인스턴스 변수로 추가만 하면 되기 때문이다. 그러나 HASInheritance.java에서 보이는 방식으로는 이 상황을 대처하기가 매우 난감하다. 예를 들어서 전기봉을 의미하는 ElecStick이라는 이름의 클래스를 정의했다고 가정해보자. 이 클래스를 어느 클래스가 상속하도록 하겠는가? Police 클래스가 상속하도록 만들겠는가? 그렇다면 다중상속이 되어 문제가 발생한다(설령 자바에서 다중상속을 지원한다 하더라도 이러한 구현 방식은 더 복잡한 문제로 이어질 수 있다). 그렇다면 Gun 클래스가 상속하도록 만들겠는가? 그럼 이건 봉 달린 총이라고 해야 하는가? 이런 건 제다이(Jedi)들도 사용해 본 경험이 없을 것이다.

자! 결론을 내려보자. 상속은 IS-A 관계의 표현에 매우 적절하다. 그리고 경우에 따라서는 HAS-A 관계의 표현에도(소유 관계의 표현에도) 사용될 수 있으나, 이는 프로그램의 변경에 많은 제약을 가져다 줄 수 있다.

참고

IS-A랑 HAS-A 이외의 관계에서도 상속이 형성될만한 상황이 있지 않을까요?

없다! 사실 HAS-A도 많이 봐 준거다. 필자가 10년을 넘게 알고 지내온 많은 객체지향 전문가들 역시 IS-A와 HAS-A 이외의 관계를 상속으로 표현하지 않았다. 아니 그럴 생각조차 하지 않고 있다.

15-2 하위 클래스에서 메소드를 다시 정의한다면?

이번에 설명하는 내용은 다음 Chapter에서 언급하는, 클래스를 상속하는 이유를 이해하는데 있어서 매우 중요한 내용이다. 아니 상속과 관련된 기본 문법 중에서 가장 중요하다고도 볼 수 있다. 따라서 최소 두 번 이상 천천히 정독하기 바란다.

■ 하위 클래스에서 메소드를 다시 정의하면 어떠한 일이 벌어질까?

상위 클래스에 정의된 메소드의 이름, 반환형, 매개변수 선언까지 완전히 동일한 메소드를 하위 클래스에서 다시 정의한다면 어떠한 일이 벌어질지 궁금하지 않은가? 예제를 통해서 이를 확인하는 데서부터 우리의 이야기를 시작하고자 한다. 다음 예제에서는 스피커를 모델로 하여 클래스를 정의하고 있다. 그리고 앞서 소개한 키워드 super의 또 다른 용도도 소개하고 있다.

❖ Overriding.java

```
1.   class Speaker
2.   {
3.       private int volumeRate;
4.
5.       public void showCurrentState()
6.       {
7.           System.out.println("볼륨 크기 : "+ volumeRate);
```

```
8.         }
9.     public void setVolume(int vol)
10.    {
11.        volumeRate=vol;
12.    }
13. }
14.
15. class BaseEnSpeaker extends Speaker
16. {
17.    private int baseRate;
18.
19.    public void showCurrentState()
20.    {
21.        super.showCurrentState();
22.        System.out.println("베이스 크기 : "+baseRate);
23.    }
24.    public void setBaseRate(int base)
25.    {
26.        baseRate=base;
27.    }
28. }
29.
30. class Overriding
31. {
32.    public static void main(String[] args)
33.    {
34.        BaseEnSpeaker bs=new BaseEnSpeaker();
35.        bs.setVolume(10);
36.        bs.setBaseRate(20);
37.        bs.showCurrentState();
38.    }
39. }
```

- 1~13행 : 스피커의 상태정보를 표현한 클래스이다. 코드의 간결함을 위해서 볼륨 정보 하나만을 표현하였다.

- 15~28행 : 베이스 기능이 보강된 스피커를 표현한 클래스이다. 이에 걸맞게 베이스 음의 크기를 나타내는 변수와 베이스 음의 크기를 지정할 수 있는 메소드가 추가되었다.

- 19행 : 상위 클래스에서 정의한 메소드를 다시 정의하였는데, 이러한 형태의 메소드 재정의를 가리켜 '메소드 오버라이딩'이라 한다. 메소드의 이름과 반환형, 그리고 매개변수의 선언이 완전히 동일함에 주목하자.

- 21행 : 앞에서는 상위 클래스의 생성자를 호출하는 용도로 super라는 키워드를 소개하였다. 그런데 여기서는 상위 클래스에 정의된 showCurrentState 메소드의 호출을 위해 super가 사용되었다. BaseEnSpeaker 클래스에서도 showCurrentState 메소드를 정의했기 때문에, 키워드 super를 사용하지 않으면 BaseEnSpeaker에 정의된 showCurrentState 메소드가 호출된다. 이렇듯 super라는 키워드는 상위 클래스에 정의된 메소드의 호출에도 사용된다는 점을 반드시 기억하기 바란다.

- 37행 : BaseEnSpeaker의 참조변수 bs를 가지고 showCurrentState 메소드를 호출하고 있다. 그리고 아래의 실행결과에서 보이듯이 하위 클래스의 showCurrentState 메소드가 호출되었다.

❖ 실행결과 : Overriding.java

```
볼륨 크기 : 10
베이스 크기 : 20
```

필요한 설명은 이미 소스해설을 통해서 다하였다. 그리고 여기서 설명한 내용을 정리하면 다음과 같다.

- 참조변수를 이용해서, 인스턴스의 오버라이딩 된 메소드를 호출하면, 상위 클래스가 아닌 하위 클래스의 메소드가 호출된다.
- 하위 클래스에서 오버라이딩 된 상위 클래스의 메소드를 호출하려면 키워드 super를 사용한다.

즉 BaseEnSpeaker 인스턴스에는 두 개의 showCurrentState 메소드가 존재한다. 그러나 참조변수를 통해서 접근할 수 있는 메소드는 BaseEnSpeaker에 정의된 메소드 하나이다. 따라서 상위 클래스에 정의된 메소드가 하위 클래스에 정의된 메소드에 의해 가려졌다고 이야기할 수 있다.

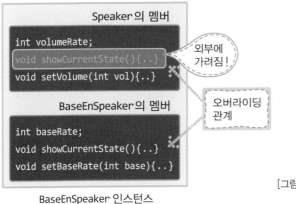

[그림 15-1 : 메소드 오버라이딩]

BaseEnSpeaker 인스턴스

지금까지 설명한 내용을 보면서 "어렵지도 않고, 별로 중요하게도 생각되지 않네요."라고 말할 수 있다. 하지만 이제 시작이니 계속해서 집중하기 바란다.

■ 상위 클래스의 참조변수로도 하위 클래스의 인스턴스를 얼마든지 참조 가능하다고!

상속은 IS-A 관계에 의해서 형성된다고 설명하였으니, Overriding.java에서 보인 상속의 관계는 적절했다고 판단할 수 있다. 따라서 다음의 관계가 성립됨을 다시 한번 강조하고자 한다.

- 중 저음 보강 스피커는 (일종의) 스피커이다. (O)
- BaseEnSpeaker is a Speaker. (O)

하지만 이의 역(逆)은 성립이 안 된다. 즉 다음과 같은 문장은 성립이 되지 않는다(아래의 문장이 성립하려면 세상의 모든 스피커는 중 저음 보강 스피커가 되어야 한다).

- 스피커는 (일종의) 중 저음 보강 스피커이다. (X)
- Speaker is a BaseEnSpeaker. (X)

그런데 이는 자바 컴파일러가 클래스를 바라보는 관점이기도 하다. 즉 우리가 중 저음 보강 스피커를 가리켜 그냥 스피커라 하듯이, 자바 컴파일러는 BaseEnSpeaker의 인스턴스를 그냥 Speaker의 인스턴스로 보기도 한다. 따라서 다음의 문장은 성립한다.

```
Speaker sp=new BaseEnSpeaker();
```

Speaker의 참조변수로 BaseEnSpeaker 인스턴스를 참조하고 있다. 문제가 된다고 생각하는가? 문제되지 않는다. 자바 컴파일러의 관점에서는 BaseEnSpeaker의 인스턴스는 Speaker의 인스턴스도 되기 때문이다(BaseEnSpeaker is a Speaker). 그럼 필자가 지금 한 이야기가 정말인지 확인해 보겠다. 이를 위해서 위 예제 Overriding.java의 main 메소드를 다음과 같이 변경해서 실행해 보자.

```
public static void main(String[] args)
{
    Speaker bs=new BaseEnSpeaker();
    bs.setVolume(10);
    bs.setBaseRate(20);      // 컴파일 에러 발생
    bs.showCurrentState();
}
```

확인해 봤다면 다음 두 문장에서는 전혀 문제가 발생하지 않음을 알 수 있다. 그리고 이로써 자바 컴파일러가 BaseEnSpeaker의 인스턴스를 Speaker의 인스턴스로 바라본다는 사실을 증명한 셈이다.

```
Speaker bs=new BaseEnSpeaker();
bs.setVolume(10);
```

그러나 다음 문장에서는 컴파일 에러가 발생한다.

```
bs.setBaseRate(20);
```

그리고 이 문장의 에러 메시지를 통해서 컴파일러의 불평 내용을 확인할 수 있다.

"너! 왜? Speaker 인스턴스에 접근을 해서 setBaseRate 메소드를 호출하려 드냐? Speaker 인스턴스
  에는 setBaseRate 메소드가 존재하지 않는다고!"

컴파일러가 복장 터지는 소리를 한다고 여러분은 생각할 것이다. 컴파일러는 bs가 참조하는 인스턴스를
진짜로 Speaker 인스턴스라고 믿는 것이 아닌가! 실제로 참조하는 것은 BaseEnSpeaker 인스턴스가
맞다! 그러나 Speaker의 참조변수로 참조하기 때문에 Speaker 인스턴스로 인식하는 것이다.

"그렇다면 Speaker의 참조변수로 인스턴스를 참조하면, 실제로 참조하는 인스턴스의 종류에 상관없
  이 Speaker 클래스에 정의된 메소드만 호출 가능하겠네요?"

역시 여러분은 멋쟁이이다. 이것이 바로 필자가 여러분께 말씀 드리고픈 결론 중 하나이다(위 문장을 최
소 두 번 더 읽자).

컴파일러 정신차려라!

다음과 같은 문장을 구성한다는 것은 어떠한 의미가 있는 것일까?

```
Speaker bs=new BaseEnSpeaker();
```

이는 프로그래머가 다음과 같은 생각으로 작성하는 코드이다(각각의 상황은 천천히 소개가
된다).

"이 상황에서는 bs가 참조하는 인스턴스를 Speaker의 인스턴스로 인식해도 돼"

즉 프로그래머 역시 bs가 참조하는 대상을 Speaker의 인스턴스로 인식해도 되는 상황에
서 등장하는 문장이다. 따라서 참조변수 bs를 통해서 Speaker에 정의되어 있는 메소드
만 호출 가능하도록 컴파일러가 디자인되어 있는 것이다.

■ 지금까지 설명한 내용의 일반화

이제 상속에 있어서의 인스턴스 참조관계를 일반화해서 정리하고자 한다. 먼저 다음의 클래스 상속 관계
를 보자.

```
class AAA { . . . }
class BBB extends AAA { . . . }
class CCC extends BBB { . . . }
```

이 때 다음의 코드는 전혀 문제없이 컴파일이 된다. 상위 클래스의 참조변수로도 하위 클래스의 인스턴스
참조가 얼마든지 가능하기 때문이다. 참고로 CCC 클래스는 BBB의 하위 클래스이지만, AAA의 하위
클래스도 됨을 잊어서는 안 된다.

```
AAA ref1 = new BBB();
AAA ref2 = new CCC();
BBB ref3 = new CCC();
```

그렇다면 다음의 문장은 컴파일이 제대로 되겠는가?

```
CCC ref1 = . . .           // 이 문장이 정상적으로 컴파일 되었다고 가정
BBB ref2 = ref1;
AAA ref3 = ref1;
```

"이거 뭐 제대로 보여주지도 않고 질문을 하면 어떻게 합니까?"라고 물을 수 있다. 그러나 다음 사실에 근거하여 제대로 컴파일이 된다고 말할 수 있다.

> "XXX 클래스의 참조변수는 XXX 클래스의 인스턴스, 또는 XXX를 상속받는 하위 클래스의 인스턴스를 참조할 수 있다."

따라서 ref1이 참조하는 대상은 BBB와 AAA의 참조변수도 참조가 가능하다고 100% 확신할 수 있다. 그렇다면 다음 문장은 어떠한가? 이번에도 컴파일에 무리가 없겠는가?

```
AAA ref1 = new CCC();
BBB ref2 = ref1;          // 컴파일 에러 발생
CCC ref3 = ref1;          // 컴파일 에러 발생
```

처음 상속을 공부하는 여러분을 힘들게 하는 또 다른 상황이 바로 이 상황이다. 분명 ref1이 참조하는 대상은 BBB와 AAA의 하위 클래스인 CCC의 인스턴스이다. 따라서 ref2와 ref3를 이용한 참조에 전혀 문제가 없다고 생각할 수 있다. 그러나 컴파일러는 ref1이 참조하는 대상을 AAA 클래스의 인스턴스라고 단순화시켜서 생각한다. 때문에 ref2와 ref3의 참조변수 선언에서 컴파일 에러를 일으킨다. 따라서 만약에 위와 같은 형태로 참조변수 ref2와 ref3을 선언해야 한다면, 다음과 같이 형 변환을 해야 한다.

```
AAA ref1 = new CCC();
BBB ref2 = (CCC)ref1;     // 참조변수의 형 변환
CCC ref3 = (CCC)ref1;     // 참조변수의 형 변환
```

그러나 이렇게 형 변환을 필요로 하는 상황은 드물게 발생하며, 여러분의 프로그램 코드싱에서 이러한 문장의 삽입이 필요하다면, 코느의 구성이 적절했는가에 대해서 반드시 고민해봐야 한다.

■ 이 상황에서 오버라이딩 된 메소드를 호출하면 누가 호출되는가!

상위 클래스의 메소드가 하위 클래스의 메소드에 의해서 오버라이딩 되면, 외부에서는(참조변수를 통해서는) 오버라이딩 된 상위 클래스의 메소드를 호출할 수 없다고 앞서 설명하였는데, 이는 매우 중요한 내용이니, 간단하게 정리된 다음 예제를 통해서 보다 자세히 설명하겠다.

```
1.    class AAA
2.    {
3.        public void rideMethod() { System.out.println("AAA's Method"); }
4.        public void loadMethod() { System.out.println("void Method"); }
5.    }
6.
7.    class BBB extends AAA
8.    {
9.        public void rideMethod() { System.out.println("BBB's Method"); }
10.       public void loadMethod(int num) { System.out.println("int Method"); }
11.   }
12.
13.   class CCC extends BBB
14.   {
15.       public void rideMethod() { System.out.println("CCC's Method"); }
16.       public void loadMethod(double num) { System.out.println("double Method"); }
17.   }
18.
19.   class RideAndLoad
20.   {
21.       public static void main(String[] args)
22.       {
23.           AAA ref1=new CCC();
24.           BBB ref2=new CCC();
25.           CCC ref3=new CCC();
26.
27.           ref1.rideMethod();
28.           ref2.rideMethod();
29.           ref3.rideMethod();
30.
31.           ref3.loadMethod();
32.           ref3.loadMethod(1);
33.           ref3.loadMethod(1.2);
34.       }
35.   }
```

해 설

- 3, 9, 15행 : 3행의 메소드는 9행의 메소드에 의해, 9행의 메소드는 15행의 메소드에 의해서 오버라이딩 되었다.

- 4, 10, 16행 : 세 개의 loadMethod 메소드는 이름은 같지만, 매개변수 선언이 다르다. 따라서 이들은 오버라이딩의 관계가 아닌, 오버로딩의 관계이다.

- 23~25행 : 세 개의 CCC 인스턴스를 생성하여 AAA, BBB, CCC의 참조변수로 참조하고 있다.

- 27~29행 : rideMethod 메소드를 호출하고 있다. 그런데 실행결과를 보면 CCC에 정의된 메소드만 호출됨을 알 수 있다. 즉 참조변수의 자료형에 상관없이 CCC에 정의된 rideMethod 메소드만 호출이 된다.

- 31~33행 : 단순히 메소드를 호출하는 이 부분만 보더라도 loadMethod 메소드는 오버로딩 관계에 있음을 알 수 있다.

❖ 실행결과 : RideAndLoad.java

```
CCC's Method
CCC's Method
CCC's Method
void Method
int Method
double Method
```

위 예제를 통해서 여러분이 가장 먼저 발견해야 할 사실은 다음과 같다.

"마지막으로 오버라이딩을 한 메소드만 호출된다."

위 예제에서 CCC의 인스턴스가 생성되면, 이 안에는 총 세 개의 rideMethod 메소드가 존재하게 된다. 그러나 AAA의 rideMethod 메소드는 BBB의 rideMethod 메소드에 의해서 오버라이딩 되고, BBB 의 rideMethod 메소드는 CCC의 rideMethod 메소드에 의해서 오버라이딩 되기 때문에, 결과적으로 인스턴스의 외부에서는 CCC의 rideMethod 메소드만 호출이 가능하다. 그리고 무엇보다 중요한 사실은 다음과 같다.

"참조변수의 자료형에 상관없이 마지막으로 오버라이딩을 한 메소드만 호출된다."

즉 오버라이딩이 이뤄지면, 오버라이딩이 된 상위 클래스의 메소드는 어떠한 참조변수로도 호출이 불가능하도록 철저히 가려지는 것이다. 때문에 참조변수의 자료형에 상관없이 인스턴스 외부에서는 절대 호출이 불가능하며, 대신에 오버라이딩을 한 하위 클래스의 메소드가 호출이 된다.
그리고 메소드 오버로딩은 상속의 관계 속에서도 형성됨을 위 예제에서는 보여준다. 위 예제에서 보이는 AAA, BBB, CCC 클래스에는 각각 loadMethod라는 이름의 메소드가 존재한다. 그러나 메소드의 이름만 같을 뿐, 매개변수의 선언이 다르기 때문에 이들은 오버라이딩의 관계가 아닌, 오버로딩의 관계를 구성하게 된다. 그래서 메소드 호출 시 전달되는 매개변수에 따라서 호출되는 메소드가 결정되는 것이다.

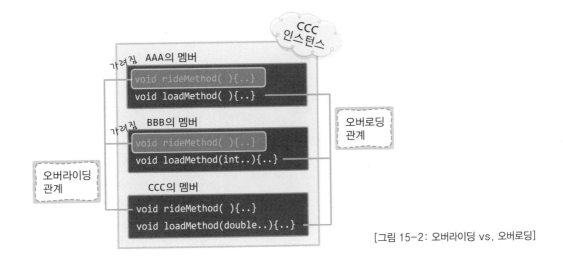

[그림 15-2: 오버라이딩 vs. 오버로딩]

이거 알아서 어디다 써 먹어요?

필자는 다음 두 사실을 강조하여 설명하고 있다.

- 상위 클래스의 참조변수는 하위 클래스의 인스턴스를 참조할 수 있다.
- 오버라이딩 된 상위 클래스의 메소드는 오버라이딩을 한 하위 클래스의 메소드에 의해서 가리워진다. 즉 외부에서는 참조변수를 통해서 오버라이딩 된 상위 클래스의 메소드를 호출할 수 없다.

그리고 이 둘의 활용도에 대해서는 다음 Chapter 전반에 걸쳐서 설명이 이뤄지니 잘 이해하고 있어야 한다.

■ 인스턴스 변수도 오버라이딩이 되나요?

사실 상위 클래스에서 선언한 변수의 이름과 동일한 이름의 변수를 하위 클래스에서 다시 선언하는 경우는 거의 없다. 그러나 여러분이 궁금해 할 수 있는 내용인 듯하여 추가로 설명을 조금 더하고자 한다. 그런데 여기서 여러분이 주의해야 할 사실이 하나 있다. 인스턴스 변수의 경우에는 메소드 오버라이딩과 약간의 차이를 보인다. 따라서 혼란스럽게 느껴진다면 당분간은 메소드 오버라이딩만 기억을 하는 것이 더 바람직하다.

메소드가 하위 클래스에 의해서 다시 정의되면, 인스턴스 외부에서는 다시 정의된 메소드만 호출이 가능하였다. 그러나 변수가 동일한 이름, 동일한 자료형으로 하위 클래스에 의해서 다시 선언되면, 인스턴스의 접근에 사용되는 참조변수의 자료형에 따라서 접근 가능한 변수가 달라진다. 그럼 이와 관련된 내용을 다음 예제를 통해서 설명하겠다.

❖ ValReDecle.java

```
1.   class AAA
2.   {
3.       public int num=2;
4.   }
5.
6.   class BBB extends AAA
7.   {
8.       public int num=5;
9.   }
10.
11.  class CCC extends BBB
12.  {
13.      public int num=7;
14.  }
15.
16.  class ValReDecle
17.  {
18.      public static void main(String[] args)
19.      {
20.          CCC ref1=new CCC();
21.          BBB ref2=ref1;
22.          AAA ref3=ref2;
23.
24.          System.out.println("CCC's ref : "+ref1.num);
25.          System.out.println("BBB's ref : "+ref2.num);
26.          System.out.println("AAA's ref : "+ref3.num);
27.      }
28.  }
```

 해 설

- 3, 8, 13행 : AAA에 선언된 변수를 BBB에서 다시 선언하고 있으며, 이 변수를 CCC에서 다시 선언하고 있다.

- 21행 : CCC는 BBB를 상속하므로 ref2는 CCC의 인스턴스를 참조할 수 있다.

- 22행 : CCC가 상속하는 BBB는 AAA를 상속하므로 ref3는 CCC의 인스턴스를 참조할 수 있다.

- 24~26행 : 동일한 인스턴스를 ref1, ref2, ref3로 참조하고 있다. 그리고 각각을 이용해서 인스턴스 변수 num에 저장된 값을 출력하고 있다.

❖ 실행결과 : ValReDecle.java

```
CCC's ref : 7
BBB's ref : 5
AAA's ref : 2
```

만약에 인스턴스 변수도 인스턴스 메소드와 마찬가지로 오버라이딩 관계를 형성한다면, 위의 실행결과에서는 전부 7이 출력되어야 한다. 그런데 실행결과는 다음과 같은 결론을 보이고 있다.

- AAA의 참조변수로 인스턴스 변수에 접근하면 AAA에 선언된 변수에 접근이 된다.
- BBB의 참조변수로 인스턴스 변수에 접근하면 BBB에 선언된 변수에 접근이 된다.
- CCC의 참조변수로 인스턴스 변수에 접근하면 CCC에 선언된 변수에 접근이 된다.

따라서 위의 실행결과가 보이는 결론을 다음과 같이 정리할 수 있다.

"참조변수의 자료형에 따라서 접근이 가능한 인스턴스 변수에는 차이가 있다."

그리고 이를 그림으로 정리하면 다음과 같다.

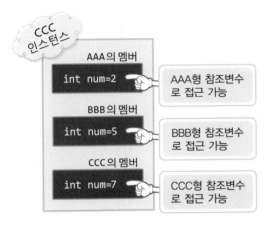

[그림 15-3: 참조변수와 인스턴스 변수]

이를 보고 여러분은 "그럼 인스턴스 CCC에 존재하는 세 개의 변수 num에 접근하려면 참조변수를 세 개나 선언해야 하나요?"라고 질문할 수 있다. 그렇다면 이에 대한 필자의 답변은 매우 간단하게도 YES이다! 물론 인스턴스 메소드상에서의 접근이라는 예외적인 방법이 있긴 하다. 그리고 다음 예제는 이를 여러분에게 보이고 있다.

❖ ShowAllReDecl.java

```
1.    class AAA
2.    {
3.        public int num=2;
4.    }
5.
6.    class BBB extends AAA
7.    {
8.        public int num=5;
9.        public void showSuperNum()
10.       {
```

```
11.          System.out.println("AAA's num : "+super.num);
12.      }
13. }
14.
15. class CCC extends BBB
16. {
17.      public int num=7;
18.      public void showAllNums()
19.      {
20.          super.showSuperNum();        // super 생략가능
21.          System.out.println("BBB's num : "+super.num);
22.          System.out.println("CCC's num : "+num);
23.      }
24. }
25.
26. class ShowAllReDecl
27. {
28.      public static void main(String[] args)
29.      {
30.          CCC ref=new CCC();
31.          ref.showAllNums();
32.      }
33. }
```

해 설

- 11행 : 상위 클래스에 선언된 변수에 접근하기 위해서 키워드 super를 사용하고 있다. 이렇듯 키워드 super는 상위 클래스에 선언된 메소드뿐만 아니라 변수의 접근에도 사용이 된다.
- 20행 : CCC에서 AAA에 선언된 변수의 출력을 위해 BBB에 정의된 메소드 showSuperNum을 호출하고 있다. 이것이 AAA에 선언된 변수 num에 접근하는 일반적인 방법이다. 물론 선언된 변수의 이름이 다르다면 직접 접근도 가능하지만, 지금과 같은 상황에서는 이것이 유일한 방법이다.
- 21행 : BBB에 선언된 변수에 접근하기 위해서 키워드 super를 사용하고 있다.

❖ 실행결과 : ShowAllReDecl.java

```
AAA's num : 2
BBB's num : 5
CCC's num : 7
```

이 예제는 여러분이 이해한 내용을 바탕으로 꾸민 것이므로 추가적인 설명이 필요치는 않을 것이다. 그리고 이는 어디까지나 자바의 문법을 설명하기 위함일 뿐, 실제로 이러한 유형의 코드를 작성하는 일은 거의 일어나지 않는다. 앞서 말했듯이 메소드 오버라이딩을 혼란스럽게 한다면 당분간은 잊고 지내도 좋다.

앞서 메소드 오버라이딩을 설명하면서 참조변수와 인스턴스의 관계를 한 차례 설명했는데, 이와 관련해서 조금 더 설명할 내용이 남아있다.

■ 인스턴스의 자료형에 따라서 호출할 메소드를 달리하려면

필요에 따라서 유용하게 사용할 수 있는 상속과 관련된 연산자 하나를 소개하고자 한다. 이를 위해서 먼저 상속 관계에 있는 클래스를 여러분에게 제시하겠다.

```
class Box
{
    public void simpleWrap() { . . . }
}

class PaperBox extends Box
{
    public void paperWrap() { . . . }
}

class GoldPaperBox extends PaperBox
{
    public void goldWrap() { . . . }
}
```

이 상황에서 main 메소드에서 호출이 가능한 다음의 메소드를 정의하고자 한다(main 메소드에서 별도의 인스턴스 생성 없이 호출할 수 있도록 static으로 선언하였다).

```
public static void wrapBox(Box box)
{
    if(box가 GoldPaperBox로 형변환 가능하다면)
        ((GoldPaperBox)box).goldWrap();
    else if(box가 PaperBox로 형변환 가능하다면)
        ((PaperBox)box).paperWrap();
    else
        box.simpleWrap();
}
```

여기서 "box가 PaperBox로 형변환 가능하다면"은 "box가 참조하는 인스턴스가 PaperBox, 또는

PaperBox를 상속하는 클래스의 인스턴스라면"과 동일한 의미이다. 그리고 이러한 질문의 역할을 하는 연산자가 바로 instanceof 연산자이다. 따라서 위의 메소드는 다음과 같이 구현 완료할 수 있다.

```
public static void wrapBox(Box box)
{
    if(box instanceof GoldPaperBox)
        ((GoldPaperBox)box).goldWrap();
    else if(box instanceof PaperBox)
        ((PaperBox)box).paperWrap();
    else
        box.simpleWrap();
}
```

위의 간단한 예에서 보이듯이 instanceof는 참조변수가 참조하고 있는 인스턴스의 실제 자료형을 묻는 연산자는 아니다(연산자의 이름 때문인지, 필자는 이렇게 오해하는 경우를 여러 번 봤다). instanceof 는 상속 관계를 바탕으로 형변환이 가능한지를 묻는 연산자이며, 그 결과로 true 또는 false를 반환하는 연산자이다. 그럼 위에서 보인 내용을 예제로 완성하여 확인해 보겠다.

❖ InstanceOf.java

```
1.  class Box
2.  {
3.      public void simpleWrap(){System.out.println("simple wrap");}
4.  }
5.
6.  class PaperBox extends Box
7.  {
8.      public void paperWrap() {System.out.println("paper wrap");}
9.  }
10.
11. class GoldPaperBox extends PaperBox
12. {
13.     public void goldWrap() {System.out.println("gold wrap");}
14. }
15.
16. class InstanceOf
17. {
18.     public static void wrapBox(Box box)
19.     {
20.         if(box instanceof GoldPaperBox)
21.             ((GoldPaperBox)box).goldWrap();
22.         else if(box instanceof PaperBox)
23.             ((PaperBox)box).paperWrap();
24.         else
25.             box.simpleWrap();
```

```
26.        }
27.
28.        public static void main(String[] args)
29.        {
30.            Box box1=new Box();
31.            PaperBox box2=new PaperBox();
32.            GoldPaperBox box3=new GoldPaperBox();
33.
34.            wrapBox(box1);
35.            wrapBox(box2);
36.            wrapBox(box3);
37.        }
38. }
```

해 설
- 20행 : box를 GoldPaperBox형으로 형변환이 가능한지를 묻는 if문이다.
- 22행 : 이어서 box를 PaperBox형으로 형변환이 가능한지를 묻고 있다.

❖ 실행결과 : InstanceOf.java

```
simple wrap
paper wrap
gold wrap
```

앞서 설명한 내용을 가지고 예제를 구성하였으니, 이해하는데 어려움은 없을 것이다. 그리고 이 예제를 기억하고 있으면, 필요한 때에 instanceof 연산자를 적절히 활용할 수 있을 것이다.

문 제 15-1 [메소드 오버라이딩]

예제 InstanceOf.java를 instanceof 연산자를 사용하지 않는 형태로 변경하고자 한다. 즉 클래스의 상속관계를 그대로 유지하면서(물론 메소드는 추가할 수 있다. 상속 관계만 그대로 유지하면 된다), instanceof 연산자를 사용하지 않고도 동일한 실행결과를 보일 수 있어야 한다. 참고로 여러분에게 힌트가 될 수 있도록, 변경되어야 할 wrapBox 메소드를 여기 제시하겠다.

```
public static void wrapBox(Box box)
{
    box.wrap();
}
```

wrapBox 메소드가 매우 간단해진 사실이 놀랍지 않은가? 이 메소드를 보는 순간 여러분은 이 문제의 답이 메소드 오버라이딩에 있음을 바로 파악할 수 있어야 한다.

■ 문제 15-1의 답안

❖ 소스코드 답안

```
1.   class Box
2.   {
3.       public void simpleWrap(){System.out.println("simple wrap");}
4.       public void wrap(){simpleWrap(); }
5.   }
6.
7.   class PaperBox extends Box
8.   {
9.       public void paperWrap() {System.out.println("paper wrap");}
10.      public void wrap(){paperWrap(); }
11.  }
12.
13.  class GoldPaperBox extends PaperBox
14.  {
15.      public void goldWrap() {System.out.println("gold wrap");}
16.      public void wrap(){goldWrap(); }
17.  }
18.
19.  class NoInstanceOf
20.  {
21.      public static void wrapBox(Box box)
22.      {
23.          box.wrap();
24.      }
25.
26.      public static void main(String[] args)
27.      {
28.          Box box1=new Box();
29.          PaperBox box2=new PaperBox();
30.          GoldPaperBox box3=new GoldPaperBox();
31.
32.          wrapBox(box1);
33.          wrapBox(box2);
34.          wrapBox(box3);
35.      }
36.  }
```

Chapter **16**

클래스의 상속 3 : 상속의 목적

필자는 상속을 총 세 개의 Chapter로 구성하였는데, 이번이 그 마지막 Chapter이다. 따라서 여러분은 이번 Chapter를 마무리하고 나서 상속과 관련해서 다양한 이야기를 할 수 있어야 한다. 참고로 이번 Chapter의 내용은 Chapter 15를 완벽히 이해한 다음에 학습해야 한다.

상속과 관련해서 알아야 할 문법적인 내용을 모두 알았으니, 이제는 상속이 가져다 주는 이점을 정확히 파악할 차례이다. 이를 위해서 필자는 하나의 가상 시나리오를 도입하고자 한다. 비록 시나리오 자체는 재미가 덜 할지라도 여러분이 실제로 겪고 있는 상황인 것처럼 푹 빠져들기를 바라겠다.

■ 내가 대학에 다니던 시절 처음 만든 개인정보 관리 프로그램

필자가 고등학교를 졸업하고 처음 대학에 입학하여 첫 학기에 들은 수업은 '자바 프로그래밍'이었다(이는 어디까지나 가정이다. 당시에는 자바가 공식적으로 발표되기 이전이었다). 그래서 방학 기간에 복습을 위해서 개인정보 관리 프로그램을 구현해 보았다. 먼저 필자가 당시 구현했던 프로그램의 소스코드를 소개하겠다.

❖MyFriendInfoBook.java의 Friend, HighFriend, UnivFriend 클래스

```java
1.  class Friend
2.  {
3.      String name;
4.      String phoneNum;
5.      String addr;
6.
7.      public Friend(String name, String phone, String addr)
8.      {
9.          this.name=name;
10.         this.phoneNum=phone;    // this 생략 가능
11.         this.addr=addr;
12.     }
13.     public void showData()
14.     {
15.         System.out.println("이름 : "+name);
16.         System.out.println("전화 : "+phoneNum);
17.         System.out.println("주소 : "+addr);
18.     }
19.     public void showBasicInfo(){ }
20. }
21.
22. class HighFriend extends Friend    // 고교동창
23. {
24.     String work;
25.
```

```
26.        public HighFriend(String name, String phone, String addr, String job)
27.        {
28.            super(name, phone, addr);
29.            work=job;
30.        }
31.        public void showData()
32.        {
33.            super.showData();
34.            System.out.println("직업 : "+work);
35.        }
36.        public void showBasicInfo()
37.        {
38.            System.out.println("이름 : "+name);
39.            System.out.println("전화 : "+phoneNum);
40.        }
41. }
42.
43. class UnivFriend extends Friend    // 대학동기
44. {
45.        String major;   // 전공학과
46.        public UnivFriend(String name, String phone, String addr, String
major)
47.        {
48.            super(name, phone, addr);
49.            this.major=major;
50.        }
51.        public void showData()
52.        {
53.            super.showData();
54.            System.out.println("전공 : "+major);
55.        }
56.        public void showBasicInfo()
57.        {
58.            System.out.println("이름 : "+name);
59.            System.out.println("전화 : "+phoneNum);
60.            System.out.println("전공 : "+major);
61.        }
62. }
```

당시 필자의 친구는 고교동창과 대학동기로 나눠졌기 때문에 Friend라는 클래스를 최상위 클래스로 하여, 고교동창을 의미하는 HighFriend 클래스와 대학동기를 의미하는 UnivFriend 클래스를 정의하였다. 그리고 HighFriend에는 work라는 인스턴스 변수를 둬서 고교동창이 일하는 회사나 재학중인 대학의 이름을 저장할 수 있게 하였고, UnivFriend에는 major라는 인스턴스 변수를 둬서 전공중인 학과의 이름을 저장할 수 있게 하였다. 그리고 이 두 클래스에는 showData 메소드와 showBasicInfo

메소드를 정의하였는데, 각각의 기능을 정리하면 다음과 같다.

- showData : 모든 데이터(전체 데이터)를 출력하는 메소드
- showBasicInfo : 기본 데이터(일부 데이터)를 출력하는 메소드

그런데 이 두 메소드는 Friend 클래스에도 정의가 되어있다. showData 메소드의 경우, 모든 정보를 출력하는 메소드이기 때문에, 상위 클래스에서는 HighFriend와 UnivFriend가 공통으로 출력해야 할 이름, 전화번호, 주소 정보를 출력하도록 정의하였고, 하위 클래스에서는 각각의 하위 클래스가 추가로 출력해야 할 내용들이 출력되도록 이 메소드를 오버라이딩 하였다.
이와 유사하게 showBasicInfo 메소드도 상위 클래스에 정의해서 오버라이딩 관계에 놓이도록 하였다. 단 이 메소드가 출력하는 정보는 각각의 클래스에 따라서 달라지기 때문에(아래의 '참고'를 읽어 주세요) Friend 클래스에서는 다음과 같이 빈 상태로 정의를 하였고,

```java
public void showBasicInfo() { }
```

하위 클래스에서 이를 적절히 오버라이딩 해서 사용하도록 배려해 두었다.

showBasicInfo에 대한 보충설명

showBasicInfo 메소드가 출력하는 정보는 프로그램 사용자가 필요로 하는(그래서 매우 주관적인) 최소한의 정보를 의미한다. 예를 들어서 고교동창과 관련된 기본정보는 다음 세 가지일 수 있다.

- 이름, 전화번호 → Friend 클래스의 인스턴스 변수
- 직업 → HighFriend 클래스의 인스턴스 변수

반면 대학동기와 관련된 기본정보는 다음 두 가지일 수 있다.

- 이름 → Friend 클래스의 인스턴스 변수
- 전공학과 → UnivFriend 클래스의 인스턴스 변수

여기서 중요한 사실은 Friend 클래스의 변수들도, Friend를 상속하는 하위 클래스에 따라서 출력되기도 하고, 출력되지 않기도 한다는 것이다. 때문에 Friend 클래스에서 showBasicInfo 메소드의 몸체 부분을 채워 넣는 것은 무의미하다. 하위 클래스에 따라서 출력의 대상이 달라지기 때문이다.

이쯤에서 여러분은 다음과 같은 질문을 할 수도 있다. 아니! 다음과 같은 질문을 반드시 해야만 한다.

"Friend 클래스에 굳이 showBasicInfo 메소드를 정의하는 이유가 어디에 있나요? 그냥 하위 클래스에만 showBasicInfo 메소드를 추가해도 되지 않나요?"

이는 매우 중요한 질문이고, 이번 Chapter의 핵심 내용이기도 하다. 질문의 내용은 간단히 "왜 비어있는 메소드를 정의하면서까지 showBasicInfo 메소드를 오버라이딩 관계에 놓이게 하는가?"로 정리할 수 있다. 이에 대한 답변은 잠시 후에 FriendInfoHandler라는 이름의 클래스를 설명하면서 진행하겠다. 그리고 위의 클래스 정의를 보면서 다음과 같은 사실도 여러분은 파악할 수 있다.

> "애초에 Friend 클래스는 상위 클래스로써의 역할만 담당하도록 정의했구먼, 그러니까 Friend의 인스턴스 생성은 마음에도 없었던 거야!"

맞다! 필자는 애초부터 Friend를 인스턴스 생성을 위한 클래스로 정의하지 않았다. 다만 인스턴스의 생성을 위한 하위 클래스의 상위 클래스로서만 역할을 담당시키고 싶었다. 따라서 Friend의 인스턴스가 생성되는 일이 벌어진다면, 이는 필자의 의도와는 전혀 다른 것임을 반드시 기억해야 한다.

상속의 관계는 클래스를 처음 설계하는 과정에서 결정됩니다.

필자가 전개하는 시나리오를 보면, 클래스를 설계하는 과정에서부터 상속관계에 놓일 클래스들이 결정되고 있음을 알 수 있다. 이처럼 상속도 계획하에 이뤄진다. 간혹 상속은 예정에 없었다가, 필요 시에 클래스의 확장을 위해서 사용되는 것으로 오해하는 경향이 있는데, 대부분의 상속은 매우 계획적으로 이뤄진다.

자! 그럼 이번에는 FriendInfoHandler라는 이름의 매우 중요한 클래스를 여러분에게 소개하겠다. 앞서 소개한 클래스들은 데이터적 성격이 매우 강한 클래스였다. 그런데 프로그램이라는 것이 데이터만 가지고 완성될 수는 없지 않은가? 목적, 또는 제공하는 기능에 맞게 프로그램의 흐름을 컨트롤해 주는 클래스가 최소한 하나는 있어야 한다. 그리고 객체지향에서는 이러한 클래스를 가리켜 'Control 클래스' 또는 'Manager 클래스'라 하는데, 이어서 소개하는 클래스가 바로 이러한 성격의 클래스이다. 참고로 단계별 프로젝트를 순서대로 밟아오고 있다면 이미 이 클래스에 대해서는 한차례 경험을 한 상태일 것이다.

❖MyFriendInfoBook.java의 FriendInfoHandler 클래스

```
1.  class FriendInfoHandler
2.  {
3.      private Friend[] myFriends;
4.      private int numOfFriends;
5.
6.      public FriendInfoHandler(int num)
7.      {
8.          myFriends=new Friend[num];
9.          numOfFriends=0;
10.     }
```

```
11.
12.     private void addFriendInfo(Friend fren)
13.     {
14.         myFriends[numOfFriends++]=fren;
15.     }
16.
17.     public void addFriend(int choice)
18.     {
19.         String name, phoneNum, addr, job, major;
20.
21.         Scanner sc=new Scanner(System.in);
22.         System.out.print("이름 : "); name=sc.nextLine();
23.         System.out.print("전화 : "); phoneNum=sc.nextLine();
24.         System.out.print("주소 : "); addr=sc.nextLine();
25.
26.         if(choice==1)
27.         {
28.             System.out.print("직업 : "); job=sc.nextLine();
29.             addFriendInfo(new HighFriend(name, phoneNum, addr, job));
30.         }
31.         else    // if(choice==2)
32.         {
33.             System.out.print("학과 : "); major=sc.nextLine();
34.             addFriendInfo(new UnivFriend(name, phoneNum, addr, major));
35.         }
36.         System.out.println("입력 완료! \n");
37.     }
38.
39.     public void showAllData()
40.     {
41.         for(int i=0; i<numOfFriends; i++)
42.         {
43.             myFriends[i].showData();
44.             System.out.println("");
45.         }
46.     }
47.
48.     public void showAllSimpleData()
49.     {
50.         for(int i=0; i<numOfFriends; i++)
51.         {
52.             myFriends[i].showBasicInfo();
53.             System.out.println("");
54.         }
55.     }
56. }
```

해설

- 3행 : Friend형 배열은 Friend형 참조변수로 이뤄지기 때문에, Friend를 상속하는 클래스의 인스턴스면 무엇이든 저장 가능하다.
- 21행 : Scanner 클래스는 java.util 패키지로 묶여있다. 따라서 java.util.Scanner에 대한 import문이 삽입되어야 하는데, 위의 코드에서는 이를 보여주지 않고 있다. 그러나 본 서의 자료실에서 다운받을 수 있는 소스코드에는 이와 관련된 import문이 존재한다.
- 29, 34행 : 인스턴스를 생성하고, 이 때 반환되는 참조 값을 매개변수로 전달하는 문장이다. 이처럼 인스턴스의 생성으로 인해서 반환되는 참조 값을 인자로 전달하면서 메소드를 호출하는 것이 가능하다.
- 43, 52행 : showData 메소드와 showBasicInfo 메소드는 오버라이딩 된 메소드이다. 따라서 배열의 요소가 HighFriend의 인스턴스를 참조하고 있다면, HighFriend에 정의된 showData 메소드와 showBasicInfo 메소드가 호출되고, UnivFriend의 인스턴스를 참조하고 있다면, UnivFriend에 정의된 showData 메소드와 showBasicInfo 메소드가 호출된다(이 부분이 이해되지 않는다면 Chapter 15로 복귀!).

위의 클래스를 가리켜 Control 클래스라 하였는데, 이러한 컨트롤 클래스의 내부를 자세히 관찰하면, 어떠한 형태로 소프트웨어가 동작하는지를 알 수 있다. 그럼 먼저 이 클래스의 메소드 중에서 private이 아닌 메소드들을 정리해 보자.

- `public void addFriend(int choice)`
- `public void showAllData()`
- `public void showAllSimpleData()`

딱 보니, 새로운 데이터의 저장(addFriend), 전체 인스턴스 대상의 데이터 출력(showAllData), 그리고 전체 인스턴스 대상의 기본 데이터 출력(showAllSimpleData)이라는 기능이 제공되고 있음을 알 수 있다. 위의 세 메소드가 하는 일은 복잡하지는 않으니, 코드의 분석은 여러분의 몫으로 두고, 대신 private으로 선언된 addFriendInfo 메소드에 대해 이야기하겠다. 이 메소드는 3행에 선언된 배열의 접근을 위해 정의되었다. 그리고 이 메소드는 private으로 선언해서 외부에서의 호출을 막고, 클래스 내부에서만 호출할 수 있도록 하였다. 이처럼 클래스 내부적으로 사용하기 위한 메소드도, 필요하다면 얼마든지 정의될 수 있음을 기억하기 바란다.

그럼 지금까지 설명한 클래스들의 관계를 정리해 보겠다. 필자가 구현한 개인정보 관리 프로그램의 모든 클래스에 대한 설명이 끝이 났으니 말이다(필자도 기억하고 있다. 아직 showBasicInfo 메소드를 Friend 클래스에 정의해서 오버라이딩 관계를 형성한 이유에 대해서 설명하지 않았다. 하지만 위의 코드를 통해서 이미 눈치챈 독자들도 있을 것으로 생각한다. 이는 잠시 후에 별도로 설명하겠다. 그러나 위 예제를 보면서 여러분이 먼저 그 이유를 찾아낼 수 있다면 더 없이 좋겠다).

기능 컨트롤 클래스

데이터 표현 클래스

[그림 16-1 : 프로그램 구성 클래스]

최소한 이 정도의 구성은 갖춰야 객체지향 프로그램이라 할 수 있다. 기본적으로 데이터의 표현을 위한 클래스와 프로그램의 흐름을 컨트롤하는(기능의 제공을 담당하는) 클래스가 갖춰져야 한다. 그리고 클래스들은 그 성격이 명확해야 한다. 어설프게 중간에 걸쳐서, 데이터를 표현하는 성격의 클래스이면서 프로그램의 흐름도 컨트롤하는 애매모호한 성격의 클래스는 정의하면 안 된다. 만약에 그러한 성격의 클래스가 등장할 수 밖에 없는 상황이라면 전체적인 클래스 설계를 다시 한번 점검해 볼 일이다. 이제 마지막으로 main 메소드를 담고 있는 클래스를 소개하겠으니, main 메소드 내에서 하는 일도 이전 예제와는 다른 관점에서 관찰하기 바란다.

❖MyFriendInfoBook.java의 main

```
1.   class MyFriendInfoBook
2.   {
3.       public static void main(String[] args)
4.       {
5.           FriendInfoHandler handler=new FriendInfoHandler(10);
6.
7.           while(true)
8.           {
9.               System.out.println("*** 메뉴 선택 ***");
10.              System.out.println("1. 고교 정보 저장");
11.              System.out.println("2. 대학 친구 저장");
12.              System.out.println("3. 전체 정보 출력");
13.              System.out.println("4. 기본 정보 출력");
14.              System.out.println("5. 프로그램 종료");
15.              System.out.print("선택>> ");
16.
17.              Scanner sc=new Scanner(System.in);
18.              int choice=sc.nextInt();
19.
20.              switch(choice)
21.              {
22.              case 1 : case 2 :
```

```
23.              handler.addFriend(choice);
24.              break;
25.          case 3 :
26.              handler.showAllData();
27.              break;
28.          case 4 :
29.              handler.showAllSimpleData();
30.              break;
31.          case 5 :
32.              System.out.println("프로그램을 종료합니다.");
33.              return;
34.          }
35.      }
36.  }
37. }
```

위의 main 메소드 내에서 하는 일은 다음과 같이 크게 두 가지로 나눠서 이야기할 수 있다.

- 프로그램의 실행을 위한 기본적인 인스턴스의 생성!

- 프로그램 사용자의 입력을 소프트웨어 내부로 전달!

이중에서 첫 번째 일이 main 메소드가 실제로 담당해야 할 일이다. 그리고 두 번째 일은 UI(User Interface)를 담당하는 별도의 클래스를 정의해서 담당시켜야 할 일이다. 그런데 아직은 그럴듯한 UI 클래스를 소개하지 않았기 때문에 당분간은 이렇게 main 메소드상에서 사용자의 입력을 처리하도록 할 예정이다(단계별 프로젝트가 현재 그러하듯이). 그리고 실행의 결과는 간단히 몇 줄로 보일 수 있는 성격의 내용이 아니기 때문에 여러분이 직접 확인하기를 바라겠다.

참 고

UI(User Interface)

UI란 프로그램 사용자의 입력을 받아들이고, 프로그램의 출력을 표현하기 위한 화면을 의미한다. 자바에서는 이러한 화면의 디자인을 위한 클래스들을 AWT 그리고 SWING이라는 패키지를 통해서 제공하고 있다. 지금 소개하고 있는 예제에서는 그럴듯한 UI가 존재하지 않지만, 이 책의 마지막 Chapter에서는 UI 관련 클래스를 소개한 다음에 단계별 프로젝트의 결과물에다가 멋진(?) UI를 입힐 것이다.

■ showBasicInfo 메소드를 오버라이딩 관계에 둔 이유는?

이제 앞서 제시한 예제의 가장 핵심인 showBasicInfo 메소드의 오버라이딩 이유에 대해서 설명하겠다. 그런데 별도의 설명이 없어도, showBasicInfo 메소드를 오버라이딩 관계에 놓지 않았을 경우(Friend 클래스에 showBasicInfo 메소드를 정의하지 않았을 경우)에 발생하는 일들을 FriendInfoHandler 클래스의 입장에서 생각해 보면 바로 답이 나온다. 만약에 showBasicInfo 메소드를 오버라이딩 관계에 두지 않았다면, FriendInfoHandler 클래스의 showAllSimpleData 메소드는 다음과 같이 변경되어야 한다.

```
void showAllSimpleData( )
{
  for(int i=0; i<numOfFriends; i++)        변경된
  {                                         부분
    if(myFriends[i] instanceof HighFriend)
        ((HighFriend)myFriends[i]).showBasicInfo();
    else
        ((UnivFriend)myFriends[i]).showBasicInfo();

    System.out.println("");
  }
}
```

[그림 16-2 : showAllSimpleData 메소드의 변경]

Friend 클래스에 showBasicInfo 메소드가 존재하지 않기 때문에 Friend형 참조변수를 가지고는 showBasicInfo 메소드를 호출할 수 없다. 따라서 instanceof 연산자를 이용해서 각각의 자료형을 확인하여 형 변환 후에 showBaiscInfo 메소드를 호출하는 번거로운 과정을 거쳐야 한다. 혹시 이 작업이 간단해 보이는가? instanceof 연산자가 사용된 멋진(?) 예라는 생각이 드는가? 그렇다면 저장해야 할 클래스가 HighFriend와 UnivFriend 이외에 하나가 더 늘었다고 생각해보자(둘도 필요 없다. 하나만 더 늘려도 충분하다). 그렇다면 간단히 if~else문으로 끝나지 않음을 알 수 있을 것이다.

■ 만약에 Friend 클래스를 기반으로 상속의 관계를 형성하지 않았더라면

MyFriendInfoBook.java는 상속이 가져다 주는 이점을 정확히 보여주는 예제이다. 언뜻 보면, 상속 관계를 형성해서 얻는 이점이 별로 없어 보인다. HighFriend와 UnivFriend 클래스 관점에서 보면 실제로 그렇다. 그러나 프로그램의 기능 부분을 담당하는 FriendInfoHandler 클래스의 입장에서 보면 다르다. HighFriend와 UnivFriend 클래스를 Friend 클래스와 상속관계에 두지 않았더라면, FriendInfoHandler 클래스는 이보다 훨씬 더 복잡하게 구현을 해야 한다. 뿐만 아니라, 저장하고 관리해야 할 클래스의 수가 하나 더 늘 때마다 최소 두 배 이상씩 복잡해지게 된다. 실제로 어떻게 복잡해지는지 조금 자세히 설명을 하겠다. 다음은 FriendInfoHandler에 선언되어 있는 배열(배열 참조변수)이다.

```
Friend[] myFriends;
```

상속 관계가 무너졌으니, myFriends라는 하나의 배열에 모든 인스턴스를 저장할 수 없게 되었다. 따라서 다음과 같이 클래스 별 인스턴스 저장을 위한 배열을 하나씩 선언해야 한다.

```
HighFriend[] myHighFriends;
UnivFriend[] myUnivFriends;
```

그런데 이건 시작일 뿐이다. 이로 인해서 addFriendInfo 메소드는 두 개를 정의해야 하고(매개변수 형이 다르고 저장해야 할 배열이 다르므로), addFriendInfo 메소드를 호출하는 addFriend 메소드도 변경되어야 한다. 게다가 인스턴스 변수 numOfFriends도 둘로 나뉘어서 하나는 배열 myHighFriends에 저장되는 인스턴스의 수를, 또 다른 하나는 배열 myUnivFriends에 저장되는 인스턴스의 수를 세어야 하며, 그로 인해서 데이터의 출력을 담당하는 메소드 showAllData와 showAllSimpleData도 하나의 for문이 아니라, 두 개의 for문을 통해서 데이터를 출력해야 한다. 결론적으로! 모두 다! 바뀌어야 한다.

그리고 이러한 변경의 과정은 클래스의 종류가 하나 더 늘어날 때마다 반복되어야 하는데, 이는 프로그래머를 가족들과 멀게 하는 이유가 되며, 열심히, 그리고 착하게 살려고 노력하는 프로그래머의 입에서 "못 해먹겠다"는 푸념이 나오게 하는 이유가 된다.

■ 상속과 더불어 오버라이딩이 가져다 주는 장점을 정리합시다!

그렇다면 예제 MyFriendInfoBook.java에서 상속이 오버라이딩과 더불어 가져다 주는 이점을 어떻게 정리할 수 있을까? 혹시 이미 발견했는지 모르겠지만 FriendInfoHandler 클래스의 코드를 자세히 보면, 이 클래스는 HighFriend, 그리고 UnivFriend와 전혀 상관이 없는 클래스로 보인다. 즉 FriendInfoHandler의 눈에는(관점에서는) HighFriend와 UnivFriend를 완벽히 Friend 클래스로 바라보고 있는 것이다. 다시 말해서(중요하니까 한번 더) Friend, HighFriend, UnivFriend의 인스턴스를 Friend의 인스턴스로 바라보고 저장 및 처리하고 있는 것이다. 이는 매우 큰 장점이며, 절차지향 프로그래밍 언어에서 볼 수 없는 매우 중요한 특징이기도 하다. 이제 추운 겨울 광화문 거리를 거닐다가 필자가 본 책에 쓰여져 있던 다음 문구를 이해할 수 있을 것이다.

"상속을 통해 연관된 일련의 클래스에 대한 공통적인 규약을 정의할 수 있습니다."

필자는 이 문구의 이해를 돕기 위해서 다음과 같이 다시 풀어서 문장을 구성해 보겠다.

"FriendInfoHandler 클래스는 상속을 통해 연관된 HighFriend, UnivFriend 클래스에 대해(일련의 클래스에 대해) 동일한 방식으로 배열에 저장 및 메소드 호출을 할 수(공통적인 규약을 정의할 수) 있습니다."

Chapter 12에서는 예제 StringToString.java를 제시하면서 우리가 정의하는 모든 클래스의 인스턴스(인스턴스의 참조변수)가 System.out.println의 인자로 전달될 수 있으며, 인자로 전달된 인스턴스의 toString 메소드가 반환하는 문자열이 출력됨을 보였다. 이제 이 부분에 대한 의문점을 풀 차례이다.

■ 모든 클래스는 Object 클래스를 상속합니다.

클래스를 정의할 때 다른 어떤 클래스도 상속하지 않으면(키워드 extends를 사용하지 않으면), 해당 클래스는 java.lang 패키지에 묶여있는 Object 클래스를 상속하게 된다. 즉 다음의 클래스 정의는

```
class MyClass { . . . }
```

다음의 클래스 정의와 차이가 없다.

```
class MyClass extends Object { . . . }
```

이렇듯 모든 클래스는 직접적으로 혹은 간접적으로 Object 클래스를 상속하게 되어 있다. 따라서 다음과 같은 코드의 구성이 가능하다.

```
Object obj1=new MyClass();
Object obj2=new int[5];          // 배열도 인스턴스이므로
```

물론 이러한 코드의 구성을 목적으로 Object 클래스를 상속하게 한 것은 아니다. 그렇다면 Object 클래스를 상속하도록 한 이유는 무엇일까? 이는 자바의 모든 인스턴스에 공통된 기준을 적용하기 위함이다.

참 고

간접적으로 Object 클래스를 상속한다는 뜻은?

예를 들어서 다음과 같이 정의된 클래스가 있다고 가정해 보사.

```
class MyClass extends YourClass { . . . }
```

그러면 MyClass는 직접 Object 클래스를 상속하지는 않지만, YourClass 또는 YourClass의 상위 클래스가 Object 클래스를 상속하여, 실질적으로는 MyClass도 Object 클래스를 상속하는 꼴이 된다. 이러한 형태의 상속을 가리켜 '간접 상속'이라고 표현한다.

그럼 자바의 모든 인스턴스에 어떠한 공통된 기준이 적용되는지, toString 메소드를 기준으로 간단히 이야기하겠다. Object 클래스에는 다음의 메소드가 정의되어 있다.

```
public String toString() { . . . }
```

아마 낯설지 않을 것이다. 예제 StringToString.java에서 정의했던 메소드이기 때문이다.

"그럼 예제 StringToString.java의 Friend 클래스에서 정의한 toString 메소드는 Object 클래스의 toString 메소드를 오버라이딩 한 거네요?"

그렇다! toString 메소드는 Object 클래스에 정의되어 있는 메소드이기 때문에, Chapter 12의 StringToString.java에서는 toString 메소드를 오버라이딩 한 것이었다. 그리고 System.out.println은 오버로딩(오버라이딩 아니다) 되어있는 메소드인데, 그 중 하나가 다음과 같이 정의되어 있기 때문에 어떠한 클래스의 인스턴스이건 인자로 전달될 수 있는 것이다.

```
public void println(Object x)
```

이로써 여러분은 Chapter 12의 예제 StringToString.java를 완벽히 이해할 수 있게 되었다. 당시에는 다음 두 가지 현상에 대해서 관찰만을 유도하였다(당시 상속을 공부해야만 이해할 수 있다고 말한 것을 기억하는가?).

- 모든 인스턴스는(인스턴스의 참조 값은) System.out.prinln의 인자로 전달될 수 있다.
- 인자로 전달되면, 해당 인스턴스의 toString 메소드가 호출되면서 반환되는 문자열이 출력된다.

그러나 지금은 Object 클래스의 상속! 그리고 메소드 오버라이딩을 바탕으로 위의 두 가지 현상에 대해서 설명할 수 있어야 한다.

■ 기본적으로 오버라이딩 해 두면 좋은 toString 메소드

자바의 API 문서에서는 toString 메소드에 대해서 다음과 같이 언급하고 있다.

"toString 메소드는 인스턴스의 정보를 문자열의 형태로 반환하기 위한 메소드이다."
"가급적이면 toSting 메소드를 오버라이딩을 해서 인스턴스에 대한 정보를 적절히 표현할 수 있도록 하는 것이 좋다."

따라서 근면성실하고 원칙을 중요시 하는 개발자라면(분명 필자는 아니다), 이러한 문서의 내용을 근거로 하여, 모든 클래스에 toString 메소드를 오버라이딩 할 수도 있는 일이니, 이러한 코드를 보고서 당황하는 일이 없도록 하자.

final 클래스와 final 메소드

상속에 대한 내용을 마무리하면서 마지막으로 final 클래스와 final 메소드에 대해서 설명을 하고자 한다.

■ 클래스의 final

앞에서는 상수를 선언하는데 있어서 키워드 final이 사용됨을 설명하였다. 그런데 바로 이 키워드는 다음과 같이 클래스를 정의하는 데에도 선언될 수 있다.

```
final class MyClass
{
    . . . .
}
```

그리고 이렇게 클래스의 정의에 final 선언을 추가하면, "이 클래스를 상속하는 것을 허용하지 않겠다."는 의미가 담기게 된다. 이렇듯 클래스를 정의하는 개발자가 해당 클래스의 상속이 적절하지 않다고 판단이 되면 final 선언을 추가할 수 있는데, 대표적인 final 클래스로는 String 클래스가 있다. 따라서 우리는 기본적으로 제공이 되는 String 클래스를 상속해서 나만의 문자열 클래스를 정의하는 것은 불가능하다. 만약에 나만의 문자열 처리를 위한 클래스를 만들려면, String을 상속하는 것이 아니라, 인스턴스 멤버의 형태로 포함해야 한다.

■ final 메소드

인스턴스 메소드도 다음과 같이 final로 선언할 수 있다.

```
class YourClass
{
    final void yourFunc(int n) { . . . }
    . . . .
}
```

그리고 이렇게 메소드가 final로 선언되면 "이 메소드의 오버라이딩을 허용하지 않겠다."는 의미가 담기게 된다. 따라서 YourClass는 상속은 가능하되, yourFunc는 오버라이딩이 불가능하다. 그리고 대표적인 final 메소드로는 Object 클래스의 wait, notify, notifyall 메소드 등이 있으며, 이들은 한참 뒤에 소개하는 쓰레드 관련 메소드들인데, 실제로도 이 메소드들의 오버라이딩은 안전상의 이유로도 바람직하지 않다(이 메소드들의 기능을 알고 나면 오버라이딩 하고픈 생각도 별로 들지 않을 것이다).

전화번호 관리 프로그램 03단계를 통해서 프로젝트의 기본 틀을 적당히 완성하였다. 따라서 이를 토대로 프로젝트를 진행하면, 필자가 요구하는 유형에서 크게 벗어나지 않을 것이다.

■ 전화번호 관리 프로그램 04단계 문제

본문에서 언급했던 내용과 유사한 형태의 시나리오를 프로젝트에 반영해 보겠다. 앞서 프로젝트 03단계에서는 PhoneInfo 클래스를 다음과 같이 정의하였다.

```
class PhoneInfo
{
    String name;
    String phoneNumber;
    String birth;    // birth, 그리고 birth와 관련된 코드를 삭제합시다!
    . . . .
}
```

이중에서 인스턴스 변수 birth는 생성자의 오버로딩을 실습하기 위한 목적으로 삽입한 것이니, 이번 프로젝트를 기점으로 이 변수를 삭제하기로 하겠다. 물론 관련 메소드들도 수정을 하자. 이 과정에서 PhoneInfo 클래스가 많이 가벼워질 것이다. 대신 다음 두 클래스를 추가로 삽입하자.

• PhoneUnivInfo   대학 동기들의 전화번호 저장
• PhoneCompanyInfo   회사 동료들의 전화번호 저장

각각의 클래스에 정의되어야 하는 인스턴스 변수의 종류는 다음과 같다.

```
PhoneUnivInfo
    • 이름        name          String
    • 전화번호    phoneNumber   String
    • 전공        major         String
    • 학년        year          int


PhoneCompanyInfo
    • 이름        name          String
    • 전화번호    phoneNumber   String
    • 회사        company       String
```

클래스가 추가된 만큼 데이터를 입력 받는 방식도 변경되어야 하는데, 이는 아래의 "04단계 프로그램의 실행 예"를 통해서 소개하겠다. 그리고 저장해야 하는 데이터의 유형이 추가되었다고 해서, 추가로 배열을 선언하거나 Manager 클래스인 PhoneBookManager 클래스의 searchData 메소드와 deleteData 메소드에 변경이 발생한다면 이는 잘못된 구현이니, 다른 방법을 고민하기 바란다. 물론 inputData 메소드는 변경이 불가피하다. 프로그램 사용자의 선택에 따라서 데이터를 입력 받는 방식이 차이가 나기 때문이다. 하지만 그 이외의 영역에서 불필요한 변경은 발생하지 않아야 한다.

■ 전화번호 관리 프로그램 04단계 프로그램의 실행 예

03단계 프로젝트와는 데이터 입력의 과정에서만 차이를 보인다. 따라서 이를 중심으로 실행의 예를 보이도록 하겠다.

❖ 실행의 예1 : 일반적인 데이터 입력의 예

```
선택하세요...
1. 데이터 입력
2. 데이터 검색
3. 데이터 삭제
4. 프로그램 종료
선택 : 1
데이터 입력을 시작합니다..
1. 일반, 2. 대학, 3. 회사
선택>> 1
이름 : 이운영
전화번호 : 555-7777
데이터 입력이 완료되었습니다.

선택하세요...
1. 데이터 입력
2. 데이터 검색
3. 데이터 삭제
4. 프로그램 종료
선택 :
```

❖ 실행의 예2 : 대학동기의 전화번호 입력의 예

```
선택하세요...
1. 데이터 입력
2. 데이터 검색
3. 데이터 삭제
```

4. 프로그램 종료
선택 : **1**
데이터 입력을 시작합니다..
1. 일반, 2. 대학, 3. 회사
선택>> **2**
이름 : **정대학**
전화번호 : **444-9999**
전공 : **컴퓨터공학**
학년 : **3**
데이터 입력이 완료되었습니다.

선택하세요...
1. 데이터 입력
2. 데이터 검색
3. 데이터 삭제
4. 프로그램 종료
선택 :

❖ 실행의 예3 : 회사동료의 전화번호 입력의 예

선택하세요...
1. 데이터 입력
2. 데이터 검색
3. 데이터 삭제
4. 프로그램 종료
선택 : **1**
데이터 입력을 시작합니다..
1. 일반, 2. 대학, 3. 회사
선택>> **3**
이름 : **최회사**
전화번호 : **8282-1234**
회사 : **맛있는 비타민**
데이터 입력이 완료되었습니다.

선택하세요...
1. 데이터 입력
2. 데이터 검색
3. 데이터 삭제
4. 프로그램 종료
선택 :

그리고 데이터 검색 시에는 해당 이름에 대한 정보 전체를 출력해야 한다. 예를 들어서 검색 대상이 대학 동기였다면, 이름과 전화번호뿐만 아니라, 전공과 학년 정보까지 출력해야 한다. 아래의 실행결과가 보이듯이 말이다.

❖ 실행의 예4 : 대학동기의 정보 조회의 예

```
선택하세요...
1. 데이터 입력
2. 데이터 검색
3. 데이터 삭제
4. 프로그램 종료
선택 : 2
데이터 검색을 시작합니다..
이름 : 정대학
name : 정대학
phone : 444-9999
major : 컴퓨터공학
year : 3
데이터 검색이 완료되었습니다.

선택하세요...
1. 데이터 입력
2. 데이터 검색
3. 데이터 삭제
4. 프로그램 종료
선택 :
```

이 정도면 구현해야 할 프로그램의 성격은 충분히 파악되었을 것이다. 그럼 지금까지 설명한 내용을 바탕으로 프로젝트 04단계를 진행하기 바란다.

■ 필자의 구현 사례

프로젝트 04단계를 완료하고 나면 결과물의 코드 라인 수가 200라인을 조금 넘어설 것이다. 코드의 라인수만 놓고 보면 별 것 아니라고 생각할 수 있지만, 이 프로젝트 안에는 Manager 클래스를 비롯해서 상속까지 적용이 되어있다. 때문에 코드의 라인 수에 상관없이 부담을 느낄 수 있다. 하지만 반복해서 프로젝트를 진행하다 보면, 부담이 줄어들 것이고, 그만큼 여러분의 실력도 상당히 향상될 것이다. 필자는 여러분이 이 프로젝트를 여러 차례 반복하길 바란다. 그래서 완전히 여러분의 것으로 만들기를 바란다.

```java
/*
 * 전화번호 관리 프로그램 구현 프로젝트
 * Version 0.4
 */

import java.util.Scanner;

class PhoneInfo
{
    String name;
    String phoneNumber;

    public PhoneInfo(String name, String num)
    {
        this.name=name;
        phoneNumber=num;
    }

    public void showPhoneInfo()
    {
        System.out.println("name : "+name);
        System.out.println("phone : "+phoneNumber);
    }
}

class PhoneUnivInfo extends PhoneInfo
{
    String major;
    int year;

    public PhoneUnivInfo(String name, String num, String major, int year)
    {
        super(name, num);
        this.major=major;
        this.year=year;
    }

    public void showPhoneInfo()
    {
        super.showPhoneInfo();
        System.out.println("major : "+major);
        System.out.println("year : "+year);
    }
}

class PhoneCompanyInfo extends PhoneInfo
{
    String company;

    public PhoneCompanyInfo(String name, String num, String company)
    {
        super(name, num);
        this.company=company;
    }

    public void showPhoneInfo()
    {
```

```
                super.showPhoneInfo();
                System.out.println("company : "+company);
        }
}

class PhoneBookManager
{
        final int MAX_CNT=100;
        PhoneInfo[] infoStorage=new PhoneInfo[MAX_CNT];
        int curCnt=0;

        private PhoneInfo readFriendInfo()
        {
                System.out.print("이름 : ");
                String name=MenuViewer.keyboard.nextLine();
                System.out.print("전화번호 : ");
                String phone=MenuViewer.keyboard.nextLine();
                return new PhoneInfo(name, phone);
        }

        private PhoneInfo readUnivFriendInfo()
        {
                System.out.print("이름 : ");
                String name=MenuViewer.keyboard.nextLine();
                System.out.print("전화번호 : ");
                String phone=MenuViewer.keyboard.nextLine();
                System.out.print("전공 : ");
                String major=MenuViewer.keyboard.nextLine();
                System.out.print("학년 : ");
                int year=MenuViewer.keyboard.nextInt();
                MenuViewer.keyboard.nextLine();
                return new PhoneUnivInfo(name, phone, major, year);
        }

        private PhoneInfo readCompanyFriendInfo()
        {
                System.out.print("이름 : ");
                String name=MenuViewer.keyboard.nextLine();
                System.out.print("전화번호 : ");
                String phone=MenuViewer.keyboard.nextLine();
                System.out.print("회사 : ");
                String company=MenuViewer.keyboard.nextLine();
                return new PhoneCompanyInfo(name, phone, company);
        }

        public void inputData()
        {
                System.out.println("데이터 입력을 시작합니다..");
                System.out.println("1. 일반, 2. 대학, 3. 회사");
                System.out.print("선택>> ");
                int choice=MenuViewer.keyboard.nextInt();
                MenuViewer.keyboard.nextLine();
                PhoneInfo info=null;

                switch(choice)
                {
                case 1 :
                        info=readFriendInfo();
                        break;
                case 2 :
```

```
                info=readUnivFriendInfo();
                break;
        case 3 :
                info=readCompanyFriendInfo();
                break;
        }

        infoStorage[curCnt++]=info;
        System.out.println("데이터 입력이 완료되었습니다. \n");
}

public void searchData()
{
        System.out.println("데이터 검색을 시작합니다..");

        System.out.print("이름 : ");
        String name=MenuViewer.keyboard.nextLine();

        int dataIdx=search(name);
        if(dataIdx<0)
        {
                System.out.println("해당하는 데이터가 존재하지 않습니다. \n");
        }
        else
        {
                infoStorage[dataIdx].showPhoneInfo();
                System.out.println("데이터 검색이 완료되었습니다. \n");
        }
}

public void deleteData()
{
        System.out.println("데이터 삭제를 시작합니다..");

        System.out.print("이름 : ");
        String name=MenuViewer.keyboard.nextLine();

        int dataIdx=search(name);
        if(dataIdx<0)
        {
                System.out.println("해당하는 데이터가 존재하지 않습니다. \n");
        }
        else
        {
                for(int idx=dataIdx; idx<(curCnt-1); idx++)
                        infoStorage[idx]=infoStorage[idx+1];

                curCnt--;
                System.out.println("데이터 삭제가 완료되었습니다. \n");
        }
}

private int search(String name)
{
        for(int idx=0; idx<curCnt; idx++)
        {
                PhoneInfo curInfo=infoStorage[idx];
                if(name.compareTo(curInfo.name)==0)
                        return idx;
        }
```

```
                return -1;
        }
    }

class MenuViewer
{
    public static Scanner keyboard=new Scanner(System.in);

    public static void showMenu()
    {
        System.out.println("선택하세요...");
        System.out.println("1. 데이터 입력");
        System.out.println("2. 데이터 검색");
        System.out.println("3. 데이터 삭제");
        System.out.println("4. 프로그램 종료");
        System.out.print("선택 : ");
    }
}

class PhoneBookVer04
{
    public static void main(String[] args)
    {
        PhoneBookManager manager=new PhoneBookManager();
        int choice;

        while(true)
        {
            MenuViewer.showMenu();
            choice=MenuViewer.keyboard.nextInt();
            MenuViewer.keyboard.nextLine();

            switch(choice)
            {
            case 1 :
                manager.inputData();
                break;
            case 2 :
                manager.searchData();
                break;
            case 3 :
                manager.deleteData();
                break;
            case 4 :
                System.out.println("프로그램을 종료합니다.");
                return;
            }
        }
    }
}
```

두 개의 클래스가 추가되었음에도 불구하고, PhoneBookManager 클래스의 변경이 최소한으로 이뤄졌음을 느꼈는가? 이것이 바로 상속의 매력이다. 그리고 아직도 위 예제에서 말하는 상속의 매력을 느끼지 못했다면, 위 예제의 상속관계를 무너뜨려서 프로젝트를 완성해보자. 그러면 상속의 매력을 아주 절절히 느끼게 될 것이다.

Chapter **17**

abstract와 interface 그리고 inner class

비록 상속에 대한 이야기는 끝이 났지만, 이제부터 설명하는 내용도 상속과 연관이 있는 내용들이 주를 이룬다. 따라서 상속에 대한 이해의 끈을 놓지 말아야 한다.

사실 abstract라는 단어가 우리에게 익숙한 단어는 아니다. 그리고 이 단어의 한글 의미인 '추상'이라는 뜻을 그대로 반영해서 이해하는 것도 어색하기 짝이 없다. 그래서 필자는 여러분이 자바에서 abstract라는 단어를 만나면 '완전하지 않은'의 뜻으로 이해하기를 바란다(물론 abstract와는 약간의 거리가 있는 해석이긴 하다).

■ 이 클래스의 인스턴스 생성은 제가 원하는 것이 아닙니다.

Chapter 16에서 보았던 예제 MyFriendInfoBook.java에서는 Friend라는 이름의 클래스를 정의하였다. 그리고 이 클래스는 다음의 특징을 갖고 있었다.

- 상속의 관계를 형성하기 위한 상위 클래스
- 인스턴스화 시키기 위해서 정의한 클래스가 아님

즉 Friend 클래스의 인스턴스는 생성하면 안 되는, 그야말로 상속의 관계를 형성하기 위한 클래스였다. 따라서 만에 하나라도 다음과 같은 코드가 등장한다면, 이는 프로그래머의 실수로 봐야 옳을 것이다.

```
Friend myfren = new Friend();
```

그런데 Friend 클래스도 그 자체로 완벽한 클래스이다. 따라서 위와 같은 문장이 등장한다고 해서 컴파일 오류가 발생하지는 않는다. 때문에 이러한 실수가 만들어지면, 최악의 경우에는 프로그램의 실행결과를 통해서 오류를 발견해야만 한다. 그런데 이렇게 실행결과를 통해서 오류를 발견하는 것은 쉬운 일이 아니다. 뿐만 아니라, 오류를 발견하더라도 그 원인을 찾는 일은 더더욱 어렵다. 그렇다면 Friend 클래스의 인스턴스 생성을 불가능하게 해서, 위와 같은 코드가 등장하면 컴파일 오류가 발생하도록 할 수는 없을까? 할 수 있다. Friend 클래스를 abstract 클래스(추상 클래스)로 만들면 된다.

■ abstract 클래스(추상 클래스)

abstract 클래스는 완전하지 않은 클래스를 의미한다. 따라서 인스턴스의 생성이 불가능한 클래스이다. 잠시 Chapter 16에서 보았던 MyFriendInfoBook.java의 Friend 클래스를 다시 관찰하자.

```
class Friend
{
    . . . . . // 앞부분 생략
```

```
    public void showData()
    {
        System.out.println("이름 : "+name);
        System.out.println("전화 : "+phoneNum);
        System.out.println("주소 : "+addr);
    }
    public void showBasicInfo() { }
}
```

이중에서 showBasicInfo 메소드는 Friend 클래스를 상속하는 하위 클래스의 showBasicInfo 메소드와 오버라이딩의 관계를 형성하기 위해 정의된 메소드이다. 때문에 위 클래스의 showBasicInfo 메소드는 비어있다. 오버라이딩의 관계를 형성하는 것이 유일한 목적이기 때문이다. 그렇다면 우리는 이 메소드를 근거로 하여, 아래의 코드와 같이 Friend 클래스를 abstract 클래스로 정의할 수 있다.

```
abstract class Friend
{
    . . . . // 앞부분 생략

    public void showData()
    {
        System.out.println("이름 : "+name);
        System.out.println("전화 : "+phoneNum);
        System.out.println("주소 : "+addr);
    }
    public abstract void showBasicInfo();    // abstract 메소드 선언
}
```

먼저 showBasicInfo 메소드를 보면, 메소드의 몸체 부분이 존재하지 않음을 알 수 있다. 즉 메소드가 완전하지 않다. 이러한 메소드를 가리켜 'abstract 메소드(추상 메소드)'라 하며, 이 메소드에는 프로그래머에 의해서 abstract화 되었음을 명시하기 위한 abstract 선언이 추가된다. 그리고 이렇게 하나 이상의 abstract 메소드가 정의되어 있는 클래스는 인스턴스의 생성이 불가능하기 때문에, 클래스 역시 abstract 클래스로 선언되어야 한다. 따라서 클래스의 정의 맨 앞부분에도 키워드 abstract가 삽입되어야 한다.

Friend가 abstract 클래스로 정의되었으니, 이제는 인스턴스의 생성이 불가능하다. 만약에 인스턴스를 생성하는 실수를 범하기라도 한다면, 컴파일러가 전달하는 에러 메시지를 볼 수 있게 되었다.

abstract 메소드가 없는 abstract 클래스

abstract 메소드가 없어도, 인스턴스의 생성을 원하지 않으면 클래스를 abstract 로 선언할 수 있다. 그러나 abstract 메소드가 하나라도 있으면, 그 클래스는 반드시 abstract로 선언해야 한다.

■ abstract 클래스는 인스턴스 생성이 불가능하다는 점에서만 차이를 보인다.

abstract 클래스는 인스턴스의 생성이 불가능하다는 점만 제외하면 모든 부분에서 일반 클래스와 동일하다. 무엇보다도 abstract 클래스 역시 참조변수의 선언도 가능하고 메소드 오버라이딩의 원리가 그대로 적용된다는 사실에 주목하기 바란다.

그렇다면 Chapter 16의 예제 MyFriendInfoBook.java에서 Friend 클래스만 위에서 보인바 대로 변경해도 컴파일 및 실행에 지장이 없을까? 전혀 지장 없다. 컴파일도 되고, 실행의 결과도 이전과 동일하다. 다만 Friend의 인스턴스 생성이 불가능하기 때문에 코드의 안전성이 높아졌다고 평가할 수 있다. 그래서 우리는 이전 예제를 한 단계 업그레이드 해서, MyFriendInfoBook2.java를 만들고자 한다. 업그레이드의 내용은 다음과 같다.

• Friend 클래스의 showBasicInfo 메소드를 abstract로 선언한다.

• Friend 클래스를 abstract 클래스로 선언한다.

매우 작은 변화이지만 중요한 변화이다. 그리고 이 예제의 코드는 본서의 자료실에서 확인하기 바라며(매우 작은 변화라서 이 지면에 전체 코드를 다시 싣기가 조금 그렇다), 가급적이면 여러분이 abstract 메소드와 abstract 클래스의 선언을 직접 해 보기 바라겠다.

■ abstract 클래스를 상속하는 하위 클래스에서 반드시 해야 할 일은?

여러분이 알고 있는 내용을 가지고 다음 코드의 문제점을 한번 찾아보기 바란다(이는 문법적인 오류가 있는 클래스의 정의이다. 따라서 컴파일 오류로 이어진다).

```
abstract class AAA
{
    void methodOne() { . . . }
    abstract void methodTwo();
}

class BBB extends AAA
{
    void methodThree() { . . . }
```

```
            }
```

찾았는가? 문제는 BBB 클래스에 있다. 위의 코드를 보면, BBB 클래스는 AAA 클래스를 상속하고 있다. 그런데 BBB 클래스에서 methodTwo 메소드를 오버라이딩 하지 않았으니, abstract 상태인 methodTwo 메소드가 그대로 상속된다. 즉 BBB 클래스는 상속으로 인해서 abstract 메소드를 멤버로 포함한 꼴이 된다. 따라서 이러한 경우에는 BBB 클래스도 abstract로 선언을 하거나(BBB 클래스도 이 상황에선 인스턴스 생성이 불가능하므로), abstract 메소드인 methodTwo를 반드시 오버라이딩 해야 컴파일이 가능하다.

17-2   interface

일반적으로 자바의 interface는 다중상속의 효과를 내는 것에 초점을 맞춰서 이해하는 경향이 강하다. 그러나 이는 interface를 지극히 문법적인 측면에서 바라본 것일 뿐, 객체지향에서 의미하는 interface의 의미를 완전히 설명하는 것은 아니다. 따라서 필자는 여러분께 interface에 대한 활용적 측면을 강조하기 위해서 또 하나의 시나리오를 구성하고자 한다.

■ 이 인터페이스에 맞춰서 클래스를 설계해 주시면 됩니다.

홍만군은 이번 프로젝트의 실무 담당자이다. 그리고 이번 프로젝트에서 필요한 기능 중 일부를 A사에 의뢰할 생각이다. 홍만군이 의뢰한 기능을 요약하면 다음과 같다.

- 이름과 주민등록 번호를 저장하는 기능의 클래스가 필요하다.
- 이 클래스에는 주민등록 번호를 기반으로 사람의 이름을 찾는 기능이 포함되어야 한다.

그리고 이들 기능을 담당하는 메소드는 다음과 같이 정의하고자 하였다.

- 주민등록번호와 이름의 저장 → void addPersonalInfo(String name, String perNum)
- 주민등록번호를 이용한 검색 → String searchName(String perNum)

모든 데이터는 문자열의 형태로 처리하기를 원했으며, searchName 메소드는 검색의 결과로 주민등록번호에 해당하는 이름을 반환해야 하고, 찾지 못하면 null을 반환해야 한다. 그런데 이렇게 작업 의뢰에 필요한 준비를 마치고 보니 몇 가지 문제가 생겼다. 문제의 내용을 정리하면 다음과 같다.

➡ 문제 1

"나도 프로젝트를 진행해야 하는데, A사가 클래스를 완성할 때까지 기다리고만 있을 수는 없잖아! 그리고 나중에 내가 완성한 결과물과 A사가 완성한 결과물을 하나로 묶을 때 문제가 발생하면 어떻게 하지? A사와 나 사이에 조금 더 명확한 약속이 필요할 것 같은데"

➡ 문제 2

"내가 요구한 기능의 메소드들이 하나의 클래스에 담겨있지 않으면 어떻게 하지? A사에서 몇 개의 클래스로 기능을 완성하건, 나는 하나의 인스턴스로 모든 일을 처리하고 싶은데! 무엇보다 나는 A사가 완성해 놓은 기능들을 활용만 하고 싶다고! 어떻게 구현했는지는 관심 없다고!"

이는 다른 사람, 또는 다른 팀과 프로젝트를 진행하는 경우에 흔히 발생하는 일반적인 고민들이다. 그리하여 우리의 똑똑한 홍만군은 요구사항을 보다 구체적으로 정의하고, 더불어 자신도 프로젝트의 실행을 원활히 진행할 수 있는 하나의 묘책을 떠올리게 된다.

"클래스를 하나 정의해야겠다. 그리고 A사에는 이 클래스를 상속해서 기능을 완성해 달라고 요구하고, 난 이 클래스를 기준으로 프로젝트를 진행해야겠다!"

일시적으로 어려운 이야기가 튀어나왔다.

홍만군은 앞서 필자가 제시한 문제 1과 문제 2의 상황에 대한 해결책으로 다음과 같이 이야기하고 있다.

"클래스를 하나 정의해야겠다. 그리고 A사에는. . . 기준으로 프로젝트를 진행해야겠다!"

이 문장을 읽고 "오~ 그래 이것이 해결책이 되겠어!"라고 감탄사를 연발했다면 여러분은 매우 놀라운 이해력과 응용력의 소유자임이 틀림없다. 그러나 필자를 포함하여 우리 대부분은 매우 평범하다. 따라서 이어서 설명하는 내용을 통해서 이를 이해하고 적용할 수 있는 능력을 길러야 한다.

홍만군의 묘책이 무엇인지 이해가 되는가? 상속과 메소드 오버라이딩을 기반으로 메소드에 대한 약속을 프로그램 코드상에서 규정하고 싶은 것이다. 그리하여 홍만군은 다음의 클래스를 정의하였다.

```
abstract class PersonalNumberStorage
{
```

```
        public abstract void addPersonalInfo(String name, String perNum);
        public abstract String searchName(String perNum);
    }
```

그리고 이 클래스를 A사에 전달하면서 "이 클래스를 상속하여 프로젝트를(기능을) 완성해 줄 것"을 부탁하였다. 이는 이 클래스의 참조변수 하나를 통해서 필요한 모든 기능의 활용이 가능해야 함을 의미하는 것이다. 이렇게 해서 홍만군은 A사의 프로젝트 내용에 상관없이 자신이 진행해야 할 프로젝트를 다음과 같이 완료할 수 있었다(프로젝트가 참으로 짧다!).

```
    class AbstractInterface
    {
        public static void main(String[] args)
        {
            PersonalNumberStorage storage=new (A사가 구현할 클래스 이름);
            storage.addPersonalInfo("김기동", "950000-1122333");
            storage.addPersonalInfo("장산길", "970000-1122334");

            System.out.println(storage.searchName("950000-1122333"));
            System.out.println(storage.searchName("970000-1122334"));
        }
    }
```

위의 코드를 보면 메소드 호출이 100% PersonalNumberStorage 클래스 기반으로 진행되고 있음을 알 수 있다. 따라서 PersonalNumberStorage 클래스는 홍만군의 결과물과 A사의 결과물 사이의 교량 역할을 한다고도(인터페이스의 역할을 한다고도) 볼 수 있다.

[그림 17-1 : 교량역할을 하는 abstract 클래스]

자! 이제 A사도 프로젝트를 완료하였다. A사가 프로젝트의 완료를 위해 설계한 클래스는 다음 두 가지이다.

- PersonalNumInfo class
- PersonalNumberStorageImpl class

이중에서 PersonalNumberStorage를 상속해서 정의된 것이 PersonalNumberStorageImpl인데, 홍만군에게는 이 이상의 정보가 필요하지 않았다(A사에서 몇 개의 클래스를 정의했건 홍만군은 신경쓰지 않아도 된다). 그리고 프로젝트는 다음과 같이 완벽하게 구성이 되었다. 참고로 A사에서는 홍만군에게 컴파일이 완료된 class 파일만 건네줘도 된다. 즉 각각의 프로젝트가 독립적으로 컴파일이 되어도 된다. 다만 필자는 편의상 이들을 하나의 파일에 묶어 두었을 뿐이다.

```
1.    abstract class PersonalNumberStorage
2.    {
3.        public abstract void addPersonalInfo(String name, String perNum);
4.        public abstract String searchName(String perNum);
5.    }
6.
7.    class PersonalNumInfo
8.    {
9.        String name;
10.       String number;
11.
12.       PersonalNumInfo(String name, String number)
13.       {
14.           this.name=name;
15.           this.number=number;
16.       }
17.
18.       String getName(){return name;}
19.       String getNumber(){return number;}
20.    }
21.
22.    class PersonalNumberStorageImpl extends PersonalNumberStorage
23.    {
24.       PersonalNumInfo[] perArr;
25.       int numOfPerInfo;
26.
27.       public PersonalNumberStorageImpl(int sz)
28.       {
29.           perArr=new PersonalNumInfo[sz];
30.           numOfPerInfo=0;
31.       }
32.
33.       public void addPersonalInfo(String name, String perNum)
34.       {
35.           perArr[numOfPerInfo]=new PersonalNumInfo(name, perNum);
36.           numOfPerInfo++;
37.       }
38.
39.       public String searchName(String perNum)
40.       {
41.           for(int i=0; i<numOfPerInfo; i++)
42.           {
43.               if(perNum.compareTo(perArr[i].getNumber())==0)
44.                   return perArr[i].getName();
45.           }
46.           return null;
```

```
47.        }
48. }
49.
50. class AbstractInterface
51. {
52.     public static void main(String[] args)
53.     {
54.         PersonalNumberStorage storage=new PersonalNumberStorageImpl(100);
55.         storage.addPersonalInfo("김기동", "950000-1122333");
56.         storage.addPersonalInfo("장산길", "970000-1122334");
57.
58.         System.out.println(storage.searchName("950000-1122333"));
59.         System.out.println(storage.searchName("970000-1122334"));
60.     }
61. }
```

- 1행 : 홍만군이 A사와 함께 프로젝트를 진행하기 위해서 정의한 클래스이다.

- 7행 : PersonalNumInfo 클래스는 A사에서 개인의 이름과 주민등록번호를 하나로 묶기 위해 정의한 클래스이다.

- 22행 : PersonalNumberStorageImpl 클래스는 PersonalNumberStorage를 상속해서 정의한 클래스이다. 홍만군이 요구한 사항들을 반영해서 정의가 완료되었다.

- 54행 : 홍만군은 A사로부터 PersonalNumberStorage를 상속하여 정의된 클래스의 이름이 무엇인지를 확인하고, 해당 클래스의 인스턴스 생성을 위해서 이 부분을 수정했다. 이것이 (인스턴스의 생성이) A사의 결과물을 받은 후 홍만군이 추가로 해야 할 유일한 일이다.

❖ 실행결과 : AbstractInterface.java

```
김기동
장산길
```

편의상 public으로 선언하지 않고 있습니다.

홍만군이 제공한 abstract 클래스와 이를 상속하는 A사의 PersonalNumberStorageImpl 클래스는 public으로 선언하는 것이 옳다. 왜냐하면 A사는 자신들이 정의한 클래스를 별도의 패키지로 묶어서 제공하기 때문이다(이것이 일반적인 방식이다). 그러나 필자는 하나의 소스파일에 모든 클래스를 담기 위해서 위의 두 클래스를 public으로 선언하지 않았으며, A사의 클래스를 별도의 패키지로 묶지도 않았다.

■ 완벽한 abstract 클래스는 interface

앞서 정의한 PersonalNumberStorage 클래스는 abstract 메소드로만 이뤄져 있는데, 이러한 경우에는 다음과 같이 인터페이스의 정의로 abstract 클래스의 정의를 대체할 수 있다.

```
interface PersonalNumberStorage
{
    void addPersonalInfo(String name, String perNum);
    String searchName(String perNum);
}
```

위의 인터페이스는 다음의 특징을 지니는 특별한 클래스로 볼 수 있다.

- 인터페이스 내에 존재하는 변수는 무조건 public static final로 선언된다(잠시 후 별도 설명).
- 인터페이스 내에 존재하는 메소드는 무조건 public abstract로 선언된다.

즉 위의 인터페이스 정의는 다음의 클래스 정의와 완전히 동일하다.

```
abstract class PersonalNumberStorage
{
    public abstract void addPersonalInfo(String name, String perNum);
    public abstract String searchName(String perNum);
}
```

참고로 인터페이스 역시 참조변수의 선언도 가능하고 특히 메소드의 오버라이딩도 그대로 적용된다는 사실을 기억하기 바란다(이는 매우 중요한 내용인데, 이어서 소개하는 예제를 통해서 확인이 가능하다). 그럼 앞서 보인 예제 AbstractInterface.java를 인터페이스를 이용하는 형태로 변경해 보겠다. 아무래도 abstract 클래스를 정의하는 것보다 인터페이스를 정의하는 것이 여러모로 편리하지 않겠는가?

❖ AbstractInterface2.java

```
1.  interface PersonalNumberStorage
2.  {
3.      void addPersonalInfo(String name, String perNum);
4.      String searchName(String perNum);
5.  }
6.
7.  class PersonalNumInfo
8.  {
9.      String name;
10.     String number;
11.
12.     PersonalNumInfo(String name, String number)
```

```
13.    {
14.        this.name=name;
15.        this.number=number;
16.    }
17.
18.    String getName(){return name;}
19.    String getNumber(){return number;}
20. }
21.
22. class PersonalNumberStorageImpl implements PersonalNumberStorage
23. {
24.    PersonalNumInfo[] perArr;
25.    int numOfPerInfo;
26.
27.    PersonalNumberStorageImpl(int sz)
28.    {
29.        perArr=new PersonalNumInfo[sz];
30.        numOfPerInfo=0;
31.    }
32.
33.    public void addPersonalInfo(String name, String perNum)
34.    {
35.        perArr[numOfPerInfo]=new PersonalNumInfo(name, perNum);
36.        numOfPerInfo++;
37.    }
38.
39.    public String searchName(String perNum)
40.    {
41.        for(int i=0; i<numOfPerInfo; i++)
42.        {
43.            if(perNum.compareTo(perArr[i].getNumber())==0)
44.                return perArr[i].getName();
45.        }
46.        return null;
47.    }
48. }
49.
50. class AbstractInterface2
51. {
52.    public static void main(String[] args)
53.    {
54.        PersonalNumberStorage storage=new PersonalNumberStorageImpl(100);
55.        storage.addPersonalInfo("김기동", "950000-1122333");
56.        storage.addPersonalInfo("장산길", "970000-1122334");
57.
58.        System.out.println(storage.searchName("950000-1122333"));
59.        System.out.println(storage.searchName("970000-1122334"));
60.    }
61. }
```

해 설

- 22행 : 이 예제의 가장 핵심이다. 클래스가 인터페이스를 상속할 때에는 키워드 extends를 사용 하지 않고 키워드 implements를 사용한다.
- 33, 39행 : 인터페이스에 정의된 메소드는 무조건 public abstract라 하지 않았는가? 따라서 addPersonalInfo 메소드와 searchName 메소드가 public으로 선언되었다.
- 54행 : PersonalNumberStorage는 인터페이스이다. 그럼에도 불구하고 참조변수의 선언이 가능하고, 이렇게 선언된 참조변수는 인터페이스 PersonalNumberStorage를 구현(상 속)하는 모든 클래스의 인스턴스를 참조할 수 있다.
- 55, 56행 : 참조변수를 이용해서 addPersonalInfo 메소드를 호출하고 있다. 이 때 호출되는 메소드가 무엇인지 반드시 관찰하자. 참고로 이 때 호출되는 메소드와 관련해서는 메 소드 오버라이딩과 동일한 맥락에서 이해하면 된다.

❖ 실행결과 : AbstractInterface2.java

```
김기동
장산길
```

일반적으로 클래스가 인터페이스를 상속하는 경우에는 '상속'이라는 표현을 쓰지 않고, '구현'이라는 표현을 쓴다. 하위 클래스에서 인터페이스에 정의된 텅 빈 메소드(abstract 메소드)를 구현해서 채워 넣어야 하기 때문이다. 그래서 인터페이스를 구현(상속)할 때에는 키워드 extends를 사용하지 않고, 키워드 implements를 사용한다. 그리고 인터페이스 내에 정의되는 메소드는 무조건 public abstract로 선언되기 때문에 이에 대한 선언을 별도로 해 줄 필요가 없지만, 많은 개발자들이 다음과 같이 보다 명확히 표현하는 것을 즐긴다.

```
interface PersonalNumberStorage
{
    public abstract void addPersonalInfo(String name, String perNum);
    public abstract String searchName(String perNum);
}
```

참고로 abstract는 생략하고 public만 삽입하는 경우도 많으므로(물론 이 경우에도 public abstract 로 선언된다), 선언의 형태가 조금 다르다고 해서 엉뚱하게 해석하지 않도록 주의해야 한다.

■ 메소드 오버라이딩 과정에서의 접근제어 지시자

앞서 메소드 오버라이딩을 설명하면서 언급하지 못했던 사실 하나를, 위 예제를 바탕으로 여기서 언급하고자 한다.

"메소드를 오버라이딩 하는 과정에서 접근의 허용범위를 좁히는 방식으로는 접근제어 지시자를 변경할 수 없다.

메소드 오버라이딩 과정에서 접근제어 지시자는 그대로 유지를 하는 것이 일반적이다. 그리고 오버라이딩을 하는 하위 클래스에서 메소드의 접근제어 지시자를 변경한다 하더라도, 접근의 허용범위를 넓히는 방식으로만 변경이 가능하다. 예를 들어서 상위 클래스에 public으로 선언된 메소드는 하위 클래스에서 private으로 오버라이딩이 불가능하다. 이 경우에는 오로지 public으로만 메소드를 오버라이딩 해야 한다. 하지만 상위 클래스에서 private으로 선언된 메소드는 하위 클래스에서 default, protected, 또는 public으로 오버라이딩이 가능하다.

그런데 이러한 오버라이딩의 원칙은 인터페이스에서도 그대로 통용된다. 위 예제의 33, 39행에 정의된 메소드들은 반드시 public으로 선언해야 한다. 이는 인터페이스 PersonalNumberStorage에 정의된 메소드가 public으로 선언되었기 때문이다.

■ interface의 특성

이번에는 클래스와 차이를 보이는 인터페이스만의 특성을 추가로 살펴볼 텐데, 이를 위해서 먼저 다음 두 개의 인터페이스를 정의하겠다.

```
public interface MyInterface      // 인터페이스는 public으로 선언하는 것이 일반적!
{
    public void myMethod();     // public이 아니어도 public abstract로 선언 됨
}

public interface YourInterface
{
    public void yourMethod();
}
```

위와 같이 두 개의 인터페이스가 정의되어 있을 때, 클래스는 위의 두 메소드를 동시에 구현할 수 있다. 즉 다음과 같이 클래스를 정의할 수 있다.

```
Class OurClass implements MyInterface, YourInterface
{
    public void myMethod() { . . . }
    public void yourMethod() { . . . }
}
```

그리고 인터페이스간에도 상속 관계를 형성할 수 있다. 즉 다음과 같은 인터페이스간 상속이 가능하다.

```
public interface SuperInterf
{
```

```
        public void supMethod();
    }

    public interface SubIntef extends SuperInterf      // extends가 사용되었음
    {
        public void subMethod();
    }
```

그리고 여기서 인터페이스의 상속을 표현하는데 있어서는 implements가 아닌 extends가 사용되었음에 주의하자.

■ interface 기반의 상수표현

예를 들어서 프로그램상에서 월, 화, 수, 목, 금, 토, 일을 표현해야 한다고 가정해 보자. 이럴 때 우리는 하나의 클래스 내에서 다음과 같이 각각을 상수화시켜서 표현을 한다.

```
    public class Week
    {
        public static final int MON=1;
        public static final int TUE=2;
        public static final int WED=3;
        public static final int THU=4;
        public static final int FRI=5;
        public static final int SAT=6;
        public static final int SUN=7;
    }
```

그런데 "인터페이스 내에 존재하는 변수는 무조건 public static final로 선언된다."라는 특성을 활용하면 이를 다음과 같이 선언할 수도 있다(간결함에 있어서 위의 클래스 정의와 비교되지 않는가?).

```
    public interface Week
    {
        int MON=1, TUE=2, WED=3, THU=4, FRI=5, SAT=6, SUN=7;
    }
```

이것이 바로 자바에서 사용하는 다수의 상수선언 방식이다. 그럼 예제를 통해서 인터페이스를 기반으로 하는 상수표현의 예를 확인하겠다.

❖ MeaningfulConst.java

```
  1.  import java.util.Scanner;
```

```
2.
3.   interface Week
4.   {
5.       int MON=1, TUE=2, WED=3, THU=4, FRI=5, SAT=6, SUN=7;
6.   }
7.
8.   class MeaningfulConst
9.   {
10.      public static void main(String[] args)
11.      {
12.          System.out.println("오늘의 요일을 선택하세요. ");
13.          System.out.println("1.월요일, 2.화요일, 3.수요일, 4.목요일");
14.          System.out.println("5.금요일, 6.토요일, 7.일요일");
15.          System.out.print("선택 : ");
16.
17.          Scanner sc=new Scanner(System.in);
18.          int sel=sc.nextInt();
19.
20.          switch(sel)
21.          {
22.          case Week.MON :
23.              System.out.println("주간회의가 있습니다.");
24.              break;
25.          case Week.TUE :
26.              System.out.println("프로젝트 기획 회의가 있습니다.");
27.              break;
28.          case Week.WED :
29.              System.out.println("진행사항 보고하는 날입니다.");
30.              break;
31.          case Week.THU :
32.              System.out.println("사내 축구시합이 있는 날입니다.");
33.              break;
34.          case Week.FRI :
35.              System.out.println("프로젝트 마감일입니다.");
36.              break;
37.          case Week.SAT :
38.              System.out.println("가족과 함께 즐거운 시간을 보내세요");
39.              break;
40.          case Week.SUN :
41.              System.out.println("오늘은 휴일입니다.");
42.          }
43.      }
44. }
```

- 3행 : 인터페이스를 기반으로 상수들이 선언되었다. 일반적으로 이러한 유형의 인터페이스 역시 public으로 선언하는 것이 보통이다. 다만 위 예제에서는 하나의 파일에 예제를 작성하기 위해서 public이 아닌 default로 선언했을 뿐이다.

- 20~42행 : 3행의 인터페이스를 통해 선언된 상수들이 어떻게 사용되는지를 보이고 있다.

❖ 실행결과 : MeaningfulConst.java

오늘의 요일을 선택하세요.

1.월요일, 2.화요일, 3.수요일, 4.목요일

5.금요일, 6.토요일, 7.일요일

선택 : 6

가족과 함께 즐거운 시간을 보내세요

위 예제를 통해서 interface가 지니는 상수 선언의 장점을 충분히 이해했을 것이다. 그런데 자바 버전 5.0 이후부터는 열거형(enum)이라는 것을 제공하기 시작했다. 그리고 이는 상수 선언이 필요한 일부 상황에서 interface를 대체할 것이다. 그러나 자바의 열거형은 그리 단순하지 않다. 막강한 기능을 제공하지만, 그 기능만큼이나 이해하기 어려운 부분이 존재한다. 따라서 필자는 여러분이 처음 자바를 공부하는 과정에서 열거형을 공부하기 보다는, 자바에 어느 정도 익숙해진 다음에 열거형을 접하는 것이 좋다고 생각한다. 그래서 열거형과 관련된 내용은 책의 뒤편에 있는 부록을 통해서 별도로 정리하였으니, 이 책을 완독한 후에 참고하기 바라겠다.

참 고

아 열거형(enum)이요?

C언어에도 열거형이라는 것이 존재한다. 그래서 C언어를 공부한 경험이 있는 학생들은 자바의 열거형을 쉽게 생각한다. 그러나 정작 자바의 열거형에 대해서 설명을 하면, 매우 당황스러워 한다. 자바의 열거형은 C언어의 열거형과 다르다(C언어의 열거형에 비해 훨씬 많은 것을 제공한다). 오히려 C언어의 열거형은 앞서 설명한 인터페이스 기반의 상수 선언과 유사하다.

■ 자바 인터페이스의 또 다른 가치!

System.out.println 메소드는 대략 다음과 같이 오버로딩 되어있다(일부만 나열하였다).

- public void println(boolean b)
- public void println(char c)
- public void println(int i)
- public void println(double d)
- public void println(String s)
- public void println(Object x)

이중에서 가장 마지막 메소드는, 전달되는 인스턴스의 toString 메소드를 호출하여, 이 때 반환되는 문자열을 출력한다. 그런데 바로 이 메소드가 존재하지 않는다고 가정하고, 이러한 유형의 메소드를 별도의 클래스에 정의해보고자 한다.

❖ ImplObjectPrintln.java

```
1.   class ClassPrinter
2.   {
3.       public static void print(Object obj) { System.out.println(obj.toString());  }
4.   }
5.
6.   class Point
7.   {
8.       private int xPos, yPos;
9.
10.      Point(int x, int y)
11.      {
12.          xPos=x;
13.          yPos=y;
14.      }
15.      public String toString()
16.      {
17.          String posInfo="[x : "+xPos + ", y : "+yPos+"]";
18.          return posInfo;
19.      }
20. }
21.
22. class ImplObjectPrintln
23. {
24.      public static void main(String[] args)
25.      {
26.          Point pos1=new Point(1, 2);
27.          Point pos2=new Point(5, 9);
28.
29.          ClassPrinter.print(pos1);
30.          ClassPrinter.print(pos2);
31.      }
32. }
```

해 설

• 3행 : 여기 정의된 print 메소드는 매개변수형이 Object이다. 따라서 모든 인스턴스의 참조 값은 이 메소드의 전달인자가 될 수 있다.

• 15행 : toString 메소드는 Object 클래스에 정의되어 있는 메소드이다. 그리고 Object 클래스는 모든 클래스가 상속하는 상위 클래스이다. 따라서 이는 Object 클래스에 정의되어 있는 메소드의 오버라이딩이다.

❖ 실행결과 : ImplObjectPrintln.java

```
[x : 1, y : 2]
[x : 5, y : 9]
```

이제 위 예제에서 정의하고 있는 print 메소드에 다음의 기능을 추가하고자 한다.

"인터페이스 UpperCasePrintable을 구현하는 클래스의 인스턴스가 print 메소드의 인자로 전달되면
문자열을 전부 대문자로 출력한다."

그렇다면 UpperCasePrintable 인터페이스는 무엇일까? 다음 예제에서는 print 메소드의 기능 확장
과 이 때 사용되는 UpperCasePrintable 인터페이스를 여러분에게 소개한다.

❖ InterfaceMark.java

```
1.   interface UpperCasePrintable
2.   {
3.       // 비어 있음
4.   }
5.
6.   class ClassPrinter
7.   {
8.       public static void print(Object obj)
9.       {
10.          String org=obj.toString();
11.          if(obj instanceof UpperCasePrintable)
12.          {
13.              org=org.toUpperCase();
14.          }
15.
16.          System.out.println(org);
17.      }
18.  }
19.
20.  class PointOne implements UpperCasePrintable
21.  {
22.      private int xPos, yPos;
23.
24.      PointOne(int x, int y)
25.      {
26.          xPos=x;
27.          yPos=y;
```

```
28.     }
29.     public String toString()
30.     {
31.         String posInfo="[x pos : "+xPos + ", y pos : "+yPos+"]";
32.         return posInfo;
33.     }
34. }
35.
36. class PointTwo
37. {
38.     private int xPos, yPos;
39.
40.     PointTwo(int x, int y)
41.     {
42.         xPos=x;
43.         yPos=y;
44.     }
45.     public String toString()
46.     {
47.         String posInfo="[x pos : "+xPos + ", y pos : "+yPos+"]";
48.         return posInfo;
49.     }
50. }
51.
52. class InterfaceMark
53. {
54.     public static void main(String[] args)
55.     {
56.         PointOne pos1=new PointOne(1, 1);
57.         PointTwo pos2=new PointTwo(2, 2);
58.         PointOne pos3=new PointOne(3, 3);
59.         PointTwo pos4=new PointTwo(4, 4);
60.
61.         ClassPrinter.print(pos1);
62.         ClassPrinter.print(pos2);
63.         ClassPrinter.print(pos3);
64.         ClassPrinter.print(pos4);
65.     }
66. }
```

해설

- 1행 : UpperCasePrintable 인터페이스가 정의되었다. 그런데 이 인터페이스 안에는 아무것도 정의되어 있지 않다.
- 11행 : UpperCasePrintable 인터페이스를 구현하는 클래스의 인스턴스인지를 확인하고 있다.
- 13행 : 인스턴스 메소드 toUpperCase는 String 인스턴스에 저장된 문자열 전부를 대문자로 변경해서 반환한다.
- 20행 : 클래스 PointOne은 UpperCasePrintable 인터페이스를 구현하고 있다. 물론 인터페

이스가 비어있기 때문에 별도로 구현할 메소드는 존재하지 않는다.

- 29행 : Object 클래스에 정의되어 있는 toString 메소드는 public으로 선언되어 있다. 따라서 29행의 메소드 역시 public으로 선언되어야 한다.
- 36행 : 클래스 PointTwo는 위에서 정의한 PointOne과 동일하다. 다만 UpperCasePrintable 인터페이스를 구현하지 않고 있을 뿐이다.

❖ 실행결과 : InterfaceMark.java

```
[X POS : 1, Y POS : 1]
[x pos : 2, y pos : 2]
[X POS : 3, Y POS : 3]
[x pos : 4, y pos : 4]
```

출력결과를 보면 대문자 출력이 이뤄지고 있음을 알 수 있다. 이렇듯 UpperCasePrintable 인터페이스를 구현하는 클래스의 인스턴스가 ClassPrinter.print 메소드의 인자로 전달되면 대문자로 이뤄진 문자열의 출력이, UpperCasePrintable 인터페이스를 구현하지 않는 클래스의 인스턴스가 ClassPrinter.print 메소드의 인자로 전달되면 문자열 원본의 내용 그대로가 출력된다. 결국 UpperCasePrintable 인터페이스는 대문자의 출력을 표시하기 위한 용도로 사용되었다. 자! 그럼 본론을 이야기하자. 위 예제에서 UpperCasePrintable 인터페이스가 갖는 의미는 무엇인가?

"다른 클래스와의 구별을 위한 특별한 표시의 목적으로 사용되었다."

이렇듯 인터페이스는 클래스의 정의에, 약속된 형태의 특별한 표시를 위한 용도로도 사용이 된다. 그리고 이러한 경우에는 위 예제에서 보이듯이 아무것도 채워지지 않은 형태로 인터페이스가 정의되기도 한다.

■ 인터페이스를 통한 다중상속의 효과

다중상속이란 하나의 클래스가 둘 이상의 클래스를 동시에 상속하는 것을 의미한다. 예를 들어서 IPTV라는 클래스를 정의한다고 가정해 보자. 여러분도 알다시피 IPTV는 Internet Protocol Television의 약자로, 인터넷으로부터 방송 데이터를 입력 받아 TV에 출력하는 형태의 시스템이다. 따라서 다음과 같이 이야기할 수 있다.

"IPTV는 (일종의) TV이다."

그리고 IPTV 시스템은 인터넷으로부터 전송 받은 방송 데이터를 내부에 저장하기 때문에, 데이터의 저장을 위한 하드디스크, 방송 데이터의 수신을 처리하는 CPU와 메인 메모리가 모두 존재한다. 쉽게 말해서 IPTV는 그 자체로도 다양한 프로그램을 실행시킬 수 있는 컴퓨터이다. 따라서 다음과 같이 이야기할 수 있다.

"IPTV는 (일종의) Computer이다."

정리하면, IPTV는 TV이자 Computer이다. 따라서 IPTV라는 클래스의 정의를 위해서 TV 클래스와 Computer 클래스를 동시에 상속하는 형태의 정의가 적절하다고 생각할 수 있다. 그리하여 다음 예제와 같이 클래스를 정의한다고 가정해 보자. 참고로 이 예제는 다중상속의 논의를 목적으로 매우 단순히 작성 하였다.

❖ CompileErrorExample.java

```java
1.  class TV
2.  {
3.      public void onTV() { System.out.println("영상 출력 중"); }
4.  }
5.
6.  class Computer
7.  {
8.      public void dataReceive() { System.out.println("영상 데이터 수신 중"); }
9.  }
10.
11. class IPTV extends TV, Computer
12. {
13.     public void powerOn()
14.     {
15.         dataReceive();
16.         onTV();
17.     }
18. }
19.
20. class CompileErrorExample
21. {
22.     public static void main(String[] args)
23.     {
24.         IPTV iptv=new IPTV();
25.         iptv.powerOn();
26.
27.         TV tv=iptv;
28.         Computer comp=iptv;
29.     }
30. }
```

 해 설

• 11행 : IPTV 클래스는 TV 클래스와 Computer 클래스를 동시에 상속하도록 정의되어 있다. 이 것이 바로 다중상속인데, 자바는 다중상속을 지원하지 않기 때문에 이 부분에서 컴파일 에 러가 발생한다.

- 27, 28행 : 11행에 정의되어 있는 IPTV 클래스는 TV 클래스와 Computer 클래스를 상속하고 있다. 이 부분이 문제되지 않는다면, IPTV 인스턴스는 TV의 참조변수로, 그리고 Computer의 참조변수로도 참조가 가능하다.

비록 위 예제는 컴파일 에러를 일으키지만, 다중상속이 무엇인지를 보여주고 있다. 만약에 자바가 다중상속을 지원한다면 이러한 코드의 구성이 가능할 것이다. 그렇다면 자바는 왜 다중상속을 지원하지 않는 것일까? 다중상속은 득보다 실이 많다고 판단되기 때문이다. 그런데 이는 소프트웨어 공학을 연구하는 객체지향 전문가들과 실무 개발자들의 공통된 의견이다. 그렇다면 어떠한 점이 다중상속의 문제가 되는 것일까? 이와 관련해서 다음 클래스의 상속 관계를 관찰해 보자.

```
class Employee   // 회사의 고용인
{
    public void work() { . . . . }
}

class Engineer extends Employee      // 엔지니어 역할의 고용인
{
    . . . .
}

class Marketer extends Employee      // 마케팅 담당의 고용인
{
    . . . .
}

class TechMarketer extends Engineer, Marketer      // 기술 관련 마케팅 담당자
{
    // 이 안에서 work 메소드를 호출한다면?
}
```

이러한 형태의 상속 구조를 가리켜 '다이아몬드 상속'이라 한다. 상속의 관계를 UML이라는 기호를 이용해서 표현해 놓으면, 그 구조가 다이아몬드의 형태가 되기 때문이다.

참 고

UML(Unified Modeling Language)

객체지향 관련 표준화기구인 OMG에서 표준화한 모델링 언어이다. 이는 Java, C++, C#과 같은 객체지향 프로그래밍 언어의 클래스 설계에 사용이 되는 각종 표기와 기호들의 표준이다.

다음 그림은 위의 클래스 관계를 UML 기호를 이용해서 표현해 놓은 것이다. 언뜻 보아도 클래스들의 관계가 다이아몬드의 형태를 띠고 있음을 알 수 있다. 참고로 UML에서는 하위 클래스에서 상위 클래스 방향으로 화살표를 향하게 해서 상속을 표시한다.

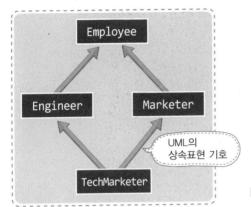

[그림 17-2 : 다이아몬드 상속]

이렇게 다이아몬드 상속이 구성되면, Employee 클래스에 정의된 메소드를, TechMarketer 클래스에서 호출하는 경우에 문제가 발생한다. 왜냐하면 TechMarketer 클래스는 Employee 클래스를 간접적으로 두 번 상속하기 때문에(한번은 Engineer를 상속하면서, 또 한번은 Marketer를 상속하면서), 호출할 메소드의 선택이 애매모호해지기 때문이다. 그래서 다중상속을 지원하는 프로그래밍 언어들은 이러한 상황에 대처하기 위한 별도의 문법을 추가해 놓고 있다.

그러나 자바는 다중상속을 지원하지 않음으로 인해서 이러한 복잡한 문제를 일으키지 못하도록 제한하고 있다. 어차피 다중상속으로만 해결 가능한 문제라는 것은 존재하지 않기 때문에, 이러한 자바의 선택은 매우 존중을 받고 있다. 자! 그럼 CompileErrorExample.java와 같은 코드는 자바로 어떻게 구현해야 할까? 다음 예제를 통해서 이를 보이도록 하겠다. 참고로 다음 예제는 제법 수준이 있는 클래스의 구성(관계)을 보인다. 때문에 필자가 매우 간결히 작성하였지만, 여러분은 예제의 분석에 조금 더 신경을 써야 한다.

❖ MultiInheriAlternative.java

```
1.  class TV
2.  {
3.      public void onTV()
4.      {
5.          System.out.println("영상 출력 중");
6.      }
7.  }
8.
9.  interface Computer
10. {
11.     public void dataReceive();
```

```
12. }
13.
14. class ComputerImpl
15. {
16.     public void dataReceive()
17.     {
18.         System.out.println("영상 데이터 수신 중");
19.     }
20. }
21.
22. class IPTV extends TV implements Computer
23. {
24.     ComputerImpl comp=new ComputerImpl();
25.
26.     public void dataReceive()
27.     {
28.         comp.dataReceive();
29.     }
30.     public void powerOn()
31.     {
32.         dataReceive();
33.         onTV();
34.     }
35. }
36.
37. class MultiInheriAlternative
38. {
39.     public static void main(String[] args)
40.     {
41.         IPTV iptv=new IPTV();
42.         iptv.powerOn();
43.
44.         TV tv=iptv;
45.         Computer comp=iptv;
46.     }
47. }
```

해설

- 9, 14행 : Computer를 클래스가 아닌 인터페이스로 정의하였다. 그대신 ComputerImpl 클래스를 정의하여, 이전 예제에서 Computer 클래스가 하던 역할을 대신하도록 하였다.

- 22행 : TV 클래스는 상속하고 있지만, Computer 인터페이스는 구현하고 있다.

- 24행 : 예제 CompileErrorExample.java와 비교하여, 상속을 하는 대신에 인스턴스를 생성하여 참조변수에 저장하고 있다.

- 26행 : 32행의 dataReceive 메소드가 호출되면, comp가 참조하는 인스턴스의 dataReceive 메소드가 호출된다.

- 44, 45행 : 다중상속의 효과를 내고 있음을 보이는 부분이다. 코드만 놓고 보면 iptv가 참조하는 인스턴스가 TV 클래스와 Computer 클래스(사실은 인터페이스)를 동시에 상속하고 있는 것처럼 보이지 않는가?

❖ 실행결과 : MultiInheriAlternative.java

영상 데이터 수신 중
영상 출력 중

그리고 다소 주관적인 이야기이지만, 필자는 지금까지 다중상속을 이용해서 프로그램을 구현해 본적도 없고, 다중상속을 개발에 적용하는 개발자를 본적도 없다. 물론 필자의 제한된 경험으로 성급한 일반화의 오류를 범할 수도 있으나, 객체지향 시스템의 개발에서 다중상속이 큰 의미를 갖지 못하는 것은 사실이다. 따라서 자바의 인터페이스도 다중상속의 일부 지원을 위한 문법으로만 이해하는 것은 바람직하지 못하다.

문 제 17-1 [인터페이스를 이용해서 상속을 대신하기]

MultiInheriAlternative.java에서는 다중상속을 어떻게 인터페이스가 대신하는지를 보이고 있다. 이 예제에서 보이는 내용을 참조하여, 이 예제의 IPTV 클래스를 다음의 형태로 변경하자.

```
class IPTV implements TV, Computer
{
    . . . .
}
```

그나마 있던 TV 클래스의 상속도 인터페이스의 구현으로 변경하라는 뜻이다. 물론 예제의 main 메소드에는 변경이 없어야 하며, 실행결과도 동일해야 한다.

Chapter17 abstract와 interface 그리고 inner class   **467**

17-3 Inner 클래스

지금까지 여러분은 참으로 중요한 내용들을 공부해 왔다. 그런데 아직도 뭔가를 더 설명하려 드는 필자가 원망스러울 수도 있다. 그렇다면 Inner 클래스가 무엇인지 간단히 확인만 하고, 그냥 다음 Chapter로 넘어 가자. 그리고 이후에 이들에 대한 이해가 필요한 시점이 되면, 그때 가서 공부하자. 필자라면 정말로 그렇게 공부하겠다! 지금 공부하는 내용들이 부담스럽다면 말이다.

■ Inner 클래스와 Nested 클래스

자바의 클래스 안에는 다음과 같이 다른 클래스의 정의를 포함할 수 있다.

```
class OuterClass
{
    . . . .
    class InnerClass
    {
        . . . .
    }
}
```

이 때 바깥쪽에 정의된 클래스를 가리켜 'Outer 클래스'라 하고, 안쪽에 정의된 클래스를 가리켜 'Inner 클래스'라 한다. 그리고 다음과 같이 Inner 클래스를 static으로 선언할 수 있는데, 이렇게 선언이 되는 클래스를 가리켜 'Static Inner 클래스' 또는 간단히 'Nested 클래스'라고도 한다.

```
class OuterClass
{
    . . . .
    static class NestedClass
    {
        . . . .
    }
}
```

그럼 먼저 다음 예제를 통해서 Nested 클래스의 특성을 설명하겠다.

```java
1.   class OuterClassOne
2.   {
3.       OuterClassOne()
4.       {
5.           NestedClass nst=new NestedClass();
6.           nst.simpleMethod();
7.       }
8.
9.       static class NestedClass
10.      {
11.          public void simpleMethod()
12.          {
13.              System.out.println("Nested Instance Method One");
14.          }
15.      }
16.  }
17.
18.  class OuterClassTwo
19.  {
20.      OuterClassTwo()
21.      {
22.          NestedClass nst=new NestedClass();
23.          nst.simpleMethod();
24.      }
25.
26.      private static class NestedClass
27.      {
28.          public void simpleMethod()
29.          {
30.              System.out.println("Nested Instance Method Two");
31.          }
32.      }
33.  }
34.
35.  class NestedClassTest
36.  {
37.      public static void main(String[] args)
38.      {
39.          OuterClassOne one=new OuterClassOne();
40.          OuterClassTwo two=new OuterClassTwo();
41.
42.          OuterClassOne.NestedClass nst1=new OuterClassOne.NestedClass();
43.          nst1.simpleMethod();
44.          // OuterClassTwo.Nested nst2=new OuterClassTwo.Nested();
45.          // nst2.simpleMethod();
46.      }
47.  }
```

- 9, 26행 : 5행에서는 9행에 정의된 NestedClass의 인스턴스를 생성하고 있다. 이렇듯 Outer 클래스 입장에서는 Nested 클래스의 인스턴스 생성이 외부에 정의된 클래스의 인스턴스 생성과 크게 다를 바 없다. 그러나 26행에서 보이듯이 Nested 클래스는 private 으로 선언이 가능하다. 그리고 이렇게 선언이 되면, Outer 클래스 내에서만 인스턴스의 생성이 가능한 클래스가 된다.

- 42행 : Nested 클래스의 인스턴스 생성과정을 보이고 있다. Outer 클래스의 이름이 함께 사용되고 있음에 주목하자.

- 44행 : OuterClassTwo 클래스 내에 정의되어 있는 NestedClass는 private으로 선언되어 있다. 따라서 OuterClassTwo 클래스 외부에서의 인스턴스 생성이 불가능하다.

❖ 실행결과 : NestedClassTest.java

```
Nested Instance Method One
Nested Instance Method Two
Nested Instance Method One
```

위 예제에서 보이듯이 Nested 클래스는 클래스 내부에 정의되기 때문에 private으로 선언되면, 외부에서는 인스턴스 생성이 불가능하다는 특징이 있다.

Nested 클래스의 또 다른 특징

Nested 클래스는 Outer 클래스의 static 멤버에 직접 접근이 가능하다는 특징이 있지만, 활용도는 낮은 반면, 현재로서는 매우 혼란스러운 내용이 될 수 있어서 별도로 언급하지 않았다

그럼 이번에는 Inner 클래스의 특징을 살펴보자. Inner 클래스의 인스턴스는 반드시 Outer 클래스의 인스턴스에 종속되어야 하기 때문에 Outer 클래스의 인스턴스 없이는 생성이 불가능하다. 이에 대한 이해를 위해서 간단한 예제를 소개하겠다.

❖ InnerClassTest.java

```
1.    class OuterClass
2.    {
3.        private String myName;
4.        private int num;
5.
```

```
6.      OuterClass(String name)
7.      {
8.          myName=name;
9.          num=0;
10.     }
11.
12.     public void whoAreYou()
13.     {
14.         num++;
15.         System.out.println(myName+ " OuterClass "+num);
16.     }
17.
18.     class InnerClass
19.     {
20.         InnerClass()
21.         {
22.             whoAreYou();
23.         }
24.     }
25. }
26.
27. class InnerClassTest
28. {
29.     public static void main(String[] args)
30.     {
31.         OuterClass out1=new OuterClass("First");
32.         OuterClass out2=new OuterClass("Second");
33.         out1.whoAreYou();
34.         out2.whoAreYou();
35.
36.         OuterClass.InnerClass inn1=out1.new InnerClass();
37.         OuterClass.InnerClass inn2=out2.new InnerClass();
38.         OuterClass.InnerClass inn3=out1.new InnerClass();
39.         OuterClass.InnerClass inn4=out1.new InnerClass();
40.         OuterClass.InnerClass inn5=out2.new InnerClass();
41.     }
42. }
```

해설

• 18, 22행 : static이 빠진 것만 제외하면, Nested 클래스와 정의방법에 있어서는 차이가 없
  다. 그러나 22행을 보자! 여기서 호출하는 메소드는 InnerClass의 메소드가 아닌,
  OuterClass의 메소드이다. 이렇듯 Inner 클래스 내에서는 Outer 클래스에 존재하
  는 멤버에 직접 접근이 가능하다.

• 36~40행 : 참조변수의 선언방법은 Nested 클래스와 차이가 없다. 그러나 인스턴스의 생성방법
  에는 차이가 있다. 생성하고자 하는 인스턴스의 클래스 이름이 InnerClass이므로
  "new InnerClass()"라는 문장으로 인스턴스를 생성한다. 단 31, 32행에서 미리
  선언해 놓은 OuterClass의 참조변수 out1과 out2의 이름을 앞에 붙여서 생성하고
  있다.

❖ 실행결과 : InnerClassTest.java

```
First OuterClass 1
Second OuterClass 1
First OuterClass 2
Second OuterClass 2
First OuterClass 3
First OuterClass 4
Second OuterClass 3
```

위 예제를 통해서 주목해야 할 내용 몇 가지를 정리하면 다음과 같다.

- Outer 클래스의 인스턴스 생성 후에야 Inner 클래스의 인스턴스 생성이 가능하다.
- Inner 클래스 내에서는 Outer 클래스의 멤버에 직접 접근이 가능하다.
- Inner 클래스의 인스턴스는 자신이 속할 Outer 클래스의 인스턴스를 기반으로 생성된다.

그럼 먼저 위 예제의 31, 32행에 의해 생성되는 인스턴스를 그림으로 정리해 보겠다.

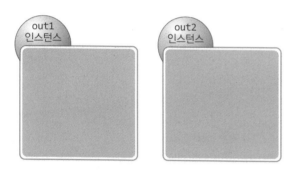

[그림 17-3 : Outer 클래스의 인스턴스 생성]

이어서 36행과 37행에서 InnerClass의 인스턴스를 생성하는데, 하나는 out1을 기반으로, 또 하나는 out2를 기반으로 생성하고 있다. 그리고 그 결과 다음의 형태로 인스턴스들이 구성된다.

[그림 17-4 : Inner 클래스의 인스턴스 생성1]

위 그림에서 보이듯이 Inner 클래스의 인스턴스는 Outer 클래스의 인스턴스 내부에 존재하는 방식으로 생성된다(이것은 메모리 관점이 아닌, 관계 관점에서의 설명이다). 따라서 Outer 클래스의 인스턴스가 생성된 다음에야 비로소 Inner 클래스의 인스턴스 생성이 가능하며, Inner 클래스 내에서 Outer 클래스의 멤버에 직접 접근이 가능한 것이다. 비록 Inner 클래스의 인스턴스도 별도의 참조변수를 통해서 접근이 가능하지만, Outer 클래스의 인스턴스와 Inner 클래스의 인스턴스 사이에는 위 그림과 같은 관계가 형성된다. 이제 마지막으로 38, 39, 40행의 실행결과를 통해서 형성되는 인스턴스의 구조를 정리해 보이겠다.

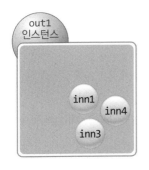
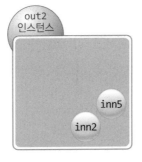

[그림 17-5 : Inner 클래스의 인스턴스 생성2]

위 그림에서 보이듯이 하나의 Outer 클래스의 인스턴스 내에, 둘 이상의 Inner 클래스의 인스턴스가 존재할 수 있다. 그리고 이는 예제의 실행결과를 통해서 확인할 수 있는 사실이다.

private 멤버도 접근 가능하다.

Inner 클래스는 Outer 클래스의 내부에 정의되어 있기 때문에, private으로 선언된 Outer 클래스의 멤버에도 접근이 가능하다. 즉 Inner 클래스의 정의도 Outer 클래스의 내부로 인정이 되어서 private 멤버에 접근이 가능하다.

■ Inner 클래스! 이거 유용하게 사용이 되나요?

유용하게 사용되지 않는 문법이라면 필자의 성격상(?) 책에 억지로 구겨 넣지 않는다. 그런데 Inner 클래스와 Nested 클래스는 다음과 같은 장점을 지닌다.

- 클래스들을 논리적으로 묶는 수단이 된다.
- 클래스들을 논리적으로 묶다 보니, 캡슐화가 증가하는 효과가 있다.
- 결과적으로 코드의 가독성이 향상되고, 유지보수성이 좋아진다.

관계가 매우 긴밀한 두 개의 클래스가 있을 때, 이중 하나는 다른 하나의 Inner 클래스 또는 Nested 클래스로 정의하게 된다. 따라서 이 둘은 논리적으로 묶이게 되며, 이는 위에서 정리하고 있는 것처럼 캡슐화의 증가와 가독성의 향상으로 이어진다.

17-4 Local 클래스와 Anonymous 클래스

이번에 소개할 Local 클래스와 Anonymous 클래스는 앞서 소개한 Inner 클래스와 유사한 성격의 클래스들이다. 따라서 앞서 말한 다음의 Inner 클래스 성격을 그대로 유지한다.

- Outer 클래스의 인스턴스 생성 후에야 Inner 클래스의 인스턴스 생성이 가능하다.
- Inner 클래스 내에서는 Outer 클래스의 멤버에 직접 접근이 가능하다.
- Inner 클래스의 인스턴스는 자신이 속할 Outer 클래스의 인스턴스를 기반으로 생성된다.

따라서 이와 관련된 내용은 중복으로 언급하지 않고, 이들 이외의 고유한 특성들에 대해서만 설명을 진행하겠다.

■ Local(지역) 클래스

Local 클래스는 Inner 클래스와 유사하다. 다만 메소드 내에 정의가 되고, 정의된 메소드 내에서만 인스턴스의 생성과 참조변수의 선언이 가능하다는 특징이 있다. 자! 그럼 다음 코드를 보자.

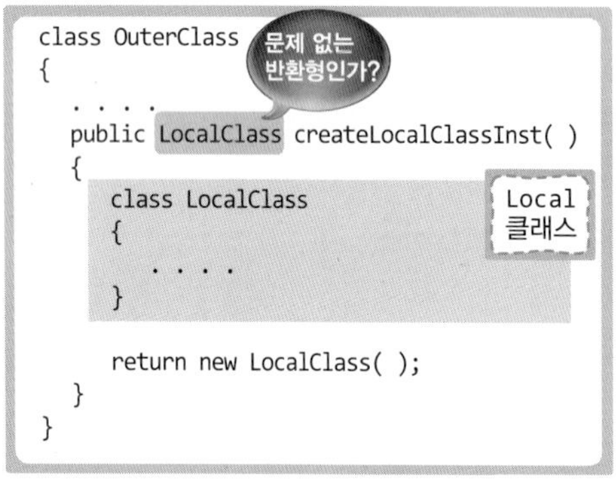

[그림 17-6 : 잘못 정의된 Local 클래스]

위의 그림에서는 메소드 createLocalClassInst 내에 정의된 Local 클래스를 보여준다(클래스 이름은 LocalClass이다). 따라서 이 클래스의 인스턴스 생성은 정의된 메소드 내에서만 가능하다. 그래서 클래스를 정의한 후에 다음과 같이 인스턴스를 생성하는 것이 가능하다

```
return new LocalClass();
```

그런데 자세히 살펴보면 반환형에서 문제가 있음을 알 수 있다. LocalClass의 인스턴스를 생성해서 반

환을 하니, 반환형이 LocalClass인 것은 당연하다. 하지만 이렇듯 반환형으로 Local 클래스의 이름이 올 수 없다. Local 클래스는 메소드 내에서만 의미가 통하기 때문이다. 혹 이것이 문제되지 않도록 자바 문법이 구성되어 있다 하더라도, 반환되는 참조 값을 저장할 수 있는 변수의 선언이 불가능하기 때문에 이는 결국 문제가 된다. 다음 코드에서 보이듯이 말이다.

```
public static void main(String[] args)
{
    OuterClass outInst=new OuterClass();
    LocalClass localInst=outInst.createLocalClassInst();  // LocalClass의 참조변수 선언 불가!
    . . . .
}
```

그렇다면 어떻게 해야 할까? 우리는 이 상황에서 인터페이스를 다시 한번 유용이 활용하게 된다. 자! 그럼 이러한 문제점까지 해결한 예제를 여러분께 제시하겠다. 여러분은 이 예제를 통해서 Local 클래스의 특성뿐만 아니라, 인터페이스의 유용함에 대해서도 다시 한번 확인하기 바란다.

❖ LocalClassTest.java

```
1.   interface Readable
2.   {
3.       public void read();
4.   }
5.
6.   class OuterClass
7.   {
8.       private String myName;
9.
10.      OuterClass(String name)
11.      {
12.          myName=name;
13.      }
14.
15.      public Readable createLocalClassInst()
16.      {
17.          class LocalClass implements Readable
18.          {
19.              public void read()
20.              {
21.                  System.out.println("Outer inst name : "+myName);
22.              }
23.          }
24.          return new LocalClass();
25.      }
26. }
```

```
27.
28. class LocalClassTest
29. {
30.     public static void main(String[] args)
31.     {
32.         OuterClass out1=new OuterClass("First");
33.         Readable localInst1=out1.createLocalClassInst();
34.         localInst1.read();
35.
36.         OuterClass out2=new OuterClass("Second");
37.         Readable localInst2=out2.createLocalClassInst();
38.         localInst2.read();
39.     }
40. }
```

- 1행 : Local 클래스의 인스턴스를 메소드 외부에서 참조하기 위해 정의한 인터페이스이다.
- 15, 17, 24행 : LocalClass가 정의되어 있는데, 이 클래스가 Readable 인터페이스를 구현하고 있다는 사실에 주목해야 한다. 때문에 15행의 반환형을 Readable로 선언할 수 있는 것이다.
- 21행 : Inner 클래스와 마찬가지로 Outer 클래스의 멤버에 접근이 가능함을 보이고 있다.
- 33, 34행 : Readable의 참조변수로 메소드 createLocalClassInst 내에서 생성된 인스턴스에 접근하고 있다.

❖ 실행결과 : LocalClassTest.java

```
Outer inst name : First
Outer inst name : Second
```

위 예제에서 보이듯이 Local 클래스가 정의되면, Local 클래스의 인스턴스 접근을 위해서 인터페이스가 함께 정의되는 것이 보통이다. 비록 활용의 예를 보인 것은 아니지만, Local 클래스에 대한 이해와 인터페이스에 대한 필요성을 잘 정리해 두기 바란다.

■ Local(지역) 클래스와 매개변수

Local 클래스는 메소드 내에 존재하기 때문에 매개변수와 지역변수에 접근이 가능하다. 단 final로 선언되는 매개변수와 지역변수에만 접근이 가능한데, 이와 관련해서는 예제를 보고 나서 이야기를 이어가겠다.

```
1.   interface Readable
2.   {
3.       public void read();
4.   }
5.
6.   class OuterClass
7.   {
8.       private String myName;
9.
10.      OuterClass(String name)
11.      {
12.          myName=name;
13.      }
14.
15.      public Readable createLocalClassInst(final int instID)
16.      {
17.          class LocalClass implements Readable
18.          {
19.              public void read()
20.              {
21.                  System.out.println("Outer inst name : "+myName);
22.                  System.out.println("Local inst ID : "+instID);
23.              }
24.          }
25.          return new LocalClass();
26.      }
27.  }
28.
29.  class LocalParamClassTest
30.  {
31.      public static void main(String[] args)
32.      {
33.          OuterClass out=new OuterClass("My Outer Class");
34.          Readable localInst1=out.createLocalClassInst(111);
35.          localInst1.read();
36.
37.          Readable localInst2=out.createLocalClassInst(222);
38.          localInst2.read();
39.      }
40.  }
```

해 설

• 15, 22행 : 22행에서 매개변수 instID에 접근하고 있다. 이렇듯 Local 클래스는 매개변수, 또는
           지역변수에 접근이 가능한데, 다만 접근의 대상이 되는 변수는 반드시 final로 선언되
           어야 한다.

```
Outer inst name : My Outer Class
Local inst ID : 111
Outer inst name : My Outer Class
Local inst ID : 222
```

위 예제에서 보이듯이 Local 클래스는 final로 선언된 지역변수 또는 매개변수에 접근이 가능하다. 따라서 여러분은 다음 내용이 궁금할 것이다.

"왜 final로 선언된 변수에만 접근이 가능하지?"

그런데 필자는 여러분이 다음 내용을 먼저 궁금해하기 바란다.

"매개변수와 지역변수는 메소드를 빠져나가면 소멸이 되는데, 어떻게 접근이 가능하지?"

자! 생각해 보자. 위 예제 34행에서 정수 111을 전달하면서 createLocalClassInst 메소드를 호출하고 있다. 따라서 인스턴스는 생성이 되고, 참조변수 localInst1은 이 때 생성된 인스턴스를 참조하게 된다. 그런데 이러한 일은 createLocalClassInst 메소드가 종료되면서 일어나는 일이다. 즉 111로 초기화된 매개변수 instID는 이 과정에서 소멸이 된다. 그럼에도 불구하고 35행에서 호출하는 read 메소드 내에서는 111로 초기화 된 매개변수 instID의 값을 출력하고 있다. 도대체 무슨 일이 일어나고 있는 것일까?

바로 지금 언급한 문제점(소멸되는 문제점) 때문에 컴파일러는 Local 클래스에서 접근하는 지역변수와 매개변수의 복사본을, Local 클래스가 항상 접근 가능한 메모리 영역에 만들어 둔다. 때문에 컴파일러는 이들 변수를 final로 선언할 것을 강요하는 것이다. 만약에 final로 선언할 것을 강요하지 않았다면, 그래서 Local 클래스 내에서 이 값을 변경시킨다면, 원본과 복사본의 값이 일치하지 않는 문제가 발생하기 때문에 final로 선언할 것을 강요하는 것이다.

■ Anonymous(익명) 클래스

Anonymous 클래스는 Local 클래스와 유사하다(따라서 Inner 클래스와도 유사하다). 단 Local 클래스는 이름이 있지만, Anonymous 클래스는 이름이 없다. 그것이 가장 큰 차이점이다. 자 그럼 Anonymous 클래스의 이해를 위해서 다음 대화 내용을 살펴보자.

- 진우 : 야! 예제 LocalParamClassTest.java에서 LocalClass라는 클래스 이름은 필요 없지 않냐?
- 명수 : 뭔 소리야?

- 진우 : 그러니까 LocalClass라는 이름을 이용해서 참조변수를 선언하는 것도 아니고
- 명수 : 그리고?

- 진우 : 메소드의 반환형으로 선언되지도 않잖아?
- 명수 : 그렇지! 그 대신에 인스턴스 생성시에는 필요하잖아!

- 진우 : 그렇긴 한데, 이 경우에는 인스턴스도 메소드 내에서만 생성하잖아
- 명수 : 그러니까 이름이 널리 알려질 이유가 없으니 굳이 이름을 붙일 이유가 없다?

- 진우 : 내 뜻을 이해하는구나! 내가 좀 독특하잖냐? 남들 관심 없는 걸로 고민하고
- 명수 : 어쩔 수 없지 뭐, 저자가 Anonymous 클래스를 설명하려고 만든 캐릭터니까

위의 대화에서 진우가 고민하는 내용을 이해하자! 그래야 Anonymous 클래스를 이해할 수 있다. 자! 그럼 Anonymous 클래스를 활용해서 진우가 마음에 들어 할만한 형태로 예제 LocalParamClassTest.java를 변경해 볼 테니, 예제를 통해서 Anonymous 클래스를 이해해 보자.

❖ LocalParamAnonymous.java

```
1.   interface Readable
2.   {
3.       public void read();
4.   }
5.
6.   class OuterClass
7.   {
8.       private String myName;
9.
10.      OuterClass(String name)
11.      {
12.          myName=name;
13.      }
14.
15.      public Readable createLocalClassInst(final int instID)
16.      {
17.          return new Readable()
18.          {
19.              public void read()
20.              {
21.                  System.out.println("Outer inst name : "+myName);
22.                  System.out.println("Local inst ID : "+instID);
23.              }
24.          };
```

```
25.      }
26. }
27.
28. class LocalParamAnonymous
29. {
30.     public static void main(String[] args)
31.     {
32.         OuterClass out=new OuterClass("My Outer Class");
33.         Readable localInst1=out.createLocalClassInst(111);
34.         localInst1.read();
35.
36.         Readable localInst2=out.createLocalClassInst(222);
37.         localInst2.read();
38.     }
39. }
```

❖ 실행결과 : LocalParamAnonymous.java

```
Outer inst name : My Outer Class
Local inst ID : 111
Outer inst name : My Outer Class
Local inst ID : 222
```

위 예제에서 보이듯이 실행결과는 LocalParamClassTest.java와 완전히 동일하다. 사실 위의 두 예
제는 동일한 예제이다. 다만 Local 클래스를 활용하였느냐, Anonymous 클래스를 활용하였느냐에 따
른 차이만 있을 뿐이다. 먼저 17행을 보자. 다음의 문장이 존재한다(17행에 세미콜론이 존재하지는 않
는다).

```
return new Readable();
```

물론 Readable은 인터페이스이므로 인스턴스 생성이 불가능하다. 그런데 인스턴스 생성이 불가능한 가
장 큰 이유는 메소드가 완전히 정의되지 않아서 아닌가? 그래서 자바는 다음과 같이 메소드의 몸체를 채
워 넣는 방식의 인스턴스 생성을 허용하고 있다.

```
                    ┌─────────────┐
                    │ Readable의  │
                    │ read 메소드 정의 │
                    └─────────────┘
┌──────────────────────────────────┐
│ {                                │
│   public void read()             │
│   {                              │
│      System ...("...."+myName);  │
│      System ...("...."+instID);  │
│   }                              │
│ }                                │
└──────────────────────────────────┘

return new Readable( )     ;          [그림 17-7 : Anonymous 클래스의 정의]
```

이 그림은 위의 예제 18~24행이 어떻게 구성되었는지를 설명한다. 그리고 이렇게 인터페이스에 메소드를 채워 넣은 형식으로 정의되는 클래스를 가리켜 Anonymous 클래스라 한다. 참고로 이러한 Anonymous 클래스는 항상 return문과 함께 등장해야 하는 것은 아니다. 아래의 코드와 같이 단순히 인스턴스만 생성하는 것도 가능하다.

```
Readable read=new Readable()
{
    public void read()
    {
        . . . .
    }
};
```

이렇듯 비교적 간단하면서, 이름이 필요하지 않은 클래스들은 Anonymous 클래스로 정의하기도 한다.

Anonymous 클래스의 생성자

Anonymous 클래스는 인터페이스의 메소드를 완성하는 방식으로 정의되기 때문에, 생성자가 필요한 상황에서는 어울리지 않는다. 그리고 실제로 이름이 없기 때문에 생성자를 정의하고 싶어도 정의할 수 없다.

이번 단계에서는 기능의 추가가 목적이 아니라, 코드의 구성을 보다 좋은 형태로 변경하는 것이 목적이다. 따라서 실행결과는 이전 단계의 결과물과 차이가 없다.

■ 전화번호 관리 프로그램 05단계 문제

우리가 정의한 PhoneBookManager 클래스는 Manager 클래스로서, 생성되는 인스턴스의 수가 하나인 클래스이다. 이 클래스의 성격을 봐서 알겠지만, 이 클래스의 인스턴스는 둘 이상 생성될 필요가 없으며, 혹시라도 둘 이상의 인스턴스가 생성된다면 이는 실수로 인한 것일 확률이 높다. 그래서 이번 단계에서는 문제 10-1에서 소개한 방법을 본 프로젝트에 적용하여, PhoneBookManager 클래스의 인스턴스 수가 최대 하나를 넘지 않도록 코드를 변경하고자 한다.

그리고 본 프로젝트에서는 프로그램 사용자로부터 다음 중 하나의 선택을 입력 받아서 프로그램을 실행하고 있다.

> 1. 데이터 입력
> 2. 데이터 검색
> 3. 데이터 삭제
> 4. 프로그램 종료

뿐만 아니라, 위의 네 가지 중에서 '데이터 입력'을 선택하면, 다음 세가지 중 하나의 선택을 추가로 입력 받아서, 그에 맞는 입력의 과정을 진행하고 있다.

> 1. 일반
> 2. 대학
> 3. 회사

한가지 안타까운 점은 이들 메뉴에 대한 정보가 이름이 아닌(이름이 부여된 상수가 이닌) 숫자로 처리되고 있다는 점이다. 때문에 이번 Chapter의 'interface 기반의 상수표현'에서 설명한 내용을 바탕으로 메뉴의 선택과 그에 따른 처리가, 이름이 부여된 상수를 기반으로 진행되도록 변경하고자 한다. 이를 통해서 우리는 코드의 내용이 보다 명확해진다는 이점을 얻게 될 것이다.

■ 필자의 구현 사례

이번 단계에서는 여러분이 공부한 문법적 내용의 일부를 프로젝트에 반영하는 것이 목적이었다. 때문에 프로젝트의 전체 결과물을 제시하는 것 보다, 추가 되거나 변경된 부분만 제시하는 것이 여러모로 좋을 듯 하다. 따라서 Version 0.4와 동일한 부분은 생략되었음을 명시하면서 적당히 생략을 하겠다.

❖ PhoneBookVer05.java

```java
/*
 * 전화번호 관리 프로그램 구현 프로젝트
 * Version 0.5
 */

import java.util.Scanner;

interface INIT_MENU
{
    int INPUT=1, SEARCH=2, DELETE=3, EXIT=4;
}

interface INPUT_SELECT
{
    int NORMAL=1, UNIV=2, COMPANY=3;
}

class PhoneInfo
{
    /* Version 0.4와 동일하므로 생략합니다. */
}

class PhoneUnivInfo extends PhoneInfo
{
    /* Version 0.4와 동일하므로 생략합니다. */
}

class PhoneCompanyInfo extends PhoneInfo
{
    /* Version 0.4와 동일하므로 생략합니다. */
}

class PhoneBookManager
{
    final int MAX_CNT=100;
    PhoneInfo[] infoStorage=new PhoneInfo[MAX_CNT];
    int curCnt=0;

    static PhoneBookManager inst=null;
    public static PhoneBookManager createManagerInst()
    {
        if(inst==null)
            inst=new PhoneBookManager();

        return inst;
    }

    private PhoneBookManager(){}

    private PhoneInfo readFriendInfo()
    {
        /* Version 0.4와 동일 */
    }
```

```java
        private PhoneInfo readUnivFriendInfo()
        {
            /* Version 0.4와 동일 */
        }

        private PhoneInfo readCompanyFriendInfo()
        {
            /* Version 0.4와 동일 */
        }

        public void inputData()
        {
            System.out.println("데이터 입력을 시작합니다..");
            System.out.println("1. 일반, 2. 대학, 3. 회사");
            System.out.print("선택>> ");
            int choice=MenuViewer.keyboard.nextInt();
            MenuViewer.keyboard.nextLine();
            PhoneInfo info=null;

            switch(choice)
            {
            case INPUT_SELECT.NORMAL :
                info=readFriendInfo();
                break;
            case INPUT_SELECT.UNIV :
                info=readUnivFriendInfo();
                break;
            case INPUT_SELECT.COMPANY :
                info=readCompanyFriendInfo();
                break;
            }

            infoStorage[curCnt++]=info;
            System.out.println("데이터 입력이 완료되었습니다. \n");
        }

        public void searchData()
        {
            /* Version 0.4와 동일 */
        }

        public void deleteData()
        {
            /* Version 0.4와 동일 */
        }

        private int search(String name)
        {
            /* Version 0.4와 동일 */
        }
}

class MenuViewer
{
    /* Version 0.4와 동일하므로 생략합니다. */
}

class PhoneBookVer05
{
```

```java
    public static void main(String[] args)
    {
        PhoneBookManager manager=PhoneBookManager.createManagerInst();
        int choice;

        while(true)
        {
            MenuViewer.showMenu();
            choice=MenuViewer.keyboard.nextInt();
            MenuViewer.keyboard.nextLine();

            switch(choice)
            {
            case INIT_MENU.INPUT :
                manager.inputData();
                break;
            case INIT_MENU.SEARCH :
                manager.searchData();
                break;
            case INIT_MENU.DELETE :
                manager.deleteData();
                break;
            case INIT_MENU.EXIT :
                System.out.println("프로그램을 종료합니다.");
                return;
            }
        }
    }
}
```

■ 문제 17-1의 답안

❖ 소스코드 답안

```
1.   interface TV
2.   {
3.       public void onTV();
4.   }
5.
6.   class TVImpl
7.   {
8.       public void onTV()
9.       {
10.          System.out.println("영상 출력 중");
11.      }
12.  }
13.
14.  interface Computer
15.  {
16.      public void dataReceive();
17.  }
18.
19.  class ComputerImpl
20.  {
21.      public void dataReceive()
22.      {
23.          System.out.println("영상 데이터 수신 중");
24.      }
25.  }
26.
27.  class IPTV implements TV, Computer
28.  {
29.      ComputerImpl comp=new ComputerImpl();
30.      TVImpl tv=new TVImpl();
31.
32.      public void dataReceive()
33.      {
34.          comp.dataReceive();
35.      }
36.
37.      public void onTV()
38.      {
39.          tv.onTV();
40.      }
41.
42.      public void powerOn()
43.      {
44.          dataReceive();
45.          onTV();
```

```
46.          }
47.   }
48.
49.   class MultiInterfaceImpl
50.   {
51.       public static void main(String[] args)
52.       {
53.           IPTV iptv=new IPTV();
54.           iptv.powerOn();
55.
56.           TV tv=iptv;
57.           Computer comp=iptv;
58.       }
59.   }
```

Chapter 18

예외처리
(Exception Handling)

오래 전 일이다. 필자는 회사 직원들과 음료수를 마시기 위해서 자판기에 총 3,000원을 넣었다. 그 자리에 함께 있었던 동료의 수는 필자를 포함해서 5명, 따라서 1인당 600원 이내의 메뉴를 선택하면 되는 상황이었다. 그래서 필자는 600원짜리 캔 커피를 선택했다. 그런데 중간에 한 녀석이 700원짜리 음료를 선택하는 것이 아닌가! 이렇게 해서 모두 600원짜리 음료수를 선택할 것이라는 필자의 예상에 어긋나는 '예외적인 상황'이 발생하였다. 결국 막내녀석은 500원의 한도 내에서 음료수를 선택해야만 하는 상황에 놓이게 되었다. 다행히도 필자의 주머니에는 100원짜리 동전이 하나 있었다. 결국 100원을 보태는 방식으로 '예외상황을 적절히 처리'해서 막내도 600원짜리 캔 커피를 마실 수 있었다.

예외처리에서의 '예외'는 프로그램 실행 도중에 발생하는 '예외적인 상황'을 의미한다. 그리고 자바는 이러한 예외적인 상황의 처리를 위한 문법을 별도로 제공하고 있다.

■ if문을 이용한 예외처리

자바에서 말하는 '예외(exception)'는 프로그램의 실행 도중에 발생하는 문제 상황을 의미한다. 따라서 컴파일 시 발생하는 문법적인 에러는 예외의 범주에 포함되지 않는다. 몇 가지 예외의 상황을 예로 들면 다음과 같다.

- 나이를 입력하라고 했는데, 0보다 작은 값이 입력되었다.
- 나눗셈을 위한 두 개의 정수를 입력 받는데, 제수(나누는 수)로 0이 입력되었다.
- 주민등록번호 13자리만 입력하라고 했더니, 중간에 − 를 포함하여 14자리를 입력하였다.

이렇듯 예외라는 것은 프로그램의 논리에 맞지 않는 상황을 의미한다. 그리고 지금까지는 이러한 상황의 확인 및 처리를 다음 예제에서 보이듯이 if문에 의존해서 구현해 왔다.

❖ ExceptionHandleUseIf.java

```
1.   import java.util.Scanner;
2.
3.   class ExceptionHandleUseIf
4.   {
5.       public static void main(String[] args)
6.       {
7.           Scanner keyboard=new Scanner(System.in);
8.           int[] arr=new int[100];
9.
10.          for(int i=0; i<3; i++)
11.          {
12.              System.out.print("피제수 입력 : ");
13.              int num1=keyboard.nextInt();
14.
15.              System.out.print("제수 입력 : ");
16.              int num2=keyboard.nextInt();
17.
18.              if(num2==0)
19.              {
```

```
20.            System.out.println("제수는 0이 될 수 없습니다.");
21.            i-=1;
22.            continue;
23.        }
24.
25.        System.out.print("연산결과를 저장할 배열의 인덱스 입력 : ");
26.        int idx=keyboard.nextInt();
27.
28.        if(idx<0 || idx>99)
29.        {
30.            System.out.println("유효하지 않은 인덱스 값입니다.");
31.            i-=1;
32.            continue;
33.        }
34.
35.        arr[idx]=num1/num2;
36.        System.out.println("나눗셈 결과는 "+arr[idx]);
37.        System.out.println("저장된 위치의 인덱스는 "+idx);
38.        }
39.    }
40. }
```

 해 설

- 18~23행 : 나눗셈 연산을 진행하는 과정에서 제수로 0이 입력되는 예외상황의 처리과정을 보이고 있다.
- 28~33행 : 유효하지 않은 배열의 인덱스 정보가 입력되는 예외상황의 처리과정을 보이고 있다.

❖ 실행결과 : ExceptionHandleUself.java

피제수 입력 : 5
제수 입력 : 2
연산결과를 저장할 배열의 인덱스 입력 : 2
나눗셈 결과는 2
저장된 위치의 인덱스는 2
피제수 입력 : 3
제수 입력 : 1
연산결과를 저장할 배열의 인덱스 입력 : 4
나눗셈 결과는 3
저장된 위치의 인덱스는 4
피제수 입력 : 12
제수 입력 : 3
연산결과를 저장할 배열의 인덱스 입력 : 7
나눗셈 결과는 4
저장된 위치의 인덱스는 7

위 예제는 "나눗셈 결과를 프로그램 사용자가 원하는 배열 위치에 저장한다"라는 단편적인 상황을 연출해 보이고 있다. 무엇보다도 예외처리 과정에서 i의 값을 1 감소시켜서, 어떠한 예외상황에서도 총 3개의 연산결과가 배열에 저장될 수 있도록 하였다(예제의 실행을 통해서 이를 정확히 이해하자). 예외처리가 이뤄진 부분을 정리하면 다음과 같다.

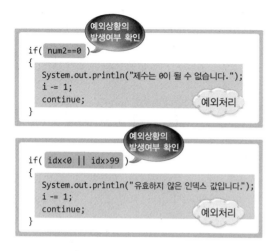

[그림 18-1 : if문을 이용한 예외의 처리]

위 그림에서 보이듯이 우리는 지금까지 if문을 이용해서 예외상황을 처리해 왔다. 그런데 이러한 형태의 예외처리 방식에는 다음과 같은 문제가 존재한다.

    "if문은 예외처리 이외의 용도로도 사용되기 때문에, 프로그램 코드상에서 예외처리 부분을 구분하기
    가 쉽지 않습니다."

if문은 프로그램의 기능 완성을 위해서 매우 자주 사용되는 문장이다. 따라서 if문을 이용해서 예외처리를 하게 되면, 프로그램의 주 흐름을 구성하는 코드와 예외상황을 처리하는 코드의 구분이 어려워진다. 그래서 등장한 것이(물론 추가적인 이유가 더 있다) try~catch 기반의 예외처리 방식이다.

■ try~catch문

자바는 예외처리를 위해서 try~catch문을 제공하고 있다. try와 catch는 하나의 문장을 구성하지만 다음 그림에서 보이듯이 각각 중괄호를 이용한 별도의 영역을 형성하게 된다. try는 예외상황이 발생할 만한 영역을 감싸는 용도로 사용이 되고, catch는 발생한 예외의 처리를 위한 코드를 묶어두기 위한 용도로 사용이 된다. 이렇듯 catch 영역에서 예외상황이 처리되기 때문에, 소스코드상에서 예외상황의 처리를 위한 코드를 아주 쉽게 구분할 수 있다.

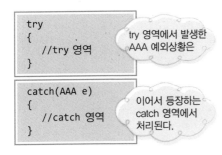

```
try
{
    //try 영역
}
```
try 영역에서 발생한 AAA 예외상황은

```
catch(AAA e)
{
    //catch 영역
}
```
이어서 등장하는 catch 영역에서 처리된다.

[그림 18-2 : try and catch]

위 그림은 try~catch문의 기본 구성을 보여준다. 언뜻 보면 try와 catch는 각각이 별도의 문장처럼 느껴지는데, 이 둘은 하나의 문장이다. 때문에 try와 catch 사이에 다른 문장이 삽입될 수 없다. 그럼 try~catch문에 의한 예외처리의 기본 구성을 하나의 문장으로 정리해 보겠다.

"try 영역에서 발생한 예외상황은 이어서 등장하는 catch 영역에서 처리한다."

그런데 catch 영역에서 모든 예외상황을 처리하는 것은 아니다. 위 그림의 catch 영역을 보면 매개변수 선언이 있는데(AAA e), 이 부분에 명시되어 있는 유형의 예외상황만 처리가 가능하다. 따라서 위의 문장은 다음과 같이 정리되어야 한다.

"try 영역에서 발생한 AAA에 해당하는 예외상황은 이어서 등장하는 catch 영역에서 처리된다."

그렇다면 여기서 말하는 AAA는 과연 무엇일까? 이는 예제를 통해서 설명하도록 하겠다. 다음은 자바의 예외처리 메커니즘을 설명하기 위한 매우 간단한 예제이다.

❖ DivideByZero.java

```
1.   import java.util.Scanner;
2.
3.   class DivideByZero
4.   {
5.       public static void main(String[] args)
6.       {
7.           System.out.print("두 개의 정수 입력 : ");
8.           Scanner keyboard=new Scanner(System.in);
9.           int num1=keyboard.nextInt();
10.          int num2=keyboard.nextInt();
11.
12.          try
13.          {
14.              System.out.println("나눗셈 결과의 몫 : "+(num1/num2));
15.              System.out.println("나눗셈 결과의 나머지 : "+(num1%num2));
16.          }
17.          catch(ArithmeticException e)
18.          {
```

```
19.            System.out.println("나눗셈 불가능");
20.            System.out.println(e.getMessage());
21.        }
22.
23.        System.out.println("프로그램을 종료합니다.");
24.    }
25. }
```

해설

- 12~16행 : 이 부분이 try 영역이다. 그리고 17행에 명시되어 있는 ArithmeticException은 클래스의 이름인데, 이 영역에서 ArithmeticException이라는 클래스가 의미하는 예외상황이 발생하면 이어서 등장하는 catch 영역에 의해 처리가 된다. 참고로 ArithmeticException이라는 클래스가 의미하는 예외상황은 0으로 나눗셈을 하는 등의 수학적 연산이 불가능한 상황을 의미한다.

- 17~21행 : ArithmeticException에 해당하는 예외상황이 발생하면 이 영역이 실행된다. 이 영역을 적절히 구성하여 예외상황에 따른 적절한 대처가 이뤄지도록 하는 것은 프로그래머의 몫이다.

❖ 실행결과 : DivideByZero.java

```
두 개의 정수 입력 : 7 0
나눗셈 불가능
/ by zero
프로그램을 종료합니다.
```

위 예제 9행과 10행에서는 두 개의 정수를 입력 받고 있다. 이어서 12행의 try 영역 안으로 진입하여 입력 받은 두 정수를 이용해서 나눗셈 연산을 진행하게 되는데, num2가 0이면 나눗셈이 불가능한 상황이다. 그렇다면 num2가 0이면 어떠한 일이 벌어질까? num2가 0이면 나눗셈 연산을 진행하려는 순간, 자바 가상머신이 문제가 있음을 인식하고 이 문장을 감싸는 try 영역을 참조하여, 이어서 등장하는 catch 영역을 실행한다.

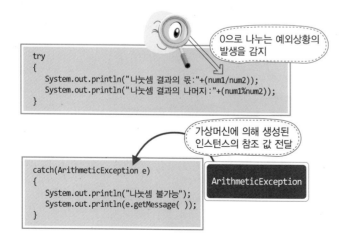

[그림 18-3 : 예외처리 메커니즘]

위 그림은 실행의 흐름이 catch 영역으로 이동하는 과정을 설명한다. 이 이동의 과정을 순서대로 정리하면 다음과 같다.

1. 자바 가상머신이 0으로 나누는 예외상황이 발생했음을 인식

2. 이 상황을 위해 정의된 ArithmeticException 클래스의 인스턴스를 생성한다.

3. 이렇게 생성된 인스턴스의 참조 값을 catch영역에 선언된 매개변수에 전달한다.

즉 catch는 메소드와 그 형태가 유사하여 인스턴스의 참조 값을 인자로 전달받을 수 있기 때문에, 자바 가상머신은 예외상황 발생시 참조 값의 전달을 통해서 catch 영역으로 실행을 이동시키게 된다.

자! 그렇다면 catch 영역으로 실행이 이동되었다고 해서 예외상황이 자동으로 처리되는 것일까? 아니다! 해당 예외상황이 적절히 처리될 수 있도록 catch 영역에 적절히 코드를 작성해 넣는 것은 프로그래머의 몫이다. 따라서 자바 가상머신은 catch 영역이 실행되고 나면 무조건 예외적인 상황이 적절히 처리되었다고 인식하고 실행을 이어나간다. 이러한 실행의 흐름을 정리하면 다음과 같다.

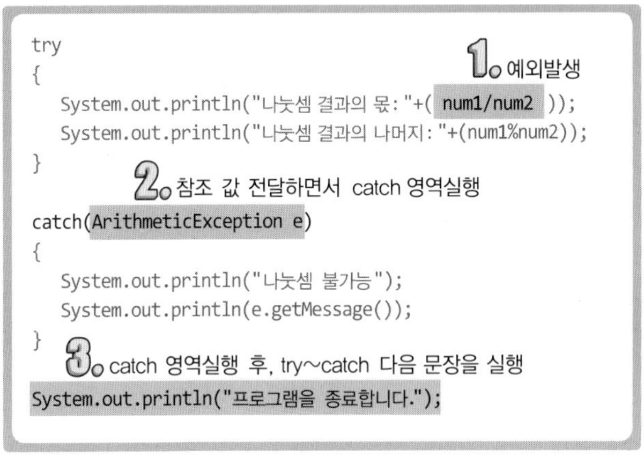

```
try
{                                         1. 예외발생
    System.out.println("나눗셈 결과의 몫:"+( num1/num2 ));
    System.out.println("나눗셈 결과의 나머지:"+(num1%num2));
}
            2. 참조 값 전달하면서 catch 영역실행
catch(ArithmeticException e)
{
    System.out.println("나눗셈 불가능");
    System.out.println(e.getMessage());
}
    3. catch 영역실행 후, try~catch 다음 문장을 실행
System.out.println("프로그램을 종료합니다.");
```

[그림 18-4 : 예외처리 이후의 실행]

위 그림에서 보이듯이 예외상황이 처리되고 나면(catch 영역이 실행되고 나면), try~catch문의 다음 문장부터 실행을 이어나간다. 즉 try 영역에서 예외상황이 발생한 문장의 나머지 부분을 건너뛰기 때문에 try 영역의 구성 범위도 적절해야 한다. 예를 들어서 다음과 같이 try~catch문을 구성하는 것은 문제가 될 수 있다.

```
public static void main(String[] args)
{
    . . . .
    try
    {
        int num=num1/num2;
    }
    catch(ArithmeticException e)
```

```
    {
        . . . .
    }

    System.out.println("정수형 나눗셈이 정상적으로 진행되었습니다.);
    System.out.println("나눗셈 결과 : "+num);
}
```

위의 코드에서는 num1과 num2의 나눗셈 연산을 하는 부분만 try 영역에 포함시켰다. 물론 예외상황은 이 한 줄에서 발생한다. 그러나 예외가(예외상황이) 발생했을 때, 실행되지 말아야 하는 코드도 존재하기 마련이다. 위의 경우에는 두 개의 System.out.println 메소드 호출문이 이에 속한다. 따라서 위의 코드는 다음과 같이 변경되어야 한다.

```
public static void main(String[] args)
{
    . . . .
    try
    {
        int num=num1/num2;
        System.out.println("정수형 나눗셈이 정상적으로 진행되었습니다.);
        System.out.println("나눗셈 결과 : "+num);
    }
    catch(ArithmeticException e)
    {
        . . . .
    }
}
```

위의 코드는 나눗셈을 진행할 수 없는 예외상황이 발생하면(num2가 0이면), 이와 관련이 있는 문장들의 실행도 더불어 생략되도록 try 영역이 구성되었다. 이렇듯 try 영역을 구성할 때에는 예외상황과 관련 있는 문장들도 고려해야 한다.

참 고

예외 클래스

ArithmeticException과 같이 예외상황을 알리기 위해 정의된 클래스들을 가리켜 '예외 클래스'라 한다. 이는 표준화된 표현은 아니지만, '예외를 알리기 위해 정의된 클래스'의 줄임 말로 보편화 된 표현이니, 필자 역시 내용 전개의 편의를 위해 예외 클래스라는 표현을 사용하겠다.

■ e.getMessage()

예제 DivideByZero.java의 20행에서는 ArithmeticException의 참조변수 e를 통해서 getMessage 메소드를 호출하고 있는데, 이는 예외상황이 발생한 이유를 담은 문자열을 반환하는 메소드이다. 앞에서도 이 메소드의 호출을 통해서 다음의 문자열이 반환되었다.

  "/ by zero"

getMessage는 예외상황을 알리기 위해서 정의된(또는 앞으로 여러분이 정의할), 모든 예외 클래스들이 상속하는 Throwable 클래스에 정의되어 있는 메소드이다. 예외 클래스의 상속관계는 잠시 후에 별도로 설명을 하니, 일단은 모든 예외 클래스들이 Throwable 클래스를 상속한다는 사실만 기억하기 바란다. 그리고 Throwable 클래스에 정의되어 있는 또 다른 메소드 중 일부는 이후에 설명을 하니, 일단은 getMessage 하나만 기억하기 바란다.

■ 예외상황을 알리는 클래스는 모두 정의가 되어 있나요?

"프로그램 실행 중에 이러이러한 경우는 예외상황으로 간주합니다."라고 이미 약속된(또는 미리 정해져 있는) 예외상황이 있다. 그리고 이러한 상황을 알리기 위한 클래스들도 함께 정의가 되어있다. 앞서 보인 ArithmeticException 클래스가 대표적인 예이다. "연산이 불가능한 상황(0으로 나눗셈 연산을 하는 상황)"은 예외상황으로 간주하도록 약속되어 있고, 이러한 상황이 발생했음을 알리기 위해서 ArithmeticException 클래스가 정의되어 있다. 몇 가지 예를 더 들면 다음과 같다.

- 배열의 접근에 잘못된 인덱스 값을 사용하는 예외상황
    → 예외 클래스 : ArrayIndexOutOfBoundsException

- 허용할 수 없는 형변환 연산을 진행하는 예외상황
    → 예외 클래스 : ClassCastException

- 배열선언 과정에서 배열의 크기를 음수로 지정하는 예외상황
    → 예외 클래스 : NegativeArraySizeException

- 참조변수가 null로 초기화 된 상황에서 메소드를 호출하는 예외상황
    → 예외 클래스 : NullPointerException

우선은 이 정도만 알고 있어도 충분하다. 물론 이보다 많은 수의 예외 클래스들이 정의되어 있지만, 대부분 더 깊이 있는 내용을(자바의 다양한 영역들을) 공부하는 과정에서 알아도 충분한 것들이다. 자! 그럼 위 상황들의 이해를 위한 예제 하나를 제시하겠다.

```
1.    class RuntimeExceptionCase
2.    {
3.        public static void main(String[] args)
4.        {
5.            try
6.            {
7.                int[] arr=new int[3];
8.                arr[-1]=20;
9.            }
10.           catch(ArrayIndexOutOfBoundsException e)
11.           {
12.               System.out.println(e.getMessage());
13.           }
14.
15.           try
16.           {
17.               Object obj=new int[10];
18.               String str=(String)obj;
19.           }
20.           catch(ClassCastException e)
21.           {
22.               System.out.println(e.getMessage());
23.           }
24.
25.           try
26.           {
27.               int[] arr=new int[-10];
28.           }
29.           catch(NegativeArraySizeException e)
30.           {
31.               System.out.println(e.getMessage());
32.           }
33.
34.           try
35.           {
36.               String str=null;
37.               int len=str.length();
38.           }
39.           catch(NullPointerException e)
40.           {
41.               System.out.println(e.getMessage());
42.           }
43.       }
44.   }
```

해설

- 17행 : 배열도 Object 클래스를 상속하므로 배열 인스턴스는 Object의 참조변수로 참조가 가능 하다.
- 18행 : 명시적으로 형변환을 요구하니, 컴파일러는 이 부분을 문제삼지 않는다. 그러나 실행을 하 면 자바 가상머신은 배열 클래스와 String 클래스가 형변환이 불가능한, 아무 상관이 없는 클래스임을 파악하고 예외상황으로 간주한다.
- 37행 : 아무것도 참조하지 않으니 length 메소드를 호출할 수 없다. 이것 역시 컴파일 시에는 확 인이 안되지만, 실행 시에는 가상머신에 의해서 예외상황으로 인식된다.

❖ 실행결과 : RuntimeExceptionCase.java

```
-1
[] cannot be cast to java.lang.String
null
null
```

위 예제의 실행결과를 보면서 getMessage가 반환하는 문자열에 실망을 했을 수도 있다. 이렇듯 때로는 무책임하게 그냥 null을 반환한다. 따라서 이 메소드에만 의지하는 것은 적절치 못하다.

■ try~catch문의 또 다른 장점

조금이나마 자바의 예외처리 메커니즘을 이해하였으니, 다시 ExceptionHandleUseIf.java를 보 자. 이 예제는 if문을 이용한 예외처리 부분이 코드의 중간중간에 삽입되어 있다. 따라서 코드를 분석 하는데 있어서 불편함이 따를 수 있다. 그러나 try~catch문을 활용하면 예외처리를 위한 코드를 완전 히 별도로 묶을 수 있다. 하나의 try 영역에 둘 이상의 catch 영역을 구성할 수 있기 때문이다. 다음은 ExceptionHandleUseIf.java를 try~catch문을 이용해서 변경한 예제이다.

❖ ExceptionHandleUseTryCatch.java

```
1.    import java.util.Scanner;
2.
3.    class ExceptionHandleUseTryCatch
4.    {
5.        public static void main(String[] args)
6.        {
7.            Scanner keyboard=new Scanner(System.in);
8.            int[] arr=new int[100];
9.
10.           for(int i=0; i<3; i++)
11.           {
```

```
12.          try
13.          {
14.              System.out.print("피제수 입력 : ");
15.              int num1=keyboard.nextInt();
16.
17.              System.out.print("제수 입력 : ");
18.              int num2=keyboard.nextInt();
19.
20.              System.out.print("연산결과를 저장할 배열의 인덱스 입력 : ");
21.              int idx=keyboard.nextInt();
22.
23.              arr[idx]=num1/num2;
24.              System.out.println("나눗셈 결과는 "+arr[idx]);
25.              System.out.println("저장된 위치의 인덱스는 "+idx);
26.          }
27.          catch(ArithmeticException e)
28.          {
29.              System.out.println("제수는 0이 될 수 없습니다.");
30.              i-=1;
31.              continue;
32.          }
33.          catch(ArrayIndexOutOfBoundsException e)
34.          {
35.              System.out.println("유효하지 않은 인덱스 값입니다.");
36.              i-=1;
37.              continue;
38.          }
39.      }
40.   }
41. }
```

- 27, 33행 : 27행의 catch와 33행의 catch에서 보이듯이 catch는 하나의 try에 이어서 얼마든지 추가될 수 있다. 그리고 try 영역에서 예외상황이 발생하면, 예외상황에 해당하는 catch 영역으로 이동을 하여 예외상황이 처리된다.

실행결과는 ExceptionHandleUseIf.java와 유사하니 별도로 싣지 않겠다. 참고로 위 예제를 통해서 여러분이 주목해서 볼 부분은 프로그램의 일반적은 흐름은 try 영역으로 묶이고, 예외처리와 관련된 코드는 try 밖으로(둘 이상의 catch 영역으로) 빠졌다는 점이다. 때문에 코드의 분석이 훨씬 용이해졌다.

예외처러가 더 복잡해 보여요
아직은 ExceptionHandleUseTryCatch.java가 ExceptionHandleUseIf.java보다 코드 분석이 용이하다는 사실을 인정하기가 쉽지 않을 것이다. 그러나 이는 여러분이 예외처리 코드에 익숙하지 않아서 그런 것일 뿐, 익숙해지면 여러분의 눈에도 ExceptionHandleUseTryCatch.java의 코드 분석이 훨씬 용이해 보일 것이다.

위의 예제에서는 하나의 try 영역에 두 개의 catch 영역이 삽입되었는데, 이러한 경우에는 다음의 방식으로 적절한 catch 영역을 찾게 된다.

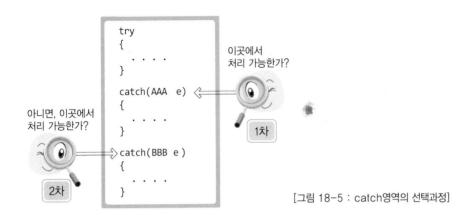

[그림 18-5 : catch영역의 선택과정]

예외상황이 발생되어서 예외 클래스의 인스턴스가 생성되고 나면, 위 그림에서 보이듯이 위에서 아래로 적절한 catch 영역을 찾게 된다. 먼저 첫 번째(위에 있는) catch 영역을 보자. 매개변수가 AAA형으로 선언되어 있다. 따라서 AAA 클래스, 또는 AAA를 상속하는 클래스의 인스턴스가 매개변수가 될 수 있다. 만약에 예외상황으로 인해서 생성된 인스턴스가 이에 해당한다면, 이 영역의 catch가 실행되고 예외처리는 종결된다(그 다음에 등장하는 catch 영역은 쳐다보지도 않는다). 반면 이에 해당하지 않는다면, 그 다음에 이어서 등장하는 catch 영역을 관찰하게 된다. 이러한 특성 때문에(위에서 아래로 catch 영역을 관찰하는 특성 때문에) 다음과 같은 코드는 컴파일 시 에러가 발생한다.

```
try
{
    . . . .
}
catch(Throwable e)
{
    . . . .
}
catch(ArithmeticException e)
{
    . . . .
}
```

앞서 말했듯이 모든 예외 클래스는 Throwable을 상속하므로, ArithmeticException의 인스턴스도 Throwable형 참조변수의 인자가 될 수 있다. 결국 두 번째 catch 영역은 어떠한 상황에서도 실행될 수 없는 구조이다. 그래서 위의 코드를 컴파일하면 컴파일러는 다음과 같은 메시지를 우리에게 전달한다.

"ArithmeticException의 catch 영역은 실행되지 않습니다."

반면 위의 코드에서 ArithmeticException의 catch 영역과 Throwable의 catch 영역을 바꿔놓는다면 컴파일 에러는 발생하지 않는다.

■ 예외상황의 발생여부와 상관없이 항상 실행되는 영역 : finally

예외상황의 발생여부에 상관없이 항상 실행되어야 하는 코드들도 존재한다. 그러나 지금은 적절한 예를 들기에 조금 이른 상황이어서(다른 Chapter에서 소개한다), 다음의 간단한 예를 통해서 문법적인 부분만 설명을 하겠다. 참고로 finally에 대한 정확한 이해를 갖추고 있으면, 필요한 상황에서 적용하는 것은 그리 어려운 일이 아니다.

❖ FinallyTest.java

```
1.   class FinallyTest
2.   {
3.       public static void main(String[] args)
4.       {
5.           boolean divOK=divider(4, 2);
6.           if(divOK)
7.               System.out.println("연산 성공");
8.           else
9.               System.out.println("연산 실패");
10.
11.          divOK=divider(4, 0);
12.          if(divOK)
13.              System.out.println("연산 성공");
14.          else
15.              System.out.println("연산 실패");
16.      }
17.
18.      public static boolean divider(int num1, int num2)
19.      {
20.          try
21.          {
22.              int result=num1/num2;
23.              System.out.println("나눗셈 결과는 "+result);
24.              return true;
25.          }
26.          catch(ArithmeticException e)
27.          {
28.              System.out.println(e.getMessage());
29.              return false;
30.          }
31.          finally
32.          {
33.              System.out.println("finally 영역 실행");
```

```
34.         }
35.     }
36. }
```

해 설

- 31행 : finally 영역이 삽입되었다. 이렇듯 try~catch문의 마지막에 삽입되어서 예외상황의 발생여부에 상관없이 실행이 된다.

- 24, 29, 31행 : 예외상황이 발생하지 않으면 24행에 의해서 메소드를 빠져나가고, 예외상황이 발생하면 29행에 의해서 메소드를 빠져나간다. 그렇다면 이러한 상황에서도 finally 영역의 실행은 보장받을 수 있을까? 이것이 이 예제를 통해서 여러분이 주목해야 할 부분이다.

❖ 실행결과 : FinallyTest.java

```
나눗셈 결과는 2
finally 영역 실행
연산 성공
/ by zero
finally 영역 실행
연산 실패
```

보통은 "예외상황의 발생여부에 상관없이 실행되는 영역"으로만 이해를 하다 보니, 필요한 때에 finally를 활용하지 못하는 경우가 많다. 따라서 여러분은 다음과 같이 보다 정확히 이해하고 있기를 바란다.

   "try 영역으로 일단 들어가면 무조건 실행되는 영역"

위 예제에서 보이듯이 실행의 흐름이 try 영역으로 진입하면, try~catch문을 빠져나가는 마지막 순간에는 무조건 실행이 되는 영역이다. 중간에 return을 하더라도 finally 영역은 실행되고 나서 메소드를 빠져나가게 된다.

프로그래머가 직접 정의하는 예외의 상황

앞서 설명한 내용만 가지고 다음과 같은 예외상황을 처리할 수 있겠는가?

- 나이를 입력하라고 했는데, 0보다 작은 값이 입력되었다.
- 주민등록번호 13자리만 입력하라고 했더니, 중간에 - 를 포함하여 14자리를 입력하였다.

이들은 문법적으로 문제가 되지 않는, 프로그램의 논리에만 어긋나는 상황이기 때문에 가상머신이 인식할 수 있는 예외의 상황이 아니다. 따라서 앞서 설명한 내용만 가지고는 이들에 대한 예외처리가 불가능하다.

■ 예외 클래스의 정의와 throw

0으로 나눗셈 연산을 한다거나 배열 선언 시 음수를 사용하는 행위는 모든 자바 프로그램에서 문제가 되는 상황이다. 따라서 이러한 상황은 자바 가상머신에 의해서 예외상황으로 인식된다. 그러나 "나이를 입력하라고 했는데, 0보다 작은 값이 입력되었다."는 상황은 문법적으로 보면 int형 변수에 숫자가 저장된 것뿐이므로, 자바 가상머신에 의해서 인식될 수 있는 예외상황이 아니다.
이러한 유형의 예외상황은 프로그램의 성격에 따라 프로그래머가 정의한 예외상황이므로, 예외상황이 발생되었음을 알리는 것은 프로그래머의 몫이다. 뿐만 아니라 이에 필요한 예외 클래스의 정의도 당연히 프로그래머의 몫이다. 자! 그럼 "나이를 입력하라고 했는데, 0보다 작은 값이 입력되었다."는 예외상황을 알리는데 필요한 예외 클래스의 정의에 필요한 조건부터 살펴보자.

"Exception 클래스를 상속한다."

Exception 클래스는 앞서 모든 예외 클래스가 상속한다는 Throwable 클래스의 하위 클래스이다. 따라서 이를 상속함으로써 예외 클래스가 되어서 try~catch 예외처리 메커니즘에 활용이 가능한 클래스가 된다. 여러분은 Throwable 클래스를 직접 상속하지 않고 Exception 클래스를 상속하는 이유가 궁금할 것이다. 이와 관련해서는 잠시 후에 별도로 설명을 하니, 일단은 Exception 클래스를 상속해서 예외 클래스를 정의한다고 기억하기 바란다. 자! 그럼 다음 예제를 통해서 예외 클래스의 정의와 이의 활용 방법을 살펴보도록 하자.

❖ ProgrammerDefineException.java

```
1.    import java.util.Scanner;
2.
3.    class AgeInputException extends Exception
```

```
4.   {
5.       public AgeInputException()
6.       {
7.           super("유효하지 않은 나이가 입력되었습니다.");
8.       }
9.   }
10.
11. class ProgrammerDefineException
12. {
13.     public static void main(String[] args)
14.     {
15.         System.out.print("나이를 입력하세요 : ");
16.
17.         try
18.         {
19.             int age=readAge();
20.             System.out.println("당신은 "+age+"세입니다.");
21.         }
22.         catch(AgeInputException e)
23.         {
24.             System.out.println(e.getMessage());
25.         }
26.     }
27.
28.     public static int readAge() throws AgeInputException
29.     {
30.         Scanner keyboard=new Scanner(System.in);
31.         int age=keyboard.nextInt();
32.         if(age<0)
33.         {
34.             AgeInputException excpt=new AgeInputException();
35.             throw excpt;
36.         }
37.         return age;
38.     }
39. }
```

해 설

- 3행 : Exception 클래스를 상속하므로 이는 예외 클래스이다. 특히 상위 클래스인 Exception 클래스의 생성자 호출을 위해서 7행의 문장이 삽입되었음에 주목하기 바란다.

- 17, 22행 : try~catch문이 구성되었다. 3행에 정의된 AgeInputException과 관련 있는 예외의 처리를 위한 try~catch문임을 22행을 통해서 알 수 있다.

- 34행 : 예외 클래스의 인스턴스를 생성하고 있다. 인스턴스의 생성은 다른 인스턴스의 생성과 차이가 없다.

- 35행 : 예외 클래스의 참조변수(참조 값)를 피연산자로 하여 throw문을 구성하고 있다. throw는 예외상황이 발생되었음을 자바 가상머신에게 알리는 키워드이다. 따라서 이 문장이 실행되면서 자바의 예외처리 메커니즘이 동작하게 된다.

- 28, 35행 : 분명 예외상황이 발생했음을 알리는 지점은 35행이다. 그런데 예외처리를 위한 try~catch문이 35행을 중심으로 구성되어 있지 않다. 이러한 경우 예외상황의 처리는 예외상황이 발생한(throw문이 존재하는) 메소드를 호출한 지점으로 넘어가게 되며, 이렇게 예외에 대한 처리가 넘어간다는 것은 28행에서 보이듯이 throws를 이용해서 명시해야 한다. 일단 이해되는 부분만 이해를 하자. 이와 관련해서 자세한 설명은 아래에서 진행하겠다.

❖ 실행결과 : ProgrammerDefineException.java

나이를 입력하세요 : −2
유효하지 않은 나이가 입력되었습니다.

위 예제에 대한 설명에 앞서 위의 실행결과를 통해서 다음 사실을 관찰할 수 있다.

"Exception 클래스의 생성자 호출을 통해서 전달된 문자열이 getMessage의 호출을 통해서 반환된다."

즉 위 예제의 7행에서 상위 클래스의 생성자 호출을 통해 전달된 문자열이 24행의 getMessage 호출 시 반환됨을 실행결과를 통해서 확인할 수 있다. 따라서 여러분은 예외 클래스를 정의할 때, 해당 예외상황의 설명에 필요한 문자열을 Exception 클래스의 생성자에 전달하면 된다.

참 고

throw문의 표현방식, 정리(꼭 읽어주세요).

throw문의 표현방식을 정리하고자 한다. 다음의 throw문장은 예외상황이 발생했음을 알리는 문장이다.

```
throw excpt;
```

물론 이 문장에서 예외상황이 발생한 것은 아니다. 예외의 상황은 다른 영역에서 발생을 하고, 이 문장에서는 throw문을 통해서 예외가 발생했음을 알리기만 한다. 그럼에도 불구하고, 표현의 편의상 이 문장을 가리켜 "예외상황이 발생한 문장"이라 표현한다. 따라서 필자 역시 throw문에서 예외상황이 발생했다고 표현하겠다.

자! 그럼 이제 위 예제를 통해서 보이고자 하는 예외처리 방식을 설명해 보겠다. 먼저 이를 그림으로 정리하면 다음과 같다.

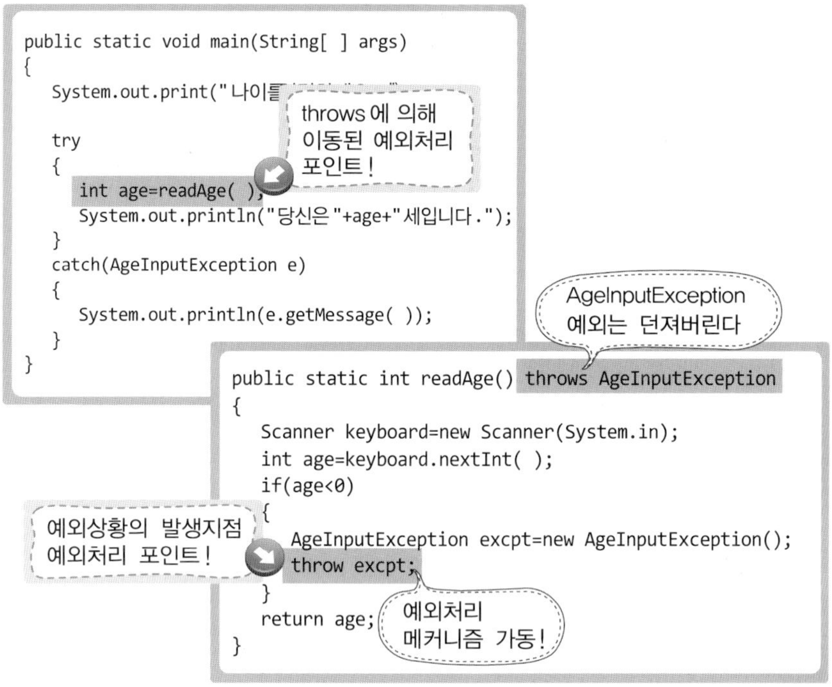

```
public static void main(String[ ] args)
{
    System.out.print("나이를                    );
                              throws에 의해
    try                        이동된 예외처리
    {                          포인트!
        int age=readAge( );
        System.out.println("당신은 "+age+"세입니다.");
    }
    catch(AgeInputException e)
    {                                        AgeInputException
        System.out.println(e.getMessage( ));  예외는 던져버린다
    }
}
        public static int readAge() throws AgeInputException
        {
            Scanner keyboard=new Scanner(System.in);
            int age=keyboard.nextInt( );
            if(age<0)
            {
 예외상황의 발생지점   AgeInputException excpt=new AgeInputException();
 예외처리 포인트!       throw excpt;
            }
            return age;        예외처리
        }                      메커니즘 가동!
```

[그림 18-6 : throw & throws]

일단 throw문이 존재하는 위치가 예외상황이 발생했음을 알리는 지점이 된다. 따라서 이 부분을 try~catch문으로 감싸서 예외상황을 처리할 수도 있는데, 위 그림에서 보이듯이 이 예제에서는 throw 문이 존재하는 부분을 try~catch문으로 감싸지 않고 있다. 이러한 경우 예외의 처리는 throw문이 존재하는 메소드(위 예제의 경우 readAge 메소드)를 호출한 영역으로 넘겨지게 된다. 그래서 위 예제에서는 main 메소드의 readAge 메소드 호출문장을 try~catch문으로 감싸는 것이다. 따라서 예외상황을 알리기 위해 생성된 AgeInputException 인스턴스의 참조 값은 main 메소드에 존재하는 catch 영역으로 전달되어 예외상황이 처리된다. 그런데 여기서 주목해야 할 사실 두 가지가 있는데, 그 중 하나는 다음과 같다.

"예외상황이 메소드 내에서 처리되지 않으면, 메소드를 호출한 영역으로 예외의 처리가 넘어감을(던져 짐을) 반드시 명시해야 한다."

readAge 메소드의 정의를 보면 다음의 선언이 존재한다.

```
throws AgeInputException
```

이는 "readAge 메소드 내에서는 AgeInputException에 대한 예외상황을 처리하지 않으니, 이 메소드를 호출하는 영역에서는 AgeInputException에 대한 처리도 대비해야 한다."는 선언이다. 이렇듯 throw에 의해 생성된 예외상황이 메소드 내에서 처리되지 않는다면, 메소드를 호출한 영역으로 넘어감을(던져짐을) 반드시 명시해야 한다. 그럼 이제 주목해야 할 두 번째 사실을 이야기하겠다.

"throw에 의해 생성된 예외상황은 반드시 try~catch문에 의해 처리되거나 throws에 의해서 넘겨져야 한다."

즉 main 메소드 내에서도 AgeInputException의 예외상황을 처리하지 않는다면, main 메소드 역시 throws를 이용해서 이 예외상황의 처리를 넘겨야 하는데, 이와 관련해서 다음 예제를 제시하겠다.

❖ ThrowsFromMain.java

```
1.  import java.util.Scanner;
2.
3.  class AgeInputException extends Exception
4.  {
5.      public AgeInputException()
6.      {
7.          super("유효하지 않은 나이가 입력되었습니다.");
8.      }
9.  }
10.
11. class ThrowsFromMain
12. {
13.     public static void main(String[] args) throws AgeInputException
14.     {
15.         System.out.print("나이를 입력하세요 : ");
16.         int age=readAge();
17.         System.out.println("당신은 "+age+"세입니다.");
18.     }
19.
20.     public static int readAge() throws AgeInputException
21.     {
22.         Scanner keyboard=new Scanner(System.in);
23.         int age=keyboard.nextInt();
24.         if(age<0)
25.         {
26.             AgeInputException excpt=new AgeInputException();
27.             throw excpt;
28.         }
29.         return age;
30.     }
31. }
```

해설

• 13행 : main 메소드 내에서 AgeInputException의 예외상황이 발생하면, 이를 처리하지 않고 main 메소드를 호출한 영역으로 넘겨버린다고 선언하고 있다.
• 20행 : readAge 메소드 내에서 AgeInputException의 예외상황이 발생하면, 이를 처리하지 않고 readAge 메소드를 호출한 영역으로 넘겨버린다고 선언하고 있다.

```
나이를 입력하세요 : -2
Exception in thread "main" AgeInputException : 유효하지 않은 나이가 입력되었습니다.
        at ThrowsFromMain.readAge(ThrowsFromMain.java : 26)
        at ThrowsFromMain.main(ThrowsFromMain.java : 16)
```

결과적으로 위 예제의 27행에서 발생한 예외상황은 16행을 거쳐서 main 메소드를 호출한 영역으로까지 넘어가게 된다. 그런데 main 메소드는 가상머신이 호출하는 메소드 아닌가! 즉 예외상황의 처리는 가상머신에게까지 넘어가게 되고, 결과적으로 예외상황의 처리는 가상머신의 의해서 이뤄지게 된다. 그렇다면 가상머신은 어떻게 예외상황을 처리할까? 위의 실행결과는 가상머신의 예외처리 방식을 보여준다. 이를 정리하면 다음과 같다.

- 가상머신의 예외처리 1   getMessage 메소드를 호출한다.
- 가상머신의 예외처리 2   예외상황이 발생해서 전달되는 과정을 출력해준다.
- 가상머신의 예외처리 3   프로그램을 종료한다

"유효하지 않은 나이가 입력되었습니다."라는 문자열의 출력은 getMessage 메소드의 호출결과로 반환된 문자열이 출력된 것이다. 그리고 이어서 다음의 문자열이 출력되는데, 이는 예외상황이 발생해서 전달되는 과정을 보여준다(26행에서 예외상황이 발생하였고, 16행으로 전달이 되어서 예외상황이 처리되었다).

```
at ThrowsFromMain.readAge(ThrowsFromMain.java : 26)
at ThrowsFromMain.main(ThrowsFromMain.java : 16)
```

마지막으로 더 이상의 실행이 이어지지 않고 프로그램이 종료된다. 바로 이것이 자바 가상머신이 예외상황을 처리하는 기본방식이다.

참 고

조금 줄여서 표현합시다.

다음과 같이 표현을 하면 의미가 아주 정확하다.

　　"예외상황이 발생하였다."
　　"메소드를 호출한 영역으로 예외상황에 대한 처리가 넘겨졌다."

그런데 '예외상황'이라는 표현을 '예외'라는 표현으로 단순화시키는 것이 일반적이다. 뿐만 아니라 '넘겨졌다' 또는 '전달되었다'는 표현을 대신해서 '던져졌다'는 표현도 흔히 사용한다. 이는 키워드 throw의 의미를 활용한 것으로 볼 수 있다. 그리하여 위의 두 문장은 다음과 같이 줄여서 표현하는 것이 보통이다.

　　"예외가 발생하였다."
　　"메소드를 호출한 영역으로 예외가 던져졌다."

다소 어색하긴 하지만 이러한 표현에도 익숙해지는 것이 좋다. 필자도 여러분이 부담을 느끼지 않는 범위 내에서 이러한 표현을 조금씩 사용하겠다.

■ printStackTrace

예제 ThrowsFromMain.java의 실행결과를 보면서, 예외가 발생해서 전달되는 과정이 출력되는 것에 매력을 느꼈을 것이다. 실제로 이는 프로그램에 존재하는 오류를 파악하는데 매우 도움이 된다. 그런데 여러분도 이러한 유형의 메시지를 출력할 수 있다. Throwable 클래스에 정의되어 있는 printStackTrace 메소드가 이러한 유형의 메시지를 출력하기 때문이다. 자! 그럼 printStackTrace 메소드의 활용 예를 보이면서 예외처리의 기본 설명을 마무리하겠다. 참고로 이번 예제는 예외처리와 관련해서 아직 설명하지 못한 부분도 함께 정리할 수 있도록 구성하였다.

❖ PrintStackTrace.java

```
1.    import java.util.Scanner;
2.
3.    class AgeInputException extends Exception
4.    {
5.        public AgeInputException()
6.        {
7.            super("유효하지 않은 나이가 입력되었습니다.");
8.        }
9.    }
10.
11.   class NameLengthException extends Exception
12.   {
13.       String wrongName;
14.
```

```java
15.        public NameLengthException(String name)
16.        {
17.            super("잘못된 이름이 삽입되었습니다.");
18.            wrongName=name;
19.        }
20.        public void showWrongName()
21.        {
22.            System.out.println("잘못 입력된 이름 : "+ wrongName);
23.        }
24. }
25.
26. class PersonalInfo
27. {
28.     String name;
29.     int age;
30.
31.     public PersonalInfo(String name, int age)
32.     {
33.         this.name=name;
34.         this.age=age;
35.     }
36.     public void showPersonalInfo()
37.     {
38.         System.out.println("이름 : "+name);
39.         System.out.println("나이 : "+age);
40.     }
41. }
42.
43. class PrintStackTrace
44. {
45.     public static Scanner keyboard=new Scanner(System.in);
46.
47.     public static void main(String[] args)
48.     {
49.         try
50.         {
51.             PersonalInfo readInfo=readPersonalInfo();
52.             readInfo.showPersonalInfo();
53.         }
54.         catch(AgeInputException e)
55.         {
56.             e.printStackTrace();
57.         }
58.         catch(NameLengthException e)
59.         {
60.             e.showWrongName();
61.             e.printStackTrace();
62.         }
```

```
63.      }
64.
65.     public static PersonalInfo readPersonalInfo()
66.             throws AgeInputException, NameLengthException
67.     {
68.         String name=readName();
69.         int age=readAge();
70.         PersonalInfo pInfo=new PersonalInfo(name, age);
71.         return pInfo;
72.     }
73.
74.     public static String readName() throws NameLengthException
75.     {
76.         System.out.print("이름 입력 : ");
77.         String name=keyboard.nextLine();
78.         if(name.length()<2)
79.             throw new NameLengthException(name);
80.         return name;
81.     }
82.
83.     public static int readAge() throws AgeInputException
84.     {
85.         System.out.print("나이 입력 : ");
86.         int age=keyboard.nextInt();
87.         if(age<0)
88.             throw new AgeInputException();
89.         return age;
90.     }
91. }
```

- 3, 11행 : 두 개의 예외 클래스가 정의되었다. 그런데 11행에 정의된 예외 클래스에는 예외의 원인이 된 이름정보를 저장할 수 있는 인스턴스 변수가 삽입되었다. 이렇듯 예외 클래스는 예외상황과 관련해서 필요한 정보를 담을 수 있도록 정의할 수 있다.

- 54, 58행 : AgeInputException관련 예외와 NameLengthException관련 예외를 처리하기 위한 catch 영역이 존재한다.

- 56, 61행 : printStackTrace 메소드를 호출하고 있다. 이의 호출을 통해서 예외가 발생한 정확한 위치를 확인할 수 있다. 뿐만 아니라 예외가 전달되어 온 과정도 확인할 수 있다.

- 65, 66행 : 여기서 보이듯이 throws는 콤마를 이용해서 둘 이상의 예외 클래스에 대해서도 선언이 가능하다. 즉 readPersonalInfo 메소드는 AgeInputException관련 예외와 NameLengthException관련 예외가 발생할 수 있으며, 발생시 이를 처리하지 않고 이 메소드를 호출한 영역으로 던져버린다고(넘겨버린다고) 선언되어 있다.

- 79, 88행 : 키워드 new를 이용해서 인스턴스를 생성하고, 동시에 throw를 이용해서 예외상황이 발생했음을 알리고 있다. 일반적으로 예외 클래스의 인스턴스는 이러한 형태로 생성을 한다.

❖ 실행결과1 : PrintStackTrace.java

이름 입력 : **박**

잘못 입력된 이름 : 박

NameLengthException : 잘못된 이름이 삽입되었습니다.
```
        at PrintStackTrace.readName(PrintStackTrace.java : 79)
        at PrintStackTrace.readPersonalInfo(PrintStackTrace.java : 68)
        at PrintStackTrace.main(PrintStackTrace.java : 51)
```

위 예제의 출력결과에서 보이듯이 예외는 79행에서 발생해서 68행, 그리고 51행으로 전달되어서 처리되었다. 그리고 이 실행결과를 통해서 printStackTrace 메소드가 호출되면, getMessage 메소드 호출 시 반환되는 문자열도 더불어 출력된다는 사실도 알 수 있다.

❖ 실행결과2 : PrintStackTrace.java

이름 입력 : **이수진**

나이 입력 : **-25**

AgeInputException : 유효하지 않은 나이가 입력되었습니다.
```
        at PrintStackTrace.readAge(PrintStackTrace.java : 88)
        at PrintStackTrace.readPersonalInfo(PrintStackTrace.java : 69)
        at PrintStackTrace.main(PrintStackTrace.java : 52)
```

위의 실행결과는 나이 입력에서 예외가 발생한 상황을 보이고 있다.

우리는 아직도 Exception 클래스와 Throwable 클래스의 관계를 정확히 알지 못한다. 때문에 마지막으로 예외 클래스의 상속 계층과 상위 클래스 별 특성을 설명하고자 한다.

■ 예외 클래스의 계층도와 Error 클래스

클래스 계층도 만큼 부담스러운 것이 또 있을까? 이를 책에서 보이면 왠지 암기해야 할 것 같은 부담감마저 든다. 하지만 부담 갖지 말자. 예외 클래스의 계층도는 복잡하지도 않을뿐더러 "아~ 그렇구나"하고 이해하면 그만인 내용들뿐이니 말이다.

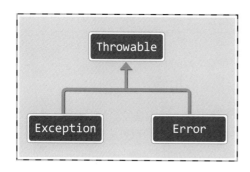

[그림 18-7 : Throwable 클래스의 하위 클래스들]

위 그림에서 보이듯이 Throwable을 상속하는 예외 클래스는 Exception과 Error 두 가지이다. 그런데 Error는 그 이름이 의미하듯이 단순히 예외라고 하기에는 심각한 오류의 상황을 표현하기 위해 정의된 클래스이다. 따라서 이 클래스를 상속하여 정의된 클래스는(이는 프로그래머가 정의하는 클래스가 아니다) 프로그램의 실행을 멈춰야 할 정도의 매우 심각한 오류상황을 표현하는데 사용이 된다. Error를 상속하는 대표적은 클래스의 이름은 다음과 같다.

```
VirtualMachineError
```

API 문서에서는 이 클래스에 대해서 다음과 같이 설명한다.

"자바 가상머신에 문제가 생겨서 더 이상 제대로 동작할 수 없는 상황을 알리기 위해서 정의된 클래스입니다."

자바 가상머신이 더 이상 실행될 수 없는 상황에 놓였을 때 우리가 할 수 있는 특별한 조치가 있겠는가? 이러한 상황은 try~catch로 임의의 조치를 취할만한 상황이 아니다. 따라서 Error를 상속하는 클래스의 오류상황이 발생하면, 그냥 프로그램이 종료되도록 놔두는 것이 상책이다(프로그램이 종료된 뒤 소스 코드를 수정하는 등의 방식으로 원인을 해결해야 한다).

VirtualMachineError의 하위 클래스

Error를 상속하는 대표적인 클래스가 VirtualMachineError이다. 그리고 이를 상속하는 클래스 중에서 OutOfMemoryError라는 클래스가 있는데, 이는 메모리 공간이 부족한 상황을 표현하는 예외 클래스이다. 따라서 이러한 오류가 발생하면, 메모리가 효율적으로(또는 적절히) 사용되도록 소스코드 자체를 변경해야 한다. 이렇듯 Error와 관련 있는 오류상황은 소스코드의 변경을 통해서 해결해야 하는 경우가 대부분이다.

■ Exception과 API 문서

자! 그럼 이번에는 Exception 클래스에 대해서 살펴보자. 사실 우리가 관심을 둬야 하는 클래스는 Error가 아닌 Exception이다.

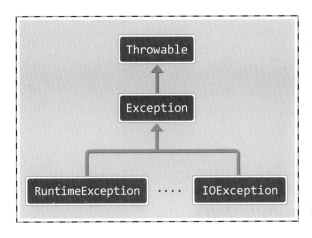

[그림 18-8 : Exception 클래스의 하위 클래스들]

결과적으로(Error를 상속하는 클래스를 제외하고 보면) Exception은 모든 예외 클래스의 상위 클래스이다. 따라서 우리도 예외 클래스를 정의하는 과정에서 Exception 클래스를 상속하였고, 때문에 throw의 대상이 될 수 있었다. 참고로 자바에서 기본적으로 정의하고 있는, Exception을 직접 상속하는 예외 클래스의 수만도 약 100여 개가 된다.

■ 앞으로는 메소드를 볼 때에도 throws 절을 참조하세요.

Exception을 상속하는 클래스의 예외 상황이 임의의 메소드 내에서 발생 가능하다면, 해당 메소드는 반드시 다음 두 가지 중 한가지 방법을 선택해서 정의되어야 한다.

- try~catch문을 이용해서 메소드 내에서 예외를 처리하도록 정의한다.
- throws를 이용해서 메소드를 호출한 영역으로 예외가 전달되도록 정의한다.

이는 다른 메소드의 호출로 인해서 예외를 전달받는 메소드의 정의에서도 마찬가지이다. 정리하면 예외가 발생하는 메소드나 다른 메소드의 호출을 통해서 예외를 전달받는 메소드를 정의할 때에는 try~catch문을 이용해서 예외가 처리되도록 정의하거나, throws를 이용해서 예외가 다시 전달될 수 있도록 정의해야 한다.

try~catch문을 삽입하거나, throws를 이용해서 예외를 전달하거나

앞에서 다음과 같이 설명하였던 것을 기억하는가?

"임의의 예외상황이 발생하면, 메소드 내에서 처리되지 않고 메소드를 호출한 영역 으로 넘어감을(던져짐을) 반드시 명시해야 한다."

당시 예제에서 보인 AgeInputException 클래스는 Exception을 상속한 예외 클래스였기 때문에, 이 문장에서 설명하듯이 예외가 전달됨을 반드시 명시해야만 했다. 물론 예외가 발생한 지점을 중심으로 예외의 처리를 위한 try~catch문이 삽입된다면 이는 불필요하지만 말이다.

그럼 지금까지 설명한 Exception 클래스에 대한 지식을 가지고 다음 메소드를 호출하는 예제를 작성한다고 가정해 보자.

```
clone (Object 클래스의 인스턴스 메소드)

protected Object clone( )
            throws CloneNotSupportedException

Creates and returns a copy of this object.
The precise meaning of "copy" may depend on the class of the object.
```

[그림 18-9 : throws에 대한 관찰]

위 메소드는 다음 Chapter에서 자세히 살펴볼 Object 클래스의 clone이라는 메소드이다. Object 클래스는 모든 클래스의 최상위 클래스이므로, 이 메소드는 어떠한 인스턴스에서 건 호출이 가능하다. 그런데 지금 우리가 관심을 두고자 하는 것은 위 메소드의 기능이 아니다. 위 그림은 API 문서 내용을 거의 그대로 옮겨놓은 것인데, 자세히 보면 다음의 내용이 존재함을 확인할 수 있다.

```
"throws CloneNotSupportedException"
```

즉 clone은 상황에 따라서 CloneNotSupportedException이라는 예외를 전달하는 메소드이다. 따라서 다음과 같이 메소드를 정의하면 컴파일 에러가 발생한다.

```
public void simpleMethod(int n)
{
    MyClass my=new MyClass();
    my.clone();
    . . . .
}
```

CloneNotSupportedException는 Exception을 상속하는 클래스이므로(API 문서를 통해서 이러한 내용을 확인하는 것을 습관화하자) try~catch문에 의해서 처리되거나 throws에 의해서 던져져야 하기 때문이다. 즉 다음과 같이 try~catch문을 삽입하거나,

```
public void simpleMethod(int n)
{
    MyClass my=new MyClass();
    try
    {
        my.clone();
    }
    catch(CloneNotSupportedException e) { . . . . }
    . . . .
}
```

다음과 같이 throws에 의해서 던져짐을 명시해야 컴파일이 된다.

```
public void simpleMethod(int n) throws CloneNotSupportedException
{
    MyClass my=new MyClass();
    my.clone();
    . . . .
}
```

따라서 앞으로는 메소드의 호출문을 구성할 때, API 문서를 참조하여 해당 메소드가 예외를 전달하는지 확인을 하고, 예외를 전달한다면 상황에 맞게 try~catch문을 삽입하거나 throws절을 추가해야 한다.

■ 처리하지 않아도 되는 RuntimeException의 하위 클래스

Exception의 하위 클래스 중에는 RuntimeException이라는 클래스가 존재한다. 그런데 이 클래스는 그 성격이 Error 클래스와 비슷하다(이는 Exception을 상속하는 다른 예외 클래스들과의 차이점

이다). RuntimeException을 상속하는 예외 클래스도 Error를 상속하는 예외 클래스와 마찬가지로 try~catch문, 또는 throws절을 이용한 예외처리를 필요로 하지 않는다. 하지만 다음과 같이 Error 의 하위 클래스들과 구분되는 특징이 있다.

- RuntimeException을 상속하는 예외 클래스는 Error를 상속하는 예외 클래스처럼 치명적인 상황을 표현하지 않는다.
- 따라서 예외발생 이후에도 프로그램의 실행을 이어가기 위해서 try~catch문으로 해당 예외를 처리하기도 한다.

예제 RuntimeExceptionCase.java에서 보인 다음 네 가지 예외 클래스가 모두 RuntimeException의 하위 클래스이다.

- ArrayIndexOutOfBoundsException
- ClassCastException
- NegativeArraySizeException
- NullPointerException

예외의 성격이 보여주듯이 특별한 경우가 아니면, 이들에 대해서는 try~catch문을 이용해서 예외처리를 하지 않는다. 그러나 앞에서는 예외처리 메커니즘의 설명을 위해서 이들에 대해 try~catch문을 구성하였다.

18-4 단계별 프로젝트 : 전화번호 관리 프로그램 06단계

예외처리와 관련해서 제법 많은 내용을 공부하였다. 특히 다른 내용들에 비해 조금 생소한 부분도 없지 않았을 것이다. 그렇다면 다음 두 가지를 우선 기억하자.

"호출한 메소드에 throws절이 있다면(상황에 따라 예외를 던진다면), 예외의 처리를 위한try~catch문을 삽입하거나, 해당 예외를 처리하지 않고 재차 던지겠음을 표시하기 위해서 throws 절을 삽입해야 한다."

"예외 클래스는 Exception 클래스를 상속해서 정의하며, 키워드 throw를 이용해서 예외를 발생시킨다."

이 두 가지를 바탕으로 단계별 프로젝트를 진행하자. 우선은 이정도 능력만 갖춰도 프로그래밍을 하는데 큰 불편함은 없을 것이다.

■ 전화번호 관리 프로그램 06단계 문제

우리가 직접 예외의 상황을 정의하고, 해당 예외의 표현을 위한 예외 클래스를 정의해서 단계별 프로젝트에 반영해보고자 한다. 필자가 제안하는 예외의 상황은 다음 두 가지이다.

➡ 초기 메뉴 선택에서 1, 2, 3, 4 이외의 값을 입력하는 예외상황

➡ 데이터 입력의 과정에서(inputData 메소드 내에서) 1, 2, 3 이외의 값을 입력하는 예외상황

이 두 가지 예외상황 모두 그 유형이 동일하니, MenuChoiceException이라는 이름의 예외 클래스를 하나 정의해서 위의 두 상황에 모두 활용하기로 하겠다. 그리고 위의 두 가지 중 어느 예외상황이 발생을 하건, 프로그램의 흐름은 '초기 메뉴 선택'으로 이동하는 것을 원칙으로 하자.

■ 전화번호 관리 프로그램 06단계 프로그램의 실행 예

총 두 가지 예외상황을 정의하였는데, 어떠한 예외가 발생을 하건 프로그램의 흐름은 '초기 메뉴 선택'으로 이동을 해야 한다. 아래 실행의 예를 통해서 이를 보이도록 하겠다.

❖ 실행의 예1 : 초기 메뉴 선택에서의 예외상황

```
선택하세요...
1. 데이터 입력
2. 데이터 검색
3. 데이터 삭제
4. 프로그램 종료
선택 : 5
5에 해당하는 선택은 존재하지 않습니다.
메뉴 선택을 처음부터 다시 진행합니다.

선택하세요...
1. 데이터 입력
2. 데이터 검색
3. 데이터 삭제
4. 프로그램 종료
선택 :
```

```
        선택하세요...
        1. 데이터 입력
        2. 데이터 검색
        3. 데이터 삭제
        4. 프로그램 종료
        선택 : 1
        데이터 입력을 시작합니다..
        1. 일반, 2. 대학, 3. 회사
        선택>> 4
        4에 해당하는 선택은 존재하지 않습니다.
        메뉴 선택을 처음부터 다시 진행합니다.

        선택하세요...
        1. 데이터 입력
        2. 데이터 검색
        3. 데이터 삭제
        4. 프로그램 종료
        선택 :
```

■ 필자의 구현 사례

예외처리에서는 예외의 발생위치와 예외의 처리위치를 결정하는 것이 가장 중요하다. 필자가 앞서 예외가 발생하면 무조건 '초기 메뉴 선택'으로 이동을 해서 프로그램의 실행이 이어지도록 하자고 했는데, 이는 여러분께, 예외의 발생위치와 예외의 처리위치를 결정하는데 있어서 최소한의 고민거리를 안겨드리기 위함이었다.

❖ PhoneBookVer06.java

```java
/*
 * 전화번호 관리 프로그램 구현 프로젝트
 * Version 0.6
 */

import java.util.Scanner;

interface INIT_MENU
{
    int INPUT=1, SEARCH=2, DELETE=3, EXIT=4;
}

interface INPUT_SELECT
{
    int NORMAL=1, UNIV=2, COMPANY=3;
}
```

```java
class MenuChoiceException extends Exception
{
    int wrongChoice;

    public MenuChoiceException(int choice)
    {
        super("잘못된 선택이 이뤄졌습니다.");
        wrongChoice=choice;
    }
    public void showWrongChoice()
    {
        System.out.println(wrongChoice+"에 해당하는 선택은 존재하지 않습니다.");
    }
}

class PhoneInfo
{
    /* Version 0.5와 동일하므로 생략합니다. */
}

class PhoneUnivInfo extends PhoneInfo
{
    /* Version 0.5와 동일하므로 생략합니다. */
}

class PhoneCompanyInfo extends PhoneInfo
{
    /* Version 0.5와 동일하므로 생략합니다. */
}

class PhoneBookManager
{
    final int MAX_CNT=100;
    PhoneInfo[] infoStorage=new PhoneInfo[MAX_CNT];
    int curCnt=0;

    static PhoneBookManager inst=null;
    public static PhoneBookManager createManagerInst()
    {
        /* Version 0.5와 동일 */
    }

    private PhoneBookManager(){}

    private PhoneInfo readFriendInfo()
    {
        /* Version 0.5와 동일 */
    }

    private PhoneInfo readUnivFriendInfo()
    {
        /* Version 0.5와 동일 */
    }

    private PhoneInfo readCompanyFriendInfo()
    {
        /* Version 0.5와 동일 */
    }
```

```java
    public void inputData() throws MenuChoiceException
    {
        System.out.println("데이터 입력을 시작합니다..");
        System.out.println("1. 일반, 2. 대학, 3. 회사");
        System.out.print("선택>> ");
        int choice=MenuViewer.keyboard.nextInt();
        MenuViewer.keyboard.nextLine();
        PhoneInfo info=null;

        if(choice<INPUT_SELECT.NORMAL || choice>INPUT_SELECT.COMPANY)
            throw new MenuChoiceException(choice);

        switch(choice)
        {
        case INPUT_SELECT.NORMAL :
            info=readFriendInfo();
            break;
        case INPUT_SELECT.UNIV :
            info=readUnivFriendInfo();
            break;
        case INPUT_SELECT.COMPANY :
            info=readCompanyFriendInfo();
            break;
        }

        infoStorage[curCnt++]=info;
        System.out.println("데이터 입력이 완료되었습니다. \n");
    }

    public void searchData()
    {
        /* Version 0.5와 동일 */
    }

    public void deleteData()
    {
        /* Version 0.5와 동일 */
    }

    private int search(String name)
    {
        /* Version 0.5와 동일 */
    }
}

class MenuViewer
{
    /* Version 0.5와 동일하므로 생략합니다. */
}

class PhoneBookVer06
{
    public static void main(String[] args)
    {
        PhoneBookManager manager=PhoneBookManager.createManagerInst();
        int choice;

        while(true)
        {
            try
```

```
        {
            MenuViewer.showMenu();
            choice=MenuViewer.keyboard.nextInt();
            MenuViewer.keyboard.nextLine();

            if(choice<INIT_MENU.INPUT || choice>INIT_MENU.EXIT)
                throw new MenuChoiceException(choice);

            switch(choice)
            {
            case INIT_MENU.INPUT :
                manager.inputData();
                break;
            case INIT_MENU.SEARCH :
                manager.searchData();
                break;
            case INIT_MENU.DELETE :
                manager.deleteData();
                break;
            case INIT_MENU.EXIT :
                System.out.println("프로그램을 종료합니다.");
                return;
            }
        }
        catch(MenuChoiceException e)
        {
            e.showWrongChoice();
            System.out.println("메뉴 선택을 처음부터 다시 진행합니다.\n");
        }
    }
  }
}
```

Chapter **19**

자바의 메모리 모델과
Object 클래스

자바 가상머신의 메모리 관리방식을 가리켜 '자바 메모리 모델'이라 하는데, 이는 자바를 이해하는데 있어서 매우 중요한 요소이다. 따라서 이번 Chapter에서는 가상머신의 메모리 관리방식과 더불어 Object 클래스의 설명되지 않은 추가적인 특성들을 살펴보겠다.

19-1 자바 가상머신의 메모리 모델

언젠가 이런 질문을 받은 적이 있다. "메모리 관리는 운영체제가 하는 건가요? 아니면 가상머신이 하는 건가요?" 보통은 이러한 내용에 신경 쓰지 않고 자바를 공부한다. 그러나 메모리 관리의 이해는 자바 프로그래머들에게도 매우 중요하다.

■ 자바 가상머신은 운영체제 위에서 동작한다는 사실을 잊지 않으셨지요?

이미 Chapter 01에서 다음의 사실을 자세히 설명하였다.

- 자바 가상머신은 운영체제 위에서 실행되는 하나의 프로그램이다.
- 자바 프로그램은 자바 가상머신 위에서 실행되는 프로그램이다.

그렇다면 자바 가상머신의 실행에 필요한 메모리는 어떻게 제공되는 것일까? 프로그램의 실행에 필요한 메모리를 가리켜 메인 메모리(main memory)라 하며, 이는 물리적으로 램(RAM)을 의미한다. 그리고 이 메모리의 효율적인 사용을 위해서 Windows나 Linux와 같은 운영체제가 메인 메모리를 관리한다. 즉 운영체제가 응용프로그램에게 메모리를 할당해 준다. 따라서 운영체제와 응용프로그램 사이에서는 다음의 대화가 성립된다.

- **응용프로그램 A**　　메모리 좀 할당해 주세요.
- **운영체제**　　　　　좋다! 자 받아라, 4G 바이트다!

- **응용프로그램 B**　　저도 메모리 좀 할당해 주세요.
- **운영체제**　　　　　음 너도 줘야지! 자 4G 바이트다!

- **자바 가상머신**　　　전 좀 특별합니다. 아시죠? 저도 메모리 좀 할당해 주세요.
- **운영체제**　　　　　뭐가 특별한데? 아무튼 너도 4G 바이트 줄 테니, 이거나 사용해라!

위의 대화에서 보이듯이, 자바 가상머신은 운영체제가 할당해 주는 메모리 공간을 기반으로 자기 자신(가상머신을 의미함)도 실행을 하면서, 자바 응용 프로그램의 실행도 돕는다.

■ 자바 가상머신의 메모리 살림살이

자바 가상머신은 운영체제로부터 할당 받은 메모리 공간의 효율적인 사용을 고민해야 한다. 그렇다면 과

연 어떻게 메모리 공간을 활용하는 것이 효율적일까? 메모리 공간도 일종의 저장공간이다. 따라서 우리가 일상생활에서 사용하는 수납장(서랍장)에서 힌트를 얻을 수 있다. 수납장은 여러 개의 수납공간으로 나눠져 있다. 나눠져 있지 않으면, 저장된 물건을 찾을 때 애를 먹는다. 그래서 나눠진 공간에 용도별로 물건을 분류해서 저장한다.

자바의 가상머신도 자바 프로그램의 실행을 위해서 메모리 관리를 해야만 한다. 따라서 수납장과 마찬가지로 메모리 공간을 나눠서 데이터의 특성에 따라 분류해서 저장을 한다. 자! 그럼 자바 가상머신의 메모리 분류방식을 살펴보자. 다음 그림에서 보이듯이 가상머신은 메모리 공간을 크게 세 개의 영역으로 나눈다.

[그림 19-1 : 자바 가상머신의 메모리 모델]

그리고 각각의 메모리 영역에는 다음의 데이터들을 저장한다.

- 메소드 영역 (method area) 메소드의 바이트코드, static 변수
- 스택 영역 (stack area) 지역변수, 매개변수
- 힙 영역 (heap area) 인스턴스

자! 그럼 이들 영역에 대해서 하나씩 살펴보기로 하자.

■ 메소드 영역

먼저 메소드 영역에 대해서 설명하겠다. 소스파일을 컴파일 할 때 생성되는, 자바 가상머신에 의해 실행이 가능한 코드를 가리켜 '자바 바이트코드(bytecode)'라 한다. 이러한 바이트코드들도 메모리 공간에 저장되어 있어야 실행이 가능하다. 따라서 실행의 흐름을 형성하는 메소드의 바이트코드들은 '메소드 영역'에 저장된다. 그리고 static으로 선언되는 클래스 변수도 이 영역에 할당이 된다. 그렇다면 이들은 어떠한 특징이 있기에 메소드 영역에 저장되는 것일까? Chapter 10에서는 클래스가 메모리에 올려지는 시점에 대해서 설명하였다. 그런데 바이트코드와 static 변수가 메소드 영역에 저장되는 시점이 바로 '클래스가 메모리에 올려지는 시점'이다. 즉 메소드 영역은 클래스 정보를 처음 메모리 공간에 올릴 때 초기

화되는 대상을 저장하기 위한 메모리 공간이다.

"메소드 영역에 메소드의 바이트코드만 올라가나요? 다른 바이트코드는 올라가지 않나요?"

"메소드 영역에 static 변수만 올라가나요? static 메소드는 올라가지 않나요?"

위와 같은 질문을 받으면 여러분은 제대로 답변할 수 있는가? 여러분은 후배들로부터 충분히 이런 질문을 받을 수 있다. 먼저 첫 번째 질문에 대해서 생각해보자. 메소드의 바이트코드가 의미하는 바는 무엇일까? 자바 프로그램은 main 메소드의 호출에서부터 시작을 해서 계속된 메소드의 호출로 프로그램의 흐름을 이어간다. 중간에 인스턴스를 생성하기도 하지만, 대부분 메소드 내에서 인스턴스의 생성을 명령한다. 즉 메소드의 바이트코드는 프로그램의 흐름이며, 컴파일 된 바이트코드의 대부분을 의미한다. 따라서 이런 질문을 받는다면 다음과 같이 답변해 줄 수 있다.

"메소드의 바이트코드는 프로그램의 흐름을 구성하는 바이트코드야! 그리고 이것이 사실상 컴파일 된 바이트코드의 대부분이기 때문에, 전체 바이트코드가 올라간다고 봐도 무리는 없어!"

이제 두 번째 질문에 대해서 생각해보자. 이것은 필자가 간혹 받는 질문인데, 여러분도 답을 할 수 있을 것이다. 여러분도 이런 질문을 받는다면 다음과 같이 답해주자. 더 이상의 설명은 필요 없을 것이다.

"당연히 static 메소드도 올라가지, 메소드의 바이트코드가 올라간다고 했잖아!"

■ 스택 영역

스택은 지역변수와 매개변수가 저장되는 공간이다. 그런데 이 둘은 다음의 공통적인 특징이 있다.

"메소드 내에서만 유효한 변수들이다."

즉 스택은 프로그램의 실행과정에서 임시로 할당되었다가, 메소드를 빠져나가면 바로 소멸되는 특성의 데이터 저장을 위한 영역이다. 이러한 스택의 메모리 관리방식에 대한 이해를 위해서 다음 그림을 보겠다.

```java
public static void main(String[ ] args)
{
    int num1=10;
    int num2=20;
    adder(num1, num2);
    . . . .
}
public static void adder(int n1, int n2)
{
    int result=n1+n2;
    return result;
}
```

현재
실행위치

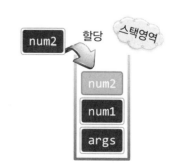

[그림 19-2 : 스택의 할당과 해제1]

위 그림에서는 main 메소드가 호출되고 나서 num1과 num2가 스택에 할당된 결과를 보여준다. 참고로 매개변수 역시 메소드 내에 선언되는 지역변수의 일종이기 때문에, 매개변수 args도 스택에 할당이 되었다. 이어서 다음 그림은 adder 메소드가 호출된 이후의 상황을 보여준다.

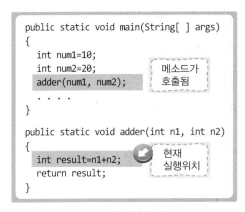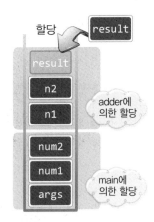

[그림 19-3 : 스택의 할당과 해제2]

adder 메소드가 호출되면서 매개변수 n1과 n2가 스택에 할당되었고, 이어서 변수 result도 할당이 되었다. 참고로 main 메소드도 아직 종료되지 않은 상태이기 때문에, main 메소드에서 선언된 변수들도 스택에 함께 쌓여있는 것은 당연한 일이다. 자! 이제 변수 result에 저장되어 있는 값을 반환하면서 메소드를 빠져나간 이후의 상황을 보도록 하자.

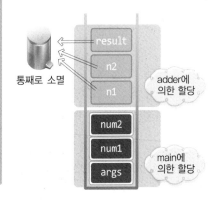

[그림 19-4 : 스택의 할당과 해제3]

adder 메소드의 실행이 완료되자, adder 메소드에 의해 할당된 지역변수와 매개변수가 스택에서 전부 소멸되었다. 결론적으로 지역변수와 매개변수는 선언되는 순간에 스택에 할당되었다가, 자신이 할당된 메소드의 실행이 완료되면 스택에서 소멸이 된다.

■ 힙 영역

인스턴스는 힙 영역에 할당이 된다. 그렇다면 인스턴스를 스택이 아닌 힙이라는 별도의 영역에 할당하는 이유는 무엇일까? 그것은 인스턴스의 소멸방법과 소멸시점이 지역변수와는 다르기 때문이다. 앞서 데이터의 성격이 다르면 별도의 메모리 공간에 저장을 해야 관리가 용이함을 서랍장의 예를 통해서 비유적으로 설명하지 않았는가? 그럼 인스턴스와 참조변수의 메모리 할당 방식의 이해를 위해서 다음 코드가 실행된다고 가정해 보겠다.

```
public staic void simpleMethod()
{
    String str1=new String("My String");
    String str2=new String("Your String");
    . . . .
}
```

String 인스턴스의 생성문이 메소드 내에 존재하므로 str1과 str2는 참조변수이자 지역변수이다. 따라서 스택에 할당이 이뤄진다. 그러나 인스턴스는 무조건 힙에 할당이 되니, 위의 문장 실행으로 인해서 메모리 공간에는 다음의 관계가 형성된다.

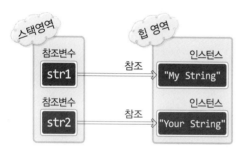

[그림 19-5 : 인스턴스와 참조변수]

그렇다면 이렇게 힙 영역에 생성된 인스턴스들은 언제 소멸이 될까? 인스턴스의 소멸시기를 결정하는 것은 자바 가상머신의 역할이다. 즉 자바 가상머신이 다음과 같이 판단을 하면 인스턴스는 자동으로 소멸이 된다.

  "음! 이제 이 인스턴스는 소멸을 시켜도 되겠군"

그래서 자바는 다른 프로그래밍 언어에 비해 "메모리 관리에 신경을 덜 써도 된다"는 평가를 받는다. 하지만 이것을 "메모리 관리가 어떻게 이뤄지는지 잘 몰라도 된다"는 뜻으로 이해하는 것은 곤란하다. 메모리 관리는 자바 가상머신이 대신해 주지만, 자바 가상머신의 메모리 관리방식을 이해해야 좋은(메모리 활용도가 높은, 메모리 관리가 효율적인) 코드를 작성할 수 있다.

■ 자바 가상머신의 인스턴스 소멸시기

자바 가상머신은 매우 합리적으로 인스턴스를 소멸시킨다. 이에 대한 이해를 위해서 다음 코드를 보자.

```
public staic void simpleMethod()
{
    String str1=new String("My String");
    String str2=new String("Your String");
    . . . .
    str1=null;
    str2=null;
    . . . .
}
```

참조변수 str1과 str2에 null을 대입하고 있다. 이로써 인스턴스 "My String"과 인스턴스 "Your String"은 어떠한 참조변수도 참조하지 않는 상태에 놓이게 된다.

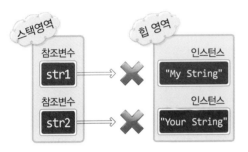

[그림 19-6 : 참조되지 않는 인스턴스]

위 그림과 같이 어떠한 참조변수로도 참조가 이뤄지지 않는 인스턴스는 존재할 이유가 없다. 프로그램상에서 더 이상의 참조가 불가능하기 때문이다. 이렇듯 어떠한 형태로건 참조되지 않는 인스턴스가 소멸의 대상이 되며, 이러한 조건이 충족되었을 때 자바 가상머신은 해당 인스턴스를 소멸시킨다.

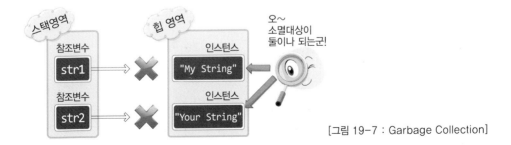

[그림 19-7 : Garbage Collection]

지금 설명한 자바의 인스턴스 소멸기능을 가리켜 '가비지 컬렉션(Garbage Collection)'이라 하며, 이는 프로그래머의 프로그래밍 편의를 돕는 자바의 매우 특별하고도 훌륭한 기능이다. 이렇듯 힙 영역은 가비지 컬렉션의 대상이 되는 메모리 공간인데, 이것만 봐도 힙과 스택을 분리해서 운영하는 것이 효율적이라는 판단이 서지 않는가?

가비지 컬렉션이 발생하는 정확한 시점

인스턴스가 가비지 컬렉션의 대상이 되었다고 해서 바로 소멸이 되는 것은 아니다. 빈번한 가비지 컬렉션의 실행은 시스템에 부담이 될 수 있기 때문에, 성능에 영향을 미치지 않도록 가비지 컬렉션의 실행 타이밍은 별도의 알고리즘을 기반으로 계산이 되며, 이 계산결과를 기반으로 가비지 컬렉션이 수행된다.

19-2 Object 클래스

우리는 Object 클래스가 모든 자바 클래스의 최상위 클래스라는 사실을 알고 있다. 하지만 그 이상으로 여러분이 알고 있어야 할 Object 클래스의 특징이 있기에 그 내용을 정리하고자 한다.

■ 인스턴스 소멸 시 반드시 해야 할 일이 있다면 : finalize 메소드

Object 클래스에는 다음과 같이 finalize라는 이름의 메소드가 정의되어 있다.

```
protected void finalize( ) throws Throwable
```

이는 인스턴스가 소멸되기 직전에 자바 가상머신에 의해서 자동으로 호출되는 메소드이다. 따라서 인스턴스 소멸 시 반드시 실행되어야 하는 코드가 존재한다면, 이 메소드의 활용을 고려할 수 있다. 그런데 이정도 정보만 가지고 예제를 작성하면 다음과 같은 실수를 범할 수 있다.

❖ ObjectFinalize.java

```java
1.    class MyName
2.    {
3.        String objName;
4.        public MyName(String name)
5.        {
6.            objName=name;
7.        }
8.
9.        protected void finalize() throws Throwable
10.       {
11.           super.finalize();
12.           System.out.println(objName+"이 소멸되었습니다.");
13.       }
14.   }
15.
16.   class ObjectFinalize
17.   {
18.       public static void main(String[] args)
19.       {
20.           MyName obj1=new MyName("인스턴스1");
21.           MyName obj2=new MyName("인스턴스2");
22.           obj1=null;
23.           obj2=null;
24.
25.           System.out.println("프로그램을 종료합니다.");
26.           // System.gc();
27.           // System.runFinalization();
28.       }
29.   }
```

 해 설

- 9행 : Object 클래스의 finalize 메소드를 오버라이딩 하였다. 따라서 이 메소드는 인스턴스 소멸 시 자동으로 호출될 것으로 기대할 수 있다.
- 11행 : Object 클래스의 finalize 메소드를 호출하고 있는데, 이는 매우 의미 있는 문장이다. 이 와 관련해서는 잠시 후에 별도로 설명을 진행하겠다.
- 22, 23행 : obj1과 obj2가 참조하는 인스턴스 정보를 null로 지워버렸다. 따라서 20행과 21행 에서 생성한 인스턴스는 가비지 컬렉션의 대상이 되었다.
- 26, 27행 : 이 두 문장이 의미하는 바는 잠시 후에 별도로 설명을 하니, 일단은 주석처리를 한 상 태에서 실행을 하자.

❖ 실행결과 : ObjectFinalize.java

프로그램을 종료합니다.

위 예제에서는 분명 두 개의 인스턴스를 가비지 컬렉션의 대상으로 만들었다. 따라서 두 개의 인스턴스가 소멸되는 과정에서 finalize 메소드가 호출될 것을 기대할 수 있다. 그런데 실행결과를 보면, 분명 finalize 메소드는 호출되지 않았다. 무엇이 문제일까? 첫 번째 문제점은 다음에 있다.

"가비지 컬렉션은 한번도 실행되지 않을 수 있습니다."

앞서 '참고'를 통해서 간단히 언급하였는데, 빈번한 가비지 컬렉션은 프로그램 성능에 문제를 줄 수 있어서, 특정 알고리즘을 통해서 계산된 시간에 가비지 컬렉션이 수행된다. 즉 위 예제의 경우 가비지 컬렉션이 한번도 발생하지 않아서 finalize 메소드가 호출되지 않았다고 판단할 수 있다. 따라서 다음의 메소드 호출을 통해서 명시적으로 가비지 컬렉션을 수행시켜야 한다.

```
System.gc();
```

System.gc 메소드가 호출되면 자바 가상머신은 가비지 컬렉션을 수행시켜서, 참조되지 않는 인스턴스들을 소멸시킨다. 따라서 이 메소드를 호출하면(위 예제 26행과 같이) finalize 메소드의 호출을 기대할 수 있다. 하지만 이것만으로는 finalize 메소드의 호출을 100% 보장받지 못한다. 왜냐하면 가비지 컬렉션이 수행되더라도 상황에 따라서 인스턴스의 완전한 소멸은 유보될 수 있기 때문이다. 따라서 완전한 소멸이 유보된 인스턴스들의 finalize 메소드 호출은 다음과 같이(위 예제 27행과 같이) 별도로 요청해야 한다.

```
System.runFinalization();
```

정리하면 finalize 메소드의 완벽한 호출이 필요한 상황에서는 다음 두 메소드의 연이은 호출이 공식처럼 사용된다.

```
System.gc();
System.runFinalization();
```

그럼 이제 ObjectFinalize.java의 11행에 대해서 논의해보자. 위 예제에서 다음 문장을 삽입한 이유는 무엇이겠는가(사실 이에 대한 설명을 목적으로 finalize 메소드를 소개하였다)?

```
super.finalize();
```

메소드가 오버라이딩 되면, 오버라이딩이 된 메소드는 호출되지 않음을 우리는 알고 있다. 따라서 Object 클래스에 정의된 finalize 메소드는 오버라이딩으로 인해 더 이상 호출되지 않는데, 이는 Object 클래스에 정의된 finalize 메소드에 매우 중요한 코드가 삽입되어 있는 경우, 큰 문제로 이어질 수 있다. 즉 다음과 같은 판단에서 11행이 삽입된 것이다.

"Object 클래스의 finalize 메소드에 반드시 실행되어야 하는 중요한 코드가 삽입되어 있을지도 모르니, 이를 호출하는 문장을 삽입하자!"

결론적으로 말하면, Object 클래스의 finalize 메소드는 텅 비어서 하는 일이 아무것도 없다. 따라서

11행의 문장은 불필요하다. 하지만 이를 넣어둔다고 해서 문제가 되는 것은 아니니, 안전성을 고려해서 삽입해 두는 것도 나쁘지 않다.

■ 인스턴스 비교 : equals 메소드

앞서 언급했듯이 == 연산자는 참조변수의 참조 값을 비교한다. 따라서 인스턴스에 저장되어 있는 값 자체를 비교하려면 별도의 방법을 사용해야 한다. 다음 예제를 통해서 이를 간단히 보이겠다.

❖ ObjectEquality.java

```
1.  class IntNumber
2.  {
3.      int num;
4.
5.      public IntNumber(int num) { this.num=num; }
6.
7.      public boolean isEquals(IntNumber numObj)
8.      {
9.          if(this.num==numObj.num)
10.             return true;
11.         else
12.             return false;
13.     }
14. }
15.
16. class ObjectEquality
17. {
18.     public static void main(String[] args)
19.     {
20.         IntNumber num1=new IntNumber(10);
21.         IntNumber num2=new IntNumber(12);
22.         IntNumber num3=new IntNumber(10);
23.
24.         if(num1.isEquals(num2))
25.             System.out.println("num1과 num2는 동일한 정수");
26.         else
27.             System.out.println("num1과 num2는 다른 정수");
28.
29.         if(num1.isEquals(num3))
30.             System.out.println("num1과 num3는 동일한 정수");
31.         else
32.             System.out.println("num1과 num3는 다른 정수");
33.     }
34. }
35.
```

해 설

- 7행 : 인스턴스의 내용비교를 위한 메소드가 정의되었다.
- 24, 29행 : 인스턴스의 내용비교를 진행하고 있다.

❖ 실행결과 : ObjectEquality.java

num1과 num2는 다른 정수
num1과 num3는 동일한 정수

이 예제를 통해서 내용비교의 원리를 어렵지 않게 이해했을 것이다. 그런데 일반적으로 인스턴스의 내용 비교를 위한 메소드 정의는 Object 클래스에 정의되어 있는 equals 메소드를 활용한다.

```
public boolean equals(Object obj)
```

이 메소드는 == 연산자와 마찬가지로 참조변수의 참조 값을 비교하도록 정의되어 있다. 그런데 == 연산 자를 통해서 얼마든지 참조 값 비교가 가능하므로, 이 메소드는 내용비교를 하도록 오버라이딩을 해도 된 다(그런 목적으로 정의된 메소드이다).

❖ ObjectEquality2.java

```
1.   class IntNumber
2.   {
3.       int num;
4.
5.       public IntNumber(int num)
6.       {
7.           this.num=num;
8.       }
9.
10.      public boolean equals(Object obj)
11.      {
12.          if(this.num==((IntNumber)obj).num)
13.              return true;
14.          else
15.              return false;
16.      }
17.  }
18.
19.  class ObjectEquality2
20.  {
21.      public static void main(String[] args)
22.      {
```

```
23.         IntNumber num1=new IntNumber(10);
24.         IntNumber num2=new IntNumber(12);
25.         IntNumber num3=new IntNumber(10);
26.
27.         if(num1.equals(num2))
28.             System.out.println("num1과 num2는 동일한 정수");
29.         else
30.             System.out.println("num1과 num2는 다른 정수");
31.
32.         if(num1.equals(num3))
33.             System.out.println("num1과 num3는 동일한 정수");
34.         else
35.             System.out.println("num1과 num3는 다른 정수");
36.     }
37. }
```

해 설

- 10행 : 인스턴스의 내용비교를 하도록 equals 메소드가 오버라이딩 되었다.
- 27행 : num1이 참조하는 인스턴스와 num2가 참조하는 인스턴스의 내용비교를 진행하고 있다.
- 32행 : num1이 참조하는 인스턴스와 num3가 참조하는 인스턴스의 내용비교를 진행하고 있다.

❖ 실행결과 : ObjectEquality2.java

```
num1과 num2는 다른 정수
num1과 num3는 동일한 정수
```

그리고 표준 클래스의 equals 메소드가 내용비교를 하도록 이미 오버라이딩 되어있는 경우도 많다. 대표적인 예가 String 클래스인데, 이는 다음 예제를 통해 보이겠다.

❖ StringEquals.java

```
1.  class StringEquals
2.  {
3.      public static void main(String[] args)
4.      {
5.          String str1=new String("Hi my string");
6.          String str2=new String("Hi my string");
7.
8.          if(str1==str2)
9.              System.out.println("참조 대상이 동일하다.");
10.         else
11.             System.out.println("참조 대상이 동일하지 않다.");
```

```
12.
13.        if(str1.equals(str2))
14.            System.out.println("인스턴스 내용이 동일하다.");
15.        else
16.            System.out.println("인스턴스 내용이 동일하지 않다.");
17.    }
18. }
```

- 5, 6행 : 동일한 문자열 정보이지만, 다른 인스턴스를 생성해서 str1과 str2가 각각 참조하고 있다.
- 8행 : 참조변수 비교를 하고 있다. 즉 참조대상이 동일한지를 확인하고 있다.
- 13행 : String 클래스의 equals 메소드는 내용비교를 하도록 오버라이딩 되어있다. 따라서 이 문장에서는 인스턴스의 내용비교가 진행된다.

❖ 실행결과 : StringEquals.java

참조 대상이 동일하지 않다.
인스턴스 내용이 동일하다.

예제를 통해 보였듯이, 인스턴스의 내용비교가 필요하면 별도의 메소드를 정의하지 말고 equals 메소드를 오버라이딩하자. 자바 개발자들은 인스턴스의 내용비교가 필요한 상황에서 equals 메소드가 적절히 오버라이딩 되어있을 것을 기대하기 때문에, 이러한 기대를 충족시키는 것이 혼란을 최소화하는 길이다.

문제 19-1 [equals 메소드의 정의]

Question

아래의 Rectangle 클래스에 내용비교를 위한 equals 메소드를 삽입하자. 그리고 이를 테스트하기 위한 예제를 작성하자.

```java
class Point
{
    int xPos, yPos;

    public Point(int x, int y)
    {
        xPos=x;
        yPos=y;
    }
    public void showPosition()
    {
        System.out.printf("[%d, %d]", xPos, yPos);
    }
}

class Rectangle
{
    Point upperLeft, lowerRight;

    public Rectangle(int x1, int y1, int x2, int y2)
    {
        upperLeft=new Point(x1, y1);
        lowerRight=new Point(x2, y2);
    }
    public void showPosition()
    {
        System.out.println("직사각형 위치정보...");
        System.out.print("좌 상단 : ");
        upperLeft.showPosition();
        System.out.println("");
        System.out.print("우 하단 : ");
        lowerRight.showPosition();
        System.out.println("\n");
    }
}
```

■ 인스턴스 복사(복제) : clone 메소드

Object 클래스에는 인스턴스의 복사를 위한 다음 메소드가 정의되어 있다.

```
protected Object clone() throws CloneNotSupportedException
```

그리고 이 메소드가 호출되면, 이 메소드가 호출된 인스턴스의 복사본이 생성되고, 이 복사본의 참조 값이 반환된다. 단 다음의 조건을 만족해야 이 메소드를 호출할 수 있다.

"Cloneable 인터페이스를 구현해야 합니다."

즉 Cloneable 인터페이스를 구현하고 있는 클래스의 인스턴스만이 clone 메소드의 호출이 가능하다. 만약에 Cloneable 인터페이스를 구현하지 않는 클래스의 인스턴스에서 clone 메소드가 호출되면, 위의 메소드 선언에서 보이듯이 CloneNotSupportedException이라는 예외가 발생한다. 그렇다면 Cloneable 인터페이스는 어떻게 정의되어 있을까? 구현해야 할 메소드는 무엇이 있을까? 결론부터 말하자면, Cloneable 인터페이스는 텅 빈 인터페이스이다. 즉 구현해야 할 메소드가 하나도 존재하지 않는 인터페이스이다.

"그럼 Cloneable 인터페이스를 구현하는 이유가 무엇인가요?"

필자는 여러분이 이 질문에 답을 할 수 있도록, Chapter 17에서 "자바 인터페이스의 또 다른 가치!"라는 주제로 인터페이스의 다음 측면을 강조해서 설명하였다.

"다른 클래스와의 구별을 위한 특별한 표시의 목적으로 사용되었다."

즉 Cloneable 인터페이스의 구현은 다음의 의미를 담기 위함이다.

"이 클래스의 인스턴스는 복사(복제)를 해도 됩니다. 그러니 필요하다면 clone 메소드를 호출해서 인스턴스를 복사하세요."

인스턴스의 복사는 클래스에 따라서 매우 민감한(또는 허용해서는 안 되는) 작업이 될 수도 있다. 따라서 인스턴스 복사의 허용여부는 클래스를 정의하는 과정에서 결정해야 한다. 그리고 인스턴스의 복사를 허용해도 된다는 결론이 나오면, Cloneable 인터페이스를 구현해서 클래스를 정의하면 된다. 자! 그럼 clone 메소드의 기능을 다음 예제를 통해서 확인해보자.

❖ InstanceCloning.java

```
1.    class Point implements Cloneable
2.    {
3.        private int xPos;
4.        private int yPos;
5.
6.        public Point(int x, int y)
7.        {
```

```
8.          xPos=x;
9.          yPos=y;
10.     }
11.     public void showPosition()
12.     {
13.         System.out.printf("[%d, %d]", xPos, yPos);
14.         System.out.println("");
15.     }
16.     public Object clone() throws CloneNotSupportedException
17.     {
18.         return super.clone();
19.     }
20. }
21.
22. class InstanceCloning
23. {
24.     public static void main(String[] args)
25.     {
26.         Point org=new Point(3, 5);
27.         Point cpy;
28.
29.         try
30.         {
31.             cpy=(Point)org.clone();
32.             org.showPosition();
33.             cpy.showPosition();
34.         }
35.         catch(CloneNotSupportedException e)
36.         {
37.             e.printStackTrace();
38.         }
39.     }
40. }
```

 해 설

- 16행 : clone 메소드를 오버라이딩하고 있다. 언뜻 보면 의미 없는 오버라이딩처럼 보인다. 잠시 후에 별도로 설명을 할 테니, 이렇게 오버라이딩을 한 이유를 생각해보기 바란다.

- 31행 : clone 메소드가 호출이 되었고, 이에 따라 인스턴스가 복사되었다.

- 32, 33행 : 인스턴스의 복사를 확인하기 위한 출력을 진행하고 있다. 출력의 결과가 동일하다면 이는 인스턴스가 복사된 것으로 생각할 수 있다.

❖ 실행결과 : InstanceCloning.java

```
[3, 5]
[3, 5]
```

실행결과를 통해서, 위 예제 31행의 메소드 호출로 인해서 다음의 구조로 인스턴스가 복사되었음을 확인할 수 있다.

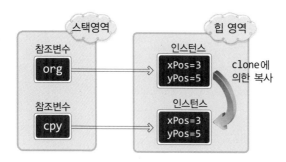

[그림 19-8 : clone에 의한 인스턴스 복사]

그런데 위 예제에서 clone 메소드를 오버라이딩 한 이유는 무엇일까? 그것은 clone이 protected로 선언되어 있어서 클래스 외부의 호출이 불가능하기 때문이다. 따라서 메소드 오버라이딩을 통해서 protected로 선언되어 있는 clone 메소드를 public으로 변경한 것이다. 참고로, 메소드 오버라이딩의 과정에서 접근범위를 넓히는 것은 가능하다. 즉 protected를 public으로 변경해서 오버라이딩 하는 것은 가능하다. 하지만 반대로 public을 protected로 변경해서 오버라이딩 하는 것은 불가능하다 (Chapter 17에서 이미 설명). 그럼 예제를 하나 더 살펴보겠다. 이 예제를 통해서 clone 메소드의 특성을 보다 정확히 관찰하고, 그에 따른 문제점과 해결책도 함께 고민해보자.

❖ ShallowCopy.java

```
1.   class Point implements Cloneable
2.   {
3.       private int xPos;
4.       private int yPos;
5.
6.       public Point(int x, int y)
7.       {
8.           xPos=x;
9.           yPos=y;
10.      }
11.      public void showPosition()
12.      {
13.          System.out.printf("[%d, %d]", xPos, yPos);
14.      }
15.      public void changePos(int x, int y)
16.      {
17.          xPos=x;
18.          yPos=y;
19.      }
20.      public Object clone() throws CloneNotSupportedException
21.      {
```

```
22.        return super.clone();
23.    }
24. }
25.
26. class Rectangle implements Cloneable
27. {
28.     Point upperLeft, lowerRight;
29.
30.     public Rectangle(int x1, int y1, int x2, int y2)
31.     {
32.         upperLeft=new Point(x1, y1);
33.         lowerRight=new Point(x2, y2);
34.     }
35.     public void showPosition()
36.     {
37.         System.out.println("직사각형 위치정보...");
38.         System.out.print("좌 상단 : ");
39.         upperLeft.showPosition();
40.         System.out.println("");
41.         System.out.print("우 하단 : ");
42.         lowerRight.showPosition();
43.         System.out.println("\n");
44.     }
45.     public void changePos(int x1, int y1, int x2, int y2)
46.     {
47.         upperLeft.changePos(x1, y1);
48.         lowerRight.changePos(x2, y2);
49.     }
50.     public Object clone() throws CloneNotSupportedException
51.     {
52.         return super.clone();
53.     }
54. }
55.
56. class ShallowCopy
57. {
58.     public static void main(String[] args)
59.     {
60.         Rectangle org=new Rectangle(1, 1, 9, 9);
61.         Rectangle cpy;
62.
63.         try
64.         {
65.             cpy=(Rectangle)org.clone();
66.             org.changePos(2, 2, 7, 7);
67.             org.showPosition();
68.             cpy.showPosition();
69.         }
```

```
70.          catch(CloneNotSupportedException e)
71.          {
72.              e.printStackTrace();
73.          }
74.      }
75. }
```

해 설

- 15행 : Point 클래스의 xPos와 yPos에 저장된 값의 변경을 위한 메소드가 정의되었다.
- 50행 : Rectangle 클래스도 Point 클래스와 마찬가지로 clone 메소드를 public으로 오버라이
딩 하고 있다.
- 65행 : 60행에서 생성된 인스턴스를 복사하고 있다.
- 66행 : 인스턴스 복사 이후에 참조변수 org가 참조하는 인스턴스의 정보를 변경하고 있다.
- 67, 68행 : 이 두 문장의 출력결과를 통해서 65행의 메소드 호출결과를 유추할 수 있다.

❖ 실행결과 : ShallowCopy.java

```
직사각형 위치정보...
좌 상단 : [2, 2]
우 하단 : [7, 7]


직사각형 위치정보...
좌 상단 : [2, 2]
우 하단 : [7, 7]
```

위 예제에서는 참조변수 org가 참조하는 대상을 복사해서, 참조변수 cpy가 참조하게끔 하였다. 물론 복사는 제대로 이뤄졌다. 따라서 org가 참조하는 인스턴스와 cpy가 참조하는 인스턴스는 다음 그림과 같이 서로 별개의 인스턴스로 구성이 된다.

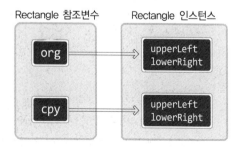

[그림 19-9 : Shallow Copy 1]

이 상황에서 org가 참조하는 인스턴스의 정보를 변경하였다(66행). 그런데 출력결과를 보면 org의 인스턴스뿐만 아니라 cpy의 인스턴스 정보도 동일하게 변경된 것으로 보인다. 도대체 무슨 일이 일어난 것일까? Object 클래스에 정의되어 있는 clone 메소드는 인스턴스 변수에 저장되어 있는 값을 복사할 뿐, 인스턴스 변수가 참조하는 대상까지 복사하지는 않는다. 따라서 위 예제에서 보인 복사의 결과는 다음과 같다. 참고로 이러한 형태의 복사를 가리켜 '얕은(Shallow) 복사'라 한다.

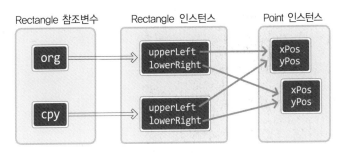

[그림 19-10 : Shallow Copy 2]

즉 Rectangle 클래스의 인스턴스 변수 upperLeft와 lowerRight의 참조 값이 복사되었을 뿐, 참조변수가 가리키는(참조하는) 인스턴스까지 복사가 된 것은 아니다. 때문에 위와 같은 실행결과를 보이게 되었다. 그런데 여러분이 생각한 복사의 형태는 다음과 같았을 것이다. 다음과 같이 참조변수가 가리키는 인스턴스의 복사까지 생각하고 있었을 것이다.

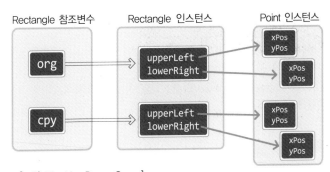

[그림 19-11 : Deep Copy]

위 그림과 같은 형태의 복사를 가리켜 '깊은(Deep) 복사'라 하는데, 이러한 형태의 복사가 필요하다면 clone 메소드를 오버라이딩 해야 한다. 어떻게 오버라이딩 하면 되겠는가? 아래의 예제를 통해서 필자의 구현 예를 보일 테니, 여러분도 본인의 생각을 반영해서 예제 ShallowCopy.java를 변경해보기 바란다. 참고로 깊은 복사를 위한 특별한 문법이 존재하는 것은 아니기 때문에, 위 그림의 형태로 복사가 이뤄지도록 여러분이 직접 코드를 구성해야 한다.

```
1.   class Point implements Cloneable
2.   {
3.       // 예제 ShallowCopy.java와 동일하므로 생략
4.   }
5.
6.   class Rectangle implements Cloneable
7.   {
8.       // clone 메소드를 제외한 나머지는 ShallowCopy.java와 동일하므로 생략
9.
10.      public Object clone() throws CloneNotSupportedException
11.      {
12.          Rectangle copy=(Rectangle)super.clone();
13.          copy.upperLeft=(Point)upperLeft.clone();
14.          copy.lowerRight=(Point)lowerRight.clone();
15.          return copy;
16.      }
17.  }
18.
19.  class DeepCopy
20.  {
21.      public static void main(String[] args)
22.      {
23.          // 예제 ShallowCopy.java와 동일하므로 생략
24.      }
25.  }
```

해 설

- 12행 : Object 클래스 내에 존재하는 clone 메소드를 호출하고 있다. 이 메소드의 호출을 통해서 참조변수 copy의 참조방식은 그림 19-10의 형태가 된다.

- 13, 14행 : 깊은 복사를 위해서 upperLeft와 lowerRight가 참조하는 대상까지 복사하여, 그림 19-11의 형태를 구성하고 있다.

❖ 실행결과 : DeepCopy.java

```
직사각형 위치정보...
좌 상단 : [2, 2]
우 하단 : [7, 7]


직사각형 위치정보...
좌 상단 : [1, 1]
우 하단 : [9, 9]
```

위 예제에서 보인, 깊은 복사를 위한 clone 메소드의 오버라이딩이 처음에는 익숙하지 않을 수 있다. 그러나 오버라이딩의 과정을 이해하고 나면 누구나 쉽게 할 수 있을 정도로 그 방식이 단순하다.

■ 인스턴스 변수가 String인 경우의 깊은 복사

다음 클래스가 깊은 복사를 하도록 clone 메소드를 오버라이딩 해 보겠는가?

```
class Person implements Cloneable
{
    private String name;
    private int age;

    public Person(String name, int age)
    {
        this.name=name;
        this.age=age;
    }
}
```

String 클래스의 clone 메소드는 public으로 오버라이딩 되어있지 않아서 호출이 불가능하다(물론 Cloneable 인터페이스도 구현하고 있지 않다). 따라서 다음과 같이 오버라이딩을 해야 한다.

```
class Person implements Cloneable
{
    private String name;
    private int age;

    public Person(String name, int age)
    {
        this.name=name;
        this.age=age;
    }
    public Object clone() throws CloneNotSupportedException
    {
        Person cpy=(Person)super.clone();
        cpy.name=new String(name);
        return cpy;
    }
}
```

위 예제에서는 분명 깊은 복사가 이뤄지도록 clone 메소드를 오버라이딩 하고 있다. 그런데 자바 프로그래머에게 "Person 클래스의 clone 메소드를 깊은 복사가 이뤄지도록 오버라이딩 해 주세요."라고 부탁하면 그냥 다음과 같이 정의하고 만다.

```
class Person implements Cloneable
{
    private String name;
    private int age;

    public Person(String name, int age)
    {
        this.name=name;
        this.age=age;
    }
    public Object clone() throws CloneNotSupportedException
    {
        Person cpy=(Person)super.clone();
        // cpy.name=new String(name); → 프로그래머가 삽입하지 않는 문장!
        return cpy;
    }
}
```

그렇다면 String 인스턴스를 깊은 복사의 대상에서 제외시키는 이유는 무엇일까? 이유는 간단하다.

"String 인스턴스는 깊은 복사의 대상에 둘 필요가 없습니다!"

String 인스턴스에 저장된 문자열 정보는 변경이 불가능하지 않은가? 따라서 변경해야 하는 상황에 놓이면, 변경하고픈 문자열 정보를 담고 있는 String 인스턴스로 대체를 해야 한다. 때문에 깊은 복사의 대상에 둘 필요가 없는데, 다음 예제를 통해서 이러한 사실을 확인해 보겠다.

❖ StringClone.java

```
1.   class Person implements Cloneable
2.   {
3.       private String name;
4.       private int age;
5.
6.       public Person(String name, int age)
7.       {
8.           this.name=name;
9.           this.age=age;
10.      }
11.      public void changeName(String name)
12.      {
```

```
13.          this.name=name;
14.      }
15.      public void showPersonInfo()
16.      {
17.          System.out.println("이름 : "+ name);
18.          System.out.println("나이 : "+ age);
19.          System.out.println("");
20.      }
21.      public Object clone() throws CloneNotSupportedException
22.      {
23.          Person cpy=(Person)super.clone();
24.          return cpy;
25.      }
26. }
27.
28. class StringClone
29. {
30.      public static void main(String[] args)
31.      {
32.          try
33.          {
34.              Person p1=new Person("이승원", 22);
35.
36.              Person p2=(Person)p1.clone();
37.              p2.changeName("정혜영");
38.
39.              Person p3=(Person)p2.clone();
40.              p3.changeName("정승주");
41.
42.              p1.showPersonInfo();
43.              p2.showPersonInfo();
44.              p3.showPersonInfo();
45.          }
46.          catch(CloneNotSupportedException e)
47.          {
48.              e.printStackTrace();
49.          }
50.      }
51. }
```

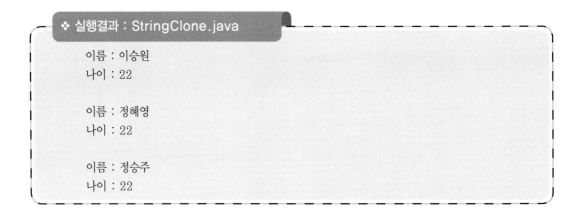

이름 : 이승원
나이 : 22

이름 : 정혜영
나이 : 22

이름 : 정승주
나이 : 22

위 예제 36행을 보자. 이 문장의 실행으로 인해서 인스턴스는 다음과 같이 복사가 된다

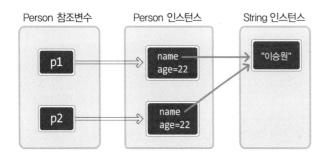

[그림 19-12 : String의 clone 1]

물론 이는 얕은 복사의 결과이다. 그러나 인스턴스에 저장되어 있는 데이터를 참조만 하는 경우에는(값의 변경이 아닌 경우에는) 문제가 발생하지 않는다. 그런데 데이터를 변경하는 경우에도 문제는 발생하지 않는다. 위 예제 37행에서는 p2가 참조하는 인스턴스의 문자열을 변경시키고 있다. 그리고 그 결과로 다음의 구조가 된다.

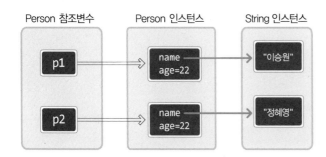

[그림 19-13 : String의 clone 2]

37행의 메소드 호출로 인해서 "정혜영"이라는 문자열 정보가 담긴 String 인스턴스가 생성되고, 이 인스턴스의 참조 값이 changeName 메소드의 인자로 전달되었다. 따라서 위 그림과 같이 서로 다른

String 인스턴스를 참조하게 된다. 결과적으로 String 인스턴스는 깊은 복사의 대상에 두지 않아도 전혀 문제가 발생하지 않는다.

정리하면, String 인스턴스는 깊은 복사의 대상에 포함시킬 필요가 없다. 누군가 String 인스턴스까지도 깊은 복사의 대상에 포함시켜 달라는 별도의 요구가 없는 한, String 인스턴스는 깊은 복사의 대상에 포함시키지 않아도 된다.

 문 제 19-2 [깊은 복사를 위한 clone의 오버라이딩]

clone 메소드 호출 시, 아래의 PersonalInfo 클래스가 깊은 복사를 수행하도록 코드를 변경해보자.

```java
class Business implements Cloneable
{
    private String company;
    private String work;

    public Business(String company, String work)
    {
        this.company=company;
        this.work=work;
    }
    public void showBusinessInfo()
    {
        System.out.println("회사 : " + company);
        System.out.println("업무 : " + work);
    }
    public void changeWork(String work)
    {
        this.work=work;
    }
}

class PersonalInfo implements Cloneable
{
    private String name;
    private int age;
    private Business bness;

    public PersonalInfo(String name, int age, String company, String work)
    {
        this.name=name;
        this.age=age;
        bness=new Business(company, work);
    }
    public void showPersonalInfo()
    {
```

```
                System.out.println("이름 : " + name);
                System.out.println("나이 : " + age);
                bness.showBusinessInfo();
                System.out.println("");
        }
        public void changeWork(String work)
        {
                bness.changeWork(work);
        }
        public Object clone() throws CloneNotSupportedException
        {
                PersonalInfo copy=(PersonalInfo)super.clone();
                return copy;
        }
}

class DeepCopyImpl
{
        public static void main(String[] args)
        {
            try
            {
                PersonalInfo pInfo=
                    new PersonalInfo("James", 22, "HiMedia", "encoding");
                PersonalInfo pCopy= (PersonalInfo)pInfo.clone();
                pCopy.changeWork("decoding");

                pInfo.showPersonalInfo();
                pCopy.showPersonalInfo();
            }
            catch(CloneNotSupportedException e)
            {
                e.printStackTrace();
            }
        }
}
```

참고로 위 예제를 실행해 보면, 업무(인스턴스 변수 work)와 관련된 출력결과를 통해서 얕은 복사가 진행됨을 확인할 수 있다.

참 고

배열 인스턴스의 clone 메소드 호출

배열도 인스턴스이다. 그리고 clone 메소드의 호출이 가능하도록 public으로 오버라이딩 되어있다. 하지만 그뿐이다. 깊은 복사가 진행되도록 오버라이딩 되어있지는 않다. 따라서 배열이 인스턴스의 참조 값으로 이뤄져 있다면, 참조 값이 복사될 뿐 참조 값에 해당하는 인스턴스까지 복사되지는 않는다.

Chapter 19 프로그래밍 문제의 답안

■ 문제 19-1의 답안

이 문제에서 요구하는 equals 메소드의 오버라이딩 방법은 두 가지로 나눠서 생각할 수 있는데, 하나는 Rectangle 클래스에만 equals 메소드를 정의하는 방법이다. Point 클래스의 xPos와 yPos가 private으로 선언되지 않았기 때문에, Rectangle 클래스에서는 Point의 인스턴스 변수에 직접 접근이 가능하다. 따라서 Rectangle 클래스에만 equals 메소드를 정의하는 것도 가능하다.

다른 한가지 방법은 Point 클래스와 Rectangle 클래스에 각각의 equals 메소드를 정의하는 방법이다. Point 클래스에는 xPos와 yPos의 내용비교를 위한 equals 메소드를 정의하고, Rectangle 클래스에는 upperLeft와 lowerRight의 내용비교를 위한 equals 메소드를 정의해서 문제의 요구사항을 충족시킬 수 있다. 여러분은 무엇이 보다 좋은 방법이라고 생각하는가?

❖ 소스코드 답안

```
1.    class Point
2.    {
3.        int xPos, yPos;
4.
5.        public Point(int x, int y)
6.        {
7.            xPos=x;
8.            yPos=y;
9.        }
10.       public void showPosition()
11.       {
12.           System.out.printf("[%d, %d]", xPos, yPos);
13.       }
14.       public boolean equals(Object obj)
15.       {
16.           Point cmp=(Point)obj;
17.           if(xPos==cmp.xPos && yPos==cmp.yPos)
18.               return true;
19.           else
20.               return false;
21.       }
22.   }
23.
24.   class Rectangle
25.   {
26.       Point upperLeft, lowerRight;
27.
28.       public Rectangle(int x1, int y1, int x2, int y2)
29.       {
30.           upperLeft=new Point(x1, y1);
31.           lowerRight=new Point(x2, y2);
32.       }
```

```
33.        public void showPosition()
34.        {
35.            System.out.println("직사각형 위치정보...");
36.            System.out.print("좌 상단 : ");
37.            upperLeft.showPosition();
38.            System.out.println("");
39.            System.out.print("우 하단 : ");
40.            lowerRight.showPosition();
41.            System.out.println("\n");
42.        }
43.
44.        public boolean equals(Object obj)
45.        {
46.            Rectangle cmp=(Rectangle)obj;
47.            if(upperLeft.equals(cmp.upperLeft) && lowerRight.equals(cmp.lowerRight))
48.                return true;
49.            else
50.                return false;
51.        }
52.    }
53.
54. class EncapsulationEquals
55. {
56.        public static void main(String[] args)
57.        {
58.            Rectangle rec1=new Rectangle(1, 2, 8, 9);
59.            Rectangle rec2=new Rectangle(2, 3, 5, 5);
60.            Rectangle rec3=new Rectangle(1, 2, 8, 9);
61.
62.            rec1.showPosition();
63.            rec2.showPosition();
64.            rec3.showPosition();
65.
66.            if(rec1.equals(rec2))
67.                System.out.println("rec1과 rec2의 위치 정보는 같다.");
68.            else
69.                System.out.println("rec1과 rec2의 위치 정보는 다르다.");
70.
71.            if(rec1.equals(rec3))
72.                System.out.println("rec1과 rec3의 위치 정보는 같다.");
73.            else
74.                System.out.println("rec1과 rec3의 위치 정보는 다르다.");
75.        }
76. }
```

위 예제에서 보이듯이 Point 클래스와 Rectangle 클래스에 각각의 equals 메소드를 정의하는 것이 보다 좋은 방법이다. 그 근거는 캡슐화(Encapsulation)에서 찾을 수 있다. 캡슐화의 완성을 위해서는 Point 가 하나의 완전한 클래스로 정의되어야 하고, Rectangle이 하나의 완전한 클래스로 정의되어야 한다. 이에 대해서는 캡슐화에서 이미 설명하였으니, 이해되지 않는 부분은 이전 설명을 참고하기 바란다.

■ 문제 19-2의 답안

PersonalInfo 클래스의 clone 메소드를 오버라이딩 하는 과정에서 Business 클래스의 clone 메소드를 호출해야 하기 때문에, protected로 선언되어 있는 clone 메소드를 public으로 확장하기 위한 오버라이딩이 Business 클래스에서도 이뤄져야 한다.

❖ 소스코드 답안

```
1.   class Business implements Cloneable
2.   {
3.       private String company;
4.       private String work;
5.
6.       public Business(String company, String work)
7.       {
8.           this.company=company;
9.           this.work=work;
10.      }
11.      public void showBusinessInfo()
12.      {
13.          System.out.println("회사 : " + company);
14.          System.out.println("업무 : " + work);
15.      }
16.      public void changeWork(String work)
17.      {
18.          this.work=work;
19.      }
20.      public Object clone() throws CloneNotSupportedException
21.      {
22.          Business copy=(Business)super.clone();
23.          return copy;
24.      }
25.  }
26.
27.  class PersonalInfo implements Cloneable
28.  {
29.      private String name;
30.      private int age;
31.      private Business bness;
32.
33.      public PersonalInfo(String name, int age, String company, String work)
34.      {
35.          this.name=name;
36.          this.age=age;
37.          bness=new Business(company, work);
38.      }
39.      public void showPersonalInfo()
40.      {
41.          System.out.println("이름 : " + name);
42.          System.out.println("나이 : " + age);
43.          bness.showBusinessInfo();
44.          System.out.println("");
45.      }
46.      public void changeWork(String work)
47.      {
48.          bness.changeWork(work);
49.      }
50.      public Object clone() throws CloneNotSupportedException
51.      {
52.          PersonalInfo copy=(PersonalInfo)super.clone();
53.          copy.bness=(Business)bness.clone();
```

```
54.           return copy;
55.       }
56. }
57.
58. class DeepCopyImpl
59. {
60.     public static void main(String[] args)
61.     {
62.         try
63.         {
64.             PersonalInfo pInfo=
65.                 new PersonalInfo("James", 22, "HiMedia", "encoding");
66.             PersonalInfo pCopy=(PersonalInfo)pInfo.clone();
67.             pCopy.changeWork("decoding");
68.
69.             pInfo.showPersonalInfo();
70.             pCopy.showPersonalInfo();
71.         }
72.         catch(CloneNotSupportedException e)
73.         {
74.             e.printStackTrace();
75.         }
76.     }
77. }
```

Chapter 20

자바의 다양한 기본 클래스

이제 여러분은 어느 정도 자바를 이해한 상태가 되었다. 따라서 이제부터는 지금까지 이해한 문법적 내용을 바탕으로 다양한 클래스들을 이해해야 한다.

'Wrapper 클래스'라는 이름에는 '감싸는 클래스'라는 의미가 담겨있다. 따라서 Wrapper 클래스가 감싸는 것이 무엇인지에 대한 이해에서부터 이야기를 시작해 보자.

■ 기본 자료형의 데이터를 감싸는 Wrapper 클래스

때로는 int, double과 같은 기본 자료형 데이터들도 인스턴스로 표현을 해야만 하는 경우가 있다. 예를 들어서 다음과 같이 정의된 메소드가 존재한다고 가정해보자(이 메소드는 이미 정의되어있고, 여러분은 이 메소드를 반드시 활용해야만 하는 상황이라고 가정하자. 기능의 단순함에는 신경 쓰지 말자).

```
public static void showData(Object obj)
{
    System.out.println(obj);
}
```

그런데 이 메소드를 통해서 출력해야 할 데이터가 정수 3과 실수 7.15이다. 이러한 상황에서는 정수 3과 실수 7.15가 Object 클래스를 상속하는 인스턴스의 형태가 되어야만 위 메소드의 인자로 전달될 수 있다. 이것이 기본 자료형 데이터가 인스턴스로 표현되어야 하는 상황인데, 이렇듯 인스턴스의 참조 값을 요구하는 자리에 기본 자료형 데이터를 놓아야 하는 경우, 기본 자료형 데이터를 인스턴스로 표현해야 한다.

Object 클래스의 toString 메소드

Chapter 12와 Chapter 16에서 다음의 내용을 설명한바 있다.
- toString 메소드는 Object 클래스의 인스턴스 메소드이다.
- 원하는 문자열을 반환하도록 toString 메소드를 오버라이딩 하는 것이 일반적이다.
- System.out.println 메소드는 인자로 전달된 인스턴스의 toString 메소드를 호출하여 반환되는 문자열을 출력한다.

지금 설명하는 내용은 위의 사실을 모두 알고 있다는 가정하에 진행 중이다.

기본 자료형 데이터를 인스턴스로 표현하기 위해서 여러분이 직접 클래스를 정의해도 된다. 다음 예제에서 보이듯이 int형 데이터의 표현을 위한 클래스를 직접 정의할 수도 있다.

❖ WrappingInteger.java

```
1.   class IntWrapper
2.   {
3.       private int num;
4.       public IntWrapper(int data)
5.       {
6.           num=data;
7.       }
8.       public String toString()
9.       {
10.          return ""+num;
11.      }
12.  }
13.
14.  class WrappingInteger
15.  {
16.      public static void showData(Object obj)
17.      {
18.          System.out.println(obj);
19.      }
20.
21.      public static void main(String[] args)
22.      {
23.          IntWrapper intInst=new IntWrapper(3);
24.          showData(intInst);
25.          showData(new IntWrapper(7));
26.      }
27.  }
```

해 설

• 1행 : int형 데이터를 저장하기 위한(표현하기 위한) 클래스가 정의되었다. 이러한 유형의 클래스를
  가리켜 Wrapper 클래스라 한다.
• 23행 : IntWrapper 클래스를 이용해서 정수 3을 인스턴스로 표현하고 있다.
• 25행 : 정수 7을 인스턴스화 함과 동시에 showData의 메소드에 인자로 전달하고 있다.

❖ 실행결과 : WrappingInteger.java

```
3
7
```

위 예제에서는 정수를 인스턴스화 할 수 있도록 클래스를 별도로 정의하였다. 하지만 자바에서 제공하는
Wrapper 클래스를 활용하면 위 예제와 같이 별도의 클래스를 정의할 필요가 없다. 다시 말해서 자바에

서는 기본 자료형 데이터를 인스턴스로 감싸기 위한 클래스들을 이미 정의해 놓았다. 따라서 이를 활용하는 것이 여러 측면에서 보다 효율적이다. 다음 예제에서 보이듯이 말이다.

❖ UseWrapperClass.java

```
1.   class UseWrapperClass
2.   {
3.       public static void showData(Object obj)
4.       {
5.           System.out.println(obj);
6.       }
7.
8.       public static void main(String[] args)
9.       {
10.          Integer intInst=new Integer(3);
11.          showData(intInst);
12.          showData(new Integer(7));
13.      }
14.  }
```

해 설

- 10행 : 자바에서 제공하는 Wrapper 클래스 중 하나인 Integer 클래스를 이용해서 정수 3을 인 스턴스화하고 있다.
- 12행 : 메소드에 단순히 숫자를 전달하듯이, 정수 7을 인스턴스화 함과 동시에 showData의 메 소드에 인자로 전달하고 있다.

❖ 실행결과 : UseWrapperClass.java

```
3
7
```

자! 그럼 자바에서 제공하는 Wrapper 클래스들의 종류와 기능을 살펴보자. 먼저 Wrapper 클래스의 종류와 각각의 기본 생성자를 나열해 보겠다.

- Boolean   Boolean(boolean value)

- Character   Character(char value)

- Byte   Byte(byte value)

- Short   Short(short value)

- Integer   Integer(int value)

• Long	Long(long value)
• Float	Float(float value), Float(double value)
• Double	Double(double value)

위에서 보이듯이 모든 기본 자료형에 해당하는 Wrapper 클래스가 정의되어 있다. 그리고 위에서는 보이지 않고 있지만, Character 클래스를 제외한 모든 Wrapper 클래스에는 String의 참조 값을 인자로 받는 생성자들이 정의되어 있어서, 다음과 같이 문자열로 표현된 데이터를 기반으로 하는 인스턴스의 생성도 가능하다

```
Integer num1=new Integer("240")
Double num2=new Double("12.257");
```

■ Wrapper 클래스의 가장 기본이 되는 두 가지 기능

Wrapper 클래스도 각각 다양한 메소드가 정의되어 있어서 여러 가지 기능을 제공하고 있다. 그러나 기본적으로 기억해야 할 기능은 다음 두 가지이다.

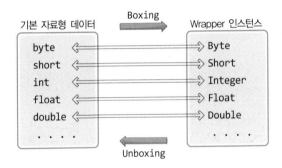

[그림 20-1 : Boxing & Unboxing]

기본 자료형 데이터를 인스턴스화 시키는 작업을 가리켜 Boxing(권투가 아닌, '상자에 담음'을 의미한다)이라 한다. 즉 Boxing은 인스턴스의 생성에 의해서 이뤄진다. 반면 인스턴스에 저장되어 있는 기본 자료형 데이터를 꺼내는 작업을 가리켜 Unboxing('상자에서 꺼냄'을 의미)이라 하는데, 이는 Wrapper 클래스에 정의된 메소드의 호출에 의해서 이뤄진다. 그럼 다음 예제를 통해서 Boxing과 Unboxing의 과정을 보이겠다.

❖ BoxingUnboxing.java

```
1.   class BoxingUnboxing
2.   {
3.       public static void main(String[] args)
4.       {
5.           Integer iValue=new Integer(10);
```

```
6.            Double dValue=new Double(3.14);
7.
8.            System.out.println(iValue);
9.            System.out.println(dValue);
10.
11.           iValue=new Integer(iValue.intValue()+10);
12.           dValue=new Double(dValue.doubleValue()+1.2);
13.
14.           System.out.println(iValue);
15.           System.out.println(dValue);
16.       }
17. }
```

- 5, 6행 : Integer 클래스와 Double 클래스를 이용해서 10과 3.14를 Boxing 처리하고 있다.
- 11행 : Integer형 인스턴스에 저장되어 있는 정수 값을 얻기 위해서 intValue 메소드를 호출하고 있다. 그리고 이 과정을 가리켜 Unboxing이라 한다.
- 12행 : Double형 인스턴스에 저장되어 있는 실수 값을 얻기 위해서 doubleValue 메소드를 호출하고 있다. 그리고 이 때 반환된 값에 1.2를 더하여 새로운 Double형 인스턴스를 생성하고 있다. 결과적으로는 dValue가 참조하는 인스턴스에 저장된 값이 1.2 증가하였다.

❖ 실행결과 : BoxingUnboxing.java

```
10
3.14
20
4.34
```

Wrapper 클래스는 산술연산을 위해 정의된 클래스가 아니다(잠시 후에 얘기가 조금 달라지긴 한다). 따라서 Wrapper 클래스의 인스턴스에 저장된 값은 변경이 불가능하다. 다만 위 예제에서 보인 것처럼, 증가된 값을 저장하는 새로운 인스턴스의 생성 및 참조만이 가능할 뿐이다. 그리고 위 예제에서 보인 내용만으로도 각 Wrapper 클래스 별 Unboxing 메소드의 이름은 유추할 수 있을 것이다.

인스턴스에 저장된 값의 변경이 불가능합니다.

Wrapper 클래스는 String 클래스와 마찬가지로 인스턴스에 저장되어 있는 값의 변경이 불가능하다. 그리고 잠시 후에 소개하는 BigInteger 클래스와 BigDecimal 클래스도 인스턴스에 저장된 값의 변경이 불가능함을 기억하기 바란다.

■ Auto Boxing & Auto Unboxing

자바 버전 5.0부터 Boxing과 Unboxing이 필요한 상황에서 이를 자동으로 처리하기 시작했다. 이는 어렵지 않은 이야기이므로 예제를 통해서 설명하겠다.

❖ AutoBoxingUnboxing.java

```
1.  class AutoBoxingUnboxing
2.  {
3.      public static void main(String[] args)
4.      {
5.          Integer iValue=10;      // auto boxing
6.          Double dValue=3.14;     // auto boxing
7.
8.          System.out.println(iValue);
9.          System.out.println(dValue);
10.
11.         int num1=iValue;        // auto unboxing
12.         double num2=dValue;     // auto unboxing
13.         System.out.println(num1);
14.         System.out.println(num2);
15.     }
16. }
```

해 설

- 5행 : Integer형 참조 변수에는 Integer형 인스턴스의 참조 값이 저장되어야 한다. 그런데 이 문장에서는 정수 10을 저장하려 하고 있다. 이러한 경우에는 정수 10을 바탕으로 Integer형 인스턴스가 자동으로 생성되고, 이 인스턴스의 참조 값이 대신 저장된다. 그리고 이러한 현상을 가리켜 Auto Boxing이라 한다.

- 6행 : 5행과 유사하게 3.14를 바탕으로 Double형 인스턴스가 생성되고, 이 인스턴스의 참조 값이 변수 dValue에 저장된다.

- 11행 : num1에 저장될 값으로 int형 데이터가 등장해야 하는데, Integer형 참조변수 iValue가 등장하였다. 이 경우에는 iValue.intValue()가 자동으로 호출되어, 그 반환 값이 변수 num1에 저장된다. 그리고 이러한 현상을 가리켜 Auto Unboxing이라 한다.

- 12행 : 11행과 유사하게 dValue.doubleValue()가 자동으로 호출되어, 그 반환 값이 변수 num2에 저장된다.

❖실행결과 : AutoBoxingUnboxing.java

```
10
3.14
10
3.14
```

위 예제에서 보이듯이 Integer형 참조변수가 와야 할 위치에 int형 데이터가 오면 Auto Boxing이 진행된다. 그리고 int형 데이터가 와야 할 위치에 Integer형 참조변수가 오면 Auto Unboxing이 진행된다. 이러한 Auto Boxing과 Auto Unboxing은 보다 다양한 상황에서 다양한 형태로 적용이 되어, 다음 예제에서 보이는 코드의 구성도 허용한다.

❖ AutoBoxingUnboxing2.java

```
1.   class AutoBoxingUnboxing2
2.   {
3.       public static void main(String[] args)
4.       {
5.           Integer num1=10;
6.           Integer num2=20;
7.
8.           num1++;
9.           System.out.println(num1);
10.
11.          num2+=3;
12.          System.out.println(num2);
13.
14.          int addResult=num1+num2;
15.          System.out.println(addResult);
16.
17.          int minResult=num1-num2;
18.          System.out.println(minResult);
19.      }
20.  }
```

해 설

• 8, 11행 : Auto Boxing과 Auto Unboxing은 연산과정에서도 발생한다. 따라서 이 두 문장도 적절히 연산이 진행되는데 연산의 과정은 잠시 후에 별도로 설명하겠다.

• 14, 15행 : +와 - 연산을 위해서 num1과 num2가 참조하는 인스턴스가 Auto Unboxing 되어 연산이 이뤄진다.

❖실행결과 : AutoBoxingUnboxing2.java

```
11
23
34
-12
```

위 예제는 Auto Boxing과 Auto Unboxing이 보다 다양한 형태로 폭넓게 적용됨을(연산과정에서도 적용됨을) 보이고 있다. 먼저 이 예제의 8행을 보자. 8행은 다음의 형태로 Unboxing과 Boxing이 동시에 진행된다.

```
num1=new Integer(num1.intValue()+1);
```

유사하게 11행은 다음의 형태로 Unboxing과 Boxing이 동시에 진행된다.

```
num2=new Integer(num2.intValue()+3);
```

여러분도 연산과정에서 발생하는 Boxing과 Unboxing의 조합을 나름대로 유추할 수 있어야 한다. 그러나 자동으로 발생하는 Boxing과 Unboxing으로 인해서 Wrapper 클래스의 인스턴스 역시 산술연산이 가능하다는 사실을 이해하는 것이 더 중요하다. 그리고 앞서 Wrapper 클래스는 산술연산을 위해 정의된 클래스가 아니라고 하였는데, 이 사실에는 변함이 없다. 다만 이러한 Wrapper 클래스가 Auto Boxing과 Auto Unboxing으로 인해서 산술연산이 가능해졌을 뿐이다.

 문 제 20-1 [static 메소드를 이용한 인스턴스의 생성]

기본 자료형 데이터를 이용한 Wrapper 클래스의 인스턴스 생성 방법에는(간단히 줄여서 boxing에는) 다음과 같이 두 가지가 존재한다.

- 키워드 new를 이용한 일반적인 인스턴스의 생성방법
- static 메소드를 이용한 인스턴스의 생성방법

그런데 앞서 필자가 보인 것은 모두 키워드 new를 이용하는 방법이었다. 그래서 지금 필자는 static 메소드를 이용한 인스턴스의 생성방법도 존재한다는 힌트를 제공하고 있다. 이 힌트를 근거로 API 문서를 참조하자. 그리고 다음 예제를 static 메소드를 이용해서 Boxing 처리하는 형태로 변경해보자.

```
class AboutStaticWrapping
{
    public static void main(String[] args)
    {
        Integer iValue1=new Integer(10);
        Integer iValue2=new Integer(10);

        if(iValue1==iValue2)
            System.out.println("iValue1과 iValue2는 동일 인스턴스 참조");
        else
            System.out.println("iValue1과 iValue2는 다른 인스턴스 참조");
    }
}
```

참고로 위 예제의 실행결과와 변경된 예제의 실행결과는 두 가지 Boxing 방법의 차이점을 여러분에게 알려줄 것이다.

BigInteger 클래스와 BigDecimal 클래스

short 그리고 int와 같은 정수 자료형의 문제점은 매우 큰 수의 표현이 불가능하다는데 있고, float 그리고 double과 같은 실수 자료형의 문제점은 정밀한 값의 표현이 불가능해 항상 오차가 존재한다는데 있다. 자바는 이러한 문제점의 해결을 위해서 BigInteger 클래스와 BigDecimal 클래스를 제공하고 있다.

■ 매우 큰 정수의 표현을 위한 BigInteger 클래스

보통은 int 정도의 기본 자료형으로 원하는 정수의 표현이 가능하다. 그러나 상황에 따라서는 정수 자료형 중에서 가장 표현 범위가 넓은 long형으로도 표현 불가능한 수를 표현해야 할 때도 있다. 다행히도 자바는 이러한 경우를 대비하여 BigInteger 클래스를 제공하고 있는데, 다음 예제를 통해서 이 클래스의 활용 방법을 소개하겠다.

❖ SoBigInteger.java

```
1.  import java.math.*;
2.
3.  class SoBigInteger
4.  {
5.      public static void main(String[] args)
6.      {
7.          System.out.println("최대 정수 : " + Long.MAX_VALUE);
8.          System.out.println("최소 정수 : " + Long.MIN_VALUE);
9.
10.         BigInteger bigValue1=new BigInteger("10000000000000000000000");
11.         BigInteger bigValue2=new BigInteger("-99999999999999999999");
12.
13.         BigInteger addResult=bigValue1.add(bigValue2);
14.         BigInteger mulResult=bigValue1.multiply(bigValue2);
15.
16.         System.out.println("큰 수의 덧셈결과 : "+addResult);
17.         System.out.println("큰 수의 곱셈결과 : "+mulResult);
18.     }
19. }
```

해 설

- 1행 : BigInteger 클래스는 java.math 패키지에 묶여있기 때문에 이 문장이 삽입되었다.
- 7, 8행 : 앞서 설명하지는 않았지만, Wrapper 클래스에는 각 자료형 별 최대값과 최소값의 크기 정보를 담고 있는 static 변수가 선언되어 있다.

- 10, 11행 : BigInteger 클래스의 인스턴스 생성을 보이고 있다. 생성자를 통해서 표현하고픈 값을 전달하는데, 반드시 문자열로 정보를 담아서 전달해야 한다.
- 13, 14행 : BigInteger형 인스턴스간 산술연산이 이뤄지고 있다. 13행에서는 덧셈을, 14행에서는 곱셈을 진행하는데, BigInteger 인스턴스도 내부에 저장된 데이터의 변경이 불가능하기 때문에, 연산 결과를 담고 있는 별도의 인스턴스가 생성된다.

❖ 실행결과 : SoBigInteger.java

```
최대 정수 : 9223372036854775807
최소 정수 : -9223372036854775808
큰 수의 덧셈결과 : 1
큰 수의 곱셈결과 : -99999999999999999999900000000000000000000
```

위 예제의 10행과 11행에서는 인스턴스로 표현하고자 하는 정수를 문자열의 형태로 전달하고 있다. 그렇다면 왜 다음과 같은 형태로의 인스턴스 생성은 불가능한 것일까? 다시 말해서, 그냥 숫자를 전달해서 인스턴스를 생성하면 안 되는 이유는 어디에 있을까?

```
BigInteger bigValue1=new BigInteger(100000000000000000000);
BigInteger bigValue2=new BigInteger(-9999999999999999999);
```

물론 "정수를 전달받는 생성자가 정의되어 있지 않으니까요"라고 답을 해도 틀리진 않는다. 그러나 조금 부족하다. 다음과 같이 답을 해야 부족함 없는 답변이 된다.

"저렇게 큰 수를 전달받을 수 있는 매개변수 선언이 불가능하니까, 당연히 생성자도 존재할 수 없겠지요."

BigInteger 클래스로만 처리해야 하는 큰 수의 저장을 위한 정수 자료형은 존재하지 않기 때문에 당연히 매개변수 선언이 불가능하다. 그래서 문자열을 통해서 값을 표현하는 것이다. 간단히 BigInteger 클래스에 대해서 소개하였는데, 이 클래스에는 보다 다양한 메소드가 정의되어 있으니, 필요하다면 API 문서를 참조하기 바란다.

■ 오차 없는 실수의 표현을 위한 BigDecimal 클래스

이번에 소개하는 BigDecimal 클래스는 오차가 존재하지 않는 실수의 표현을 위해 정의된 클래스이다. 그럼 먼저 double형 데이터의 표현에 오차가 존재함을 확인하자.

❖ DoubleError.java

```
1.   class DoubleError
```

```
2.  {
3.      public static void main(String[] args)
4.      {
5.          double e1=1.6;
6.          double e2=0.1;
7.
8.          System.out.println("두 실수의 덧셈결과 : "+ (e1+e2));
9.          System.out.println("두 실수의 곱셈결과 : "+ (e1*e2));
10.     }
11. }
```

❖ 실행결과 : DoubleError.java

두 실수의 덧셈결과 : 1.7000000000000002
두 실수의 곱셈결과 : 0.16000000000000003

위 예제에서 보이듯이, 일반적인 실수의 표현에는 오차가 존재한다(오차의 존재이유에 대해서는 Chapter 02에서 설명하였다). 그럼 이번에는 BigDecimal 클래스를 활용하여 오차가 존재하지 않도록 위 예제를 변경해 보겠다.

❖ WowDoubleError.java

```
1.  import java.math.*;
2.
3.  class WowDoubleError
4.  {
5.      public static void main(String[] args)
6.      {
7.          BigDecimal e1=new BigDecimal(1.6);
8.          BigDecimal e2=new BigDecimal(0.1);
9.
10.         System.out.println("두 실수의 덧셈결과 : "+ e1.add(e2));
11.         System.out.println("두 실수의 곱셈결과 : "+ e1.multiply(e2));
12.     }
13. }
```

해 설

- 1행 : BigDecimal 클래스도 java.math 패키지에 묶여있다. 따라서 이 문장이 삽입되었다.
- 7, 8행 : BigDecimal 인스턴스의 생성을 보이고 있다. 실수형 기본 자료형은 표현할 수 있는 값의 범위가 매우 넓기 때문에, 실수를 전달받는 생성자의 정의가 가능하다. 때문에 이러한 형태로 인스턴스를 생성할 수 있다.
- 10, 11행 : BigDecimal 인스턴스간의 덧셈과 곱셈을 진행하여, 그 결과를 출력하고 있다.

❖ 실행결과 : WowDoubleError.java

두 실수의 덧셈결과 : 1.89999999999999996669309261245303787291049957275390625
두 실수의 곱셈결과 : 0.3400000000000000099920072216264083707746192496850044301696⋯

위 예제에서는 오차 없는 실수의 표현을 위해서 BigDecimal 클래스를 사용하였는데, 실행결과에서 보이듯이 연산결과에 존재하는 오차를 보다 자세하게 보여주고 있다. 이러한 문제가 발생한 이유는 어디에 있을까? 위 예제의 7행과 8행을 다시 보자. 그리고 이 두 문장에서 이 결과의 원인을 찾아보자.

```
BigDecimal e1=new BigDecimal(1.6);
BigDecimal e2=new BigDecimal(0.1);
```

찾았는가? 이 두 문장에서는 인스턴스의 생성을 위해서 1.6과 0.1을 인자로 전달하고 있다. 따라서 생성자는 전달되는 실수를 매개변수에 저장하게 되는데, 이 때 이미 오차가 발생해버린다. 즉 매개변수에 저장된 실수의 값은 오차가 존재하는 1.6과 오차가 존재하는 0.1이다. 따라서 연산의 결과에도 당연히 오차가 존재하게 된다. 그래서 오차 없는 실수의 표현 및 연산을 위해서는 다음과 같이 문자열을 이용해서 값을 표현해야 한다.

❖ NoErrorBigDecimal.java

```
1.   import java.math.*;
2.
3.   class NoErrorBigDecimal
4.   {
5.       public static void main(String[] args)
6.       {
7.           BigDecimal e1=new BigDecimal("1.6");
8.           BigDecimal e2=new BigDecimal("0.1");
9.
10.          System.out.println("두 실수의 덧셈결과 : "+ e1.add(e2));
11.          System.out.println("두 실수의 곱셈결과 : "+ e1.multiply(e2));
12.      }
13.  }
```

해 설

• 7, 8행 : 1.6과 0.1을 문자열로 표현해서 인스턴스를 생성하고 있다. 따라서 데이터의 전달 과정에서 오차가 발생하지 않는다.

❖ 실행결과 : NoErrorBigDecimal.java

```
두 실수의 덧셈결과 : 1.7
두 실수의 곱셈결과 : 0.16
```

이로써 간단히 오차 없는 실수의 표현 및 연산을 위한 기본적인 사항들을 소개하였다. 그러나 BigDecimal 클래스의 기능은 예제에서 보여준 것이 전부가 아니다. 실무에서 필요로 하는 대부분의 기능이(메소드가) BigDecimal 클래스에는 담겨있다. 따라서 필요한 때에 별도로 API 문서를 참조하기 바란다. 필자는 이러한 클래스가 있음을 소개하는 정도로 마무리 하겠다.

문제 20-2 [BigDecimal 클래스의 활용]

Question

프로그램 사용자로부터 두 개의 실수를 입력 받은 후, 두 실수의 차에 대한 절대값을 계산하여 출력하는 프로그램을 작성하자. 단 오차가 존재하지 않아야 하며, 문제의 해결을 위해서 반드시 BigDecimal 클래스의 API 문서를 참조하기 바란다.

20-3 Math 클래스와 난수의 생성, 그리고 문자열 토큰(Token)의 구분

이번에는 static 멤버로만 구성이 되어있는 Math 클래스를 소개하고, 프로그램 개발에 흔히 사용되는 난수의 생성 및 문자열 토큰의 구분 방법을 소개하고자 한다.

■ 수학관련 기능의 제공을 위한 Math 클래스

Math 클래스는 모든 멤버가 static으로 선언되어 있는, 수학관련 기능의 제공을 위해 정의된 클래스일 뿐, 인스턴스의 생성을 목적으로 정의된 클래스는 아니다. Math 클래스에는 삼십여 개가 넘는 메소드가 존재하는데, 메소드의 이름과 사용방법이 매우 직관적으로 정의되어 있어서 필요로 하는 기능의 메소드를 어렵지 않게 찾을 수 있다. 따라서 필자는 다음 예제를 통해서 Math 클래스의 기본적인 사용방법을 보이고자 한다.

❖ MathClass.java

```
1.  class MathClass
2.  {
3.      public static void main(String[] args)
4.      {
5.          System.out.println("원주율 : " + Math.PI);
6.          System.out.println("2의 제곱근 : " + Math.sqrt(2));
7.
8.          System.out.println(
9.              "파이에 대한 Degree : " + Math.toDegrees(Math.PI));
10.         System.out.println(
11.             "2파이에 대한 Degree : " + Math.toDegrees(2.0*Math.PI));
12.
13.         double radian45=Math.toRadians(45);    // 라디안으로의 변환!
14.         System.out.println("싸인 45 : " + Math.sin(radian45));
15.         System.out.println("코싸인 45 : " + Math.cos(radian45));
16.         System.out.println("탄젠트 45 : " + Math.tan(radian45));
17.
18.         System.out.println("로그 25 : " + Math.log(25));
19.         System.out.println("2의 4승 : "+ Math.pow(2, 4));
20.     }
21. }
```

해설

- 5행 : 원주율 π의 값은 Math 클래스에 PI라는 이름의 static 멤버로 정의되어 있다.
- 8~13행 : 라디안(Radian) 값을 육십분법인 디그리(Degree) 단위로 변환하는 toDegrees 메소드와, 반대로 디그리 값을 라디안 단위로 변환하는 toRadians 메소드를 소개하고 있다. 참고로 대부분의 프로그래밍 언어에서는 라디안 단위가 주로 사용되기 때문에 이 두 메소드는 매우 유용하게 사용된다.
- 13~16행 : 싸인, 코싸인 그리고 탄젠트 값을 얻기 위해서 sin, cos, tan 메소드를 호출하고 있다. 그런데 중요한 것은 이 메소드들의 인자로 전달되는 값이 라디안 단위의 값이어야 한다는 사실이다. 그래서 13행에서는 toRadians 메소드를 이용해서 45도를 라디안 단위로 변환하였다.
- 18, 19행 : 각각 로그와 지수 계산에 필요한 메소드를 소개하고 있다.

```
원주율 : 3.141592653589793
2의 제곱근 : 1.4142135623730951
파이에 대한 Degree : 180.0
2파이에 대한 Degree : 360.0
싸인 45 : 0.7071067811865475
코싸인 45 : 0.7071067811865476
탄젠트 45 : 0.9999999999999999
로그 25 : 3.2188758248682006
2의 4승 : 16.0
```

■ 난수(Random Number)의 생성

난수는 예측이 불가능한 수를 의미한다. 그리고 자바에서는 이러한 난수의 생성을 위한 클래스를 별도로 제공하고 있다. 참고로 난수의 생성은 매우 다양하게, 그리고 유용하게 사용된다. 그 흔한 복권에 새겨지는 숫자도 컴퓨터에서 생성하는 난수의 조합으로 만들어진다. 자바에서 난수를 생성하는 방법은 의외로 쉽다. 먼저 다음과 같이 java.util 패키지로 묶여있는 Random 클래스의 인스턴스를 생성한다.

```
Random rand=new Random();
```

그리고 목적에 따라서 다음의 메소드 중에서 선택하여 호출을 한다. 그러면 난수가 반환된다.

• boolean nextBoolean()	boolean형 난수 반환
• int nextInt()	int형 난수 반환
• long nextLong()	long형 난수 반환
• int nextInt(int n)	0이상 n미만의 범위 내에 있는 int형 난수 반환
• float nextFloat()	0.0 이상 1.0 미만의 float형 난수 반환
• double nextDouble()	0.0 이상 1.0 미만의 double형 난수 반환

그럼 예제를 통해서 난수의 생성을 보이도록 하겠다. 아래의 예제에서는 nextInt 메소드를 이용해서 0 이상 1000미만의 범위 내에 있는 난수의 생성을 보이고 있다.

❖ RandomNumberGenerator.java

```
1.   import java.util.Random;
2.
```

```
3.   class RandomNumberGenerator
4.   {
5.       public static void main(String[] args)
6.       {
7.           Random rand=new Random();
8.
9.           for(int i=0; i<100; i++)
10.              System.out.println(rand.nextInt(1000));
11.      }
12. }
```

 해 설
• 7행 : 난수의 생성을 위해서 Random 인스턴스를 생성하고 있다.
• 9, 10행 : nextInt의 인자로 1000이 전달되었으므로 0이상 1000미만의 난수가 총 100개 생성
  되어 출력된다.

필자가 실행결과를 별도로 제공할 필요는 없을 것 같다. 예제를 실행해보면 난수가 생성됨을 확인할 수 있으니 말이다. 그리고 실행할 때마다 생성되는 난수가 달라짐도 확인할 수 있다. 참고로 위에서 소개하진 않았지만 Random 클래스에는 nextGaussian이라는 메소드도 정의되어 있다. 이는 공학 및 경영경제의 '확률 및 통계' 분야에서 언급하는 가우시안(Gaussian) 분포를 따르는 난수를 생성하는 메소드이다. 여러분의 업무영역 또는 관심분야가 가우시안 분포와는 거리가 멀다면 이 메소드를 이해할 필요는 없다. 다만 필자는 학창시절에 가우시안 분포를 보이는 난수의 생성과 관련 있는 프로그래밍에 대한 경험이 있는데, 자바에서는 이 기능을 표준 클래스를 통해 제공하고 있다는 사실이 재미있어서 몇 자 추가했을 뿐이다.

■ 씨드(Seed) 기반의 난수 생성

난수의 생성은 생각보다 어려운 일이다. 인간은 난수를 얼마든지 생성할 수 있다. 그러나 컴퓨터에게 난수를 생성하도록 요구하는 것은 사실상 불가능에 가깝다. Random 클래스가 정의되어 있지 않아서 여러분이 난수의 생성을 직접 프로그래밍 해야 한다고 가정해보자. 그러면 난수 생성의 어려움을 느낄 수 있을 것이다. 난수는 전혀 예측이 불가능한 수이어야 하는데, 컴퓨터는 완벽한 난수를 생성하지 못한다. 그래서 컴퓨터가 생성하는 난수를 가리켜 'Pseudo-random number'라 하는데, 이는 '가짜 난수'라는 뜻이다. 다음 예제는 컴퓨터가(자바가) 생성하는 난수가 왜 가짜 난수인지를 보여준다.

❖ PseudoRandom.java

```
1.   import java.util.Random;
2.
3.   class PseudoRandom
4.   {
5.       public static void main(String[] args)
```

```
6.       {
7.           Random rand=new Random(12);
8.
9.           for(int i=0; i<100; i++)
10.              System.out.println(rand.nextInt(1000));
11.      }
12. }
```

위 예제와 앞서 보인 예제 RandomNumberGenerator.java의 유일한 차이점은 7행에 있다. 위 예제에서는 Random 클래스의 인스턴스 생성 과정에서 생성자에 정수 12를 전달하고 있다(Random 클래스에는 두 개의 생성자가 정의되어 있다). 이 값은 난수를 생성하는 과정에 있어서 씨앗으로 사용이 된다. "씨앗으로 사용이 된다고?" 이상한 소리로 들릴 수 있다. 그러나 컴퓨터에서 생성하는 난수는 근거, 또는 재료가 되는 하나의 숫자를 기반으로 만들어지도록 알고리즘이 설계되어 있다. 따라서 이 숫자를 가리켜 '씨앗 값(seed number)' 또는 영어 발음 그대로 '씨드 값'이라 한다.

   "그럼 씨앗이 같으면 생성되는 난수가 100% 동일한가요?"

물론이다. "콩 심은데 콩나고, 팥 심은데 팥난다"는 속담도 있지 않은가? 위 예제를 몇 번이고 실행해 보자. 생성되는 난수의 값과 순서가 100% 동일함을 알 수 있다. 그래서 컴퓨터에서 생성하는 난수를 가리켜 '가짜 난수'라 하는 것이다.

   "앞서 보인 예제 RandomNumberGenerator.java에서는 생성되는 난수의 종류와 순서가 매 실행 시
   마다 달랐잖아요!"

물론 예제 RandomNumberGenerator.java의 실행결과는 매 실행 시마다 다르다. 이와 관련해서는 예제를 하나 더 보고 나서 설명하겠다.

❖ SeedChangeRandom.java

```
1.   import java.util.Random;
2.
3.   class SeedChangeRandom
4.   {
5.       public static void main(String[] args)
6.       {
7.           Random rand=new Random(12);
8.           rand.setSeed(System.currentTimeMillis());
9.
10.          for(int i=0; i<100; i++)
11.              System.out.println(rand.nextInt(1000));
12.      }
13. }
```

- 7행 : 숫자 12를 씨앗으로 해서 Random 인스턴스를 생성하고 있다.
- 8행 : System.currentTimeMillis 메소드의 반환 값을 setSeed 메소드의 인자로 전달하고 있다.

위 예제에서 호출하는 setSeed 메소드는 씨앗을 변경하는 메소드이다. 즉 이 예제는 7행에서 숫자 12를 씨앗으로 심지만 8행에서 다시 씨앗을 변경하고 있다. 그리고 8행에서 씨앗을 얻기 위해 호출한 메소드는 다음과 같다.

```
System.currentTimeMillis();
```

이는 컴퓨터의 현재시간을 기준으로, 1970년 1월 1일 자정 이후로 지나온 시간을 밀리 초(1/1000초) 단위로 계산해서 반환하는 메소드이다. 따라서 위 예제가 실행될 때마다 이 메소드가 반환하는 값은 달라질 수밖에 없고(컴퓨터의 현재시간은 계속 흘러가므로), 이로써 setSeed 메소드에는 매번 다른 값이 전달이 된다(다른 씨앗이 심겨진다). 결국 위 예제의 실행결과는 전혀 예측이 불가능한 난수의 생성으로 이어진다. 몇 번을 실행하더라도 말이다.

자! 그럼 예제 RandomNumberGenerator.java에 대해서 이야기해 보자. 이 예제에서는 인스턴스 생성시 씨드 값을 전달하지 않았다. 대신 생성자 내에서 씨드 값을 생성하여 설정하는데, 이 생성자가 씨드 값을 설정하는 방식이 다음과 같다.

```
public Random()
{
    this(System.currentTimeMillis());    // 씨드 값을 전달받는 또 다른 생성자의 호출
}
```

API 문서에서는 "Random의 생성자가 호출될 때, 이전에 호출될 때와 전혀 다른 씨드 값이 설정된다." 라고만 설명되어 있다. 즉 씨드 값의 설정 방법에 대한 구체적인 설명이 포함되어 있지 않다. 따라서 구현 방식은 이와 조금 다를 수 있다(그러나 이는 별 문제되지 않는다. 구현 원리만 이해하면 된다). 그리고 Math 클래스에 static으로 선언되어 있는 random 메소드를 이용해서 난수를 생성하는 방법도 있음을 알고 있기 바란다. Math 클래스에 정의되어 있는 random 메소드는 Random 클래스의 nextDouble 메소드와 마찬가지로 0.0이상 1.0미만의 double형 난수를 반환한다. 물론 실행할 때마다 새로운 씨드 값이 설정되기 때문에, 실행할 때마다 다른 유형의 난수가 생성된다.

문 제 20-3 [난수의 활용]

▶ 문제 1

프로그램 사용자로부터 최대 정수 A와 최소 정수 B를 입력 받는다. 그리고 A와 B사이에 존재하는(A와 B도 포함) 난수 10개를 생성해서 출력하는 프로그램을 작성해보자.

▶ 문제 2

API 문서를 참조해서(사실 참조하지 않고도 구현 가능하다), 바로 위에서 설명한 Math. random 메소드를 호출하여 0이상 10미만의 난수 5개를 생성해서 출력하는 프로그램을 작성해보자. 참고로 이 메소드는 0.0이상 1.0미만의 난수를 생성함에 주의해야 한다.

■ 문자열 토큰(Token)의 구분

이번에는 문자열을 조건에 따라 나누는 방법에 대해 설명하겠다. 컴퓨터 프로그램상에서는 문자열 데이터의 분석이 필요한 상황이 흔히 등장한다. 따라서 이러한 경우에 유용하게 사용할 수 있는 StringTokenizer 클래스를 소개하고자 한다. 예를 들어서 다음의 문자열이 존재한다고 가정해 보자.

  "08 : 45"

  "11 : 24"

이 둘은 시간정보이다. 8시 45분과 11시 24분을 의미하는 문자열 정보이다. 시 정보와 분 정보는 콜론을 기준으로 나눠져 있다. 즉 위의 문자열에서는 콜론이 '구분자(delimiter)'이다. 그리고 구분자를 기준으로 나뉘어지는 문자열 정보를 가리켜 토큰(token)이라 한다.
이러한 상황에서 콜론을 기준으로 토큰을 추출하는 프로그램을 작성하는 것은 생각만큼 간단하지 않다. 그러나 StringTokenizer 클래스를 이용해면 이는 생각만큼 간단한 일이 되어버린다. 이 클래스의 중심이 되는 생성자는 다음과 같다.

```
public StringTokenizer(String str, String delim)
```

첫 번째 전달인자로는 문자열 데이터를 전달한다. 그리고 두 번째 선달인자로는 구분자 정보를(문자열의 형태로) 전달한다. 즉 "08 : 45"을 콜론을 기준으로 구분하고 싶다면, 다음과 같이 인스턴스를 생성하면 된다.

```
StringTokenizer st=new StringTokenizer("08:45", ":");
```

이제 다음의 메소드 호출을 통해서 순서대로 토큰을 반환하면 된다.

```
public String nextToken()          // 다음 토큰 반환
```

토큰의 수가 세 개라면 이 메소드를 총 세 번 호출하면 된다. 그런데 토큰의 수를 정확히 판단하기 어려운 상황이라면 반복문과 더불어 다음의 메소드 호출을 통해서 토큰을 반환하면 된다.

```java
public boolean hasMoreTokens()    // 반환할 토큰이 남아있는가?
```

이 메소드는 nextToken 메소드의 호출을 통해서 반환 받을 토큰이 남아있으면 true를, 남아있지 않으면 false를 반환한다. 자! 그럼 이 정도의 설명을 바탕으로 다음 예제를 보겠다.

❖ TokenizeString.java

```java
1.  import java.util.StringTokenizer;
2.
3.  class TokenizeString
4.  {
5.      public static void main(String[] args)
6.      {
7.          String strData="11:22:33:44:55";
8.          StringTokenizer st=new StringTokenizer(strData, ":");
9.
10.         while(st.hasMoreTokens())
11.             System.out.println(st.nextToken());
12.     }
13. }
```

• 7행 : 토큰을 나눌 대상을 선언하였다.
• 8행 : 토큰을 나누기 위해서 StringTokenizer 인스턴스를 생성하고 있다.
• 10, 11행 : hasMoreTokens 메소드가 true를 반환하는 동안, nextToken 메소드가 호출이 되어 토큰이 반환된다. 이것이 토큰을 얻는 기본적인 방식이다.

❖ 실행결과 : TokenizeString.java

```
11
22
33
44
55
```

예제를 하나 더 보이면서 이번 Chapter를 마무리하겠다. 다음 예제에서는 StringTokenizer의 다양한 생성자와 토큰의 구분자가 둘 이상이 될 수 있음을 보여준다.

```
1.    import java.util.StringTokenizer;
2.
3.    class TokenizeString2
4.    {
5.        public static void main(String[] args)
6.        {
7.            String phoneNum="TEL 82-02-997-2059";      //국제 전화번호
8.            String javaCode="num+=1";
9.
10.           System.out.println("First Result..........");
11.           StringTokenizer st1=new StringTokenizer(phoneNum);
12.           while(st1.hasMoreTokens())
13.               System.out.println(st1.nextToken());
14.
15.           System.out.println("\nSecond Result..........");
16.           StringTokenizer st2=new StringTokenizer(phoneNum, " -");
17.           while(st2.hasMoreTokens())
18.               System.out.println(st2.nextToken());
19.
20.           System.out.println("\nThird Result..........");
21.           StringTokenizer st3=new StringTokenizer(javaCode, "+=", true);
22.           while(st3.hasMoreTokens())
23.               System.out.println(st3.nextToken());
24.       }
25.   }
```

- 11행 : 문자열 정보만 전달할 뿐, 구분자 정보를 전달하지 않고 있다. 이러한 경우 스페이스 바, \t, \n, \r과 같은 공백을 기준으로 토큰이 나뉜다.

- 16행 : StringTokenizer 생성자의 두 번째 인자로 전달된 문자열은 공백 문자(스페이스 바 입력)와 – 문자로 이뤄져 있다. 이렇듯 구분자는 둘 이상이 될 수 있다.

- 21행 : StringTokenizer 생성자의 세 번째 전달인자는 구분자를 토큰으로 간주하느냐 마느냐를 결정한다. true가 전달되면 구분자도 토큰으로 간주가 되어 nextToken 메소드의 호출에 의해 반환이 된다. 그러나 false가 전달되면 구분자는 토큰으로 간주되지 않는다.

```
First Result..........
TEL
82-02-997-2059

Second Result..........
TEL
82
02
997
2059

Third Result..........
num
+
=
1
```

■ 문제 20-1의 답안

이 문제에서는 여러분에게 API 문서 참조를 유도하고 있다. 이제 이정도 자바를 공부하였으면, API 문서 참조에 어느 정도 익숙해져 있어야 한다. 만약에 아직도 익숙하지 않다면, API 문서 참조에 더 많은 공을 들이기 바란다.

❖ 소스코드 답안

```
1.  class AboutStaticWrapping
2.  {
3.      public static void main(String[] args)
4.      {
5.          Integer iValue1=Integer.valueOf(10);
6.          Integer iValue2=Integer.valueOf(10);
7.          if(iValue1==iValue2)
8.              System.out.println("iValue1과 iValue2는 동일 인스턴스 참조");
9.          else
10.             System.out.println("iValue1과 iValue2는 다른 인스턴스 참조");
11.     }
12. }
```

API 문서를 잘 참조하였다면, 어렵지 않게 위의 형태로 예제를 변경했을 것이다. 그런데 예제의 변경 못지않게 중요한 것이 실행결과이다. 변경 전에는 다음의 문자열이 출력된다.

"iValue1과 iValue2는 다른 인스턴스 참조"

그런데 변경 후에는(위 예제는) 다음의 문자열이 출력된다.

"iValue1과 iValue2는 동일 인스턴스 참조"

이러한 출력결과를 보이는 이유는 무엇일까? 그 이유는 valueOf 메소드의 인스턴스 생성방식에 있다. Wrapper 클래스는 String 클래스와 마찬가지로 인스턴스의 내용 변경이 불가능하다. 따라서 두 개의 참조변수가 하나의 인스턴스를 참조한다고 해서 문제가 되지는 않는다(이와 관련해서는 String 클래스를 설명하면서 자세히 언급하였다). 그래서 valueOf 메소드는, 인스턴스의 생성 요청으로 전달되는 값에 해당하는 인스턴스가 이미 만들어진 상태라면, 새로운 인스턴스를 생성하지 않고, 기존에 생성된 인스턴스의 참조 값을 반환한다. 결론을 정리하면 다음과 같다.

"valueOf 메소드를 이용한 인스턴스의 생성은 성능의 향상으로 이어진다. 따라서 특별한 상황이 아니라면, static으로 선언된 valueOf 메소드를 이용해서 인스턴스를 생성하기 바란다."

■ 문제 20-2의 답안

오차가 존재하지 않아야 하기 때문에 프로그램 사용자의 입력은 문자열의 형태로 읽어 들여야 한다. 만약에 실수의 형태로 읽어 들여서 double형 변수에 저장을 하면, 그 순간부터 오차는 존재하기 때문이다.

❖ 소스코드 답안

```
1.   import java.util.*;
2.   import java.math.*;
3.
4.   class BigDecimalABS
5.   {
6.       public static void main(String[] args)
7.       {
8.           Scanner sc=new Scanner(System.in);
9.           System.out.print("실수 1 입력 : ");
10.          String val1=sc.nextLine();
11.
12.          System.out.print("실수 2 입력 : ");
13.          String val2=sc.nextLine();
14.
15.          BigDecimal e1=new BigDecimal(val1);
16.          BigDecimal e2=new BigDecimal(val2);
17.
18.          BigDecimal subResult=e1.subtract(e2);
19.          System.out.println("두 실수의 차에 대한 절대값 : "+ subResult.abs());
20.      }
21.  }
```

■ 문제 20-3의 답안

■ 문제 1

❖ 소스코드 답안

```
1.   import java.util.Scanner;
2.   import java.util.Random;
3.
4.   class RandomBetween
5.   {
6.       public static void main(String[] args)
7.       {
8.           Scanner keyboard=new Scanner(System.in);
9.           System.out.print("최대 : ");
10.          int max=keyboard.nextInt();
11.
12.          System.out.print("최소 : ");
13.          int min=keyboard.nextInt();
```

```
14.
15.          Random rand=new Random();
16.
17.          int randVal;
18.          for(int i=0; i<10; i++)
19.          {
20.              randVal=rand.nextInt(max-min+1);
21.              randVal+=min;
22.              System.out.println(randVal);
23.          }
24.      }
25. }
```

■ 문제 2

❖ 소스코드 답안

```
1.   import java.util.Random;
2.
3.   class UseMathRandom
4.   {
5.       public static void main(String[] args)
6.       {
7.           int randVal;
8.           for(int i=0; i<5; i++)
9.           {
10.              randVal=(int)(Math.random()*10);
11.              System.out.println(randVal);
12.          }
13.      }
14. }
```

Chapter **21**

제네릭(Generics)

이번 Chapter에서 설명하는 제네릭은 자바 버전 5.0에서 새로 추가된 문법이다. 이 문법을 바탕으로 자바에서 제공하는 기본 클래스에도 일부 변화가 생겼다. 참고로 자바 5.0이 발표되고 난 후, 한때는 제네릭을 필수가 아닌 선택으로 인식하는 분위기였던 적도 있었다. 그러나 지금은 그런 분위기에 대해서 말하는 사람도 없으며, 이미 오랜 시간이 흘러 많은 개발자들에게도 익숙한 개념이 되었다. 그리고 제네릭은 다음 Chapter에서 설명하는 자바 컬렉션 프레임워크의 이해를 위한 필수 개념이기도 하다.

제네릭은 '일반화'한다는 뜻을 담고 있다. 그리고 그 일반화의 대상은 자료형이다. 처음에는 제네릭과 관련된 코드가 눈에 잘 들어오지 않을 수 있다. 그러나 자바의 제네릭은 명료하다! 때문에 쉽게 익숙해질 수 있다.

■ AppleBox와 OrangeBox 클래스의 설계

사과를 담기 위한 AppleBox 클래스와 오렌지를 담기 위한 OrangeBox 클래스가 다음과 같이 정의되어 있다. 사과를 의미하는 Apple 클래스와 오렌지를 의미하는 Orange 클래스는 이미 정의되어 있다고 가정하고 아래의 두 클래스를 관찰하자.

```
class AppleBox
{
    Apple item;
    public void store(Apple item) { this.item=item; }    // 과일 저장
    public Apple pullOut() { return item; }              // 저장된 과일 꺼냄
}

class OrangeBox
{
    Orange item;
    public void store(Orange item) { this.item=item; }   // 과일 저장
    public Orange pullOut() { return item; }             // 저장된 과일 꺼냄
}
```

둘 다 박스(Box)를 표현한 클래스이므로 각각 둘 이상의 사과와 둘 이상의 오렌지를 담을 수 있어야 하지만, 편의상(제네릭의 설명만을 목적으로) 하나의 사과와 하나의 오렌지만 담을 수 있는 클래스로 설계하였다. 그러니 개별 포장용 박스로 생각하면 좋겠다. 그런데 필자가 제시한 위의 클래스들을 보면서 다음과 같은 생각을 하지 않을 수 없다.

"뭘 그렇게 일일이 정의해! 그냥 Object 클래스를 기반으로 하나만 정의해도 되잖아?"

전혀 틀린 말은 아니다. 다음과 같이 Object 클래스를 기반으로 하나의 클래스만 정의를 하면, 대상에 상관없이 모든 인스턴스의 저장이 가능하다.

```
Class FruitBox
{
    Object item;
    public void store(Object item) { this.item=item; }
    public Object pullOut() { return item; }
}
```

이제 위의 클래스는 Apple과 Orange뿐만 아니라, Lemon과 Banana도 저장할 수 있다. 아니 무엇이든지 저장 가능하다. 그런데 이렇게 Object를 기반으로 정의하지 않는 이유가 있다. 이에 대해서는 다음 예제를 보고 나서 이야기하겠다.

❖ ObjectBaseFruitBox.java

```
1.  class Orange
2.  {
3.      int sugarContent;       // 당분 함량
4.      public Orange(int sugar) { sugarContent=sugar; }
5.      public void showSugarContent() { System.out.println("당도 "+sugarContent); }
6.  }
7.
8.  class FruitBox       // 무엇이든 저장 가능한 박스
9.  {
10.     Object item;
11.     public void store(Object item) { this.item=item; }
12.     public Object pullOut() { return item; }
13. }
14.
15. class ObjectBaseFruitBox
16. {
17.     public static void main(String[] args)
18.     {
19.         FruitBox fBox1=new FruitBox();
20.         fBox1.store(new Orange(10));
21.         Orange org1=(Orange)fBox1.pullOut();
22.         org1.showSugarContent();
23.
24.         FruitBox fBox2=new FruitBox();
25.         fBox2.store("오렌지");
26.         Orange org2=(Orange)fBox2.pullOut();
27.         org2.showSugarContent();
28.     }
29. }
```

 • 19, 20행 : FruitBox 인스턴스를 생성해서 Orange 인스턴스를 저장하고 있다. 매우 정상적인 코드 구성이다.

- 21행 : Object형 참조변수로 인스턴스를 저장했기 때문에, pullOut 메소드의 호출과 더불어 형 변환을 해야 한다. 그러나 이 정도의 불편은 감수할 수 있다.
- 24, 25행 : 문법적으로는 문제가 없지만, 매우 큰 실수를 범하였다. FruitBox는 그 이름이 의미 하듯이 과일을 담기 위해 정의한 클래스이지, 문자열을 담기 위해 정의한 클래스가 아 니다. 그런데도 이 부분에서 컴파일 오류가 발생하지 않는다(이점에 주목하자!). 컴파 일 오류가 발생한다면 이 문제를 쉽게, 그리고 금새 알아차릴 수 있는데, 안타깝게도 컴파일 오류가 발생하지 않기 때문에 문제는 쉽게 발견되지 않는다.
- 26행 : 이 문장을 보니, 프로그래머는 25행에서 Orange 인스턴스를 저장했다고 생각하는 모양 이다. 실제로 프로그래머는 25행에서 Orange 인스턴스를 저장할 생각이었다.
- 27행 : 26행에서 예외가 발생하기 때문에 이 문장은 실행되지 않는다.

❖실행결과 : ObjectBaseFruitBox.java

```
당도 10
Exception in thread "main" java.lang.ClassCastException: java.lang.String cannot
be cast to Orange
        at ObjectBaseFruitBox.main(ObjectBaseFruitBox.java:26)
```

실행결과를 보면 컴파일 과정에서 발견하지 못했던 오류로 인해서 예외가 발생되었음을 알 수 있다. 그렇 다면 앞서 필자가 정의한 OrangeBox를 기반으로 예제를 작성하면 어떨까?

❖ OrangeBaseOrangeBox.java

```
1.  class Orange
2.  {
3.      int sugarContent;       // 당분 함량
4.      public Orange(int sugar) { sugarContent=sugar; }
5.      public void showSugarContent() { System.out.println("당도 "+sugarContent); }
6.  }
7.
8.  class OrangeBox
9.  {
10.     Orange item;
11.     public void store(Orange item) { this.item=item; }
12.     public Orange pullOut() { return item; }
13. }
14.
15. class OrangeBaseOrangeBox
16. {
17.     public static void main(String[] args)
18.     {
```

```
19.        OrangeBox fBox1=new OrangeBox();
20.        fBox1.store(new Orange(10));
21.        Orange org1=fBox1.pullOut();
22.        org1.showSugarContent();
23.
24.        OrangeBox fBox2=new OrangeBox();
25.        fBox2.store("오렌지");
26.        Orange org2=fBox2.pullOut();
27.        org2.showSugarContent();
28.    }
29. }
```

위 예제는 ObjectBaseFruitBox.java를 OrangeBox 클래스 기반으로 변경한 것이다. 그리고 이 예제를 컴파일하면 다음의 에러 메시지를 확인할 수 있다. 여기서 중요한 사실은 컴파일 과정에서 에러 메시지를 확인할 수 있다는 것이다.

```
OrangeBaseOrangeBox.java : 25 :
    store(Orange) in OrangeBox cannot be applied to (java.lang.String)
        fBox2.store("오렌지");
          ^
    1 error
```

이렇듯 컴파일 과정에서 발견되는 오류는 매우 쉽게 해결이 가능하다. 반면 앞서 보인 예제와 같이 실행 과정에서 발생하는 오류는 찾기가 쉽지 않다. 언뜻 보기에는 별 차이가 없어 보이지만, 프로그램의 규모가 크면 클수록 이 둘의 차이는 매우 극명하게 드러난다. 따라서 실행과정에서 발견되는 오류를 컴파일 과정에서 발견되도록 코드를 작성하는 것은 매우 의미 있는 일이다. 이는 매우 중요한 결론이므로 다시 한번 이야기하겠다.

  "실행과정에서 발견되는 오류를 컴파일 과정에서 발견되도록 코드를 작성하는 것은 매우 의미 있는 일이다."

그리고 OrangeBox 클래스를 기반으로 작성된, 위 예제의 장점을 한마디로 정리하면 다음과 같다.

  "자료형에 대한 안전성이 보장된다."

위 예제는 자료형의 불일치로 발생하는 문제가 컴파일 과정에서 발견되기 때문에 자료형에 대한 안전성이 보장된다고 표현한다. 반면 다음의 문제점도 존재한다.

  "상황에 따라서 둘 이상의 클래스를 정의해야 한다."

저장할 대상이 Orange, Apple, Banana, Lemon인 상황에서 자료형에 대한 안전성을 보장받으려면 OrangeBox, AppleBox, BananaBox, LemonBox 클래스를 각각 정의해야 한다는 사실은 단점으로 지적 받기에 충분하다. 그런데 이러한 단점의 제거를 위해서 정의된 문법적 요소가 바로 '제네릭(Generics)'이다.

■ 제네릭 클래스의 설계

앞서 보인 FruitBox를 기준으로 제네릭 클래스의 정의방법을 설명하겠다. 일단 다음 FruitBox 클래스에서 저장의 대상에 따라서 변경되어야 하는 자료형 선언의 위치를 표시하면 다음과 같다.

[그림 21-1 : 제네릭 관련 자료형 선언]

위 그림에서 회색으로 표시된 부분을, 저장의 대상이 Apple이면 Apple로, Orange이면 Orange로 프로그램 실행 중에 변경할 수 있다면, 자료형에 안전한 클래스로 다양한 상황에서 사용할 수 있다. 그럼 이 부분과 클래스의 이름을 다음과 같이 변경하자.

[그림 21-2 : 제네릭 클래스 정의]

이것이 바로 제네릭 클래스이다. 참고로 T라는 이름은 type의 약자를 대문자로 표현한 것인데, 이 이름은 무엇이 되든 상관없다. 자! 그럼 먼저 클래스의 이름을 보자.

```
class FruitBox<T>
```

이는 다음의 의미를 담고 있다.

"이 클래스의 인스턴스를 생성하려면 자료형 정보를 인자로 전달해야 돼! 전달되는 인자는 클래스 내
에 존재하는 T를 대체해서 인스턴스가 생성이 되지!"

즉 인스턴스 생성시 자료형 정보로 Orange를 전달하면 클래스의 몸체 부분에 존재하는 T는 전부
Orange로 변경되어 인스턴스가 생성된다. 그럼 이제 마지막으로 인스턴스 생성과정에서 자료형 정보의
전달방법을 설명하겠다.

```
FruitBox<Orange> orBox=new FruitBox<Orange>();
FruitBox<Apple> apBox=new FruitBox<Apple>();
```

위의 첫 번째 문장은 T를 Orange로 대체하여 인스턴스를 생성하고, 두 번째 문장은 T를 Apple로 대체
하여 인스턴스를 생성한다. 즉 〈와 〉 사이에 대체할 자료형의 정보를 전달하면 된다. 그리고 위의 문장에
서 함께 보이듯이, 참조변수 선언에서도 인스턴스 생성시 전달되는 자료형 정보를 동일하게 명시해야 한
다. 그럼 예제를 통해서 지금까지 설명한 내용을 확인하겠다.

❖ GenericBaseFruitBox.java

```
1.    class Orange
2.    {
3.        int sugarContent;       // 당분 함량
4.        public Orange(int sugar) { sugarContent=sugar; }
5.        public void showSugarContent()
6.        {
7.            System.out.println("당도 "+sugarContent);
8.        }
9.    }
10.
11.   class Apple
12.   {
13.       int weight;       // 사과 무게
14.       public Apple(int weight) { this.weight=weight; }
15.       public void showAppleWeight()
16.       {
17.           System.out.println("무게 "+weight);
18.       }
19.   }
20.
21.   class FruitBox<T>
22.   {
23.       T item;
24.       public void store(T item) { this.item=item; }
25.       public T pullOut() { return item; }
26.   }
27.
28.   class GenericBaseFruitBox
```

```
29.  {
30.      public static void main(String[] args)
31.      {
32.          FruitBox<Orange> orBox=new FruitBox<Orange>();
33.          orBox.store(new Orange(10));
34.          Orange org=orBox.pullOut();
35.          org.showSugarContent();
36.
37.          FruitBox<Apple> apBox=new FruitBox<Apple>();
38.          apBox.store(new Apple(20));
39.          Apple app=apBox.pullOut();
40.          app.showAppleWeight();
41.      }
42.  }
```

- 1, 11행 : Orange 클래스와 Apple 클래스가 정의되어 있다. 서로 다른 종류의 클래스라는 사실에만 의미를 부여하기 위해서 간단히 정의하였다.
- 21행 : FruitBox 클래스가 제네릭 클래스로 정의되었다.
- 32~35행 : Orange 클래스를 기반으로 인스턴스를 생성하고 활용하는 예를 보여준다.
- 37~40행 : Apple 클래스를 기반으로 인스턴스를 생성하고 활용하는 예를 보여준다.

❖실행결과 : GenericBaseFruitBox.java

```
당도 10
무게 20
```

위 예제에서 보여주듯이 하나의 클래스 정의로 둘 이상의 클래스를 정의한 효과를 제네릭은 가져다 주고 있다. 그렇다면 앞서 말한 단점(자료형이 일치하지 않아도 컴파일 과정에서 오류가 발생하지 않는 단점)도 해결이 되었을까? 물론이다! 예를 들어서 다음과 같이 인스턴스를 생성한다고 가정해 보자.

```
FruitBox<Orange> orBox=new FruitBox<Orange>();
```

그럼 FruitBox의 store 메소드도 다음의 형태가 된다.

```
public void store(Orange item) { this.item=item; }
```

따라서 Orange 또는 Orange를 상속하는 인스턴스의 참조 값만이 인자로 전달될 수 있고, 다른 형태의 참조 값이 전달되면, 컴파일 과정에서 에러가 발생한다. 이로써 여러분은 제네릭이 필요한 이유와 제네릭 기반의 클래스 정의 방법을 모두 이해하였다.

참 고

제네릭이라는 이름의 의미

제네릭(Generics)은 '일반적'이라는 의미를 담고 있다. 즉 제네릭은 어떠한 자료형을 기반으로도 인스턴스의 생성이 가능하도록, 자료형에 일반적인 클래스를 정의하는 문법이기 때문에 '제네릭'이라는 이름이 붙게 되었다.

문 제 21-1 [생성자의 추가]

예제 GenericBaseFruitBox.java의 FruitBox⟨T⟩ 클래스에 생성자를 추가하여, 다음의 main 메소드가 컴파일 및 실행됨을 확인해보자.

```
class GenericConstructor
{
    public static void main(String[] args)
    {
        FruitBox<Orange> orBox=new FruitBox<Orange>(new Orange(10));
        Orange org=orBox.pullOut();
        org.showSugarContent();

        FruitBox<Apple> apBox=new FruitBox<Apple>(new Apple(20));
        Apple app=apBox.pullOut();
        app.showAppleWeight();
    }
}
```

참고로 제네릭 클래스의 생성자 정의방법은 일반 클래스의 생성자 정의방법과 차이가 없기 때문에, 별도로 설명을 하지 않고 문제를 통해서 여러분이 직접 구현해보도록 유도하였다.

여러분은 기본적으로 제네릭에 대한 이해를 갖추었다. 따라서 이를 바탕으로 제네릭과 관련이 있는 여러 가지 추가적인 문법 사항들을 정리해서 설명하고자 한다. 내용이 조금 많은 듯하지만, 여러분이 이후에 제네릭과 관련해서 궁금한 내용을 언제든지 참조할 수 있도록 정리해 두었다. 따라서 완벽한 이해보다는 대략적인 이해를 갖춘 다음에 궁금한 내용이 등장할 때마다 참고해도 좋겠다.

■ 제네릭에 대해서 더 깊이 공부하기에 앞서

제네릭은 참으로 매력적이다. 여러 언어들이 제네릭을 지원하고 있으며, 이는 개발에 많은 편의를 가져다 주었다. 그런데 이렇게 매력적인 제네릭을 더 공부하기에 앞서 여러분이 알아야 할 사실이 있어서, 이를 한 문장으로 정리해 보고자 한다.

"여러분이 제네릭을 기반으로 클래스를 정의해서 실무에 직접 활용해 볼 확률은 생각보다 매우 적습니다."

제네릭 기반의 프로그래밍에는 '제네릭 프로그래밍(Generic Programming)'이라는 별도의 이름까지 붙여져 있으며, 오래 전에는 이를 주제로 하는 도서가 출간되기도 하였다. 그래서 고급 프로그래머라면 제네릭 프로그래밍 기법을 반드시 익혀야 하는 것으로 생각하는 분들도 뵌 적이 있는데, 이분들의 생각만큼 제네릭 기반의 클래스 설계는 잘 이뤄지지 않으며, 이를 요구하는 회사도 매우 드물다. 왜냐하면 제네릭을 고려한 클래스의 설계에는 몇 배 이상의 시간과 노력이 요구되고, 이는 몇 배 이상의 비용 지출로 이어지기 때문이다.

그렇다면 자바의 제네릭을 공부하는 이유는 어디에 있을까? 이는 자바에서 제공하는 라이브러리(프로그래머가 쉽게 가져다 쓸 수 있는 클래스, 또는 메소드의 모음) 성격의 클래스를 활용하기 위함이다. 자바는 버전 5.0을 발표하면서 기존에 제공하던 클래스의 상당수를 제네릭 기반으로 변경하였다. 이들 클래스에 대해서는 다음 Chapter에서 소개하는데, 이들이 제네릭 기반으로 변경되면서 앞서 설명한 제네릭의 장점을 지니게 되었다.

제네릭 기반의 라이브러리를 활용하려면 여러분도 제네릭에 대한 문법적인 이해는 갖추고 있어야 한다. 이렇듯 클래스의 설계만을 목적으로 문법의 이해가 필요한 것은 아니다. 제네릭처럼 클래스의 활용을 위해서 문법적 이해가 필요하기도 하다. 따라서 필자는 이에 초점을 맞춰서 제네릭을 설명하고자 한다.

참 고

여러분의 제네릭 클래스 설계를 부정하고 있는 것은 아닙니다.

여러분 중 누군가는 다른 개발자들에 의해서 매우 보편적으로 사용되는 라이브러리를 개발할 것이라고 필자는 생각한다. 그리고 그러한 라이브러리의 개발은 제네릭 기반의 클래스 설계로 이어질 확률이 높다. 따라서 필자는 이러한 가능성까지 부정한 것은 아니다. 다만 라이브러리의 활용적 측면만 보더라도 "자바의 제네릭은 공부할 필요가 있다"는 사실을 역설적으로 강조하고자 한 것이다.

■ 제네릭 메소드의 정의와 호출

앞서 제네릭에 대한 이해와 장점을 설명하였으니, 이제부터는 제네릭과 관련이 있는 문법의 이해 위주로 설명을 진행하겠다(그만큼 클래스들을 간단히 정의하겠다). 먼저 제네릭 메소드에 대해서 설명하겠다. 자바는 클래스 전부가 아닌 특정 메소드에 대해서만 제네릭으로 선언하는 것을 허용하는데, 다음 예제를 통해서 이를 보이겠다.

❖ IntroGenericMethod.java

```
1.   class AAA
2.   {
3.       public String toString() { return "Class AAA"; }
4.   }
5.
6.   class BBB
7.   {
8.       public String toString() { return "Class BBB"; }
9.   }
10.
11.  class InstanceTypeShower
12.  {
13.      int showCnt=0;
14.
15.      public <T> void showInstType(T inst)
16.      {
17.          System.out.println(inst);
18.          showCnt++;
19.      }
20.
21.      void showPrintCnt() { System.out.println("Show count : "+showCnt); }
22.  }
23.
24.  class IntroGenericMethod
25.  {
```

```
26.     public static void main(String[] args)
27.     {
28.         AAA aaa=new AAA();
29.         BBB bbb=new BBB();
30.
31.         InstanceTypeShower shower=new InstanceTypeShower();
32.         shower.<AAA>showInstType(aaa);
33.         shower.<BBB>showInstType(bbb);
34.         shower.showPrintCnt();
35.     }
36. }
```

- 1, 6행 : 서로 다른 종류의 클래스임을 부각시켜서 AAA 클래스와 BBB 클래스를 정의하였다.

- 15행 : 인스턴스 메소드인 showInstType이 제네릭으로 정의되었다. 제네릭임을 명시하는 〈T〉가 삽입된 위치에 주목하여 혼동하지 않기 바란다.

- 32, 33행 : 제네릭 메소드의 호출방법을 보이고 있다. 32행은 〈AAA〉 표시를 통해서 메소드의 T를 AAA로 간주하여 호출하고 있으며, 33행은 〈BBB〉 표시를 통해서 메소드의 T를 BBB로 간주하여 호출하고 있다.

❖ 실행결과 : IntroGenericMethod.java

```
Class AAA
Class BBB
Show count : 2
```

위 예제에서 보인 제네릭 메소드의 정의방법과 호출방법은 일종의 '약속'이니, 이해의 대상이라기 보다는 관찰의 대상으로 보는 것이 옳다. 그리고 위 예제의 32행과 33행은 각각 다음과 같이 간단히 호출하는 것도 가능하다. 그리고 이것이 일반적인 호출 방식이다.

```
shower.showInstType(aaa);
shower.showInstType(bbb);
```

위의 두 호출문에서는 제네릭 메소드의 호출을 의미하는, 더불어 자료형 정보의 전달에 사용되는 〈AAA〉와 〈BBB〉가 지워졌다. 이는 컴파일러가 메소드 호출 시 전달되는 참조변수 aaa와 bbb의 자료형을 근거로 자료형 정보를 판단할 수 있기 때문이다.

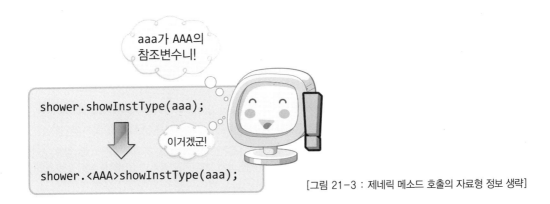

[그림 21-3 : 제네릭 메소드 호출의 자료형 정보 생략]

그리고 제네릭 메소드에는 둘 이상의 자료형 매개변수(T, U와 같은 제네릭 표현 문자를 의미함)를 선언 하고, 각각에 다른 자료형 정보를 전달할 수도 있는데, 이를 다음 예제를 통해서 보이겠다.

❖ IntroGenericMethod2.java

```
1.  class AAA
2.  {
3.      public String toString() { return "Class AAA"; }
4.  }
5.
6.  class BBB
7.  {
8.      public String toString() { return "Class BBB"; }
9.  }
10.
11. class InstanceTypeShower2
12. {
13.     public <T, U> void showInstType(T inst1, U inst2)
14.     {
15.         System.out.println(inst1);
16.         System.out.println(inst2);
17.     }
18. }
19.
20. class IntroGenericMethod2
21. {
22.     public static void main(String[] args)
23.     {
24.         AAA aaa=new AAA();
25.         BBB bbb=new BBB();
26.
27.         InstanceTypeShower2 shower=new InstanceTypeShower2();
28.         shower.<AAA, BBB>showInstType(aaa, bbb);
```

```
29.        shower.showInstType(aaa, bbb);
30.    }
31. }
```

해 설

- 13행 : 메소드 호출 시 두 개의 자료형 정보를 전달받는 인스턴스 메소드의 정의방법을 보이고 있다.
- 28행 : T는 AAA로, U는 BBB로 간주하여 메소드를 호출하기 위해서 〈AAA, BBB〉가 삽입되었다.
- 29행 : 컴파일러는 메소드 호출 시 전달되는 참조변수의 자료형을 통해서 T가 AAA임을, U가 BBB임을 인식할 수 있기 때문에, 이 문장에서 보이듯이 〈AAA, BBB〉를 생략할 수 있다. 그리고 이것이 일반적인 호출방식이다.

❖실행결과 : IntroGenericMethod2.java

```
Class AAA
Class BBB
Class AAA
Class BBB
```

위 예제에서는 제네릭 메소드에 대해서만 사례를 보이고 있는데, 이와 동일한 방식이 제네릭 클래스에도 적용된다. 즉 둘 이상의 자료형 매개변수 기반의 제네릭 클래스는 다음과 같이 정의하면 된다.

```java
class GenericTwoParam<T, U>
{
    T item1;
    U item2;

    public void setItem1(T item)
    {
        item1=item;
    }
    public void setItem2(U item)
    {
        item2=item;
    }
}
```

문 제 21-2 [관찰해 봅시다!]

아래에 정의된 클래스는 컴파일 시 에러가 발생한다. 여러분이 직접 컴파일을 해서 문제점이 무엇인지 확인하고, 문제점의 원인을 유추하기 바란다.

```
class MyClass
{
    public <T> void simpleMethod(T param)
    {
        param.showData();
        System.out.println(param);
    }
}
```

참고로 이번에 제시하는 문제는 문제라기 보다 관찰에 더 가깝다. 그리고 이 문제의 목적은 여러분 스스로 제네릭 문법의 일부를 이해하도록 유도하는데 있다. 그리고 여기서 언급하는 내용을 바탕으로 다음 설명이 이어지니 반드시 해결하고, 그리고 Chapter 마지막 부분에 있는 필자의 설명을 확인하고 넘어가기 바란다.

■ 매개변수의 자료형 제한 : 매개변수로 이 자료형만 전달하세요!

문제 21-2를 통해서 제네릭 클래스 및 메소드에 삽입 가능한 문장에 대해서 이해를 했다는 가정하에 이야기를 이어가겠다. 기본적으로 제네릭 메소드 내에서는 제네릭으로 선언된 참조변수를 통해서 Object 클래스에 정의된 메소드만 호출이 가능하다. 이는 모든 자료형을 기반으로 실행이 가능하도록 하기 위함인데, 때로는 이러한 제한이 불편하게 느껴질 수 있다. 다음은 이러한 상황을 보이기 위한 예제이다.

❖ BoundedTypeParam.java

```
1.  interface SimpleInterface
2.  {
3.      public void showYourName();
4.  }
5.
6.  class UpperClass
7.  {
8.      public void showYourAncestor()
9.      {
10.         System.out.println("UpperClass");
```

```java
11.       }
12.  }
13.
14.  class AAA extends UpperClass implements SimpleInterface
15.  {
16.      public void showYourName()
17.      {
18.          System.out.println("Class AAA");
19.      }
20.  }
21.
22.  class BBB extends UpperClass implements SimpleInterface
23.  {
24.      public void showYourName()
25.      {
26.          System.out.println("Class BBB");
27.      }
28.  }
29.
30.  class BoundedTypeParam
31.  {
32.      public static <T> void showInstanceAncestor(T param)
33.      {
34.          ((SimpleInterface)param).showYourName();
35.      }
36.
37.      public static <T> void showInstanceName(T param)
38.      {
39.          ((UpperClass)param).showYourAncestor();
40.      }
41.
42.      public static void main(String[] args)
43.      {
44.          AAA aaa=new AAA();
45.          BBB bbb=new BBB();
46.
47.          showInstanceAncestor(aaa);
48.          showInstanceName(aaa);
49.          showInstanceAncestor(bbb);
50.          showInstanceName(bbb);
51.      }
52.  }
```

- 32~35행 : showInstanceAncestor 메소드의 매개변수인 param을 이용해서 showYourName 메소드를 호출하고 있다. 그리고 이를 위해서 param을 강제로 SimpleInterface형으로 변환하고 있다.

- 37~40행 : showInstanceName 메소드의 매개변수인 param을 이용해서

showYourAncestor 메소드를 호출하고 있다. 그리고 이를 위해서 param을 강제로 UpperClass형으로 변환하고 있다.

❖실행결과 : BoundedTypeParam.java

Class AAA
UpperClass
Class BBB
UpperClass

제네릭 매개변수로는 Object 클래스에 정의된 메소드만 호출 가능하기 때문에, 위 예제에서는 매개변수 param을 강제 형변환하고 있다. 그런데 이렇게 되면, 위의 코드는 자료형에 안전하지 않은 코드가 되어버린다. 쉽게 말해서 SimpleInterface 인터페이스를 구현하지 않은 인스턴스, 또는 UpperClass를 상속하지 않은 인스턴스의 참조 값이 메소드에 전달되어도 컴파일 및 실행이 되기 때문에, 앞서 말한 제네릭의 장점은 완전히 소멸되는 셈이다. 그래서 자바는 제네릭 매개변수의 자료형에 제한을 둘 수 있는 문법적 요소를 제공한다. 그리고 이를 기반으로 위 예제는 다음과 같이 자료형에 안전한 구조로 구성할 수 있다.

❖ BoundedTypeParam2.java

```
1.  /* 인터페이스 SimpleInterface와 클래스 UpperClass, AAA, BBB는
2.     BoundedTypeParam.java와 동일하므로 생략합니다. . . .        */
3.
4.  class BoundedTypeParam2
5.  {
6.      public static <T extends SimpleInterface> void showInstanceAncestor(T param)
7.      {
8.          param.showYourName();
9.      }
10.
11.     public static <T extends UpperClass> void showInstanceName(T param)
12.     {
13.         param.showYourAncestor();
14.     }
15.
16.     public static void main(String[] args)
17.     {
18.         AAA aaa=new AAA();
19.         BBB bbb=new BBB();
20.
```

```
21.        showInstanceAncestor(aaa);
22.        showInstanceName(aaa);
23.        showInstanceAncestor(bbb);
24.        showInstanceName(bbb);
25.    }
26. }
```

- 6행 : 〈T〉를 대신해서 〈T extends SimpleInterface〉가 삽입되었다. 이는 T 가 SimpleInterface를 상속(SimpleInterface가 클래스인 경우) 또는 구현 (SimpleInterface가 인터페이스인 경우)하는 클래스의 자료형이 되어야 함을 명시하는 문 법이다.

- 8행 : T를 SimpleInterface를 구현하는 클래스로 제한했기 때문에, 이 인터페이스에 정의되어 있는 메소드의 호출이 가능하게 되었다.

- 11행 : 〈T〉를 대신해서 〈T extends UpperClass〉가 삽입되었다. 이는 T가 UpperClass를 상속 또는 구현하는 클래스의 자료형이 되어야 함을 명시하는 문법이다.

- 13행 : T를 UpperClass를 상속하는 클래스로 제한했기 때문에, 이 클래스에 정의되어 있는 메 소드의 호출이 가능하게 되었다.

실행결과는 BoundedTypeParam.java와 동일하므로 생략하겠다. 그리고 예제에서는 보이지 않았지 만, showInstanceAncestor 메소드의 인자로 SimpleInterface를 구현하지 않는 인스턴스의 참조 값이 전달되거나, showInstanceName 메소드의 인자로 UpperClass를 상속하지 않는 인스턴스의 참조 값이 전달되면 컴파일 에러가 발생하기 때문에 자료형에 안전한 구조는 유지된 셈이다.

제네릭, 매개변수의 자료형 제한에 사용된 extends

클래스의 상속에는 extends를, 인터페이스의 구현에는 implements를 사용하지만, 제네릭의 자료형 제한에는 클래스와 인터페이스를 구분하지 않고, 두 경우 모두 키워드 extends를 사용한다. 따라서 이 부분에 대한 혼동이 없기 바란다.

■ 제네릭 메소드와 배열

배열도 인스턴스이므로 제네릭 매개변수에 전달이 가능하다. 그러나 배열의 경우 다음 예제에서 보이는 방식으로 처리를 해야 배열의 특성을 적극 활용할 수 있다.

❖ IntroGenericArray.java

```
1.  class IntroGenericArray
2.  {
```

```
3.        public static <T> void showArrayData(T[] arr)
4.        {
5.            for(int i=0; i<arr.length; i++)
6.                System.out.println(arr[i]);
7.        }
8.
9.        public static void main(String[] args)
10.       {
11.           String[] stArr=new String[]{
12.                   "Hi!",
13.                   "I'm so happy",
14.                   "Java Generic Programming"
15.           };
16.
17.           showArrayData(stArr);
18.       }
19. }
```

해 설

- 3행 : 매개변수 선언이 (T[] arr)이므로 배열의 참조 값이 전달됨을 알 수 있다. 조금 더 정확히 표현하면, 매개변수로 전달되는 대상을 배열 인스턴스로 제한한 것이다.

- 5, 6행 : 배열의 인스턴스 변수 length에 접근을 하고, 배열에 저장된 데이터의 참조를 위한 [] 연산이 진행되고 있다. 이것이 가능한 이유는 매개변수로 전달되는 대상을 배열 인스턴스로 제한했기 때문이다.

❖실행결과 : IntroGenericArray.java

```
Hi!
I'm so happy
Java Generic Programming
```

다시 한번 정리하면, 배열의 제네릭 매개변수 선언을 다음과 같이 한 것만으로도 매개변수에 전달되는 대상을 배열의 인스턴스로 제한할 수 있다.

    T[] arr

그리고 이렇게 제한을 함으로 인해서 참조변수 arr을 통한 인스턴스 멤버 length의 접근 및 [] 연산이 가능해진다.

■ 예상과는 다른 제네릭 변수의 참조와 상속의 관계

다음의 메소드 정의를 보면서 매개변수로 전달될 수 있는 대상의 범위를 정리해 보자.

```
public void hiMethod(Apple param) { . . . . }
```

매개변수의 자료형이 Apple이니, Apple 인스턴스 또는 Apple을 상속하는 인스턴스의 참조 값이 매개변수에 전달될 수 있다. 그렇다면 다음 메소드의 매개변수로 전달될 수 있는 대상의 범위는 어떻게 되겠는가?

```
public void ohMethod(FruitBox<Fruit> param) { . . . . }
```

우선 매개변수 선언에서 보이는 그대로 FruitBox〈Fruit〉 인스턴스의 참조 값이 전달 대상이 될 수 있다. 그렇다면 Fruit 클래스의 상속관계가 다음과 같은 경우를 고려해 보자.

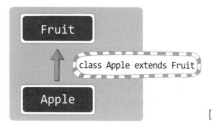

[그림 21-4 : Fruit을 상속하는 Apple]

이렇듯 Apple 클래스가 Fruit 클래스를 상속하는 경우에, FruitBox〈Apple〉 인스턴스의 참조 값이 위의 ohMethod의 매개변수에 전달될 수 있겠는가? 뭐 Yes라고 대답을 해도 좋고, No라고 대답을 해도 좋다. 정답은 NO! 이지만, 우리가 앞서 배운 상속의 관점에서 보면 Yes라고 답을 하는 것도 무리는 아니니 말이다. 하지만 생각해 보자. Fruit과 Apple이 상속관계에 놓여있다고 해서 FruitBox〈Fruit〉과 FruitBox〈Apple〉이 상속관계에 놓이는 것은 아니다.
상속관계에 놓으려면 클래스가 정의되는 과정에서 키워드 extends를 통해서 상속됨이 명시되어야 한다. 그런데 FruitBox〈Fruit〉와 FruitBox〈Apple〉가 키워드 extends를 통해서 명시되는 관계는 아니지 않은가?

■ 와일드카드와 제네릭 변수의 선언

그렇다면(위의 내용 "예상과는 다른 제네릭 변수의 참조와 상속의 관계"에 바로 이어지는 설명이다), 그림 21-4의 상속 관계상에서 FruitBox〈Fruit〉 인스턴스의 참조 값도, FruitBox〈Apple〉 인스턴스의 참조 값도 인자로 전달받을 수 있는 매개변수의 선언은 어떻게 해야 할까? 자바는 이를 위해서 와일드카드를 이용한 자료형의 명시를 허용한다. 참고로 와일드카드란, 이름 또는 문자열에 제한을 가하지 않음을 명시하는 용도로 사용되는 특별한 기호를 말한다. 예를 들어서 명령 프롬프트상에서 다음과 같이 명령을 내리면 확장자가 .class로 끝나는 모든 파일의 이름이 출력된다.

```
C:\MyCode>dir *.class
```

여기서는 기호 *가 파일의 이름을 명시하는데 있어서 와일드카드로 사용되었다. 이렇듯 자바는 클래스의 이름을 명시하는데 있어서 와일드카드로 사용되는 기호 ?를 정의하고 있다. 그리고 이를 기반으로 다음과 같이 변수 또는 매개변수가 선언될 수 있도록 하고 있다.

```
FruitBox<? extends Fruit> box1 = new FruitBox<Fruit>();
FruitBox<? extends Fruit> box2 = new FruitBox<Apple>();
```

위의 〈? extends Fruit〉가 의미하는 바는 "Fruit을 상속하는 모든 클래스"이다. 즉 자료형을 결정짓는 제네릭 매개변수 T에 Fruit 클래스를 포함하여, Fruit을 상속하는 클래스면 무엇이든 올 수 있음을 명시하는 것이다. 따라서 참조변수 box1과 box2는 다음의 형태로 생성되는 인스턴스면 무엇이든 참조가 가능하다.

```
new FruitBox<'Fruit 클래스, 또는 Fruit을 상속하는 클래스의 이름'>()
```

그럼 이에 대한 정확한 이해를 위해서 간단한(길이는 짧지 않지만 확인할 내용은 간단하다) 예제 하나를 제시하겠다.

❖ IntroWildCard.java

```
1.   class Fruit
2.   {
3.       public void showYou()
4.       {
5.           System.out.println("난 과일입니다.");
6.       }
7.   }
8.
9.   class Apple extends Fruit
10.  {
11.      public void showYou()
12.      {
13.          super.showYou();
14.          System.out.println("난 붉은 과일입니다.");
15.      }
16.  }
17.
18.  class FruitBox<T>
19.  {
20.      T item;
21.      public void store(T item) { this.item=item; }
22.      public T pullOut() { return item; }
23.  }
24.
```

```
25. class IntroWildCard
26. {
27.     public static void openAndShowFruitBox(FruitBox<? extends Fruit> box)
28.     {
29.         Fruit fruit=box.pullOut();
30.         fruit.showYou();
31.     }
32.     public static void main(String[] args)
33.     {
34.         FruitBox<Fruit> box1=new FruitBox<Fruit>();
35.         box1.store(new Fruit());
36.
37.         FruitBox<Apple> box2=new FruitBox<Apple>();
38.         box2.store(new Apple());
39.
40.         openAndShowFruitBox(box1);
41.         openAndShowFruitBox(box2);
42.     }
43. }
```

해설

- 27행 : 메소드의 매개변수가 FruitBox<? extends Fruit>으로 선언되었다. 따라서 Fruit, 또는 Fruit을 상속하는 클래스의 이름이 전달되어 생성되는 FruitBox⟨T⟩의 인스턴스는(인스턴스 참조 값은), 무엇이든 이 메소드의 인자로 전달될 수 있다.
- 40행 : box1이 참조하는 인스턴스의 자료형이 FruitBox⟨Fruit⟩이므로 메소드의 인자로 전달될 수 있다.
- 41행 : box2가 참조하는 인스턴스의 자료형이 FruitBox⟨Apple⟩이므로 메소드의 인자로 전달될 수 있다.

❖ 실행결과 : IntroWildCard.java

```
난 과일입니다.
난 과일입니다.
난 붉은 과일입니다.
```

참고로 전달되는 자료형에 상관없이 FruitBox⟨T⟩의 인스턴스를 참조하려면 다음과 같이 참조변수를 선언하면 된다.

    FruitBox<?> box;

그리고 모든 인스턴스는 Object 클래스를 상속하니, 위의 선언을 대신해서 다음과 같이 선언해도 된다.

```
FruitBox<? extends Object> box;
```

사실 위의 두 선언은 차이가 없는 동일한 선언이다.

■ 하위 클래스를 제한하는 용도의 와일드카드

지금까지의 설명은 여러분이 이후에 API 문서를 보는데 있어서 불편함이 없도록 하는데 목적이 있으니, 조금 더 힘을 내기 바란다. 참조변수 선언 시 와일드카드를 기반으로 다음과 같은 선언도 가능하다.

```
FruitBox<? super Apple> boundedBox;
```

앞서 보였던 선언들과 비교해 보면, extends를 대신해서 super가 등장함을 알 수 있다. extends는 다음의 의미로 사용되었다.

"~을 상속하는 클래스라면 무엇이든지"

반대로 super는 다음의 의미로 사용이 된다. 이는 extends에 상대적인 의미를 지닌다.

"~이 상속하는 클래스라면 무엇이든지"

즉 위에 선언된 참조변수 boundedBox는 FruitBox〈T〉의 인스턴스를 참조하되, T가 Apple 클래스 또는 Apple 클래스가 직간접적으로 상속하는 클래스인 경우에만 참조할 수 있다. 예를 들어서 Apple 클래스가 그림 21-4의 상속구조를 갖는다면, 위의 boundedBox가 참조할 수 있는 인스턴스의 자료형은 다음 세 가지이다.

```
FruitBox<Object>, FruitBox<Fruit>, FruitBox<Apple>
```

이에 대해서는 이 정도만 이해하자. 이후에 여러분이 API 문서를 보다가 이와 관련된 내용을 접했을 때, API 문서에서 말하는 바를 이해할 수 있을 정도면 충분하다.

■ 제네릭 클래스를 상속하는 다양한 방법

이번에 설명하는 내용과 다음에 설명하는 "제네릭 인터페이스를 구현하는 두 가지 방법"에 대해서는 지금 당장 공부하지 않아도 좋다. 계속 공부해가다 보면, 이 내용이 궁금해지는 때가 올 것이다. 그 때가서 공부해도 되니, 지금 머리가 복잡하다면 그냥 건너뛰기 바란다. 그럼 제네릭으로 정의된 클래스의 상속에 대해서 설명하겠다. 우선 제네릭 클래스가 다음과 같이 정의되어있다고 가정하자.

```
class AAA<T>
{
    T itemAAA;
}
```

이 때 이를 상속하는 BBB 클래스는 다음과 같이 정의하면 된다.

```
class BBB<T> extends AAA<T>
{
    T itemBBB;
}
```

이렇게 상속이 되면, 하나의 자료형 정보로 인해서 AAA의 자료형과 BBB의 자료형이 모두 결정된다. 즉 다음과 같이 문장을 구성하면, T가 각각 String과 Integer로 대체되어 인스턴스가 생성된다.

```
BBB<String> myString=new BBB<String>();
BBB<Integer> myInteger=new BBB<Integer>();
```

반면 AAA⟨T⟩ 클래스의 T를 지정해서 상속할 수도 있다. 즉 다음과 같이 상속하는 것도 가능하다.

```
class BBB extends AAA<String>
{
    int itemBBB;
}
```

물론 위의 BBB 클래스는 제네릭으로 정의될 수도 있다. 그러나 제네릭이 아니어도 된다는 것을 강조하기 위해서 일반 클래스로 정의하였다.

■ 제네릭 인터페이스를 구현하는 두 가지 방법

클래스뿐만 아니라 인터페이스도 제네릭으로 정의할 수 있다. 즉 다음과 같은 형태의 인터페이스 정의도 가능하다.

```
interface MyInterface<T>
{
    public T myFunc(T item);
}
```

그리고 이 인터페이스를 구현하여 클래스를 정의하는 방식에도 두 가지가 있다. 그 중 하나는 다음과 같이 T를 그대로 유지하는 방식이다.

```
class MyImplement<T> implements MyInterface<T>
{
    public T myFunc(T item)
    {
```

```
            return item;
        }
    }
```

그리도 다른 하나는 다음과 같이 T의 자료형을 결정하는 방식이다.

```
    class MyImplement implements MyInterface<String>
    {
        public String myFunc(String item)
        {
            return item;
        }
    }
```

주의해야 할 사실은 위의 클래스 정의와 같이 T의 자료형이 String으로 결정되면, MyInterface⟨T⟩의 메소드 myFunc를 구현할 때에도 T가 아닌 String으로 명시해야 한다는 점이다.

■ 기본자료형의 이름은 제네릭 클래스의 인스턴스 생성에 사용될 수 없습니다.

이야기 중간에 흐름이 끊길 것 같아서 언급하지는 않았지만, 기본 자료형의 이름은 제네릭 클래스의 인스턴스 생성에 사용될 수 없다. 즉 다음의 형태로는 인스턴스의 생성이 불가능하다.

```
    FruitBox<int> fb1=new FruitBox<int>();
    FruitBox<double> fb1=new FruitBox<double>();
```

어렵게 생각할 것 없다. 자바는 위의 형태로 인스턴스 생성이 불가능하도록 제한하고 있을 뿐이다. 다만 기본 자료형 데이터는 제네릭 코드의 작성에 제한을 가져다 주기 때문에(메소드의 호출이 불가능하므로) 이러한 제한이 존재한다고 생각해 볼 수는 있다. 이러한 제한으로 인해서 고민해야 할 문제를 다음 Chapter에서 논의하게 되므로, 이 사실을 반드시 기억하고 있기 바란다.

■ 문제 21-1의 답안

GenericBaseFruitBox.java의 Orange 클래스와 Apple 클래스에는 변함이 없으므로, 아래의 소스코드에서 이 둘의 정의는 생략하였다.

❖ 소스코드 답안

```
1.  class FruitBox<T>
2.  {
3.      T item;
4.      public FruitBox(T item) {this.item=item; }
5.      public void store(T item) { this.item=item; }
6.      public T pullOut() { return item; }
7.  }
8.
9.  class GenericConstructor
10. {
11.     public static void main(String[] args)
12.     {
13.         FruitBox<Orange> orBox=new FruitBox<Orange>(new Orange(10));
14.         Orange org=orBox.pullOut();
15.         org.showSugarContent();
16.
17.         FruitBox<Apple> apBox=new FruitBox<Apple>(new Apple(20));
18.         Apple app=apBox.pullOut();
19.         app.showAppleWeight();
20.     }
21. }
```

■ 문제 21-2의 답안

제네릭 기반의 클래스 또는 메소드는 어떠한 자료형을 기반으로라도(물론 기본 자료형은 제외이다) 실행이 가능하도록 정의가 되어야 컴파일 에러가 발생하지 않는다. 그럼 문제에서 보인 코드를 함께 보자.

```
class MyClass
{
    public <T> void simpleMethod(T param)
    {
        param.showData();
        System.out.println(param);
    }
```

```
        }
```

매개변수 param을 이용해서 showData 메소드를 호출하는 부분이 있다. 이는 매개변수 param이 참조하는 인스턴스에 showData라는 메소드가 존재해야만 실행 가능한 문장이다. 즉 모든 자료형을 기반으로 실행 가능한 문장이 아니기 때문에 컴파일 에러가 발생한다. 반면 System.out.println의 인자로 param이 전달되는 문장은 컴파일이 가능한데, 여기에는 다음의 두 가지 이유가 있다.

- println 메소드는 Object형 참조변수를 인자로 전달받는다. 그런데 모든 클래스는 Object 클래스를 상속하기 때문에 println 메소드로의 인자 전달은 언제나 성립이 된다.
- println 메소드는 인스턴스의 toString 메소드를 호출해서, 이때 반환되는 문자열을 출력한다. 그런데 toString 메소드 역시 Object 클래스에 정의되어 있으므로 언제나 호출 가능하다.

이로써 제네릭 기반의 클래스 또는 메소드의 정의에 있어서 삽입 가능한 문장에 대한 기준이 세워졌을 것이다. 제네릭 기반의 클래스는 어떠한 자료형을 기반으로라도 실행이 가능해야 컴파일이 가능한데, 이러한 클래스 및 메소드의 정의 기준은 Object 클래스에 있다. 모든 클래스는 Object 클래스를 직접 또는 간접적으로 상속하기 때문이다.

Chapter **22**

컬렉션 프레임워크
(Collection Framework)

자바 문법에서 가장 많은 변화와 확장이 있었던 부분이 컬렉션 프레임워크가 아닌가 한다. 그래서 개발자들마다 적용하는 방식에도 차이가 있고, 심지어는 책들조차도 설명하는 포커스에 많은 차이를 보이고 있다. 하지만 이제는 어느 정도 안정기에 접어들었고 개발자들의 적용방식도 새로운 표준에 맞춰지고 있다.

먼저 컬렉션 프레임워크가 무엇인지를 이해하는 것이 중요하다. 이를 이해하면 활용은 그리 어렵지 않기 때문이다. 사실 활용이 어렵다면 컬렉션 프레임워크라는 것의 존재 자체에 큰 의미를 부여하기가 힘들다.

■ 컬렉션 프레임워크의 기본적인 이해

프레임워크(Framework)라는 단어는 여러 분야에서 약간씩 상이한 개념으로 사용되기 때문에, 이 단어에 대한 정확한 의미 파악이 쉽지 않을 수 있다. 하지만 기본적으로 다음의 의미를 공통적으로 내포하고 있다.

"잘 정의된, 약속된 구조나 골격"

따라서 자바에서 말하는 프레임워크는 다음과 같이 확장해서 정의할 수 있다.

"잘 정의된, 약속된 구조의 클래스들"

쉽게 말해서 여러 프로그래머들에 의해 사용되도록, 잘 정의된 클래스들의 모임이라 할 수 있다. 그런데 이것이 전부라면 이는 그저 라이브러리에 지나지 않는다. 하지만 유독 컬렉션과 관련해서는 '컬렉션 라이브러리'라 하지 않고, '컬렉션 프레임워크'라 하고 있다. 이는 컬렉션과 관련된 클래스들의 정의에 적용되는 설계의 원칙, 또는 구조가 존재하기 때문이다. 이제 본격적인 시작에 앞서 여러분은 다음 두 가지를 이해해야 한다.

- 컬렉션이 의미하는 바
- 컬렉션을 프레임워크라 부를 수 있도록 도입이 된 설계의 원칙 또는 구조

이 둘을 정확히 이해하면(특히 두 번째 내용을 정확히 이해하면) 컬렉션 프레임워크의 활용은 아무런 문제도 되지 않는다.

■ 컬렉션의 의미와 자료구조

컴퓨터 공학에는 '자료구조(Data Structures)'라는 학문과 '알고리즘(Algorithms)'이라는 학문이 있다. 여기서 자료구조는 데이터의 저장과 관련이 있는 학문으로서, 검색 등 다양한 측면을 고려하여 효율적인 데이터의 저장 방법을 연구하는 학문이다. 반면 알고리즘은 저장된 데이터의 일부 또는 전체를 대상으로 진행하는 각종 연산을 연구하는 학문이다. 따라서 이 둘은 서로 다른 학문이면서 매우 긴밀한 연관이 있다. 자료구조에서 정형화하고 있는 데이터의 저장방식 중에서 대표적인 것 몇 가지를 정리하면 다음

과 같다.

　　배열(Array), 리스트(List), 스택(Stack), 큐(Queue), 트리(Tree), 해시(Hash)

그리고 쉬운 축에 속하는 알고리즘 몇 가지를 정리하면 다음과 같다.

　　정렬(Sort), 탐색(Search), 최대(Max) 최소(Min) 검색

그럼 이제 컬렉션에 대해서 이야기해 보자. 컬렉션은 데이터의 저장, 그리고 이와 관련 있는 알고리즘을
구조화 해 놓은 프레임워크이다. 쉽게는 바로 위에서 언급한 자료구
조와 알고리즘을 클래스로 구현해 놓은 것 정도로 생각해도 좋다.
때문에 컬렉션 클래스들을 가리켜 '컨테이너 클래스'라고도 한다. 여
러분도 알다시피 컨테이너는 많은 양의 화물을 저장할 수 있는, 금
속성 물질로 만들어진 매우 큰 상자이다. 이와 유사하게 컬렉션 프
레임워크를 구성하는 클래스들은 많은 양의 인스턴스를 다양한 형태
로 저장하는 기능을 제공하고 있다. 따라서 자료구조와 알고리즘을
잘 몰라도 자바의 컬렉션 프레임워크를 활용하면 다양하고 효율적으
로 인스턴스의 저장이 가능하다.

자료구조 학습의 필요성

자바의 컬렉션 프레임워크가 자료구조의 학습을 대신하는 것은 아니다. 자료구조라는 학
문은 단순히 데이터의 저장으로만 설명할 수 있는 학문이 아니기 때문이다. 따라서 위에
서 필자가 한 말을 자료구조를 몰라도 된다는 뜻으로 해석하면 안 된다. 오히려 필자는 자
료구조의 학습이 매우 중요하다고 생각하는 사람 중 하나이다. 그 대상이 활용을 중시하는
실무 개발자, 특히 자바 개발자라 하더라도 말이다.

■ 컬렉션 프레임워크의 기본 골격

컬렉션 프레임워크를 공부한다고 생각을 하면 부담이 될 수도 있으니, 그냥 지금까지와 마찬가지로 다양
한 클래스를 공부한다고 생각하자. 다만 공부의 대상이 데이터의 저장을 위해 정의된 클래스일 뿐이라고
생각을 하자.

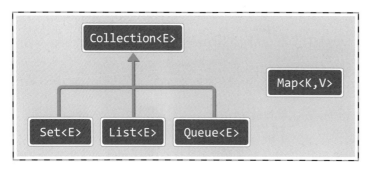

[그림 22-1 : 컬렉션 프레임워크의 인터페이스 구조]

위 그림은 컬렉션 클래스가 구현하고 있는 인터페이스의 상속 관계를 보여준다(〈E〉 그리고 〈K, V〉는 모든 인터페이스가 제네릭으로 정의되었음을 표현한 것이다). 어떠한 인터페이스를 구현하느냐에 따라서 데이터를 저장하는 방식에 차이가 있기 때문에, 구현하는 인터페이스의 종류만 알아도 컬렉션 클래스의 데이터 저장방식을 알 수 있다. 그리고 제네릭 관련 인터페이스와 클래스들은 그림 22-1에서 보여주는 인터페이스를 포함하여 대부분 java.util 패키지에 묶여있음을 기억하기 바란다.

컬렉션이 프레임워크인 이유

다소 허망하게 들릴지 모르지만 매우 단순하게 말한다면, 그림 22-1에서 보이는 인터페이스 구조를 기반으로 클래스들이 정의되어 있기 때문에 프레임워크라 하는 것이다.

그림 22-1을 보면 크게는 Collection〈E〉 인터페이스와 Map〈K, V〉 인터페이스로 나뉨을 알 수 있다. 이중에서 일반적인(잠시 후에 소개하는 Map의 저장방식에 비해서 일반적이라는 뜻이다) 데이터의 저장방식을 지원하는 제네릭 클래스들은 모두 Collection〈E〉를 구현하고 있다. 물론 이 인터페이스를 직접 구현하는 것은 아니다. 그림 22-1에서 보이듯이 Collection〈E〉를 상속하는 하위 인터페이스의 구현을 통해서 간접적으로 구현할 뿐이다. 반면 Map〈K, V〉는 key-value를 기반으로 하는 데이터의 저장방식을 위해 정의된 인터페이스인데, 이에 대해서는 Collection〈E〉 인터페이스를 구현하는 클래스를 소개하고 난 다음에 설명하겠다.

지금까지 설명한 내용이 컬렉션 프레임워크의 가장 중심이 되는 골격이다. 이제 여러분은 그림 22-1에서 소개하는 인터페이스들의 특성과 이를 구현하는 제네릭 클래스들의 활용 예를 접하면서 컬렉션 프레임워크를 보다 깊이 있게 이해하게 될 것이다.

Collection⟨E⟩ 인터페이스를 구현하는 제네릭 클래스들은 모두 인스턴스를 저장의 대상으로 삼는다(정확히는 인스턴스의 참조 값이 저장의 대상이다). 다만 저장하는 방식에 있어서 중복 저장을 허용하느냐 마느냐, 또는 저장 시 정렬을 하느냐 마느냐 등등의 차이가 있을 뿐이다.

■ List⟨E⟩ 인터페이스와 이를 구현하는 제네릭 클래스 ArrayList⟨E⟩, LinkedList⟨E⟩

List⟨E⟩ 인터페이스를 구현하는 제네릭 클래스들은 다음 두 가지 특성을 공통으로 지닌다. 달리 말해서 다음 두 가지 특성을 지니는 제네릭 클래스가 필요하다면, API 문서를 통해서 List⟨E⟩ 인터페이스를 구현하는 클래스들을 참조하면 된다.

- 동일한 인스턴스의 중복 저장을 허용한다.
- 인스턴스의 저장 순서가 유지된다.

List⟨E⟩ 인터페이스를 구현하는 대표적인 제네릭 클래스는 ArrayList⟨E⟩와 LinkedList⟨E⟩이다. 이 둘의 사용방법은 거의 동일하다. 다만 데이터를 저장하는 방식에서 큰 차이를 보이는데, 이와 관련해서는 잠시 후에 이야기하고, 일단 ArrayList⟨E⟩의 사용방법을 보이도록 하겠다.

❖ IntroArrayList.java

```
1.   import java.util.ArrayList;
2.
3.   class IntroArrayList
4.   {
5.      public static void main(String[] args)
6.      {
7.         ArrayList<Integer> list=new ArrayList<Integer>();
8.
9.         /* 데이터의 저장 */
10.        list.add(new Integer(11));
11.        list.add(new Integer(22));
12.        list.add(new Integer(33));
13.
14.        /* 데이터의 참조 */
15.        System.out.println("1차 참조");
16.        for(int i=0; i<list.size(); i++)
17.           System.out.println(list.get(i));   // 0이 첫 번째
18.
```

```
19.        /* 데이터의 삭제 */
20.        list.remove(0);      // 0이 전달되었으므로 첫 번째 데이터 삭제
21.        System.out.println("2차 참조");
22.        for(int i=0; i<list.size(); i++)
23.            System.out.println(list.get(i));
24.    }
25. }
```

해 설

- 1행 : ArrayList의 import문 구성을 보이고 있다. 여기서 보이듯이, 대상이 제네릭 클래스라 하더라도 import 문장 구성 시에는 클래스의 이름만 명시함에 주의하자.

- 7행 : Integer를 기반으로 ArryList의 인스턴스를 생성하고 있다. 따라서 이 문장을 통해서 생성된 인스턴스는 Integer 인스턴스의 저장소로 사용된다.

- 10~12행 : add 메소드를 통해서 총 세 개의 인스턴스를 저장하고 있다(인스턴스의 참조 값이 저장되는 것이다). 여기서 중요한 점은 이들이 순차적으로 저장된다는 사실이다. 달리 말하면 저장순서가 ArrayList〈Integer〉 인스턴스 내에서 유지된다고 할 수 있다(이게 더 정확한 표현이다).

- 16, 17행 : size 메소드를 통해서 저장된 인스턴스의 수를 확인할 수 있고, get 메소드를 통해서 해당 인스턴스의 참조 값도 얻을 수 있음을 보이고 있다. 그리고 10~12행에서 저장된 인스턴스의 순서가 유지됨을 출력결과를 통해서 확인할 수 있다.

- 20행 : 저장된 데이터의 삭제방법을 보이고 있다. remove 메소드의 호출을 통해서 삭제가 이뤄지는데, 전달되는 값에 해당하는 인스턴스 정보가, 저장소인 ArrayList〈Integer〉 인스턴스 내에서 지워지게 된다. 그런데 여기서 한가지 주의할 점은, 저장되었던 인스턴스의 참조 값이 지워지는 것 일뿐, 인스턴스가 소멸되는 것은 아니라는 사실이다.

❖ 실행결과 : IntroArrayList.java

```
1차 참조
11
22
33
2차 참조
22
33
```

기본적으로 알고 있어야 하는 데이터의 저장, 참조 및 삭제방법을 간단히 보였다. 이 예제에서 보이듯이 ArrayList〈E〉 클래스는 배열과 상당히 유사하다. 그러나 데이터의 저장을 위해서 인덱스 정보를 별도로 관리할 필요가 없고, 데이터의 삭제를 위한 추가적인 코드의 작성이 전혀 필요 없다. 뿐만 아니라, 저장되는 인스턴스의 수에 따라서 그 크기도 자동으로 늘어나기 때문에 배열과 달리 길이를 고민하지 않아도 된다.

문제 22-1 [ArrayList〈E〉 클래스의 용량(버퍼) 설정]

Question

ArrayList〈E〉 클래스는 저장되는 데이터의 수가 증가함에 따라서, 용량(데이터 저장 가능한 용량)이 자동으로 증가하는 클래스이다. 그런데 용량을 증가시키는 과정에서 수반되는 연산으로 인해 때로는 성능에 부담이 되기도 한다. 때문에 대략 500여 개의 데이터가 저장될 것이 예상되는 상황에서는 점진적으로 용량을 500으로 늘리기 보다, 처음부터 용량을 500으로 잡음으로 인해서 불필요한 연산을 줄일 필요도 있다. 물론 ArrayList〈E〉의 메소드 중에는 저장용량의 설정을 위한 메소드가 존재한다. 따라서 여러분은 API 문서를 참조하여 이 메소드를 찾기 바란다. 그리고 다음 조건을 만족시키는 코드를 각각 구성해 보기 바란다.
- Integer 인스턴스를 저장할 수 있는 ArrayList〈E〉를 생성하고 저장용량을 500으로 늘린다.
- ArrayList〈E〉에 저장되어 있는 인스턴스 수의 두 배로 저장용량을 늘린다.

실행 가능한 예제를 작성할 필요는 없다. 다만 위의 조건을 만족하는 코드를 작성해서 보이기만 하면 된다.

이번에는 LinkedList〈E〉 클래스의 사용방법을 보이겠다. 그런데 LinkedList〈E〉의 사용방법은 앞서 보인 ArrayList〈E〉의 사용방법과 거의 동일하다(클래스를 구성하는 메소드의 형태와 이름이 거의 동일하다). 그래서 앞서 보인 예제 IntroArrayList.java를 LinkedList〈E〉 클래스 기반으로 조금만 변경해 보겠다.

❖ IntroLinkedList.java

```
1.   import java.util.LinkedList;
2.
3.   class IntroLinkedList
4.   {
5.       public static void main(String[] args)
6.       {
7.           LinkedList<Integer> list=new LinkedList<Integer>();
8.
9.           /* 데이터의 저장 */
10.          list.add(new Integer(11));
11.          list.add(new Integer(22));
12.          list.add(new Integer(33));
13.
14.          /* 데이터의 참조 */
15.          System.out.println("1차 참조");
```

```
16.          for(int i=0; i<list.size(); i++)
17.              System.out.println(list.get(i));
18.
19.          /* 데이터의 삭제 */
20.          list.remove(0);
21.          System.out.println("2차 참조");
22.          for(int i=0; i<list.size(); i++)
23.              System.out.println(list.get(i));
24.      }
25. }
```

❖ 실행결과 : IntroLinkedList.java

```
1차 참조
11
22
33
2차 참조
22
33
```

이 예제를 IntroArrayList.java와 비교해 보자. 유일한 차이점은 7행이 전부임을 알 수 있다(물론 1행에서도 더불어 차이가 발생한다). 이렇듯 ArrayList⟨E⟩ 클래스와 LinkedList⟨E⟩ 클래스 사이에서의 선택 기준은 사용방법의 차이가 아닌, 내부적으로 인스턴스를 저장하는 방식의 차이에 있다.

■ ArrayList⟨E⟩와 LinkedList⟨E⟩의 차이점

데이터의 저장, 참조 및 삭제 기능의 활용방법만 놓고 보면, ArrayList⟨E⟩와 LinkedList⟨E⟩에 차이는 없다. 그러나 내부적으로 인스턴스를 저장하는 방식에는 큰 차이를 보인다. 우선 ArrayList⟨E⟩는 그 이름이 의미하듯이 배열을 기반으로 한다. 즉 내부적으로 배열을 이용해서 인스턴스의 참조 값을 저장한다. 때문에 다음의 특징이 있다.

- 저장소의 용량을 늘리는 과정에서 많은 시간이 소요된다.   ArrayList⟨E⟩의 단점
- 데이터의 삭제에 필요한 연산과정이 매우 길다.   ArrayList⟨E⟩의 단점
- 데이터의 참조가 용이해서 빠른 참조가 가능하다.   ArrayList⟨E⟩의 장점

배열은 한번 생성이 되면 그 길이를 변경시킬 수 없는 인스턴스 아닌가? 때문에 용량을 늘린다는 것은 새

로운 배열 인스턴스의 생성과 기존 데이터의 복사가 필요한 작업이다. 따라서 상대적으로 부담이 될 수 있는 작업이다. 그리고 데이터의 삭제 작업 역시 그리 간단하지 않다. 예를 들어서 첫 번째 위치에 저장된 데이터를 지우고자 할 경우에, 그 뒤에 저장된 데이터들을 한 칸씩 앞으로 이동시켜야 하는 불편함이 따른다(단계별 프로젝트 03단계를 통해서 이미 경험하였다). 때문에 ArrayList〈E〉의 삭제는 많은 연산이 수반될 수 있다. 저장되어있는 데이터의 수와 배열의 길이에 따라서 말이다. 하지만 데이터의 참조가 용이하다는 장점이 있다. 예를 들어서 열일곱 번째 위치의 데이터를 참조하고 싶다면, 인덱스 값 16을 이용해서 바로 접근이 가능하다.

그럼 이번에는 LinkedList〈E〉에 대해서 이야기해 보자. 이는 배열을 사용하는 대신에 서로서로 연결하는 방식으로 데이터를 저장한다. 이는 여러분이 경험하지 못한 자료구조일 확률이 높기 때문에 이해하는데 한계가 있다. 그래서 다음의 코드를 제시한다. 이 코드는 LinkedList〈E〉의 데이터 저장방식을 이해하는데 도움을 줄 수 있도록 최대한 간단히 작성하였다.

❖ SoSimpleLinkedListImpl.java

```
1.  class Box<T>
2.  {
3.      public Box<T> nextBox;      // 다른 Box<T>의 인스턴스 참조를 위한 변수
4.      T item;
5.
6.      public void store(T item) { this.item=item; }
7.      public T pullOut() { return item; }
8.  }
9.
10. class SoSimpleLinkedListImpl
11. {
12.     public static void main(String[] args)
13.     {
14.         Box<String> boxHead=new Box<String>();
15.         boxHead.store("First String");
16.
17.         boxHead.nextBox=new Box<String>();
18.         boxHead.nextBox.store("Second String");
19.
20.         boxHead.nextBox.nextBox=new Box<String>();
21.         boxHead.nextBox.nextBox.store("Third String");
22.
23.         Box<String> tempRef;
24.
25.         /* 두 번째 박스에 담긴 문자열 출력 과정 */
26.         tempRef=boxHead.nextBox;
27.         System.out.println(tempRef.pullOut());
28.
29.         /* 세 번째 박스에 담긴 문자열 출력 과정 */
30.         tempRef=boxHead.nextBox;
```

```
31.        tempRef=tempRef.nextBox;
32.        System.out.println(tempRef.pullOut());
33.    }
34. }
```

- 1행 : Box⟨T⟩ 클래스는 인스턴스를 담을 일종의 '상자'이다. 따라서 이것을 이용해서 인스턴스를 저장하게 되며, 이것이 배열을 대신하게 된다.

- 3행 : 변수 nextBox는 상자들을 연결하기 위한 참조변수이다. 이 변수를 이용해서 Box⟨T⟩의 인스턴스는 동일한 자료형의 인스턴스를 참조하게 된다.

- 4행 : item은 인스턴스의 저장을 위한 참조변수이다. 즉 하나의 상자에는 하나의 인스턴스만 저장이 가능하다.

- 14, 15행 : 상자를 하나 생성해서 문자열 인스턴스를 저장하였다.

- 17행 : 상자를 하나 생성해서 첫 번째 생성된 상자에 연결하는 과정을 보이고 있다. 이로써 두 개의 상자가 연결되었다.

- 18행 : 두 번째 생성된 상자에 문자열 인스턴스를 저장하고 있다.

- 20행 : 상자를 하나 더 생성해서 두 번째 생성된 상자에 연결하는 과정을 보이고 있다. 이로써 총 세 개의 상자가 연결되었다. 이러한 방식으로 얼마든지 상자를 생성해서 연결이 가능하다.

- 21행 : 세 번째 생성된 상자에 문자열 인스턴스를 저장하고 있다.

- 25~32행 : 이 부분은 데이터의 참조방법을 보이고 있다. 이는 배열과 달리 데이터의 참조 과정이 얼마나 복잡한지를 보여준다.

❖ 실행결과 : SoSimpleLinkedListImpl.java

```
Second String
Third String
```

위 예제가 21행까지 실행되면, 다음의 구조로 데이터가 저장된다.

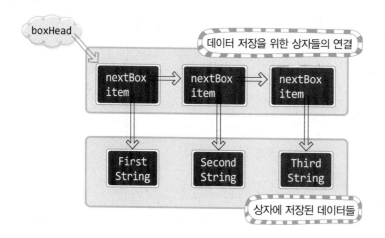

[그림 22-2 : 리스트 자료구조의 이해]

사실 지금 설명하는 이것이 바로 '리스트 자료구조'라는 것이다. 리스트 자료구조의 유형에도 여러 가지가 존재하고 LinkedList⟨E⟩ 클래스의 실제 구현도 위 그림과는 차이가 있지만, 위 그림을 통해서 LinkedList⟨E⟩의 다음 특성들을 파악할 수 있다.

- 저장소의 용량을 늘리는 과정이 간단하다.   LinkedList⟨E⟩의 장점
- 데이터의 삭제가 매우 간단하다.   LinkedList⟨E⟩의 장점
- 데이터의 참조가 다소 불편하다.   LinkedList⟨E⟩의 단점

이미 예제에서 보였기 때문에 저장소를 늘리는 과정이 매우 간단하다는 것을 이해할 수 있을 것이다. 마치 블록을 하나 연결하는 것과 마찬가지로 그 과정이 간단하다. 그리고 데이터의 삭제 역시 매우 간단하다. 위 예제에서 보이지는 않았지만, 중간에 위치한 상자 하나를 삭제하는 것은 어려운 일이 아니다. 하지만 데이터의 참조는 불편하다. 위 예제 25~32행에서 보였듯이 데이터의 참조를 위해서는 연결되어 있는 상자들을 통해서 이동을 해야 하기 때문이다.

이래서 자료구조의 학습은 필요합니다.

자료구조를 공부한 사람은 필자가 예제 SoSimpleLinkedListImpl.java와 그림 22-2를 제시하지 않아도 LinkedList⟨E⟩ 클래스의 특성을 이해한다. 즉 자료구조 학습이 어느 정도 선행된다면, 자바에서 제공하는 컬렉션 프레임워크를 보다 효율적으로 사용할 수 있다.

지금까지 설명한 ArrayList⟨E⟩의 장단점과 LinkedList⟨E⟩의 장단점을 이해하면, 상황에 따른 적절한 선택이 가능하다. 참고로 이 둘은 서로 상대적인 장점과 단점을 지니고 있어서, 선택에 있어서 논란의 여지를 전혀 남기지 않는다.

문 제 22-2 [ArrayList⟨E⟩ vs. LinkedList⟨E⟩]

Question

아래에서 제시하는 상황에 적절한 자료구조를 선택해 보자. ArrayList⟨E⟩와 LinkedList⟨E⟩ 둘 중 하나를 선택하면 된다.

- 상황 1
저장하게 되는 데이터의 수가 대략적으로 예측 가능하며, 빈번한 데이터의 참조가 일어나는 상황에서 유용하게 사용할 수 있는 컬렉션 클래스는 무엇인가?

- 상황 2
저장하게 되는 데이터의 수가 예측 불가능하며, 빈번한 데이터의 저장 및 삭제가 일어나는 상황에서 유용하게 사용할 수 있는 컬렉션 클래스는 무엇인가?

■ Iterator를 이용한 인스턴스의 순차적 접근

그림 22-1에서 보인 Collection<E> 인터페이스에는 iterator라는 이름의 메소드가 다음의 형태로 정의되어 있다.

```
Iterator<E> iterator()
```

이 메소드는 반환형이 Iterator<E>인데, 이는 인터페이스의 이름이다. 즉 iterator 메소드가 하는 일은 다음과 같이 정리할 수 있다.

> "iterator 메소드가 호출되면 인스턴스가 하나 생성되는데, 이 인스턴스는 Iterator<E> 인터페이스를 구현하는 클래스의 인스턴스야! 그리고 iterator 메소드는 이 인스턴스의 참조 값을 반환해!"

사실 위의 메소드 선언만 가지고는 iterator 메소드가 호출될 때마다 인스턴스가 생성되는지 알 수 없다. 하지만 여러분의 학습 편의를 위해서 필자가 약간의 진실(?)을 보탠 것이니, 그대로 받아들이면 좋겠다. 뭐 억지로 받아들이지 않아도 자연스레 이러한 사실을 알게 되겠지만 말이다.

> "iterator 메소드가 호출되면, 정확히 어떠한 클래스의 인스턴스가 생성되나요? Iterator<E> 인터페이스를 구현한 클래스의 인스턴스라는 정보만으로는 부족하다는 생각이 드는데요."

만약에 이러한 생각이 든다면, Chapter 17의 내용을 다시 한번 정독하기 바란다. 메소드의 반환형이 인터페이스 Iterator<E>으로 선언되어 있다는 것은 다음의 의미로 받아들일 수 있음에 대해서 설명하고 있으니 말이다.

> "필요에 따라서 Iterator<E> 인터페이스에 정의된 메소드만 호출하면 됩니다."

메소드의 반환형이 Iterator<E>으로 선언되어 있는 상황에서, 우리는 Iterator<E> 인터페이스에 정의되어 있는 메소드 이상의 내용에 관심을 둘 필요가 없다. 인터페이스를 구현하는 클래스의 이름에도, 클래스의 정의 형태에도(예를 들어서 Inner 클래스로 정의되었는지) 관심을 둘 필요가 없다. 다만 인터페이스에 정의된 메소드가 제공하는 기능을 정확히 파악하고 활용만 하면 된다. iterator 메소드를 정의한 사람도 그것을 바라는 것이니 말이다. 자! 그럼 이 인터페이스에 정의되어 있는 메소드를 살펴보자.

- boolean hasNext()   참조할 다음 번 요소(element)가 존재하면 true를 반환
- E next()   다음 번 요소를 반환
- void remove()   현재 위치의 요소를 삭제

위의 세 메소드가 인터페이스 Iterator<E>에 정의되어 있는 전부이다. 그런데 위의 설명만 가지고는 구체적으로 어떠한 역할을 하는지 확인이 힘들다. 따라서 예제를 하나 제시하고자 한다.

❖ IteratorUsage.java

```
1.    import java.util.Iterator;
```

```
2.    import java.util.LinkedList;
3.
4.    class IteratorUsage
5.    {
6.        public static void main(String[] args)
7.        {
8.            LinkedList<String> list=new LinkedList<String>();
9.            list.add("First");
10.           list.add("Second");
11.           list.add("Third");
12.           list.add("Fourth");
13.
14.           Iterator<String> itr=list.iterator();
15.
16.           System.out.println("반복자를 이용한 1차 출력과 \"Third\" 삭제");
17.           while(itr.hasNext())
18.           {
19.               String curStr=itr.next();
20.               System.out.println(curStr);
21.               if(curStr.compareTo("Third")==0)
22.                   itr.remove();
23.           }
24.
25.           System.out.println("\n\"Third\" 삭제 후 반복자를 이용한 2차 출력 ");
26.           itr=list.iterator();
27.           while(itr.hasNext())
28.               System.out.println(itr.next());
29.       }
30. }
```

해 설

- 14행 : iterator 메소드가 호출될 때 생성되는 인스턴스를 가리켜 '반복자(iterator)'라 한다. 컬렉션 인스턴스에 저장되어 있는 데이터들을 순차적으로 참조하는데 사용되기 때문이다. 이 문장에서는 반복자를 생성해서, 반복자의 참조 값을 itr에 저장하고 있다.

- 17행 : 반복자는 생성과 동시에 컬렉션 인스턴스의 첫 번째 저장공간을 관찰하게 된다. 그리고 그곳에 유효한 데이터가 존재하면 메소드 hasNext는 true를 반환한다.

- 19행 : hasNext가 true를 반환하는 경우에만 이 문장이 실행된다. next 메소드는 반복자가 현재 관찰하고 있는 저장공간에 저장된 데이터를 반환한다. 뿐만 아니라 관찰 위치를 다음 번 저장공간으로 이동시킨다.

- 22행 : remove 메소드가 호출되고 있다. 이 메소드는 next 메소드의 호출로 인해서 반환된 데이터를 컬렉션 인스턴스 내에서 삭제한다(remove 메소드가 호출되기 바로 직전에 next 메소드에 의해 반환된 데이터가 삭제된다). 참고로 삭제대상을 혼동하기 쉬우니, 코드와 실행결과의 관찰을 통해서 이 메소드가 삭제하는 대상이 어떻게 되는지 정확히 확인하기 바란다.

```
반복자를 이용한 1차 출력과 "Third" 삭제
First
Second
Third
Fourth

"Third" 삭제 후 반복자를 이용한 2차 출력
First
Second
Fourth
```

위 예제에서 보이는 두 개의 while문은 컬렉션 인스턴스 안에 저장된 데이터를 순차적으로 참조할 때 공식처럼 사용되는 문장이다. 그런데 for-each문의 등장으로 위의 두 번째 while문은 다음과 같이 구성할 수도 있다(for-each문에 대해서는 Chapter 13에서 자세히 설명하였으니 참조하기 바란다).

```
for(String str : list)
    System.out.println(str);
```

이렇듯 for-each문을 사용하면, 반복자를 생성하지 않아도 되기 때문에 코드를 보다 간결하면서도 명확하게 구성할 수 있다. 그러나 위 예제의 첫 번째 while문은 대체가 불가능하기 때문에(데이터의 삭제가 있으므로), 두 가지 방식 모두에 익숙해질 필요가 있다.

Iterable⟨E⟩ 인터페이스

Collection⟨E⟩ 인터페이스는 Iterable⟨E⟩ 인터페이스를 상속하는데, Iterable⟨E⟩에 정의되어 있는 유일한 메소드가 iterator이다. 즉 Collection⟨E⟩에 정의되어 있는 iterator 메소드는 인터페이스간 상속에 의한 것이다.

■ 반복자를 꼭 이용할 필요가 있나요?

예제 IntroLinkedList.java와 IteratorUsage.java의 데이터 참조방식만 놓고 보면 반복자의 사용에 대해 의문이 들기도 한다. 그러나 반복자의 의미는 다른데 있다. 이를 한마디로 정리하면 다음과 같다.

"컬렉션 클래스의 종류에 상관없이 동일한 형태의 데이터 참조방식을 유지한다."

LinkedList⟨E⟩ 클래스의 데이터 참조를 위해 정의된 메소드는 get이다. get 메소드를 호출하면서 참조하고자 하는 데이터의 위치 정보를 인자로 전달한다. 그러나 이는 어디까지나 LinkedList⟨E⟩에 어울리는 데이터 참조방식이다(정확히 말해서, List⟨E⟩ 인터페이스를 구현하는 컬렉션 클래스들에 어울리는 데이터 참조방식이다). 데이터의 저장순서가 유지되기 때문이다. 그러나 컬렉션 클래스들 중에는 데이터의 저장순서가 유지되지 않는 것도 있다. 그리고 그러한 클래스들에는 당연히 get 메소드가 정의되어 있지 않다. 그래서 반복자를 이용할 필요가 있는 것이다.

반복자는 저장된 데이터 전부를 참조할 때 매우 유용하다. 그리고 '데이터 전부의 참조'라는 것은 데이터의 저장방식과는 상관없이 매우 빈번하게 요구되는 기능이다. 때문에 대부분의 컬렉션 클래스들은 반복자를 반환하는 iterator 메소드를 구현하고 있다. 그럼 예제 IteratorUsage.java가 완료된 상태에서 다음과 같은 일이 벌어졌다고 가정해보자.

"어쩌지? LinkedList⟨E⟩보다는 HashSet⟨E⟩가 더 잘 어울리는 상황인데…"

걱정할 것 없다. 반복자를 기반으로 코드가 작성되면, 컬렉션 클래스의 교체만 필요할 뿐, 추가적인 변경은 발생하지 않기 때문이다. 아래 예제에서 보이듯이 말이다.

❖ UsefulIterator.java

```
1.   import java.util.Iterator;
2.   import java.util.HashSet;
3.
4.   class UsefulIterator
5.   {
6.       public static void main(String[] args)
7.       {
8.           HashSet<String> set=new HashSet<String>();
9.           set.add("First");
10.          set.add("Second");
11.          set.add("Third");
12.          set.add("Fourth");
13.
14.          Iterator<String> itr=set.iterator();
15.
16.          System.out.println("반복자를 이용한 1차 출력과 \"Third\" 삭제");
17.          while(itr.hasNext())
18.          {
19.              String curStr=itr.next();
20.              System.out.println(curStr);
21.              if(curStr.compareTo("Third")==0)
22.                  itr.remove();
23.          }
24.
```

```
25.        System.out.println("\n\"Third\" 삭제 후 반복자를 이용한 2차 출력 ");
26.        itr=set.iterator();
27.        while(itr.hasNext())
28.            System.out.println(itr.next());
29.    }
30. }
```

❖ 실행결과 : UsefulIterator.java

```
반복자를 이용한 1차 출력과 "Third" 삭제
Fourth
Third
Second
First


"Third" 삭제 후 반복자를 이용한 2차 출력
Fourth
Second
First
```

위 예제는 IteratorUsage.java의 LinkedList〈String〉을 HashSet〈String〉으로만 변경한 것이다. 물론 그에 걸맞게 참조변수의 이름 list도 set으로 변경하였다. 참고로 HashSet〈E〉 클래스에는 get 메소드가 정의되어 있지 않다. 따라서 반복자를 기반으로 코드를 작성하지 않았다면, 코드의 상당 부분이 변경되어야 한다. 이제 반복자의 장점이 무엇인지 이해되었는가? 그리고 실행결과를 보면 출력의 순서가 달라진 것을 알 수 있다. 하지만 우리는 아직 HashSet〈E〉 클래스에 대해서 공부한바 없으니, 이 부분은 신경 쓰지 말자.

■ 컬렉션 클래스를 이용해서 int형 정수 열 개를 저장하려면?

컬렉션 클래스를 이용해서 int형 정수 열 개를 저장하라고 하면 매우 쉽게 생각을 한다. 그러나 이는 생각만큼 단순하지 않다. 기본 자료형을 기반으로 제네릭 인스턴스를 생성할 수 없기 때문이다(Chapter 21의 마지막 부분에서 언급하였다). 즉 다음과 같이 컬렉션 인스턴스를 생성할 수 없다.

```
ArrayList<int> arr=new ArrayList<int>();
LinkedList<int> link=new LinkedList<int>();
```

그렇다면 제네릭 클래스를 이용한 기본 자료형 데이터의 저장은 포기해야만 하는 것일까? 그렇지 않다.

Chapter 20에서 설명한 Wrapper 클래스와 Auto Boxing, Auto Unboxing을 떠올리면, 제네릭 클래스를 이용해서 기본 자료형 데이터를 저장하는, 다음과 같은 예제를 얼마든지 작성할 수 있을 테니 말이다.

❖ PrimitiveCollection.java

```java
1.   import java.util.Iterator;
2.   import java.util.LinkedList;
3.
4.   class PrimitiveCollection
5.   {
6.       public static void main(String[] args)
7.       {
8.           LinkedList<Integer> list=new LinkedList<Integer>();
9.           list.add(10);        // Auto Boxing
10.          list.add(20);        // Auto Boxing
11.          list.add(30);        // Auto Boxing
12.
13.          Iterator<Integer> itr=list.iterator();
14.
15.          while(itr.hasNext())
16.          {
17.              int num=itr.next();     // Auto Unboxing
18.              System.out.println(num);
19.          }
20.      }
21. }
```

- 8행 : int형 데이터를 저장하는 컬렉션 인스턴스의 생성은 불가능하지만, int형의 wrapper 클래스인 Integer의 인스턴스를 저장하는 컬렉션 인스턴스의 생성은 가능하다.

- 8~11행 : 굳이 int형 데이터를 Integer의 인스턴스로 직접 Boxing하지 않아도 된다. 데이터를 저장하는 과정에서 Auto Boxing이 발생하기 때문이다. Chapter 20에서 "Integer 형 참조변수가 와야 할 위치에 int형 데이터가 오면 Auto Boxing이 진행된다"고 했던 말을 기억하기 바란다.

- 17행 : 이 문장에서는 Auto Unboxing이 발생한다. 이를 보이기 위해서 한 줄에 표현가능한 코드를 17, 18행에 나눠서 표현하였다.

❖실행결과 : PrimitiveCollection.java

```
10
20
30
```

Set⟨E⟩ 인터페이스를 구현하는 컬렉션 클래스들

이번에는 Set⟨E⟩ 인터페이스를 구현하는 컬렉션 클래스들의 공통된 특성을 먼저 이해하고, 이를 기반으로 HashSet⟨E⟩ 클래스와 TreeSet⟨E⟩ 클래스의 사용방법을 소개하고자 한다.

■ Set⟨E⟩ 인터페이스의 특성과 HashSet⟨E⟩ 클래스

먼저 List⟨E⟩ 인터페이스를 구현하는 클래스들과 Set⟨E⟩ 인터페이스를 구현하는 클래스들의 차이점을 정리해 보이겠다.

- List⟨E⟩를 구현하는 클래스들과 달리 Set⟨E⟩를 구현하는 클래스들은 데이터의 저장순서를 유지하지 않는다.

- List⟨E⟩를 구현하는 클래스들과 달리 Set⟨E⟩를 구현하는 클래스들은 데이터의 중복저장을 허용하지 않는다.

위에서 보이는 Set⟨E⟩의 특성은 수학에서 말하는 '집합'의 특성이다. 즉 Set⟨E⟩ 인터페이스를 구현하는 클래스는 Set이라는 단어의 의미처럼 '집합'의 특성을 지닌다. 그럼 Set⟨E⟩ 인터페이스를 구현하는 대표적인 클래스 HashSet⟨E⟩를 이용해서 위의 두 가지 특성에 대해서 구체적으로 확인해 보겠다.

❖ SetInterfaceFeature.java

```
1.   import java.util.Iterator;
2.   import java.util.HashSet;
3.
4.   class SetInterfaceFeature
5.   {
6.       public static void main(String[] args)
7.       {
8.           HashSet<String> hSet=new HashSet<String>();
9.           hSet.add("First");
10.          hSet.add("Second");
11.          hSet.add("Third");
12.          hSet.add("First");
13.
14.          System.out.println("저장된 데이터 수 : "+hSet.size());
15.
16.          Iterator<String> itr=hSet.iterator();
17.          while(itr.hasNext())
```

```
18.                    System.out.println(itr.next());
19.        }
20. }
```

- 9~12행 : 9행과 12행에 동일한 문자열 인스턴스가 저장됨을 확인하자.
- 14행 : 저장된 데이터의 수를 출력하고 있다.
- 16~18행 : 반복자를 이용해서 저장된 데이터 전부를 출력하고 있다.

❖실행결과 : SetInterfaceFeature.java

```
저장된 데이터 수 : 3
Third
Second
First
```

실행결과를 보면 두 번 저장된 "First"가 반복해서 저장되지 않음을 알 수 있다. 그리고 문자열의 출력순서를 보면, 문자열이 저장된 순서에 상관없이 출력되고 있음도 알 수 있다.

"역순으로 출력이 된 것 같은데요?"

오! 그리고 보니 역순으로 출력이 되었다. 그렇다면 9~12행의 문장 순서를 바꿔보자. 인스턴스의 저장순서를 바꿔보라는 뜻이다. 그리고 다시 실행해보자. 그럼 저장순서에 상관없는 출력결과를 확인할 수 있을 것이다.

LinkedHashSet<E>라는 컬렉션 클래스가 있긴 합니다만

Set<E> 인터페이스를 구현하는 컬렉션 클래스 중에는 저장순서를 유지하는 LinkedHashSet<E>라는 클래스도 존재한다. 하지만 이는 예외적인 클래스로 보는 것이 옳다. Set이라는 이름은 수학에서의 '집합'을 뜻한다. 그리고 집합에는 순서가 존재하지 않는다. 집합에서 중요한 것은, 집합을 구성하는 요소이며, 이 요소는 중복되지 않는다.

위 예제에서는 분명 '동일한 데이터의 저장'을 허용하지 않았다. 그렇다면 동일한 데이터인지 아닌지를 구분하는 기준은 어디에 있을까? 다음 예제는 이 기준에 대해서 충분히 고민할 거리를 여러분에게 제시한다.

```
1.   import java.util.Iterator;
2.   import java.util.HashSet;
3.
4.   class SimpleNumber
5.   {
6.       int num;
7.       public SimpleNumber(int n)
8.       {
9.           num=n;
10.      }
11.      public String toString()
12.      {
13.          return String.valueOf(num);
14.      }
15.  }
16.
17.  class HashSetEqualityOne
18.  {
19.      public static void main(String[] args)
20.      {
21.          HashSet<SimpleNumber> hSet=new HashSet<SimpleNumber>();
22.          hSet.add(new SimpleNumber(10));
23.          hSet.add(new SimpleNumber(20));
24.          hSet.add(new SimpleNumber(20));
25.
26.          System.out.println("저장된 데이터 수 : "+hSet.size());
27.
28.          Iterator<SimpleNumber> itr=hSet.iterator();
29.          while(itr.hasNext())
30.              System.out.println(itr.next());
31.      }
32.  }
```

해 설

- 13행 : String 클래스의 static 메소드인 valueOf는 기본 자료형 데이터를 String 인스턴스로 변환해 준다.
- 23, 24행 : 두 개의 SimpleNumber 인스턴스를 저장하고 있다. 이 둘은 분명 다른 인스턴스이다. 하지만 저장되어 있는 값만 놓고 보면 동일한 인스턴스이다.

❖실행결과 : HashSetEqualityOne.java

```
저장된 데이터 수 : 3
20
10
20
```

실행결과를 보면 23행에서 생성한 인스턴스와 24행에서 생성한 인스턴스를 다른 인스턴스로 간주하고 있음을 알 수 있다. 이는 HashSet⟨E⟩ 클래스가 equals 메소드의 호출결과와 hashCode 메소드의 호출결과를 가지고 동등 비교를 하기 때문이다.

■ 해시 알고리즘과 hashCode 메소드

HashSet⟨E⟩ 클래스를 제대로 활용하기 위해서는 간단하게나마 해시 알고리즘을 이해해야 한다. 그래서 필자는 여러분이 HashSet⟨E⟩ 클래스를 불편함 없이 활용할 수 있는 수준으로 해시 알고리즘을 소개하고자 한다(참고로 해시 알고리즘은 자료구조에서 처음 소개된다). 이를 위해서 먼저 다음의 코드를 보자.

```
num % 3
```

별로 대단한 것은 아니지만, 이것도 멋진 해시 알고리즘으로 볼 수 있다(알고리즘이라고 해서 늘 복잡한 것만은 아니다). 그럼 위의 알고리즘에 대입한 연산결과를 가지고 다음 수들을 분류해 보자.

```
3, 5, 7, 12, 25, 31
```

위의 정수들이 하나의 집합을 구성한다고 가정할 때, 나머지 연산의 결과 0, 1, 2에 따라서 이 집합을 다음과 같이 총 세 개의 부류로 나눠서 묶을 수 있다.

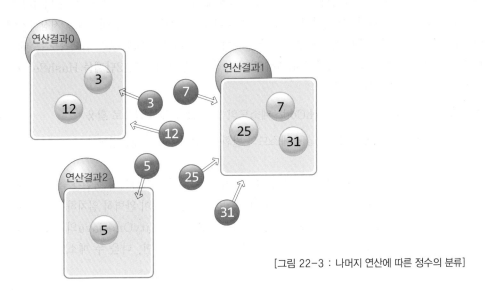

[그림 22-3 : 나머지 연산에 따른 정수의 분류]

이렇게 부류가 나뉜 상태에서, 위의 집합에 정수 5가 존재하는지 확인하는 가장 효율적인 방법을 생각해 보자. 모든 정수들이 3으로 나눈 나머지를 기준으로 나뉘어 있으니, 우선 찾고자 하는 정수 5를 3으로 나머지 연산하여, 속하는 부류를 먼저 찾는 것이 가장 효율적인 방법이다.

```
5 % 3 = 2
```

이로써 나머지 연산의 결과가 0, 그리고 1인 부류는 검색의 대상에서 제외되었다. 즉 검색의 대상이 확! 줄어버린 것이다. 이것이 바로 해시 알고리즘의 장점이다. 그리고 위에서 보인 해시 연산의 결과 값(% 연산의 결과) 0, 1, 2를 가리켜 '해시 값'이라 하며, 이 해시 값을 기준으로 데이터를 구분하게 된다. 참고로 해시 알고리즘은 데이터의 종류 및 성격에 따라서 다양하게 설계될 수 있으며, 그만큼 특성도 달리 부여가 되기 때문에, 위에서 보인 % 연산자 하나만으로 해시 알고리즘을 다 이해했다고 생각하면 그건 좀 곤란하다. 그러나 HashSet⟨E⟩을 이해하고 활용하는데 불편함은 없을 정도의 충분한 설명은 이뤄졌다. 자! 그럼 본론으로 돌아와서, 다시 그림 22-3을 보고 이야기하자. 이번에는 정수 10이 존재하는지 확인하는 과정을 정리해 보자.

- 검색 1단계 → 정수 10의 해시 값을 계산한다.

- 검색 2단계 → 해시 값에 속하는 부류 내에서 정수 10이 존재하는지 하나씩 확인한다.

이렇게 두 단계를 거치는 이유는 검색의 효율성과 이로 인한 속도의 향상을 위한 것이며, 해시 알고리즘을 적용하는 이유도 바로 여기에 있다. 그리고 실제로 HashSet⟨E⟩ 클래스는 해시 알고리즘을 적용하여 데이터를 저장하고 검색한다. 이로써 HashSet⟨E⟩ 클래스의 장점은 다음과 같이 정리할 수 있다.

"매우 빠른 검색속도"

그런데 HashSet⟨E⟩는 검색과 직접 관련이 있는 메소드를 제공하고 있지 않다. 그럼에도 불구하고 빠른 검색속도가 장점이라니! 뭔가 이상하다는 생각을 할 수밖에 없다. 그러나 HashSet⟨E⟩의 데이터 저장은 항상 검색의 과정을 동반한다. 데이터의 중복을 허용하지 않기 때문이다. 즉 데이터를 저장하기에 앞서 동일한 데이터가 이미 저장되어 있는지 우선 검색을 해야 한다. 때문에 '매우 빠른 검색속도'는 '매우 빠른 데이터의 저장'으로 이어진다. 그렇다면 위에서 정리한 검색 1단계와 검색 2단계를 HashSet⟨E⟩ 클래스는 어떠한 방식으로 진행을 할까?

- 검색 1단계 → Object 클래스의 hashCode 메소드의 반환 값을 해시 값으로 활용

- 검색 2단계 → Object 클래스의 equals 메소드의 반환 값을 이용해서 내용비교

정리하면 hashCode 메소드의 반환 값을 이용해서 검색의 부류를 결정하고(검색의 범위를 확 줄여버리고), 해당 부류 내에 존재하는 데이터들과의 내용비교는(인스턴스 변수의 값이 완벽히 일치하는지 확인하는 비교는) equals 메소드를 통해서 진행을 한다. 따라서 HashSetEqualityOne.java의 23행과 24행에서 저장한 두 개의 인스턴스가 동일한 인스턴스로 인식이 되도록 하려면, 다음 두 메소드를 적절히 오버라이딩 해야 한다.

```
public int hashCode()
public boolean equals(Object obj)
```

Object 클래스의 hashCode 메소드는 인스턴스가 다르면 구성 내용에 상관없이 전혀 다른 해시 값을 반환하도록 정의되어 있다. 따라서 예제 HashSetEqualityOne.java의 실행결과를 보인 것이며, equals 메소드도 내용비교가 아닌, 참조 값만 비교하도록 정의되어 있다(이는 Chapter 19에서 설명한

내용이다). 따라서 위의 두 메소드를 적절히 오버라이딩 해야 HashSetEqualityOne.java의 23행과 24행에서 저장한 두 개의 인스턴스를 동일한 인스턴스로 인식시킬 수 있다. 자! 그럼 위의 두 메소드를 적절히 오버라이딩 한 예제를 여러분에게 보이겠다.

❖ HashSetEqualityTwo.java

```
1.  import java.util.Iterator;
2.  import java.util.HashSet;
3.
4.  class SimpleNumber
5.  {
6.      int num;
7.
8.      public SimpleNumber(int n)
9.      {
10.         num=n;
11.     }
12.     public String toString()
13.     {
14.         return String.valueOf(num);
15.     }
16.     public int hashCode()
17.     {
18.         return num%3;
19.     }
20.     public boolean equals(Object obj)
21.     {
22.         SimpleNumber comp=(SimpleNumber)obj;
23.         if(comp.num==num)
24.             return true;
25.         else
26.             return false;
27.     }
28. }
29.
30. class HashSetEqualityTwo
31. {
32.     public static void main(String[] args)
33.     {
34.         HashSet<SimpleNumber> hSet=new HashSet<SimpleNumber>();
35.         hSet.add(new SimpleNumber(10));
36.         hSet.add(new SimpleNumber(20));
37.         hSet.add(new SimpleNumber(20));
38.
39.         System.out.println("저장된 데이터 수 : "+hSet.size());
40.
41.         Iterator<SimpleNumber> itr=hSet.iterator();
```

```
42.          while(itr.hasNext())
43.             System.out.println(itr.next());
44.      }
45. }
```

- 16~19행 : 이렇게 간단히 오버라이딩을 해도 괜찮을지 궁금할 것이다. 괜찮다! 중요한 것은 내용
  이 동일한 두 인스턴스가 동일한 해시 값을 반환하도록 정의하는 것이기 때문이다. 물
  론 검색의 성능을 고려한다면 조금 더 세련된 코드가 삽입될 필요는 있다.
- 20~27행 : 내용비교를 하도록 equals 메소드가 정의되었다. 해시 값이 동일한 두 인스턴스는
  이 메소드를 통해서 내용이 완벽히 일치하는지 확인하게 된다.

❖실행결과 : HashSetEqualityTwo.java

```
저장된 데이터 수 : 2
20
10
```

참고로 String 클래스의 hashCode 메소드와 equals 메소드는 내용비교를 진행하도록 적절히 오버라
이딩이 되어 있다. 따라서 예제 SetInterfaceFeature.java에서는 내용비교의 결과가 출력된 것이다.

문제 22-3 [hashCode 메소드와 equals 메소드의 오버라이딩]

다음 클래스의 두 인스턴스를 HashSet〈E〉에 저장할 때, 두 인스턴스의 데이터(name &
age)가 완전히 동일하다면, 하나만 저장되도록 hashCode 메소드와 equals 메소드를
오버라이딩 하자.

```
class Person
{
    String name;
    int age;

    public Person(String name, int age)
    {
        this.name=name;
        this.age=age;
    }
    public String toString()
```

```
        {
            return name+"("+age+"세)";
        }
    }
```

그리고 다음 main 메소드를 기반으로 오버라이딩이 제대로 되었는지 테스트하자.

```
public static void main(String[] args)
{
    HashSet<Person> hSet=new HashSet<Person>();
    hSet.add(new Person("이진호", 10));
    hSet.add(new Person("이진호", 20));
    hSet.add(new Person("김명호", 20));
    hSet.add(new Person("김명호", 15));
    hSet.add(new Person("이진호", 20));
    hSet.add(new Person("김명호", 20));

    System.out.println("저장된 데이터 수 : "+hSet.size());

    Iterator<Person> itr=hSet.iterator();
    while(itr.hasNext())
        System.out.println(itr.next());
}
```

인스턴스의 내용비교가 되도록 적절히 오버라이딩 되었다면, 다음의 실행결과를 보여야 한다. 단 이름과 나이 정보가 출력되는 순서는 hashCode 메소드의 구현에 따라 다를 수 있다. 아니 대부분 다를 것이다.

    저장된 데이터 수 : 4
    김명호(20세)
    김명호(15세)
    이진호(10세)
    이진호(20세)

이 문제는 다양한 형태의 답이 존재할 수 있다. 따라서 두 가지 이상의 방식을 적용해보기 바란다. 필자도 두 개의 답안을 제시하겠다.

■ TreeSet⟨E⟩ 클래스의 이해와 활용

여러분은 HashSet⟨E⟩ 클래스를 공부하면서, 해시 알고리즘과 hashCode 메소드에 대해 알게 되었는데, 어떻게 보면 이것이 HashSet⟨E⟩ 클래스를 이해한 것보다 더 큰 성과라 할 수 있다(물론 그만큼 고생스러웠지만 말이다). 이번에는 Set⟨E⟩ 인터페이스를 구현하는 TreeSet⟨E⟩ 클래스를 소개하려고 한다. 그런데 이번에도 '인스턴스의 대소 비교'라는 보다 중요한 주제에 대해서 함께 생각해봐야 한다. TreeSet⟨E⟩ 클래스는 '트리(Tree)'라는 자료구조를 기반으로 구현되어 있는데, '트리'는 데이터를 정렬된 상태로 저장하는 자료구조이다. 따라서 이를 기반으로 구현된 TreeSet⟨E⟩ 클래스 역시 데이터를 정렬된 상태로 유지한다(이는 저장순서를 유지하는 것과 의미가 완전히 다르다). 그럼 예제를 통해서 이를 확인해 보겠다.

❖ SortTreeSet.java

```java
1.   import java.util.Iterator;
2.   import java.util.TreeSet;
3.
4.   class SortTreeSet
5.   {
6.       public static void main(String[] args)
7.       {
8.           TreeSet<Integer> sTree=new TreeSet<Integer>();
9.           sTree.add(1);
10.          sTree.add(2);
11.          sTree.add(4);
12.          sTree.add(3);
13.          sTree.add(2);
14.
15.          System.out.println("저장된 데이터 수 : "+sTree.size());
16.
17.          Iterator<Integer> itr=sTree.iterator();
18.          while(itr.hasNext())
19.              System.out.println(itr.next());
20.      }
21.  }
```

- 9~13행 : 총 다섯 개의 Integer 인스턴스를 저장하고 있다. 물론 Auto Boxing에 의해 생성되는 인스턴스이다. 그리고 여기서 중요한 것은 저장될 때마다 데이터가 정렬된다는 사실이다.

- 17~19행 : 저장된 데이터를 출력하고 있다. 참고로 iterator 메소드가 반환하는 반복자는 정렬된 데이터를 오름차순으로 참조한다.

```
저장된 데이터 수 : 4
1
2
3
4
```

위의 실행결과를 통해서 "중복된 데이터의 저장을 허용하지 않는다"는 사실은 쉽게 확인이 가능하다. 그렇다면 정렬은 어떻게 이뤄지겠는가?

"오름차순으로 정렬이 이뤄져요! 출력결과에서 말해주잖아요!"

정말로 오름차순으로 정렬된다고 확신할 수 있는가? 다음과 같이 내림차순으로 정렬된다고도 생각할 수 있지 않겠는가?

```
4, 3, 2, 1
```

위와 같이 내림차순으로 정렬된 상태에서 iterator 메소드가 반환하는 반복자가 거꾸로, 즉 오름차순으로 참조한다고도 생각해볼 수 있는 상황이다. 그런데 지금 우리가 이야기하는 정렬방식(오름차순 정렬이냐 내림차순 정렬이냐)은 결코 중요하지 않다. 내부적으로 오름차순으로 정렬을 하건, 내림차순으로 정렬을 하건, iterator 메소드가 반환하는 반복자는 오름차순의 참조를 보장하고 있는데, 우리가 정렬방식을 알 필요가 있겠는가? 실제로 우리가 지금 관심을 둬야 할 주제는 '정렬의 방식'이 아닌, '정렬의 기준'이다. 위의 실행결과는 숫자의 크고 작음을 기준으로 정렬이 이뤄졌음을 보이고 있다.

사실 저장대상이 위의 예제처럼 숫자라면 정렬의 기준에 대한 논란의 여지가 없다. 숫자의 크기가 정렬의 유일한 기준이기 때문이다. 그러나 아래에 정의된 클래스의 인스턴스가 저장대상이라면 이야기는 180도로 달라진다.

```
class Person
{
    String name;
    int age;
    public Person(String name, int age)
    {
        this.name=name;
        this.age=age;
    }
}
```

위 클래스의 인스턴스가 다음과 같이 생성되었다고 가정해보자.

```
Person man1=new Person("James", 24);
Person man2=new Person("Michael", 15);
Person man3=new Person("John", 29);
```

이 상황에서 이 셋을 정렬하고자 한다면, 무엇을 정렬의 기준으로 삼아야 하겠는가? 나이를 의미하는 숫자정보가 있긴 하지만, 이름을 의미하는 문자열정보도 동시에 존재하기 때문에, 정렬의 기준을 나름대로 정할 수밖에 없는 상황이다. 이렇듯 인스턴스의 정렬기준은 대부분의 상황에서 프로그래머가 직접 정의해야 한다. 그래서 자바에서는 아래의 인터페이스 구현을 통해 정렬의 기준을 프로그래머가 직접 정의할 것을 요구하고 있다.

```
interface Comparable<T>
{
    int compareTo(T obj);
}
```

위의 Comparable⟨T⟩ 인터페이스의 compareTo 메소드는 다음의 내용을 근거로 정의되어야 한다.

- 인자로 전달된 obj가 작다면 양의 정수를 반환해라.
- 인자로 전달된 obj가 크다면 음의 정수를 반환해라.
- 인자로 전달된 obj와 같다면 0을 반환해라.

여기서 말하는 크고 작음에 대한 기준이 세워지면, 이는 정렬의 기준이 세워지는 것이다. 예를 들어서 위의 Person 클래스에 대한 크고 작음의 기준을 다음과 같이 세웠다고 가정해보자.

"인스턴스 변수 age의 값이 큰 인스턴스가 작은 인스턴스보다 크다."

그렇다면 정렬의 기준은 '나이의 많고 적음'이 된다. 따라서 Comparable⟨T⟩ 인터페이스의 compareTo 메소드를 구현할 때에는 다음과 같이 정의하면 된다.

- 인자로 전달된 obj의 나이가 작다면 양의 정수를 반환해라.
- 인자로 전달된 obj의 나이가 크다면 음의 정수를 반환해라.
- 인자로 전달된 obj와 나이가 같다면 0을 반환해라.

이러한 형태로 위의 Person 클래스가 Comparable⟨T⟩ 인터페이스를 구현한다면, Person 인스턴스는 비로소 TreeSet⟨E⟩에 저장될 수 있게 된다. TreeSet⟨E⟩ 역시 compareTo 메소드의 호출결과를 참조하여 정렬을 하기 때문에, TreeSet⟨E⟩에 저장되는 인스턴스는 반드시 Comparable⟨T⟩ 인터페이스를 구현하고 있어야 한다.

물론 이렇게만 정의해 놓으면, TreeSet⟨E⟩ 내부적으로 오름차순 정렬을 하건, 내림차순 정렬을 하건 신경 쓰지 않아도 된다. iterator 메소드가 반환하는 반복자는 오름차순의 참조를 보장하니 말이다. 그리고 앞서 예제 SortTreeSet.java에서는 Integer 인스턴스를 TreeSet⟨E⟩에 저장하였는데, 이는 Integer 클래스가 Comparable⟨T⟩ 인터페이스를 구현하고 있기 때문에 가능한 일이었다.

■ 인스턴스의 비교 기준을 정의하는 Comparable⟨T⟩ 인터페이스의 구현1

그럼 위에서 보인 Person 클래스의 정렬기준을 나이로 정하고 실제로 Comparable⟨T⟩ 인터페이스를 구현해보자.

```java
class Person implements Comparable<Person>
{
    String name;
    int age;

    public Person(String name, int age)
    {
        this.name=name;
        this.age=age;
    }
    public int compareTo(Person p)
    {
        if(age>p.age)           /* 인자로 전달된 p가 작으니 양수 반환 */
            return 1;
        else if(age<p.age)    /* 인자로 전달된 p가 크니 음수 반환 */
            return -1;
        else                    /* 인자로 전달된 p와 같으니 0을 반환 */
            return 0;
    }
}
```

이로써 Person 인스턴스간의 크고 작음을 비교할 수 있게 되었다. 때문에 TreeSet⟨E⟩는 Person 인스턴스가 저장될 때마다 기존에 저장된 인스턴스와의 비교를 위해서 compareTo 메소드를 빈번히 호출하여, 이 때 반환되는 값을 기반으로 정렬을 진행할 것이다.

참 고

String 클래스의 compareTo 메소드

Chapter 13에서 String 클래스의 compareTo 메소드를 설명한적 있는데, 이 역시 Comparable⟨T⟩ 인터페이스의 구현 과정에서 정의된 메소드이다. 즉 String 클래스의 compareTo 메소드는 사전편찬 순서를 정렬의 기준으로 정의되어 있다.

다음은 위에서 정의한 Person 클래스의 인스턴스가 TreeSet〈E〉에 저장될 때, 나이를 기준으로 정렬됨을 확인하기 위한 예제이다.

❖ ComparablePerson.java

```java
1.   import java.util.Iterator;
2.   import java.util.TreeSet;
3.
4.   class Person implements Comparable<Person>
5.   {
6.       String name;
7.       int age;
8.
9.       public Person(String name, int age)
10.      {
11.          this.name=name;
12.          this.age=age;
13.      }
14.      public void showData()
15.      {
16.          System.out.printf("%s %d \n", name, age);
17.      }
18.      public int compareTo(Person p)
19.      {
20.          if(age>p.age)
21.              return 1;
22.          else if(age<p.age)
23.              return -1;
24.          else
25.              return 0;
26.      }
27.  }
28.
29.  class ComparablePerson
30.  {
31.      public static void main(String[] args)
32.      {
33.          TreeSet<Person> sTree=new TreeSet<Person>();
34.          sTree.add(new Person("Lee", 24));
35.          sTree.add(new Person("Hong", 29));
36.          sTree.add(new Person("Choi", 21));
37.
38.          Iterator<Person> itr=sTree.iterator();
39.          while(itr.hasNext())
40.              itr.next().showData();
41.      }
42.  }
```

❖실행결과: ComparablePerson.java

```
Choi 21
Lee 24
Hong 29
```

■ 인스턴스의 비교 기준을 정의하는 Comparable⟨T⟩ 인터페이스의 구현2

Comparable⟨T⟩ 인터페이스와 TreeSet⟨E⟩ 클래스에 대해서도 이해하였으니, 한번 더 정렬의 기준을 정해보겠다. String 클래스는 사전편찬 순으로 정렬되도록 Comparable⟨T⟩ 인터페이스를 구현하고 있다. 따라서 문자열을 TreeSet⟨E⟩에 저장할 경우 사전편찬 순으로 정렬이 이뤄진다. 그런데 필자는 문자열을 사전편찬 순서가 아닌, 길이 순으로 정렬해서 TreeSet⟨E⟩에 저장하고 싶다. 그리하여 String 클래스의 Wrapper 클래스를 일단 다음과 같이 정의하였다.

```
class MyString
{
    String str;      // 정렬의 기준
    public MyString(String str) { this.str=str; }
    public int getLength() { return str.length(); }
    public String toString() { return str; }
}
```

이 클래스의 인스턴스들이 TreeSet⟨E⟩에 저장될 때, 인스턴스 변수 str이 참조하는 문자열의 길이를 기준으로 정렬되기 원한다. 따라서 Comparable⟨T⟩ 인터페이스를 다음과 같이 정의하였다.

❖ ComparableMyString.java

```
1.    import java.util.TreeSet;
2.    import java.util.Iterator;
3.
4.    class MyString implements Comparable<MyString>
5.    {
6.        String str;
7.        public MyString(String str) { this.str=str; }
8.        public int getLength() { return str.length(); }
9.
10.       public int compareTo(MyString mStr)
11.       {
12.           if(getLength()>mStr.getLength())
13.               return 1;
```

```java
14.        else if(getLength()<mStr.getLength())
15.            return -1;
16.        else
17.            return 0;
18.
19.        /*
20.         * return getLength()-mStr.getLength();
21.         */
22.    }
23.
24.    public String toString() { return str; }
25. }
26.
27. class ComparableMyString
28. {
29.    public static void main(String[] args)
30.    {
31.        TreeSet<MyString> tSet=new TreeSet<MyString>();
32.        tSet.add(new MyString("Orange"));
33.        tSet.add(new MyString("Apple"));
34.        tSet.add(new MyString("Dog"));
35.        tSet.add(new MyString("Individual"));
36.
37.        Iterator<MyString> itr=tSet.iterator();
38.        while(itr.hasNext())
39.            System.out.println(itr.next());
40.    }
41. }
```

- 10행 : compareTo 메소드의 구현을 통해서 크고 작음에 대한 기준을 정의하고 있다. 문자열의 길이가 길면 큰 것으로, 문자열의 길이자 짧으면 작은 것으로 정의하고 있다. 따라서 MyString 인스턴스는 TreeSet〈MyString〉에 문자열의 길이를 기준으로 정렬이 이뤄진다.

- 20행 : 여러분의 이해를 돕기 위해서 12~17행의 형태로 정의를 하였지만, 이는 20행 한 줄로 대체가 가능하다. 인자로 전달된 mStr의 길이가 길다면, getLength()-mStr. getLength()의 결과는 음수가 되고, 반대로 mStr의 길이가 짧다면 양수가 되고, 길이가 같다면 0이 되기 때문이다.

- 32~35행 : 저장할 때마다, 길이 순으로 정렬이 된다.

- 37~39행 : 정렬된 데이터를 출력하고 있다. iterator 메소드가 반환하는 '반복자'는 오름차순으로 데이터를 출력한다. 따라서 길이가 짧은 것부터 출력이 이뤄진다.

```
Dog
Apple
Orange
Individual
```

지금까지 Comparable⟨T⟩ 인터페이스와 TreeSet⟨E⟩ 클래스, 그리고 오름차순의 반복자를 반환하는 iterator 메소드를 소개하였는데, 혹시 내림차순의 반복자를 반환하는 메소드가 궁금하지는 않았는가? 그렇다면 이는 API 문서를 통해서 여러분이 직접 찾아보기 바란다. 참고로 여러분이 지금 찾지 않아도 잠시 후에 '문제'를 통해서 찾아볼 것을 강요하고 있다.

■ Comparator⟨T⟩ 인터페이스를 기반으로 TreeSet⟨E⟩의 정렬 기준 제시하기

예제 ComparableMyString.java를 보이기 전에 필자는 분명 다음과 같이 이야기하였다.

"문자열을 사전편찬 순서가 아닌, 길이 순으로 정렬해서 TreeSet⟨E⟩에 저장하고 싶다."

그리고 이를 위해서 MyString이라는 String의 Wrapper 클래스를 정의했는데, TreeSet⟨E⟩의 정렬 기준을 변경하기 위해서 MyString이라는 별도의 클래스를 정의한다는 것이, 사실 이치에는 맞지 않는다. 오히려 다음과 같이 요구할 수 있어야 정상 아니겠는가?

"야! TreeSet⟨String⟩ 인스턴스! 사전편찬 순서 말고, 길이 순으로 문자열을 정렬해라!"

이러한 유형의 요구를 위해 정의된 것이 Comparator⟨T⟩ 인터페이스이다. 이 인터페이스는 다음과 같이 정의되어 있다.

```
interface Comparator<T>
{
    int compare(T obj1, T obj2);
    boolean equals(Object obj);
}
```

위의 인터페이스 중에서 equals 메소드는 신경 쓰지 않아도 된다. 이 인터페이스를 구현하는 모든 클래스는 Object 클래스를 상속하기 때문에, Object 클래스의 equals 메소드가 위의 equals 메소드를 구현하는 꼴이 되기 때문이다. 따라서 compare 메소드만 신경을 쓰면 된다. compare 메소드의 구현방법은 앞서 소개한 compareTo 메소드의 구현방법과 유사하다. obj1이 크면 양수를, obj2가 크면 음수를, obj1과 obj2가 같으면 0을 반환하면 된다. 물론 크고 작음에 대한 기준은 여러분이 결정할 몫이다. 그럼 예제를 통해서 이 인터페이스의 사용 예를 보이도록 하겠다.

❖ IntroComparator.java

```java
1.  import java.util.TreeSet;
2.  import java.util.Iterator;
3.  import java.util.Comparator;
4.
5.  class StrLenComparator implements Comparator<String>
6.  {
7.      public int compare(String str1, String str2)
8.      {
9.          if(str1.length()> str2.length())
10.             return 1;
11.         else if(str1.length()< str2.length())
12.             return -1;
13.         else
14.             return 0;
15.
16.         /*
17.          * return str1.length()-str2.length();
18.          */
19.     }
20. }
21.
22. class IntroComparator
23. {
24.     public static void main(String[] args)
25.     {
26.         TreeSet<String> tSet=new TreeSet<String>(new StrLenComparator());
27.         tSet.add("Orange");
28.         tSet.add("Apple");
29.         tSet.add("Dog");
30.         tSet.add("Individual");
31.
32.         Iterator<String> itr=tSet.iterator();
33.         while(itr.hasNext())
34.             System.out.println(itr.next());
35.     }
36. }
```

- 5행 : Comparator〈String〉 인터페이스를 구현하는 클래스가 정의되었다. 7행의 compare 메소드 내에서는 str1의 문자열 길이가 길면 양수를, 짧으면 음수를 반환하도록 정의되었다.

- 17행 : 이 한 문장이 9~14행을 대체할 수 있다. 실제로는 이러한 형태로 구현을 한다. 9~14행의 구현은 여러분의 이해를 돕기 위한 구현일 뿐이다.

- 26행 : TreeSet〈E〉의 인스턴스 생성과정에서 Comparator〈T〉 인터페이스를 구현하는 인스턴스의 참조 값이 전달되었다. 이렇게 되면, TreeSet〈E〉는 생성자를 통해 전달된 인스턴스의 compare 메소드를 호출하여 정렬을 진행한다.

❖ 실행결과 : IntroComparator.java

Dog
Apple
Orange
Individual

지금까지 TreeSet⟨E⟩의 사용방법에 대해서 설명을 하였는데, TreeSet⟨E⟩가 적용하고 있는 '트리'라는 이름의 자료구조를 이해하고 나면, 정렬 이외에 TreeSet⟨E⟩만의 또 다른 특징을 이해할 수가 있다. 따라서 가급적이면 여건이 되는대로 자료구조를 조금이라도 공부하기 바란다. 반드시 어려운 책으로 깊이 있게 공부해야만 의미 있는 것은 아니다. 필자가 '트리'라는 이름을 댔을 때, 트리라는 자료구조의 기본적인 특성을 이해하고, 어떠한 장점이 있는지 정도만 말할 수 있어도 매우 큰 의미가 있다.

문 제 22-4 [TreeSet⟨E⟩의 활용]

Question

필자가 TreeSet⟨E⟩를 설명하면서 정렬된 데이터를 오름차순으로 접근하는 방법만 보였다. 하지만 내림차순으로의 접근도 가능하다. API 문서를 참조해서 내림차순의 접근방법이 어떻게 되는지 확인해 보고(매우 쉽다. 관련 메소드가 제공된다), 예제 IntroComparator.java의 실행결과가 역순으로 출력되도록 예제를 변경해 보자. 단 StrLenComparator 클래스는 변경하면 안 된다.

지금까지 Collection⟨E⟩를 구현하는 컬렉션 클래스들 중, 사용빈도수가 높으면서 활용에 있어서 도움 및 설명이 필요한 몇몇 클래스들을 소개하였다. 우선은 이 정도만 이해하고 있어도 충분하다. 그리고 자료구조에 대한 기본지식만 있다면, 다양한 자료구조를 구현하고 있는 컬렉션 클래스들을 어렵지 않게 찾아서 활용할 수 있을 것이다.

이번에는 Map⟨K, V⟩ 인터페이스를 구현하는 컬렉션 클래스들에 대해 설명하고자 한다. 이 인터페이스를 구현하는 컬렉션 클래스들의 데이터 저장방식을 가리켜 key-value 방식이라 하는데, 이를 이해하는 것이 가장 우선이다.

■ key-value 방식의 데이터 저장과 HashMap⟨K, V⟩ 클래스

캐비닛에 서류철(서류파일)을 보관할 때, 우리는 서류철의 특정 위치에 자료의 정보, 또는 이름을 써 넣는다. 이는 이름만 가지고도 찾고자 하는 서류철을 찾기 위함인데, 이것이 일종의 key-value 방식의 데이터 저장이다.

key라 함은 데이터를 찾는 열쇠(이름)를 의미한다. 그리고 value는 찾고자 하는 실질적인 데이터를 의미한다. 앞서 보였던 Collection⟨E⟩를 구현하는 컬렉션 클래스들이 value만 저장하는 구조였다면, Map⟨K, V⟩를 구현하는 컬렉션 클래스들은 value를 저장할 때, 이를 찾는데 사용되는 key를 함께 저장하는 구조이다.

Map⟨K, V⟩ 인터페이스를 구현하는 대표적인 클래스로 HashMap⟨K, V⟩와 TreeMap⟨K, V⟩가 정의되어 있다. 그럼 먼저 HashMap⟨K, V⟩를 대상으로 key-value 방식의 데이터 저장을 보이도록 하겠다.

❖ IntroHashMap.java

```
1.  import java.util.HashMap;
2.
3.  class IntroHashMap
4.  {
5.      public static void main(String[] args)
6.      {
7.          HashMap<Integer, String> hMap=new HashMap<Integer, String>();
8.
9.          hMap.put(new Integer(3), "나삼번");
10.         hMap.put(5, "윤오번");
11.         hMap.put(8, "박팔번");
12.
13.         System.out.println("6학년 3반 8번 학생 : "+hMap.get(new Integer(8)));
14.         System.out.println("6학년 3반 5번 학생 : "+hMap.get(5));
```

```
15.          System.out.println("6학년 3반 3번 학생 : "+hMap.get(3));
16.
17.          hMap.remove(5);      // 5번 학생 전학 감
18.          System.out.println("6학년 3반 5번 학생 : "+hMap.get(5));
19.      }
20. }
```

- 7행 : HashMap〈K, V〉 클래스의 인스턴스 생성에는 key에 해당하는 자료형 정보와(K), value에 해당하는 자료형 정보(V)가 필요하다. 이 문장에서는 key로 Integer를, value로 String을 지정하여 HashMap〈K, V〉의 인스턴스를 생성하고 있다.

- 9행 : put 메소드는 데이터의 저장에 사용된다. 첫 번째 인자로 key가, 두 번째 인자로 value가 전달되어야 한다.

- 10, 11행 : key가 Integer이므로 첫 번째 인자로 Integer형 인스턴스가 전달되어야 하는데, Auto Boxing의 도움으로 이렇게 정수만 전달될 수 있음을 보이고 있다.

- 13행 : get 메소드로 데이터를 참조하고 있다. 그리고 이 문장에서 보이듯이, 참조하고자 하는 데이터의 key가 전달되어야, key에 해당하는 데이터가 반환된다.

- 14, 15행 : 10, 11행과 마찬가지로 Auto Boxing의 도움으로 이렇게 정수만 전달될 수 있음을 보이고 있다.

- 17행 : remove 메소드는 데이터의 삭제에 사용이 된다. 삭제할 데이터의 key 값이 인자로 전달되고 있다. 이 문장에서도 Auto Boxing의 도움으로 new Integer(5)가 아닌, 정수 5가 전달될 수 있는 것이다.

- 18행 : key에 해당하는 데이터가 존재하지 않을 때에는 null이 반환된다.

❖ 실행결과 : IntroHashMap.java

```
6학년 3반 8번 학생 : 박팔번
6학년 3반 5번 학생 : 윤오번
6학년 3반 3번 학생 : 나삼번
6학년 3반 5번 학생 : null
```

위 예제에서 보이듯이 key-value 방식만 이해하면, Hash〈K, V〉를 구현하는 컬렉션 클래스들의 활용은 그리 어렵지 않다. 그리고 위의 예제를 통해서 보이지는 않았지만 다음의 사실들도 기억하기 바란다.

- value에 상관없이 중복된 key의 저장은 불가능하다.
- value는 같더라도 key가 다르면 둘 이상의 데이터 저장도 가능하다.

위의 두 가지가 의미하는 바는 유사하다. 그리고 데이터를 구분하는 기준이 key이기 때문에, key의 중복을 불허하는 것은 당연하게 생각할 수 있는 부분이다.

■ TreeMap〈K, V〉 클래스

HashSet〈E〉가 해시 알고리즘을 기반으로 구현되어 있듯이, HashMap〈K, V〉역시 해시 알고리즘을 기반으로 구현되어 있다. 따라서 HashSet〈E〉의 장점인 '매우 빠른 검색속도'는 HashMap〈K, V〉에도 그대로 반영이 된다. 마찬가지로 TreeMap〈K, V〉역시 '트리' 자료구조를 기반으로 구현이 되어 있다. 따라서 데이터는 정렬된 상태로 저장이 된다.

❖ IntroTreeMap.java

```
1.   import java.util.TreeMap;
2.   import java.util.Iterator;
3.   import java.util.NavigableSet;
4.
5.   class IntroTreeMap
6.   {
7.       public static void main(String[] args)
8.       {
9.           TreeMap<Integer, String> tMap=new TreeMap<Integer, String>();
10.          tMap.put(1, "data1");
11.          tMap.put(3, "data3");
12.          tMap.put(5, "data5");
13.          tMap.put(2, "data2");
14.          tMap.put(4, "data4");
15.
16.          NavigableSet<Integer> navi=tMap.navigableKeySet();
17.
18.          System.out.println("오름차순 출력...");
19.          Iterator<Integer> itr=navi.iterator();
20.          while(itr.hasNext())
21.              System.out.println(tMap.get(itr.next()));
22.
23.          System.out.println("내림차순 출력...");
24.          itr=navi.descendingIterator();
25.          while(itr.hasNext())
26.              System.out.println(tMap.get(itr.next()));
27.      }
28. }
```

- 10~14행 : 총 5개의 데이터를 저장하고 있다. HashMap〈K, V〉와 달리 정렬되어 저장이 된다. 단 정렬의 대상은 key이지 value가 아니다. 데이터는 key를 기준으로 참조가 이뤄지기 때문에, 정렬의 대상이 key가 되는 것은 매우 당연한 일이다.

- 16행 : navigableKeySet 메소드가 호출되면, 인터페이스 NavigableSet〈E〉를 구현하는 인스턴스가(인스턴스의 참조 값이) 반환된다. 이 때 E는 key의 자료형인 Integer가 되며, 반환된 인스턴스에는 10~14행까지 저장한 데이터들의 key 정보가 저장되어 있다.

- 19행 : NavigableSet〈E〉 인터페이스는 Set〈E〉 인터페이스를 상속한다. 즉 navigableKeySet 메소드가 반환하는 인스턴스를 대상으로 반복자를 얻기 위해서

iterator 메소드의 호출이 가능하다. 그리고 이렇게 해서 얻은 반복자로, 저장된 모든 key
에 접근이 가능하다.

- 20, 21행 : 반복자를 통해서 key를 반환하고, 이 key를 인자로 다시 value를 반환해서 출력하
는 과정을 보이고 있다.
- 24행 : NavigableSet⟨E⟩ 인터페이스는 Set⟨E⟩ 인터페이스를 상속하므로, 내림차순으로의 접
근에 사용되는 반복자를 얻기 위해서, descendingIterator 메소드의 호출도 가능하다
(문제 22-4를 통해서 설명한 내용).

❖ 실행결과 : IntroTreeMap.java

```
오름차순 출력...
data1
data2
data3
data4
data5
내림차순 출력...
data5
data4
data3
data2
data1
```

위 예제를 통해서 TreeMap⟨K, V⟩에는 정렬된 상태로 데이터가 저장됨을 보였고, 저장된 모든 데
이터를 오름차순, 그리고 내림차순으로 접근하는 방법도 보였다. 참고로 위 예제 16행에서 보인
navigableKeySet 메소드의 호출과 이 때 반환되는 인스턴스에 대해서 생소하게 느껴졌을 수 있다. 그
러나 해설에서 이야기하는 대로 이해하고, 예제에서 보이는 대로 활용하면 된다.

TreeMap⟨K, V⟩의 전체 데이터 검색

TreeMap⟨K, V⟩는 Collection⟨E⟩가 아닌 Map⟨K, V⟩를 구현하는 컬렉션 클래스이
니, 저장되어 있는 전체 데이터를 검색하는 방식에 차이가 있음은 당연한 일이다. 그리고
참으로 재미있는 것은, TreeMap⟨K, V⟩에 저장된 전체 데이터의 참조 과정에서 호출한
navigableKeySet 메소드가 반환하는 인스턴스가 Set⟨E⟩ 인터페이스를 구현한다는 사
실이다. key는 중복이 불가능하기 때문에 '집합'의 성격을 띤다. 때문에 이러한 key를 저
장하는 인스턴스는 Set⟨E⟩ 인터페이스를 구현하고 있는 것이다.

기존에 구현된 코드의 일부를 수정하는 일은 새로운 코드를 작성하는 것만큼이나 신경이 쓰이는 일이다. 처음부터 수정하지 않아도 될 코드를 작성한다면 수정할 일도 없겠지만, 이는 거의 불가능에 가까운 일이기 때문에 코드를 수정하는 연습도 별도로 해볼 필요가 있다.

■ 전화번호 관리 프로그램 07단계 문제

단계별 프로젝트 03단계에서는 동명이인(同名異人)의 데이터가 존재하지 않는다고 가정했지만, 배열을 대상으로 저장이 이뤄졌기 때문에, 사실상 동명이인의 데이터가 저장되는 상황을 막지는 못했다. 따라서 이번 단계에서는 동일한 데이터의 저장을 허용하지 않는 HashSet⟨E⟩ 클래스를 대상으로 저장이 이뤄지도록 프로젝트를 변경하고자 한다. 그리고 이 과정에서 동일한 인스턴스의 기준을 다음과 같이 정의하고자 한다.

"이름만 같으면, 그 이외의 정보가 아무리 달라도 동일한 데이터로(인스턴스로) 간주한다."

참고로 많은 분들이 Hash라는 단어가 들어가는 컬렉션 클래스의 활용을 부담스러워한다. 이유는 hashCode 메소드와 equals 메소드의 오버라이딩에 부담을 느끼기 때문이다. 부담을 느끼는 가장 큰 이유는 다음과 같다.

"정확히 hashCode 메소드와 equals 메소드가 어떠한 역할을 담당하는지 모릅니다."

즉 언제 hashCode 메소드가 호출되고, 또 언제 equals 메소드가 호출되는지 파악이 제대로 안 되는 상황이다. 이러한 경우에는 정말로 부담을 느낄 수밖에 없다. 하지만 필자는 여러분이 이러한 부담을 느끼지 않도록 위에서 충분한 설명을 했다고 생각한다. 이어서 부담을 느끼는 두 번째 이유는 다음과 같다.

"실무에 쓸만한 해시 알고리즘을 잘 몰라요!"

이는 실무에서 사용하는 코드는 뭔가 달라도 확실히 다르다는 생각에서 비롯된 부담감이 아닌가 생각된다. 물론 경우에 따라서는 달라질 수 있다. 하지만 실무에서 사용하는 코드일수록 더더욱 간결하고 해석하기 쉬워야 한다. 그리고 안전성이 매우 중요한 것이 실무 프로그램이기 때문에, 의외로 복잡하고 어려운 코드의 구성을 자제하기도 한다. 이런 관점에서 보면 위의 두 번째 이유는 이유가 될 수 없다. 단순히 3으로 나머지 연산을 하는 해시 알고리즘만으로도 검색의 그룹을 1/3로 줄일 수 있지 않은가? 이것만으로도 적용할만한 충분한 가치가 있다고는 생각되지 않는가?

■ 전화번호 관리 프로그램 07단계 프로그램의 실행 예

```
선택하세요...
1. 데이터 입력
2. 데이터 검색
3. 데이터 삭제
4. 프로그램 종료
선택 : 1
데이터 입력을 시작합니다..
1. 일반, 2. 대학, 3. 회사
선택>> 1
이름 : 조한석
전화번호 : 010-222-4444
데이터 입력이 완료되었습니다.

선택하세요...
1. 데이터 입력
2. 데이터 검색
3. 데이터 삭제
4. 프로그램 종료
선택 : 1
데이터 입력을 시작합니다..
1. 일반, 2. 대학, 3. 회사
선택>> 2
이름 : 조한석
전화번호 : 010-333-5555
전공 : 전자공학
학년 : 1
이미 저장된 데이터입니다.

선택하세요...
1. 데이터 입력
2. 데이터 검색
3. 데이터 삭제
4. 프로그램 종료
선택 :
```

위의 실행결과는 다음의 상황을 연출한 것이다.

    "내 친구 한석이가 전자공학과에 입학을 했어, 핸드폰도 새로 뽑고 말이야!"

때문에 한석이에 대한 정보를 새로 저장해야 한다. 하지만 기존에 저장된 정보가 존재하기 때문에 저장이 불가능한 상황을 보여주고 있다. 이렇듯 한석이에 대한 정보를 새로 저장하려면, 먼저 기존에 저장한 데이터를 삭제해야 한다. 그래야 다시 한석이의 정보를 저장할 수 있다. 참고로 우리가 진행하는 프로젝트에는 '데이터의 변경' 기능이 존재하지 않는다. 따라서 관심이 있다면, 한석이의 경우에 어울릴만한 메뉴하나를 추가하는 것은 어떻겠는가?

■ 필자의 구현 사례

이번 단계는 단순히 코드의 추가 못지않게 코드의 변경이 빈번하기 때문에 이전 코드와의 비교도 학습에 도움이 된다. 따라서 여러분이 쉽게 비교할 수 있도록, 변경되기 이전의 코드는 삭제하지 않고 주석 처리하였다.

❖ PhoneBookVer07.java

```java
/*
 * 전화번호 관리 프로그램 구현 프로젝트
 * Version 0.7
 */

import java.util.Scanner;
import java.util.HashSet;
import java.util.Iterator;

interface INIT_MENU
{
    int INPUT=1, SEARCH=2, DELETE=3, EXIT=4;
}

interface INPUT_SELECT
{
    int NORMAL=1, UNIV=2, COMPANY=3;
}

class MenuChoiceException extends Exception
{
    /* Version 0.6과 동일하므로 생략합니다. */
}

class PhoneInfo
{
    String name;
    String phoneNumber;

    public PhoneInfo(String name, String num)
    {
        this.name=name;
        phoneNumber=num;
    }

    public void showPhoneInfo()
    {
        System.out.println("name : "+name);
        System.out.println("phone : "+phoneNumber);
    }

    public int hashCode()
    {
        return name.hashCode();
```

```
        }

        public boolean equals(Object obj)
        {
            PhoneInfo cmp=(PhoneInfo)obj;
            if(name.compareTo(cmp.name)==0)
                return true;
            else
                return false;
        }
}

class PhoneUnivInfo extends PhoneInfo
{
    /* Version 0.6과 동일하므로 생략합니다. */
}

class PhoneCompanyInfo extends PhoneInfo
{
    /* Version 0.6과 동일하므로 생략합니다. */
}

class PhoneBookManager
{
    //final int MAX_CNT=100;
    //PhoneInfo[] infoStorage=new PhoneInfo[MAX_CNT];
    //int curCnt=0;
    HashSet<PhoneInfo> infoStorage=new HashSet<PhoneInfo>();

    static PhoneBookManager inst=null;
    public static PhoneBookManager createManagerInst()
    {
        /* Version 0.6과 동일 */
    }

    private PhoneBookManager(){}

    private PhoneInfo readFriendInfo()
    {
        /* Version 0.6과 동일 */
    }

    private PhoneInfo readUnivFriendInfo()
    {
        /* Version 0.6과 동일 */
    }

    private PhoneInfo readCompanyFriendInfo()
    {
        /* Version 0.6과 동일 */
    }

    public void inputData() throws MenuChoiceException
    {
        System.out.println("데이터 입력을 시작합니다..");
        System.out.println("1. 일반, 2. 대학, 3. 회사");
        System.out.print("선택>> ");
        int choice=MenuViewer.keyboard.nextInt();
        MenuViewer.keyboard.nextLine();
        PhoneInfo info=null;

        if(choice<INPUT_SELECT.NORMAL || choice>INPUT_SELECT.COMPANY)
```

```java
            throw new MenuChoiceException(choice);

        switch(choice)
        {
        case INPUT_SELECT.NORMAL :
            info=readFriendInfo();
            break;
        case INPUT_SELECT.UNIV :
            info=readUnivFriendInfo();
            break;
        case INPUT_SELECT.COMPANY :
            info=readCompanyFriendInfo();
            break;
        }

        //infoStorage[curCnt++]=info;
        boolean isAdded=infoStorage.add(info);
        if(isAdded==true)
            System.out.println("데이터 입력이 완료되었습니다. \n");
        else
            System.out.println("이미 저장된 데이터입니다. \n");
    }

    public void searchData()
    {
        System.out.println("데이터 검색을 시작합니다..");

        System.out.print("이름 : ");
        String name=MenuViewer.keyboard.nextLine();

        /*
        int dataIdx=search(name);
        if(dataIdx<0)
        {
            System.out.println("해당하는 데이터가 존재하지 않습니다. \n");
        }
        else
        {
            infoStorage[dataIdx].showPhoneInfo();
            System.out.println("데이터 검색이 완료되었습니다. \n");
        }
        */
        PhoneInfo info=search(name);
        if(info==null)
        {
            System.out.println("해당하는 데이터가 존재하지 않습니다. \n");
        }
        else
        {
            info.showPhoneInfo();
            System.out.println("데이터 검색이 완료되었습니다. \n");
        }
    }

    public void deleteData()
    {
        System.out.println("데이터 삭제를 시작합니다..");

        System.out.print("이름 : ");
        String name=MenuViewer.keyboard.nextLine();

        /*
```

```
                int dataIdx=search(name);
                if(dataIdx<0)
                {
                    System.out.println("해당하는 데이터가 존재하지 않습니다. \n");
                }
                else
                {
                    for(int idx=dataIdx; idx<(curCnt-1); idx++)
                        infoStorage[idx]=infoStorage[idx+1];

                    curCnt--;
                    System.out.println("데이터 삭제가 완료되었습니다. \n");
                }
                */
                Iterator<PhoneInfo> itr=infoStorage.iterator();
                while(itr.hasNext())
                {
                    PhoneInfo curInfo=itr.next();
                    if(name.compareTo(curInfo.name)==0)
                    {
                        itr.remove();
                        System.out.println("데이터 삭제가 완료되었습니다. \n");
                        return;
                    }
                }

                System.out.println("해당하는 데이터가 존재하지 않습니다. \n");
            }

            private PhoneInfo search(String name)
            {
                /*
                for(int idx=0; idx<curCnt; idx++)
                {
                    PhoneInfo curInfo=infoStorage[idx];
                    if(name.compareTo(curInfo.name)==0)
                        return idx;
                }
                */
                Iterator<PhoneInfo> itr=infoStorage.iterator();
                while(itr.hasNext())
                {
                    PhoneInfo curInfo=itr.next();
                    if(name.compareTo(curInfo.name)==0)
                        return curInfo;
                }
                return null;
            }
        }

        class MenuViewer
        {
            /* Version 0.6과 동일하므로 생략합니다. */
        }

        class PhoneBookVer07
        {
            public static void main(String[] args)
            {
                /* Version 0.6과 동일 */
            }
        }
```

■ 문제 22-1의 답안

ArrayList⟨E⟩ 클래스의 저장용량을 지정하는 메소드는 다음과 같다. 그러나 이 메소드가 호출되지 않는다고 해서 저장용량이 변경되지 않는 것은 아니다. 저장되는 데이터의 수가 증가하면 저장용량은 언제든지 증가한다.

```
public void ensureCapacity(int minCapacity)
```

다음은 저장용량을 500으로 증가시키는 코드이다. 정확히 말하면 저장용량을 '최소' 500으로 증가시키는 코드이다. 메소드의 내부 구현에 따라서 할당되는 저장용량의 크기는 그 이상이 될 수도 있다.

```
ArrayList<Integer> list=new ArrayList<Integer>();
list.ensureCapacity(500);
```

그리고 다음은 저장되어 있는 인스턴스 수의 두 배로 저장용량을 늘리는 코드이다. 마찬가지로 저장용량을 '최소' 두 배 이상으로 늘리는 코드이다.

```
list.ensureCapacity(list.size()*2);
```

■ 문제 22-2의 답안

본문에서 정리해 놓은 ArrayList⟨E⟩와 LinkedList⟨E⟩의 장단점을 참조하여 쉽게 답을 내릴 수 있는 문제이다. 우선 '상황 1'에서는 ArrayList⟨E⟩ 클래스가 유용하게 사용될 수 있다. 데이터의 수가 대략적으로나마 예측이 가능하다면, 그 수에 준하는 메모리 공간을 미리 할당해 놓을 수 있기 때문이다. 뿐만 아니라 배열은 데이터의 빈번한 참조가 전혀 부담되지 않으므로, 역시 ArrayList⟨E⟩ 클래스가 적절한 상황이다.

반면 '상황 2'에서는 LinkedList⟨E⟩ 클래스가 유용하게 시용될 수 있다. 우선 데이터의 수가 예측 불가능하기 때문에 저장공간의 확장이 빈번한 상황으로 이어질 확률이 높다. 뿐만 아니라 데이터의 삭제가 빈번하기 때문에 데이터의 삭제가 상대적으로 간단한 LinkedList⟨E⟩ 클래스를 선택해야 한다.

■ 문제 22-3의 답안

필자가 제시하는 첫 번째 답안은 다음과 같다.

```
public int hashCode()
{
    return name.hashCode()+age%7;
}

public boolean equals(Object obj)
{
    Person comp=(Person)obj;

    if(comp.name.equals(name) && comp.age==age)
        return true;
    else
        return false;
}
```

위의 답안은 String 클래스의 hashCode 메소드와 equals 메소드가 내용비교를 하도록 오버라이딩 되어있다는 사실(본문에서 간단히 언급하였다)을 이용한 것이다. 위의 hashCode 메소드는 다음의 문장을 통해서 해시 값을 반환하고 있다.

```
return name.hashCode()+age%7;
```

String 인스턴스도 문자열 데이터가 동일하면 동일한 해시 값을 반환하기 때문에 String의 해시 값에 age%7의 결과를 더하였다. 인스턴스 변수 name과 age가 동일하면, 동일한 해시 값이 반환되도록 오버라이딩이 완료된 셈이다.

참고로 변수 age에 7을 %연산한 것은 임의적인 결정이다. 이왕 말이 나온 김에 7을 대신해서 10으로, 혹은 25로 % 연산을 하도록 변경해 보자. 그리고 출력의 순서가 어떻게 변경되는지 확인해 보자. 그러면, 여러분이 오버라이딩 한 hashCode 메소드가 HashSet〈E〉 내에서 중요하게 사용됨을 알 수 있을 것이다. 실제로 hashCode 메소드의 정의방식에 따라서 HashSet〈E〉 클래스의 성능은 차이를 보인다.

필자가 제시하는 두 번째 답안은 다음과 같다. 참고로 이는 좋은 답안은 아니다. 다만 이를 통해서 여러분이 HashSet〈E〉 클래스와 hashCode 메소드, 그리고 equals 메소드의 관계를 조금 더 깊이 이해할 수 있다는 생각에 작성한 답안이다.

```
public int hashCode()
{
    return age;
}

public boolean equals(Object obj)
{
    Person comp=(Person)obj;
```

```
        if(comp.name.equals(name))
            return true;
        else
            return false;
    }
```

위 답안의 hashCode 메소드를 보면 age를 그냥 해시 값으로 사용하고 있다. 따라서 HastSet⟨E⟩ 내에서는 나이 정보에 따라서 부류가 나뉘게 된다. 그리고 나이에 따라서 부류가 나뉘도록 hashCode 메소드를 오버라이딩 했으니, equals 메소드 내에서는 이름 비교만 하면 된다는 생각에 equals 메소드가 위와 같이 정의되었다. 필자가 앞서 설명한, HashSet⟨E⟩ 클래스가 진행하는 검색의 1, 2 단계를 이해한다면, 위와 같은 형태의 구현도 가능하다는 것을 이해할 수 있을 것이다. 단! 위와 같이 정의가 되면 equals 메소드만을 이용한 두 인스턴스의 내용비교는 불가능하다. 따라서 그리 좋은 답안은 아니다. 그리고 성의가 부족한 만큼 원하는 성능을 얻지 못할 수도 있다. 생각해 보자! age를 해시 값으로 사용하면, 데이터의 부류가 몇 개로 나뉘겠는가? 그럼에도 불구하고 좋은 성능을 기대한다면 흔히 하는 말로 도둑심보 아니겠는가?

■ 문제 22-4의 답안

TreeSet⟨E⟩ 클래스에 정의되어 있는 descendingIterator라는 메소드도 iterator 메소드와 마찬가지로 '반복자'를 반환한다. 단 iterator 메소드는 오름차순으로 검색하는 '반복자'를 반환하는 반면, descendingIterator는 내림차순으로 검색하는 '반복자'를 반환한다. 따라서 다음의 코드를 예제 IntroComparator.java에 삽입하면 내림차순으로 출력되는 문자열들을 확인할 수 있다.

```
Iterator<String> rItr=tSet.descendingIterator();
while(rItr.hasNext())
    System.out.println(rItr.next());
```

쓰레드(Thread)와 동기화

필자가 처음 자바를 접했을 때 흥미진진했던 것 중 하나는 자바라는 언어가 자체적으로 쓰레드를 지원한다는 사실이었다. 예전에는 요즘의 추세와 달리, 프로그래밍 언어 차원에서 쓰레드가 지원되지 않고, 운영체제 차원에서 지원되었다. 따라서 운영체제가 달라지면 쓰레드를 생성하고 컨트롤하는 방법도 달라져야 했다. 그러나 자바는 언어 차원에서 쓰레드를 지원한다. 따라서 운영체제의 종류에 상관없이 쓰레드를 생성하고 컨트롤하는 방법이 동일하다.

쓰레드 관련 프로그래밍 자체는 그리 어렵지 않다. 하지만 쓰레드에 대한 이해 없이는 프로그래밍이 불가능하다. 따라서 여러분은 쓰레드가 무엇인지를 먼저 이해해야 한다.

■ 쓰레드의 이해와 Thread 클래스의 상속

프로그램의 실행주체는 누구인가? 프로그램의 실행요청은 컴퓨터 사용자에 의해 이뤄지지만, 실질적인 프로그램의 실행은 운영체제의 의해서 이뤄진다. 앞서 Chapter 19에서는 프로그램의 실행이 요청되면, 다음의 형태로 메모리 공간이 할당되고, 이 메모리를 기반으로 프로그램이 실행됨을 설명하였다.

[그림 23-1 : 프로세스에 할당된 메모리]

이렇듯 할당된 메모리 공간을 기반으로 실행 중에 있는 프로그램을 가리켜 '프로세스(Process)'라 한다. 따라서 프로세스를 간단히 '실행중인 프로그램'으로 설명하기도 한다. 그런데 지금까지 우리가 보아왔던 프로세스들은 프로그램의 흐름을 하나만 형성하고 있었다. main 메소드의 호출을 통해서 하나의 흐름이 형성되었으며, main 메소드의 실행이 완료되면 흐름도 종료가 되었다.

그러나 하나의 프로세스 내에서 둘 이상의 프로그램 흐름을 형성할 수도 있다. 쓰레드라는 것이 프로세스 내에서 프로그램의 흐름을 형성하는 주체인데, 하나의 프로세스 내에 둘 이상의 쓰레드가 존재할 수 있기 때문이다. 그럼 예제를 통해서 간단히 쓰레드를 경험해 보겠다.

❖ ThreadUnderstand.java

```
1.    class ShowThread extends Thread
2.    {
3.        String threadName;
4.
5.        public ShowThread(String name)
```

```
6.      {
7.          threadName=name;
8.      }
9.
10.     public void run()
11.     {
12.         for(int i=0; i<100; i++)
13.         {
14.             System.out.println("안녕하세요. "+threadName+"입니다.");
15.             try
16.             {
17.                 sleep(100);
18.             }
19.             catch(InterruptedException e)
20.             {
21.                 e.printStackTrace();
22.             }
23.         }
24.     }
25. }
26.
27. class ThreadUnderstand
28. {
29.     public static void main(String[] args)
30.     {
31.         ShowThread st1=new ShowThread("멋진 쓰레드");
32.         ShowThread st2=new ShowThread("예쁜 쓰레드");
33.         st1.start();
34.         st2.start();
35.     }
36. }
```

해 설

- 1행 : 여기 정의되어 있는 클래스는 Thread라는 이름의 클래스를 상속하고 있는데, 자바에서는 쓰레드도 인스턴스로 표현을 한다. 때문에 쓰레드의 표현을 위한 클래스가 정의되어야 하며, 이를 위해서는 Thread라는 이름의 클래스를 상속해야 한다.

- 10행 : 쓰레드는 별도의 프로그램 흐름을 구성한다고 하지 않았는가? 즉 쓰레드는 쓰레드만의 main 메소드를 지닌다. 단 이름이 main은 아니다. 여기 10행에서 보이듯이 쓰레드의 main 메소드 이름은 run이다. 참고로 10행의 run 메소드는 Thread 클래스의 run 메소드를 오버라이딩 한 것이다

- 17행 : sleep은 Thread 클래스의 static 메소드로서, 실행흐름을 일시적으로 멈추는 역할을 한다. 이 문장에서는 인자로 100을 전달했으니, 이 메소드가 호출되면, 이 부분에서 1/1000 * 100 초간 흐름을 멈추게 된다.

- 31, 32행 : Thread 클래스를 상속하는 ShowThread의 인스턴스를 두 개 생성하고 있다. 이로써 두 개의 쓰레드가 생성된 셈이다.

- 33, 34행 : 31행과 32행을 통해서 쓰레드 인스턴스를 생성했으니, 이제 이들이 별도의 프로그램 흐름을 형성하도록(run 메소드가 호출되도록) 해야 한다. 그런데 별도의 흐름을 형성

하는 방법은 매우 쉽다. Thread 클래스에 정의되어 있는 start 메소드만 호출하면 되기 때문이다. 여기 두 문장에서 보이듯이 말이다.

❖실행결과: ThreadUnderstand.java

```
안녕하세요. 예쁜 쓰레드입니다.
안녕하세요. 멋진 쓰레드입니다.
안녕하세요. 멋진 쓰레드입니다.
안녕하세요. 예쁜 쓰레드입니다.
안녕하세요. 멋진 쓰레드입니다.
안녕하세요. 예쁜 쓰레드입니다.
안녕하세요. 예쁜 쓰레드입니다.
안녕하세요. 멋진 쓰레드입니다.
. . . . . . 중        략 . . . . . .
```

실행결과를 보면, 31행과 32행에서 생성한 인스턴스의 run 메소드가 동시에 실행되고 있음을 알 수 있다. 즉 main 메소드의 실행 이외에 두 개의 실행흐름을 더 형성한 셈이다. 이것이 바로 쓰레드를 생성하는 목적이다.

쓰레드의 이름 지정하기

예제 ThreadUnderstand.java에서는 쓰레드의 이름을 저장하기 위한 참조변수 threadName을 별도로 선언하고 있다. 그러나 Thread 클래스에는 이름의 지정을 위한 생성자가 다음과 같이 정의되어 있다.

```
public Thread(String name)
```

키워드 super를 이용해서 상위 클래스의 생성자를 호출할 수 있음을 알고 있을 것이다. 따라서 이를 이용한 쓰레드의 이름 지정이 가능하며, 이렇게 지정된 이름은 Thread 클래스의 getName 메소드를 통해서 언제든지 문자열의 형태로 참조할 수 있다.

■ 쓰레드의 생성을 보인 첫 번째 예제의 의문점들

앞서 보인 예제 ThreadUnderstand.java는 쓰레드의 큰 틀을 설명한다. 따라서 예제를 면밀히 분석해서 쓰레드의 생성과 실행의 과정을 이해할 필요가 있다. 필자는 여러분의 이해를 돕기 위해서 여러분이 궁금해 할만한 내용을 Q&A의 형식으로 설명하고자 한다.

• Question 1

쓰레드 인스턴스를 생성하고 나서, start 메소드를 호출하면 run 메소드가 실행되는데, run 메소드를 직접 호출하면 안되나요?

• Answer 1

run 메소드를 직접 호출하는 것도 불가능한 일은 아니다. 단 이러한 경우에는 단순한 메소드의 호출일 뿐, 쓰레드의 생성으로 이어지지는 않는다. 잠시 후에 설명을 하겠지만, 쓰레드는 자신만의 메모리 공간을 할당 받아서 별도의 실행흐름을 형성한다. 따라서 자바 가상머신은 start 메소드의 호출을 요구하는 것이다. 메모리 공간의 할당 등 쓰레드의 실행을 위한 기반을 마련한 다음에 run 메소드를 대신 호출해 주기 위해서 말이다. 이는 우리가 main 메소드를 직접 호출하지 않는 것과 비슷한 이치이다.

• Question 2

CPU가 하나인데, 어떻게 둘 이상의 쓰레드가 동시에 실행 가능한가요?

• Answer 2

이 질문에 대한 답변은 생각보다 간단하다. 모든 쓰레드는 CPU를 공유한다. 물론 CPU를 공유하는 방식에는 원칙이 존재하는데, 이는 잠시 후에 별도로 설명이 이뤄진다. 참고로 코어(CPU 내에 존재하는 연산장치)가 여러 개 존재하는 CPU에서는 쓰레드 각각에 코어가 하나씩 할당되어 실행되기도 한다.

• Question 3

main 메소드가 종료되어도 쓰레드는 실행을 계속하나요? 그리고 쓰레드는 run 메소드의 실행이 완료되면 종료되나요?

• Answer 3

쓰레드의 main 메소드가 run 메소드이다. 따라서 run 메소드의 실행이 완료되면, 해당 쓰레드는 종료가 되고 소멸된다. 그리고 앞서 보인 예제에서는 main 메소드 내에서 쓰레드를 생성했었다. 그런데 쓰레드를 생성하고, start 메소드를 호출한다고 해서, main 메소드가 멈춰서는 것은 아니다. main 메소드도 여느 쓰레드와 마찬가지로 자신만의 실행흐름을 이어간다. 따라서 main 메소드가 먼저 종료될 수도 있다. 하지만 main 메소드가 종료되어도 실행 중에 있는 쓰레드가 있다면, 프로그램은 종료되지 않는다. 사실 main 메소드도 쓰레드에 의해 실행된다. 그리고 main 메소드를 실행하는 쓰레드를 가리켜 별도로 'main 쓰레드'라 부르기도 한다. 결국 마지막 남은 쓰레드까지 실행을 완료해야 프로그램은 종료된다.

• Question 4

쓰레드가 별도의 실행흐름을 구성하는 것은 알겠는데, 그렇다면 정확히 무엇을 가리켜 쓰레드라 하나요? 인스턴스가 쓰레드인가요?

• Answer 4

Thread를 상속하는 클래스의 인스턴스를 가리켜 쓰레드라고도 하지만, 이는 엄밀히 말해서 잘못된 표현이다. 쓰레드는 자바 가상머신이 생성하는 것이기 때문이다. start 메소드가 호출되면, 자바 가상머신은 별도의 실행흐름을 형성하기 위한 여러 가지 준비에 들어간다. 그 중 대표적인 것은 메모리 공간의 할당이다. 실행흐름을 구성하기 위해서는 메모리 공간의 할당이 필수 아니겠는가? 그리고 이미 생성된 쓰레드들과 CPU를 나눠 쓰기 위한 각종 정보들이 등록된다. 이렇듯 별도의 실행흐름을 형성하기 위해서 자바 가상머신에 의해 만들어지는(또는 준비되는) 모든 리소스와 각종 정보들을 총칭해서 쓰레드라 한다.

쓰레드와 관련해서 궁금한 부분이 어느 정도 해소되었는가? 계속되는 설명과 예제를 통해서 여러분의 궁금증이 완전히 해소될 테니, 우선은 지금까지 설명한 내용을 완벽히 이해하기 바란다. 그리고 이후부터는 Thread를 상속하는 클래스를 가리켜 '쓰레드 클래스'라 표현하고, 이 클래스를 기반으로 생성되는 인스턴스를 가리켜 '쓰레드 인스턴스'라 표현하겠다.

■ 쓰레드를 생성하는 두 번째 방법

쓰레드 클래스의 정의를 위해서는 Thread 클래스를 상속해야만 한다. 때문에 쓰레드 클래스가 상속해야 할 또 다른 클래스가 존재한다면, 이는 문제가 아닐 수 없다. 따라서 자바는 쓰레드를 생성하는 또 다른 방법을 제시하고 있다. 바로 인터페이스의 구현을 통한 방법인데, 이는 Chapter 17에서 설명한 '인터페이스를 통한 다중상속의 효과'에 해당하는 예로도 볼 수 있다. 복잡한 방법이 아니니, 예제를 통해서 그 방법을 설명하겠다.

❖ RunnableThread.java

```
1.   class Sum
2.   {
3.       int num;
4.       public Sum() { num=0; }
5.       public void addNum(int n) { num+=n; }
6.       public int getNum() { return num; }
7.   }
8.
9.   class AdderThread extends Sum implements Runnable
10.  {
11.      int start, end;
12.
13.      public AdderThread(int s, int e)
14.      {
15.          start=s;
16.          end=e;
17.      }
18.      public void run()
19.      {
```

```
20.          for(int i=start; i<=end; i++)
21.              addNum(i);
22.      }
23. }
24.
25. class RunnableThread
26. {
27.      public static void main(String[] args)
28.      {
29.          AdderThread at1=new AdderThread(1, 50);
30.          AdderThread at2=new AdderThread(51, 100);
31.          Thread tr1=new Thread(at1);
32.          Thread tr2=new Thread(at2);
33.          tr1.start();
34.          tr2.start();
35.
36.          try
37.          {
38.              tr1.join();
39.              tr2.join();
40.          }
41.          catch(InterruptedException e)
42.          {
43.              e.printStackTrace();
44.          }
45.
46.          System.out.println("1~100까지의 합 : "+(at1.getNum()+at2.getNum()));
47.      }
48. }
```

해 설

- 9, 18행 : Sum 클래스를 상속하면서 Runnable 인터페이스를 구현하고 있다. 이 인터페이스는 run 메소드 하나로 이뤄져 있다.

- 29, 30행 : Runnable 인터페이스를 구현하는 AdderThread 클래스의 인스턴스 두 개를 생성하고 있다. 하지만 이 인스턴스를 대상으로 start 메소드를 호출할 순 없다. start 메소드는 Thread 클래스의 메소드이기 때문이다.

- 31, 32행 : Runnable 인터페이스를 구현하는 인스턴스를 대상으로 쓰레드의 생성방법을 보이고 있다. 이렇듯 Runnable 인터페이스를 구현하는 인스턴스의 참조 값을 전달받을 수 있는 생성자가 Thread 클래스에 정의되어 있다. 바로 이 생성자를 통해서 클래스 인스턴스를 생성해야 한다. 결국은 Thread 클래스의 인스턴스가 생성되었다는 점에 주목하자.

- 33, 34행 : start 메소드의 호출을 통해서 최종으로 쓰레드를 생성 및 실행시키고 있다. 이로 인해서 생성자를 통해 전달된 인스턴스의 run 메소드가 호출된다.

- 38, 39행 : 쓰레드 인스턴스를 대상으로 join 메소드를 호출하고 있다. 이는 해당 쓰레드가 종료될 때까지 실행을 멈출 때 호출하는 메소드이다. 결과적으로 tr1과 tr2가 참조하는 두 쓰레드가 종료되어야 비로소 46행을 실행하게 된다.

- 46행 : 두 쓰레드가 실행되면서 만들어 놓은 결과값을 참조하여 1부터 100까지의 합을 출력하고 있다.

❖ 실행결과 : RunnableThread.java

```
1~100까지의 합 : 5050
```

필자는 위 예제를 통해서 다음 두 가지를 설명하였다.

- Runnable 인터페이스의 구현을 통한 쓰레드의 생성방법

- 다른 쓰레드의 실행완료를 기다리는 목적으로 호출하는 join 메소드

위 예제에서는 join 메소드의 호출을 통해서 쓰레드의 작업이 끝나기만을 기다리고 있다. 만약에 이러한 과정을 거치지 않는다면, 쓰레드들이 작업을 완료하기도 전에 46행이 실행될 것이다. 그러면 완료되지 않은 덧셈의 결과를 참조하게 되어, 전혀 엉뚱한 값이 출력이 된다(쓰레드가 작업을 시작하기도 전에 46행이 실행되면 0이 출력된다).

문제 23-1 [쓰레드 클래스의 정의와 쓰레드의 생성]

Question

RunnableThread.java에서는 총 두 개의 쓰레드를 생성해서 각각 1부터 50까지, 그리고 51부터 100까지 덧셈을 진행하게 하고, 그 결과를 취해서 최종적으로 1부터 100까지의 덧셈결과를 출력하였다. 이번에는 이 예제를 Runnable 인터페이스를 구현하는 방식이 아닌, 쓰레드 클래스를 정의하는 방식으로 변경해보자.

23-2 쓰레드의 특성

쓰레드가 무엇인지 이해했고, 프로그램상에서 쓰레드를 생성하는 방법도 이해하였다. 그러나 쓰레드의 다양한 특성을 알지 못하면, 지금까지 설명한 내용만 가지고는 결코 멀티 쓰레드 기반의 코드를 작성할 수 없다. 따라서 다소 이론적으로 들릴 수 있는 내용이지만, 지금부터 설명하는 내용에 귀 기울이기 바란다.

■ 쓰레드의 스케줄링(Scheduling)과 쓰레드의 우선순위 컨트롤

둘 이상의 쓰레드가 생성될 수 있기 때문에, 자바 가상머신은(자바 가상머신의 일부로 존재하는 쓰레드 스케줄러는) 쓰레드의 실행을 스케줄링(컨트롤) 해야 한다. 스케줄링에 사용되는 알고리즘의 기본원칙은 다음과 같다.

- 우선순위가 높은 쓰레드의 실행을 우선한다.
- 동일한 우선순위의 쓰레드가 둘 이상 존재할 때는 CPU의 할당시간을 분배해서 실행한다.

자바의 쓰레드에는 우선순위라는 것이 할당된다. 이는 가상머신에 의해서 우선적으로 실행되어야 하는 쓰레드의 순위를 의미하는 것으로, 가장 높은 우선순위는 정수 10으로, 가장 낮은 우선순위는 정수 1로 표현한다(따라서 총 10단계의 우선순위가 존재한다). 그리고 이러한 쓰레드의 우선순위는 프로그램상에서 변경 및 확인이 가능하니, 몇몇 예제를 통해서 스케줄링의 기본원칙을 조금 더 자세히 살펴보겠다.

❖ PriorityTestOne.java

```
1.  class MessageSendingThread extends Thread
2.  {
3.      String message;
4.
5.      public MessageSendingThread(String str)
6.      {
7.          message=str;
8.      }
9.      public void run()
10.     {
11.         for(int i=0; i<1000000; i++)
12.             System.out.println(message+"("+getPriority()+")");
13.     }
14. }
15.
16. class PriorityTestOne
```

```
17. {
18.     public static void main(String[] args)
19.     {
20.         MessageSendingThread tr1=new MessageSendingThread("First");
21.         MessageSendingThread tr2=new MessageSendingThread("Second");
22.         MessageSendingThread tr3=new MessageSendingThread("Third");
23.         tr1.start();
24.         tr2.start();
25.         tr3.start();
26.     }
27. }
```

- 12행 : getPriority 메소드는 Thread 클래스의 인스턴스 메소드로 쓰레드의 우선순위를 반환한다.
- 20~22행 : 동일한 우선순위의 쓰레드가 생성되었다. 우선순위를 변경하지 않으면, 쓰레드의 우선순위는 동일하게 유지된다).

❖ 실행결과 : PriorityTestOne.java

```
First(5)
First(5)
Second(5)
. . . . . .
Third(5)
First(5)
. . . . . .
Third(5)
```

실행결과를 통해서 처음 쓰레드가 생성되었을 때의 우선순위가 어떻게 되는지 확인해 보았다. 그리고 우선순위가 동일한 쓰레드들이 CPU의 할당시간을 나눠가면서 실행됨도 확인하였다(직접 여러 번 실행을 해서 눈으로 확인해야 의미가 있다). 단 쓰레드 별로 할당되는 시간이나 순서가 여러분의 기대에 딱 맞아 떨어지지는 않는다는 것도 확인할 수 있었을 것이다. 쓰레드의 실행방식은 시스템의 상황과 환경에 따라서 매우 많은 차이를 보인다. 즉 "동일한 우선순위의 쓰레드들은 CPU의 할당시간을 적절히(골고루) 나눠서 실행된다"라고 만 이야기할 수 있을 뿐, 아주 엄밀하게 수치적으로 할당시간과 할당순서를 이야기할 수는 없다. 자! 그럼 이번에는 우선순위를 달리해서 쓰레드를 생성해 보겠다.

```
1.  class MessageSendingThread extends Thread
2.  {
3.      String message;
4.
5.      public MessageSendingThread(String str, int prio)
6.      {
7.          message=str;
8.          setPriority(prio);
9.      }
10.     public void run()
11.     {
12.         for(int i=0; i<1000000; i++)
13.             System.out.println(message+"("+getPriority()+")");
14.     }
15. }
16.
17. class PriorityTestTwo
18. {
19.     public static void main(String[] args)
20.     {
21.         MessageSendingThread tr1
22.             =new MessageSendingThread("First", Thread.MAX_PRIORITY);
23.         MessageSendingThread tr2
24.             =new MessageSendingThread("Second", Thread.NORM_PRIORITY);
25.         MessageSendingThread tr3
26.             =new MessageSendingThread("Third", Thread.MIN_PRIORITY);
27.
28.         tr1.start();
29.         tr2.start();
30.         tr3.start();
31.     }
32. }
```

해 설

- 8행 : setPriority 메소드는 Thread 클래스의 인스턴스 메소드로 쓰레드의 우선순위를 변경한다.

- 21~26행 : MAX_PRIORITY, MIN_PRIORITY는 각각 쓰레드의 최고 우선순위와, 최저 우선
순위를 의미하는 static 상수로 그 값은 10과 1이다. 그리고 NORM_PRIORITY는
중간 우선순위를 의미하는 상수로 그 값은 5이다. 이렇듯 static 상수를 이용해서 우
선순위를 명시해도 되지만, 그냥 정수를 사용해서 명시해도 된다.

❖ 실행결과 : PriorityTestTwo.java

```
First(10)
First(10)
. . . . . .
Second(5)
Second(5)
. . . . . .
Third(1)
```

실행결과를 통해서 우선순위가 가장 높은 쓰레드가 종료되어야, 그 다음 우선순위의 쓰레드가 실행됨을 확인할 수 있다. 보통 우선순위가 8인 쓰레드와 우선순위가 2인 쓰레드가 대략 8대 2의 비율로 CPU를 할당 받아서 실행된다고 오해하는 경우가 있는데, 대부분의 시스템에서는 우선순위가 높은 쓰레드에게만 실행의 기회를 부여한다.

쓰레드의 우선순위가 지니는 의미

사실 자바가 언어차원에서 쓰레드를 지원하고는 있지만, 쓰레드는 그 특성상 운영체제에 상당히 의존적이다. 즉 가상머신이 동작하는 운영체제에 따라서 실행의 결과는 다르게 나타날 수 있다. 특히 우선순위와 관련된 부분은 더욱 그러하다. 예를 들어서 총 7단계의 쓰레드 레벨을 지원하는 운영체제에서 자바 프로그램이 실행된다고 가정해 보자. 자바가 총 10단계의 쓰레드 우선순위를 제공한다 하더라도 운영체제에서 7단계의 쓰레드 레벨을 지원하면, 실질적인 쓰레드 레벨은 7단계가 된다. 때문에 자바의 우선순위 7과 8이 해당 운영체제의 우선순위 6으로 표현될 수도 있는 일이다. 이렇듯 우선순위를 기반으로 쓰레드 프로그래밍을 할 때에는 해당 운영체제에 대한 지식이 어느 정도 필요하다. 그리고 이러한 문제 때문에라도 쓰레드의 우선순위를 변경할 때에는 상수로 정의되어 있는 MAX_PRIORITY, NORM_PRIORITY, MIN_PRIORITY 중 하나를 선택해서 변경하는 것이 운영체제에 따른 차이를 최소화할 수 있는 방법이다.

■ 우선순위가 별 의미 없어 보이는데요?

대부분의 시스템에서 우선순위가 높은 쓰레드에게만 실행의 기회를 부여하다 보니, 우선순위가 낮은 쓰레드는 거의 실행되지 않는다고 생각할 수 있다. 그러나 프로그램의 실행내용을 잘 들여다 보면, CPU의 할당이 필요치 않는 데이터의 입출력에 대한 부분이 매우 높은 비율을 차지함을 알 수 있다. 간단하게는 다음 Chapter에서 소개하는 파일의 입출력에서부터 네트워크를 통한 데이터의 송수신 역시 CPU의 할당이 필요치 않는 데이터의 입출력에 해당이 된다. 때문에 프로그램의 실질적인 흐름을 담당하는 쓰레드 역시 CPU의 할당이 필요치 않는 데이터의 입출력과 관련 있는 연산을 상당부분 처리한다고 볼 수 있다. 그리고 이러한 상황에 놓였을 때(CPU의 할당이 필요치 않은 입출력을 처리하는 상황에 놓였을 때), 쓰레드는 무리하게 CPU를 차지하려고 하지 않는다. 오히려 이러한 상황에서는 자신에게 할당된 CPU를 다른 쓰레드들에게 넘긴다. 쓰레드의 바로 이러한 특성 때문에 우선순위가 낮은 쓰레드 역시 실행의 기회를 얻을 수 있는 것이다. 그럼 예제를 통해서 이러한 쓰레드의 특성을 확인해 보겠다.

❖ PriorityTestThree.java

```
1.   class MessageSendingThread extends Thread
2.   {
3.       String message;
4.
5.       public MessageSendingThread(String str, int prio)
6.       {
7.           message=str;
8.           setPriority(prio);
9.       }
10.      public void run()
11.      {
12.          for(int i=0; i<1000000; i++)
13.          {
14.              System.out.println(message+"("+getPriority()+")");
15.
16.              try
17.              {
18.                  sleep(1);
19.              }
20.              catch (InterruptedException e)
21.              {
22.                  e.printStackTrace();
23.              }
24.          }
25.      }
26.  }
27.
28.  class PriorityTestThree
29.  {
30.      public static void main(String[] args)
31.      {
32.          MessageSendingThread tr1
33.              =new MessageSendingThread("First", Thread.MAX_PRIORITY);
34.          MessageSendingThread tr2
35.              =new MessageSendingThread("Second", Thread.NORM_PRIORITY);
36.          MessageSendingThread tr3
```

```
37.              =new MessageSendingThread("Third", Thread.MIN_PRIORITY);
38.
39.         tr1.start();
40.         tr2.start();
41.         tr3.start();
42.     }
43. }
```

 해 설

• 18행 : sleep 메소드가 호출되면, 쓰레드는 CPU의 할당이 불필요한 상황이 된다. 따라서 다른 쓰레드에게, 할당된 CPU를 양보한다. 즉 입출력을 대신해서, 할당된 CPU를 다른 쓰레드에게 양보하는 상황을 연출해 놓은 것이다.

❖ 실행결과 : PriorityTestThree.java

```
Third(1)
First(10)
Third(1)
Second(5)
First(10)
Third(1)
Second(5)
. . . . . .
```

실행결과를 보면, 높은 우선순위의 쓰레드가 둘씩이나 존재함에도 불구하고 꿋꿋이 실행되고 있는 가장 낮은 우선순위의 쓰레드를 볼 수 있다. 비록 우선순위가 낮은 쓰레드라 하더라도 높은 우선순위의 쓰레드가 CPU를 양보해서 실행의 기회를 얻게 되면, 최소 단위의 실행 시간은 보장을 받는다. 따라서 위와 같은 실행 결과를 보이는 것이다. 결론적으로 낮은 우선순위의 쓰레드도 충분히 실행의 기회를 얻을 수 있고, 또 실제로 실행도 된다.

■ **쓰레드의 라이프 사이클(Life Cycle)**

이제 부분적으로나마 쓰레드의 동작방식을 이해했을 것이다. 그럼 지금까지 설명한 내용을 토대로 쓰레드가 처리되는 방식을 전체적으로 정리해 보겠다.

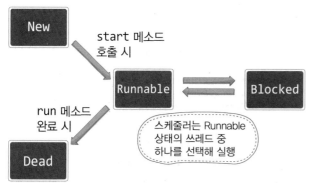

[그림 23-2 : 쓰레드의 라이프 사이클]

쓰레드가 생성되면 위 그림이 보여주는 네 가지 상태 중 한가지 상태에 있게 된다. 각각의 상태에 놓이는 시점과 상태가 변경되는 시점을 정리하면 다음과 같다.

• New 상태

쓰레드 클래스가 키워드 new를 통해서 인스턴스화 된 상태를 가리켜 'New 상태'라 한다. 이 상태에서는 자바 가상머신에 의해 관리가 되는 쓰레드의 상태는 아니다. 즉 운영체제 입장에서는 쓰레드라 부르기에는 이른 감이 있는 상태다. 그러나 자바 에서는 이 상태에서부터 쓰레드라 표현한다.

• Runnable 상태

쓰레드 인스턴스를 대상으로 start 메소드가 호출되면, 해당 쓰레드는 비로소 'Runnable 상태'가 된다. 이는 모든 실행의 준비를 마치고, 스케줄러에 의해서 선택되어 실행될 수 있기만을 기다리는 상태이다. 이로써 우리는 start 메소드가 호출된다고 해서 바로 run 메소드가 호출되는 것이 아님을 알 수 있다. Runnable 상태에 있다가, 스케줄러에 의해서 실행의 대상으로 선택이 되어야 비로소 run 메소드가 처음 호출이 된다.

• Blocked 상태

실행 중인 쓰레드가 sleep, 또는 join 메소드를 호출하거나, CPU의 할당이 필요치 않는 입출력 연산을 하게 되면, CPU를 다른 쓰레드에게 양보하고, 본인은 'Blocked 상태'가 된다. Blocked 상태에서는 스케줄러의 선택을 받을 수 없다. 다시 스케줄러의 선택을 받아서 실행이 되려면, Blocked 상태에 놓이게 된 원인이 제거되어서, Runnable 상태로 돌아와야 한다. 입출력 작업으로 인해서 Blocked 상태가 되었다면, 입출력 작업이 완료되면서 Runnable 상태가 된다. 그리고 sleep 메소드의 호출로 인해서 Blocked 상태가 되었다면, sleep 메소드가 반환이 되면서 다시 Runnalbe 상태가 된다.

• Dead 상태

run 메소드의 실행이 완료되어서 run 메소드를 빠져 나오게 되면, 해당 쓰레드는 'Dead 상태'가 된다. 그리고 이 상태는 쓰레드의 실행을 위해서 할당 받았던 메모리를 비롯해서 각종 쓰레드 관련 정보가 완전히 사라지는 상태이다. 참고로 한번 Dead 상태가 된 쓰레드는 다시 Runnable 상태가 되지 못한다. 쓰레드의 실행을 위해 필요한 모든 것이 소멸되기 때문이다.

그림 23-2를 통해 설명한 쓰레드의 라이프 사이클은 멀티 쓰레드 프로그래밍을 하는데 있어서 반드시 알고 있어야 하는 내용이다. 당장은 그리 중요하게 생각되지 않지만, 이후에 문제가 생기거나 쓰레드 관련해서 매우 정교하게 프로그래밍을 해야만 하는 상황에서는 매우 큰 도움이 된다.

■ 쓰레드의 메모리 구성

이번에는 쓰레드의 메모리 구성에 대해서 설명하겠다. 필자가 앞서 쓰레드가 생성되면 가상머신은 쓰레드의 실행을 위한 별도의 메모리 공간을 할당한다고 설명하였다. 그렇다면 이러한 별도의 메모리 공간은 정확히 무엇을 의미하는 것일까?

쓰레드의 가장 큰 역할은 별도의 실행흐름 형성이다. 그리고 별도의 실행흐름은 메소드의 호출을 통해서 형성된다. 즉 처음에는 run 메소드가 호출되고, run 메소드 내에서는 또 다른 메소드를 호출하면서 main 메소드와는 다른 흐름을 형성한다. 이렇듯 main 메소드와는 전혀 다른 실행흐름을 형성하기 위해서는 별도의 스택이 쓰레드에게 할당되어야 한다. 따라서 main 쓰레드 이외에 두 개의 쓰레드가 추가로 생성되면, 가상머신은 다음의 형태로 메모리를 구성한다.

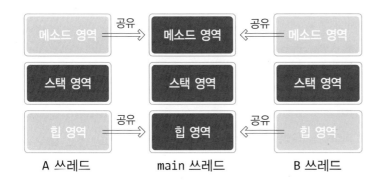

[그림 23-3 : 쓰레드에 할당되는 메모리]

위 그림에서 보이듯이 모든 쓰레드는 자신의 스택을 할당 받는다. 그러나 힙과 메소드 영역은 모든 쓰레드가 공유한다. 여기서 특히 힙이 공유됨에 주목하자. 힙 영역이 공유된다는 것은 모든 쓰레드가 동일한 힙 영역에 접근이 가능함을 의미하는 것이고, 이는 다음과 같은 일이 가능함을 의미하는 것이다.

"A 쓰레드가 만든 인스턴스의 참조 값(사실상 주소 값)만 알면 B 쓰레드도 A 쓰레드가 만든 인스턴스에 접근 가능하다."

그래서 쓰레드 사이에 데이터를 주고받아야 할 때에는(쓰레드간 통신이 필요할 때에는) 힙 영역을 활용한다. 그럼 간단한 예제를 통해서 둘 이상의 쓰레드가 힙에 할당된 특정 메모리 영역에 함께 접근하는 예를 보이겠다.

❖ ThreadHeapMultiAccess.java

```java
1.  class Sum
2.  {
3.      int num;
4.      public Sum() { num=0; }
5.      public void addNum(int n) { num+=n; }
6.      public int getNum() { return num; }
7.  }
8.
9.  class AdderThread extends Thread
10. {
11.     Sum sumInst;
12.     int start, end;
13.
14.     public AdderThread(Sum sum, int s, int e)
15.     {
16.         sumInst=sum;
17.         start=s;
18.         end=e;
19.     }
20.     public void run()
21.     {
22.         for(int i=start; i<=end; i++)
23.             sumInst.addNum(i);
24.     }
25. }
26.
27. class ThreadHeapMultiAccess
28. {
29.     public static void main(String[] args)
30.     {
31.         Sum s=new Sum();
32.         AdderThread at1=new AdderThread(s, 1, 50);
33.         AdderThread at2=new AdderThread(s, 51, 100);
34.         at1.start();
35.         at2.start();
36.
37.         try
38.         {
39.             at1.join();
```

```
40.          at2.join();
41.      }
42.      catch(InterruptedException e)
43.      {
44.          e.printStackTrace();
45.      }
46.      System.out.println("1~100까지의 합 : "+s.getNum());
47.   }
48. }
```

- 31~33행 : 31행에서 생성한 인스턴스의 참조 값을, 32행과 33행에서 생성하는 쓰레드 인스턴스에 생성자를 통해서 전달하고 있다. 따라서 두 개의 쓰레드는 31행에서 생성한 인스턴스에 접근이 가능하다.

- 34, 35행 : start 메소드의 호출을 통해서 두 개의 쓰레드가 실행되었다. 이로써 두 쓰레드는 run 메소드를 실행하면서 31행에서 생성한 인스턴스에 접근을 한다. 실제 접근은 23행의 문장에서 일어나고 있다.

❖ 실행결과 : ThreadHeapMultiAccess.java

1~100까지의 합 : 5050

사실 위 예제는 그림 23-3의 메모리 구성을 모르는 상태에서도 이해할 수 있다. 하지만 이러한 코드 구성이 가능한 이유가 그림 23-3의 메모리 구성에 있다는 것을 알아 둘 필요는 있다. 만약에 쓰레드 별로, 스택과 마찬가지로 독립된 힙이 할당되었다면, 위 예제의 실행결과는 어떠했겠는가? 위 예제에서 보였듯이 31행에서 생성한 인스턴스의 참조 값을 두 쓰레드에 전달하는 것은 가능하다. 단! 각각의 쓰레드가 이 참조 값을 이용해서 인스턴스에 접근할 때에는 문제가 생기게 된다. 쓰레드 자신에게 할당된 힙에서 인스턴스를 찾으려고 할 테니 말이다.

끝으로 위 예제는 다소 문제가 있는 예제임을 말하고자 한다. 대부분의 경우 문제가 발견되지는 않겠지만, 위 예제는 잘못된 실행결과를 보일 수 있는 소지가 다분하다. 혹시 잘못된 실행결과를 이미 확인하지 않았는가? 그럼 어떠한 문제가 있는지, 그리고 해결책은 무엇인지 '동기화(Synchronization)'라는 주제를 가지고 이야기해 보겠다.

23-3 동기화(Synchronization)

예제 ThreadHeapMultiAccess.java에서 보였듯이, 실제 쓰레드 프로그래밍에서는 하나의 인스턴스에 둘 이상의 쓰레드가 접근하는 형태의 구현이 자주 등장한다. 그런데 이러한 경우에 '동기화' 처리라는 것을 해주지 않으면 문제가 발생한다. 우선 어떠한 문제가 발생하는지를 이해하는 데서부터 이야기를 시작해보자.

■ 쓰레드의 메모리 접근방식과 그에 따른 문제점

예를 들어서 변수에 저장된 값을 1씩 증가시키는 연산을 두 개의 쓰레드가 진행한다고 가정해 보자.

[그림 23-4 : 대기중인 두 개의 쓰레드]

위 그림은 변수 num에 저장되어 있는 값을 증가시키려는 두 개의 쓰레드가 존재하는 상황을 묘사한 것이다. 이 상황에서 thread1이 변수 num에 저장된 값을 100으로 증가시켜놓은 다음에야 비로소 thread2가 변수 num에 접근을 하면, 우리의 예상대로 변수 num에는 101이 저장된다. 다음 그림은 thread1이 변수 num에 저장된 값을 완전히 증가시킨 상황을 보여준다.

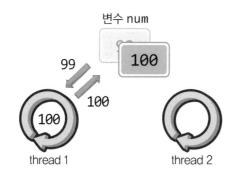

[그림 23-5 : 쓰레드의 증가 연산 1-1]

그런데 위 그림에서 한가지 주목할 사실이 있다. 그것은 값의 증가 방식이다. 값의 증가는 CPU를 통한 연산이 필요한 작업이다. 따라서 그냥 변수 num에 저장된 값이, 변수 num에 저장된 상태로 증가하지 않는다. 이 변수에 저장된 값은 thread1에 의해서 참조가 된다. 그리고 thread1은 이 값을 CPU에 전달해서 1이 증가된 값 100을 얻는다. 마지막으로 연산이 완료된 값을 변수 num에 다시 저장한다. 이렇게 해서 변수 num에는 100이 저장되는 것이다. 그럼 이어서 thread2도 값을 증가시키도록 해 보자.

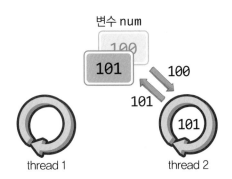

변수 num

[그림 23-6 : 쓰레드의 증가 연산 1-2]

이렇게 해서 변수 num에는 101이 저장된다. 그런데 이는 매우 이상적인 상황을 묘사한 것이다. thread1이 변수 num에 저장된 값을 완전히 증가시키기 전에라도 얼마든지 thread2로 CPU의 실행이 넘어갈 수 있기 때문이다. 그럼 처음부터 다시 시작해 보자. 다음 그림은 thread1이 변수 num에 저장된 값을 참조해서 값을 1 증가시키는 것까지 완료한 상황을 보여준다. 단 변수 num에는 아직 증가된 값을 저장하지 않았다.

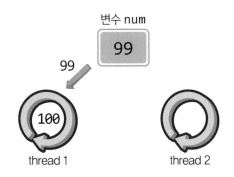

변수 num

[그림 23-7 : 쓰레드의 증가 연산 2-1]

이제 100이라는 값을 변수 num에 저장해야 하는데, 이 작업이 진행되기 전에 thread2로 실행의 순서가 넘어가 버렸다. 그런데 다행히도(다행인지 아닌지 조금 더 두고 보자) thread2는 증가연산을 완전히 완료해서, 증가된 값을 변수 num에 저장했다고 가정하자.

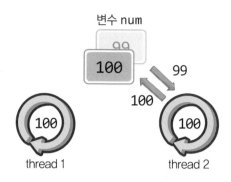

[그림 23-8 : 쓰레드의 증가 연산 2-2]

위 그림에서 보이듯이, 변수 num에 저장된 값이 thread1에 의해서 100으로 증가된 상태가 아니기 때문에, thread2가 참조한 변수 num의 값은 99이다. 결국 thread2에 의해서 변수 num의 값은 100이 되었다.

이제 남은 일은 무엇인가? thread1이 증가시킨 값을 변수 num에 저장하는 일만 남지 않았는가? 그럼 이 작업을 완료해 보자.

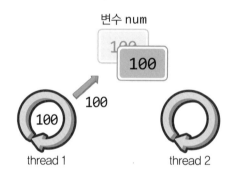

[그림 23-9 : 쓰레드의 증가 연산 2-3]

안타깝게도 이미 100으로 증가된 변수 num에 다시 100을 저장하는 일이 발생하였다. 결과적으로 변수 num은 100이 된다. 비록 thread1과 thread2가 각각 1씩 증가를 시켰지만, 이렇게 전혀 엉뚱한 값이 저장될 수 있는 것이다. 때문에 이러한 문제를 막기 위해서, 한 쓰레드가 변수 num에 접근해서 연산을 완료할 때까지, 다른 쓰레드가 변수 num에 접근하지 못하도록 막아야 한다. 바로 이것이 '동기화(Synchronization)'이다. 이제 멀티 쓰레드 프로그래밍에서 동기화가 왜 필요한지 충분히 이해했으리라 믿는다.

■ Thread-safe합니까?

Chapter 11에서는 StringBuffer 클래스가 쓰레드에 안전하다고(Thread-safe하다고) 설명한적 있다. 이는 StringBuffer 클래스에 이미 동기화 처리가 되어있어서, 둘 이상의 쓰레드가 동시에 접근을 해도 문제가 발생하지 않는다는 뜻이다. 때문에 이러한 클래스를 사용할 때에는 이어서 소개하는 동기화를 적용할 필요가 없다. 혹시 앞서 공부한 ArrayList⟨E⟩ 클래스와 HashSet⟨E⟩ 클래스에는 동기화 처리가 되어있는지 궁금하지 않은가? 그렇다면 API 문서를 통해서 확인하자. 다음과 같이 매우 진한 글씨체로 동기화 처리가 되어있지 않음을 명시하고 있으니 말이다.

Note that this implementation is not synchronized

동기화 처리 유무는 매우 중요한 정보에 해당한다. 따라서 문서를 꼼꼼히 살피지 않아도 해당 클래스의 동기화 처리 유무는 쉽게 확인할 수 있다.

■ 자바의 쓰레드 동기화를 설명하기에 앞서

필자의 친구 중에는 소규모의 소프트웨어회사를 운영하는 친구가 몇 명 있다. 그런데 어느 날 이중 한 명에게서 전화가 왔다. 이 친구는 현재 직접 개발자로 일하고 있지는 않지만, 한때는 유닉스 계열의 운영체제인 솔라리스(Solaris) 전문가이면서 Java의 전문가로 통했던 친구다.

- **친구**   야 쓰레드 좀 잘 설명해 놓은 문서나 책 좀 있으면 추천해봐라!
- **윤군**   왜? 너 한 자바 하잖아!

- **친구**   내가 공부할게 아니라, 우리 직원들에게 추천 좀 해 주려고
- **윤군**   자바 좀 하는 친구들이라며, 갑자기 왜 책을 추천해?

- **친구**   자바를 좀 하는 친구들은 맞아, 근데 동기화 처리하는 거 보니까 많이 부족하더라고, 그래서 내가 동기화만 수십 페이지 이상 설명하고 있는 책 좀 찾아보라고 했어.
- **윤군**   글쎄 나도 요즘 출간된 책들은 조사해 본적이 없어서

결국 필자는 친구의 말을 통해서 다음의 결정을 내리게 되었다.

   "자바 책 쓰게 되면, 쓰레드 부분에서 동기화만 수십 페이지 이상 설명해야겠군!"

그런데 그만큼 동기화는 중요하다. 쓰레드를 생성하는 방법만 알고, 동기화를 제대로 이해하지 못하면 결코 쓰레드 기반의 프로그래밍을 할 수 없다. 한다 해도 문제가 발생하고, 그 문제의 원인조차 찾지 못하게 된다. 자! 그럼 동기화에 대해서 한번 제대로 공부해 보자.

■ 쓰레드의 동기화 기법1 : synchronized 기반의 동기화 메소드

앞서 동기화가 필요한 이유를 설명하였는데, 아직 동기화를 하지 않아서 문제가 발생하는 상황을 직접 눈으로 확인하지는 못했다. 그래서 이의 확인을 위한 예제를 여러분에게 제시하고자 한다.

```
1.   class Increment
2.   {
3.       int num=0;
4.       public void increment(){ num++; }
5.       public int getNum() { return num; }
6.   }
7.
8.   class IncThread extends Thread
9.   {
10.      Increment inc;
11.
12.      public IncThread(Increment inc)
13.      {
14.          this.inc=inc;
15.      }
16.      public void run()
17.      {
18.          for(int i=0; i<10000; i++)
19.              for(int j=0; j<10000; j++)
20.                  inc.increment();
21.      }
22.  }
23.
24.  class ThreadSyncError
25.  {
26.      public static void main(String[] args)
27.      {
28.          Increment inc=new Increment();
29.          IncThread it1=new IncThread(inc);
30.          IncThread it2=new IncThread(inc);
31.          IncThread it3=new IncThread(inc);
32.
33.          it1.start();
34.          it2.start();
35.          it3.start();
36.
37.          try
38.          {
39.              it1.join();
40.              it2.join();
41.              it3.join();
42.          }
43.          catch(InterruptedException e)
44.          {
45.              e.printStackTrace();
46.          }
```

```
47.
48.          System.out.println(inc.getNum());
49.      }
50. }
```

해설

- 18~20행 : run 메소드 내에서 increment 메소드가 10,000×10,000회 호출되니, 3행에 선언된 변수 num의 값은 각각의 쓰레드에 의해 100,000,000씩 증가가 된다.
- 28~35행 : 총 세 개의 쓰레드를 생성해서 하나의 인스턴스에 저장된 값을 증가시키고 있다. 따라서 코드의 내용만 놓고 보면 300,000,0000이 출력되어야 한다.

❖ 실행결과 : ThreadSyncError.java

```
245861257
```

위 예제에서는 쓰레드에게 많은 일을 시켜서 동기화로 인한 문제가 발생할 확률을 높여 놓았다. 이 정도 예제라면 대부분의 컴퓨터에서 잘못된 실행결과를 확인할 수 있을 것이다. 그럼 문제가 된 부분이 어디인지 말해보자. 그렇다! 문제는 4행의 다음 문장에 있다.

```
num++;
```

앞서 설명했듯이 둘 이상의 쓰레드가 동시에 이 문장을 실행하면서(하나의 쓰레드가 이 문장을 완료하지 않은 상태에서 다른 쓰레드도 이 문장을 실행하면서) 문제는 발생하게 된다. 따라서 해결책은 간단하다. 위의 문장이 둘 이상의 쓰레드에 의해서 동시에 실행되지 않게 하면 된다. 그리고 이를 위해서 키워드 synchronized를 사용해서 '동기화 메소드'를 선언하거나 '동기화 블록'을 지정해 주면 된다. 먼저 동기화 메소드의 선언방법을 보이겠다.

```
public synchronized void increment( )
{
    num++;
}
```

위 코드에서 보이듯이 메소드 선언에 synchronized 선언을 해 주면, 이는 동기화 메소드가 된다. 그리고 동기화 메소드는 한 순간에 하나의 쓰레드만 호출이 가능하다. 따라서 쓰레드 A가 이 메소드를 호출하여 실행중인 상태에서, 쓰레드 B가 이 메소드를 호출하면, 쓰레드 B는 쓰레드 A가 메소드의 실행을 완료할 때까지 대기하고 있다가, 완료가 되면 비로소 실행을 하게 된다. 그럼 위 예제에서 increment 메소드를 동기화 메소드로 선언하자. 그리고 다시 실행을 하자. 그럼 다음 두 가지 사실을 알 수 있을 것이다.

- 제대로 된 값 300,000,000이 출력된다. 즉 문제가 사라졌다.
- 실행시간이 오래 걸린다. 즉 쓰레드의 동기화로 인해서 성능이 매우 많이 저하되었다.

아무래도 둘 이상의 쓰레드가 동시에 접근하지 못하니 성능이 떨어질 수밖에 없다. 따라서 동기화가 필요한 것은 사실이지만, 필요한 위치에 제한적으로 사용해서 성능에 영향을 주지 않도록 주의해야 한다.

■ synchronized 기반 동기화 메소드의 정확한 이해

사실 위에서 설명한 내용은 동기화 메소드의 정확한 이해가 아니다. 여러분이 거부감을 느끼지 않도록 첫 번째 단계로 쉬운 접근을 구성한 것뿐이다. 그럼 동기화 메소드의 정확한 이해를 위해서 다음 예제를 분석해 보자.

❖ ThreadSyncMethod.java

```
1.   class Calculator
2.   {
3.       int opCnt=0;
4.
5.       public int add(int n1, int n2)
6.       {
7.           opCnt++;    // 동기화가 필요한 문장
8.           return n1+n2;
9.       }
10.      public int min(int n1, int n2)
11.      {
12.          opCnt++;    // 동기화가 필요한 문장
13.          return n1-n2;
14.      }
15.      public void showOpCnt()
16.      {
17.          System.out.println("총 연산 횟수 : "+opCnt);
18.      }
19.  }
20.
21.  class AddThread extends Thread
22.  {
23.      Calculator cal;
24.
25.      public AddThread(Calculator cal) { this.cal=cal; }
26.
27.      public void run()
28.      {
29.          System.out.println("1+2="+cal.add(1, 2));
30.          System.out.println("2+4="+cal.add(2, 4));
```

```
31.        }
32. }
33.
34. class MinThread extends Thread
35. {
36.     Calculator cal;
37.
38.     public MinThread(Calculator cal) { this.cal=cal; }
39.
40.     public void run()
41.     {
42.         System.out.println("2-1="+cal.min(2, 1));
43.         System.out.println("4-2="+cal.min(4, 2));
44.     }
45. }
46.
47. class ThreadSyncMethod
48. {
49.     public static void main(String[] args)
50.     {
51.         Calculator cal=new Calculator();
52.         AddThread at=new AddThread(cal);
53.         MinThread mt=new MinThread(cal);
54.
55.         at.start();
56.         mt.start();
57.
58.         try
59.         {
60.             at.join();
61.             mt.join();
62.         }
63.         catch(InterruptedException e)
64.         {
65.             e.printStackTrace();
66.         }
67.
68.         cal.showOpCnt();
69.     }
70. }
```

해설

- 5, 10행 : 5행과 10행에 정의된 메소드에서는 3행에 선언된 변수 opCnt에 접근을 하고 있다. 따라서 이 두 메소드는 각각 다른 쓰레드에 의해 동시에 호출이 되어서도 안 된다. 예를 들어서, A 쓰레드가 add 메소드를 실행 중일 때, B 쓰레드에게 add 메소드는 물론이거니와 min 메소드의 호출도 허용해선 안 된다(min 메소드의 호출도 허용해선 안 된다는 사실에 주목해야 한다).

- 15행 : showOpCnt 메소드 내에서도 3행에 선언된 변수 opCnt의 값을 참조하고 있다. 이 메소

드는 add 또는 min 메소드의 호출과 겹치지 않는다는 가정하에(main 메소드의 join 메소드 호출로 인해서 겹치지 않는다) 동기화의 대상에서 제외시켰다.

❖ 실행결과 : ThreadSyncMethod.java

```
1+2=3
2+4=6
2-1=1
4-2=2
총 연산 횟수 : 4
```

정확히 위 예제의 7행과 12행이 동기화의 대상이다. 그렇다면 어떻게 해야 할까? 다음과 같이 7행과 8행을 포함하는 두 메소드를 모두 동기화 처리하면 된다.

```
public synchronized int add(int n1, int n2)
{
    opCnt++;
    return n1+n2;
}

public synchronized int min(int n1, int n2)
{
    opCnt++;
    return n1-n2;
}
```

물론 위의 두 메소드 정의를 보면서 다음과 같이 질문할 수도 있다.

"add 메소드가 동기화 처리되었으니, add 메소드가 동시에 호출되지는 않겠네요. 그리고 이는 min 메소드도 마찬가지이고요! 그런데 이 정도의 선언만으로도 add 메소드가 호출될 때, min 메소드의 호출을 막을 수 있나요? 반대로 min 메소드가 호출될 때, add 메소드의 호출을 막을 수 있나요?"

위 질문에 대한 필자의 답변은 YES! YES! YES! 이다. 동기화 메소드에 의해서 메소드가 동기화되는 것은 맞다. 하지만 실질적인 동기화의 주체는 인스턴스이기 때문에 동기화되는 영역은 인스턴스 전체로 확장이 된다(필자가 말해놓고도 여러분이 이해하는데 혼란스러울 것 같아서 염려스럽다). 다소 혼란스러운가? 그래서 이에 대한 정확한 이해를 위해서 다음 그림을 제시하겠다.

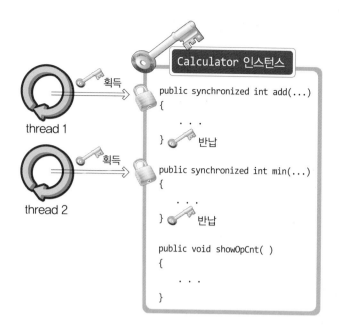

Calculator 인스턴스

```
public synchronized int add(...)
{
    . . .
}  반납

public synchronized int min(...)
{
    . . .
}  반납

public void showOpCnt( )
{
    . . .
}
```

thread 1 획득

thread 2 획득

[그림 23-10 : 동기화의 원리]

위 그림의 윗부분에서 보여주듯이 자바의 모든 인스턴스에는 하나의 열쇠가 존재한다(비록 눈에 보이지는 않지만). 전문용어로 이 열쇠를 가리켜 lock 또는 monitor라 하는데, 이를 그냥 '열쇠'로 이해해도 된다(이는 운영체제라는 과목의 전통적인 이해방식이다). 그리고 synchronized로 선언된 메소드에는 위 그림에서 보이듯이 자물쇠가 걸린다. 따라서 synchronized로 선언된 메소드를 호출하려면 먼저 열쇠를 획득해야 한다. 그리고는 열쇠로 자물쇠를 열고 들어가야 한다. 그런데 그림에서 보이듯이 열쇠는 하나다. 따라서 인스턴스 내에서 synchronized로 선언된 모든 메소드는 동시에 둘 이상이 실행될 수 없다.

물론 여러분은 열쇠의 획득과 반납을 코드상에 명시할 필요는 없다. synchronized로 선언된 메소드를 호출하면 열쇠는 자동으로 획득이 되고, 메소드를 빠져나오면 획득한 열쇠는 자동으로 반납이 되기 때문이다(참고로 이것이 synchronized 선언의 매력이다. 실수로 열쇠를 반납하지 않는 문제가 발생하지 않기 때문이다). 물론 자물쇠가 걸려있지 않은(synchronized로 선언되지 않은) 메소드의 호출은 제한을 받지 않는다.

동기화의 대상이 인스턴스이긴 하지만

동기화의 대상이 인스턴스라고 표현을 하다 보니, synchronized로 선언된 메소드가 호출이 되면, 호출된 인스턴스에는 다른 쓰레드의 접근이 아예 불가능한 것으로 오해하는 경우가 많다. 하지만 synchronized로 선언되지 않은 메소드에는 얼마든지 접근이 가능하다. 따라서 표현으로 인한 오해를 하지 않도록, 그림 23-10에서 설명하는 바를 정확히 이해하기 바란다.

■ 쓰레드의 동기화 기법2: synchronized 선언에 의한 동기화 블록의 구성

이미 예제의 실행을 통해서 동기화 처리로 인한 속도 저하가 얼마나 큰지를 확인하였을 것이다. 그럼 앞서 정의한 다음 메소드를 보면서 불합리한 점은 없는지 찾아보자.

```
public synchronized int add(int n1, int n2)
{
    opCnt++;      // 동기화가 필요한 문장
    return n1+n2;
}


public synchronized int min(int n1, int n2)
{
    opCnt++;      // 동기화가 필요한 문장
    return n1-n2;
}
```

위의 두 메소드 모두, 실제로 동기화가 필요한 문장은 한 줄에 지나지 않는다. 그럼에도 불구하고 메소드 전체의 실행이 완료될 때까지 열쇠가 반납되지 않기 때문에, 이에 대한 성능 감소가 이만 저만이 아니다(메소드가 총 10줄이고 이중에서 동기화가 필요한 문장은 1, 2줄에 지나지 않는 상황으로 확대 해석하자). 그래서 동기화의 대상을 메소드 전부가 아니라 코드 블록 일부로 제한할 필요가 있다. 그리고 이러한 목적으로 존재하는 것이 '동기화 블록'이라는 것이다. 그럼 위의 두 메소드를 동기화 블록으로 동기화 처리해 보겠다.

```
public int add(int n1, int n2)
{
    synchronized(this)
    {
        opCnt++;      // 동기화 된 문장
    }
    return n1+n2;
}

public int min(int n1, int n2)
{
    synchronized(this)
    {
        opCnt++;      // 동기화 된 문장
    }
    return n1-n2;
}
```

위 코드에서 보이듯이 동기화 블록은 동기화가 필요한 코드를 중괄호로 묶어서 표현한다. 따라서 메소드 단위가 아닌, 코드의 일부를 부분적으로 동기화의 대상에 포함시킬 수 있다. 그런데 위의 선언을 보면 중괄호 사이에 this가 삽입되어 있음을 볼 수 있다. 이 위치에는 다음의 질문에 답을 하는 용도로 사용이 된다.

"어디에 있는 열쇠를 가져다 동기화를 하겠느냐?"

동기화 메소드의 경우에는 열쇠를 선택할 수 없었다. 그러나 동기화 블록은 열쇠를 선택할 수 있다. 앞서 "자바의 모든 인스턴스는 하나의 열쇠를 지니고 있다."라고 했던 말을 기억하는가? 따라서 어떠한 인스턴스의 참조 값이든 이 위치에 올 수 있다. 다소 혼란스러울 텐데, 이에 대한 명확한 이해를 위해서 간단한 예제를 하나 제시하겠다. 코드는 길지만 이해하기 쉬운 예제이니, 예제의 흐름을 먼저 파악하기 바란다.

❖ SyncObjectKey.java

```
1.   class IHaveTwoNum
2.   {
3.       int num1=0;     // 동기화가 필요한 변수 1
4.       int num2=0;     // 동기화가 필요한 변수 2
5.
6.       public void addOneNum1() { num1+=1; }
7.       public void addTwoNum1() { num1+=2; }
8.
9.       public void addOneNum2() { num2+=1; }
10.      public void addTwoNum2() { num2+=2; }
11.
12.      public void showAllNums()
13.      {
14.          System.out.println("num1 : "+num1);
15.          System.out.println("num2 : "+num2);
16.      }
17.  }
18.
19.  class AccessThread extends Thread
20.  {
21.      IHaveTwoNum twoNumInst;
22.
23.      public AccessThread(IHaveTwoNum inst)
24.      {
25.          twoNumInst=inst;
26.      }
27.
28.      public void run()
29.      {
30.          twoNumInst.addOneNum1();
31.          twoNumInst.addTwoNum1();
32.
```

```
33.         twoNumInst.addOneNum2();
34.         twoNumInst.addTwoNum2();
35.     }
36. }
37.
38. class SyncObjectKey
39. {
40.     public static void main(String[] args)
41.     {
42.         IHaveTwoNum numInst=new IHaveTwoNum();
43.
44.         AccessThread at1=new AccessThread(numInst);
45.         AccessThread at2=new AccessThread(numInst);
46.
47.         at1.start();
48.         at2.start();
49.
50.         try
51.         {
52.             at1.join();
53.             at2.join();
54.         }
55.         catch(InterruptedException e)
56.         {
57.             e.printStackTrace();
58.         }
59.         numInst.showAllNums();
60.     }
61. }
```

- 6, 7행 : 이 두 메소드는 3행에 선언된 변수 num1에 접근을 하고 있다. 따라서 둘 이상의 쓰레드가 동시에 호출하는 상황이 발생할 수 있다면, 서로 동시에 호출이 불가능하도록 동기화 처리를 해야 한다.

- 9, 10행 : 이 두 메소드는 4행에 선언된 변수 num2에 접근을 한다. 따라서 둘 이상의 쓰레드가 동시에 호출하는 상황이 발생할 수 있다면, 서로 동시에 호출이 불가능하도록 동기화 처리를 해야 한다.

- 12행 : 이 메소드는 6, 7행 그리고 9, 10행의 메소드와 동시에 호출되지 않는다는 가정하에서 동기화의 대상에서 제외시키자.

- 44, 45행 : 두 개의 쓰레드 인스턴스 생성과정에서 42행에서 생성한 인스턴스의 참조 값이 전달되었다. 즉 IHaveTwoNum의 인스턴스는 두 개의 쓰레드에 의해 접근이 이뤄지기 때문에, 3행과 4행에 접근하는 문장들은 동기화 처리가 되어야 한다.

```
num1 : 6
num2 : 6
```

위 예제에서 어느 부분이 동기화되어야 하는지 여러분도 판단이 설 것이다. 다음 두 메소드는 둘 다 변수 num1에 접근하므로, 서로 다른 두 개의 쓰레드에 의해서 동시에 호출되면 안 된다.

```
public void addOneNum1() { num1+=1; }
public void addTwoNum1() { num1+=2; }
```

마찬가지로 다음 두 메소드는 둘 다 변수 num2에 접근하므로, 서로 다른 두 개의 쓰레드에 의해서 동시에 호출되면 안 된다.

```
public void addOneNum2() { num2+=1; }
public void addTwoNum2() { num2+=2; }
```

그림 일단 필자가, 우리가 잘 아는 동기화 메소드를 가지고 동기화 처리를 해 보이겠다. 다음과 같이 동기화 처리를 하면 제대로 동기화가 되겠는가?

```
class IHaveTwoNum
{
    int num1=0;
    int num2=0;

    public synchronized void addOneNum1() { num1+=1; }
    public synchronized void addTwoNum1() { num1+=2; }

    public synchronized void addOneNum2() { num2+=1; }
    public synchronized void addTwoNum2() { num2+=2; }

    . . . .
}
```

물론 위와 같이 코드를 구성하면 문제없이 동기화가 된다. 근데 너무 지나치게 동기화가 되어있어서 문제라 할 수 있다. 동기화된 네 개의 메소드는 모두 IHaveTwoNum의 인스턴스가 지니는 하나의 열쇠를 대상으로 동기화가 되어있다. 따라서 동기화된 네 개의 메소드는 모두 동시에 호출되는 일이 없다. 그런데 생각해보자. 다음과 같은 상황이 문제가 되는가?

"A 쓰레드가 addOneNum1 메소드를 실행하는 중간에, B 쓰레드에 의해서 addOneNum2 메소드가 호출된다."

"B 쓰레드가 addTwoNum2 메소드를 실행하는 중간에, A 쓰레드에 의해서 addTwoNum1 메소드가 호출된다."

위의 상황은 문제되지 않는 상황이다. 즉 동기화가 필요 없는(정확히 말하면 동기화 하지 말아야 하는) 상황이다. 즉 네 개의 메소드를 모두 동기화 메소드로 선언해 버리는 것은 적절치 못하다. 그럼 이 문제를 어떻게 해결해야 할까? 다음 예제를 통해서 하나의 모델을 제시하겠으니, "자바의 모든 인스턴스는 하나의 열쇠를 지니고 있다."라고 했던 말을 상기하면서 이 예제를 분석하기 바란다.

❖ SyncObjectKeyAnswer.java

```
1.    /*  IHaveTwoNum 클래스를 제외한 나머지는 SyncObjectKey.java와 동일하므로
2.     *  생략합니다.
3.     */
4.    class IHaveTwoNum
5.    {
6.        int num1=0;
7.        int num2=0;
8.
9.        public void addOneNum1()
10.       {
11.           synchronized(key1)
12.           {
13.               num1+=1;
14.           }
15.       }
16.       public void addTwoNum1()
17.       {
18.           synchronized(key1)
19.           {
20.               num1+=2;
21.           }
22.       }
23.       public void addOneNum2()
24.       {
25.           synchronized(key2)
26.           {
27.               num2+=1;
28.           }
29.       }
30.       public void addTwoNum2()
31.       {
32.           synchronized(key2)
33.           {
```

```
34.            num2+=2;
35.        }
36.    }
37.
38.    public void showAllNums()
39.    {
40.        System.out.println("num1 : "+num1);
41.        System.out.println("num2 : "+num2);
42.    }
43.
44.    Object key1=new Object();
45.    Object key2=new Object();
46. }
```

 해 설

- 11, 18행 : 이 두 동기화 블록은 44행에서 생성된 인스턴스의 열쇠를 기준으로 동기화되어 있다.
- 25, 32행 : 이 두 동기화 블록은 45행에서 생성된 인스턴스의 열쇠를 기준으로 동기화되어 있다. 물론 이 열쇠는 44행에서 생성된 열쇠와 별개이다.

❖실행결과 : SyncObjectKeyAnswer.java

```
    num1 : 6
    num2 : 6
```

위 예제에서 생성한 44, 45행의 인스턴스는 동기화의 '열쇠'로 사용하기 위해서 생성되었다(모든 인스턴스는 열쇠를 지니고 있으므로). 그리고 9행과 16행의 메소드, 그리고 23행과 30행의 메소드에서 동기화를 위해 사용된 열쇠가 다르기 때문에, 앞서 말한 과도한 동기화로 인한 성능의 저하는 발생하지 않는다.

참고로 위 예제에서는 두 개의 열쇠를 사용하기 위해서 Object 인스턴스를 두 개 생성했는데, 다음과 같이 하나만 생성해도 된다. 나머지 하나는 IHaveTwoNum 인스턴스의 열쇠를 사용하면 되기 때문이다 (this를 사용한다는 의미).

```
class IHaveTwoNum
{
    . . . .
    public void addOneNum1()
    {
        synchronized(this) { num1+=1; }
    }
    public void addTwoNum1()
    {
```

```
        synchronized(this) { num1+=2; }
    }
    public void addOneNum2()
    {
        synchronized(key) { num2+=1; }
    }
    public void addTwoNum2()
    {
        synchronized(key) { num2+=2; }
    }
    . . . .
    Object key=new Object();
}
```

보통은 위와 같은 형태로 클래스를 정의한다. 우선 첫 번째 필요한 열쇠는 this로부터 얻는다. 그리고 열쇠가 더 필요할 때 Object 인스턴스를 추가한다. 참고로 정말로 필요한 부분에, 최소한의 형태로 동기화를 하는 개발자가 정말로 동기화를 잘하는 개발자임을 기억하기 바란다. 과도한 동기화를 통해서 성능에 상관없이 원하는 결과만 보이는 것은 누구나 할 수 있는 동기화이다.

동기화 메소드를 추천한다고요?

누군가로부터 '동기화 블록'보다는 '동기화 메소드'를 추천한다는 소리를 들은 적이 있다. 여러분도 이 말에 공감을 한다면, 아직 동기화에 대한 이해가 부족한 것 일지도 모른다. 둘 다 유용하게 사용할 수 있는 방법이다. 매우 간단한 동기화라면 동기화 메소드도 나쁘지 않다. 그러나 동기화 블록의 장점을 정확히 파악하지 않고, 동기화 메소드만 선호한다면, 멀티 쓰레드 기반의 좋은 코드를 만드는 것은 쉽지 않을 거라는 생각이 든다.

■ 동기화는 쓰레드의 접근 순서(방식)를 컨트롤한다는 의미이다.

앞서 보인 동기화는 순서에 상관 없이, 쓰레드의 동시 접근만을 막는 동기화였다. 그러나 쓰레드의 실행 순서를 조절하는(결정하는) 것도 동기화의 범주에 포함된다. 이번에 설명하는 동기화는 실행순서의 조절과 관련이 있다. 그럼 먼저 실행 순서를 조절해야 하는 상황을 연출해 보이겠다.

❖ NewsPaperStory.java

```
1.  class NewsPaper
2.  {
3.      String todayNews;
4.
```

```
5.      public void setTodayNews(String news)
6.      {
7.          todayNews=news;
8.      }
9.
10.     public String getTodayNews()
11.     {
12.         return todayNews;
13.     }
14. }
15.
16. class NewsWriter extends Thread
17. {
18.     NewsPaper paper;
19.
20.     public NewsWriter(NewsPaper paper)
21.     {
22.         this.paper=paper;
23.     }
24.     public void run()
25.     {
26.         paper.setTodayNews("자바의 열기가 뜨겁습니다.");
27.     }
28. }
29.
30. class NewsReader extends Thread
31. {
32.     NewsPaper paper;
33.
34.     public NewsReader(NewsPaper paper)
35.     {
36.         this.paper=paper;
37.     }
38.     public void run()
39.     {
40.         System.out.println("오늘의 뉴스 : "+paper.getTodayNews());
41.     }
42. }
43.
44. class NewsPaperStory
45. {
46.     public static void main(String[] args)
47.     {
48.         NewsPaper paper=new NewsPaper();
49.         NewsReader reader=new NewsReader(paper);
50.         NewsWriter writer=new NewsWriter(paper);
51.
52.         reader.start();
```

```
53.        writer.start();
54.
55.        try
56.        {
57.            reader.join();
58.            writer.join();
59.        }
60.        catch(InterruptedException e)
61.        {
62.            e.printStackTrace();
63.        }
64.    }
65. }
```

- 1행 : NewsPaper 클래스는 쓰레드 간에 데이터를 주고 받는 장소로 사용하기 위해 정의되었다. 데이터(새로운 뉴스)를 가져다 놓는 쓰레드는 5행에 정의되어 있는 setTodayNews 메소드를 호출해야 하고, 데이터를 가져가는 쓰레드는 10행에 정의되어 있는 getTodayNews 메소드를 호출해야 한다. 따라서 데이터를 가져다 놓는 쓰레드가 먼저 setTodayNews 메소드를 호출하고 난 다음에, 데이터를 가져가는 쓰레드가 getTodayNews 메소드를 호출해야 한다.
- 16행 : NewsWriter 클래스는 데이터를 가져다 놓는 쓰레드의 역할을 한다. 26행에서 문자열 데이터를 저장하고 있다.
- 30행 : NewsReader 클래스는 데이터를 가져가는 쓰레드의 역할을 한다. 40행에서 문자열 데이터를 가져가고 있다.
- 52, 53행 : 데이터를 가져가는 쓰레드가 52행에서 실행되고, 데이터를 가져다 놓는 쓰레드가 53행에서 실행되었다. 즉 순서가 뒤바뀌어 있는 상황이다.

❖ 실행결과 : NewsPaperStory.java

오늘의 뉴스 : null

위 예제는 분명 쓰레드의 실행순서가 매우 중요한 예제이다. 한 쓰레드는 데이터를 가져다 놓고, 다른 쓰레드는 데이터를 가져가니 말이다. 그런데 위 예제의 실행결과에서 보면 쓰레드의 실행순서가 잘못되었음을 알 수 있다. 해결책이 무엇이겠는가? 다음 문장에서 이야기하는 바가 해결책이 될 수 있겠는가?

"52행과 53행의 순서를 바꿔서, 데이터를 가져다 놓는 쓰레드가 먼저 실행되게 합니다."

물론 이를 해결책으로 생각할 수 있다. 실제로 문장의 순서를 바꿔서 실행해보면 제대로 된 결과를 확인할 수도 있으니 말이다. 그러나 이는 대단히 위험한 해결책이다. 이는 다음과 같은 이유 때문이다.

"쓰레드의 실행순서는 소스코드가 나열된 순서와 다를 수 있습니다."

쓰레드의 실행순서는 예측이 불가능하다. 때문에 소스코드의 나열 순서를 가지고 쓰레드의 실행순서를 예측하는 것은 매우 어리석은 짓이다. 극단적으로 이야기하면, 위 예제의 52행과 53행의 순서를 바꿔놓아도 실행결과는 달라지지 않을 수 있다. 따라서 우리는 소스코드의 나열순서를 정리하는 방법이 아닌, 보다 확실한 방법으로 쓰레드의 실행순서를 컨트롤해야 한다.

A 쓰레드가 먼저 생성되었지만 늦게 생성된 B 쓰레드가 먼저 실행되는 상황의 예

A 쓰레드와 B 쓰레드는 우선순위가 동일하다. 이러한 상황에서 A 쓰레드가 먼저 생성되고, 이어서 B 쓰레드가 생성되었다. 그리고는 먼저 생성된 A 쓰레드의 run 메소드가 호출되었는데, 그 순간 우선순위가 높은 C 쓰레드가 등장하여, A 쓰레드는 C 쓰레드에게 실행의 기회를 넘기고 말았다. 결국 A 쓰레드의 run 메소드는 하나도 실행되지 않은 상태가 되었다. 이어서 C 쓰레드는 종료되고, 이번에는 B 쓰레드의 run 메소드가 호출 및 실행되었다. 결과적으로 먼저 생성된 A 쓰레드보다 나중에 생성된 B 쓰레드가 먼저 실행되었다. 그리고 이는 하나의 예일뿐, 보다 다양한 상황에서 이와 유사한 일은 얼마든지 쉽게 일어날 수 있다.

■ wait, notify, notifyAll에 의한 실행순서의 동기화

소포(데이터)가 도착하기로 약속된 장소(인스턴스)가 있다. 그런데 배달부(데이터를 가져다 놓는 쓰레드)는 아직 도착하지 않았고, 오히려 수취인(데이터를 가져가는 쓰레드)이 먼저 약속된 장소에 도착했다. 그렇다면 이 상황에서 수취인은 어떻게 해야 하겠는가? 다음이 우리의 답변이다.

"배달부가 오기를 기다리면서 낮잠 한숨 잡니다!"

결국 뒤늦게 배달부가 도착했다. 배달부는 데이터를 가져다 놓은 뒤에 무엇을 해야겠는가? 다음이 우리의 답안이다.

"수취인을 깨워서 물건을 가져가게 합니다."

쓰레드 실행순서의 동기화는 지금 설명한 시나리오의 형태대로 동작한다. 먼저 배달부가 오기를 기다리면서 낮잠 한숨 자야 하는 상황에서 호출하는 메소드는 다음과 같다.

```
public final void wait() throws InterruptedException
```

이 메소드는 Object 클래스에 정의되어 있다. 따라서 어느 인스턴스를 대상으로 하건 호출이 가능하다. 이는 다음 소개하는 메소드도 마찬가지이다. 다음 메소드는 수취인을 깨워서 물건을 가져가게 하는 용도로 사용이 된다.

```
public final void notify()      // 하나의 쓰레드만 깨운다.
public final void notifyAll()      // 모든 쓰레드를 깨운다.
```

notify 메소드와 notifyAll 메소드의 차이점은 예제를 통해서 설명하기로 하고, 일단 지금 설명한 내용을 바탕으로 다음 예제를 분석해 보자. 이 예제는 앞서 소개한 예제 NewsPaperStory.java에 동기화를 적용한 것이다.

❖ SyncNewsPaper.java

```
1.    class NewsPaper
2.    {
3.        String todayNews;
4.        boolean isTodayNews=false;
5.
6.        public void setTodayNews(String news)
7.        {
8.            todayNews=news;
9.            isTodayNews=true;
10.
11.           synchronized(this)
12.           {
13.               notifyAll();    // 모두 일어나세요!
14.           }
15.       }
16.
17.       public String getTodayNews()
18.       {
19.           if(isTodayNews==false)
20.           {
21.               try
22.               {
23.                   synchronized(this)
24.                   {
25.                       wait();    // 한숨 자면서 기다리겠습니다.
26.                   }
27.               }
28.               catch(InterruptedException e)
29.               {
30.                   e.printStackTrace();
31.               }
32.           }
33.
34.           return todayNews;
35.       }
36.   }
37.
```

```java
38. class NewsWriter extends Thread
39. {
40.     NewsPaper paper;
41.
42.     public NewsWriter(NewsPaper paper)
43.     {
44.         this.paper=paper;
45.     }
46.     public void run()
47.     {
48.         paper.setTodayNews("자바의 열기가 뜨겁습니다.");
49.     }
50. }
51.
52. class NewsReader extends Thread
53. {
54.     NewsPaper paper;
55.
56.     public NewsReader(NewsPaper paper)
57.     {
58.         this.paper=paper;
59.     }
60.     public void run()
61.     {
62.         System.out.println("오늘의 뉴스 : "+paper.getTodayNews());
63.     }
64. }
65.
66. class SyncNewsPaper
67. {
68.     public static void main(String[] args)
69.     {
70.         NewsPaper paper=new NewsPaper();
71.         NewsReader reader1=new NewsReader(paper);
72.         NewsReader reader2=new NewsReader(paper);
73.         NewsWriter writer=new NewsWriter(paper);
74.
75.         try
76.         {
77.             reader1.start();
78.             reader2.start();
79.
80.             Thread.sleep(1000);
81.             writer.start();
82.
83.             reader1.join();
84.             reader2.join();
85.             writer.join();
```

```
86.            }
87.        catch(InterruptedException e)
88.        {
89.            e.printStackTrace();
90.        }
91.    }
92. }
```

해 설

- 6행 : 데이터를 가져다 놓는 쓰레드를 위한 메소드이다. 데이터를 가져다 놓은 다음, notifyAll 메소드의 호출을 통해서 혹시라도 잠을 자고 있는 쓰레드 전부를 깨우고 있다. 여기서 중요한 점은 1행에 정의된 NewsPaper 클래스의 인스턴스에 걸쳐서 잠을 자고 있는 쓰레드를 대상으로 잠을 깨운다는 사실이다(NewsPaper의 notifyAll 메소드를 호출하고 있지 아니한가!).

- 17행 : 데이터를 가져가는 쓰레드를 위한 메소드이다. isTodayNews가 false라면, 아직 데이터가 도착하지 않은 상황이니, 25행의 wait 메소드 호출을 통해서 낮잠에 들어간다. 여기서 중요한 점은 1행에 정의된 NewsPaper 클래스의 인스턴스에 걸쳐서 잠을 자게 된다는 사실이다(NewsPaper의 wait 메소드를 호출한다는 사실을 잊으면 안 된다).

- 80, 81행 : 데이터를 가져다 놓는 쓰레드의 실행을 늦추고 있다. 이는 데이터를 가져가는 쓰레드가 wait 메소드를 호출할 때까지 기다리게 하기 위한 인위적인 조작이다(동기화를 공부하기 위한 목적으로).

❖ 실행결과 : SyncNewsPaper.java

오늘의 뉴스 : 자바의 열기가 뜨겁습니다.
오늘의 뉴스 : 자바의 열기가 뜨겁습니다.

위 예제와 관련해서 몇 가지 더 설명할 것이 있다. 이중 하나는 다음과 같다.

"wait과 notifyAll(notify) 메소드는 동기화 처리를 해서, 한 순간에 하나의 쓰레드만 호출이 가능하도록 해야 한다."

위의 문장은, 두 메소드 wait과 notifyAll(notify)이 서로 다른 두 쓰레드에 의해서 동시에 각각 호출되는 것 조차 허용되지 않아야 함을 뜻하는 것이다. 위의 두 메소드는 동시에 호출되면 문제가 생길 수 있는 민감한 성격의 메소드이다. 따라서 동기화 블록 또는 동기화 메소드를 이용해서 메소드 호출문장을 동기화 처리해야 한다. 위 예제에서는 동기화 블록을 기반으로 동기화 처리를 하고 있다.

그리고 wait 메소드는 연이은 호출이 가능함에 주목해야 한다(동시 호출이라고 하지 않았다). 예를 들어서 A 쓰레드가 위 예제 25행에 있는 wait 메소드를 호출하면서 잠에 들었다고 가정해보자. 이 때 wait 메소드를 호출한 지점에서 잠이 든 것이기 때문에, 이 문장을 감싸는 동기화 블록을 완전히 벗어난 것은 아니다. 그러나 잠이 들면서 동기화 블록에 대한 경계까지도 완전히 풀어버리기 때문에(더 이상 실행중인 것이 아니라 그냥 잠이 들어버린 것이므로), 다른 쓰레드가 이 동기화 블록에 접근하는 것은 허용이 된다. 즉 다른 쓰레드에 의해서 25행의 wait 메소드는 또 다시 호출이 가능하다.

그럼 지금 설명한 내용을 바탕으로 위 예제를 다시 한번 관찰하자. 특히 71, 72행에서 데이터를 가져가기 위한 두 개의 쓰레드가 생성되어, 순서대로 wait 메소드를 호출하면서 잠이 들어버리는 상황을 연상해보자. 물론 이 두 쓰레드는 73행에서 생성되는 쓰레드의 notifyAll 메소드 호출을 통해 잠에서 깨어나게 된다. 참고로 notify 메소드는 잠이 든 여러 쓰레드들 중 하나만 깨울 때 사용되는 메소드이고, notifyAll 메소드는 잠이 든 모든 쓰레드들을 함께 깨울 때 사용되는 메소드이다. 13행의 메소드 호출문을 notify 호출문으로 변경해서 실행해 보면, 이 두 메소드의 차이를 쉽게 파악할 수 있을 것이다.

문 제 23-2 [쓰레드의 동기화]

Question

main 메소드에서는 프로그램 사용자로부터 총 다섯 개의 정수를 입력 받아서 별도로 생성된 하나의 쓰레드에게 전달하고, 별도로 생성된 쓰레드는 전달받은 수의 총 합을 계산해서, 그 결과를 출력하는 프로그램을 작성해 보자. 이는 main 메소드를 실행하는 main 쓰레드와 main 쓰레드로부터 전달받은 수의 총 합을 계산하는 별도의 쓰레드간 동기화에 관련된 문제이다.

참고로 여러분이 부담을 느끼지 않도록 main 쓰레드가 입력 받은 정수를 별도의 쓰레드에게 전달하는 방법에 대해서는 제한을 두지 않았다.

23-4 새로운 동기화 방식

언제까지 '새로운'이라는 수식어를 붙일 수 있을지 모르겠지만, 어쨌든 앞서 보인 방식에 비교해서 새로운 동기화 방식을 소개하고자 한다. 자바는 java.util.concurrent 패키지를 통해서 보다 다양한 형태의 동기화 방식을 지원하기 시작했다.

■ synchronized 키워드의 대체

자바 버전 5.0에서는 동기화 블록, 또는 동기화 메소드를 대신해서 사용할 수 있는 ReentrantLock이라는 이름의 클래스를 제공하기 시작했는데, 이를 적용하기 위한 기본적인 구조는 다음과 같다.

```
class MyClass
{
    private final ReentrantLock criticObj=new ReentrantLock();
    . . . .
    void myMethod(int arg)
    {
        criticObj.lock();     // 다른 쓰레드가 진입하지 못하게 문을 잠근다.
        . . . . .
        . . . . .
        criticObj.unlock();  // 다른 쓰레드의 진입이 가능하게 문을 연다.
    }
}
```

위 코드에서 보면, ReentrantLock의 인스턴스를 이용해서 lock 메소드와 unlock 메소드를 호출하고 있다. 여기서 lock 메소드는 한번 호출되면, unlock 메소드가 호출될 때까지 lock 메소드의 재호출이 불가능하기 때문에, lock 메소드가 호출되는 시점부터 unlock 메소드가 호출되는 시점까지, 둘 이상의 쓰레드에 의해서 동시에 실행되지 않는 영역이 된다. 그런데 만약에 lock 메소드를 호출한 쓰레드가 unlock 메소드를 호출하지 않으면, 이는 큰 문제가 될 수 있기 때문에 다음과 같이 코드를 작성하는 것이 보다 안정적이다.

```
class MyClass
{
    private final ReentrantLock criticObj=new ReentrantLock();
    . . . .
    void myMethod(int arg)
    {
        criticObj.lock();     // 다른 쓰레드가 진입하지 못하게 문을 잠근다.
        try
        {
            . . . .
            . . . .
        }
        finally
        {
            criticObj.unlock();  // 다른 쓰레드의 진입이 가능하게 문을 연다.
        }
    }
}
```

```
}
```

위와 같이 unlock 메소드의 호출을 finally 구문에 묶어두면, 어느 상황에서건 unlock 메소드의 호출을 보장받을 수 있다. 따라서 둘 이상의 쓰레드가 동시에 실행하면 안 되는 코드를 try 구문에 넣어두고, unlock 메소드의 호출을 finally 구문에 넣어서 코드의 안전성을 높이는 것이 좋다. 그럼 예제 SyncObjectKeyAnswer.java를 재 구현해서 ReentrantLock 클래스의 사용 예를 보이겠다.

❖ UseReentrantLock.java

```
1.    /* IHaveTwoNum 클래스를 제외한 나머지는
2.     * SyncObjectKeyAnswer.java와 동일하므로 생략합니다.
3.     */
4.
5.    import java.util.concurrent.locks.ReentrantLock;
6.
7.    class IHaveTwoNum
8.    {
9.        int num1=0;
10.       int num2=0;
11.
12.       public void addOneNum1()
13.       {
14.           key1.lock();
15.           try
16.           {
17.               num1+=1;
18.           }
19.           finally
20.           {
21.               key1.unlock();
22.           }
23.       }
24.       public void addTwoNum1()
25.       {
26.           key1.lock();
27.           try
28.           {
29.               num1+=2;
30.           }
31.           finally
32.           {
33.               key1.unlock();
34.           }
35.       }
36.       public void addOneNum2()
37.       {
```

```
38.            key2.lock();
39.            try
40.            {
41.                num2+=1;
42.            }
43.            finally
44.            {
45.                key2.unlock();
46.            }
47.        }
48.        public void addTwoNum2()
49.        {
50.            key2.lock();
51.            try
52.            {
53.                num2+=2;
54.            }
55.            finally
56.            {
57.                key2.unlock();
58.            }
59.        }
60.
61.        public void showAllNums()
62.        {
63.            System.out.println("num1 : "+num1);
64.            System.out.println("num2 : "+num2);
65.        }
66.
67.        private final ReentrantLock key1=new ReentrantLock();
68.        private final ReentrantLock key2=new ReentrantLock();
69. }
```

해설

- 17, 29행 : 둘 다 변수 num1에 접근하는 코드이므로, 하나의 ReentrantLock 인스턴스를 기반으로 동기화하였다.

- 41, 53행 : 둘 다 변수 num2에 접근하는 코드이므로, 또 하나의 ReentrantLock 인스턴스를 기반으로 동기화하였다.

❖실행결과 : UseReentrantLock.java

```
num1 : 6
num2 : 6
```

위 예제를 분석하는 과정에서 이해가 되지 않는 부분이 있다면, 필자가 앞서 말한 다음 사실을 상기하기 바란다. 그러면 어렵지 않게 예제도 이해하고, ReentrantLock 클래스에 대해서도 보다 정확히 이해할 수 있을 것이다.

> "lock 메소드는 한번 호출되면, unlock 메소드가 호출될 때까지 재호출이 불가능하기 때문에, lock 메소드가 호출되는 시점부터 unlock 메소드가 호출되는 시점까지, 둘 이상의 쓰레드에 의해서 동시에 실행되지 않는 영역이 된다."

■ await, signal, signalAll에 의한 실행순서의 동기화

ReentrantLock 인스턴스를 대상으로 newCondition이라는 이름의 메소드를 호출하면, Condition 형 인스턴스가 반환된다(정확히는 Condition 인터페이스를 구현하는 인스턴스의 참조 값이 반환된다). 그리고 반환된 인스턴스를 대상으로 다음의 메소드를 호출할 수 있다.

- await   낮잠을 취한다(wait 메소드에 대응)
- signal   낮잠 자는 쓰레드 하나를 깨운다(notify 메소드에 대응).
- signalAll   낮잠 자는 모든 쓰레드를 깨운다(notifyAll 메소드에 대응).

이 메소드들 역시 한번에 하나의 메소드만 호출될 수 있도록 동기화 처리가 되어야 한다. 단 반드시 앞서 보인 ReentrantLock 인스턴스 기반으로 동기화 처리가 되어야 한다(synchronized 기반이 아닌). 그럼 예제를 통해서 Condition 인스턴스 기반의 실행순서 동기화의 사례를 보이겠다. 이 예제에서는 두 개의 쓰레드가 생성되는데, 하나는 프로그램 사용자로부터 문자열을 입력 받는 쓰레드이고, 다른 하나는 입력 받은 문자열을 출력하는 쓰레드이다. 그럼 먼저 두 쓰레드의 문자열 교환의 장소로 사용할 클래스를 소개하겠다.

❖ ConditionSyncStringReadWrite.java의 StringComm 클래스 정의 부분

```
1.    import java.util.concurrent.locks.ReentrantLock;
2.    import java.util.concurrent.locks.Condition;
3.    import java.util.Scanner;
4.
5.    class StringComm
6.    {
7.        String newString;
8.        boolean isNewString=false;
9.
10.       private final ReentrantLock entLock=new ReentrantLock();
11.       private final Condition readCond=entLock.newCondition();
12.       private final Condition writeCond=entLock.newCondition();
13.
14.       public void setNewString(String news)
15.       {
```

```
16.          entLock.lock();
17.          try
18.          {
19.              if(isNewString==true)
20.                  writeCond.await();
21.
22.              newString=news;
23.              isNewString=true;
24.              readCond.signal();
25.          }
26.          catch(InterruptedException e)
27.          {
28.              e.printStackTrace();
29.          }
30.          finally
31.          {
32.              entLock.unlock();
33.          }
34.      }
35.
36.      public String getNewString()
37.      {
38.          String retStr=null;
39.
40.          entLock.lock();
41.          try
42.          {
43.              if(isNewString==false)
44.                  readCond.await();
45.
46.              retStr=newString;
47.              isNewString=false;
48.              writeCond.signal();
49.          }
50.          catch(InterruptedException e)
51.          {
52.              e.printStackTrace();
53.          }
54.          finally
55.          {
56.              entLock.unlock();
57.          }
58.
59.          return retStr;
60.      }
61. }
```

- 11, 12행 : entLock을 대상으로 두 개의 Condition 인스턴스를 생성하고 있다. 이는 특정 조건의 만족 여부에 따라서 실행여부를 결정할 사항이 두 가지라는 뜻이다.

- 14행 : setNewString 메소드는 새로 입력 받은 문자열을 저장하기 위한 메소드이다.

- 19, 20행 : 이전에 저장해 놓은 문자열을 다른 쓰레드가 가져가지 않았다면, 가져갈 때까지 대기하기 위한 코드이다. 즉 다른 쓰레드가 가져가지 않은 문자열을 덮어쓰지 않기 위한 코드이다. 이 문장을 통해서 문자열을 가져가는 쓰레드는 writeCond.signal 메소드를 호출한다고 판단할 수 있다. 즉 '쓰레드에 의한 문자열의 획득'이라는 조건의 만족여부는 참조변수 writeCond가 참조하는 인스턴스를 통해서 확인이 된다.

- 22, 23행 : 문자열을 가져다 놓고, 새로운 문자열이 등록되었음을 표시해 놓고 있다.

- 24행 : 혹시라도 새로운 문자열이 등록되기를 고대하고 낮잠을 취하는 쓰레드가 있다면, 이 쓰레드를 깨우기 위한 코드이다. 이 문장을 통해서 문자열이 등록되기를 고대하며 낮잠을 취하는 쓰레드는 readCond.await 메소드를 호출한다고 판단할 수 있다. 즉 '새로운 문자열의 등록'이라는 조건의 만족여부는 참조변수 readCond가 참조하는 인스턴스를 통해서 확인이 된다.

- 16, 32행 : 이렇듯 await, 그리고 signal 메소드의 호출문은 동기화 처리가 된 상태에서 호출되어야 한다.

- 36행 : getNewString 메소드는 새로 입력 받은 문자열을 가져가기 위한 메소드이다.

- 43, 44행 : 새로운 문자열이 등록되지 않았다면, 등록될 때까지 대기하기 위한 코드이다. 이 두 문장은 setNewString 메소드의 24행과 연관해서 이해해야 한다.

- 46, 47행 : 우선 새로운 문자열을 변수 retStr에 저장하고, 새로운 문자열이 등록되어도 됨을 표시하고 있다.

- 48행 : 혹시라도 새로운 문자열을 등록하려고 고대하면서 낮잠을 취하는 쓰레드가 있다면, 이 쓰레드를 깨우기 위한 코드이다. 이 문장은 setNewString 메소드의 19, 20행과 연관해서 이해해야 한다.

- 59행 : 실제로 문자열을 가져가는 코드이다.

위의 코드가 다소 복잡해 보일 수 있다. 그러나 이는 Condition 인스턴스의 특징과 사용방법을 보이기 위해서 매우 단순히 구현된 코드이다. 만약에 조건이 다소 복잡해 진다면, 예를 들어서 문자열을 가져다 놓는 쓰레드가 둘 이상이거나, 문자열을 가져가는 쓰레드가 둘 이상이라면 조금 더 복잡하게(정교하게) 구현해야 한다. 그럼 이 예제의 나머지 부분을 소개하고 실행결과도 보이겠다.

❖ ConditionSyncStringReadWrite.java의 쓰레드 클래스 정의와 쓰레드 생성 부분

```
1.    class StringReader extends Thread
2.    {
3.        StringComm comm;
4.
5.        public StringReader(StringComm comm)
6.        {
7.            this.comm=comm;
8.        }
9.        public void run()
```

```
10.      {
11.          Scanner keyboard=new Scanner(System.in);
12.          String readStr;
13.
14.          for(int i=0; i<5; i++)
15.          {
16.              readStr=keyboard.nextLine();
17.              comm.setNewString(readStr);
18.          }
19.      }
20. }
21.
22. class StringWriter extends Thread
23. {
24.      StringComm comm;
25.
26.      public StringWriter(StringComm comm)
27.      {
28.          this.comm=comm;
29.      }
30.      public void run()
31.      {
32.          for(int i=0; i<5; i++)
33.              System.out.println("read string : "+comm.getNewString());
34.      }
35. }
36.
37. class ConditionSyncStringReadWrite
38. {
39.      public static void main(String[] args)
40.      {
41.          StringComm strComm=new StringComm();
42.          StringReader sr=new StringReader(strComm);
43.          StringWriter sw=new StringWriter(strComm);
44.
45.          System.out.println("입출력 쓰레드의 실행...");
46.          sr.start();
47.          sw.start();
48.      }
49. }
```

- 1행 : StringReader 클래스는 문자열을 입력 받아서 StringComm 인스턴스에 가져다 놓는 쓰레드 클래스이다. 문자열을 총 5회 입력 받아서 가져다 놓는다.

- 22행 : StringWriter 클래스는 StringComm 인스턴스에 등록된 문자열을 가져가는 쓰레드 클래스이다. 마찬가지로 총 5회 문자열을 가져간다.

입출력 쓰레드의 실행...
String one
read string : String one
String two
read string : String two
좋은 아침입니다.
read string : 좋은 아침입니다.
좋은 저녁입니다.
read string : 좋은 저녁입니다.
마지막 문자열 입력합니다.
read string : 마지막 문자열 입력합니다.

실행결과는 동기화가 적절히 이뤄지고 있음을 보이고 있다. 기본적으로 키보드를 이용한 문자열의 입력
에는 시간이 걸리기 때문에, StringWriter 쓰레드는 StringReader 쓰레드가 문자열 데이터를 가져
다 놓기를 기다리게 된다. 이로써 새로운 동기화 방식에 대한 소개를 마무리하겠다.

프로그래밍 문제의 답안

■ 문제 23-1의 답안

❖ 소스코드 답안

```
1.   class SumThread extends Thread
2.   {
3.       int num;
4.       int start, end;
5.
6.       public SumThread(int s, int e)
7.       {
8.           num=0;
9.           start=s;
10.          end=e;
11.      }
12.      public void run()
13.      {
14.          for(int i=start; i<=end; i++)
15.              addNum(i);
16.      }
17.      public void addNum(int n) { num+=n; }
18.      public int getNum() { return num; }
19.  }
20.
21.  class Sum1To100
22.  {
23.      public static void main(String[] args)
24.      {
25.          SumThread st1=new SumThread(1, 50);
26.          SumThread st2=new SumThread(51, 100);
27.          st1.start();
28.          st2.start();
29.
30.          try
31.          {
32.              st1.join();
33.              st2.join();
34.          }
35.          catch(InterruptedException e)
36.          {
37.              e.printStackTrace();
38.          }
39.
40.          System.out.println("1~100까지의 합 : "+(st1.getNum()+st2.getNum()));
41.      }
42.  }
```

```
1.    import java.util.Scanner;
2.
3.    class IntegerComm
4.    {
5.        int num=0;
6.        boolean isNewNum=false;
7.
8.        public void setNum(int n)
9.        {
10.           synchronized(this)
11.           {
12.               if(isNewNum==true)
13.               {
14.                   try
15.                   {
16.                       wait();
17.                   }
18.                   catch(InterruptedException e)
19.                   {
20.                       e.printStackTrace();
21.                   }
22.               }
23.               num=n;
24.               isNewNum=true;
25.               notify();
26.           }
27.       }
28.       public int getNum()
29.       {
30.           int retNum=0;
31.           synchronized(this)
32.           {
33.               if(isNewNum==false)
34.               {
35.                   try
36.                   {
37.                       wait();
38.                   }
39.                   catch(InterruptedException e)
40.                   {
41.                       e.printStackTrace();
42.                   }
43.               }
44.               retNum=num;
45.               isNewNum=false;
46.               notify();
47.           }
48.           return retNum;
49.       }
50.   }
51.
52.   class IntegerSummer extends Thread
53.   {
54.       IntegerComm comm=new IntegerComm();
55.       int sum=0;
```

```
56.
57.     public IntegerSummer(IntegerComm comm)
58.     {
59.         this.comm=comm;
60.     }
61.     public void run()
62.     {
63.         for(int i=0; i<5; i++)
64.             sum+=comm.getNum();
65.
66.         System.out.println("입력된 정수의 총 합 : "+sum);
67.     }
68. }
69.
70. class SummerThreadTest
71. {
72.     public static void main(String[] args)
73.     {
74.         IntegerComm comm=new IntegerComm();
75.         IntegerSummer summer=new IntegerSummer(comm);
76.         summer.start();
77.
78.         Scanner keyboard=new Scanner(System.in);
79.
80.         System.out.println("총 5개의 정수 입력...");
81.         for(int i=0; i<5; i++)
82.             comm.setNum(keyboard.nextInt());
83.
84.         try
85.         {
86.             summer.join();
87.         }
88.         catch(InterruptedException e)
89.         {
90.             e.printStackTrace();
91.         }
92.     }
93. }
```

Chapter 24

파일과 I/O 스트림

I/O는 Input/Output을 줄인 표현으로 데이터의 입출력을 의미한다. 자바에서는 I/O라는 이름의 입출력 모델을 통해서 입출력 대상에 따라 차이를 보이지 않는 입출력 방식을 정의하고 있다. 그래서 이번 Chapter에서는 파일을 대상으로 I/O를 설명하고자 한다.

24-1 File I/O에 대한 소개

이번 Chapter를 시작하기에 앞서 필자가 강조하고픈 것은 파일이 아닌 I/O임을 먼저 이야기하고 싶다. 그리고 이번 Chapter에서 설명하는 클래스들은 java.io 패키지로 묶여있는 클래스들임을 기억하자. 본문 중간에는 이를 별도로 언급하지 않겠다.

■ I/O의 범위와 간단한 I/O 모델의 소개

프로그램의 상당부분은 입출력과 관련이 있다. 그리고 다음은 우리가 알고 있는 입출력 대상들이다.

- 키보드와 모니터

- 하드디스크에 저장되어 있는 파일

- USB와 같인 외부 메모리 장치

- 네트워크로 연결되어 있는 컴퓨터

- 사운드카드, 오디오카드와 같은 멀티미디어 장치

- 프린터, 팩시밀리와 같은 출력장치

이렇듯 데이터의 입출력 대상은 그 형태가 매우 다양하다. 그리고 입출력 대상이 달라지면 프로그램상에서의 입출력 방식도 달라지는 것이 보통이다. 그런데 자바에서는 입출력 대상에 상관없이 입출력의 진행 방식이 동일하도록 별도의 'I/O 모델'을 정의하고 있다. 즉 자바의 I/O 모델을 기반으로 데이터를 입출력할 경우, 입출력 대상에 상관없이 동일한 형태로 데이터를 입출력 할 수 있다.

"그럼 파일을 대상으로 입출력 할 줄 알면, 어떠한 것과도 입출력이 가능한 건가요?"

필자도 YES! 라고 답해줄 수 있으면 좋겠다. 그러나 이는 너무 지나친 기대이다. 입출력의 기본 방식이 동일하다는 뜻일 뿐, 입출력 대상에 따라서 사용하는 클래스 또는 호출하는 메소드의 일부 또는 상당부분은 달라질 수 밖에 없다. 하지만 입출력의 기본 방식이 동일하다는 것만으로도 I/O 모델은 존재할만한 충분한 가치가 있다. 자바가 아닌 다른 언어를 이용해서 다양한 입출력 프로그램을 작성해본 개발자라면 이러한 필자의 의견에 공감할 것이다.

특히 자바는 네트워크상에서의 데이터 송수신을 위한 I/O 클래스들이 잘 정의되어 있다. 때문에 자바 네트워크 프로그래밍은 공부할만한 매력이 있는 분야이다. 그러나 자바의 기본 문법을 설명하는 이 책에서는 네트워크 대상의 I/O를 설명하지는 않는다. 이는 한 두 Chapter에 담을 수 있는 분량이 아니기 때문이다. 자바 네트워크 프로그래밍에 대한 경험이 필요하다면 이를 자세히 설명하는 별도의 책을 참조할 필요가 있다. 무엇보다도 TCP/IP라는 프로토콜의 이해가 선행되어야 하기 때문에 단순히 I/O의 연장선상에서 공부하는 것은 무리가 있다. 그래서 이번 Chapter에서는 I/O의 이해를 목적으로 I/O의 대상을 파일로 삼았다.

■ I/O 모델과 스트림(Stream)의 이해, 그리고 파일 대상의 입력 스트림 형성

I/O 모델의 핵심은 스트림을 이해하는데 있다. 본디 스트림이란 '데이터의 흐름', 또는 '데이터의 흐름을 형성해 주는 통로'를 의미한다. 자바에서도 이러한 의미로 스트림이 인식되지만, 파일 또는 각종 I/O 장치와의 데이터 이동에 사용되는 인스턴스를 의미하는 용도로도 사용이 된다. 이러한 스트림은 다음과 같이 크게 두 가지로 나뉜다.

- 입력 스트림(Input Stream)　　　　　　　　프로그램으로 데이터를 읽어 들이는 스트림
- 출력 스트림(Output Stream)　　　　　　　프로그램으로부터 데이터를 내보내는 스트림

여러분이 프로그램으로 데이터를 읽어 들여야 하는 상황이라면, 입력 스트림을 형성해야 한다. 반면 프로그램으로부터 데이터를 전송해야 하는 상황이라면, 출력 스트림을 형성해야 한다. 그럼 간단한 입력 스트림과 출력 스트림의 형성 예를 보이겠다. 우선 여러분이 run.exe라는 파일에 저장된 데이터를 읽어 들이기 위한 스트림을 형성한다고 가정해보자. 다음 한 문장으로 간단히 스트림을 형성할 수 있다.

```
InputStream in=new FileInputStream("run.exe");
```

위의 한 문장을 통해서 우리는 다음의 두 가지 사실을 알 수 있다(스트림 형성이 별 것 아님을 느끼는 것도 중요하다).

- 스트림의 형성이라는 것이 결국은 인스턴스의 생성이다.
- FileInputStream 클래스는 InputStream 클래스를 상속한다.

FileInputStream은 입력 스트림의 형성을 위한 클래스이다. 그런데 그 대상이 파일이다. 즉 파일과의 입력 스트림 형성을 위한 클래스이다. 결국 위의 문장을 통해서 파일 run.exe에 저장되어 있는 데이터를 읽어 들이는 통로가 형성되는 셈이다.

[그림 24-1: 파일과의 입력 스트림 형성]

이제 FileInputStream에 정의되어 있는 메소드를 통해서 데이터를 읽어 들이기만 하면 된다. 그런데 FileInputStream의 인스턴스를 InputStream의 참조변수로 참조하고 있음을 알 수 있다. 이는 FileInputStream 클래스가 InputStream 클래스를 상속하기 때문에 가능한 일인데, 그렇다면

InputStream 클래스는 무엇일까? InputStream 클래스는 바이트 단위로 데이터를 읽어 들이는 모든 입력 스트림이 상속하는 최상위 클래스이다(Object 클래스 다음으로). 그리고 이 클래스에서 정의하고 있는 대표적인 메소드 두 가지는 다음과 같다.

- `public abstract int read() throws IOException`
- `public void close() throws IOException`

read 메소드는 1바이트의 데이터를 읽어서 반환하는 메소드이다. 그런데 이 메소드는 abstract로 선언되어 있다. 이유가 무엇이겠는가? 데이터를 읽어 들이는 기본 방식은 대상에 따라서 차이가 날 수밖에 없다(read 메소드 내에서 해야 할 일들에 차이가 있음을 말하는 것이다). 즉 하드디스크에 저장되어 있는 파일로부터 데이터를 읽어 들이는 방식과 그래픽카드와 같은 멀티미디어 장치로부터 데이터를 읽어 들이는 방식은 동일할 수 없다. 그래서 자바는 다음과 같은 계층 구조를 형성해 놓았다(단 아래의 그림에서 GDInputStream이라는 클래스는 실제 존재하지 않는, 가상으로 정의한 클래스이다).

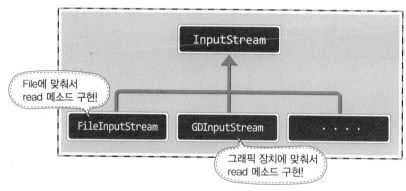

[그림 24-2: InputStream과 read 메소드]

위 그림에서 보여주듯이 InputStream 클래스를 상속하는 하위 클래스에서 입력의 대상에 맞게 적절히 read 메소드를 정의하도록 하고 있다. 따라서 FileInputStream 클래스는 파일로부터 데이터를 읽어 들이도록 read 메소드가 정의되고, GDInputStream 클래스는 그래픽 장치(Graphic Device)로부터 그래픽 데이터를 읽어 들이도록 read 메소드가 정의된다. 따라서 파일로부터 데이터를 1바이트 읽어 들이려면 다음과 같이 코드를 구성하면 된다.

```
InputStream in=new FileInputStream("run.exe");
int bData=in.read();     // 오버라이딩에 의해 FileInputStream의 read 메소드 호출!
```

그리고 GDInputStream이라는 클래스가 실제로는 존재하지 않지만, 존재한다면 그래픽 장치로부터 다음의 형태로 데이터를 읽어 들이게 될 것이다.

```
InputStream in=new GDInputStream(0x2046);   // 0x2046가 그래픽 장치의 할당 주소라 가정!
int bData=in.read();    // 오버라이딩에 의해 GDInputStream의 read 메소드 호출!
```

비록 지금까지 설명한 내용이 양은 얼마 되지 않지만, 이를 이해하면 자바 I/O의 큰 흐름을 이해하는 셈이 된다. 참고로 read 메소드가 실제로 반환하는 데이터는 1바이트짜리 데이터인데, read메소드의 반환형 그리고 이 값을 저장하는 변수(bData)의 자료형이 int인 이유가 궁금할 것이다. 이는 read 메소드의 다음과 같은 특징 때문이다.

"더 이상 읽어 들일 데이터가 존재하지 않으면 −1을 반환합니다."

byte형으로 표현할 수 있는 데이터의 수는 2진수로 00000000부터 11111111까지 총 256개이다. 그리고 이들은 모두 파일에 존재할 수 있는 유효한 데이터들이다. 따라서 더 이상 읽어 들일 데이터가 존재하지 않는 상황에서 반환되는 −1을 표현할 수가 없다. 그래서 반환형과 반환되는 값의 저장을 위한 변수를 int형으로 선언한 것이다. 그래야 파일에 존재할 수 있는 유효한 데이터들과는 별도로 −1을 표현할 수 있기 때문이다. 참고로 −1을 int형으로 표현하면 다음과 같다.

```
11111111 11111111 11111111 11111111
```

반면 −1이 아닌 1바이트짜리 유효한 데이터들을 int형으로 변환해서 반환했을 때의 값의 범위는 다음과 같다.

```
00000000 00000000 00000000 00000000 ~ 00000000 00000000 00000000 11111111
```

끝으로, 데이터를 읽어 들이는 과정이 끝났다면, 생성했던 스트림은 소멸해야 한다. 그래야 가상머신이 할당했던 각종 리소스들이 메모리상에서 지워지기 때문이다. 그리고 바로 이러한 목적으로 정의된 메소드가 close이다. 따라서 파일 run.exe에 저장된 데이터 전부를 읽어 들이는 과정은 다음과 같이 간략히 구성할 수 있다.

```
InputStream in=new FileInputStream("run.exe");
while(true)
{
    int bData=in.read();
    if(bData==-1)
        break;
    . . . .
}
in.close();        // 입력 스트림 소멸
```

스트림의 형성은 매우 단순하고, 그 의미가 명확하다. 그리고 지금 설명한 내용을 그대로 출력 스트림의 형성에 적용할 수 있다.

■ 파일 대상의 출력 스트림 형성

이번에는 파일을 대상으로 출력 스트림을 형성해 보겠다. 입력 스트림의 형성을 위해 정의된 클래스와 출

력 스트림의 형성을 위해 정의된 클래스는 서로 쌍(pair)을 이룬다.

```
InputStream          ↔          OutputStream
FileInputStream      ↔          FileOutputStream
```

위에서 보이듯이 InputStream에 대응하는 클래스는 OutputStram이다. 즉 OutputStream은 모든 출력 스트림이 상속하는 최상위 클래스이다. 그리고 FileOutputStream은 이를 상속하는 클래스이다. 물론 파일과의 출력 스트림 형성에 사용이 된다. OutputStream의 대표적인 메소드 둘은 다음과 같다.

- public abstract void write(int b) throws IOException
- public void close() throws IOException

write 메소드가 abstract로 선언된 이유는 InputStream 클래스의 read 메소드가 abstract로 선언된 이유와 동일하다. 그리고 close 메소드는, 마찬가지로 출력 스트림의 소멸에 사용된다. 참고로 write는 인자로 전달된 1바이트 데이터를 출력 스트림을 통해 목적지로 전달하는 메소드이다. 그런데 매개변수는 int형으로 선언되었다. 따라서 매개변수로 전달된 4바이트 데이터 중 하위 1바이트만 전달되고, 상위 3바이트는 그냥 무시되어 버린다. 그럼 파일 home.bin을 대상으로 출력 스트림의 형성과 데이터의 전달 및 스트림의 종료과정을 간략히 보이겠다.

```
OutputStream out=new FileOutputStream("home.bin");
out.write(1);     // 4바이트 int형 정수 1의 하위 1바이트만 전달된다.
out.write(2);     // 4바이트 int형 정수 2의 하위 1바이트만 전달된다.
out.close;        // 입력 스트림 소멸
```

위의 코드에 의해서 파일 home.bin을 대상으로 형성된 출력 스트림을 그림으로 표현하면 다음과 같다. 그림 24-1과 데이터의 흐름 방향을 비교하기 바란다.

출력 스트림
FileOutputStream
Java Program   home.bin

[그림 24-3: 파일과의 출력 스트림 형성]

그럼 지금까지 설명한 내용을 바탕으로 파일복사 프로그램을 작성해 보겠다. 파일을 복사하려면 원본 파일로부터 데이터를 읽어 들여야 하고, 읽어 들인 데이터는 목적지 파일로(복사되는 파일로) 전달되어야 한다. 즉 입력 스트림과 출력 스트림을 동시에 생성해야 하는 예제이다.

❖ ByteFileCopy.java

```java
1.    import java.io.*;
2.
3.    class ByteFileCopy
4.    {
5.        public static void main(String[] args) throws IOException
6.        {
7.            InputStream in=new FileInputStream("org.bin");
8.            OutputStream out=new FileOutputStream("cpy.bin");
9.
10.           int copyByte=0;
11.           int bData;
12.
13.           while(true)
14.           {
15.               bData=in.read();
16.               if(bData==-1)
17.                   break;
18.
19.               out.write(bData);
20.               copyByte++;
21.           }
22.
23.           in.close();
24.           out.close();
25.           System.out.println("복사된 바이트 크기 "+ copyByte);
26.       }
27.   }
```

- 5행 : main 메소드가 IOException 예외를 던지도록 정의되었다. 즉 main 메소드 내에서 발생하는 모든 IOException 예외는 main 메소드 외부로 던지겠다는 선언이다. 입출력 관련 코드에서는 많은 부분에서 예외처리가 요구된다. 다만 필자는 여러분이 입출력 관련 코드에 집중할 수 있도록 이러한 선언을 했을 뿐, 이것은 결코 적절치 못한 예외처리 방식임을 기억하기 바란다.

- 7행 : 원본 파일인 org.bin을 대상으로 입력 스트림을 형성하고 있다. 여기서 org.bin은 필자가 임의로 지정한 이름이다. 따라서 여러분은 실제로 복사하고픈 파일의 이름으로 이를 대신해야 한다. 단 해당 파일이 위 예제의 컴파일 결과인 ByteFileCopy.class와 동일한 위치에 (디렉터리에) 저장되어 있어야 하며, 그렇지 않을 경우에는 파일의 이름에 경로정보도 함께 표시해야 한다.

- 8행 : 목적지 파일의 이름을 cpy.bin으로 하였는데, 이 이름도 여러분이 임의로 정하면 된다. 그리고 여기서 명시한 이름의 파일은 자동으로 생성되니, 여러분이 별도로 만들지 않아도 된다.

- 13~21행 : 원본에서 1바이트씩 읽어서 복사본에 저장하는 반복문을 구성하고 있다.

- 16, 17행 : read 메소드가 -1을 반환했다는 것은 원본파일의 끝까지 모두 읽었다는 뜻이 되므로 반복문을 빠져 나온다.

- 23, 24행 : 항상 잊지 말아야 할 것이 바로 close 메소드의 호출이다. 입출력이 완료되면 생성한 스트림의 소멸을 위해서 반드시 close 메소드를 호출해 주자!

❖ 실행결과 : ByteFileCopy.java

복사된 바이트 크기 85528870

위의 실행결과에서 보이듯이 필자는 약 81.5MB 크기의 파일을 복사하였다. 여러분도 최소 50MB 이상 되는 파일을 복사의 대상으로 지정하자. 여러 파일을 묶어서 50MB 이상의 압축파일을 만들어서 사용해도 좋다. 이렇게 다소 큰 파일을 복사의 대상으로 삼는 이유는 프로그램의 성능을 직접 느끼기 위해서다. 위 예제는 1바이트씩 복사하는 형태로 동작한다. 때문에 파일 복사에 매우 오랜 시간이 걸린다. 물론 시간이 오래 걸리기는 하지만 복사는 제대로 이뤄진다.

■ 보다 빠른 속도의 파일 복사 프로그램

솔직히 앞서 제작한 복사 프로그램을 사용하는 것은 매우 많은 인내를 필요로 한다. 물론 여러분은 본인이 직접 만든 프로그램이니까 시간이 걸리더라도 제대로 복사가 이뤄지는 사실 하나에 마냥 기쁠 것이다. 아니 복사가 진행되는 그 과정을 지켜보는 것 자체가 하나의 기쁨이다(필자도 그 마음 안다). 하지만 다른 이들에게는 환장할 노릇 아닌가! 그래서 이번에는 바이트 단위 복사가 아닌, 버퍼를 이용한 복사를 진행해보고자 한다. 여기서 말하는 버퍼란 byte형 배열을 의미한다. 1KB 정도되는 byte 배열을 생성해서 1KB 단위의 복사를 진행해 보려고 한다. 이를 위해서 여러분은 InputStream 클래스의 다음 메소드를 사용해야 한다.

```
public int read(byte[] b) throws IOException
```

이 메소드의 인자로는 byte형 배열의 참조를 전달한다. 그러면 입력 스트림을 통해서 읽어 들여진 데이터들이 배열에 저장된다. 그리고 위 메소드는 실제 읽어 들인 데이터의 바이트 크기를 반환한다. 예를 들어서 배열의 길이가 10이라면 최대 10바이트를 읽어 들일 수 있다. 그리고 실제로 10바이트 전부를 읽어 들였다면, 위의 메소드는 10을 반환된다. 그러나 5바이트를 읽어 들였다면(남아 있는 데이터가 5바이트라서), 5가 반환된다. 물론 더 이상 읽을 데이터가 존재하지 않으면 -1이 반환된다. 그리고 1KB 단위의 복사를 진행하려면 OutputStream 클래스의 다음 메소드도 사용해야 한다.

```
public void write(byte[] b, int off, int len) throws IOException
```

위 메소드는 매개변수 b로 전달된 배열을 대상으로 off의 인덱스 위치서부터 시작해서 len 바이트를 출력 스트림을 통해서 전송하는 메소드이다. 그럼 지금 소개한 이 두 메소드를 이용해서 파일 복사 프로그램을 재 구현해 보겠다.

❖ BufferFileCopy.java

```java
1.    import java.io.*;
2.
3.    class BufferFileCopy
4.    {
5.        public static void main(String[] args) throws IOException
6.        {
7.            InputStream in=new FileInputStream("org.bin");
8.            OutputStream out=new FileOutputStream("cpy.bin");
9.
10.           int copyByte=0;
11.           int readLen;
12.           byte buf[]=new byte[1024];
13.
14.           while(true)
15.           {
16.               readLen=in.read(buf);
17.               if(readLen==-1)
18.                   break;
19.               out.write(buf, 0, readLen);
20.               copyByte+=readLen;
21.           }
22.
23.           in.close();
24.           out.close();
25.           System.out.println("복사된 바이트 크기 "+ copyByte);
26.       }
27.   }
```

해 설

- 7행 : 파일의 이름은 여러분이 복사할 파일의 이름으로 변경해야 한다.

- 8행 : 복사본의 이름을 여러분이 원하는 이름으로 정의하면 된다. 그러면 해당 이름의 파일이 생성되어 복사가 진행된다.

- 12행 : 길이가 1024인 byte형 배열을 생성하였다. 즉 1KB짜리 버퍼를 생성한 셈이다.

- 16행 : read 메소드의 호출을 통해서 배열 buf에 데이터를 채워 넣고 있다. 실제로 채워진 데이터의 크기는 변수 readLen에 저장된다.

- 19행 : buf에 저장된 데이터를 인덱스 0의 위치서부터(처음부터) 시작해서 readLen의 크기만큼 전송하고 있다. 즉 16행을 통해서 읽어 들인 데이터 전부를 전송하고 있는 셈이다.

❖ 실행결과 : ByteFileCopy.java

복사된 바이트 크기 85528870

파일이 복사된다는 사실만 놓고 보면, 위 예제는 먼저 소개한 복사 프로그램과 차이가 없다. 그러나 놀라운 복사 속도의 차이를 이미 느꼈을 것이다. 이전 예제와 달리 1KB 단위로 복사가 이뤄지기 때문에 그만큼 실행속도가 증가했는데, 이는 아주 작은 손수레로 물건을 나르는 것과 25톤짜리 대형트럭으로 물건을 나르는 것에 비유될 수 있다.

24-2 필터 스트림의 이해와 활용

FileInputStream과 FileOutputStream 클래스는 데이터의 입출력 대상에 직접 연결되는 대표적인 스트림 클래스이다. 그러나 이러한 스트림 클래스들과 달리 기능을 보조하는 성격의 스트림도 존재하기에 이를 소개하고자 한다.

■ 바이트 단위로 데이터를 읽고 쓸 줄은 알지만

앞서 우리는 파일 복사라는 매우 의미 있는 프로그램을 두 차례나 구현하였다. 따라서 우리는 이제 다음과 같이 자랑할 수 있다.

"난 파일에 데이터를 저장하거나, 저장된 데이터를 읽을 수 있다."

그런데 이러한 자랑을 듣고 있던 친구 한 녀석이 다음과 같은 부탁을 하는 것 아닌가?

"그럼 파일에서 정수 하나하고, 실수 하나를 읽어 들이는 프로그램 하나만 작성해줘!"

그래서 말했다.

"뭐 어렵지 않은 부탁이야! 그럼 4바이트 int형 정수 하나를 읽어 들이는 코드부터 작성해 볼까?"

그리고는 다음의 코드를 보이면서 "이렇게 하면 4바이트 int형 정수 하나를 읽을 수 있어!"라고 말했다.

```
InputStream is=new FileInputStream("yourAsking.bin");
byte[] buf=new byte[4];
is.read(buf);
. . . .
```

그랬더니, 그 순간에 친구가 한마디 한다. 그리고 그 한마디는 우리를 당황하게 만든다.

- 친구   야! 누가 배열에 담아달래? int형 변수에 담아줘야지!
- 우리   아! 네가 원했던 게 그런 거야?

- 친구   당연한 거 아니냐? int형 변수에 담아줘야 정수로 활용을 하지!
- 우리   흐흐! 혹시 너 파일 복사 프로그램은 필요하지 않냐? 나 그건 좀 하는데

실제로 int, double과 같은 기본 자료형 데이터를 파일로부터 읽거나 쓰는 일은 현재로써 우리에게 그리 단순한 일이 아니다. 그래서 우리는 다음과 같은 생각을 한번쯤 하지 않을 수 없다.

    "바이트 단위로 읽히는 데이터를 int형 정수로 조합해서 단번에 int형 데이터로 반환해주는 뭔가가 있으면 좋겠다."

그렇다면 필자가 설계도 하나를 그려보겠다. 다음과 같이 우리가 원하는 형태로 데이터를 읽을 수 있도록, 입력 스트림의 앞에 필터를 달면 어떻겠는가?

[그림 24-4 : 필터 스트림의 이해]

우리는 수도꼭지를 통해서 나오는 물의 형태를 바꾸기 위해서 수도꼭지 끝에 샤워필터를 연결한다. 그러면 샤워필터의 필터 형태에 따라서 다양한 모습으로 물 줄기가 쏟아져 나온다. 마찬가지로 자바에서는 입력 스트림의 앞에 달수 있는 다양한 '필터 스트림'을 제공한다. 이 스트림은 그 이름이 의미하듯이 입력 스트림에 의해서 읽힌 데이터의 형태를 다양하게 구성하는 기능의 스트림이다. 즉 '필터 스트림'은 그 자체로 파일과 같은 소스로부터 데이터를 읽는 기능은 지니고 있지 않다. 다만 입력 스트림으로부터 읽혀진 데이터를 다양하게 가공하는 기능만 있을 뿐이다. 이러한 필터 스트림도 다음과 같이 두 부류로 나뉜다.

- 필터 입력 스트림   입력 스트림에 연결하는 필터 스트림
- 필터 출력 스트림   출력 스트림에 연결하는 필터 스트림

그럼 이제 다양한 필터 스트림의 소개와 예제를 통해서 필터 스트림을 연결하는 방법과 그 특성에 대해서

살펴보기로 하겠다.

■ 기본 자료형 단위로 데이터를 읽고 쓰게 하는 필터 스트림

앞서 간단히 언급했듯이 int, double과 같은 기본 자료형 데이터를 읽고 쓰는 게 생각만큼 간단한 일은 아니다. 하지만 필터 스트림인 DataInputStream과 DataOutputStream을 각각 입력 스트림과 출력 스트림에 연결하면, 기본 자료형 데이터의 입출력은 생각만큼 간단한 일이 되어 버린다. 그럼 예제를 통해서 필터 스트림의 활용 방법과 특성을 보이겠다.

❖ DataFilterStream.java

```java
1.   import java.io.*;
2.
3.   class DataFilterStream
4.   {
5.       public static void main(String[] args) throws IOException
6.       {
7.           OutputStream out=new FileOutputStream("data.bin");
8.           DataOutputStream filterOut=new DataOutputStream(out);
9.           filterOut.writeInt(275);
10.          filterOut.writeDouble(45.79);
11.          filterOut.close();
12.
13.          InputStream in=new FileInputStream("data.bin");
14.          DataInputStream filterIn=new DataInputStream(in);
15.          int num1=filterIn.readInt();
16.          double num2=filterIn.readDouble();
17.          filterIn.close();
18.
19.          System.out.println(num1);
20.          System.out.println(num2);
21.      }
22. }
```

- 7, 8행 : 7행에서 파일 대상의 출력 스트림을 생성하고, 8행에서는 이 출력 스트림의 참조 값을 이용해서 DataOutputStream 클래스의 인스턴스를 생성하고 있다. 8행에서 보이는 이 과정이 출력 스트림에 필터를 연결하는 과정이다. DataOutputStream은 기본 자료형 데이터를 전송하는데 사용되는 필터 출력 스트림이다. 즉 기본 자료형의 데이터를 바이트 단위로 분리해서 출력 스트림으로 전송하는 역할을 한다.
- 9행 : 필터 출력 스트림을 대상으로 writeInt 메소드를 호출하였다. 따라서 필터 출력 스트림은 인자로 전달된 정수를 바이트 단위로 분리해서 총 4바이트를 7행에서 생성한 출력 스트림으로 전송한다.
- 10행 : 필터 출력 스트림을 통해서 double형 데이터를 저장하기 위해서 writeDouble 메소드를 호출하고 있다. 마찬가지로 인자로 전달된 실수를 바이트 단위로 분리해서 총 8바이트를 7

행에서 생성한 출력 스트림으로 전송한다.

- 11행 : 주목하자! 파일과 연결된 출력 스트림을 대상으로 close 메소드를 호출하지 않고, 필터 스트림을 대상으로 close 메소드를 호출하고 있다. 이렇듯 필터 스트림을 대상으로 close 메소드를 호출하면, 필터 스트림은 물론이거니와 필터에 연결된 입출력 스트림도 함께 소멸된다. 따라서 7행에서 생성한 스트림을 대상으로 close 메소드를 호출할 필요는 없다.

- 13, 14행 : 이번엔 반대로 입력 스트림을 생성하고, 이를 기본 자료형 단위로 데이터를 반환하는 필터 입력 스트림에 연결하고 있다. 이로써 바이트 단위로 데이터를 읽는 게 아니라 int, double과 같은 기본 자료형 단위로 데이터를 읽을 수 있게 되었다.

- 15행 : 필터 입력 스트림을 통해서 int형 데이터 하나를 읽기 위해서 readInt 메소드를 호출하고 있다. 이 메소드가 호출되면 13행에서 생성한 입력 스트림을 통해서 4바이트가 읽혀지고, 이는 다시 필터 입력 스트림에 의해서 하나의 정수로 묶여서 반환된다.

- 16행 : double형 데이터 하나를 읽기 위해서 readDouble 메소드가 호출되었다. 따라서 입력 스트림을 통해서 8바이트가 읽혀지고, 이는 다시 필터 입력 스트림에 의해서 하나의 실수로 묶여서 반환된다.

❖ 실행결과 : DataFilterStream.java

```
275
45.79
```

자바는 여러 종류의 필터 스트림을 제공한다. 그런데 이중에는 암호와 관련된 필터 스트림 등, 여러분이 지금 이해하기에는 무리가 있는 필터 스트림도 여럿 존재한다. 따라서 지금은 많은 종류의 필터 스트림을 이해하는 것보다, 필터 스트림의 개념을 정확히 파악하는 것이 훨씬 중요하다. 하지만 기본적으로 스트림 클래스를 봤을 때, 이것이 필터 스트림인지 아닌지는 구분할 줄 알아야 한다. 다행히도 다음 사실만 기억하면 이의 구분은 문제가 되지 않는다.

- 필터 입력 스트림 클래스   FilterInputStream 클래스를 상속한다.
- 필터 출력 스트림 클래스   FilterOutputStream 클래스를 상속한다.

FilterInputStream 클래스와 FilterOutputStream 클래스도 각각 InputStream과 OutputStream을 상속하니, 최상위 클래스는 아니다. 하지만 API 문서를 통해서 상속의 계층 구조를 확인할 수 있으니, 매우 쉽게 필터 스트림 클래스들을 구분할 수 있다.

참고

writeInt와 writeDouble이 전부라고 생각하지는 않겠죠?

writeInt, writeDouble 그리고 readInt, readDouble 이외에도 각종 기본 자료형 데이터의 입출력을 위한 메소드들이 모두 정의되어 있으니, 이들에 대해서는 API 문서를 참조하기 바란다.

■ 버퍼링 기능을 제공하는 필터 스트림

필터 스트림 클래스 중에서 상대적으로 사용의 빈도수가 높으면서, 별도의 설명이 필요한 다음의 두 필터 스트림 클래스를 소개하고자 한다.

- BufferedInputStream   버퍼 필터 입력 스트림
- BufferedOutputStream   버퍼 필터 출력 스트림

필터 스트림을 입출력 스트림에 연결하는 방법을 앞서 공부했으니, 위의 두 필터 스트림을 입출력 스트림에 연결하는 방식으로 ByteFileCopy.java를 재 구현해보겠다. 물론 우리는 위의 두 필터 스트림을 아직 모른다. 그러나 다음 예제는 이들의 특성을 쉽게 이해할 수 있도록 돕기 때문에 먼저 제시하는 것이다.

❖ ByteBufferedFileCopy.java

```java
1.   import java.io.*;
2.
3.   class ByteBufferedFileCopy
4.   {
5.       public static void main(String[] args) throws IOException
6.       {
7.           InputStream in=new FileInputStream("org.bin");
8.           OutputStream out=new FileOutputStream("cpy.bin");
9.
10.          BufferedInputStream bin=new BufferedInputStream(in);
11.          BufferedOutputStream bout=new BufferedOutputStream(out);
12.
13.          int copyByte=0;
14.          int bData;
15.
16.          while(true)
17.          {
18.              bData=bin.read();
19.              if(bData==-1)
20.                  break;
21.
22.              bout.write(bData);
23.              copyByte++;
24.          }
25.
26.          bin.close();
27.          bout.close();
28.          System.out.println("복사된 바이트 크기 "+ copyByte);
29.      }
30.  }
```

해 설

- 7, 8행 : 파일의 이름은 여러분이 별도로 지정해야 한다. 하지만 반드시, 앞서 파일 복사에 사용했던, 최소 50MB가 넘는 크기의 파일을 대상으로 이름을 지정하자.
- 10행 : 7행에서 생성한 입력 스트림에 버퍼 필터 입력 스트림을 연결하고 있다.
- 16행 : 8행에서 생성한 출력 스트림에 버퍼 필터 출력 스트림을 연결하고 있다.
- 13~28행 : 예제 ByteFileCopy.java와 비교해서 아무것도 달라지지 않았다. 바이트 단위로 데이터를 읽어서 바이트 단위로 데이터를 전송하면서 복사를 진행하고 있다. 호출하는 메소드의 이름도 동일하다. 단! 10행과 11행에서 생성한 필터 입출력 스트림을 기반으로 복사를 진행할 뿐이다.

❖ 실행결과 : ByteBufferedFileCopy.java

복사된 바이트 크기 85528870

실행결과 파일이 제대로 복사되었음을 확인했을 것이다. 그런데 그보다 중요한 사실이 있다. 예제를 실행하면서 무엇인가 느낀 것이 있지 않은가? 그렇다! 그건 바로 '복사 속도'이다. 위 예제도, 그리고 ByteFileCopy.java도 둘 다 바이트 단위로 복사를 진행하고 있다. 그런데 위 예제의 복사속도는 버퍼를 이용해서 복사를 진행했던 예제 BufferFileCopy.java에 견줄 만 하다. 그리고 이것이 바로 '버퍼 필터 입출력 스트림'이 제공하는 기능이다.

BufferedInputStream 클래스와 BufferedOutputStream 클래스는 그 이름이 의미하듯이 버퍼링의 기능을 제공하는 필터 스트림들이다. 이 둘은 내부적으로 버퍼(쉽게 말해서 byte형 배열)를 지니고 있다. 위 예제에서는 버퍼의 크기를 지정하지 않았기 때문에 디폴트 크기의 버퍼(디폴트 크기는 2MB이다)가 만들어지지만, 다음의 생성자들을 이용하면 버퍼의 크기도 여러분이 원하는 대로 지정할 수 있다.

```
public BufferedInputStream(InputStream in, int size)
public BufferedOutputStream(OutputStream out, int size)
```

그렇다면 필터 스트림을 입출력 스트림에 연결하면 어떠한 일이 벌어지는 것일까? 다음 그림은 입력 스트림의 관점에서 버퍼 필터 스트림의 기능을 설명한다.

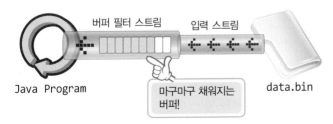

[그림 24-5 : 버퍼 필터 입력 스트림의 이해]

위 그림에서 보이듯이 일단 BufferedInputStream이 연결되면, BufferedInputStream이 내부에 지니는 버퍼를 무조건 채우게 된다. 프로그램상에서 데이터를 요청하지 않아도, 즉 read 메소드가 호출되지 않아도 입력 스트림으로부터 데이터를 읽어 들여서 버퍼를 무조건 채우게 된다. 그 다음, 프로그램상에서 다음 두 메소드의 호출을 통해서 데이터를 읽어 들이는 경우, 버퍼에 저장해 놓은 데이터를 반환해 준다. 물론 그로 인해서 생기는 버퍼의 빈 공간은 다시 입력 스트림으로부터 데이터를 채우게 된다.

```
public int read() throws IOException
public int read(byte[] b, int off, int len) throws IOException
```

위의 두 번째 메소드는 매개변수 b로 전달된 배열에 읽어 들인 데이터를 저장하되, off의 인덱스 위치를 시작으로 최대 len의 길이만큼 읽어 들인다.

자! 이제 바이트 단위로 복사를 진행했음에도 불구하고 빠른 속도의 복사가 가능했던 이유를 정리해 보자. 앞서 구현했던 ByteFileCopy.java에서 호출한 read 메소드와 위 예제에서 호출한 read 메소드는, 이름은 같지만 동작방식에서는 매우 큰 차이를 보인다. 이전 예제에서는 read 메소드가 호출되면, 파일과 연결된 입력 스트림을 통해서 1바이트를 읽어 들였다. 즉 파일로부터 1바이트를 읽어 들인 것이다. 하지만 위 예제에서는 read 메소드가 호출되면, 파일이 아닌 메모리상에 이미 저장되어 있는 데이터를 읽어 들인다. 이는 배열에서 값을 읽는 것과 그 형태가 유사하다. 따라서 매우 빠른 속도로 데이터를 읽을 수 있는 것이다.

BufferedInputStream이 내부 버퍼를 채우는 방식

BufferedInputStream이 내부 버퍼를 채울 때에도, 1바이트씩 채워나가는 것이 아니라, 한번에 많은 양의 데이터를 채움으로써 빠른 속도로 버퍼를 채워나간다. 때문에 우리는 이로 인한 속도의 저하를 경험하지 못한다.

그럼 이번에는 출력 스트림의 관점에서 버퍼 필터 스트림의 기능을 설명하겠다. 이는 앞서 보인 입력 스트림과 비교해서 약간의 기능적 차이가 있기 때문에 별도로 언급할 필요가 있다. 다음 그림은 BufferedOutputStream의 기능을 설명하고 있다.

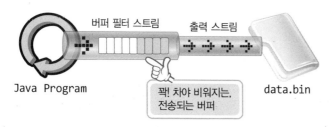

[그림 24-6 : 버퍼 필터 출력 스트림의 이해]

파일이라는 녀석을 대상으로 데이터를 송수신 하는 일은 비교적 오랜 시간이 걸리는 작업이다. 이유는 하드디스크에 저장되어 있는 파일과 현재 실행중인 자바 프로그램과의 거리가 너무 멀기 때문이다(너무 단순하게 표현했나? 그러나 틀리지 않은 표현이다). 따라서 먼 거리에 데이터를 전송할 때에는, 한번에 많은 양을 묶어서 보내는 것이 효율적이다. 작은 손수레를 가지고 조금씩 짐을 옮기는 것 보다, 대형 트럭을 이용해서 한번에 많은 짐을 옮기는 것이 시간적으로 훨씬 효율적이지 않은가(앞서 한번 비유했듯이)? 데이터의 전송도 이와 마찬가지이다. 그래서 출력 스트림에서도 위 그림과 같이 버퍼를 활용하면 성능 향상에 많은 도움이 된다. 즉 BufferedOutputStream 클래스는 자신이 가지고 있는 버퍼가 꽉 찾을 때, 출력 스트림으로 데이터를 전송한다.

■ 버퍼링 기능에 대한 대책, flush 메소드의 호출

그림 24-6을 보면서 다음과 같은 상황에 대해서 이야기해 볼 수 있다.

> "데이터가 버퍼 필터 스트림에 저장되어 있는 상황에서(아직 출력 스트림을 통해서 파일로 전송되지 않은 상황에서) 컴퓨터의 전원이 나가거나 운영체제 오류로 프로그램이 그냥 종료되는 상황"

이러한 상황이 발생하면 버퍼 필터 스트림에 저장 되었던 데이터는 어떻게 되겠는가? 여러분이 생각하듯이 그냥 지워져 버리고 만다. 따라서 여러분은 분명 write 메소드의 호출을 통해서 데이터를 저장했는데, 정작 파일에는 저장되지 않은 상황이 발생할 수 있다. 그래서 데이터의 중요도가 높거나, 버퍼가 꽉 차지 않아도 출력 스트림을 통해서 파일에 저장해야 할 데이터가 존재한다면 다음의 메소드를 호출해야 한다.

```
public void flush() throws IOException
```

BufferedOutputStream 클래스에 정의되어 있는 이 메소드는 버퍼를 비우는 역할을 한다. 여기서 버퍼를 비운다는 것은 버퍼에 저장된 데이터를 출력 스트림으로 전송해서 파일에 저장함을 의미한다. 참고로 이 메소드는 OutputStream 클래스에도, BufferedOutputStream 클래스에도 정의되어 있다. 즉 BufferedOutputStream 클래스의 flush 메소드는 OutputStream 클래스의 flush 메소드를 오버라이딩 하고 있는 것이다. 하지만 정작 OutputStream 클래스의 flush 메소드는 특별히 하는 일이 없다(비어있다). 그럼에도 불구하고 OutputStream 클래스에서 flush 메소드로 정의하는 이유는, OutputStream 클래스를 상속하는 하위 클래스에서 정의하는 flush 메소드와 오버라이딩 관계에 두기 위해서이다.
BufferedOutputStream이 아니더라도 OutputStream을 상속하는 출력 스트림 클래스의 상당수가 여러 가지 이유로 최소한의 버퍼링 기능을 내부적으로 유지하고 있다. 그리고 이러한 내부 버퍼를 비우는 기능을 오버라이딩 된 flush 메소드를 통해서 제공하고 있다.

■ 출력 스트림에 대한 close 메소드의 또 다른 기능과 flush 메소드에 대한 오해

우리는 스트림을 종료시킬 때 close 메소드를 호출한다. 그런데 이 메소드가 호출되면, 그리고 내부적으로 유지하고 있는 버퍼가 있다면, 이 버퍼가 비워진 다음에 스트림이 종료된다. 따라서 늘 flush 메소드를 호출해야 하는 것은 아니다. 오히려 너무 빈번한 flush 메소드의 호출은 버퍼링이 가져다 주는 성능의 향상에 걸림돌이 될 수 있다. 그럼에도 불구하고 flush 메소드의 호출을 필수라고 인식하는 분들이 많다. 필자는 다음과 같이 이야기하는 분들도 여러 번 뵌 적이 있다.

"안전하게 flush 메소드를 호출해주는 것이 좋다! 가급적이면 호출해 주자!"

물론 안전성을 고려해서 flush 메소드를 호출하는 것이 좋은 상황도 있다. 그러나 필요한 상황에서 호출을 해야지, 불필요한 상황에서까지 빈번하게 호출을 하면 오히려 성능의 저하로 이어질 수 있다. flush 메소드의 빈번한 호출은 버퍼링이 가져다 주는 이점을 잃게 만들기 때문이다.

■ 파일에 double형 실수를 저장하고픈데, 버퍼링 기능까지 추가했으면 좋겠어!

파일에 double형 실수를 저장하고 싶다면 다음의 형태로 스트림을 구성하면 된다. 이미 알고 있는 내용을 다시 한번 정리했을 뿐이다.

```
OutputStream out=new FileOutputStream("data.bin");
DataOutputStream filterOut=new DataOutputStream(out);
```

반면 출력 스트림에 버퍼링 기능을 추가하고 싶다면 다음의 형태로 스트림을 구성하면 된다. 역시 이미 알고 있는 내용이다.

```
OutputStream out=new FileOutputStream("data.bin");
BufferedOutputStream filterOut=new BufferedOutputStream(out);
```

그렇다면 파일에 double형 실수를 저장하고픈데, 버퍼링 기능까지 추가하려면 어떻게 해야겠는가? 스트림 클래스를 많이 알아도 I/O의 개념이 확실치 않거나, 자바의 기본 문법이 단단히 다져져 있지 않으면, 이 질문에 답을 하지 못한다. 그럼 일단 다음 코드에서부터 시작을 해 보자.

```
OutputStream out=new FileOutputStream("data.bin");
BufferedOutputStream filterOut=new BufferedOutputStream(out);
```

이로써 버퍼링은 완료되었다. 이제 남은 것은 DataOutputStream을 필터로 추가하는 일인데, 이에 앞서 DataOutputStream의 생성자를 함께 보자.

```
public DataOutputStream(OutputStream out)
```

이를 보면서 뭔가 느껴지거나 시도하고픈 코드의 구성이 머리 속에 떠오르지 않는가? 아니면 "OutputStream을 상속하는 인스턴스의 참조 값이 생성자에 전달될 수 있다."라고 말하는 저 생성자의 외침이 들리지 않는가? 그렇다! BufferedOutputStream 인스턴스는 OutputStream을 상속하기 때문에 다음과 같은 코드의 구성이 가능하다.

```
OutputStream out=new FileOutputStream("data.bin");
BufferedOutputStream bufFilterOut=new BufferedOutputStream(out);
DataOutputStream dataFilterOut=new DataOutputStream(bufFilterOut);
```

그리고 이로 인해서 생성되는 스트림의 형태를 그림으로 정리하면 다음과 같다.

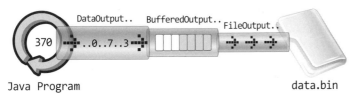

[그림 24-7 : 두 개의 필터를 연결한 스트림의 예]

그럼 이제 논리적으로 생각해 보자. 위 그림을 보면 DataOutputStream은 기본 자료형 데이터를 바이트 단위로 쪼개서 BufferedOutputStream으로 전달함을 알 수 있는데, 이 부분에서 문제가 되는가? BufferedOutputStream은 바이트 단위의 데이터를 전달하는 스트림이므로 문제될 것이 없다. 따라서 위의 형태로 스트림이 형성될 수 있다. 반면 다음의 형태로는 스트림을 형성할 수 없다.

```
OutputStream out=new FileOutputStream("data.bin");
DataOutputStream dataFilterOut=new DataOutputStream(out);
BufferedOutputStream bufFilterOut=new BufferedOutputStream(dataFilterOut);
```

물론 문법적으로 문제가 되지 않아서 컴파일은 되지만, 실행 시 예외가 발생한다. 위의 스트림 구조를 보면 DataOutputStream이 중간에 끼어있다. 따라서 BufferedOutput 스트림이 전달하는 바이트 단위의 데이터를 DataOutputStream이 받아들여야 하는데, DataOutputStream은 기본 자료형 데이터를 받아 들이는 스트림이기 때문에 이 부분에서 문제가 생긴다. 이렇듯 다양한 유형의 스트림 형성을 위해서는 약간의 논리적 사고가 필요하다(아주 약간이다). 그럼 예제를 통해서 두 개의 필터 스트림을 연결하는 예를 보이도록 하겠다. 참고로 이 예제는 DataFilterStream.java를 변경한 것이다.

❖ DataBufferFilterStream.java

```
1.    import java.io.*;
2.
3.    class DataBufferFilterStream
4.    {
5.        public static void main(String[] args) throws IOException
6.        {
7.            OutputStream out=new FileOutputStream("data.bin");
8.            BufferedOutputStream bufFilterOut=new BufferedOutputStream(out);
9.            DataOutputStream dataFilterOut=new DataOutputStream(bufFilterOut);
10.
```

```
11.        dataFilterOut.writeInt(275);
12.        dataFilterOut.writeDouble(45.79);
13.        dataFilterOut.close();
14.
15.        InputStream in=new FileInputStream("data.bin");
16.        BufferedInputStream bufFilterIn=new BufferedInputStream(in);
17.        DataInputStream dataFilterIn=new DataInputStream(bufFilterIn);
18.        int num1=dataFilterIn.readInt();
19.        double num2=dataFilterIn.readDouble();
20.        dataFilterIn.close();
21.
22.        System.out.println(num1);
23.        System.out.println(num2);
24.    }
25. }
```

- 7~9행 : 출력 스트림을 대상으로 두 개의 필터 스트림을 연결하고 있다.
- 13행 : 가장 마지막에 연결된 필터 스트림만 종료를 하면, 이에 연결된 모든 스트림이 차례대로 종료된다. 그래서 DataOutputStream을 대상으로 close 메소드를 호출하고 있다. 그리고 이는 입력 스트림의 경우도 마찬가지이다. 그래서 20행에서는 DataInputStream을 대상으로 close 메소드를 호출하고 있다.
- 15~17행 : 입력 스트림을 대상으로 두 개의 필터 스트림을 연결하고 있다.

❖ 실행결과 : DataBufferFilterStream.java

```
275
45.79
```

위 예제에서는 BufferedOutputStream을 출력 스트림의 중간에 배치시켰다. 따라서 그에 따른 성능 향상을 기대할 수 있는 상황이다. 그렇다면 실제로 성능이 향상되겠는가? 이렇게 중간에 버퍼링 기능의 필터를 삽입해도 제대로 버퍼링이 되겠는가? 이 예제만을 가지고는 이를 확인할 수 없다. 그래서 성능의 향상을 확인하기 위한 예제를 작성해 보겠다. 참고로 이 예제에서는 System 클래스에 정의되어 있는, 그리고 Chapter 20에서 소개한 다음 메소드를 활용한다.

```
public static long currentTimeMillis()
```

이 메소드는 컴퓨터의 현재시간을 기준으로, 1970년 1월 1일 자정 이후로 지나온 시간을 밀리 초 (1/1000초) 단위로 계산해서 반환하는 메소드이다. 그럼 이제 예제를 소개하겠다.

```java
1.   import java.io.*;
2.
3.   class DataBufferedFilterPerformance
4.   {
5.       public static void performanceTest(DataOutputStream dataOut)
6.                           throws IOException
7.       {
8.           long startTime=System.currentTimeMillis();
9.           for(int i=0; i<10000; i++)
10.              for(int j=0; j<10000; j++)
11.                  dataOut.writeDouble(12.345);
12.
13.          dataOut.flush();
14.          long endTime=System.currentTimeMillis();
15.          System.out.println("경과시간 : "+ (endTime-startTime));
16.      }
17.
18.      public static void main(String[] args) throws IOException
19.      {
20.          OutputStream out1=new FileOutputStream("data1.bin");
21.          DataOutputStream dataOut=new DataOutputStream(out1);
22.          performanceTest(dataOut);
23.          dataOut.close();
24.
25.          OutputStream out2=new FileOutputStream("data2.bin");
26.          BufferedOutputStream bufFilterOut
27.                  =new BufferedOutputStream(out2, 1024*10);
28.          DataOutputStream dataBufOut=new DataOutputStream(bufFilterOut);
29.          performanceTest(dataBufOut);
30.          dataBufOut.close();
31.      }
32.  }
```

해설

- 5행 : 이 메소드 내에서는 약 800MB 정도 되는 크기의 데이터를 파일에 저장한다. 그리고 그 과
  정에서 소모되는 시간을 계산해서 출력한다.

- 8행 : 컴퓨터의 현재 시간을 확인하고 있다. 그리고 14행에서 다시 한번 컴퓨터의 현재 시간을 확
  인하여, 그 사이에 흘러간 시간을 계산해서 출력한다.

- 9~11행 : double형 실수를 계속해서 저장하고 있다. 약 800MB 정도의 데이터가 파일에 저장된
  다. 제법 큰 파일이 생성되니, 예제를 실행하고 나서 가급적 생성된 파일을 삭제하자.

- 13행 : 마지막 데이터까지 완전히 전송된 이후의 시간을 측정하기 위해서 flush 메소드를 호출하
  였다.

- 20~23행 : 버퍼링 기능이 추가되지 않은 스트림을 생성해서 성능 테스트를 진행하고 있다.

- 25~29행 : 버퍼링 기능을 추가하여 성능 테스트를 진행하고 있다. 참고로 여기서 사용되는 버퍼
  의 크기는 10KB 짜리이다(27행의 두 번째 전달인자에 의해서 생성).

경과시간 : 267343

경과시간 : 16032

위 예제가 아주 정밀한 형태의 실험은 아닐지라도, 실행결과를 통해서 최소 10배 이상의 성능 차이를 보이는 것은 확인이 가능하다. 이로써 중간에 버퍼 필터를 삽입해도 버퍼링에 의한 성능향상은 그대로 유지됨을 확인하였다.

문 제 24-1 [System.out의 이해와 I/O의 응용]

이번에는 System.out에 대해서 지금까지 몰랐던 내용을 소개하면서, 더불어 I/O의 이해도를 점검하기 위한 문제를 제시하고자 한다. 다음 예제에서는 우리가 지금까지 활용해온 System.out을 대상으로 하는 각종 메소드의 호출방법을 보이고 있다.

```java
class MyInfo
{
    String info;
    public MyInfo(String info){ this.info=info; }
    public String toString(){ return info; }
}

class PrintlnPrintf
{
    public static void main(String[] args)
    {
        MyInfo mInfo=new MyInfo("저는 자바 프로그래머입니다.");
        System.out.println("제 소개를 하겠습니다.");
        System.out.println(mInfo);
        System.out.printf("나이 %d, 몸무게 %dkg입니다.", 24, 72);
    }
}
```

위의 실행결과로 다음의 출력결과를 확인할 수 있다.

제 소개를 하겠습니다.

저는 자바 프로그래머입니다.

나이 24, 몸무게 72kg입니다.

그런데 여기서 사용된 System.out은 System 클래스에 다음과 같이 선언되어 있다.

```
public static final PrintStream out;
```

즉 System.out은 PrintStream의 인스턴스를 참조하고 있다. 그런데 PrintStream 클래스가 직간접적으로 상속하는 클래스 둘은 다음과 같다.

```
java.io.OutputStream
java.io.FilterOutputStream       // 필터 스트림임을 의미함!
```

즉 PrintStream도 출력 스트림에 연결할 수 있는 필터 스트림이다. 따라서 System.out은 모니터를 의미하는 출력 스트림에 PrintStream의 필터 스트림이 연결된 형태로 볼수 있다. 그렇다면 이 필터 스트림은 어떠한 특징을 지니고 있는가? 이미 println, printf 메소드를 사용해 왔기 때문에 대략적인 특징은 알고 있겠지만, 이는 다음과 같이 정리할 수있다.

"다양한 형태의 데이터를 문자열의 형태로 출력하거나(println), 문자열의 형태로 조합하여 출력한다(printf)."

예를 들어서 다음의 형태로 정수를 출력할 수 있다.

```
System.out.println(24);
```

이는 정수가, 있는 그대로 출력되는 것이 아니라, 문자열의 형태로 변환이 되어서 출력되는 것이다. 원래 콘솔은 문자열만 출력이 가능하다. 따라서 정수나 실수를 출력하려면 문자열로 변환해야 하는데, 이러한 변환을 PrintStream이 대신해 줬던 것이다. 그럼 문제를 제시하겠다. 위 예제에서 보이는 출력결과가 파일 println.txt에 문자열의 형태로 저장되도록 예제를 변경해 보자. 그리고 문자열의 형태로 저장이 되었다면, 메모장(notepad)을 통해서 확인이 가능하니 반드시 확인하기 바란다.

문자 스트림의 이해와 활용

지금까지 설명한 입출력 스트림은 바이트 단위로 입출력이 이루어졌다. 그래서 이들을 가리켜 '바이트 스트림'이라 한다. 반면에 문자 단위로 입출력이 이뤄지는 스트림도 존재하며, 이는 '문자 스트림'이라 한다. 이번에는 바로 이 '문자 스트림'에 대해서 살펴보겠다.

■ 바이트 스트림과 문자 스트림의 차이 : 완벽히 이해하기!

지금까지 한껏 스트림에 대해서 공부해 왔는데, 이로써 I/O에 대한 기본은 완전히 갖춰진 셈이다(만약에 문제 24-1까지 여러분 스스로의 힘으로 해결했다면, 정말 박수라도 쳐드리고 싶다). 따라서 이번에 설명하는 문자 스트림이 앞서 설명한 바이트 스트림과의 근본적인 차이점을 이해하는 것이 중요하다(매우 중요하다!). 이를 이해하면 문자 스트림과 관련해서는 몇몇 클래스를 소개하는 정도로 이야기를 마무리할 수 있기 때문이다.

Chapter 02에서 필자가 "자바는 유니코드를 기반으로 문자를 표현한다."라고 말했던 것을 기억할 것이다. 이렇듯 정해진 규칙을 기준으로 문자를 수(number)의 형태로 표현하는 것을 가리켜 '인코딩(encoding)'이라 한다. 예를 들어서 다음의 문장도 일종의 인코딩이다. 문자 A와 문자 B를 2바이트 유니코드 값으로 변환해서(인코딩 해서), 각각 ch1과 ch2에 저장하기 때문이다.

```
char ch1='A';
char ch2='B';
```

Chapter 02에서 자바는 유니코드라는 표준을 가지고 문자를 표현한다고 하지 않았는가? 위의 변수 ch1과 ch2에 문자 A와 문자 B의 유니코드 값이 저장된 것처럼 말이다. 그런데 이는 자바 프로그램상에서의 문자표현에 해당하는 이야기이다. 때문에 우리가 흔히 사용하는 Windows, 또는 Linux와 같은 운영체제들은 자바와는 다른 표준으로 문자를 인코딩 할 수도 있다. 세상에는 여러 종류의 문자표준(문제 셋)이 존재하며, 이는 앞으로도 더 추가될 수 있는 일이다. 그럼 간단히 Windows 운영체제의 문자 인코딩 방식에 대해서 조금 설명하겠다. Windows는 문자의 종류에 따라서 다음과 같이 인코딩 한다.

- 영문과 특수문자   1바이트 데이터로 인코딩

- 한글   2바이트 데이터로 인코딩

Windows의 인코딩에 대해서 보다 자세히 알고 싶다면, 필자가 집필한 "Windows 시스템 프로그래밍 (한빛미디어)"이라는 제목의 서적을 참조하거나(구입하지 않고, 그냥 서점에서 참조해도 된다), 웹에서 자료를 얻기 바란다. 그러나 우리가 지금 공부하려는 문자 스트림의 이해를 위해서는 위의 정보만으로도 충분하기 때문에, 이 이상의 언급은 자제하려 한다. 어쨌든 Windows의 인코딩 방식은 자바의 기본 인

코딩 방식과 차이가 있다.

자! 그럼 매우 중요한 질문을 하나 하겠다. 천천히 그리고 깊이 생각해 보자.

"Windows 운영체제상에서 실행중인 자바 프로그램에서 파일에 문자 데이터를 저장하려 한다. 그리고
이 파일의 내용은 많은 사람들에게 Windows의 응용 프로그램인 메모장(notepad)을 통해서 읽혀질
것이다. 그렇다면 파일에 문자 데이터를 저장할 때 무엇을 기준으로 인코딩을 해서 저장해야 하겠는
가? 자바의 문자표현 방식을 기준으로 인코딩을 해야 하겠는가? 아니면 Windows의 문자표현 방식을
기준으로 인코딩을 해야 하겠는가?"

오! 여러분의 의견이 분분한 게 필자는 팍팍! 느껴진다. 그런데 답은 다음과 같다.

"Windows의 문자표현 방식을 기준으로 인코딩을 해야 합니다."

Windows라는 운영체제에서 실행되는 응용 프로그램들도 모두 Windows의 문자표현 방식을 따른다.
이는 메모장도 마찬가지이다. 아니! 메모장은 Windows의 일부로 봐도 될 정도로 Windows에 상징적
인 응용 프로그램이다. 따라서 비록 자바가 Windows와는 다른 문자표현 방식을 사용한다 하더라도,
Windows에서 실행되는 자바 프로그램상에서 파일에 문자를 저장할 때에는 Windows의 문자표현 방식
을 따라야 한다. 그럼 Windows의 문자표현 방식을 기준으로 문자 A와 문자 B를 저장해 보자. 참고로
Windows에서는 문자 A를 1바이트 정수 65, 문자 B를 1바이트 정수 66으로 표현한다(인코딩 한다).

```
public static void main(String[] args) throws IOException
{
    OutputStream out=new FileOutputStream("hyper.txt");
    out.write(65);
    out.write(66);
    out.close();
}
```

위의 코드에서는 파일의 출력 스트림에 정수 65와 66을 저장하고 있다. OutputStream의 write 메소
드는 1바이트 단위로 데이터를 저장하므로, 1바이트 형태로 65와 66이 저장된다(65와 66은 1바이트로
표현이 가능한 숫자이기 때문에 저장과정에서 상위 3 바이트가 잘려나가도 문제가 없다). 그렇다면 이제
파일 hyper.txt에 저장된 데이터를 메모장으로 열어서 확인해 보자. 문자 A와 문자 B가 저장된 것을
확인할 수 있을 것이다.
혹시 재미있다고 생각하는가? 뭐가 재미있겠는가! 이것이 문자를 저장하는 유일한 방법이라면, 이는 골
치 아픈 일이 아닐 수 없다. 한글을 포함하여 다른 문자를 저장할 때는 어떻게 할 셈인가? 이 때에도 문자
별로 인코딩 값을 알아내서 저장할 셈인가? 그리고 Windows가 아닌 다른 운영체제에서 파일에 문자를
저장한다고 생각해 보자. 그때는 해당 운영체제의 문자 인코딩 방식을 참조해서 데이터를 저장해야 할게
아닌가? 결국 다음과 같은 생각을 할 수밖에 없다.

"파일을 대상으로 문자를 입출력 할 때, 해당 운영체제의 기본 인코딩 방식에 맞춰서 자동으로 문자가 인코딩 되어 저장되는, 그런 스트림은 어디 없나?"

왜 없겠는가? 그것이 바로 '문자 스트림'이며, 앞서 소개한 바이트 스트림에 1대 1로 대응하는 형태로 문자 스트림이 정의되어 있다(모든 바이트 스트림에 1대 1 대응하는 것은 아니다).

 문 제 24-2 [문자 스트림이 별도로 존재하는 이유]

Question

문자 스트림과 관련해서 가장 중요한 질문 하나를 하고자 한다.

"바이트 스트림이 존재함에도 불구하고, 문자 스트림이 별도로 필요한 이유는 무엇인가?"

위 질문에 대한 적절치 않은 답변 몇 가지를 정리해 보겠다.

"문자를 저장해야 하므로"   → 이건 답변으로 인정하기 어렵다.

"바이트 스트림은 문자 저장이 불가능하므로"   → 그러니까 왜? 불가능하냐고

필자는 개인적으로 문자 스트림의 존재 이유를 정확히 이해하지 못하고, 상황에 따라서 필요한 코드를 책에서 참조해가며 프로그래밍하는 초급 개발자를 여럿 보아왔다. 그런데 이들은 I/O 부분에서 문제가 발생했을 때, 그에 따른 적절한 대처방법을 세우지 못했다. 문제는 문자 스트림에 대한 이해부족에서 비롯되었다.

■ FileReader & FileWriter

바이트 입력 스트림과 바이트 출력 스트림의 최상위 클래스는 각각 다음과 같다.

```
InputStream, OutputStream
```

이와 유사하게 문자 입력 스트림과 문자 출력 스트림의 최상위 클래스는 각각 다음과 같다.

```
Reader, Writer
```

즉 문자 스트림 영역의 Reader는 바이트 스트림 영역의 InputStream에 대응하고, 문자 스트림 영역의 Writer는 바이트 스트림 영역의 OutputStream에 대응한다. 그리고 문자 단위 파일 입력 스트림과 출력 스트림은 각각 다음과 같다.

```
FileReader, FileWriter
```

즉 바이트 스트림의 FileInputStream, FileOutputStream은 문자 스트림의 FileReader, FileWriter에 각각 대응한다. 그럼 관련 예제를 보기에 앞서 Reader와 Writer의 대표적인 메소드를

소개하겠다. 다음은 Reader의 대표적인 메소드이다.

- public int read() throws IOException
- public abstract int read(char[] cbuf, int off, int len) throws IOException

첫 번째 메소드는 파일로부터 읽어 들인 문자 하나를 반환한다. 반면 두 번째 메소드는 최대 len의 개수만큼 문자를 읽어 들여서, cbuf로 전달된 배열의 인덱스 위치 off에서부터 문자를 저장한다. 그리고 실제로 읽어 들인 문자의 수를 반환한다. 물론 더 이상 읽어 들일 문자가 존재하지 않는다면 두 메소드 모두 −1을 반환한다. 다음은 Writer의 대표적인 메소드이다.

- public void write(int c) throws IOException
- public abstract void write(char[] cbuf, int off, int len) throws IOException

첫 번째 메소드는 파일에 하나의 문자를 저장한다. 자바 프로그램에서는 문자가 2바이트로 표현되므로, 인자로 전달된 4바이트 데이터 중에서(매개변수 형이 int이므로) 상위 2바이트는 무시가 된다. 그렇다고 파일에 2바이트가 저장된다고 판단하면 곤란하다. 이는 잠시 후에 예제를 통해서 추가로 언급하겠다. 그리고 두 번째 메소드는 cbuf로 전달된 배열의 인덱스 위치 off에서부터 len개의 문자를(최대 len개가 아닌, 그냥 len개이다) 파일에 저장한다.

참고로 위의 메소드 중에서 abstract로 선언된 메소드가 Reader와 Writer에 각각 존재하는 이유는, InputStream과 OutputStream에 abstract 메소드가 존재하는 이유와 동일하다. 이는 앞서 충분히 설명하였으므로, 여기서는 추가적인 언급을 생략하겠다. 그럼 지금까지 설명한 내용을 바탕으로 예제를 하나 작성해 보겠다.

❖ FileWriterStream.java

```java
1.  import java.io.*;
2.
3.  class FileWriterStream
4.  {
5.      public static void main(String[] args) throws IOException
6.      {
7.          char ch1='A';
8.          char ch2='B';
9.
10.         Writer out=new FileWriter("hyper.txt");
11.         out.write(ch1);
12.         out.write(ch2);
13.         out.close();
14.     }
15. }
```

- 7, 8행 : 자바 프로그램상에서는 유니코드로 문자를 인코딩하기 때문에, 문자 A와 문자 B는 각각 2바이트 데이터로 인코딩 되어 각각 변수 ch1과 ch2에 저장된다.
- 10행 : 파일 hyper.txt를 대상으로 문자 출력 스트림을 형성하고 있다. 물론 해당 이름의 파일이 존재하지 않으면 새로 생성된다.
- 11, 12행 : ch1과 ch2에 저장된 데이터를 스트림을 통해 전송하고 있다. 분명 여기서는 2바이트씩 합이 4바이트를 전송하였다.

이 예제는 별도의 실행결과가 존재하지 않는다. 다만 생성된 파일 hyper.txt를 열어서 문자 A와 문자 B가 저장되어 있음을 확인만 하면 된다. 그런데 이는 별 감흥이 오지 않는다. 그렇다면 이번에는 파일의 크기를 확인해보자(파일 위에 마우스 커서만 가져다 놓아도 확인이 가능하다는 사실을 알고 있으리라 믿는다). 프로그램상에서는 스트림을 통해서 각각 2바이트씩 총 4바이트를 전송하였다. 그런데 파일의 크기는 2바이트이다. 이는 필자가 앞서 설명한 다음 사실을 증명하는 셈이 된다. Windows는 영문자를 1바이트로 표현하기 때문이다.

"문자 스트림은 운영체제의 기본 문자 인코딩 방식을 기준으로 인코딩을 한다."

문자 A와 문자 B는 Windows 운영체제의 인코딩 방식을 기준으로 각각 1바이트 데이터이다. 따라서 1바이트로 인코딩 되어 파일에 저장되었다. 그럼 이번에는 위 예제에서 생성한 파일에 저장된 데이터를 읽어보겠다.

❖ FileReaderStream.java

```java
1.   import java.io.*;
2.
3.   class FileReaderStream
4.   {
5.       public static void main(String[] args) throws IOException
6.       {
7.           char[] cbuf=new char[10];
8.           int readCnt;
9.
10.          Reader in=new FileReader("hyper.txt");
11.          readCnt=in.read(cbuf, 0, cbuf.length);
12.          for(int i=0; i<readCnt; i++)
13.              System.out.println(cbuf[i]);
14.
15.          in.close();
16.      }
17.  }
```

- 10행 : 파일 hyper.txt를 대상으로 문자 입력 스트림을 형성하고 있다.
- 11행 : 배열 cbuf의 맨 앞에서부터 최대 10개의 문자를(최대 cbuf.length에 해당하는 개수의 문자를) 읽어서 저장하기 위한 문장이다. 변수 readCnt에는 실제 읽어 들인 문자의 수가

저장된다.

- 12, 13행 : 읽어 들인 문자를 출력하고 있다.

❖ 실행결과 : FileReaderStream.java

```
A
B
```

위 예제의 read 메소드 호출을 통해서 실제 저장된 문자의 수가 두 개이니, 각각 2바이트씩 총 4바이트가 스트림을 통해서 수신되었다는 계산이 나온다(char형 배열에 두 개의 데이터가 저장되었으므로). 앞서 확인했듯이 hyper.txt에는 2바이트의 데이터가 저장되어 있다. 그런데 읽어 들이는 과정에서 4바이트가 되었다. 출력 스트림에서 발생한 현상이, 입력 스트림에서는 역으로 발생한 것이다. 물론 이는 파일에 저장된 문자를 자바 프로그램이 인식할 수 있도록 하기 위함이며, 이것이 바로 문자 입력 스트림의 가장 중요한 특성이다.

■ BufferedReader & BufferedWriter

문자 스트림에도 버퍼 필터 스트림을 추가할 수 있다. 다음은 앞서 설명한 바이트 스트림의 입출력 버퍼 필터 스트림이다.

```
BufferedInputStream, BufferedOutputSteram
```

그리고 위의 클래스에 대응하는 문자 스트림의 입출력 버퍼 필터 스트림은 각각 다음과 같다.

```
BufferedReader, BufferedWriter
```

위의 두 스트림에 대한 기본적인 사용방법과 제공기능은 앞서 설명한 바이트 버퍼 스트림과 차이가 없다. 그런데 BufferedReader의 경우에는 '문자열의 입력'이라는 추가적인 기능을 제공하고 있다. 그리고 언뜻 생각해 보면 이 부분은 이해가 쉽게 되지 않을 수 있다. 왜냐하면 문자열의 입출력 기능을 담당하는 클래스와 메소드는 다음과 같기 때문이다.

- **문자열의 입력**
    BufferedReader 클래스의 다음 메소드
    ```
    public String readLine() throws IOException
    ```

- **문자열의 출력**
    Writer 클래스의 다음 메소드

```
public void write(String str) throws IOException
```

우선 일관성이 없어 보인다(솔직히 말해서). 문자열의 출력은 문자 출력 스트림의 최상위 클래스인 Writer에서 제공하는 반면, 문자열의 입력은 문자 입력 스트림의 최상위 클래스인 Reader가 아닌, 이를 상속하는 필터 스트림 중 하나인 BufferedReader에서 제공하기 때문이다. 즉 여러분이 문자열을 입력 받으려면, 반드시 BufferedReader를 필터 스트림으로 연결해야 한다. 하지만 이는 다음과 같이 좋은 의미로 받아들일 수 있다.

　　"문자열의 입력은 버퍼링의 유무에 따른 성능의 차이가 크기 때문에 반드시 버퍼링을 하라는 의미이구나!"

그러나 여러분은 문자열의 입력뿐만 아니라, 출력까지도 버퍼링의 유무에 따른 성능의 차이가 큰 것을 인식하고, 문자열을 입출력 할 때에는 반드시 버퍼 필터 스트림을 연결해야 한다고 정리 해두기 바란다. 그러면 문자열 입출력과 관련해서 일관성 문제로 헷갈릴 일도 없다. 그럼 이와 관련된 예제를 소개하겠다.

❖ StringWriter.java

```
1.  import java.io.*;
2.
3.  class StringWriter
4.  {
5.      public static void main(String[] args) throws IOException
6.      {
7.          BufferedWriter out= new BufferedWriter(new FileWriter("Strint.txt"));
8.
9.          out.write("박지성 - 메시 멈추게 하는데 집중하겠다.");
10.         out.newLine();
11.         out.write("올 시즌은 나에게 있어 최고의 시즌이다.");
12.         out.newLine();
13.         out.write("팀이 승리하는 것을 돕기 위해 최선을 다하겠다.");
14.         out.newLine();
15.         out.write("환상적인 결승전이 될 것이다.");
16.         out.newLine();
17.         out.newLine();
18.         out.write("기사 제보 및 보도자료");
19.         out.newLine();
20.         out.write("press@goodnews.co.kr");
21.         out.close();
22.         System.out.println("기사 입력 완료.");
23.      }
24. }
```

 해 설

- 7행 : 문자열의 저장을 위한 출력 스트림을 형성하고 있다. 문자열 단위로도 데이터 저장이 가능하지만, 문자 단위로도 데이터 저장이 가능하다.
- 9행 : write 메소드를 통해서 문자열을 저장하고 있다.

- 10행 : newLine은 BufferedWriter에 정의된 메소드로써 개행정보의 삽입 기능을 제공한다. 이 메소드가 호출되는 순간에 하나의 개행정보가 삽입되며, 16, 17행에서 보이듯이 메소드의 호출은 두 번 이상 이어질 수 있다. BufferedWriter에 이 메소드가 정의된 이유는 파일상에서 개행을 표현하는 방식이 운영체제마다 다르기 때문이다. 때문에 문자열의 일부로 \n이 삽입된다고 해서 파일에서 개행이 이뤄지는 것은 아니다. 정리하면, newLine 메소드는 운영체제 별 개행정보를 삽입한다.

예제를 실행했다면, 생성된 파일을 열어서 여러분의 예상대로 문자열 정보가 저장되었는지 확인하기 바란다. 물론 다음 예제를 통해서 확인을 해도 되지만 말이다.

❖ StringReader.java

```
1.    import java.io.*;
2.
3.    class StringReader
4.    {
5.        public static void main(String[] args) throws IOException
6.        {
7.            BufferedReader in= new BufferedReader(new FileReader("String.txt"));
8.
9.            String str;
10.           while(true)
11.           {
12.               str=in.readLine();
13.               if(str==null)
14.                   break;
15.
16.               System.out.println(str);
17.           }
18.           in.close();
19.       }
20.   }
```

- 7행 : 파일 String.txt로부터 문자열을 읽기 위한 스트림을 형성하고 있다.
- 12행 : 문자열을 읽기 위해서 readLine 메소드를 호출하고 있다. 그런데 여기서 말하는 문자열 데이터는 개행을 기준으로 나뉨에 주목해야 한다. 즉 문자열 데이터를 읽는다는 뜻은 개행이 등장하기 전까지의 데이터를 한번에 읽는다는 뜻으로 해석할 수도 있다. 그리고 readLine 메소드는 더 이상 읽어 들일 문자열이 존재하지 않으면 null을 반환한다.
- 16행 : print 메소드가 아닌 println 메소드가 호출되고 있음에 주목하자. 우리는 분명 12행에서 문자열을 입력 받았다. 그리고 이 문자열은 개행을 기준으로 구분된다고 하였다. 그런데 중요한 것은 정작 읽어 들인 문자열 데이터에는 개행이 존재하지 않는다는 사실이다. 즉 개행은 문자열을 구분하는 용도로만 사용되고 버려질(무시될) 뿐이다. 따라서 문자열 단위로 데이터를 읽어 들인 다음에, 문자열 단위로 개행을 하겠다면, print 메소드가 아닌 println 메소드를 호출해야 한다.

❖ 실행결과 : StringReader.java

박지성 – 메시 멈추게 하는데 집중하겠다.

올 시즌은 나에게 있어 최고의 시즌이다.

팀이 승리하는 것을 돕기 위해 최선을 다하겠다.

환상적인 결승전이 될 것이다.

기사 제보 및 보도자료

press@goodnews.co.kr

■ PrintWriter

마지막으로 문자 필터 스트림 중 하나인 PrintWriter에 대해서 설명할 텐데, 이는 문제 24-1에서 설명한 내용을 이해하고 있다는 가정하에 진행하겠다. 따라서 아직 문제 24-1의 내용을 확인하지 못했다면, 이 부분은 나중에 참조를 하고, 다음 내용으로 넘어가도 좋다.

문제 24-1에서는 PrintStream 클래스에 대해서 소개하면서 System.out이 PrintStream의 인스턴스를 참조하고 있음을 언급하였다. 즉 print, printf, println 메소드는 모두 PrintStream에 정의된 메소드이다. 그리고 무엇보다 PrintStream이 제공하는 기능을 다음과 같이 정의하였다.

> "다양한 형태의 데이터를 문자열의 형태로 출력하거나(println), 문자열의 형태로 조합하여 출력한다 (printf)."

그런데 어째 좀 이상하다는 생각이 들지 않았는가? PrintStream은 바이트 스트림이다. 그럼에도 불구하고 문자 단위로(문자열 단위로) 데이터를 출력한다. 이러한 이유로 이후의 자바 버전에서는 PrintStream를 개선시켜서 PrintWriter라는 클래스를 정의하였고, 이는 Writer 클래스를 상속하는 문자 필터 스트림으로 정의하였다. 하지만 이미 많은 프로그램이 PrintStream 클래스를 기반으로 구현되어 있었고, 자바 내부적으로도 사용되고 있는 상황이었기 때문에(예로 System.out) 이를 완전히 제거하기에는 무리가 따랐다. 결국 거의 동일한 기능을 제공하는 필터 스트림이 하나는 바이트 스트림으로, 또 하나는 문자 스트림으로 제공하기에 이르렀다. 때문에 여러분은 다음의 기준을 가지고 이 두 클래스를 바라봐야 한다.

- System.out이 PrintStream임을 기억하고, 이 이상으로 PrintStream을 활용하지 않는다.
- printf, println등 문자열 단위의 출력이 필요하다면 반드시 PrintWriter를 사용한다.

그럼 예제를 통해서 PrintWriter의 사용 예를 보이겠다. 참고로 이 클래스는 PrintStream과 마찬가지로 이에 상응하는 입력 필터 스트림이 존재하지 않는 대표적인 클래스이다.

```
1.   import java.io.*;
2.
3.   class PrintWriterStream
4.   {
5.       public static void main(String[] args) throws IOException
6.       {
7.           PrintWriter out=
8.               new PrintWriter(new FileWriter("printf.txt"));
9.
10.          out.printf("제 나이는 %d살 입니다.", 24);
11.          out.println("");
12.
13.          out.println("저는 자바가 좋습니다.");
14.          out.print("특히 I/O 부분에서 많은 매력을 느낍니다.");
15.          out.close();
16.      }
17. }
```

- 10, 11행 : 문자열에 \n이 삽입된다고 해서 개행처리가 되는 것은 아니다. 그러나 println의 기본 특성인 개행처리는 그대로 반영이 된다. 따라서 여러분이 개행을 원한다면 11행과 같은 문장을 구성하면 된다.

- 13, 14행 : 우리가 흔히 사용하는 println과 print 메소드의 호출을 보이고 있다. 물론 println의 메소드 호출은 문자열 입력 후 개행처리가 된다.

위 예제의 실행을 통해서 생성된 파일 printf.txt에 저장된 내용을 확인하기 바라며, 문자 \n이 삽입된다고 해서 콘솔출력과 마찬가지로 개행처리가 되지 않음을 늘 기억하고 있기 바란다.

문 제 24-3 [PrintWriter와 버퍼링]

Question

예제 PrintWriterStream.java에서 생성하는 스트림에 BufferedWriter에 의한 버퍼링 기능을 추가해보자. 그리고 더불어서 파일에 문자열 저장 이후에, 파일에 저장된 문자열 전부를 다시 출력하는 형태로 예제를 확장해 보자.

24-4 스트림을 통한 인스턴스의 저장

자바에서 데이터를 표현하는 가장 중요한 도구는 인스턴스이다. 따라서 스트림을 통해서 정수, 실수 또는 문자열 같은 기본 데이터들뿐만 아니라, 인스턴스를 통째로 입출력 할 수 있어야 의미 있는 프로그램의 구현이 한결 수월해진다.

■ ObjectInputStream & ObjectOutputStream

이번에 소개할, 인스턴스의 입출력에 사용되는 ObjectInputStream 클래스와 ObjectOutputStream 클래스는 사실상 바이트 스트림에 속한다. 그러나 일반적으로 이 둘은 '오브젝트 스트림'으로 구분 짓는 것이 보통이다. 무엇보다도 이 둘은 사용방법이 필터 스트림과 매우 흡사하다. 그럼에도 불구하고 기술적으로 필터 스트림으로 분류하지 않는다. 필터 스트림이 상속하는 클래스를 상속하지 않기 때문이다.

인스턴스의 입출력이라는 기능에 비해 사용방법은 매우 간단하다. 인스턴스의 저장을 위해서는 ObjectOutputStream 클래스에 정의되어 있는 다음 메소드를 호출하면 된다.

```
public final void writeObject(Object obj) throws IOException
```

반대로 인스턴스의 복원을 위해서는 ObjectInputStream 클래스에 정의되어 있는 다음 메소드를 호출하면 된다.

```
public final Object readObject() throws IOException, ClassNotFoundException
```

단 입출력의 대상이 되는 인스턴스의 클래스는 다음 인터페이스를 구현하거나, 다음 인터페이스를 구현하는 클래스를 상속해야 한다. 즉 직간접적으로 다음 인터페이스를 구현해야 한다.

```
java.io.Serializable
```

인스턴스가 파일에 저장되는 과정을 가리켜 '직렬화(serializable)'라 하고, 파일로부터 인스턴스가 복원되는 과정을 가리켜 '역직렬화(deserializable)'라 하는데, Serializable 인터페이스는 다음의 표시를 목적으로 사용된다. 때문에 추가로 정의해야 할 메소드도 존재하지 않는다.

"이 클래스의 인스턴스는 직렬화를 해도 괜찮습니다."

참 고

파일에 제한되지는 않습니다.

직렬화, 역직렬화라는 단어는 파일에 제한적인 표현이 아니다. 파일이 아니더라도, 다양한 입출력 대상을 통해서 인스턴스의 이동이 이뤄지는 상황에서는 직렬화, 그리고 역직렬화가 발생한다고 표현한다.

이로써 직렬화와 관련된 예제를 작성하는데 필요한 설명은 모두 마쳤다. 그럼 이제 인스턴스가 입출력 되는 현상을 직접 눈으로 확인해보자.

❖ ObjectSerializable.java

```java
1.  import java.io.*;
2.
3.  class Circle implements Serializable
4.  {
5.      int xPos;
6.      int yPos;
7.      double rad;
8.
9.      public Circle(int x, int y, double r)
10.     {
11.         xPos=x;
12.         yPos=y;
13.         rad=r;
14.     }
15.     public void showCirlceInfo()
16.     {
17.         System.out.printf("[%d, %d] \n", xPos, yPos);
18.         System.out.println("rad : "+rad);
19.     }
20. }
21.
22. class ObjectSerializable
23. {
24.     public static void main(String[] args)
25.         throws IOException, ClassNotFoundException
26.     {
27.         /* 인스턴스 저장 */
28.         ObjectOutputStream out=
29.             new ObjectOutputStream(new FileOutputStream("Object.ser"));
30.
31.         out.writeObject(new Circle(1, 1, 2.4));
32.         out.writeObject(new Circle(2, 2, 4.8));
```

```
33.          out.writeObject(new String("String implements Serializable"));
34.          out.close();
35.
36.          /* 인스턴스 복원 */
37.          ObjectInputStream in=
38.              new ObjectInputStream(new FileInputStream("Object.ser"));
39.          Circle cl1=(Circle)in.readObject();
40.          Circle cl2=(Circle)in.readObject();
41.          String message=(String)in.readObject();
42.          in.close();
43.
44.          /* 복원된 정보 출력 */
45.          cl1.showCirlceInfo();
46.          cl2.showCirlceInfo();
47.          System.out.println(message);
48.      }
49. }
```

- 3행 : Circle 클래스가 Serializable 인터페이스를 구현하고 있다. 따라서 Circle 인스턴스는 직렬화의 대상이 될 수 있다.

- 25행 : main 메소드 내에서 호출하는 readObject 메소드는, 경우에 따라 ClassNotFoundException 예외를 던진다. 따라서 이에 대한 예외도 main 메소드 외부로 던지겠다고 선언하고 있다. 물론 여러분은 상황에 맞는 적절한 예외처리를 진행해야 한다.

- 28, 29행 : ObjectOutputStream은 필터 스트림은 아니지만, 연결방법이 필터 스트림과 유사하다. 이 두 문장에서는 파일 Object.ser에 인스턴스의 저장을 위한 스트림을 구성하고 있다.

- 31, 32행 : 두 개의 인스턴스를 생성과 동시에 저장하고 있다. 이후에 복원할 때에는 저장된 순서대로 복원이 이뤄져야 한다.

- 33행 : String 클래스도 Serializable 인터페이스를 구현하고 있다. 따라서 직렬화의 대상이 될 수 있다.

- 37, 38행 : 28, 29행에서 생성한 파일을 대상으로 오브젝트 입력 스트림을 구성하고 있다.

- 39~41행 : 저장된 순으로 인스턴스가 복원되고 있다.

❖ 실행결과 : ObjectSerializable.java

```
[1, 1]
rad : 2.4
[2, 2]
rad : 4.8
String implements Serializable
```

실행결과를 보면 정상적으로 인스턴스가 저장 및 복원되었음을 알 수 있다. 그런데 한가지 더 기억할 것은 인스턴스의 입출력이 리소스 소모가 많은 작업이라는 사실이다. 때문에 과도한 직렬화는 성능에 영향을 줄 수 있다. 하지만 빈번히, 연속적으로 입출력이 발생하는 상황이 아니라면, 그리고 시스템에 크게 영향을 주지 않는 상황이라면, 직렬화의 적절한 활용은 다양한 상황에서 프로그래머의 수고를 덜어주기도 한다.

■ 줄줄이 사탕으로 엮여 들어갑니다.

이번에는 먼저 예제를 제시하겠다. 다음 예제를 통해서 직렬화와 관련된, 필자가 아직 설명하지 않는 특징 하나를 여러분이 찾아보기 바란다.

❖ SerializableInstMember.java

```
1.  /*
2.   * main 메소드는 예제 ObjectSerializable.java와 동일하므로 생략합니다.
3.   */
4.  import java.io.*;
5.
6.  class Point implements Serializable
7.  {
8.      int x, y;
9.
10.     public Point(int x, int y)
11.     {
12.         this.x=x;
13.         this.y=y;
14.     }
15. }
16.
17. class Circle implements Serializable
18. {
19.     Point p;
20.     double rad;
21.
22.     public Circle(int x, int y, double r)
23.     {
24.         p=new Point(x, y);
25.         rad=r;
26.     }
27.     public void showCirlceInfo()
28.     {
29.         System.out.printf("[%d, %d] \n", p.x, p.y);
30.         System.out.println("rad : "+rad);
31.     }
32. }
```

❖실행결과 : SerializableInstMember.java

```
[1, 1]
rad : 2.4
[2, 2]
rad : 4.8
String implements Serializable
```

찾았는가? 여러분이 이미 찾았을 직렬화와 관련된 특징을 한 문장으로 정리하면 다음과 같다.

"직렬화되는 인스턴스의 멤버 변수가 참조하는 인스턴스도 Serializable 인터페이스를 구현한다면, 이 역시도 함께 묶여서 직렬화된다."

위 예제에서 생성한 Circle 인스턴스는 Point의 인스턴스를 참조하여 다음과 같은 모습을 구성한다.

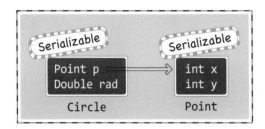

[그림 24-8: Serializable 인스턴스의 참조]

이러한 상황에서 Circle 인스턴스가 직렬화되어 저장이 되면, Circle 인스턴스 변수가 참조하는 Point 인스턴스도 함께 직렬화되어 저장되는데, 위 예제의 실행결과는 이 사실을 증명하고 있다. 그리고 이러한 직렬화의 특성은 참조 관계를 형성하는 인스턴스의 수에 상관없이 일어난다. 예를 들어서 다음과 같은 형태로 인스턴스가 생성되었다고 가정해보자.

[그림 24-9 : Serializable 인스턴스의 참조의 참조]

이 상황에서 AAA 인스턴스가 직렬화되어 저장이 되면, AAA가 참조하는 BBB 인스턴스도, 그리고 BBB가 참조하는 CCC 인스턴스도 함께 직렬화되어 저장이 된다. 모두 다 Serializable 인터페이스를 구현하고 있기 때문이다.

■ 직렬화의 대상에서 제외시키겠다면, transient!

만약에 직렬화의 대상에서 제외시키고픈 인스턴스 변수가 있다면 이를 transient로 선언하면 되는데, 다음 예제를 통해서 이를 확인해 보겠다. 그리고 transient로 선언된 변수는 인스턴스 복원 시 어떠한 값으로 초기화되는지도 함께 관찰을 하자.

❖ TransientMembers.java

```java
1.  import java.io.*;
2.
3.  class PersonalInfo implements Serializable
4.  {
5.      String name;
6.      transient String secretInfo;
7.
8.      int age;
9.      transient int secretNum;
10.
11.     public PersonalInfo(String name, String sInfo, int age, int sNum)
12.     {
13.         this.name=name;
14.         secretInfo=sInfo;
15.         this.age=age;
16.         secretNum=sNum;
17.     }
18.     public void showCirlceInfo()
19.     {
20.         System.out.println("name : "+name);
21.         System.out.println("secret info : "+secretInfo);
22.         System.out.println("age : "+age);
23.         System.out.println("secret num : "+secretNum);
24.         System.out.println("");
25.     }
26. }
27.
28. class TransientMembers
29. {
30.     public static void main(String[] args)
31.         throws IOException, ClassNotFoundException
32.     {
33.         /* 인스턴스 저장 */
```

```
34.        ObjectOutputStream out=
35.            new ObjectOutputStream(new FileOutputStream("Personal.ser"));
36.
37.        PersonalInfo info=new PersonalInfo("John", "baby", 3, 42);
38.        info.showCirlceInfo();
39.        out.writeObject(info);
40.        out.close();
41.
42.        /* 인스턴스 복원 */
43.        ObjectInputStream in=
44.            new ObjectInputStream(new FileInputStream("Personal.ser"));
45.
46.        PersonalInfo recovInfo=(PersonalInfo)in.readObject();
47.        in.close();
48.
49.        /* 복원된 정보 출력 */
50.        recovInfo.showCirlceInfo();
51.    }
52. }
```

해 설

- 6, 9행 : 인스턴스 변수가 transient로 선언되었다. 따라서 이 두 변수는 직렬화의 대상에서 제외된다.
- 50행 : 직렬화 된 인스턴스를 복원해서 얻은 결과를 출력하고 있다. 이 출력결과를 통해서 직렬화의 대상이 어떻게 초기화되는지 확인할 수 있다.

❖실행결과 : TransientMembers.java

```
name : John
secret info : baby
age : 3
secret num : 42

name : John
secret info : null
age : 3
secret num : 0
```

실행결과를 통해서 transient로 선언된 참조변수에는 null이, 그리고 int형 변수에는 0이 저장됨을 알수 있다. 그런데 이는 인스턴스 변수를 별도의 값으로 초기화하지 않을 경우에 자동으로 삽입되는 디폴트 값들이다. 이로써 transient로 선언된 변수들은 복원의 과정에서 별도의 초기화가 이뤄지지 않음을 확인하였다.

24-5 Random Access 파일과 FILE 클래스

지금까지 설명한 I/O를 기반으로는 순차적인 입력 및 순차적인 출력만 가능하였다. 그런데 다른 입출력 대상과 달리, 파일의 경우에는 순차적이지 않은 형태의 접근이 필요한 경우가 많다. 예를 들어서 파일의 중간이나 끝 부분에 저장된 데이터를 먼저 읽어야 하는 경우도 종종 등장한다. 그래서 이러한 상황에서 사용할 수 있는 스트림을 소개하고자 한다.

■ RandomAccessFile 클래스

RandomAccessFile이라는 스트림 클래스가 존재한다. 단 이 스트림은 다음의 특징을 지닌다.

- 입력과 출력이 동시에 이뤄질 수 있다.
- 입출력 위치를 임의로 변경할 수 있다.
- 파일을 대상으로만 존재하는 스트림이다.

사실 스트림이라는 표현에는 "한쪽 방향으로만 형성되는 데이터의 흐름"이라는 의미가 담겨있다. 즉 스트림이라 부르기 위해서는 데이터의 입력 및 출력이 순차적이어야 하고, 입력만 가능하거나 출력만 가능해야 한다. 그래서 엄밀히 말하면 RandomAccesFile 클래스는 스트림 클래스가 아니다. 즉 지금부터 설명하는 내용은 스트림과는 거리가 먼 것으로 생각해도 좋다. 다만 필자는 여러분의 이해를 돕기 위해서 스트림이라는 표현을 사용했을 뿐이니, 이점에 오해 없기 바란다. 그럼 먼저 RandomAccessFile에 정의되어 있는 대표적인 입력 메소드를 소개하겠다.

- public int read() throws IOException
- public int read(byte[] b, int off, int len) throews IOException
- public final int readInt() throws IOException
- public final double readDouble() throws IOException

이제 위 메소드의 이름만 봐도 각각의 기능을 이해할 수 있을 정도가 되었을 것이다. 위에서 보인 것처럼 RandomAccessFile 클래스는 바이트 단위, 그리고 자료형 단위의 데이터 입력이 가능하다. 뿐만 아니라, 다음의 메소드를 통해서 바이트 단위와 자료형 단위의 데이터 출력도 가능하다.

- public void write(int b) throws IOException
- public void write(byte[] b, int off, int len) throws IOException
- public final void writeInt(int v) throws IOException
- public final void writeDouble(double v) throws IOException

무엇보다도 다음의 메소드 호출을 통해서 현재의 입출력 위치를 확인하거나 변경할 수 있는 것이 RandomAccessFile 클래스의 가장 큰 특징이다.

- `public long getFilePointer() throws IOException`
- `public void seek(long pos) throws IOException`

RandomAccessFile의 인스턴스는 내부적으로 입출력의 위치를 계속해서 기록한다. 그런데 그 위치 정보는 getFilePointer 메소드의 호출을 통해서 확인이 가능하다. 반면 seek 메소드의 호출을 통해서 입출력의 위치도 변경할 수도 있다. 이 두 메소드의 사용방법은 어렵지 않으니, 잠시 후에 예제를 통해서 간단히 보이겠다. 그럼 예제를 보기에 앞서 마지막으로 생성자를 소개하겠다.

```
public RandomAccessFile(String name, String mode) throws FileNotFoundException
```

이 생성자의 첫 번째 인자를 통해서는 파일의 이름을 전달한다. 그리고 두 번째 인자를 통해서는 파일의 용도 정보를 전달하는데, 전달할 수 있는 정보의 종류는 다음과 같다.

"r"   읽기 위한 용도

"rw"   읽고 쓰기 위한 용도

즉 두 번째 인자로 "r"을 전달하면 '읽기'만 가능하다. 때문에 생성자의 첫 번째 인자로 전달한 이름의 파일이 존재하지 않으면 예외가 발생한다. 반면 "rw"를 전달하면 '읽기'와 '쓰기'가 동시에 가능하다. 뿐만 아니라 파일이 존재하지 않으면 새로운 이름의 파일을 생성하기도 한다.
자! 이로써 RandomAccessFile 관련 예제를 위해서 필요한 모든 설명을 마쳤다. 그러니 이제 예제를 통해서 눈으로 직접 확인해 볼 차례이다.

❖ RandomFileReadWrite.java

```
1.    import java.io.*;
2.
3.    class RandomFileReadWrite
4.    {
5.        public static void main(String[] args) throws IOException
6.        {
7.            RandomAccessFile raf=new RandomAccessFile("data.bin", "rw");
8.            System.out.println("Write..............");
9.            System.out.printf("현재 입출력 위치 : %d 바이트 \n", raf.getFilePointer());
10.
11.           raf.writeInt(200);
12.           raf.writeInt(500);
13.           System.out.printf("현재 입출력 위치 : %d 바이트 \n", raf.getFilePointer());
14.
15.           raf.writeDouble(48.65);
16.           raf.writeDouble(52.24);
17.           System.out.printf("현재 입출력 위치 : %d 바이트 \n", raf.getFilePointer());
```

```
18.
19.        System.out.println("Read.............");
20.        raf.seek(0);    // 맨 앞으로 이동
21.        System.out.printf("현재 입출력 위치 : %d 바이트 \n", raf.getFilePointer());
22.
23.        System.out.println(raf.readInt());
24.        System.out.println(raf.readInt());
25.        System.out.printf("현재 입출력 위치 : %d 바이트 \n", raf.getFilePointer());
26.
27.        System.out.println(raf.readDouble());
28.        System.out.println(raf.readDouble());
29.        System.out.printf("현재 입출력 위치 : %d 바이트 \n", raf.getFilePointer());
30.        raf.close();
31.    }
32. }
```

- 7행 : "rw" 모드로 파일을 생성하고 있다. 따라서 입력과 출력이 동시에 가능하다.
- 9행 : getFilePointer 메소드를 통해서 현재의 입출력 위치를 확인하고 있다. 파일을 생성한 직 후이므로 당연히 위치는 0이다(0은 맨 앞을 의미함).
- 11~13행 : writeInt 메소드의 호출을 통해서 두 개의 정수를 저장한 다음에 다시 입출력 위치를 확인하고 있다. 4바이트씩 총 2개의 데이터가 삽입되었으므로 입출력 위치는 8로 증 가된다(입출력 위치가 맨 앞에서 8바이트 뒤로 이동하였으므로).
- 20행 : 데이터의 저장이 완료된 다음에 seek 메소드를 호출하면서 0을 인자로 전달하고 있다. 이 는 0바이트의 위치로(맨 앞으로) 입출력 위치를 변경하라는 의미이다. 즉 seek 메소드는 인자로 전달된 값에 해당하는 바이트 위치로 입출력의 위치를 변경시킨다.
- 23~25행 : readInt 메소드의 호출을 통해서 두 개의 정수를 읽어 들였으므로, 입출력 위치는 다 시 8이 증가한다.

❖실행결과 : RandomFileReadWrite.java

```
Write.............
현재 입출력 위치 : 0 바이트
현재 입출력 위치 : 8 바이트
현재 입출력 위치 : 24 바이트

Read.............
현재 입출력 위치 : 0 바이트
200
500
현재 입출력 위치 : 8 바이트
48.65
52.24
현재 입출력 위치 : 24 바이트
```

일반적으로 영상, 음성과 같은 멀티미디어 파일은 포맷에 따라서 처음이 아닌, 마지막 부분을 먼저 읽어야 하는 상황이 종종 발생한다. 따라서 이러한 경우에는 RandomAccessFile 클래스가 유용하게 사용될 수 있다.

문 제 24-4 [마지막에 저장된 데이터 Read!]

Question

예제 RandomFileReadWrite.java에서 생성한 파일의 마지막에는 8바이트 double형 데이터가 저장되어 있다. 파일을 열어서 이 부분의 데이터만 읽어서 출력하는 프로그램을 작성해 보자. 참고로 RandomAccessFile 클래스에 정의되어 있는 다음의 메소드를 활용하면 보다 쉽게 문제를 해결할 수 있다.

```
public long length() throws IOException
```

이 메소드가 반환하는 값에 대해서는 필자가 별도로 언급하지 않겠으니(답안에서 언급한다), API 문서를 통해서 여러분이 직접 확인하기 바란다. 뭐 솔직히 API 문서를 참조하지 않아도 알 수 있을 정도로 메소드의 이름이 직관적이긴 하지만 말이다.

■ File 클래스

지금까지의 설명을 통해서 여러분은 파일을 대상으로 데이터를 입출력 할 수 있게 되었다. 그러나 다음과 같은 일의 처리는 불가능하다.

- 디렉터리의 생성, 소멸
- 파일의 소멸
- 디렉터리 내에 존재하는 파일이름 출력

이렇듯 입출력이 아닌, 파일 및 디렉터리 관련 연산을 위해서 자바는 File이라는 이름의 클래스를 별도로 제공하고 있다. File 클래스는 데이터의 입출력 이외에, 파일 또는 디렉터리와 관련된 일의 처리를 위해 디자인 된 클래스이다. File 클래스 안에는 매우 다양한 메소드가 정의되어 있는데, 이들을 바탕으로 활용할만한 예제 몇몇을 작성해 보고자 한다. 먼저 다음 상황에 대한 예제를 작성해 보겠다.

"C 드라이브에 JavaDir이라는 이름의 디렉터리를 생성하고, C 드라이브에 저장되어 있는 파일 MyFile.dat를 이곳으로 옮기자!"

위의 상황을 연출하기 위해서는 '디렉터리의 생성'과 '파일의 이동'이 가능해야 한다. 이중에서 디렉터리의 생성에는 다음 두 메소드 중 하나를 사용하면 된다.

- `public boolean mkdir()`
- `public boolean mkdirs()`

그런데 위의 두 메소드를 호출하려면, 일단 File 인스턴스를 생성해야 한다. 즉 자바에서의 디렉터리 생성은 다음의 과정을 거쳐서 이뤄진다.

```
public static void main(String[] args) throws IOException
{
    File myDir=new File("C:\\YourJava\\JavaDir");    // 디렉터리 위치 정보
    myDir.mkdir();   // 디렉터리 생성
    . . . .
}
```

위 예제에서 보이듯이, File 인스턴스는 파일 또는 디렉터리 정보를 표현하는 용도로 사용된다. 그리고 파일의 실질적인 조작은 인스턴스 생성 이후에 호출되는 메소드를 통해서 이뤄진다. 참고로 위 예제의 최종 목표는 JavaDir이라는 이름의 디렉터리 생성에 있다. 그런데 이 디렉터리는 C 드라이브에 존재하는 YourJava 디렉터리의 하위 디렉터리로 생성하려 하고 있다. 만약에 C 드라이브에 YourJava라는 디렉터리가 존재하지 않으면, 위의 코드에서는 예외가 발생한다. 하지만 mkdir 메소드를 대신해서 mkdirs 메소드를 호출하면 예외가 발생하지 않고, C 드라이브에 YourJava라는 디렉터리까지 함께 생성된다. 이제 mkdir과 mkdirs의 차이점이 이해되는가? 그럼 이번에는 '파일의 이동'과 관련된 메소드를 소개하겠다.

```
public boolean renameTo(File dest)
```

사실 이 메소드는 파일의 이름을 변경하는 메소드이다. 그런데 이 메소드는 파일을 이동시키는 용도로도 사용이 가능하다. 사용하는 방법은 다음과 같다.

```
public static void main(String[] args) throws IOException
{
    File myFile=new File("C:\\MyJava\\my.bin");
    File reFile=new File("C:\\YourJava\\my.bin");
    myFile.renameTo(reFile);       // 파일의 이동
    . . . .
}
```

위 코드에서는 두 개의 File 인스턴스를 생성하고 있다. 하나는 원본의 위치정보를 담고 있으며, 또 하나는 원본이 옮겨질 위치정보를 담고 있다. 그리고 이어서 renameTo 메소드를 이용해서 myFile이 가리키는 파일이름을 reFile이 가리키는 파일이름으로 바꿔 놓았다. 이는 사실 파일의 이름을 변경한 것인데, 여기서 말하는 파일이름에는 디렉터리의 경로정보가 포함되어 있다. 그리고 디렉터리의 경로정보 변경은 파일의 이동으로 이어진다.

이 정도 설명이 되었으면, File 클래스의 사용원리를 이해했을 것이다. 그럼 앞서 언급한 디렉터리의 생성과 파일의 이동을 하나의 예제에 담아보겠다. 더불어 앞서 설명하지 않은 메소드도 예제를 통해서 소개하겠다. 참고로 다음 예제의 실행을 위해서는 C 드라이브에 MyJava라는 디렉터리를 만들고, 이 디렉터리에 파일을 하나 가져다 놓아야 한다. 그리고 파일의 이름은 my.bin으로 변경해야 한다.

❖ FileMove.java

```java
1.   import java.io.File;
2.
3.   class FileMove
4.   {
5.       public static void main(String[] args)
6.       {
7.           File myFile=new File("C:\\MyJava\\my.bin");
8.           if(myFile.exists()==false)
9.           {
10.              System.out.println("원본 파일이 준비되어 있지 않습니다.");
11.              return;
12.          }
13.
14.          File reDir=new File("C:\\YourJava");
15.          reDir.mkdir();
16.          File reFile=new File(reDir, "my.bin");
17.          myFile.renameTo(reFile);
18.          if(reFile.exists()==true)
19.              System.out.println("파일 이동에 성공하였습니다.");
20.          else
21.              System.out.println("파일 이동에 실패하였습니다.");
22.      }
23.  }
```

- 7행 : 이동의 대상이 되는 파일정보를 File 인스턴스에 담고 있다.
- 8행 : exists 메소드는 해당 정보의 파일이 실제로 존재하는지 확인할 때 호출하는 메소드이다. 해당 파일이 실제로 존재하면 true를, 그렇지 않으면 false를 반환한다.
- 14행 : 이동할 위치 정보를 File 인스턴스에 담고 있다. 여기서 중요한 사실은 디렉터리 정보만 담았다는 것이다. 이렇듯 File 인스턴스에는 디렉터리 정보만 담는 것도 가능하다.
- 15행 : 이동할 위치에 해당하는 디렉터리를 생성하고 있다. 바로 이러한 목적으로 14행에서는 파일의 이름정보를 제외한 디렉터리 정보만을 담은 것이다.
- 16행 : 이 문장에서는 정보의 추가 방법을 보이고 있다. 이렇듯 기존의 File 인스턴스를 대상으로 디렉터리 이름이나 파일이름을 추가하여 새로운 File 인스턴스를 생성하는 것도 가능하다. 이 문장에 의해서 reDir의 경로정보에 "my.bin"이라는 파일의 이름정보가 추가되어 새로운 File 인스턴스가 생성된다.
- 17, 18행 : 이제 드디어 renameTo 메소드 호출을 통해서 파일의 위치를 이동시키고 있다. 그리고 이어서 이동의 성공여부를 확인하고 있다.

파일 이동에 성공하였습니다.

위 예제가 마음에 드는가? 필자는 특히 마음에 들지 않는 부분이 한군데 있다. 그 부분으로 인해서 자바의 다음 특징이 소멸되었기 때문이다.

```
Write once, run anywhere!
```

한번 작성된 자바코드는, 코드의 변경 없이 어디서든 실행이 가능하다는 의미이다. 그런데 위 예제의 경우에는 이러한 특징이 소멸되었다. 바로 다음과 같은 문장이 삽입되었기 때문이다.

```
C:\MyJava\my.bin
```

문자 '\'는 큰 따옴표 안에서 두 개를 이어서 붙여야 하나의 '\' 문자를 표현하는 셈이 되기 때문에(이유는 Chapter 12에서 설명) 다음과 같이 표현되었을 뿐이니, 이에 대한 혼란이 없기를 바란다.

```
"C:\\MyJava\\my.bin"
```

그런데 문제는 이러한 표현방식이 Windows의 표현방식이라는데 있다. Windows 운영체제는 문자 '\'를 디렉터리 또는 파일이름의 구분자로 사용한다. 반면 Linux 운영체제는 문자 '/'를 구분자로 사용한다. 때문에 앞서 작성한 예제는 Windows 기반에서만 제대로 동작한다. 그렇다면 어떻게 예제를 변경해야 운영체제에 상관없이 실행이 가능할까? File 클래스에 선언된 다음 두 상수(final로 선언되었으므로 상수라 표현한다) 중 하나를 활용하면 된다.

```
public static final String separator
public static final char separatorChar
```

static으로 선언된 이 두 상수에는 운영체제 별 구분자 정보가 문자열, 또는 문자의 형태로 저장되어 있다. 즉 Windows 기반의 자바 환경에서는 이 두 상수에 Windows의 구분자 정보가 담겨있다. 반면 Linux 기반의 자바 환경에서는 이 두 멤버에 Linux의 구분자 정보가 담겨있다. 때문이 이 값을 이용하면, 우리는 구분자에 신경을 쓰지 않아도 된다. 그럼 앞서 구현한 예제를 운영체제에 상관없이 실행 가능하도록 변경해 보겠다.

❖ FileMoveOSIndepen.java

```
1.   import java.io.File;
2.
3.   class FileMoveOSIndepen
4.   {
```

```
5.        public static void main(String[] args)
6.        {
7.            File myFile=
8.                new File("C:"+File.separator+"MyJava"+File.separator+"my.bin");
9.            if(myFile.exists()==false)
10.           {
11.               System.out.println("원본 파일이 준비되어 있지 않습니다.");
12.               return;
13.           }
14.
15.           File reDir=new File("C:"+File.separator+"YourJava");
16.           reDir.mkdir();
17.           File reFile=new File(reDir, "my.bin");
18.           myFile.renameTo(reFile);
19.           if(reFile.exists()==true)
20.               System.out.println("파일 이동에 성공하였습니다.");
21.           else
22.               System.out.println("파일 이동에 실패하였습니다.");
23.       }
24. }
```

이 예제의 8행과 15행에서는 File.separator를 사용했으므로, 자바의 실행환경에 따라서 적절한 구분자가 삽입된다. 그럼 이제 위 예제는 운영체제에 완전히 독립적으로 동작할 수 있을까? 안타깝게도 위 예제는 여전히 Windows에서밖에 동작하지 않는다. 이유는 C 드라이브, D 드라이브라는 것이 Windows의 파일 시스템에만 존재하기 때문이다. 하지만 이는 절대경로의 한계일 뿐, 상대경로를 기반으로 프로그램을 작성하면, 운영체제에 종속적이지 않은 완벽한 코드가 완성된다. 자! 그럼 절대경로와 상대경로에 대해서 알아보자.

■ 상대경로를 기반으로 예제를 작성하자!

현재의 디렉터리 위치를 기준으로 디렉터리의 경로정보를 설명한 것을 가리켜 '상대경로'라 하고, 드라이브 명을 기준으로 디렉터리의 경로정보를 설명해 놓은 것을 가리켜 절대경로라 한다. 예를 들어서 다음은 상대경로를 표현해 놓은 것이다.

"이 디렉터리의 하위 디렉터리인 MyJava에 저장된 파일들"

반면 다음은 절대경로를 표현해 놓은 것이다.

"C 드라이브에 존재하는 YourJava 디렉터리에 저장된 파일들"

즉 상대경로는 기준이 되는 디렉터리에 따라서 의미하는 바가 달라지지만, 절대경로는 기준이 되는 디렉터리가 존재하지 않으므로 항상 일정한 디렉터리를 의미하게 된다.

"오! 그럼 절대경로가 더 좋은 것이군요!"

오해다! 둘을 비교해서 무엇이 무엇보다 더 좋다! 라고 말하는 것 자체가 다소 문제는 있지만, 단순하게 말한다면, 실무에서는 상대경로가 더 유용한 상황이 대부분이다. 예를 들어서 다음과 같은 코드가 구성되어 있다고 가정해 보자.

```java
File myFile=new File("D:\\MyJava\\my.txt");
```

D 드라이브? 물론 대부분의 시스템에서 하드디스크를 C와 D로 나눠서 사용하기 때문에 이는 합리적인 코드로 볼 수 있다. 그러나 D 드라이브를 가지고 있지 않은 컴퓨터는 어떻게 할 셈인가? 어디 이뿐인가? C, D의 개념으로 드라이브를 나누지 않는 Linux와 같은 운영체제에서는 어떻게 실행할 셈인가? 다시 한번 말하지만 상대경로가 더 유용하다. 그럼 상대경로의 구성 예를 보이겠다. 먼저 현재 프로그램이 실행중인 디렉터리를 가리켜 '현재 디렉터리(current directory)'라 부르기로 하자. 그럼 현재 디렉터리의 하위 디렉터리인 AAA는 다음과 같이 표현하면 된다.

```java
File subDir1=new File("AAA");
```

그리고 현재 디렉터리의 하위 디렉터리인 AAA의 하위 디렉터리인 BBB는 다음과 같이 표현하면 된다.

```java
File subDir2=new File("AAA\\BBB");
```

단 File.separator를 이용해서 다음과 같이 구성을 해야 운영체제에 상관없이 실행이 가능하다.

```java
File subDir3=new File("AAA"+File.separator+"BBB");
```

그럼 지금 설명한 내용을 바탕으로 매우 간단한 예제를 하나 작성해 보겠다. 참고로 이 예제를 통해서도 앞서 설명하지 않은 매우 단순한 기능의 메소드를 함께 소개하겠다.

❖ RelativePath.java

```java
1.    import java.io.File;
2.
3.    class RelativePath
4.    {
5.        public static void main(String[] args)
6.        {
7.            File curDir=new File("AAA");
8.            System.out.println(curDir.getAbsolutePath());
9.
10.           File upperDir=new File("AAA"+File.separator+"BBB");
11.           System.out.println(upperDir.getAbsolutePath());
12.       }
13.   }
```

- 7, 10행 : 앞서 설명한 상대경로를 기준으로 File 인스턴스를 생성하고 있다.
- 8, 11행 : getAbsolutePath 메소드는 File 인스턴스에 등록되어 있는 경로정보를 절대경로의 형태로 반환한다.

❖ 실행결과 : RelativePath.java

```
C:\MyJava\YourJava>java RelativePath
C:\MyJava\YourJava\AAA
C:\MyJava\YourJava\AAA\BBB
```

위 예제의 실행결과는 실행하는 디렉터리의 위치에 따라서 달라지기 때문에, 실행하는 위치 정보까지 함께 실었다. 비록 예제는 간단하지만 운영체제에 상관없이 실행이 가능한 코드의 작성을 위한 하나의 모델을 제시했기 때문에 여러분에게 나름대로 의미가 있을 것이다. 이제 마지막으로 특정 디렉터리에 존재하는 파일과 디렉터리 정보의 출력 예를 보이겠다. 이 예제는 File 클래스의 인스턴스 메소드를 추가로 소개하는데 그 의미가 있다.

❖ ListFileDirectoryInfo.java

```
1.   import java.io.File;
2.
3.   class ListFileDirectoryInfo
4.   {
5.       public static void main(String[] args)
6.       {
7.           File myDir=new File("MyDir");
8.           File[] list=myDir.listFiles();
9.
10.          for(int i=0; i<list.length; i++)
11.          {
12.              System.out.print(list[i].getName());
13.              if(list[i].isDirectory())
14.                  System.out.println("\t \t DIR");
15.              else
16.                  System.out.println("\t \t FILE");
17.          }
18.      }
19.  }
```

 해 설

- 8행 : listFiles 메소드는 디렉터리에 존재하는 파일과 디렉터리 정보를 반환한다. 단 File의 배열 형태로 반환한다. 물론 String의 형태로 파일 또는 디렉터리의 이름만 반환하는 메소드도 존재한다. 그러나 File의 배열 형태로 정보를 얻어야 보다 다양한 작업을 간결히 처리할 수 있다.

- 12행 : getName 메소드는 문자열의 형태로 파일 또는 디렉터리의 이름을 반환한다.
- 13행 : isDirectory 메소드는 인스턴스의 정보가 디렉터리의 정보인지 확인하기 위한 메소드이다.

❖ 실행결과 : ListFileDirectoryInfo.java

```
JavaCode              DIR
JavaProject           DIR
RelativePath.class           FILE
RelativePath.java            FILE
SoundJava.class              FILE
```

이로써 File과 관련된 설명을 마무리하고자 한다. 그런데 우리는 아직 다음과 같은 내용의 코드를 구성해 본 경험이 없다(상대경로 기준).

"현재 디렉터리 또는 상위 디렉터리의 정보를 기반으로 File 인스턴스 생성"

앞서 보인 것처럼 항상 하위 디렉터리만을 대상으로 프로그래밍을 할 수는 없지 않은가? 때문에 현재 디렉터리를 대상으로도, 상위 디렉터리를 대상으로도 프로그래밍할 수 있어야 한다. 그래서 필자는 이와 관련된 문제를 여러분에게 제시하고자 한다. 하위 디렉터리의 접근 방법을 알고 있다면, API 문서를 참조하여 상위 디렉터리의 접근 방법도 찾을 수 있어야 한다. 정말로 그런 능력을 길러야 한다!

문제 24-5 [현재 디렉터리와 상위 디렉터리의 정보 추출]

Question

프로그램이 실행중인 현재 디렉터리의 이름과 현재 디렉터리의 상위 디렉터리 이름을 출력 하고, 각각의 디렉터리에 존재하는 모든 파일 또는 디렉터리의 이름을 출력하는 예제를 작 성해 보려고 한다(파일인지 디렉터리인지에 대한 정보까지 출력). 그런데 이는 생각만큼 간 단하지 않다. 따라서 필자는 다음의 정보를 여러분에게 제시하고자 한다.

- 현재 디렉터리의 절대경로를 얻는 방법
    → String workingDir=System.getProperty("user.dir");

다소 어렵게 들릴 수도 있겠지만, 현재 디렉터리의 이름은 시스템 정보에 해당이 된다. 그 리고 시스템 정보를 얻기 위해서는 System.getProperty 메소드를 활용해야 한다. 이 메소드를 통해서 얻을 수 있는 정보들을 조금 정리해 보면 다음과 같다.

```
os.name              운영체제의 이름
java.home            자바가 설치된 경로정보
user.dir             현재 디렉터리의 절대경로
```

| java.version | JRE(가상머신을 포함하는 자바의 실행환경)의 버전정보 |

왼편에 존재하는 것이 정보를 얻기 위한 Key이다. 따라서 Key를 문자열의 형태로 getProperty 메소드의 인자로 전달하면, Key에 해당하는 정보를 문자열의 형태로 얻을 수 있다.

필자는 이정도 힌트만 여러분에게 제공하겠다. 물론 이 문제의 해결을 위해서는 조금 더 알아야 할 것이 있으나, 이는 API 문서의 File 클래스 부분을 참조해서 여러분 스스로 알아낼 수 있으리라 믿는다.

■ File 클래스 기반의 I/O 스트림 형성

이제 마지막으로 하나만 더 이야기하고자 한다. 앞서 우리는 파일을 기반으로 스트림을 형성할 때, 다음의 형태를 취하였다.

```
OutputStream out=new FileOutputStream("data.bin");
```

즉 파일의 이름을 직접 명시해서 스트림을 형성하였다. 하지만 파일 관련 스트림의 생성자를 보면, File 인스턴스를 기반으로 스트림의 형성이 가능하다는 것을 알 수 있다. 다음은 File 인스턴스를 인자로 전달받는, 파일 관련 스트림의 생성자들이다.

- public FileInputStream(File file)　　// FileInputStream의 생성자
　　　　throws FileNotFoundException

- public FileOutputStream(File file)　　// FileOutputStream의 생성자
　　　　throws FileNotFoundException

- public FileReader(File file)　　// FileReader의 생성자
　　　　throws FileNotFoundException

- public FileWriter(File file)　　// FileWriter의 생성자
　　　　throws IOException

만약에 파일의 유효성 검사 등 파일과 관련된 컨트롤이 더불어 필요하다면, File 인스턴스를 먼저 생성해서 파일의 유효성 검사를 마친 다음에 위 유형의 생성자를 통해서 스트림을 형성하는 것이 낫다. 즉 다음의 형태로 스트림을 형성하는 것이 낫다.

```
File inFile=new File("data.bin");
if(inFile.exists()==false)
```

```
    {
        // 데이터를 읽어 들일 대상 파일이 존재하지 않음에 대한 적절한 처리
    }
    InputStream in=new FileInputStream(inFile);
```

위의 코드는 File 인스턴스를 먼저 생성하면, 스트림 생성 이전에 유효성 검사가 가능하고, 유효성 검사에 사용되었던 File 인스턴스를 통해서 스트림도 형성할 수 있음을 보이고 있다. 그런데 이뿐만이 아니다. 스트림을 통한 입출력 작업을 완료한 다음에도 참조변수 inFile이 참조하는 File 인스턴스가 유효하기 때문에 이를 이용한 파일의 컨트롤이 가능하다.

이로써 I/O 스트림에 대한 설명을 마치고자 한다. 그리고 이 Chapter를 정리하는 이 시점에서, 여러분이 많은 종류의 스트림 클래스에 관심을 두기보다는 앞서 설명한 스트림의 원리와 구조에 더 관심을 두었으면 한다는 개인적인 의견을 말씀 드리고 싶다. 그것이 정말로 스트림에 강해질 수 있는 방법이라고 믿기 때문이다.

24-6 단계별 프로젝트 : 전화번호 관리 프로그램 08단계

이번에 진행할 프로젝트의 주제는 너무나도 명확하다. 우리가 지금까지 구현해온 전화번호 관리 프로그램은 프로그램이 종료되면, 저장했던 데이터도 그냥 소멸되는 구조였다. 따라서 이번 단계에서는 프로그램이 종료되어도 저장했던 데이터가 남아있도록 프로젝트를 확장해 보겠다.

■ 전화번호 관리 프로그램 08단계 문제

프로그램이 종료되면 프로그램의 실행 중에 입력된 데이터를 파일에 저장하고, 프로그램이 다시 실행되면 파일에 저장된 데이터를 프로그램상으로 복원하는 기능을 추가하자. 그래서 한번 저장된 데이터는 프로그램상에서 계속 유지되도록 하자. 몇 번이건 프로그램을 재실행해도 말이다. 단 파일로의 데이터 입출력은 인스턴스 단위로 진행을 하자. 즉 ObjectInputStream 클래스와 ObjectOutputStream 클

래스 기반으로 스트림을 생성해서 데이터를 입출력하자는 뜻이다.

■ 도움 한마디!

본 프로젝트에서 파일에 저장되어야 할 인스턴스의 자료형은 다음과 같이 총 세가지 이다.

- PhoneInfo class
- PhoneUnivInfo class
- PhoneCompanyInfo class

그런데 거의 모든 상황에서 PhoneInfo형 참조변수로 인스턴스를 참조하고 있다. 그렇다면 다음과 같은 방식으로 파일에 인스턴스를 저장하면 과연 무엇이 저장되겠는가?

```
ObjectOutputStream out= new ObjectOutputStream(new FileOutputStream("Personal.ser"));
PhoneInfo info1=new PhoneUnivInfo( . . . . );
out.writeObject(info1);
PhoneInfo info1=new PhoneCompanyInfo( . . . . );
out.writeObject(info2);
```

ObjectOutputStream 기반으로 인스턴스를 저장하기 위해서는 writeObject 메소드를 호출하면서 참조변수를 전달해야 한다. 그런데 여기서 중요한 것은 참조변수의 자료형이 아니라, 참조변수가 실제로 참조하는 인스턴스의 자료형이다. 즉 위의 코드에서 info1과 info2는 모두 PhoneInof형 참조변수이 지만, 실제 참조하는 대상이 각각 PhoneUnivInfo 인스턴스와 PhoneCompanyInfo 인스턴스이기 때문에 실제로 저장되는 대상은 PhoneUnivInfo 인스턴스와 PhoneCompanyInfo 인스턴스이다.

■ 전화번호 관리 프로그램 08단계 프로그램의 실행 예

❖ 실행의 예 : 처음 프로그램을 실행해서 데이터를 저장한 상황

```
선택하세요...
1. 데이터 입력
2. 데이터 검색
3. 데이터 삭제
4. 프로그램 종료
선택 : 1
데이터 입력을 시작합니다..
1. 일반, 2. 대학, 3. 회사
선택>> 2
이름 : 한영숙
전화번호 : 010-9999-8888
```

전공 : **컴퓨터공학**
학년 : 3
데이터 입력이 완료되었습니다.

선택하세요...
1. 데이터 입력
2. 데이터 검색
3. 데이터 삭제
4. 프로그램 종료
선택 : 1
데이터 입력을 시작합니다..
1. 일반, 2. 대학, 3. 회사
선택〉〉 3
이름 : **윤지숙**
전화번호 : **010-7777-9999**
회사 : **SUN MICRO SYS.**
데이터 입력이 완료되었습니다.

선택하세요...
1. 데이터 입력
2. 데이터 검색
3. 데이터 삭제
4. 프로그램 종료
선택 : 4
프로그램을 종료합니다.

❖ 실행의 예 : 프로그램을 재실행해서 기존에 저장된 데이터를 검색하는 상황

선택하세요...
1. 데이터 입력
2. 데이터 검색
3. 데이터 삭제
4. 프로그램 종료
선택 : 2
데이터 검색을 시작합니다..
이름 : **한영숙**
name : 한영숙
phone : 010-9999-8888
major : 컴퓨터공학
year : 3
데이터 검색이 완료되었습니다.

선택하세요...

```
    1. 데이터 입력
    2. 데이터 검색
    3. 데이터 삭제
    4. 프로그램 종료
    선택 : 2
    데이터 검색을 시작합니다..
    이름 : 윤지숙
    name : 윤지숙
    phone : 010-7777-9999
    company : SUN MICRO SYS.
    데이터 검색이 완료되었습니다.
```

■ 필자의 구현 사례

단계별 프로젝트의 막바지에 도달했으므로, 이번에는 이전 프로젝트와 일부 중복이 되더라도 전체 코드를 한번 싣도록 하겠다. 이는 다음 Chapter에서 진행되는 단계별 프로젝트의 마지막 단계의 진행에 도움을 주고자 하는 의도도 일부 포함되어 있다. 참고로 다음 단계의 프로젝트에서는 GUI의 설계를 진행하기 때문에 코드의 변화가 비교적 많은 편이다.

❖ PhoneBookVer08.java

```java
/*
 * 전화번호 관리 프로그램 구현 프로젝트
 * Version 0.8
 */

import java.util.Scanner;
import java.util.HashSet;
import java.util.Iterator;
import java.io.*;

interface INIT_MENU
{
    int INPUT=1, SEARCH=2, DELETE=3, EXIT=4;
}

interface INPUT_SELECT
{
    int NORMAL=1, UNIV=2, COMPANY=3;
}

class MenuChoiceException extends Exception
{
    int wrongChoice;

    public MenuChoiceException(int choice)
    {
        super("잘못된 선택이 이뤄졌습니다.");
```

```java
            wrongChoice=choice;
        }

        public void showWrongChoice()
        {
            System.out.println(wrongChoice+"에 해당하는 선택은 존재하지 않습니다.");
        }
    }

class PhoneInfo implements Serializable
{
    String name;
    String phoneNumber;

    public PhoneInfo(String name, String num)
    {
        this.name=name;
        phoneNumber=num;
    }

    public void showPhoneInfo()
    {
        System.out.println("name : "+name);
        System.out.println("phone : "+phoneNumber);
    }

    public int hashCode()
    {
        return name.hashCode();
    }

    public boolean equals(Object obj)
    {
        PhoneInfo cmp=(PhoneInfo)obj;
        if(name.compareTo(cmp.name)==0)
            return true;
        else
            return false;
    }
}

class PhoneUnivInfo extends PhoneInfo
{
    String major;
    int year;

    public PhoneUnivInfo(String name, String num, String major, int year)
    {
        super(name, num);
        this.major=major;
        this.year=year;
    }

    public void showPhoneInfo()
    {
        super.showPhoneInfo();
        System.out.println("major : "+major);
        System.out.println("year : "+year);
    }
}
```

Chapter24 파일과 I/O 스트림 **769**

```java
class PhoneCompanyInfo extends PhoneInfo
{
    String company;

    public PhoneCompanyInfo(String name, String num, String company)
    {
        super(name, num);
        this.company=company;
    }

    public void showPhoneInfo()
    {
        super.showPhoneInfo();
        System.out.println("company : "+company);
    }
}

class PhoneBookManager
{
    private final File dataFile=new File("PhoneBook.dat");
    HashSet<PhoneInfo> infoStorage=new HashSet<PhoneInfo>();

    static PhoneBookManager inst=null;
    public static PhoneBookManager createManagerInst()
    {
        if(inst==null)
            inst=new PhoneBookManager();

        return inst;
    }

    private PhoneBookManager()
    {
        readFromFile();
    }

    private PhoneInfo readFriendInfo()
    {
        System.out.print("이름 : ");
        String name=MenuViewer.keyboard.nextLine();
        System.out.print("전화번호 : ");
        String phone=MenuViewer.keyboard.nextLine();
        return new PhoneInfo(name, phone);
    }

    private PhoneInfo readUnivFriendInfo()
    {
        System.out.print("이름 : ");
        String name=MenuViewer.keyboard.nextLine();
        System.out.print("전화번호 : ");
        String phone=MenuViewer.keyboard.nextLine();
        System.out.print("전공 : ");
        String major=MenuViewer.keyboard.nextLine();
        System.out.print("학년 : ");
        int year=MenuViewer.keyboard.nextInt();
        MenuViewer.keyboard.nextLine();
        return new PhoneUnivInfo(name, phone, major, year);
    }
```

```java
    private PhoneInfo readCompanyFriendInfo()
    {
        System.out.print("이름 : ");
        String name=MenuViewer.keyboard.nextLine();
        System.out.print("전화번호 : ");
        String phone=MenuViewer.keyboard.nextLine();
        System.out.print("회사 : ");
        String company=MenuViewer.keyboard.nextLine();
        return new PhoneCompanyInfo(name, phone, company);
    }

    public void inputData() throws MenuChoiceException
    {
        System.out.println("데이터 입력을 시작합니다..");
        System.out.println("1. 일반, 2. 대학, 3. 회사");
        System.out.print("선택>> ");
        int choice=MenuViewer.keyboard.nextInt();
        MenuViewer.keyboard.nextLine();
        PhoneInfo info=null;

        if(choice<INPUT_SELECT.NORMAL || choice>INPUT_SELECT.COMPANY)
            throw new MenuChoiceException(choice);

        switch(choice)
        {
        case INPUT_SELECT.NORMAL :
            info=readFriendInfo();
            break;
        case INPUT_SELECT.UNIV :
            info=readUnivFriendInfo();
            break;
        case INPUT_SELECT.COMPANY :
            info=readCompanyFriendInfo();
            break;
        }

        boolean isAdded=infoStorage.add(info);
        if(isAdded==true)
            System.out.println("데이터 입력이 완료되었습니다. \n");
        else
            System.out.println("이미 저장된 데이터입니다. \n");
    }

    public void searchData()
    {
        System.out.println("데이터 검색을 시작합니다..");

        System.out.print("이름 : ");
        String name=MenuViewer.keyboard.nextLine();

        PhoneInfo info=search(name);
        if(info==null)
        {
            System.out.println("해당하는 데이터가 존재하지 않습니다. \n");
        }
        else
        {
            info.showPhoneInfo();
            System.out.println("데이터 검색이 완료되었습니다. \n");
        }
```

```java
    }
    public void deleteData()
    {
        System.out.println("데이터 삭제를 시작합니다..");

        System.out.print("이름 : ");
        String name=MenuViewer.keyboard.nextLine();

        Iterator<PhoneInfo> itr=infoStorage.iterator();
        while(itr.hasNext())
        {
            PhoneInfo curInfo=itr.next();
            if(name.compareTo(curInfo.name)==0)
            {
                itr.remove();
                System.out.println("데이터 삭제가 완료되었습니다. \n");
                return;
            }
        }

        System.out.println("해당하는 데이터가 존재하지 않습니다. \n");
    }

    private PhoneInfo search(String name)
    {
        Iterator<PhoneInfo> itr=infoStorage.iterator();
        while(itr.hasNext())
        {
            PhoneInfo curInfo=itr.next();
            if(name.compareTo(curInfo.name)==0)
                return curInfo;
        }
        return null;
    }

    public void storeToFile()
    {
        try
        {
            FileOutputStream file=new FileOutputStream(dataFile);
            ObjectOutputStream out=new ObjectOutputStream(file);

            Iterator<PhoneInfo> itr=infoStorage.iterator();
            while(itr.hasNext())
                out.writeObject(itr.next());

            out.close();
        }
        catch(IOException e)
        {
            e.printStackTrace();
        }
    }

    public void readFromFile()
    {
        if(dataFile.exists()==false)
            return;
```

```
                try
                {
                        FileInputStream file=new FileInputStream(dataFile);
                        ObjectInputStream in=new ObjectInputStream(file);

                        while(true)
                        {
                                PhoneInfo info=(PhoneInfo)in.readObject();
                                if(info==null)
                                        break;
                                infoStorage.add(info);
                        }

                        in.close();
                }
                catch(IOException e)
                {
                        return;
                }
                catch(ClassNotFoundException e)
                {
                        return;
                }
        }
}

class MenuViewer
{
        public static Scanner keyboard=new Scanner(System.in);

        public static void showMenu()
        {
                System.out.println("선택하세요...");
                System.out.println("1. 데이터 입력");
                System.out.println("2. 데이터 검색");
                System.out.println("3. 데이터 삭제");
                System.out.println("4. 프로그램 종료");
                System.out.print("선택 : ");
        }
}

class PhoneBookVer08
{
        public static void main(String[] args)
        {
                PhoneBookManager manager=PhoneBookManager.createManagerInst();
                int choice;

                while(true)
                {
                        try
                        {
                                MenuViewer.showMenu();
                                choice=MenuViewer.keyboard.nextInt();
                                MenuViewer.keyboard.nextLine();

                                if(choice<INIT_MENU.INPUT || choice>INIT_MENU.EXIT)
                                        throw new MenuChoiceException(choice);

                                switch(choice)
```

```
                    {
                    case INIT_MENU.INPUT :
                        manager.inputData();
                        break;
                    case INIT_MENU.SEARCH :
                        manager.searchData();
                        break;
                    case INIT_MENU.DELETE :
                        manager.deleteData();
                        break;
                    case INIT_MENU.EXIT :
                        manager.storeToFile();
                        System.out.println("프로그램을 종료합니다.");
                        return;
                    }
                }
                catch(MenuChoiceException e)
                {
                    e.showWrongChoice();
                    System.out.println("메뉴 선택을 처음부터 다시 진행합니다.\n");
                }
            }
        }
    }
```

■ 문제 24-1의 답안

PrintStream은 필터 출력 스트림이다. 따라서 이름에 Output이 들어가지 않았다는 사실이 다소 이상하게 생각될 수 있다. 그런데 이는 출력 스트림만 존재하는 필터 스트림이기 때문에 그렇다.

❖ 소스코드 답안

```
1.    import java.io.*;
2.
3.    class MyInfo
4.    {
5.        String info;
6.        public MyInfo(String info){ this.info=info; }
7.        public String toString(){ return info; }
8.    }
9.
10.   class PrintStreamToFile
11.   {
12.       public static void main(String[] args) throws IOException
13.       {
14.           OutputStream out=new FileOutputStream("println.txt");
15.           PrintStream pntOut=new PrintStream(out);
16.
17.           MyInfo mInfo=new MyInfo("저는 자바 프로그래머입니다.");
18.
19.           pntOut.println("제 소개를 하겠습니다.");
20.           pntOut.println(mInfo);
21.           pntOut.printf("나이 %d, 몸무게 %dkg입니다.", 24, 72);
22.           pntOut.close();
23.       }
24.   }
```

■ 문제 24-2의 답안

질문 "바이트 스트림이 존재함에도 불구하고, 문자 스트림이 별도로 필요한 이유는 무엇인가?"에 대한 적절한 답변은 다음과 같다.

　"운영체제의 기본 인코딩 방식으로의 인코딩을 자동화하기 위해서!"

인코딩의 자동화와 관련된 언급만 있으면, 위의 답변과 차이를 많이 보일지라도 좋은 답변으로 간주할 수 있다.

■ 문제 24-3의 답안

BufferedWriter는 FileWriter와 PrintWriter의 중간에 삽입될 수 있는 필터 스트림임을 파악할 수 있어야 한다. 그리고 예제에서 작성한 파일에는 문자열이 저장되어 있으므로, 문자열 전부를 읽기 위한 코드를 추가로 삽입하면 된다.

❖ 소스코드 답안

```java
1.  import java.io.*;
2.
3.  class BufferedPrintWriter
4.  {
5.      public static void main(String[] args) throws IOException
6.      {
7.          /* write */
8.          FileWriter out=new FileWriter("printf.txt");
9.          PrintWriter bufOut=new PrintWriter(new BufferedWriter(out));
10.
11.         bufOut.printf("제 나이는 %d살 입니다.", 24);
12.         bufOut.println("");
13.
14.         bufOut.println("저는 자바가 좋습니다.");
15.         bufOut.print("특히 I/O 부분에서 많은 매력을 느낍니다.");
16.         bufOut.close();
17.
18.         /* read */
19.         String str;
20.         BufferedReader in=
21.             new BufferedReader(new FileReader("printf.txt"));
22.         while(true)
23.         {
24.             str=in.readLine();
25.             if(str==null)
26.                 break;
27.
28.             System.out.println(str);
29.         }
30.         in.close();
31.     }
32. }
```

■ 문제 24-4의 답안

메소드 length는 파일의 크기를 바이트 단위로 계산해서 반환한다. 따라서 이 메소드의 반환 값을 이용하면 쉽게 파일의 끝으로 입출력의 위치를 이동시킬 수 있다.

❖ 소스코드 답안

```java
1.  import java.io.*;
2.
3.  class FruitSalesMain3
4.  {
```

```
5.     public static void main(String[] args) throws IOException
6.     {
7.         RandomAccessFile raf=new RandomAccessFile("data.bin", "r");
8.         raf.seek(raf.length()-8);        // 맨 끝에서 8바이트 앞으로 이동
9.         System.out.println(raf.readDouble());
10.        raf.close();
11.    }
12. }
```

■ 문제 24-5의 답안

필자는 상위 디렉터리의 정보를 얻는데 사용되는 File 클래스의 getParentFile 메소드의 발견을 여러분의 몫으로 남겨두었다. 이 메소드만 발견했다면 쉽게 해결이 가능한 문제이다.

❖ 소스코드 답안

```
1.  import java.io.File;
2.
3.  class CurrentUpperDir
4.  {
5.      public static void showDirList(File[] list)
6.      {
7.          for(int i=0; i<list.length; i++)
8.          {
9.              System.out.print(list[i].getName());
10.             if(list[i].isDirectory())
11.                 System.out.println("\t \t DIR");
12.             else
13.                 System.out.println("\t \t FILE");
14.         }
15.     }
16.
17.     public static void main(String[] args)
18.     {
19.         String workingDir=System.getProperty("user.dir");
20.         System.out.println(workingDir);
21.
22.         File currentDir=new File(workingDir);
23.         System.out.println("현재 디렉터리 : "+currentDir.getName());
24.         showDirList(currentDir.listFiles());
25.
26.         File upperDir=currentDir.getParentFile();
27.         System.out.println("상위 디렉터리 : "+upperDir.getName());
28.         showDirList(upperDir.listFiles());
29.     }
30. }
```

25

Swing 컴포넌트와 이벤트 핸들링

이제 마지막 Chapter에 들어섰다. 이번 Chapter에서는 말도 많고, 의견도 분분한 자바 GUI 프로그래밍에 대해서 언급하겠다. 따라서 이전 Chapter들과는 달리 가벼운 마음으로 읽어 내려갔으면 좋겠다. 필자도 이전 Chapter들과는 다른 방식으로 이야기를 풀어나갈 테니 말이다.

프로그램과 프로그램 사용자 사이에서 데이터를 주고받기 위한 용도도 디자인된, 멋진 프로그램 창(윈도우)을 가리켜 GUI(Graphical User Interface)라 한다. 그리고 Swing은 GUI를 만드는데 사용되는 자바 패키지의 이름이다.

■ 자바 GUI 프로그래밍에 대한 생각들

Swing을 공부하는 것도 중요하지만, 자바 GUI에 대한 일반적인 시각과 평가를 이해하는 것도 중요하다. 그래서 이와 관련된 내용을 먼저 언급하고자 한다.

자바는 서버(Server) 프로그램의 개발에도 사용이 가능하지만, 일반 사용자의 클라이언트 (Client) 프로그램 개발에도 사용이 가능하다. 그러나 정작 자바는 서버 프로그램의 개발에만 주로 사용이 되었고, 솔직히 말해서(정말로 솔직히 말해서) 클라이언트 프로그램의 개발에서

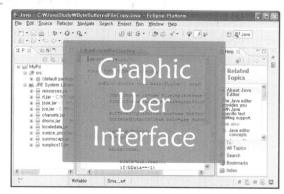

는 거의 외면을 받아왔다(필자는 국내외의 사례를 들면서, 자바 기반의 클라이언트 개발이 긍정적인 이유를 필자가 재직했던 회사에 주장한적도 있다. 그러니 자바에 대한 클라이언트 개발에 편견을 가진 사람으로 오해하지 않았으면 좋겠다).

물론 처음부터 외면을 받았던 것은 아니다. 아니 오히려 클라이언트 개발로 인해서 자바의 인기가 한층 더 올라간 적도 있었다. 자바 프로그램은 인터넷 익스플로러(Explorer)와 같은 인터넷 브라우저상에서도 실행이 가능한데(이러한 형태로 동작하는 자바 프로그램을 가리켜 애플릿(Applet)이라 한다), 이는 웹(Web) 기술의 발전이 한창인 1990년대 후반에 엄청난 붐을 일으켰다. 그러나 여러 가지 이유로 애플릿의 인기는 급격히 줄어들었으며, 필자는 애플릿 기반으로 프로그램을 개발한다는 소리를 마지막으로 들은 것이 언제인지 조차 기억나지 않을 정도가 되었다.

그렇다고 해서 자바가 클라이언트 영역의 소프트웨어 개발을 포기한 것은 아니다. 클라이언트 프로그램의 새로운 흐름으로 인정받고 있는 RIA(Rich Internet Application) 기반의 개발무기로, 자바 진영에서는 자바FX(JavaFX)라는 플랫폼을 내 놓았으며, 이러한 움직임으로 인해, 다시 한번 클라이언트 영역에서의 영광이 재현될 수 있기를 기대할 수 있게 되었다.

■ AWT, Swing에 대한 이해와 생각들

자바 기반의 초기 클라이언트 GUI 개발에는 AWT라는 패키지가 사용되었다. 그러나 이 패키지는 운영체제에 종속적인 GUI 패키지이다(운영체제가 제공해 주는 기능을 기반으로 만들어졌다는 의미). 때문에 운영체제 별로 일관된 화면을 보이지 못했으며(동일한 코드라 하더라도), 프로그래머가 독자적인 AWT 컴포넌트를 설계할 경우 운영체제 별도 상당부분을 수정해야만 활용할 수 있었다. 결국 이러한 불편함은 자바의 모토가 되는 "Write Once, Run Anywhere"의 개념에 부합하지 못하는 것이었다. 이렇듯 AWT는 자바의 골칫거리였다.

그런데 얼마 지나지 않아서 이러한 골칫거리를 한방에 날려버린(스윙~ 해버린) 패키지가 등장하였으니, 그 이름도 다름아닌 Swing이었다. Swing은 AWT와 달리 운영체제가 제공하는 GUI의 기능을 활용하지 않는, 순수 자바로만 구현된 패키지이다. 따라서 운영체제의 종류에 상관없이 동일한 화면을 보이는 등 AWT의 단점은 완전히 해결하였지만, 속도가 상대적으로 AWT에 비해 느리다는 단점이 있었다. 이래저래 AWT와 Swing은 GUI 개발이 상당부분을 차지하는 클라이언트 개발에 있어서 부족한 것이 사실이었다. 때문에 이클립스(www.eclipse.org)에서 개발한 SWT의 사용이 또 하나의 대안이 되어왔고, 실제로 AWT와 Swing에 비해 비교적 좋은 평가를 받아왔다.

그렇다면 결론은 무엇인가? AWT와 Swing을 공부하지 말고 SWT라는 걸 공부하라는 뜻인가? 물론 그런 뜻은 아니다. 필자는 잠시 후에 플렉스(Flex)에 대해 간단히 소개할 텐데, 이후에 여러분이 플렉스를 공부하던 SWT를 공부하던, AWT와 Swing에 대한 경험은 매우 큰 도움이 된다. 때문에 필자는 여러분에게 Swing을 설명하고픈 것이다. 참고로 AWT와 Swing은 그 형태가 매우 유사하다. 때문에 AWT에 대한 경험이 있다면 Swing 기반으로의 개발도 가능하고, 반대로 Swing에 대한 경험이 있다면 AWT 기반으로의 개발도 가능하다. 때문에 이 둘을 동시에 책에서 설명하는 것은 매우 큰 낭비라 생각이 되어(두 가지 다 책에 실어 놓으면 아마도 여러분이 필자에게 뭐라 할 것이다), 여러분에게 Swing을 대상으로 GUI 프로그래밍에 대해 설명하고자 한다.

AWT, Swing 컴포넌트

개념적으로 컴포넌트라는 것은 둘 이상의 클래스로 구성이 된다. 그런데 AWT, 그리고 Swing에서 말하는 컴포넌트는 AWT와 Swing을 구성하는 클래스 하나하나를 지칭하는 용도로 사용이 된다.

■ 내가 디자이너야? 프로그래머야?

프로그래머들에 대한 GUI의 고민은 이미 오래 전부터 시작되었다. 소프트웨어는 기능도 중요하지만 이에 못지 않게 외관도 중요하다. 때문에 회사에서는 가급적 좋은 디자인을 요구한다. 여기서 말하는 좋은 디자인이란 다음 두 가지 모두를 만족하는 디자인이다.

"예뻐야 해! 정말로 많이 예뻐야 해!"

"사용하기 어렵지 않아야 해! 사용이 불편하면 안돼!"

이중에서 사용에 불편함이 없는 디자인은 공학적 측면에서의 접근이 가능하다. 컴퓨터와의 상호작용에 관한 사항이기 때문에 이를 전문적으로 연구하는 전문가도 존재한다. 뿐만 아니라, 컴퓨터공학의 한 분야로 인정받을 정도로 전문화 된 영역이다. 하지만 대부분의 사람들이 매우 다양한 소프트웨어의 사용경험이 있기 때문에, 사용의 편의를 고려한 디자인에 대한 감은 누구나 조금씩 가지고 있다. 즉 위의 두 번째 조건을 만족시키는 것은 프로그래머의 입장에서 크게 신경이 쓰이지 않는다. 하지만 첫 번째 조건을 만족시키는 것은, 그것도 프로그래머가 이를 만족시키는 것은 쉬운 일이 아니다. 물론 프로그래머이면서 미(美)에 대한 인식과 표현이 남다른 친구들도 있다. 하지만 이는 극히 일부분이고, 필자가 경험한 대부분의 프로그래머들은 미에 대한 인식과 표현에 익숙지 않았다. 그래서 규모가 어느 정도 되는 프로젝트에는 별도의 GUI 디자이너를 참가시킨다. 그렇다면 이것으로 문제가 해결되는 것일까? 사실 문제는 여기서부터 시작된다. 왜냐하면 디자이너가 그린 그림도 결국에는 프로그래머에 의해서 코드로 표현되어야 하기 때문이다.

- 디자이너   이 디자인으로 구현해 주세요
- 프로그래머   그렇게 하려면 코드의 양이 엄청나게 늘어나요.
                          그리고 지금 구현해 놓은 코드의 일부를 수정해야 하는데요.

- 디자이너   그래도 이렇게 해야 예쁘지 않나요?
- 프로그래머   네, 그럼 그렇게 하도록 노력해 보죠.

첫 번째 대화가 있은 후 며칠 뒤...

- 디자이너   제가 말씀 드린 것과는 조금 차이가 있네요.
                          이 부분을 수정해야 할 것 같은데요.
- 프로그래머   제 눈에는 똑같아 보이는데요, 아닌가요?

- 디자이너   그리고 여기 이 부분은 수정을 조금하면 좋겠는데요.
- 프로그래머   아! 그러면 코드 많이 고쳐야 해요. 진작 좀 말씀해 주시죠.

이는 지금도 어디선가 주고받고 있을지 모르는 디자이너와 프로그래머의 대화이다. 자! 그렇다면 이러한 문제를 어떻게 해결해야겠는가? 아니 이러한 문제가 발생한 이유는 무엇이겠는가? 디자인은 디자이너의 업무가 되어야 하는데, 이에 프로그래머가 너무 깊게 관여되었기 때문에 발생한 문제이다. 결국 이 문제의 해결책은 다음과 같이 정리가 된다.

"소프트웨어의 GUI는 디자이너가 완성하게 한다. GUI에 관련된 코드까지도 말이다. 그리고 프로그래머는 소프트웨어의 기능에만 신경을 쓰도록 한다."

이는 디자이너가 전문 프로그래머가 되어야 함을 뜻하는 것이 아니다. 위의 해결방안에는 다음과 같은 대안이 존재한다.

> "프로그래머가 아니더라도 누구나 쉽게 익혀서 사용할 수 있는, GUI 디자인에 사용이 가능한 스크립트 언어 또는 태그를 만들어서 디자이너에게 제공한다. 게다가 일일이 스크립트로 GUI를 표현하는 것은 일에 부담이 되니, 스크립트가 자동으로 생성되는 GUI 저작 소프트웨어를 디자이너에게 제공한다. 그래서 디자이너는 마우스만 이용해도 GUI를 디자인할 수 있도록 한다."

이상적인 이야기처럼 들리지만, 이러한 모델을 바탕으로 실제 소프트웨어가 제작되고 있다. 그리고 이러한 모델의 프로그래밍이 가능한 구조로 소프트웨어의 개발 방법이 계속해서 진화하고 있다. 참고로 이에 대한 가장 대표적인 예로 어도비(Adobe)사에서 개발한 플렉스(Flex)라는 것이 있다.

■ 자바 개발자라면 플렉스를 한번 공부해 보세요

플렉스는 액션스크립트(ActionScript)라는 언어를 기반으로 한다. 언어의 이름에 스크립트라는 단어가 들어가다 보니, 프로그래밍 언어로서 제 구실을 못하는 단순한 스크립트로만 인식하는 경우를 종종 보게 되는데, 더도 말고 딱 30분만 액션스크립트에 대해서 조사하면, 자바 못지않은 문법 체계를 지니는 프로그래밍 언어임을 알게 될 것이다. 그렇다고 해서 전혀 새로운 언어는 아니다. 자바를 알면 딱 하루만 투자해도 쉽게 사용이 가능한, 자바와 성격이 매우 유사한(그리고 더더욱 유사하게 진화하고 있는) 언어이다. 어쨌든 플렉스는 프로그래머를 위해서 액션스크립트라는 언어를 제공한다. 반면 GUI 디자이너에게는 MXML이라는 태그를 제공한다. 이는 HTML과 그 형태가 매우 유사한, 디자이너를 위한 태그일 뿐만 아니라, 이 태그조차 직접 입력하지 않아도 되게끔 GUI 편집용 소프트웨어를 별도로 제공하고 있다. 즉 앞서 말한 것처럼 디자이너는 마우스만 이용해서 GUI 관련 코드를 작성할 수 있는 것이다. 그리고 어도비가 어떠한 회사인지 알면, 플렉스가 제공하는 GUI의 품질에 대해서는 두말하면 잔소리임을 알게 될 것이다.

> "그럼 자바 접고 플렉스를 공부할까요?"

절대 안될 말이다! 자세한 언급에는 한계가 있지만, 자바와 플렉스는 하나의 프로젝트에 동시에 활용이 된다. 때문에 자바 개발자가 플렉스를 이해할 때 그만큼 더 가치를 인정받을 수 있다. 그리고 이어서 소개하는 Swing을 공부하면, 그만큼 플렉스에도 쉽게 접근이 가능하다. 따라서 이제부터는 Swing의 공부에 집중하기 바란다.

Swing을 공부하는 것은 그 나름의 재미가 있다. 지금까지는 명령 프롬프트상에서 동작하는 프로그램만 작성하지 않았는가? 하지만 이제부터는 우리가 흔히 접하는 GUI 기반의 프로그램 개발 방법에 대해서 이야기할 것이다.

■ The Swing Tutorial

Swing 컴포넌트의 대부분을 제대로 소개하려면 최소한 600~700페이지 이상의 분량이 이 책에 추가되어야 한다. 필자가 가지고 있는 다음 Swing 관련서적이 800페이지 정도의 분량이기 때문이다.

The JFC Swing Tutorial : A Guide to Constructing GUIs (2nd Edition)

때문에 여러분이 지금 보고 있는 이 책에서 Swing을 완벽히 설명하는 데는 무리가 있다. 그러나 여러분이 Swing 기반의 프로그래밍을 하는데 부족함이 없도록, 그리고 java.sun.com에 있는 문서 'The Swing Tutorial'을 레퍼런스 형태로 참조해서 Swing 기반의 코드를 작성하는데 충분할 만큼 필자는 Swing을 설명할 생각이다. 참고로 'The Swing Tutorial'이라는 이름으로 알려진 이 문서는 현재 아래의 주소에서 확인할 수 있다.

http://java.sun.com/docs/books/tutorial/uiswing/

■ Swing 프로그래밍에 대한 이해

먼저 Swing의 구성요소와 Swing의 프로그래밍 방법을 전체적으로 알아보는 시간을 갖고자 한다. 세세한 내용은 이후에 별도로 진행이 되니, 일단은 Swing에 대한 전체적인 이해와 공부해야 할 내용들로는 어떤 것들이 있는지 살펴보기로 하자. 그럼 이를 위해서 다음 예제를 실행해보자. 우리는 이 예제를 통해서 간단하게나마 GUI가 어떻게 만들어지고 표현되는지 알 수 있다.

❖ FirstSwing.java

```
1.   import java.awt.*;
2.   import javax.swing.*;
3.
4.   class FirstSwing
5.   {
6.       public static void main(String[] args)
7.       {
```

```
8.          JFrame frm=new JFrame("First Swing");
9.          frm.setBounds(120, 120, 400, 100);
10.         frm.setLayout(new FlowLayout());
11.
12.         JButton btn1=new JButton("My Button");
13.         JButton btn2=new JButton("Your Button");
14.         JButton btn3=new JButton("Our Button");
15.
16.         frm.add(btn1);
17.         frm.add(btn2);
18.         frm.add(btn3);
19.         frm.setVisible(true);
20.     }
21. }
```

위 예제의 실행을 통해서 다음의 GUI창이 뜨는 것을 확인했을 것이다. 그럼 먼저 여러분 스스로 GUI창과 소스코드를 비교하기 바란다. 그리고 GUI창이 그려지는 원리를 나름대로 파악하기 바란다.

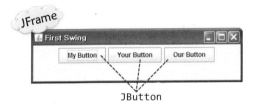

[그림 25-1: 첫 번째 Swing GUI]

위 그림에서 보이듯이 골격이 되는 창은 JFrame의 인스턴스이다. 그리고 그 안에 존재하는 버튼은 JButton의 인스턴스이다. 이렇듯 GUI를 구성하는 컴포넌트 하나하나마다 클래스가 정의되어 있다. 그럼 이제 위의 코드를 보다 자세히 분석하면서 Swing 프로그래밍에 대한 원리를 설명해보겠다. main 메소드의 첫 번째 행에서는 다음과 같이 JFrame의 인스턴스를 생성하고 있다.

```
JFrame frm=new JFrame("First Swing");
```

생성자의 이름으로 전달된 문자열이 타이틀 바(제목 표시줄)에 표시된 것은 쉽게 확인이 가능하다. 그런데 여기서 JFrame이 상속하는 클래스 중에서 다음 클래스가 존재함에 주목할 필요가 있다.

```
java.awt.Container
```

위의 클래스를 상속하는 모든 클래스는 다음의 특징을 갖게 된다.

"다른 Swing 컴포넌트를, 그리고 AWT 컴포넌트를 얹을 수(추가할 수) 있습니다."

즉 javax.swing.JFrame은 단순히 눈에 보이는 골격이 아니다. JButton과 같은 다른 Swing 컴포넌트를 위에 얹을 수 있는, 말 그대로 컨테이너의 역할을 하는 컴포넌트이다. 그래서 위 예제 16~18행에서는 12~14행에서 생성한 JButton 인스턴스를 add 메소드의 호출을 통해서 JFrame의 위에 얹고 있다. 그렇다면 여기서 호출한 add 메소드는 어디에 정의되어 있는 메소드이겠는가? 당연히 java.awt.Container 클래스에 정의되어 있는 메소드이다.

그럼 이번에는 9행을 보자. 9행에서는 setBounds 메소드를 호출하고 있다. 이 메소드는 JFrame 클래스가 상속하는 java.awt.Windows 클래스에 다음과 같이 정의되어 있다.

```
public void setBounds(int x, int y, int width, int height)
```

즉 매개변수 x, y를 통해서 GUI창의 위치를 지정하고, 매개변수 width, height를 통해서 GUI창의 가로, 세로 크기를 지정한다. 그럼 이번에는 10행을 보자. 10행에서는 setLayout이라는 메소드를 다음의 형태로 호출하고 있다.

```
frm.setLayout(new FlowLayout());
```

setLayout 메소드는 JFrame에 얹을 컴포넌트의 배치 방법을 지정하는 메소드이다. 물론 배치와 관련이 있으니 당연히 이 메소드는 java.awt.Container 클래스에 정의되어 있다. 그런데 인자로 전달되는 정보를 보니 FlowLayout이라는 클래스의 인스턴스인데, 이는 다음의 의미로 해석할 수 있다.

"나는 컴포넌트의 배치를 FlowLayout 인스턴스에게 위임한다."

즉 위의 setLayout 메소드 호출로 인해서 16~18행에서 버튼을 얹을 때, 이들에 대한 배치는 FlowLayout 인스턴스가 담당을 하게 된다(별도의 배치정보를 전달하지도 않았는데 잘 배치되지 않았는가? 이는 FlowLayout 인스턴스의 덕분이다). 따라서 이러한 유형의 인스턴스를 가리켜 '배치 관리자(Layout Manager)'라 하며, Swing에는 여러 종류의 배치 관리자가 존재하고 있다.

이제 마지막으로 19행을 보자. 위의 코드에서 JFrame 인스턴스를 생성하고, JButton 컴포넌트를 얹는 등의 과정을 거쳤지만, setVisible 메소드가 호출되면서 true가 인자로 전달되기 전에는 우리 눈에 GUI창이 보이지 않는다(false가 전달되면, 보였던 GUI창도 다시 사라진다). 그래서 마지막에는 setVisible 메소드의 호출이 필요하다.

 참고

상속하는 모든 상위 클래스를 참조하세요.

대부분의 Swing 컴포넌트는 Object 클래스 이외에 최소 둘 이상의 클래스를 간접적으로 상속하고 있다. 따라서 API 문서에서 Swing 컴포넌트의 메소드를 찾을 때에는 해당 클래스가 상속하는 상위 클래스의 메소드도 함께 참조해야 한다.

참고로 GUI창의 우측 상단에 있는 X버튼을 누른다고 해서 프로그램이 완전히 종료되지는 않는다. 따라서 당분간은 프로그램의 완전 종료를 위해서 명령 프롬프트상에서 Ctrl+C키를 입력하기 바란다.

■ Swing과 AWT 코드의 비교, 그리고 exit 메소드

앞서 필자가 Swing에 대한 경험이 있으면, AWT 기반으로도 프로그래밍이 가능하다고 하였는데, 그럼 이 둘이 얼마나 유사한지 확인해보겠다. 다음 예제는 앞서 보인 FirstSwing.java를 AWT 버전으로 바꿔놓은 것이다.

❖ FirstAWT.java

```java
1.    import java.awt.*;
2.
3.    class FirstAWT
4.    {
5.        public static void main(String[] args)
6.        {
7.            Frame frm=new Frame("First Swing");
8.            frm.setBounds(120, 120, 400, 100);
9.            frm.setLayout(new FlowLayout());
10.
11.           Button btn1=new Button("My Button");
12.           Button btn2=new Button("Your Button");
13.           Button btn3=new Button("Our Button");
14.
15.           frm.add(btn1);
16.           frm.add(btn2);
17.           frm.add(btn3);
18.           frm.setVisible(true);
19.       }
20.   }
```

코드를 비교해보면, JFrame을 대신해서 Frame이 사용되고, JButton을 대신해서 Button이 사용된 것이 유일한 차이점임을 알 수 있다. 이렇듯 Swing과 AWT는 매우 유사하다. 특히 FlowLayout과 같이 일부 클래스는 양쪽 패키지에서 동시에 사용되기도 한다. 그러나 AWT의 GUI창을 보면, Swing과는 차이가 있음을 알 수 있다. 그리고 AWT의 GUI창은 앞서 보인 Swing과 달리, 어떠한 운영체제에서 실행하느냐에 따라서 그 모습이 달라진다.

[그림 25-2: AWT GUI]

또한 AWT의 GUI창은 우 상단에 있는 X버튼을 눌러도 GUI창 조차 소멸되지 않는다. 때문에 창의 소멸을 위해서는 명령 프롬프트상에서 Ctrl+C키를 입력해야 한다. 만약에 X버튼이 눌렸을 때 프로그램이 종료되기를 원한다면 코드를 다음과 같이 확장해야 한다.

❖ FirstAWTExitEvent.java

```
1.   import java.awt.*;
2.   import java.awt.event.*;
3.
4.   class FirstAWTExitEvent
5.   {
6.       public static void main(String[] args)
7.       {
8.           Frame frm=new Frame("First Swing");
9.           frm.setBounds(120, 120, 400, 100);
10.          frm.setLayout(new FlowLayout());
11.
12.          WindowListener listen=new WindowAdapter()
13.          {
14.              public void windowClosing(WindowEvent ev)
15.              {
16.                  System.exit(0);     // 프로그램의 종료 명령 메소드
17.              }
18.          };
19.
20.          frm.addWindowListener(listen);
21.
22.          Button btn1=new Button("My Button");
23.          Button btn2=new Button("Your Button");
24.          Button btn3=new Button("Our Button");
25.
26.          frm.add(btn1);
27.          frm.add(btn2);
28.          frm.add(btn3);
29.          frm.setVisible(true);
30.      }
31. }
```

위의 예제는 지금 당장 이해하라고 제시한 것이 아니다. 지금은 이 코드가 의미하는 바를 알 수 없다(X버튼 눌렸을 때 종료되는 것만 확인하자). 하지만 진도가 어느 정도 나간 후에는 쉽게 분석이 가능하다. 바로 그때를 위해 제시한 예제이다. 다만 위 예제 16행에서 호출하는 exit 메소드에 대해서는 조금 설명을 하겠다. 이 메소드는 System 클래스에 다음과 같이 정의되어 있다.

```
public static void exit(int status)
```

그리고 정수 하나를 인자로 전달하면서 위 메소드를 호출하게 되는데, 일반적으로 0은 정상적인 프로그램 종료를 의미하기 위해서, 0 이외의 값은 비정상적인 프로그램 종료를 의미하기 위해서 인자로 전달된다. 그렇다면 0을 전달해서 프로그램을 종료하는 것과 0이 아닌 값을 전달해서 프로그램을 종료하는 것에는 어떤 차이가 있을까? 예제 FirstAWTExitEvent.java의 입장에서는 차이가 없다. 하지만 이 값은 자바 가상머신에게 전달되었다가 다른 자바 프로그램에 의해서 참조가 가능한 값이다. 따라서 이 값을 참조하는 다른 자바 프로그램에서는 이 값을 통해서 예제 FirstAWTExitEvent.java의 정상종료 여부를 확인할 수 있다.

그냥 여기서 이야기를 마무리하면 아쉬운 감이 있으니, 예제를 하나 제시하겠다. Swing과는 조금 거리가 있는 예제라도 말이다. 이 예제는 FirstAWTExitEvent.class 파일이 존재하는 디렉터리 상에서 실행을 하자.

❖ RunningProcess.java

```
1.   import java.io.*;
2.
3.   class RunningProcess
4.   {
5.       public static void main(String[] args) throws IOException, InterruptedException
6.       {
7.           Process proc=Runtime.getRuntime().exec("java FirstAWTExitEvent");
8.           proc.waitFor();
9.
10.          if(proc.exitValue()==0)
11.              System.out.println("잘 종료되었군!");
12.          else
13.              System.out.println("무엇인가 문제가 있어!");
14.      }
15.  }
```

7행에서 호출하는 Runtime.getRuntime 메소드는 현재 실행중인 프로그램의 환경정보를 얻는 데 사용할 수 있는 Runtime 인스턴스의 참조 값을 반환한다. 물론 필자는 Runtime의 static 메소드가 Runtime 인스턴스의 참조 값을 반환하는 것에 어색함을 느끼지 않을 것으로 믿는다. 우리가 진행하는 단계별 프로젝트에서도 이와 동일한 형태의 코드를 직접 구현해 본 경험이 있기 때문이다(PhoneBookManager 클래스의 인스턴스 생성방식이 이와 유사하다). 그리고 이렇게 반환되는 Runtime 인스턴스에는 명령 프롬프트 창에 명령문을 전달하는 기능의 exec 메소드가 정의되어 있다. 즉 7행은 명령 프롬프트상에 다음 명령을 전달하는 문장이다.

```
java FirstAWTExitEvent
```

그리고 이로 인해 FirstAWTExitEvent.java가 실행됨은 물론이다(결과적으로 자바 프로그램상에서 다른 자바 프로그램을 실행한 꼴이 되었다). 프로그램 실행 이후에 메소드 exec는 Process 인스턴스의 참조 값을 반환하는데, 이 인스턴스를 이용해서 우리는 다음의 두 메소드를 호출할 수 있다.

- waitFor   프로그램이 종료되기를 기다린다.
- exitValue   프로그램의 종료 값(exit value)를 얻는다.

여기서 말하는 종료 값이라는 것은 exit 메소드 호출 시 인자로 전달된 값을 의미한다. 즉 위 예제 8행에서는 waitFor 메소드의 호출을 통해서 7행에서 실행한 프로그램의 종료를 기다리며, 10행에서는 종료되는 과정에서 전달된 값을 참조하고 있다. exit 메소드의 전달인자와 관련해서는 이 정도만 설명하겠다.

■ 이벤트 리스너(Event Listener)에 대한 간단한 소개

다시 본론으로 돌아와서, 예제 FirstSwing.java를 통해서 GUI창은 만들었지만 GUI창에 존재하는 버튼은 현재 아무런 기능도 하지 않고 있다. 그래서 이번에는 버튼이 눌렸을 때, 이에 대한 액션이 발생하도록 예제를 변경해 보겠다.

❖ EventHandler.java

```
1.    import java.awt.*;
2.    import java.awt.event.*;
3.    import javax.swing.*;
4.
5.    class MouseEventHandler implements MouseListener
6.    {
7.        /* 마우스 버튼이 클릭되었을 때(눌렀다 풀렸을 때) 호출됩니다. */
8.        public void mouseClicked(MouseEvent e)
9.        {
10.           JButton button=(JButton)e.getComponent();
11.           button.setText("Clicked");
12.           System.out.println("Clicked Button"+e.getButton());
13.           System.out.println("마우스 버튼 눌렀다 풀림");
14.       }
15.
16.       /* 마우스 커서가 버튼 위에 올라가면 호출됩니다. */
17.       public void mouseEntered(MouseEvent e)
18.       {
19.           System.out.println("커서 버튼 위 진입");
20.       }
21.
22.       /* 마우스 커서가 버튼을 빠져나가면 호출됩니다. */
23.       public void mouseExited(MouseEvent e)
24.       {
25.           System.out.println("커서 버튼 위 탈출");
26.       }
27.
```

```
28.        /* 마우스 버튼이 눌리는 순간 호출됩니다. */
29.        public void mousePressed(MouseEvent e)
30.        {
31.            System.out.println("마우스 버튼 눌림");
32.        }
33.
34.        /* 마우스 버튼이 풀리는 순간 호출됩니다. */
35.        public void mouseReleased(MouseEvent e)
36.        {
37.            System.out.println("마우스 버튼 풀림");
38.        }
39. }
40.
41. class EventHandler
42. {
43.     public static void main(String[] args)
44.     {
45.         JFrame frm=new JFrame("First Swing");
46.         frm.setBounds(120, 120, 400, 100);
47.         frm.setLayout(new FlowLayout());
48.
49.         JButton btn1=new JButton("My Button");
50.         MouseListener listener=new MouseEventHandler();
51.         btn1.addMouseListener(listener);
52.
53.         JButton btn2=new JButton("Your Button");
54.         btn2.addMouseListener(listener);
55.
56.         JButton btn3=new JButton("Our Button");
57.         btn3.addMouseListener(listener);
58.
59.         frm.add(btn1);
60.         frm.add(btn2);
61.         frm.add(btn3);
62.         frm.setVisible(true);
63.     }
64. }
```

위 예제의 핵심은 5행에 정의된 클래스에 있다. 이 클래스는 MouseListener라는 인터페이스를 구현하고 있는데, MouseListener에는 총 여섯 개의 메소드가 정의되어 있으며, 각각의 메소드는 마우스로부터 특정 이벤트가 발생했을 때 호출되도록 약속되어 있다. 참고로 여기서 말하는 이벤트라는 것은 프로그램 사용자가 마우스를 통해서 취하는 액션을 의미한다.

이렇게 정의된 클래스의 인스턴스가 50행에서 생성되고, 이 인스턴스는 51, 54, 57행의 메소드 호출을 통해서 연결(등록)이 된다. 즉 addMouseListener는 마우스 이벤트가 발생했을 때, 이의 처리를 대신해 줄 인스턴스를 등록하는 메소드이다. 때문에 btn1, btn2, btn3가 의미하는 버튼에서 마우스 이벤트가 발생하면 이벤트의 종류에 따라서 50행에서 생성된 인스턴스의 메소드가 호출된다. 지금까지 설명한 내용을 그림으로 정리하면 다음과 같다.

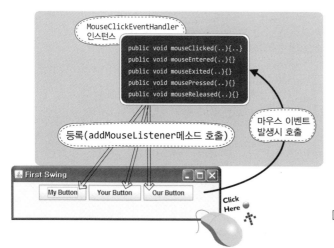

[그림 25-3: 이벤트 리스너의 등록]

그럼 먼저 마우스 버튼이 눌렸다 놓이는 상황에서 호출되는(반드시 눌린 위치에서 놓여야 호출된다) mouseClicked 메소드의 정의부분을 보자.

```
public void mouseClicked(MouseEvent e)
{
    JButton button=(JButton)e.getComponent();
    button.setText("Clicked");
    System.out.println("clicked Button"+e.getButton());
    System.out.println("마우스 버튼 눌렸다 풀림");
}
```

인자로 전달되는 MouseEvent의 인스턴스에는 발생한 이벤트와 관련된 정보가 담겨있다. 때문에 이 인스턴스를 활용하면 기본적으로 다음과 같은 정보들을 얻을 수 있다.

- 이벤트가 발생한 위치정보   getX, getY 메소드
- 이벤트가 발생한 인스턴스의 참조 값   getComponent 메소드
- 이벤트를 발생시킨 마우스 버튼의 종류   getButton 메소드

위 예제에서는 하나의 마우스 이벤트 처리자(인터페이스 MouseListener를 구현하는 클래스의 인스턴스)를 생성해서 총 세 개의 버튼에 이벤트 처리자로 등록하고 있지 않은가? 그래서 위 메소드의 첫 번째 행에서는 getComponent 메소드의 호출을 통해 이벤트가 발생한 버튼의 참조변수를 얻고 있다. 그리고 이어서 setText 메소드의 호출을 통해, 버튼 위에 문자열을 "Clicked"로 변경하고 있다. 때문에 버

튼이 눌리고 나면 버튼의 문자열은 다음과 같은 형태로 변경된다

[그림 25-4: 이벤트 처리 결과]

그리고 mouseClicked 이외의 메소드에는 적당한 문자열 출력을 위한 문장을 삽입해 놓았으니, 위 예제에서 보이는 문자열 출력을 통해 인터페이스 MouseListener에 정의된 메소드가 언제 호출이 되는지 확인하기 바란다.

이로써 Swing에 대한 프로그래밍의 원리를 간단하게나마 살펴보았다. 따라서 우리가 앞으로 공부해야 할 대상을 다음과 같이 정리할 수 있다.

- 다양한 종류의 Swing 컴포넌트들에 대한 이해
- 다양한 종류의 배치 관리자(Layout Manager)와 각 배치 관리자 별 컴포넌트의 배치 방식
- 발생 가능한 이벤트의 종류와 이에 따른 이벤트 처리자의 유형

GUI 프로그래밍이라고 해서 더 어려운 내용을 공부하는 것은 아니다. 다만 컴포넌트의 종류가 많다 보니 공부할 내용이 다소 많을 뿐이다. 하지만 모든 컴포넌트를 지금 당장 알아야 하는 것은 아니니, 이에 대한 부담은 덜었으면 좋겠다.

문 제 25-1 [Swing 기반의 클래스 정의]

Question

아래의 문제는 Swing의 이해도를 확인하기 위한 문제가 아니다. 오히려 앞서 우리가 공부해 왔던 생성자, 상속 그리고 인터페이스의 활용에 더 가까운 문제들이다. 따라서 문제의 해결을 통해서 다양한 클래스 정의 방식에 대해서 다시 한번 생각해 보는 기회가 되기를 바란다.

▶ 문제 1
우선 명령 프롬프트상에 아무런 문자열도 출력되지 않도록 예제 EventHandler.java를 정리하자. 대신 JFrame에 이벤트 처리를 해서 마우스 버튼이 눌렸다 놓였을 때, 다음 메시지가 명령 프롬프트상에 출력되도록 하자.
　　"JFrame상에서 마우스 버튼 눌렸다 풀림"

참고로 JFrame 인스턴스도 addMouseListener 메소드의 호출이 가능하며, 이는 마우스 이벤트 처리가 가능함을 뜻한다.

▶ 문제 2

필자가 제시한 문제 1의 답안의 경우에는 JFrame의 인스턴스 생성 뒤로, setBounds 메소드의 호출과 setLayout 메소드의 호출, 그리고 addMouseListener 메소드의 호출이 이어지고 있다. 여러분의 답안도 이와 다르지 않다면, 이러한 과정을 생략할 수 있는 MyJFrame이라는 이름의 클래스를 정의해보자(JFrame의 상속을 통해서). 즉 다음의 형태로 인스턴스가 생성되면,

```
JFrame frm=new MyJFrame();
```

JFrame의 인스턴스 생성 뒤로 이어졌던 메소드의 호출이 자동으로 이뤄져야 한다. 다시 말해서 JFrame 인스턴스 생성 뒤로 이어졌던 메소드의 호출이 MyJFrame 인스턴스 생성과정에서 이뤄져야 한다.

▶ 문제 3

필자가 제시한 문제 2의 답안의 경우에는 MyJFrame 클래스의 정의와 별도로, 마우스 이벤트 처리를 위한 FrameMouseEventHandler 클래스가 정의되어 있다. 그런데 MyJFrame은 JFrame을 상속하고, FrameMouseEventHandler는 인터페이스 MouseListener를 구현하는 상황이기 때문에 이 두 클래스는 하나로 묶을 수 있다. 방법은 의외로 간단하다. MyJFrame이 JFrame을 상속하면서 MouseListener 인터페이스도 동시에 구현하도록 하면 된다. 자! 그럼 필자가 언급한대로 문제 2의 답안을 변경해보자. 두 클래스를 하나로 묶어보자!

▶ 문제 4

이제 마지막으로 문제 3의 답안을 기준으로 main 메소드를 다음과 같이 변경하자.

```
public static void main(String[] args)
{
    JFrame frm=new MyJFrame("First Swing");
    frm.setVisible(true);
}
```

그러나 실행결과는 문제 3의 실행결과와 동일하도록 클래스를 확장하자.

25-3 레이아웃 매니저(Layout Manager)

앞서 소개한 FlowLayout과 같은 배치 관리자 클래스는 모두 인터페이스 LayoutManager를 구현한다. 따라서 API 문서의 LayoutManager 부분을 참조하면, 얼마나 많은 종류의 배치 관리자가 존재하는지 알 수 있다. 그러나 필자는 여러분에게 FlowLayout 이외에 BorderLayout과 GridLayout 정도만 소개하고자 한다.

■ FlowLayout 배치 관리자

앞서 보였던 FlowLayout 배치 관리자는 다음의 특성을 바탕으로 컴포넌트를 배치한다.

- 왼쪽에서 오른쪽으로 배치한다.
- 중앙으로 정렬해가며 배치한다.
- 한 줄에 모든 컴포넌트를 배치할 수 없을 때에는 다음 줄에 이어서 배치를 한다.

그럼 위의 특성을 확인하기 위한 예제 하나를 제시하겠으니, 여러분은 예제 실행 뒤, 마우스로 GUI창의 크기를 변경해가며 FlowLayout 배치 관리자의 배치 특성을 확인하기 바란다.

❖ FlowLayoutManager.java

```
1.    import java.awt.*;
2.    import javax.swing.*;
3.
4.    class FlowLayoutManager
5.    {
6.        public static void main(String[] args)
7.        {
8.            JFrame frm=new JFrame("FlowLayout Test");
9.            frm.setBounds(120, 120, 400, 200);
10.           frm.setLayout(new FlowLayout());
11.
12.           frm.add(new JButton("Hi!"));
13.           frm.add(new JButton("I like Swing"));
14.           frm.add(new JButton("I am a button"));
15.
16.           frm.add(new LargeButton("Hi!"));
17.           frm.add(new LargeButton("I like Swing"));
18.           frm.add(new LargeButton("I am a button"));
19.
```

```
20.          frm.setVisible(true);
21.      }
22. }
23.
24. class LargeButton extends JButton
25. {
26.      public LargeButton(String str)
27.      {
28.          super(str);
29.      }
30.
31.      public Dimension getPreferredSize()
32.      {
33.          Dimension largeBtmSz
34.            =new Dimension(
35.                  super.getPreferredSize().width+30,
36.                  super.getPreferredSize().height+15
37.              );
38.
39.          return largeBtmSz;
40.      }
41. }
```

먼저 24행에 정의되어 있는 LargeButton 클래스를 살펴보자. 이 클래스가 JButton 클래스를 상속하면서 유일하게 하는 일은 다음 메소드의 오버라이딩이다.

```
public Dimension getPreferredSize()
```

getPreferredSize 메소드는 JButton 클래스가 상속하는 상위 클래스에 정의된 메소드로써, GUI창에 그려질 컴포넌트의 적절한 크기정보를 반환한다. 그리고 FlowLayout 배치 관리자는 이 메소드를 호출해서 반환되는 값을 참조하여 컴포넌트를 배치한다.

그럼 getPreferredSize 메소드의 반환형인 Dimension 클래스를 소개하겠다. 그런데 이 클래스의 정의형태를 전부 소개하면 오히려 불필요한 혼란만 가중될 것 같아서, 이 클래스를 구성하는 인스턴스 변수 둘만 소개하고자 한다.

- int height;   // 높이 정보
- int width;   // 넓이 정보

Dimension이라는 이름이 의미하듯이 넓이 정보를 담을 수 있는 두 개의 인스턴스 변수가 public으로 선언되어 있어서 메소드를 통하지 않고 직접 접근이 가능하다. 그리고 위 예제에서 보이듯이 다음의 생성자를 통한 인스턴스의 생성이 가능하다.

```
public Dimension(int width, int height)
```

자! 그럼 다시 LargeButton 클래스의 getPreferredSize 메소드를 살펴보자. 이 메소드는 JButton 클래스의 getPreferredSize 메소드가 반환하는 값보다 width에 30, height에 15가 더해진 값을 반환하도록 오버라이딩 되어있다. 때문에 가로 30 픽셀, 세로 15 픽셀이 더 큰 버튼이 FlowLayout 배치 관리자에 의해서 그려진다. 다음은 실행결과의 예이다.

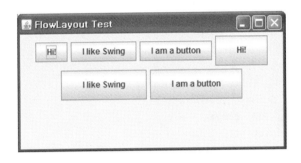

[그림 25-5: FlowLayout의 배치1]

이제 GUI창의 크기를 변경해 보자. 그래도 앞서 정리한 FlowLayout 배치 관리자의 배치형태가 다음 그림에서 보이듯이 그대로 유지됨을 확인할 수 있다.

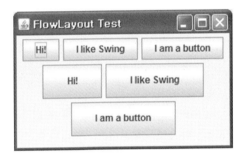

[그림 25-6: FlowLayout의 배치2]

이렇듯 배치 관리자는 GUI창의 크기가 바뀔 때, Swing 컴포넌트 재배치까지 담당을 한다.

■ BorderLayout 배치 관리자

BorderLayout은 GUI창을 5개의 영역으로 나눠서 배치하는 형태의 배치 관리자이다. 이들 5개의 영역은 프로그램상에서 다음과 같이 static 상수(상수화된 변수)로 명시한다.

```
BorderLayout.NORTH          // 북(North)

BorderLayout.WEST           // 서(West)

BorderLayout.CENTER         // 중앙(Center)

BorderLayout.EAST           // 동(East)

BorderLayout.SOUTH          // 남(South)
```

그리고 다음 예제는 위의 상수들을 이용한 BorderLayout 배치 관리자의 활용 예이다.

❖ BorderLayoutManager.java

```
1.  import java.awt.*;
2.  import javax.swing.*;
3.
4.  class BorderLayoutManager
5.  {
6.      public static void main(String[] args)
7.      {
8.          JFrame frm=new JFrame("BorderLayout Test");
9.          frm.setBounds(120, 120, 300, 200);
10.         frm.setLayout(new BorderLayout());
11.
12.         frm.add(new JButton("EAST"), BorderLayout.EAST);
13.         frm.add(new JButton("WEST"), BorderLayout.WEST);
14.         frm.add(new JButton("SOUTH"), BorderLayout.SOUTH);
15.         frm.add(new JButton("NORTH"), BorderLayout.NORTH);
16.         frm.add(new JButton("CENTER"), BorderLayout.CENTER);
17.
18.         frm.setVisible(true);
19.     }
20. }
```

위 예제는 여러분이 쉽게 이해할 수 있을 것이다. 10행에서 BorderLayout 배치 관리자를 지정하고 있으며, 12~16행에서는 JButton을 얹는 과정에서 위치 정보를 함께 전달하고 있다. 이것이 위 예제의 전부이다.

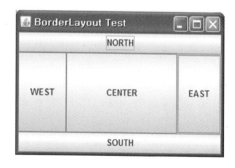

[그림 25-7: BorderLayout의 배치1]

실행결과를 보면서 동서남북, 그리고 중앙의 다섯 영역에 버튼이 배치된 것 이외에, 화면이 꽉 채워진 것을 확인할 수 있다. 그럼 이번에는 위 예제의 13, 14행을 주석처리 하고 실행해보자. 그럼 다음의 실행결과를 확인할 수 있다.

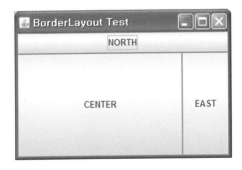

[그림 25-8: BorderLayout의 배치2]

이렇듯 BorderLayout 배치 관리자를 사용한다고 해서 다섯 영역을 전부 채워야 하는 것은 아니다. 그리고 중앙을 제외한 나머지 영역이 비게 되면, 그만큼 다른 영역의 컴포넌트에 의해 빈 영역이 채워짐을 실행결과를 통해서 확인할 수 있다. 단! 중앙은 채워지지 않기 때문에 BorderLayout 배치 관리자를 적용할 때에는 중앙이 비지 않게 주의해야 한다.

■ GridLayout 배치 관리자

이제 마지막으로 컴포넌트를 동일한 크기로 배치하는 GridLayout 배치 관리자를 소개하겠다. 생각에 따라서는 이 배치 관리자가 앞서 소개한 배치 관리자보다 쉽게 느껴질 것이다.

❖ GridLayoutManager.java

```
1.   import java.awt.*;
2.   import javax.swing.*;
3.
4.   class GridLayoutManager
5.   {
6.       public static void main(String[] args)
7.       {
8.           JFrame frm=new JFrame("GridLayout Test");
9.           frm.setBounds(120, 120, 300, 200);
10.          frm.setLayout(new GridLayout(3, 2));
11.
12.          frm.add(new JButton("One")); frm.add(new JButton("Two"));
13.          frm.add(new JButton("Three")); frm.add(new JButton("Four"));
14.          frm.add(new JButton("Five")); frm.add(new JButton("Six"));
15.
```

```
16.          frm.setVisible(true);
17.     }
18. }
```

위 예제 10행에서는 GridLayout 배치 관리자를 지정하면서 세로와 가로의 길이를 각각 3과 2로 지정하고 있다. 따라서 GridLayout 배치 관리자는 GUI창을 세로 3, 가로 2으로 나눠서 컴포넌트를 배치한다. 다음은 위 예제의 실행결과이다.

[그림 25-9 GridLayout의 배치1]

위 예제에서 보이듯이 GridLayout 클래스의 생성자를 통해서 가로, 세로의 분할 정보를 전달하는데, 이때 전달되는 가로, 세로 정보와 이후에 얹혀지는 컴포넌트의 수만 일치시킨다면 적용이 상대적으로 쉬운 배치 관리자이다. 그리고 컴포넌트 사이의 가로, 세로 간격도 다음의 생성자를 통해서 간단히 변경 가능하다.

```
public GridLayout(int rows, int cols, int hgap, int vgap)
```

이 생성자의 세 번째, 네 번째 전달인자에는 각각 가로 컴포넌트간 간격과 세로 컴포넌트간 간격 정보를 전달한다. 즉 위 예제 10행을 다음과 같이 변경해서 실행을 하면,

```
frm.setLayout(new GridLayout(3, 2, 2, 2));
```

가로와 세로 간격이 2 픽셀씩 떨어진 다음의 실행결과를 확인할 수 있다.

[그림 25-10: GridLayout의 배치2]

지금까지 몇몇 배치 관리자를 소개했는데, 이 책에서 소개하지 않은 배치 관리자들 때문에 너무 신경 쓰지 않았으면 좋겠다. 사실 컴포넌트의 배치는 GUI 편집 툴을 이용하는 것이 보통이며(이 과정에서 배치 관리자가 자동으로 선택 및 적용된다), GUI 편집 툴에 따라서 표준에서 정의하지 않고 있는 배치 관리자가 사용되는 경우도 많기 때문에, 배치 관리자를 하나 더 알고 덜 알고는 그리 중요하지 않다.

■ 하나의 JFrame에 둘 이상의 배치 관리자 적용하기!

하나의 JFrame에는 기본적으로 하나의 배치 관리자만 적용이 가능하다. 그러나 JFrame에 얹혀지는 컴포넌트 중에는 JFrame과 유사한 다음의 특성을 갖는 컴포넌트가 존재한다. 그리고 이러한 컴포넌트에 의해서 결과적으로 JFrame에 둘 이상의 배치 관리자를 적용한 효과를 얻을 수 있다.

- 다른 컴포넌트를 얹을 수 있다.
- 다른 컴포넌트를 얹을 때 배치방법을 결정하도록 배치 관리자를 지정할 수 있다.

이러한 특성을 갖는 가장 대표적인 컴포넌트가 JPanel이다. JPanel은 눈에 보이는 성격의 컴포넌트는 아니다. 그러나 JFrame에 얹혀질 수 있고, 또 JFrame처럼 다른 컴포넌트를 얹을 수 있을 뿐만 아니라 배치 관리자의 지정도 가능하다. 때문에 화면의 구조를 다음과 같이 구성할 수 있다.

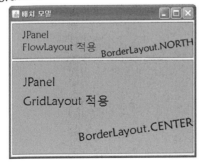

[그림 25-11: JPanel 기반의 배치]

그럼 예제를 통해서 이를 확인해보겠다. 다음 예제에서는 위의 그림과 동일한 형태로 JFrame을 형성한다. 그리고 둘 이상의 배치 관리자가 적용되었음을 확인할 수 있게끔 JButton 컴포넌트를 다수 얹고 있다.

❖ MultiLayoutManager.java

```
1.   import java.awt.*;
2.   import javax.swing.*;
3.
4.   class MultiLayoutManager
5.   {
6.       public static void main(String[] args)
7.       {
8.           JFrame frm=new JFrame("Multi Layout Manager");
9.           frm.setBounds(120, 120, 250, 150);
10.          frm.setLayout(new BorderLayout());
11.
12.          JButton btm1=new JButton("B1");
13.          JButton btm2=new JButton("B2");
14.          JButton btm3=new JButton("B3");
15.          JButton btm4=new JButton("B4");
16.          JButton btm5=new JButton("B5");
17.          JButton btm6=new JButton("B6");
18.          JButton btm7=new JButton("B7");
19.          JButton btm8=new JButton("B8");
20.          JButton btm9=new JButton("B9");
21.          JButton btm10=new JButton("B10");
22.
23.          JPanel panel1=new JPanel();
24.          panel1.setLayout(new FlowLayout());
25.          panel1.add(btm1); panel1.add(btm2);
26.          panel1.add(btm3); panel1.add(btm4);
27.
28.          JPanel panel2=new JPanel();
29.          panel2.setLayout(new GridLayout(2, 3, 2, 2));
30.          panel2.add(btm5); panel2.add(btm6);
31.          panel2.add(btm7); panel2.add(btm8);
32.          panel2.add(btm9); panel2.add(btm10);
33.
34.          frm.add(panel1, BorderLayout.NORTH);
35.          frm.add(panel2, BorderLayout.CENTER);
36.
37.          frm.setVisible(true);
38.      }
39.  }
```

위 예제 23~26행에서는 JPanel 컴포넌트를 하나 생성해서 FlowLayout 배치 관리자를 지정하고, 그 위에 JButton 컴포넌트를 얹고 있다. 그리고 28~32행에서는 또 하나의 JPanel 컴포넌트를 생성해서 이번에는 GridLayout 배치 관리자를 지정하고, 그 위에 JButton 컴포넌트를 얹고 있다. 그리고 마지막으로 34, 35행에서는 각각의 JPanel 컴포넌트를 하나는 위에, 또 하나는 중앙에 배치시키고 있다. 다음은 위 예제의 실행결과이다.

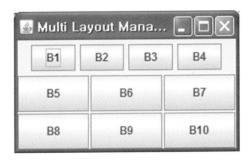

[그림 25-12: 다수의 배치 관리자 적용]

실제로 디자이너의 GUI 요구사항을 만족시켜가면서 프로그래밍을 하다 보면, 둘 이상의 배치 관리자 적용은 필수가 되어버린다. 그만큼 JPanel 컴포넌트는 눈에 보이지는 않지만 매우 중요한 컴포넌트이다.

25-4 이벤트와 이벤트 리스너(Event Listener)

Swing 컴포넌트를 이해할 때 함께 이해해야 하는 것이 이벤트이다. 따라서 이번에는 이벤트를 설명하면서 더불어 Swing 컴포넌트 몇 가지를 더 소개하겠다.

■ 이벤트의 종류와 그에 따른 이벤트 리스너

Swing 컴포넌트에서 발생시킬 수 있는 대표적인 이벤트의 종류와 그에 따른 이벤트 리스너 클래스를 정리하면 다음과 같다.

- MouseEvent   MouseListener   마우스 관련 이벤트
- MouseEvent   MouseMotionListener   마우스 움직임 관련 이벤트
- TextEvent   TextListener   텍스트 관련 컴포넌트의 문자 편집 이벤트
- ItemEvent   ItemListener   선택 관련 이벤트
- AdjustmentEvent   AdjustmentListener   스크롤 바 이벤트
- WindowEvent   WindowListener   GUI 프레임 창 관련 이벤트
- ActionEvent   ActionListener   컴포넌트 별 특정 행위 관련 이벤트

대부분의 이벤트들은 Swing 컴포넌트의 특성과 관련 있기 때문에 Swing 컴포넌트와 함께 하나씩 알아가면 된다. 그러니 일단은 몇몇 이벤트에 대해서만 소개를 하겠다. 먼저 ActionEvent를 소개하겠다. 이 이벤트가 발생하는 상황이 몇 가지 있는데(이 역시 Swing 컴포넌트를 설명하면서 하나씩 설명하겠다), 그 중 하나는 JButton 컴포넌트가 눌렸을 때이다.

> "JButton이 눌렸을 때라고? 그 상황에 대한 이벤트 처리는 MouseEvent와 MouseListener를 기반으로 예제 EventHandler.java에서 보여줬잖아!"

물론 그랬다. 그런데 예제 EventHandler.java를 통해서 처리한 이벤트는 마우스 버튼의 눌림에 대한 이벤트이지, JButton이 눌림에 대한 이벤트는 아니었다. 조금 애매한가? 그럼 쉽게 설명하겠다. MouseEvent는 예제 EventHandler.java에서 다음의 상황을 알리기 위한 이벤트 클래스였다.

> "JButton 위에서 마우스 버튼이 눌렸네요!"

그런데 ActionEvent는 다음의 상황을 알리기 위한 이벤트 클래스이다.

> "JButton이 눌렸어요! 뭘 이용해서 눌렀는지는 모르지만 아무튼 버튼이 눌렸어요!"

아직도 차이를 잘 모르겠는가? 그럼 이번에는 예제를 보자. 참고로 이 예제는 Swing 컴포넌트를 무효화시키는(동작하지 않도록 처리하는) 방법도 함께 보이고 있다.

❖ JButtonMouseEvent.java

```
1.   import java.awt.*;
2.   import javax.swing.*;
3.   import java.awt.event.*;
4.
5.   class MouseEventHandler implements MouseListener
```

```
 6.  {
 7.      public void mouseClicked(MouseEvent e)
 8.      {
 9.          System.out.println("마우스 버튼 눌렸다 풀림");
10.      }
11.
12.      public void mouseEntered(MouseEvent e) { }
13.      public void mouseExited(MouseEvent e) { }
14.      public void mousePressed(MouseEvent e) { }
15.      public void mouseReleased(MouseEvent e) { }
16. }
17.
18. class JButtonMouseEvent
19. {
20.      public static void main(String[] args)
21.      {
22.          JFrame frm=new JFrame("JButton Disable");
23.          frm.setBounds(120, 120, 250, 150);
24.          frm.setLayout(new FlowLayout());
25.
26.          MouseListener mouseHandler=new MouseEventHandler();
27.          JButton btn1=new JButton("Button One");
28.          btn1.addMouseListener(mouseHandler);
29.          JButton btn2=new JButton("Button Two");
30.          btn2.addMouseListener(mouseHandler);
31.
32.          frm.add(btn1);
33.          frm.add(btn2);
34.          btn1.setEnabled(false);
35.
36.          frm.setVisible(true);
37.      }
38. }
```

대부분의 Swing 컴포넌트가 상속하는 JComponent 클래스의 setEnabled 메소드는 해당 컴포넌트를 유효화(Enable) 또는 무효화(Disable)시키는데 사용된다. 인자로 false가 전달되면 무효화되고, 반대로 true가 전달되면 무효화되었던 컴포넌트가 다시 유효화된다. 위 예제 34행에서는 이 메소드의 호출을 통해서 JButton 컴포넌트를 무효화시키고 있다. 때문에 버튼(JButton)은 눌릴 수 없는 상태가 된다. 자! 다음은 위 예제의 실행결과이다.

[그림 25-13: 무효화된 버튼]

실행결과를 보면 하나의 JButton이 무효화되어서 눌릴 수 없는 상태임을 알 수 있다. 그럼 이 상황에서 무효화된 JButton 위에서 마우스 버튼을 눌러보자! 그리고 마우스 이벤트가 발생해서 "마우스 버튼 눌렸다 풀림"이라는 메시지가 출력되는지 확인해보자.

확인하였는가? 그렇다면 JButton 컴포넌트가 무효화되었음에도 불구하고 마우스 버튼을 누르면 마우스 이벤트가 발생하는 것을 확인했을 것이다. 그럼 이번에는 유효화 상태에 있는 오른쪽 JButton으로 포커스를 옮겨놓자(마우스로 오른쪽 JButton을 누르면 포커스가 이동한다). 그 상태에서 스페이스 바를 눌러보자. JButton은 이러한 방식으로도 버튼을 누를 수 있다. 그리고 이 경우에도 마우스 이벤트가 발생하는지 확인해보자.

확인해 보았는가? 사실 확인하지 않아도 이미 결과를 예측했을 것이다. 마우스 버튼을 눌러야 마우스 이벤트가 발생하기 때문에 이 경우에는 마우스 이벤트가 발생하지 않는다! 그럼 위의 실행결과를 통해서 얻을 수 있는 결론은 무엇인가?

"마우스 이벤트를 활용해서 JButton이 눌렸음을 확인하는 것은 적절하지 못하다!"

마우스만 이용해서 JButton을 누르게끔 하려면, 당연히 마우스 이벤트를 활용해야 한다(보안상의 이유로 이러한 방식의 이벤트 처리가 요구될 수 있다). 하지만 그것이 아니라면, 다음 예제와 같이 액션 이벤트 기반으로 이벤트 처리를 해야 한다.

❖ JButtonActionEvent.java

```
1.   import java.awt.*;
2.   import javax.swing.*;
3.   import java.awt.event.*;
4.
5.   class ActionEventHandler implements ActionListener
6.   {
7.       public void actionPerformed(ActionEvent e)
8.       {
9.           System.out.println(e.getActionCommand());
10.      }
11.  }
12.
```

```
13.  class JButtonActionEvent
14.  {
15.      public static void main(String[] args)
16.      {
17.          JFrame frm=new JFrame("JButton Disable");
18.          frm.setBounds(120, 120, 250, 150);
19.          frm.setLayout(new FlowLayout());
20.
21.          JButton btn1=new JButton("Button One");
22.          JButton btn2=new JButton("Button Two");
23.
24.          ActionListener actionHandler=new ActionEventHandler();
25.          btn1.addActionListener(actionHandler);
26.          btn2.addActionListener(actionHandler);
27.
28.          frm.add(btn1);
29.          frm.add(btn2);
30.          btn1.setEnabled(false);
31.
32.          frm.setVisible(true);
33.      }
34.  }
```

ActionListener 인터페이스에는 actionPerformed 메소드 하나만 정의되어 있다. 그리고 이 메소드
는 JButton의 경우, 버튼이 눌렸을 때 호출된다. 때문에 위 예제에서 무효화 된 JButton에서는 액션
이벤트가 발생하지 않는다. 하지만 유효와 되어있는 JButton에서는 버튼이 눌리는 방법에 상관없이 액
션 이벤트가 발생한다.

■ WindowEvent

윈도우 이벤트는 GUI창으로 불리는 윈도우와 관련 있는 이벤트이다. 어떠한 상황에서 윈도우 이벤트가
발생하고, 또 어떠한 메소드가 호출되는지 다음 예제를 통해서 확인하겠다.

❖ JFrameWindowEvent.java

```
1.  import java.awt.*;
2.  import javax.swing.*;
3.  import java.awt.event.*;
4.
5.  class WindowEventHandler implements WindowListener
6.  {
7.      String frameInfo;
```

```
8.
9.      public WindowEventHandler(String info)
10.     {
11.         frameInfo=info;
12.     }
13.     public void windowActivated(WindowEvent e)
14.     {
15.         System.out.println(frameInfo+" windowActivated");
16.     }
17.     public void windowClosed(WindowEvent e)
18.     {
19.         System.out.println(frameInfo+" windowClosed");
20.     }
21.     public void windowClosing(WindowEvent e)
22.     {
23.         JFrame frm=(JFrame)e.getWindow();
24.         frm.dispose();
25.         System.out.println(frameInfo+" windowClosing");
26.     }
27.     public void windowDeactivated(WindowEvent e)
28.     {
29.         System.out.println(frameInfo+" windowDeactivated");
30.     }
31.     public void windowDeiconified(WindowEvent e)
32.     {
33.         System.out.println(frameInfo+" windowDeiconified");
34.     }
35.     public void windowIconified(WindowEvent e)
36.     {
37.         System.out.println(frameInfo+" windowIconified");
38.     }
39.     public void windowOpened(WindowEvent e)
40.     {
41.         System.out.println(frameInfo+" windowOpened");
42.     }
43. }
44.
45. class JFrameWindowEvent
46. {
47.     public static void main(String[] args)
48.     {
49.         JFrame frmOne=new JFrame("Frame One");
50.         JFrame frmTwo=new JFrame("Frame Two");
51.
52.         frmOne.setBounds(120, 120, 250, 150);
53.         frmTwo.setBounds(380, 120, 250, 150);
54.
55.         frmOne.addWindowListener(new WindowEventHandler("Frame One"));
```

```
56.        frmTwo.addWindowListener(new WindowEventHandler("Frame Two"));
57.
58.        frmOne.add(new JButton("Button One"));
59.        frmTwo.add(new JButton("Button Two"));
60.        frmOne.setVisible(true);
61.        frmTwo.setVisible(true);
62.    }
63. }
```

위 예제에서는 두 개의 GUI창을 띄우고 있다. 여러분은 이 둘을 이용해서 WindowListener에 정의된 메소드가 언제 호출되는지 직접 확인해 볼 필요가 있다. 그것이 이벤트 관련 메소드가 호출되는 시점을 가장 정확히 파악하는 방법이다. 우선 예제가 실행되면서 JFrame을 기반으로 하는 두 개의 GUI창이 뜨면, 다음 메소드가 호출됨을 확인할 수 있다.

• public void windowOpened(WindowEvent e)

이어서 다음 두 메소드의 호출 시점을 확인하기 위해서 두 GUI창 사이에서 포커스를 이동시켜 보자(마우스로 두 GUI창을 번갈아 클릭한다).

• public void windowActivated(WindowEvent e)
• public void windowDeactivated(WindowEvent e)

포커스의 이동은 다음과 같이 마우스를 이용하면 된다. 그리고 이를 통해서 위의 두 메소드가 언제 호출되는지 확인할 수 있다.

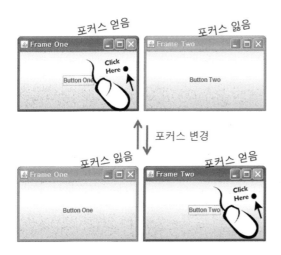

[그림 25-14: 포커스 변경]

이번에는 우 상단에 있는 최소화 버튼을 눌러서 두 창 모두를 최소화 시켜보자. 그리고 이어서 바탕화면 하단에(주로 하단에) 위치한 작업표시줄의 정보를 통해서 이 두 창을 원래대로 복원시켜 보자. 그러면 다음 두 메소드가 언제 호출되는지 확인할 수 있다.

- public void windowIconified(WindowEvent e)
- public void windowDeiconified(WindowEvent e)

이제 마지막으로, 별도의 설명이 필요한 두 메소드의 호출시점에 대해서 언급하겠다. 다음 두 메소드의 이름만 놓고 보면 애매하기가 그지없다.

- public void windowClosing(WindowEvent e)
- public void windowClosed(WindowEvent e)

메소드의 이름만 놓고 보면 하나는 창이 종료되면서(Closing) 호출되고, 다른 하나는 창이 종료되고 나서(Closed) 호출되는 것으로 해석이 된다. 그러나 이는 다음과 같이 조금 확장해서 해석을 해야 한다.

- Closing   창을 소멸시키려고 우 상단의 X 버튼을 누르는 상황
- Closed   창이 소멸된 상황

즉 windowClosing에서의 Closing은 우 상단의 X 버튼이 눌린 상황을 의미한다. 따라서 이 둘이 호출되는 상황은 각각 다음과 같이 정리할 수 있다.

- windowClosing   우 상단의 X 버튼이 눌리면 호출
- windowClosed   창이 소멸되면서 호출

정리가 되었지만 여전히 혼란스러운 부분은 존재한다. 때문에 여러분은 다음과 같이 질문할 수 있다.

"둘 다 같은 상황 아닌가요? 우 상단의 X 버튼을 누르면 창이 소멸되잖아요!

하지만 우 상단의 X 버튼이 눌린다고 해서 창이 정말로 소멸되는 것은 아니다. 그냥 눈에 안 보이도록 지워질 뿐이다. 때문에 지금까지는 X 버튼을 눌러도 프로그램이 완전히 종료되지 않았던 것이다. 그럼 이제 위 예제의 코드를 보자. 위 예제의 windowClosing 메소드는 다음과 같이 정의되어 있다.

```
public void windowClosing(WindowEvent e)
{
    JFrame frm=(JFrame)e.getWindow();
    frm.dispose();
    System.out.println(frameInfo+" windowClosing");
}
```

위의 메소드에서는 이벤트가 발생한 JFrame 컴포넌트를 대상으로 dispose 메소드를 호출하고 있는데, 이것이 바로 JFrame기반의 GUI창을 완전히 소멸시키는 메소드이다. dispose 메소드가 호출되면

GUI창을 그리는데 사용된 모든 컴포넌트까지 정리가 된다. 즉 위 예제의 경우에는 우 상단의 X 버튼이 눌리면, 이는 dispose 메소드의 호출로 이어져서 GUI창이 완전히 소멸되고 프로그램도 함께 종료가 된다. 결과적으로 보면 dispose 메소드 호출로 인해서 windowClosed 메소드가 호출이 된다.

■ 프로그램을 종료시키는 또 다른 방법

프로그램 종료를 위해 간혹 사용되는 방법 중 하나가 윈도우 이벤트를 기반으로 windowClosing 메소드 내에 다음 문장을 삽입하는 것이다.

```
System.exit(0);
```

그런데 이 방법은 앞서 보인 예제 JFrameWindowEvent.java의 경우에 문제를 일으킨다. 위의 문장이 실행되면 무조건 프로그램이 종료되기 때문이다. 위 예제에서는 JFrame 기반의 창을 두 개나 띄우지 않았는가? 그러나 하나의 창에 있는 X 버튼만 눌려도 위 문장의 실행에 의해 프로그램 전체가 종료되고 만다. 즉 X 버튼이 눌리지 않은 GUI창도 함께 소멸되는 것이다.

프로그램 종료를 위해, 윈도우 이벤트 처리를 직접 하지 않고 JFrame에 정의되어 있는 다음 메소드를 호출하는 방법도 있다. 단순히 X 버튼에 대한 처리가 목적이라면 이 방법도 나쁘지 않다.

```
public void setDefaultCloseOperation(int operation)
```

이 메소드는 X 버튼이 눌렸을 때의 실행방식을 결정짓는 메소드이다. 이 메소드의 인자로 전달될 수 있는 값의 종류는 총 네 가지인데, 이중에서 다음 두 가지 정도만 소개하고자 한다.

- WindowConstants.DISPOSE_ON_CLOSE   dispose 메소드 호출과 동일한 효과
- JFrame.EXIT_ON_CLOSE   System.exit 메소드 호출과 동일한 효과

DISPOSE_ON_CLOSE라는 상수는 WindowConstants 클래스에 선언되어 있는데, 이 값이 전달되면 앞서 예제에서 보인 것처럼, X 버튼이 눌렸을 때 dispose 메소드가 호출된 것과 동일한 결과를 얻을 수 있다. 반면 JFrame 클래스에 선언되어 있는 EXIT_ON_CLOSE가 전달되면 System.exit 메소드가 호출된 것과 같이 프로그램이 그냥 종료되어 버린다. 그럼 간단히 예제를 통해서 이를 확인하겠다.

❖ SetDefaultCloseOperation.java

```
1.    import javax.swing.*;
2.
3.    class SetDefaultCloseOperation
4.    {
5.        public static void main(String[] args) throws Exception
6.        {
7.            JFrame frmOne=new JFrame("Frame One");
8.            JFrame frmTwo=new JFrame("Frame Two");
```

```
9.
10.          frmOne.setBounds(120, 120, 250, 150);
11.          frmTwo.setBounds(380, 120, 250, 150);
12.
13.          frmOne.add(new JButton("Button One"));
14.          frmTwo.add(new JButton("Button Two"));
15.
16.          frmOne.setDefaultCloseOperation(
17.               WindowConstants.DISPOSE_ON_CLOSE);
18.          frmTwo.setDefaultCloseOperation(
19.               WindowConstants.DISPOSE_ON_CLOSE);
20.
21.          frmOne.setVisible(true);
22.          frmTwo.setVisible(true);
23.     }
24. }
```

위 예제는 setDefaultCloseOperation 메소드 호출을 통해서 별도의 이벤트 처리과정 없이도 X 버튼
이 눌렸을 때의 동작방식이 결정됨을 보이고 있다

■ MouseListener & MouseMotionListener

마우스라는 입력기기의 특성상, 발생할 수 있는 이벤트의 종류가 매우 다양하다. 그러나 어떠한 유형의
이벤트도 MouseEvent 클래스로 표현을 한다. 하지만 이벤트 처리를 위한 인터페이스는 다음과 같이
두 가지로 나눠놓았다.

- MouseListener   마우스 관련 이벤트
- MouseMotionListener   마우스 움직임 관련 이벤트

둘 다 마우스 관련 이벤트이다. 다만 처리해야 할 이벤트의 특성상, 마우스 관련 이벤트 중에서 마우스
의 움직임에 관련된 이벤트 처리를 위한 인터페이스를 MouseMotionListener라는 이름으로 별도
로 정의했을 뿐이다. MouseListener 인터페이스와 관련해서는 앞서 예제를 제시했으니, 이번에는
MouseMotionListener 인터페이스와 관련해서 예제를 제시하겠다.

❖ MouseMotionEvent.java

```
1.  import javax.swing.*;
2.  import java.awt.event.*;
3.
4.  class MouseMotionHandler implements MouseMotionListener
5.  {
```

```
6.        public void mouseDragged(MouseEvent e)
7.        {
8.            System.out.printf("Drag [%d %d] \n", e.getX(), e.getY());
9.        }
10.
11.       public void mouseMoved(MouseEvent e)
12.       {
13.           System.out.printf("Move [%d %d] \n", e.getX(), e.getY());
14.       }
15. }
16.
17. class MouseMotionEvent
18. {
19.     public static void main(String[] args) throws Exception
20.     {
21.         JFrame frm=new JFrame("Mouse Motion");
22.         frm.setBounds(120, 120, 250, 150);
23.         frm.addMouseMotionListener(new MouseMotionHandler());
24.
25.         frm.setVisible(true);
26.         frm.setDefaultCloseOperation(WindowConstants.DISPOSE_ON_CLOSE);
27.     }
28. }
```

위 예제를 실행하면, 마우스의 움직임을 통해서 mouseMoved 메소드가 호출되는 것을 확인할 수 있고, 마우스 버튼이 눌린 상태에서의 마우스 움직임을 통해서 mouseDragged 메소드가 호출되는 것도 확인할 수 있다.

■ Adapter 클래스

MouseListener 인터페이스를 보면서 다음과 같은 생각을 해 본적은 없는가?

　"아! 귀찮다. mouseClicked 메소드 하나만 필요한 건데"

MouseListener 인터페이스에는 다섯 개의 메소드가 존재하기 때문에, 마우스 이벤트 처리를 위해서는 다섯 개의 메소드 전부를 구현해야 한다. 그런데 정작 필요한 메소드가 mouseClicked 하나라면 다음의 형태로 클래스를 정의하는 것이 여간 귀찮은 일이 아니다.

```
class MouseEventHandler implements MouseListener
{
    public void mouseClicked(MouseEvent e)
    {
```

```
                System.out.println("마우스 버튼 눌렸다 풀림");
                . . . .
            }
            public void mouseEntered(MouseEvent e) { }
            public void mouseExited(MouseEvent e) { }
            public void mousePressed(MouseEvent e) { }
            public void mouseReleased(MouseEvent e) { }
        }
```

구현에 따른 귀찮음도 있지만, 불필요한 내용이 추가된 것 같은 느낌도 전혀 없지는 않다. 그렇다면 다음
과 같이 MouseListener를 구현하는 대신에 MouseAdapter 클래스를 상속하자.

```
        class MouseEventHandler extends MouseAdapter
        {
            public void mouseClicked(MouseEvent e)
            {
                System.out.println("마우스 버튼 눌렸다 풀림");
                . . . .
            }
        }
```

위의 클래스 정의에서 보이듯이 MouseAdapter 클래스를 상속하면, 필요한 메소드만 정의하면 된다.
물론 이렇게 해도 MouseListener를 구현하는 클래스와 마찬가지로 이벤트 처리자로 등록이 가능하다.
그렇다면 MouseAdapter 클래스의 정체는 무엇일까? 이미 눈치챈 분들도 많을 것이다. 그렇다! 이 클
래스는 MouseListener 인터페이스를 완전히 구현하고 있는 클래스이다. 단 빈 상태로(하는 일이 없는
형태로) 메소드가 정의되어 있기 때문에, 우리가 필요로 하는 메소드만 오버라이딩을 하면 된다. 다음 예
제에서 보이듯이 말이다.

❖ AdapterEventHandling.java

```
 1.   import javax.swing.*;
 2.   import java.awt.event.*;
 3.
 4.   class MouseEventHandler extends MouseAdapter
 5.   {
 6.       public void mouseClicked(MouseEvent e)
 7.       {
 8.           System.out.println("마우스 버튼 눌렸다 풀림");
 9.       }
10.   }
11.
12.   class AdapterEventHandling
13.   {
```

```
14.     public static void main(String[] args)
15.     {
16.         JFrame frm=new JFrame("Mouse Motion");
17.         frm.setBounds(120, 120, 250, 150);
18.         frm.addMouseListener(new MouseEventHandler());
19.
20.         frm.setVisible(true);
21.         frm.setDefaultCloseOperation(WindowConstants.DISPOSE_ON_CLOSE);
22.     }
23. }
```

위 예제는 MouseAdapter 클래스의 상속이 MouseListener 인터페이스의 구현을 대신할 수 있음을 보이기 위해 최대한 간단하게 작성되었다. 이렇듯 MouseListener 인터페이스와 마찬가지로 구현해야 할 메소드가 둘 이상인 이벤트 처리 관련 인터페이스에 대해서는 해당 인터페이스를 구현하는 클래스가 제공된다. 그리고 이러한 클래스를 가리켜 '어댑터(adapter) 클래스'라 한다. 다음은 위에서 보인 이벤트 처리 인터페이스와 그에 대응하는 어댑터 클래스의 이름을 정리해 놓은 것이다.

- MouseListener   MouseAdapter

- MouseMotionListener   MouseMotionAdapter

- TextListener   어댑터 클래스 없음

- ItemListener   어댑터 클래스 없음

- AdjustmentListener   어댑터 클래스 없음

- WindowListener   WindowAdapter

- ActionListener   어댑터 클래스 없음

구현해야 할 메소드가 하나인 인터페이스의 경우에는 어댑터 클래스가 정의되어 있지 않다(어댑터 클래스가 의미 없으므로). 그리고 동일한 규칙을 적용해서 어댑터 클래스의 이름을 정의하고 있기 때문에 인터페이스 별 어댑터 클래스의 존재유무는 쉽게 확인이 가능하다.

■ Anonymous(익명) 클래스의 활용

앞서 보인 예제 AdapterEventHandling.java에는 아직 한가지 아쉬움이 남아있다. 딱 한번 이벤트 처리자로 등록되면서, 그리고 구현한 메소드도 하나밖에 되지 않으면서, 별도의 클래스로 정의되어 있기 때문이다(MouseEventHandler 클래스를 말하는 것임). 이러한 상황에서는 Chapter 17에서 소개한 Anonymous 클래스를 활용하는 것이 간결한 코드의 구성에 도움이 된다. 참고로 Chapter 17에서는 인터페이스를 구현하는 방식으로 Anonymous 클래스를 설명했는데, 다음 예제에서 보이듯이 메소드 오버라이딩의 형태로도 Anonymous 클래스를 정의할 수 있다.

```
1.  import javax.swing.*;
2.  import java.awt.event.*;
3.
4.  class AdapterAnonymousHandling
5.  {
6.      public static void main(String[] args)
7.      {
8.          JFrame frm=new JFrame("Mouse Motion");
9.          frm.setBounds(120, 120, 250, 150);
10.         frm.addMouseListener(
11.             new MouseAdapter()
12.             {
13.                 public void mouseClicked(MouseEvent e)
14.                 {
15.                     System.out.println("마우스 버튼 눌림");
16.                 }
17.             }
18.         );
19.
20.         frm.setVisible(true);
21.         frm.setDefaultCloseOperation(WindowConstants.DISPOSE_ON_CLOSE);
22.     }
23. }
```

위 예제의 11~17행에서 Anonymous 클래스가 정의되고, 정의된 Anonymous 클래스의 인스턴스도 동시에 생성되고 있다. MouseAdapter 클래스의 mouseClicked 메소드를 오버라이딩 한 형태의 인스턴스가 생성된 것이다. 참고로 위 예제에서 보이는 방식이 예제 AdapterEventHandling.java에서 보이는 방식보다 반드시 좋은 형태라고 말할 수는 없다. 하지만 매우 단순한 형태의 이벤트 처리가 필요한 상황에서는 위 예제의 구현방식도 자주 사용이 되니, Anonymous 클래스 기반의 이벤트 처리 방식도 알고는 있어야 한다.

이제 남은 것은 다양한 Swing 컴포넌트에 대한 소개이다. 참고로 이어서 소개하는 내용이 Swing 컴포넌트의 전부는 아니다. 하지만 Swing 기반의 프로그래밍을 전문적으로 하는 것이 아니라면, 단지 Swing을 공부하고 이해하는 것이 목적이라면, 그런 용도로는 적당한 분량임을 말씀 드리고 싶다.

■ JLabel & JTextField

각각의 컴포넌트가 코드상에서 어떻게 표현되는지, 그리고 화면상에서는 어떠한 모습과 특성을 보이는지 눈으로 확인만해도 충분한 공부가 된다. 따라서 가급적 간단명료하게 설명을 진행하겠다. 그럼 먼저 JLabel과 JTextField에 대해서 소개하겠다. JLabel은 문자열 정보를 출력하기 위한 컴포넌트이고, JTextField는 한 줄의 문자열 입력을 위한 컴포넌트인데, 이 두 컴포넌트의 활용방식을 다음의 예제를 통해 소개하겠다.

❖ AdapterEventHandling.java

```
1.   import java.awt.*;
2.   import javax.swing.*;
3.   import java.awt.event.*;
4.
5.   class PWHandler implements ActionListener
6.   {
7.       JTextField id;
8.       JPasswordField pw;
9.
10.      public PWHandler(JTextField id, JPasswordField pw)
11.      {
12.          this.id=id;
13.          this.pw=pw;
14.      }
15.
16.      public void actionPerformed(ActionEvent e)
17.      {
18.          System.out.println("ID : "+id.getText());
19.          System.out.println("Password : "+new String(pw.getPassword()));
20.          id.setText("");
21.          pw.setText("");
22.      }
23.  }
24.
```

```
25.  class JLabelAndJTextField
26.  {
27.      public static void main(String[] args)
28.      {
29.          JFrame frm=new JFrame("JLabel & JTextField");
30.          frm.setBounds(120, 120, 180, 80);
31.          frm.setLayout(new GridLayout(2, 2));
32.
33.          JLabel idLabel=new JLabel("ID ", SwingConstants.RIGHT);
34.          JTextField idText=new JTextField(10);
35.
36.          JLabel pwLabel=new JLabel("Password ", SwingConstants.RIGHT);
37.          JPasswordField pwText=new JPasswordField(10);
38.          pwText.setEchoChar('*');
39.
40.          pwText.addActionListener(new PWHandler(idText, pwText));
41.
42.          frm.add(idLabel); frm.add(idText);
43.          frm.add(pwLabel); frm.add(pwText);
44.
45.          frm.setVisible(true);
46.          frm.setDefaultCloseOperation(WindowConstants.DISPOSE_ON_CLOSE);
47.      }
48.  }
```

 해 설

- 8행 : JPasswordField는 JTextField를 상속하는 클래스로써 패스워드 입력에 필요한 기능이 확장된 형태의 클래스이다.

- 18행 : getText 메소드가 호출되면 텍스트상에 입력된 데이터가 문자열의 형태로(String의 인스턴스 형태로) 반환된다.

- 19행 : getPassword 메소드가 호출되면 패스워드 텍스트상에 입력된 데이터가 반환된다. 단 char형 배열의 형태로 반환되기 때문에, 출력을 위해서는 이 데이터를 기반으로 String 인스턴스를 생성해야 한다.

- 20, 21행 : setText 메소드를 통해서 인자로 전달된 문자열은 텍스트에 출력된다. 그런데 여기서는 빈 문자열을 전달 함으로써 텍스트에 입력된 문자열을 지우는 용도로 사용되었다.

- 33, 36행 : 문자열 "ID" 와 "Password" 을 담고 있는 JLabel 컴포넌트를 각각 생성하고 있다. 생성자의 두 번째 인자로 SwingConstants.RIGHT를 전달했기 때문에 문자열은 오른쪽으로 정렬된다.

- 34, 37행 : JTextField 인스턴스와 JPasswordField 인스턴스를 생성하고 있다. 생성자를 통해서 숫자 10을 전달하였으니, 이 값을 기준으로 컴포넌트의 가로 길이가 결정되어야 하는데, 배치 관리자가 GridLayout이기 때문에 이 값은 그냥 무시가 된다 (GridLayout은 해당 공간을 그냥 꽉 채운다).

- 38행 : setEchoChar 메소드가 호출되면서 패스워드 텍스트상에 표시될 문자를 지정하고 있다.

- 40행 : JPasswordField 컴포넌트에 이벤트 처리자가 등록되고 있다. 그런데 5행에 정의된 이벤트 처리 클래스는 ActionListener를 구현하고 있다. 이는 JTextField와 JPasswordField의 텍스트상에서 엔터 키가 입력되면 ActionEvent가 발생하고, 이를 대상으로 이벤트 처리자의 actionPerformed 메소드가 호출되기 때문이다.

다음은 위 예제의 실행결과이다. 아이디와 패스워드를 입력하고, 패스워드의 텍스트상에서 엔터 키가 입력되면, 입력된 아이디와 패스워드 정보를 명령 프롬프트상에서 확인할 수 있다.

[그림 25-15: 텍스트 기반의 데이터 입력]

추가로, 패스워드의 텍스트상에서 엔터 키가 입력되면, 입력되었던 정보 전부가 삭제되는 것도 확인하기 바란다.

■ JTextArea

JTextField가 한 줄의 문자열 입력을 위한 컴포넌트라면, JTextArea는 여러 줄의 문자열 입력을 위한 컴포넌트이다. 다음 예제를 통해서 JTextArea의 활용 예를 보이겠다.

❖ JTextAreaSimpleModel.java

```
1.  import java.awt.*;
2.  import javax.swing.*;
3.  import java.awt.event.*;
4.
5.  class ButtonTextHandler implements ActionListener
6.  {
7.      JTextArea textArea;
8.
9.      public ButtonTextHandler(JTextArea area)
10.     {
11.         textArea=area;
12.     }
13.
14.     public void actionPerformed(ActionEvent e)
15.     {
16.         textArea.setText("모두 지웠습니다. \n");
17.         textArea.append("원하는 내용 입력하세요. \n");
18.     }
19. }
20.
21. class JTextAreaSimpleModel
22. {
23.     public static void main(String[] args)
```

```
24.        {
25.            JFrame frm=new JFrame("JTextArea");
26.            frm.setBounds(120, 120, 250, 270);
27.            frm.setLayout(new FlowLayout());
28.
29.            JTextArea textArea=new JTextArea(10, 20);
30.            textArea.append("원하는 내용 입력하세요. \n");
31.            textArea.setCaretPosition(textArea.getText().length());
32.
33.            textArea.setLineWrap(true);
34.            textArea.setWrapStyleWord(true);
35.
36.            JButton btn=new JButton("Clear");
37.            btn.addActionListener(new ButtonTextHandler(textArea));
38.            frm.add(textArea); frm.add(btn);
39.
40.            frm.setVisible(true);
41.            frm.setDefaultCloseOperation(WindowConstants.DISPOSE_ON_CLOSE);
42.        }
43. }
```

해 설

- 16, 17행 : setText 메소드는 텍스트 창을 지우고 나서 문자열을 입력한다. 반면 append 메소드는 인자로 전달된 문자열을 텍스트 창에 입력된 문자열의 끝에 추가한다.
- 29행 : JTextArea의 인스턴스를 생성하면서 생성자에 10과 20을 전달하고 있다. 따라서 세로와 가로 길이가 각각 10과 20에 해당하는 텍스트 창이 생성된다. 참고로 한글, 영문, 그리고 빈 공간이 차지하는 가로 크기가 각각 다르기 때문에 가로의 길이를 20으로 지정한다고 해서 20개의 문자를 저장할 수 있는 공간이 생성되는 것은 아님을 기억하기 바란다.
- 31행 : setCaretPosition 메소드는 커서의 위치를 변경하는 메소드이다. 이 문장의 실행을 통해서 커서의 위치는 30행에서 출력한 문자열의 다음 행으로 이동한다.
- 33행 : setLineWrap 메소드는 자동 줄 바꿈 여부를 결정짓는 메소드이다. 인자로 true가 전달되었으니, 자동으로 줄 바꿈이 일어난다.
- 34행 : setWrapStyleWord 메소드는 단어 단위의 줄 바꿈 여부를 결정짓는 메소드이다. true가 전달되었으니, 단어 단위로 줄 바꿈이 일어난다. 즉 Hello라는 단어가 텍스트 창의 오른쪽 끝부분에 입력될 때 줄 바꿈이 필요하다면 Hello가 함께 줄 바꿈 된다. 단어가 잘리면서 줄 바꿈이 일어나지 않는다.

다음은 위 예제의 실행결과이다. 문자를 입력하고 Clear 버튼을 눌러가면서 실습을 하기 바란다. 특히 위 예제 33행과 34행을 주석처리 해 가면서 실행해보기 바란다.

[그림 25-16: JTextArea 기반 텍스트 창]

■ JScrollPane

JScrollPane은 우리가 흔히 말하는 스크롤 바이다. 바로 앞서 본 예제 JTextAreaSimpleModel. java의 경우에는 계속해서 문자열을 입력할 수 있었다. 그러나 문자열의 수가 텍스트 창의 범위를 넘어 가면 텍스트 창이 늘어나는 우스운 꼴이 연출되고 만다. 이를 막기 위해서 스크롤 바를 달아보겠다.

❖ JTextAreaScrollAdded.java

```
1.   import java.awt.*;
2.   import javax.swing.*;
3.   import java.awt.event.*;
4.
5.   class ButtonTextHandler implements ActionListener
6.   {
7.       /* 예제 JTextAreaSimpleModel.java와 동일하므로 생략합니다. */
8.   }
9.
10.  class JTextAreaScrollAdded
11.  {
12.      public static void main(String[] args)
13.      {
14.          JFrame frm=new JFrame("JTextArea");
15.          frm.setBounds(120, 120, 250, 270);
16.          frm.setLayout(new FlowLayout());
17.
18.          JTextArea textArea=new JTextArea(10, 20);
19.          textArea.append("원하는 내용 입력하세요. \n");
20.          textArea.setCaretPosition(textArea.getText().length());
21.
22.          textArea.setLineWrap(true);
```

```
23.        textArea.setWrapStyleWord(true);
24.
25.        JButton btn=new JButton("Clear");
26.        btn.addActionListener(new ButtonTextHandler(textArea));
27.
28.        JScrollPane simpleScroll=new JScrollPane(textArea);
29.        frm.add(simpleScroll); frm.add(btn);
30.
31.        frm.setVisible(true);
32.        frm.setDefaultCloseOperation(WindowConstants.DISPOSE_ON_CLOSE);
33.    }
34. }
```

- 28행 : JScrollPane 인스턴스를 생성하고 있다. 그런데 생성자를 통해서 JTextArea의 참조 값을 전달하고 있다. 이로써 스크롤 바가 달린 JTextArea가 생성된 셈이다.
- 29행 : JTextArea를 대신해서 JScrollPane의 인스턴스 참조 값을 전달함에 주의하자.

다음은 위 예제의 실행결과이다. 특히 스크롤 바가 생성되었음에 주목하자. 그런데 프로그램을 실행하자마자 스크롤 바가 생성되는 것은 아니다. 스크롤 바의 생성이 필요한 순간에 스크롤 바가 생성된다.

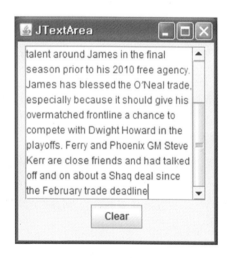

[그림 25-17: 스크롤 바가 달린 JTextArea]

만약에 프로그램의 실행과 동시에 스크롤 바를 달고 싶다면 위 예제 28행을 다음의 문장으로 대신하면 된다.

```
JScrollPane simpleScroll=
    new JScrollPane(textArea,
        ScrollPaneConstants.VERTICAL_SCROLLBAR_ALWAYS,    // 세로 스크롤 정책
```

```
          ScrollPaneConstants.HORIZONTAL_SCROLLBAR_NEVER      // 가로 스크롤 정책
   );
```

VERTICAL_SCROLLBAR_ALWAYS은 계속해서 스크롤 바를 표시함을 의미한다. 즉 세로로 나타
나는 스크롤 바는 프로그램 시작과 동시에 다음과 같이 보이게 된다.

[그림 25-18: 스크롤 바가 처음부터 달린 JTextArea]

그리고 HORIZONTAL_SCROLLBAR_NEVER는 스크롤 바를 표시하지 말라는 의미이다.
JTextArea의 특성상 가로 스크롤 바가 어울리지 않는 경우가 종종 있다. 이러한 경우에는 위의 코드에
서 보이듯이 세 번째 인자로 HORIZONTAL_SCROLLBAR_NEVER를 전달하면 된다.

■ JCheckBox & JRadioButton

JCheckBox는 일명 체크박스이다. 체크박스는 여러분이 프로그램을 설치하는 과정에서 흔히 볼 수 있
다. 그리고 JRadioButton은 라디오버튼이다. 라디오버튼은 아마도 웹에서 회원가입이나 물건 구매과
정에서 본적이 있을 것이다. 이 두 컴포넌트에 대한 활용방법은 예제를 통해서 확인하는 것이 가장 빠르
니 다음 예제를 기반으로 이 두 컴포넌트를 설명하겠다.

❖ JCheckBoxAndJRadioButton.java

```java
1.    import java.awt.*;
2.    import javax.swing.*;
3.    import java.awt.event.*;
4.
5.    class CheckBoxHandler implements ItemListener
6.    {
```

```java
7.        JRadioButton btn1;
8.        JRadioButton btn2;
9.        JRadioButton btn3;
10.
11.       public CheckBoxHandler(JRadioButton b1, JRadioButton b2, JRadioButton b3)
12.       {
13.           btn1=b1;
14.           btn2=b2;
15.           btn3=b3;
16.       }
17.
18.       public void itemStateChanged(ItemEvent e)
19.       {
20.           if(e.getStateChange()==ItemEvent.SELECTED)
21.           {
22.               btn1.setEnabled(true);
23.               btn2.setEnabled(true);
24.               btn3.setEnabled(true);
25.           }
26.           else    /* ItemEvent.DESELECTED */
27.           {
28.               btn1.setEnabled(false);
29.               btn2.setEnabled(false);
30.               btn3.setEnabled(false);
31.           }
32.       }
33. }
34.
35. class JCheckBoxAndJRadioButton
36. {
37.     public static void main(String[] args)
38.     {
39.         JFrame frm=new JFrame("Choice Component");
40.         frm.setBounds(120, 120, 200, 200);
41.         frm.setLayout(new GridLayout(0, 1));   // 가로는 1, 세로는 자유롭게
42.
43.         JCheckBox checkBox=new JCheckBox("Are you a programmer");
44.
45.         JRadioButton rbtn1= new JRadioButton("I like C");
46.         JRadioButton rbtn2= new JRadioButton("I like C++");
47.         JRadioButton rbtn3= new JRadioButton("I like Java", true);
48.         ButtonGroup bGroup=new ButtonGroup();
49.         bGroup.add(rbtn1); bGroup.add(rbtn2); bGroup.add(rbtn3);
50.
51.         checkBox.addItemListener(new CheckBoxHandler(rbtn1, rbtn2, rbtn3));
52.         frm.add(checkBox); frm.add(rbtn1); frm.add(rbtn2); frm.add(rbtn3);
53.
54.         rbtn1.setEnabled(false);
```

```
55.          rbtn2.setEnabled(false);
56.          rbtn3.setEnabled(false);
57.
58.          rbtn1.addItemListener(
59.              new ItemListener() {
60.                  public void itemStateChanged(ItemEvent e)
61.                  {
62.                      if(e.getStateChange()==ItemEvent.SELECTED)
63.                          System.out.println("I like C too");
64.                  }
65.              }
66.          );
67.
68.          rbtn2.addItemListener(
69.              new ItemListener() {
70.                  public void itemStateChanged(ItemEvent e)
71.                  {
72.                      if(e.getStateChange()==ItemEvent.SELECTED)
73.                          System.out.println("I like C++ too");
74.                  }
75.              }
76.          );
77.
78.          rbtn3.addItemListener(
79.              new ItemListener() {
80.                  public void itemStateChanged(ItemEvent e)
81.                  {
82.                      if(e.getStateChange()==ItemEvent.SELECTED)
83.                          System.out.println("I like Java too");
84.                  }
85.              }
86.          );
87.
88.      frm.setVisible(true);
89.      frm.setDefaultCloseOperation(WindowConstants.DISPOSE_ON_CLOSE);
90.  }
91. }
```

해 설

- 41행 : GridLayout을 배치 관리자로 지정하는 과정에서 가로는 1, 세로는 0으로 지정하고 있다. 그런데 이는 세로가 0이라는 뜻이 아니라, 세로는 얹혀지는 컴포넌트의 수에 따라서 자유롭게 늘어날 수 있음을 의미하는 것이다.

- 43행 : JCheckBox의 생성방법을 보이고 있다. 생성자를 통해서 체크박스에 표시될 문자열 정보를 전달하면 된다.

- 45~47행 : 라디오버튼 세 개가 생성 되었다. 라디오버튼은 체크박스와 달리 둘 이상의 라디오버튼이 그룹을 이루어서, 이중에서 하나만 선택할 수 있는(그렇게 구현해야 하는) 컴포넌트이다. 그런데 47행에서는 라디오버튼의 생성자를 통해서 true를 전달하고 있다.

이는 이 라디오버튼을 '선택'의 상태로 놓기 위함이다.

- 48, 49행 : 라디오버튼은 그룹을 이루어야 한다. 그래야 그룹에 속한 라디오버튼 중 하나만 '선택' 가능하다. 여기 두 문장에서는 라디오버튼을 하나의 그룹으로 묶는 방법을 보이고 있다. 이로써 세 개의 라디오버튼 중 하나만 선택이 가능해졌다.

- 51행 : JCheckBox와 JRadioButton은 프로그래머에 의해서 선택되었을 때, 그리고 선택이 해제되었을 때, 이벤트가 발생해서 ItemListener 인터페이스의 itemStateChanged 메소드가 호출된다. 따라서 이 문장에서는 ItemListener 인터페이스를 구현하는 클래스의 인스턴스를 이벤트 처리자로 지정하고 있다. 그리고 18행의 itemStateChanged 메소드 내에서 보이듯이, getStateChange 메소드 호출을 통해서, 선택된 상황에서 발생한 이벤트인지, 선택이 해제된 상황에서 발생한 이벤트인지 확인이 가능하다. 선택에 의한 이벤트 발생시에는 ItemEvent.SELECTED가 반환되고, 선택의 해제에 의한 이벤트 발생시에는 ItemEvent.DESELECTED가 반환된다.

- 58~66행 : 첫 번째 라디오버튼에 이벤트 처리자를 지정하고 있다. 라디오버튼이 선택되었을 때 문자열 메시지를 출력하도록 간단히 정의되어 있으며, 두 번째 그리고 세 번째 라디오버튼에도 이와 동일한 형태로 이벤트 처리자를 지정해 놓았다.

다음은 위 예제의 실행결과이다. 여기서 주목할 것은 체크박스는 독립적으로 선택 및 해제가 이뤄지지만, 라디오버튼은 각각이 독립적으로 선택 및 해제되지 않는다는 점이다. 어느 한 라디오버튼의 선택은 선택 상태에 놓여있는 다른 라디오버튼의 해제로 이어진다.

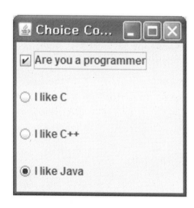

[그림 25-19: 라디오버튼과 체크박스]

■ Border

웹 페이지나 나른 프로그램의 실행과정에서 라디오버튼을 본적이 있다면 그림 25-19가 보여주는 라디오버튼이 매우 엉성해 보일 것이다. 세 개의 라디오버튼이 그룹을 형성한다면, 이들을 대상으로 하는 나름의 경계를 표시해 두는 것이 보통이기 때문이다. 실제로 GUI창에서의 경계표시는 미적인 부분 이외에도 프로그램 사용의 이해적인 측면에서 매우 중요하다. 그림 앞서 보인 예제 JCheckBoxAndJRadioButton.java의 라디오버튼에 경계를 표시해보겠다. 경계표시에 사용되는 주 컴포넌트는 JPanel이다(JPanel의 또 다른 기능이다). 그리고 이 컴포넌트의 경계표시를 돕는 것이 Border라는 이름의 클래스이다.

```
1.   import java.awt.*;
2.   import javax.swing.*;
3.   import java.awt.event.*;
4.   import javax.swing.border.*;
5.
6.   class CheckBoxHandler implements ItemListener
7.   {
8.       /* 예제 JCheckBoxAndJRadioButton.java와 동일하므로 생략합니다. */
9.   }
10.
11.  class JRadioButtonBorder
12.  {
13.      public static void main(String[] args)
14.      {
15.          JFrame frm=new JFrame("Border");
16.          frm.setBounds(120, 120, 200, 180);
17.          frm.setLayout(new FlowLayout());
18.
19.          JCheckBox checkBox=new JCheckBox("Are you a programmer");
20.
21.          JRadioButton rbtn1= new JRadioButton("I like C");
22.          JRadioButton rbtn2= new JRadioButton("I like C++");
23.          JRadioButton rbtn3= new JRadioButton("I like Java", true);
24.          ButtonGroup bGroup=new ButtonGroup();
25.          bGroup.add(rbtn1); bGroup.add(rbtn2); bGroup.add(rbtn3);
26.
27.          Border rbtnBorder=BorderFactory.createEtchedBorder();
28.          rbtnBorder=BorderFactory.createTitledBorder(rbtnBorder, "Language");
29.
30.          JPanel rbtnBorderPanel=new JPanel();
31.          rbtnBorderPanel.setLayout(new GridLayout(0, 1));
32.          rbtnBorderPanel.setBorder(rbtnBorder);
33.
34.          rbtnBorderPanel.add(rbtn1);
35.          rbtnBorderPanel.add(rbtn2);
36.          rbtnBorderPanel.add(rbtn3);
37.
38.          checkBox.addItemListener(new CheckBoxHandler(rbtn1, rbtn2, rbtn3));
39.          frm.add(checkBox); frm.add(rbtnBorderPanel);
40.
41.          rbtn1.setEnabled(false);
42.          rbtn2.setEnabled(false);
43.          rbtn3.setEnabled(false);
44.
45.          rbtn1.addItemListener(
46.              /* 예제 JCheckBoxAndJRadioButton.java와 동일 */
```

```
47.           );
48.
49.           rbtn2.addItemListener(
50.               /* 예제 JCheckBoxAndJRadioButton.java와 동일 */
51.           );
52.
53.           rbtn3.addItemListener(
54.               /* 예제 JCheckBoxAndJRadioButton.java와 동일 */
55.           );
56.
57.           frm.setVisible(true);
58.           frm.setDefaultCloseOperation(WindowConstants.DISPOSE_ON_CLOSE);
59.       }
60. }
```

해 설

- 27행 : 경계면 표시를 돕는 B o r d e r 인스턴스는 B o r d e r F a c t o r y 클래스의 createEtchedBorder 메소드를 통해서 생성된다.

- 28행 : BorderFactory 클래스의 createTitledBorder 메소드를 호출하면서 첫 번째 인자로 27행에서 생성한 Border 인스턴스의 참조 값을, 두 번째 인자로 경계표시에 새겨 넣을 문자열 정보를 전달한다. 그러면 첫 번째 인자로 전달된 Border 인스턴스를 참조하여 문자열 정보가 추가된 Border 인스턴스가 반환된다. 실행과정에서 이 문장이 있고 없음에 따른 차이를 눈으로 직접 확인하기 바란다.

- 30, 32행 : 30행에서는 JPanel을 생성하고 있다. 그리고 32행에서 setBorder 메소드를 호출하면서 28행에서 완성한 Border 인스턴스의 참조 값을 전달하고 있다. 이로 인해서 JPanel 컴포넌트에는 문자열 정보와 함께 경계표시가 새겨진다. 이렇듯 경계표시는 JPanel을 기반으로 만들어진다.

- 39행 : 34~36행을 통해 JRadionButton 컴포넌트를 JPanel에 얹었으니, JPanel만 JFrame에 얹으면 된다.

경계표시는 기능적 측면이 아닌, 시각적 측면의 요소이기 때문에 이를 위한 코드의 추가는 비교적 간단한 편이다.

[그림 25-20: 경계표시가 삽입된 라디오버튼]

어떤가? 한결 의미파악이 명확해지지 않았는가? 이렇듯 디자인적 측면은 프로그램의 이해와도 직결되기 때문에 결코 무시할 수 없는 요소이다.

■ JComboBox

펼쳐지는 선택목록에서 하나를 선택하는 경우에 사용되는 컴포넌트가 JComboBox이다. 그럼 다음 예제를 통해서 JComboBox의 활용방법을 소개하겠다.

❖ JComboBoxModel.java

```java
1.  import java.awt.*;
2.  import javax.swing.*;
3.  import java.awt.event.*;
4.  import java.util.Vector;
5.
6.  class MyFriend
7.  {
8.      String name;
9.      int age;
10.
11.     public MyFriend(String name, int age)
12.     {
13.         this.name=name;
14.         this.age=age;
15.     }
16.     public String toString() { return name; }
17.     public void showFriendInfo()
18.     {
19.         System.out.println("name : "+ name);
20.         System.out.println("age : "+ age);
21.     }
22. }
23.
24. class ChoiceHandler implements ItemListener
25. {
26.     public void itemStateChanged(ItemEvent e)
27.     {
28.         if(e.getStateChange()==ItemEvent.SELECTED)
29.         {
30.             System.out.println("Selected... ");
31.             ((MyFriend)e.getItem()).showFriendInfo();
32.         }
33.         else
34.         {
35.             System.out.println("Deselected... ");
36.             ((MyFriend)e.getItem()).showFriendInfo();
```

```
37.            }
38.        }
39. }
40.
41. class TextChangedHandler implements ActionListener
42. {
43.     public void actionPerformed(ActionEvent e)
44.     {
45.         if((e.getActionCommand()).compareTo("comboBoxEdited")==0)
46.             System.out.println("ComboBox Edited");
47.         else /*comboBoxChanged */
48.             System.out.println("ComboBox Changed");
49.     }
50. }
51.
52. class JComboBoxModel
53. {
54.     public static void main(String[] args)
55.     {
56.         JFrame frm=new JFrame("Choice Component");
57.         frm.setBounds(120, 120, 250, 120);
58.         frm.setLayout(new GridLayout(0, 2));
59.
60.         Vector<MyFriend> friend=new Vector<MyFriend>();
61.         friend.add(new MyFriend("Yoon", 22));
62.         friend.add(new MyFriend("Hong", 23));
63.         friend.add(new MyFriend("Jung", 24));
64.         friend.add(new MyFriend("Kang", 25));
65.
66.         JLabel label1=new JLabel(" ComboBox");
67.         JComboBox cmbBox1=new JComboBox(friend);
68.         cmbBox1.setMaximumRowCount(3);
69.         cmbBox1.addItemListener(new ChoiceHandler());
70.
71.         JLabel label2=new JLabel(" Editable ComboBox");
72.         JComboBox cmbBox2=new JComboBox(friend);
73.         cmbBox2.setEditable(true);
74.         cmbBox2.addActionListener(new TextChangedHandler());
75.
76.         frm.add(label1); frm.add(cmbBox1);
77.         frm.add(label2); frm.add(cmbBox2);
78.
79.         frm.setVisible(true);
80.         frm.setDefaultCloseOperation(WindowConstants.DISPOSE_ON_CLOSE);
81.     }
82. }
```

해 설

- 6행 : MyFriend는 우리가 일반적으로 정의하는 간단한 클래스이다. 본 예제에서는 String 인스턴스를 대신해서 MyFriend 인스턴스를 대상으로 JComboBox를 구성해 보이고 있다. 참고로 이것이 여러분에게는 훨씬 더 많은 공부가 된다.

- 31, 36행 : getItem 메소드는 이벤트가 발생한 인스턴스의 참조 값을 반환하는데, 이 메소드에 대해서는 잠시 후에 보이는 실행결과를 통해서 이해하기 바란다.

- 45행 : getActionCommand 메소드는 이벤트가 발생한 원인을 문자열의 형태로 반환하는데, 이 메소드 역시 잠시 후에 보이는 실행결과를 통해서 이해하기 바란다.

- 60~64행 : 60행에서는 MyFriend 인스턴스의 참조 값 저장을 위한 Vector⟨E⟩의 인스턴스를 생성하고 있다. 그리고 이어서 MyFriend 인스턴스를 저장하고 있다.

- 67행 : Vector⟨Myfriend⟩ 인스턴스에 저장된 목록을 대상으로 JComboBox를 생성하고 있다. 이렇듯 Vector⟨E⟩를 기반으로 JComboBox를 생성할 수도 있지만, addItem 메소드의 호출을 통해서 JComboBox를 구성할 인스턴스를 하나씩 추가할 수도 있다.

- 68행 : setMaximumRowCount 메소드 호출을 통해서 한눈에 보여질(펼쳐질) 목록의 수를 지정하고 있다. 이는 실행결과를 통해서 확인하는 것이 빠르다.

- 69행 : JComboBox의 선택이 변경될 때 ItemEvent가 발생한다. 때문에 addItemListener 메소드의 호출을 통해서 이벤트 처리자를 등록하고 있다.

- 72, 73행 : JComboBox 인스턴스를 하나 더 생성하고 있다. 그런데 이번에는 setEditable 메소드를 호출하면서 인자로 true를 전달하였다. 이는 JComboBox를 편집 가능한 상태로 바꿔놓는다.

- 74행 : 앞에서는 JComboBox가 발생시키는 ItemEvent에 대한 이벤트 처리자를 등록했는데, 이번에는 ActionEvent에 대한 이벤트 처리자를 등록하고 있다. 이렇듯 JComboBox는 ItemEvent도, ActionEvent도 발생시킨다.

다음 그림은 위 예제가 실행되었을 때의 모습을 보여준다. 여기서 위쪽에 위치한 것이 일반적인 JComboBox이고(편집이 불가능한), 아래쪽에 위치한 것이 편집이 가능한 JComboBox이다.

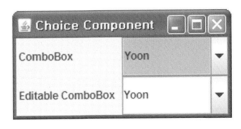

[그림 25-21 : 두 가지 형태의 JComboBox]

JComboBox에 표시된 문자열 "Yoon"은 MyFriend 인스턴스의 toString 메소드 호출 시 반환된 문자열이다. 이렇듯 JComboBox는 등록된 인스턴스의 toString 메소드가 반환하는 문자열을 대상으로 보여지는 목록을 구성한다. 그리고 해당 문자열이 해당 인스턴스를 대표하게 된다. 때문에 JComboBox의 구성원이 되기 위해서는 toString 메소드를 잘 정의해야 한다. 인스턴스 각각을 대표하도록 말이다.

JComboBox의 리스트 구성에는 문자열만 사용되는 것이 아닙니다.

일반적으로는 JComboBox의 리스트 구성에는 문자열(String 인스턴스)을 사용한다. 그러나 필요하다면 다른 클래스의 인스턴스를 대상으로도 JComboBox의 리스트를 구성할 수 있다는 사실을 알고 있을 필요가 있다. 이는 JComboBox의 활용에 많은 유연성을 제공하기 때문이다.

다음 그림은 위 예제 68행의 메소드(setMaximumRowCount) 호출결과가 어떻게 반영되었는지를 보여준다. 인자로 3을 전달했기 때문에 아래로 펼쳐졌을 때, 한 눈에 세 개의 목록이 눈에 들어오며, 부족한 부분의 확인을 위해서 오른쪽에 스크롤 바가 추가되었다.

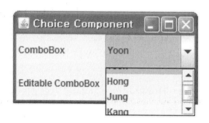

[그림 25-22: 메소드 setMaximumRowCount의 호출결과]

반면 setMaximumRowCount 메소드를 호출하지 않으면 다음과 같이 스크롤 바의 추가 없이 전체 목록이 눈에 들어온다.

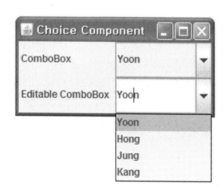

[그림 25-23: 전체 목록이 다 보이는 상황]

그럼 이번에는 이벤트와 관련해서 이야기를 해 보자. JComboBox는 ItemEvent도 ActionEvent도 발생한다. 때문에 ItemEvent에 대한 이벤트 처리자도, ActionEvent에 대한 이벤트 처리자도 등록할 수 있다(물론 동시 등록도 가능하다). 그렇다면 이 둘은 과연 어떠한 차이가 있을까? 위의 예제에서는 이의 확인을 위해서 첫 번째 JComboBox에는 ItemEvent에 대한 이벤트 처리자를, 두 번째 JComboBox에는 ActionEvent에 대한 이벤트 처리자를 등록하였다.

그럼 먼저 첫 번째 JComboBox를 대상으로, ItemEvent가 발생하는 시점의 확인을 위해서 "Yoon"으로 표시되어 있는 것을 다음 그림과 같이 "Kang"으로 변경시켜보겠다.

[그림 25-24: ItemEvent 발생의 확인]

이로 인해서 명령 프롬프트상에 출력되는 메시지는 다음과 같다. 그렇다면 이것이 의미하는 바는 무엇이겠는가? 참고로 위 예제 31행과 36행에서 호출하는 getItem 메소드는 이벤트가 발생한 인스턴스의 참조 값을 반환한다.

```
Deselected...
name : Yoon
age : 22
Selected...
name : Kang
age : 25
```

이는 선택을 받은 인스턴스를 대상으로도, 선택을 잃은 인스턴스를 대상으로도 이벤트가 발생함을 보이는 실행결과이다. 선택을 읽은 인스턴스는 "Yoon"이고, 선택을 받은 인스턴스는 "Kang"이기 때문에 각각의 참조 값이 getItem 메소드의 호출을 통해서 반환되어, 각각의 toString 메소드가 호출되었다. 이렇듯 JComboBox는 선택이 변경될 때, ItemEvent가 두 번 발생한다.

그럼 이번에는 두 번째 JComboBox를 대상으로 ActionEvent의 발생시점을 확인하기 위해서 "Yoon"으로 표시되어 있는 것을 다음 그림과 같이 "Jung"으로 변경시켜보겠다. 참고로 45행에서 호출하는 getActionCommand 메소드는 이벤트가 발생하는 이유를 문자열의 형태로 반환한다.

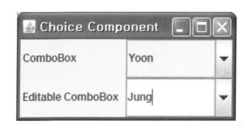

[그림 25-25: ActionEvent 발생의 확인1]

이로 인해서 명령 프롬프트상에 출력되는 메시지는 다음과 같다.

```
ComboBox Changed
```

이는 선택이 변경되었을 때, ItemEvent가 두 번 발생한 것과 달리, ActionEvent가 딱 한번 발생했음을 보이는 결과이다. 이렇듯 ActionEvent는 선택이 변경되었다는 사실에 초점이 맞춰져서 이벤트가 발생한다. 그럼 이번에는 다음 그림과 같이 문자열을 변경한 다음에 엔터 키를 입력해 보자.

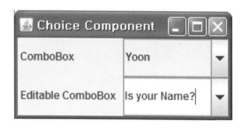

[그림 25-26: ActionEvent 발생의 확인2]

이로 인해서 명령 프롬프트상에 출력되는 메시지는 다음과 같다.

```
ComboBox Changed
ComboBox Edited
```

이는, ActionEvent는 편집이 가능한 JComboBox에서 편집이 이뤄졌을 때에도 이벤트가 발생됨을 보이는 결과이다. 물론 편집이 이뤄진 상태에서 엔터 키가 입력되었으니, 동시에 JComboBox의 선택도 변경된 셈이다. 따라서 이 때에는 총 두 개의 ActionEvent가 발생한다. 이로써 필자는 여러분에게 JComboBox와 관련된 이벤트 발생 방식을 모두 설명하였으니, 상황에 맞게 여러분이 적절히 이벤트를 선택해서 프로그래밍하기 바란다.

■ GUI창의 다른 느낌을 주는 Look And Feel

AWT에는 없지만 Swing에는 존재하는 것 중 가장 대표적인 것은 다음과 같다.

```
Look And Feel
```

무슨 의류업체 광고카피 같은 이것은 Swing 컴포넌트의 'View(보이는 모습)'를 담당하는 클래스 패키지를 의미한다. 따라서 누군가 다음과 같이 이야기한다면,

"난 매킨토시의 룩엔필(Look And Feel)을 적용할거야!"

이는 매킨토시의 GUI 스타일로 Swing의 컴포넌트가 보이게끔 하기 위한 패키지를 Swing 컴포넌트에 적용하겠다는 의미가 된다. 그럼 간단히 룩엔필의 적용방법을 소개하겠다.

```
    try
    {
        UIManager.setLookAndFeel(
            "com.sun.java.swing.plaf.motif.MotifLookAndFeel"
```

```
            );
    }
    catch(Exception e)
    {
        e.printStackTrace();
    }
```

위 코드에서 호출하는 UIManager.setLookAndFeel 메소드가 룩엔필 패키지를 설정하는 메소드이
다. 위 코드에서 이 메소드를 통해 전달되는 문자열은 다음과 같다.

```
"com.sun.java.swing.plaf.motif.MotifLookAndFeel"
```

이는 com.sun.java.swing.plaf.motif 패키지에 존재하는 MotifLookAndFeel 클래스의 정보인
데, 이를 가리켜 '모티프 룩엔필'이라 한다. 참고로 이 MotifLookAndFeel 클래스는 '모티프 룩엔필'
의 진입로와 같은 역할을 하는 것뿐이고, 모티프 룩엔필을 구성하는 많은 수의 클래스들은 com.sun.
java.swing.plaf.motif 패키지에 묶여있다. 그럼 위의 코드를, 앞서 보인 다양한 예제의 main 메소
드 시작부분에 삽입해서 '모티프 룩엔필'의 적용 결과를 확인해보자. 참고로 룩엔필은 Swing 컴포넌트가
생성되기 이전에 설정되어야 된다. 다음은 예제 JComboBoxModel.java에 모티프 룩엔필을 적용한
결과이다

[그림 25-27: 모티프 룩엔필 적용 사례1]

그리고 다음은 예제 JRadioButtonBorder.java에 모티프 룩엔필을 적용한 결과이다.

[그림 25-28: 모티프 룩엔필 적용 사례2]

물론 필자는 이 룩엔필이 마음에 드는지 묻고 싶은 생각이 조금도 없다. 다만 필자는 룩엔필의 설정이 가능하다는 것을 보이고자 했을 뿐이다. 그럼 이번에는 조금 재미있는 룩엔필을 설정해 보겠다. 이는 모티프 룩엔필처럼 자바에서 기본적으로 제공하는 룩엔필이 아닌, 비상업적 목적으로 몇몇 개발자에 의해(참여 개발자는 버전업 과정에서 추가되기도 하므로, 그냥 몇몇이라 해 둔다) 개발된 룩엔필로써, 이름은 '냅킨(Napkin) 룩엔필'이다. 이름이 의미하듯이 냅킨의 느낌을 주는 독특한 룩엔필인데, 이에 대한 정보는 다음의 홈페이지 주소에서 확인이 가능하며,

http://napkinlaf.sourceforge.net

냅킨 룩엔필 패키지는 다음의 주소에서 다운로드가 가능하다.

http://sourceforge.net/projects/napkinlaf

혹시라도 다운로드에 어려움을 겪을 수 있기 때문에 오렌지미디어의 본서 게시판에 파일을 올려놓겠다. 다운로드를 완료하였는가? 그렇다면 냅킨 룩엔필을 적용하는 쉬운 방법을 소개하겠다. 우선 냅킨 룩엔필을 적용하고픈 예제의 main 메소드 앞부분에 다음 코드를 삽입한다.

```
try
{
    UIManager.setLookAndFeel(
        "net.sourceforge.napkinlaf.NapkinLookAndFeel"
    );
}
catch(Exception e)
{
    e.printStackTrace();
}
```

이번에는 다운로드 한 압축파일을 열자! 그러면 다음과 같이 총 세 개의 압축파일을 발견할 수 있다(버전 정보는 x로 처리하였다).

```
jdom-x.jar
napkinlaf-x.jar
napkinlaf-swingset-x.jar
```

이중에서 napkinlaf-x.jar 파일을 다시 열면 net 디렉터리를 발견할 수 있다. 바로 이 디렉터리를 냅킨 룩엔필을 적용한 클래스 파일과 동일한 디렉터리 위치에 가져다 놓고 실행을 하면 된다. 이는 현재 디렉터리가 클래스 패스에 기본적으로 포함되는 특성을 이용한 예제의 실행방법이다. 다음은 예제 JComboBoxModel.java에 냅킨 룩엔필을 적용한 결과이다.

[그림 25-29: 냅킨 룩엔필 적용 사례1]

실행결과에서 냅킨의 느낌이 물씬 풍겨나지 않는가? 이어서 다음은 예제 JRadioButtonBorder.java 에 냅킨 룩엔필을 적용한 결과이다.

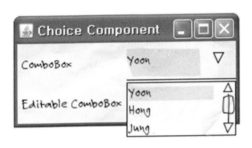

[그림 25-30: 냅킨 룩엔필 적용 사례2]

어떤가 마음에는 드는가? 필자가 이 룩엔필을 처음 접하고서는 주변 사람들에게 보여주니 반응이 너무도 다양해서 재미있었던 기억이 난다.

이로써 필자가 초보자에게 자바의 첫 걸음에서 설명하고픈 모든 이론적인 내용을 설명하였다. 잠시 후 맺 음말을 통해서 여러분께 축하의 말씀을 드리겠지만, 이 시점에서 짧게라도 여러분을 축하하고 싶다.

　　"여기까지 공부하신 여러분 모두에게 진심으로 축하를 드립니다!"

그렇다고 그냥 가지 말고(책을 그냥 덮지 말고), 저기 아래에 있는 단계별 프로젝트 09단계는 완성하고 가기 바란다.

이번 단계의 프로젝트 주제가 무엇인지는 여러분도 대충 파악하고 있을 것이다. 그렇다! GUI를 입히는 것이다.

■ 전화번호 관리 프로그램 09단계 문제

바로 위에서는, 그냥 가지 말고 마지막 프로젝트를 완성하고 가라고 했지만 그렇게 부담을 가질 필요는 없다. 왜냐하면 GUI를 입히는 과정은 생각보다 복잡하기 때문이다. 필자가 초보 프로그래머 시절에 많이 고민했던 것 중에 하나는 다음과 같다.

   "어떻게 하면 GUI 코드를 다른 코드들과 섞이지 않게 잘 관리할 수 있을까?"

그랬다! 필자는 GUI 코드를 완전히 분리하고 싶었다. 그래서 GUI 개발과정과 기능 부분의 개발과정까지도 분리하고 싶었다. 그래서 책도 많이 보고, 필자의 선배 프로그래머들에게 자문도 구해봤지만, 완벽한 분리는 불가능하다는 결론만 얻게 되었다. 물론 이러한 필자의 관심 덕분에 소스코드를 바라보는 관점을 넓힐 수 있었으니, 그 나름의 의미는 충분했다고 생각한다. 어떤가? 여러분도 한번 고민해보지 않겠는가? 필자는 여러분도 필자와 동일한 고민을 해보았으면 한다. 그만큼 의미 있는 고민이기 때문이다.

자! 그럼 문제를 제시하겠다. 우리가 지금까지 구현해온 전화번호 관리프로그램의 기능은 다음과 같이 총 네 가지로 구분이 된다.

- 데이터 입력
- 데이터 검색
- 데이터 삭제
- 프로그램 종료

이 모든 기능을 처리할 수 있도록 GUI창을 입힐 수 있다면 좋겠지만, 그렇게 되면 프로젝트가 너무 길어져서 의미 있는 학습에 오히려 부담이 될 수 있다. 그래서 다음 두 가지 기능만 GUI창을 통해서 진행할 수 있도록 해 보겠다.

- 데이터 검색
- 데이터 삭제

그리고 나머지 두 가지 기능은 이전과 동일하게 명령 프롬프트상에서 처리하는 것으로 하겠다. 즉 프로그램이 실행되면, 명령 프롬프트상에서 데이터의 입력이 가능해야 하고, 더불어 GUI창을 통해서 입력된 데이터의 검색 및 삭제가 가능해야 한다.

"어떻게 구현하면 좋을까요?"

필자는 여러분께 구현방법에 대해서 조금도 말씀 드릴 생각이 없다. 이를 고민하는 것이 가장 큰 공부인데, 왜 필자가 이러한 기회를 여러분에게서부터 빼앗겠는가? 위 질문에 스스로 답을 할 수 있을 정도로 충분히 고민을 하자. 그리고 고민한 바를 코드로 옮겨보자.

■ 전화번호 관리 프로그램 09단계 프로그램의 실행 예

필자가 제시하는 실행의 예를 참조해서 동일한 모습의 GUI창을 꾸미기 바란다. 물론 필자보다 더 멋있고, 더 기능적으로 탄탄한 GUI창을 꾸미는 것은 여러분의 선택이다.

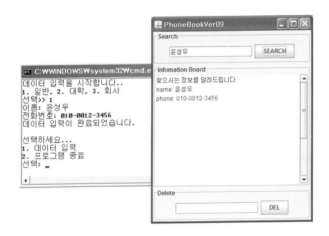

[그림 25-31 : 프로젝트 GUI]

위 그림에서는 명령 프롬프트상에서 데이터를 입력하고, 입력된 데이터를 GUI창에서 검색하는 모습을 보이고 있다.

■ 필자의 구현 사례, 그리고 버전이 1.0이 아닌 이유

이 프로젝트는 버전이 0.9에서 끝난다. 버전이 1.0이면 배포가 가능한 수준이 되어야 하는데, 아직은 그렇지 못하기 때문이다. 언제고 여러분이 이 프로젝트의 버전을 1.0으로 올려놓기 바란다. 꼭 자바를 이용하지 않아도 좋다. 다른 언어, 다른 플랫폼을 사용해도 좋으니, 언젠가는 여러분 스스로 버전 1.0이라 불러 줄 수 있는 프로그램을 완성하기 바란다.

그리고 아래에서 필자가 제시하는 소스코드는 어디까지나 참고용일 뿐이다. GUI를 입히는 방법에는 정답이 없다. 다만 상대적으로 보다 나은 방법이 있을 뿐이다. 그리고 필자는 여러분의 고민이 아래의 코드보다 나은 코드를 만들 것으로 믿으며, 이만 글을 맺고자 한다.

```
/*
 * 전화번호 관리 프로그램 구현 프로젝트
 * Version 0.9
 */

import java.util.Scanner;
import java.util.HashSet;
import java.util.Iterator;
import java.io.*;
import java.awt.*;
import javax.swing.*;
import java.awt.event.*;
import javax.swing.border.*;

interface INIT_MENU
{
    int INPUT=1, EXIT=2;
}

interface INPUT_SELECT
{
    int NORMAL=1, UNIV=2, COMPANY=3;
}

class MenuChoiceException extends Exception
{
    int wrongChoice;

    public MenuChoiceException(int choice)
    {
        super("잘못된 선택이 이뤄졌습니다.");
        wrongChoice=choice;
    }

    public void showWrongChoice()
    {
        System.out.println(wrongChoice+"에 해당하는 선택은 존재하지 않습니다.");
    }
}

class PhoneInfo implements Serializable
{
    String name;
    String phoneNumber;

    public PhoneInfo(String name, String num)
    {
        this.name=name;
        phoneNumber=num;
    }

    public void showPhoneInfo()
    {
        System.out.println("name : "+name);
        System.out.println("phone : "+phoneNumber);
    }
```

```java
    public String toString()
    {
        return "name : "+name+'\n'+"phone : "+phoneNumber+'\n';
    }

    public int hashCode()
    {
        return name.hashCode();
    }

    public boolean equals(Object obj)
    {
        PhoneInfo cmp=(PhoneInfo)obj;
        if(name.compareTo(cmp.name)==0)
            return true;
        else
            return false;
    }
}

class PhoneUnivInfo extends PhoneInfo
{
    String major;
    int year;

    public PhoneUnivInfo(String name, String num, String major, int year)
    {
        super(name, num);
        this.major=major;
        this.year=year;
    }

    public void showPhoneInfo()
    {
        super.showPhoneInfo();
        System.out.println("major : "+major);
        System.out.println("year : "+year);
    }

    public String toString()
    {
        return super.toString()
            +"major : "+major+'\n'+"year : "+year+'\n';
    }
}

class PhoneCompanyInfo extends PhoneInfo
{
    String company;

    public PhoneCompanyInfo(String name, String num, String company)
    {
        super(name, num);
        this.company=company;
    }

    public void showPhoneInfo()
    {
        super.showPhoneInfo();
        System.out.println("company : "+company);
```

```java
        }

        public String toString()
        {
            return super.toString()
                +"company : "+company+'\n';
        }
    }

class PhoneBookManager
{
    private final File dataFile=new File("PhoneBook.dat");
    HashSet<PhoneInfo> infoStorage=new HashSet<PhoneInfo>();

    static PhoneBookManager inst=null;
    public static PhoneBookManager createManagerInst()
    {
        if(inst==null)
            inst=new PhoneBookManager();

        return inst;
    }

    private PhoneBookManager()
    {
        readFromFile();
    }

    private PhoneInfo readFriendInfo()
    {
        System.out.print("이름 : ");
        String name=MenuViewer.keyboard.nextLine();
        System.out.print("전화번호 : ");
        String phone=MenuViewer.keyboard.nextLine();
        return new PhoneInfo(name, phone);
    }

    private PhoneInfo readUnivFriendInfo()
    {
        System.out.print("이름 : ");
        String name=MenuViewer.keyboard.nextLine();
        System.out.print("전화번호 : ");
        String phone=MenuViewer.keyboard.nextLine();
        System.out.print("전공 : ");
        String major=MenuViewer.keyboard.nextLine();
        System.out.print("학년 : ");
        int year=MenuViewer.keyboard.nextInt();
        MenuViewer.keyboard.nextLine();
        return new PhoneUnivInfo(name, phone, major, year);
    }

    private PhoneInfo readCompanyFriendInfo()
    {
        System.out.print("이름 : ");
        String name=MenuViewer.keyboard.nextLine();
        System.out.print("전화번호 : ");
        String phone=MenuViewer.keyboard.nextLine();
        System.out.print("회사 : ");
        String company=MenuViewer.keyboard.nextLine();
        return new PhoneCompanyInfo(name, phone, company);
```

```
}

public void inputData() throws MenuChoiceException
{
    System.out.println("데이터 입력을 시작합니다..");
    System.out.println("1. 일반, 2. 대학, 3. 회사");
    System.out.print("선택>> ");
    int choice=MenuViewer.keyboard.nextInt();
    MenuViewer.keyboard.nextLine();
    PhoneInfo info=null;

    if(choice<INPUT_SELECT.NORMAL || choice>INPUT_SELECT.COMPANY)
        throw new MenuChoiceException(choice);

    switch(choice)
    {
    case INPUT_SELECT.NORMAL :
        info=readFriendInfo();
        break;
    case INPUT_SELECT.UNIV :
        info=readUnivFriendInfo();
        break;
    case INPUT_SELECT.COMPANY :
        info=readCompanyFriendInfo();
        break;
    }

    boolean isAdded=infoStorage.add(info);
    if(isAdded==true)
        System.out.println("데이터 입력이 완료되었습니다. \n");
    else
        System.out.println("이미 저장된 데이터입니다. \n");
}

public String searchData(String name)
{
    PhoneInfo info=search(name);
    if(info==null)
        return null;
    else
        return info.toString();
}

public boolean deleteData(String name)
{
    Iterator<PhoneInfo> itr=infoStorage.iterator();
    while(itr.hasNext())
    {
        PhoneInfo curInfo=itr.next();
        if(name.compareTo(curInfo.name)==0)
        {
            itr.remove();
            return true;
        }
    }

    return false;
}

private PhoneInfo search(String name)
```

```java
        {
            Iterator<PhoneInfo> itr=infoStorage.iterator();
            while(itr.hasNext())
            {
                PhoneInfo curInfo=itr.next();
                if(name.compareTo(curInfo.name)==0)
                    return curInfo;
            }
            return null;
        }

        public void storeToFile()
        {
            try
            {
                FileOutputStream file=new FileOutputStream(dataFile);
                ObjectOutputStream out=new ObjectOutputStream(file);

                Iterator<PhoneInfo> itr=infoStorage.iterator();
                while(itr.hasNext())
                    out.writeObject(itr.next());

                out.close();
            }
            catch(IOException e)
            {
                e.printStackTrace();
            }
        }

        public void readFromFile()
        {
            if(dataFile.exists()==false)
                return;

            try
            {
                FileInputStream file=new FileInputStream(dataFile);
                ObjectInputStream in=new ObjectInputStream(file);

                while(true)
                {
                    PhoneInfo info=(PhoneInfo)in.readObject();
                    if(info==null)
                        break;
                    infoStorage.add(info);
                }

                in.close();
            }
            catch(IOException e)
            {
                return;
            }
            catch(ClassNotFoundException e)
            {
                return;
            }
        }
}
```

```java
class MenuViewer
{
    public static Scanner keyboard=new Scanner(System.in);

    public static void showMenu()
    {
        System.out.println("선택하세요...");
        System.out.println("1. 데이터 입력");
        System.out.println("2. 프로그램 종료");
        System.out.print("선택 : ");
    }
}

class SearchEventHandler implements ActionListener
{
    JTextField searchField;
    JTextArea textArea;

    public SearchEventHandler(JTextField field, JTextArea area)
    {
        searchField=field;
        textArea=area;
    }

    public void actionPerformed(ActionEvent e)
    {
        String name=searchField.getText();
        PhoneBookManager manager=PhoneBookManager.createManagerInst();
        String srchResult=manager.searchData(name);
        if(srchResult==null)
        {
            textArea.append("해당하는 데이터가 존재하지 않습니다.\n");
        }
        else
        {
            textArea.append("찾으시는 정보를 알려드립니다. \n");
            textArea.append(srchResult);
            textArea.append("\n");
        }
    }
}

class DeleteEventHandler implements ActionListener
{
    JTextField delField;
    JTextArea textArea;

    public DeleteEventHandler(JTextField field, JTextArea area)
    {
        delField=field;
        textArea=area;
    }

    public void actionPerformed(ActionEvent e)
    {
        String name=delField.getText();
        PhoneBookManager manager=PhoneBookManager.createManagerInst();
        boolean isDeleted=manager.deleteData(name);
        if(isDeleted)
```

```java
                    textArea.append("데이터 삭제를 완료하였습니다. \n");
            else
                    textArea.append("해당하는 데이터가 존재하지 않습니다. \n");
        }
}


class SearchDelFrame extends JFrame
{
    JTextField srchField=new JTextField(15);
    JButton srchBtn=new JButton("SEARCH");

    JTextField delField=new JTextField(15);
    JButton delBtn=new JButton("DEL");

    JTextArea textArea=new JTextArea(20, 25);

    public SearchDelFrame()
    {
        super(title);
        setBounds(100, 200, 330, 450);
        setLayout(new BorderLayout());
        Border border=BorderFactory.createEtchedBorder();

        Border srchBorder=BorderFactory.createTitledBorder(border, "Search");
        JPanel srchPanel=new JPanel();
        srchPanel.setBorder(srchBorder);
        srchPanel.setLayout(new FlowLayout());
        srchPanel.add(srchField);
        srchPanel.add(srchBtn);

        Border delBorder=BorderFactory.createTitledBorder(border, "Delete");
        JPanel delPanel=new JPanel();
        delPanel.setBorder(delBorder);
        delPanel.setLayout(new FlowLayout());
        delPanel.add(delField);
        delPanel.add(delBtn);

        JScrollPane scrollTextArea=new JScrollPane(textArea);
        Border textBorder=BorderFactory.createTitledBorder(border, "Infomation Board");
        scrollTextArea.setBorder(textBorder);

        add(srchPanel, BorderLayout.NORTH);
        add(delPanel, BorderLayout.SOUTH);
        add(scrollTextArea, BorderLayout.CENTER);

        srchBtn.addActionListener(new SearchEventHandler(srchField, textArea));
        delBtn.addActionListener(new DeleteEventHandler(delField, textArea));

        setVisible(true);
        setDefaultCloseOperation(WindowConstants.DISPOSE_ON_CLOSE);
    }
}

class PhoneBookVer09
{
    public static void main(String[] args)
    {
        PhoneBookManager manager=PhoneBookManager.createManagerInst();
        SearchDelFrame winFrame=new SearchDelFrame("PhoneBookVer09");
```

```java
        int choice;

        while(true)
        {
            try
            {
                MenuViewer.showMenu();
                choice=MenuViewer.keyboard.nextInt();
                MenuViewer.keyboard.nextLine();

                if(choice<INIT_MENU.INPUT || choice>INIT_MENU.EXIT)
                    throw new MenuChoiceException(choice);

                switch(choice)
                {
                case INIT_MENU.INPUT :
                    manager.inputData();
                    break;
                case INIT_MENU.EXIT :
                    manager.storeToFile();
                    System.out.println("프로그램을 종료합니다.");
                    System.exit(0);
                    return;
                }
            }
            catch(MenuChoiceException e)
            {
                e.showWrongChoice();
                System.out.println("메뉴 선택을 처음부터 다시 진행합니다.\n");
            }
        }
    }
}
```

■ 문제 25-1의 답안

■ 문제 1

❖ 소스코드 답안

```
1.   import java.awt.*;
2.   import java.awt.event.*;
3.   import javax.swing.*;
4.
5.   class MouseEventHandler implements MouseListener
6.   {
7.       public void mouseClicked(MouseEvent e)
8.       {
9.           JButton button=(JButton)e.getComponent();
10.          button.setText("Clicked");
11.          System.out.println("Clicked Button"+e.getButton());
12.          System.out.println("마우스 버튼 눌렸다 풀림");
13.      }
14.
15.      public void mouseEntered(MouseEvent e) { }
16.      public void mouseExited(MouseEvent e) {}
17.      public void mousePressed(MouseEvent e) { }
18.      public void mouseReleased(MouseEvent e) { }
19.  }
20.
21.  class FrameMouseEventHandler implements MouseListener
22.  {
23.      public void mouseClicked(MouseEvent e)
24.      {
25.          System.out.println("JFrame상에서 마우스 버튼 눌렸다 풀림");
26.      }
27.
28.      public void mouseEntered(MouseEvent e) { }
29.      public void mouseExited(MouseEvent e) { }
30.      public void mousePressed(MouseEvent e) { }
31.      public void mouseReleased(MouseEvent e) { }
32.  }
33.
34.  class EventHandlerAnswer1
35.  {
36.      public static void main(String[] args)
37.      {
38.          JFrame frm=new JFrame("First Swing");
39.          frm.setBounds(120, 120, 400, 100);
40.          frm.setLayout(new FlowLayout());
41.          frm.addMouseListener(new FrameMouseEventHandler());
42.
43.          JButton btn1=new JButton("My Button");
```

```
21.  class MyJFrame extends JFrame implements MouseListener
22.  {
23.      public MyJFrame(String title)
24.      {
25.          super(title);
26.          setBounds(120, 120, 400, 100);
27.          setLayout(new FlowLayout());
28.          addMouseListener(this);
29.      }
30.
31.      public void mouseClicked(MouseEvent e)
32.      {
33.          System.out.println("JFrame상에서 마우스 버튼 눌렸다 풀림");
34.      }
35.
36.      public void mouseEntered(MouseEvent e) { }
37.      public void mouseExited(MouseEvent e) { }
38.      public void mousePressed(MouseEvent e) { }
39.      public void mouseReleased(MouseEvent e) { }
40.  }
41.
42.  class EventHandlerAnswer3
43.  {
44.      public static void main(String[] args)
45.      {
46.          JFrame frm=new MyJFrame("First Swing");
47.
48.          JButton btn1=new JButton("My Button");
49.          MouseListener listener=new MouseEventHandler();
50.          btn1.addMouseListener(listener);
51.
52.          JButton btn2=new JButton("Your Button");
53.          btn2.addMouseListener(listener);
54.
55.          JButton btn3=new JButton("Our Button");
56.          btn3.addMouseListener(listener);
57.
58.          frm.add(btn1);
59.          frm.add(btn2);
60.          frm.add(btn3);
61.          frm.setVisible(true);
62.      }
63.  }
```

■ 문제 4

❖ 소스코드 답안

```
1.  import java.awt.*;
2.  import java.awt.event.*;
3.  import javax.swing.*;
4.
5.  class MouseEventHandler implements MouseListener
6.  {
7.      public void mouseClicked(MouseEvent e)
8.      {
```

```java
9.          JButton button=(JButton)e.getComponent();
10.         button.setText("Clicked");
11.         System.out.println("Clicked Button"+e.getButton());
12.         System.out.println("마우스 버튼 눌렸다 풀림");
13.     }
14.
15.     public void mouseEntered(MouseEvent e) { }
16.     public void mouseExited(MouseEvent e) {}
17.     public void mousePressed(MouseEvent e) { }
18.     public void mouseReleased(MouseEvent e) { }
19. }
20.
21. class MyJFrame extends JFrame implements MouseListener
22. {
23.     JButton btn1;
24.     JButton btn2;
25.     JButton btn3;
26.
27.     public MyJFrame(String title)
28.     {
29.         super(title);
30.         setBounds(120, 120, 400, 100);
31.         setLayout(new FlowLayout());
32.         addMouseListener(this);
33.
34.         btn1=new JButton("My Button");
35.         btn2=new JButton("Your Button");
36.         btn3=new JButton("Our Button");
37.
38.         MouseListener listener=new MouseEventHandler();
39.         btn1.addMouseListener(listener);
40.         btn2.addMouseListener(listener);
41.         btn3.addMouseListener(listener);
42.
43.         add(btn1);
44.         add(btn2);
45.         add(btn3);
46.     }
47.
48.     public void mouseClicked(MouseEvent e)
49.     {
50.         System.out.println("JFrame상에서 마우스 버튼 눌렸다 풀림");
51.     }
52.
53.     public void mouseEntered(MouseEvent e) { }
54.     public void mouseExited(MouseEvent e) { }
55.     public void mousePressed(MouseEvent e) { }
56.     public void mouseReleased(MouseEvent e) { }
57. }
58.
59. class EventHandlerAnswer4
60. {
61.     public static void main(String[] args)
62.     {
63.         JFrame frm=new MyJFrame("First Swing");
64.         frm.setVisible(true);
65.     }
66. }
```

APPENDIX A

데이터 표현방식의 이해

본 내용은 저자의 C 기본서인 "난 정말 C Programming을 공부한적이 없다구요!"의 일부이다. 자바의 특성상 여기서 설명하는 내용을 본문의 일부가 아닌, 별도의 내용으로 구분 짓는 것이 낫겠다는 판단에서 이 내용을 별도로 정리하고자 한다.

여기서 설명하는 내용은 자바를 구성하는 문법만큼이나 중요하다. 다만 학창시절에 대부분 공부하는 내용이기 때문에 필자가 본문이 아닌 부록을 통해서 정리할 뿐이다.

■ 2진수, 8진수, 10진수 그리고 16진수

컴퓨터는 데이터를 표현하는데 있어서 0과 1만을 사용하는데, 이것이 바로 2진수의 데이터 표현방식이다. 즉 2진수는 두 개의 기호 0과 1을 다양한 형태로 조합해서 데이터를 표현하는 방식이다. 그렇다면 10진수는 데이터를 표현하는데 있어서 열 개의 기호를 조합하는 방식인가? 물론이다! N진수 데이터 표현방식이라 했을 때, N은 데이터를 표현하는데 사용하는 기호의 개수를 의미한다. 다음 그림은 진수 별 데이터 표현 기호의 범위를 보여준다.

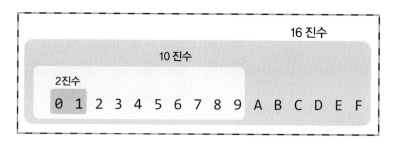

[그림 A-1: 진수 별 데이터 표현 기호의 범위]

위 그림에서 주목할 것은 16진수의 표현 기호이다. 총 열 여섯 개의 기호로 데이터를 표현해야 하기 때문에 아라비아 숫자 기호 열 개와 알파벳 기호 여섯 개를 이용한다.

■ 2진수, 10진수, 16진수를 이용해서 양의 정수 표현해 보기

10진수로 표현된 양의 정수를 2진수와 16진수로 어떻게 표현이 가능한지 함께 확인하도록 하겠다. 다음 그림에서는 우리에게 익숙한 10진수와 컴퓨터에게 익숙한 2진수를 비교하고 있다.

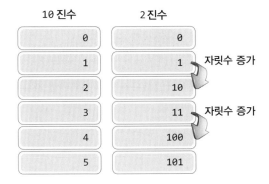

[그림 A-2: 10진수와 2진수의 비교]

위 그림에서 보여주듯이 2진수라고 해서 어렵게 생각할 것 없다. 단지 모든 숫자를 두 개의 기호 0과 1로 표현할 뿐이다. 그러다 보니 자릿수가 증가하는 시점이 10진수와 차이가 난다. 10진수는 9 다음에 자릿수가 증가한다. 왜냐하면 9보다 큰 값을 의미하는 기호가 없기 때문이다. 반면 2진수는 1 다음에 자릿수가 증가한다. 왜냐하면 1보다 큰 값을 의미하는 기호가 없기 때문이다. 그래서 2진수는 자릿수의 증가가 아주 빈번하다. 위 그림에서도 보여주듯이 10진수로 5까지 표현하는데 있어서 2진수는 두 번이나 자릿수가 증가하였다.

이번에는 10진수와 16진수를 비교해 볼 텐데, 비교하는 값의 범위가 그림 A-2와는 다른데, 이는 16진수의 자릿수 증가 위치를 확인하기 위함이다.

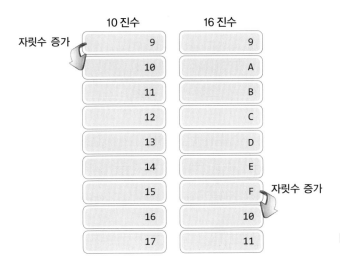

[그림 A-3: 10진수와 16진수의 비교]

위 그림에서 보여주듯이 16진수는, 가장 큰 값을 의미하는 기호가 F(10진수로 15)이기 때문에 F 다음에 자릿수가 증가한다. 이렇듯 각 진법 별로 자릿수의 증가시기만 이해해도 각 진법 별 데이터의 표현방식을 이해할 수 있다.

문제 A-1 [2진수, 8진수, 16진수 데이터 표현 방식의 이해 확인]

다음은 진법변환에 대한 문제이다. 그런데 이는 여러분이 진법변환을 할 줄 아는가를 묻기 위함이 아니고 데이터 표현방식을 이해하는지 묻기 위함이니, 굳이 수학 교과서에 있는 진법변환 공식을 활용할 필요는 없다(단순하게 그림 A-2, A-3에서 소개하는 방식으로 해결하기로 하자).

▶ 문제 1

10진수 8에서 20까지를 2진수와 16진수로 각각 표현해 보자. 다소 지루한 문제가 되겠지만 진수 표현과 자릿수의 증가에 익숙해지는 것을 목적으로 문제를 제시하였다.

▶ 문제 2

10진수 5부터 18까지를 8진수로 표현해 보자. 8진수에 대해서는 별도로 언급하지 않았지만 0~7까지 총 8개의 기호로 데이터를 표현한다는 사실을 알고 있으니 충분히 해결할 수 있다.

▶ 문제 3

2진수 두 개를 가지고 표현할 수 있는 데이터의 수는 00, 01, 10, 11 이렇게 총 4개이다. 그렇다면 2진수 N개를 가지고 표현할 수 있는 데이터의 수는 총 몇 개인가?

왜 2진수와 16진수를 공부해야 하나요?

2진수와 16진수를 중요시 하는 이유는 무엇일까? 이는 컴퓨터가 2진수로 데이터를 표현하기 때문이다. 그런데 여러분도 알다시피 2진수로 데이터를 표현하려면 한참을 늘어뜨려야 한다. 어떻게 하면 간결하게 표현이 가능할까? 16진수를 사용하면 된다. 2의 4승이 16아닌가? 따라서 2진수 네 개는 16진수 하나로 표현이 가능하다. 그래서 컴퓨터 분야에서는 16진수를 많이 사용한다.

■ 2진수를 10진수로 변환하기

아무래도 우리의 생각은 10진수로 돌아간다. 따라서 2진수 데이터를 10진수로 변환하는 기본적인 방법은 알아 둘 필요가 있다. 일단 네 자릿수의 2진 데이터를 가지고 분석을 해 보자. 다음은 10진수로 얼마인가?

```
0001
```

당연히 1이다. 그럼 다음은 각각 10진수로 얼마인가?

```
0010,    0100,    1000
```

연습장에 조금만 풀어서 써보면 알 수 있다. 각각 2, 4, 8이다. 정리하면 다음과 같다(값이 1에서부터 시작해서 2의 배수로 증가하고 있음에 주목하기 바란다).

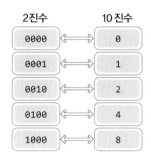

[그림 A-4: 2진수와 10진수의 변환 관계]

그럼 이제 응용이다. 다음은 10진수로 얼마인가?

```
1001
```

1001은 1000과 0001의 합이니 8과 1의 합으로 볼 수 있다. 따라서 10진수로 9이다. 한 문제 더 해보자. 다음은 10진수로 얼마인가?

```
1111
```

1111은 1000+0100+0010+0001와 같으므로 8+4+2+1이 되어 15가 된다. 이제 네 자릿수로 표현된 2진 데이터는 얼마든지 10진수로 변환할 수 있을 것이다. 이로써 충분하다. 사실 이 내용을 설명한 이유는 이어서 소개하는 2진수와 16진수 사이의 변환을 설명하기 위함인데, 딱 필요한 만큼만 설명을 하였다.

■ 2진수를 16진수로 16진수를 2진수로 변환하기

위의 '참고'에서 언급했듯이 2진수와 16진수는 컴퓨터 분야에서 중요하게 여겨지는 대표적인 데이터 표현법이다. 그리고 2진수는 쉽게 16진수로, 16진수는 쉽게 2진수로 변환이 가능하다. 따라서 이 둘 사이의 변환방법에 대해서 살펴보고자 한다.

16진수 F는 10진수로 15이다. 마찬가지로 2진수로 1111은 10진수로 15이다. 즉 2진수 1111과 16진수 F는 같다. 따라서 2진수와 16진수 사이에는 다음 관계가 성립한다.

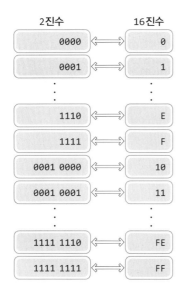

2진수   16진수

0000 ⟷ 0
0001 ⟷ 1
⋮   ⋮
1110 ⟷ E
1111 ⟷ F
0001 0000 ⟷ 10
0001 0001 ⟷ 11
⋮   ⋮
1111 1110 ⟷ FE
1111 1111 ⟷ FF

[그림 A-5: 2진수와 16진수의 변환 관계]

위 그림을 통해서 여러분이 관찰해야 할 사항은 2진수 기호 네 개가 16진수 기호 하나로 표현된다는 사실이다. 따라서 2진수를 16진수로 변환할 때, 2진수 기호를 네 개씩 끊어서 16진수로 바꿔주면 된다. 예를 들어서 11111110을 16진수로 변환해보자. 그러면 네 개씩 기호를 끊어서 16진수로 변환하면 된다. 즉 1111은 16진수로 F이고 1110은 16진수로 E이므로 11111110은 16진수로 FE가 된다.

반대로 16진수를 2진수로 변환할 때에는 거꾸로 생각하면 된다. 즉 16진수 하나를 네 개의 2진수 기호로 변환하면 된다. 예를 들어서 16진수 2F를 2진수로 변환해보자. 16진수 2는 2진수로 0010이고 16진수 F는 2진수로 1111이다. 따라서 16진수 2F는 2진수로 00101111이 된다(물론 앞의 0은 생략해서 101111로 표현해도 된다).

문 제 A-2 [클래스의 이름과 문자열의 출력]

> Question

▶ 문제 1

다음 두 2진수를 16진수로 변환하여라.

    2진수 1: 110000101001
    2진수 2: 100111000101

▶ 문제 2

다음 세 16진수를 2진수로 변환하여라.

    16진수 1: AD
    16진수 2: 12DE
    16진수 3: DA10BF

A-2 데이터 표현의 단위(비트, 바이트, 워드)

데이터 또는 메모리 공간의 크기를 나타내는데 사용되는 단위가 있다. 따라서 이들에 대해서 설명하고자 한다.

■ 비트(bit)와 바이트(byte)

컴퓨터가 나타내는 데이터의 최소 단위를 가리켜 비트라 한다. 1비트는 2진수 값 하나를 저장할 수 있는 메모리 공간의 크기를 의미한다. 그리고 이러한 비트가 여덟 개 모이면 1바이트가 된다.

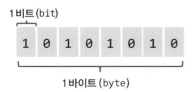

[그림 A-6: 비트와 바이트의 관계]

1바이트가 꼭 8비트는 아니라고?

1바이트는 하나의 문자를 저장할 수 있는, 8비트 이상의 크기를 의미하기 때문에, 1바이트는 8비트가 아닐 수도 있다. 그러나 대부분의 시스템에서 1바이트를 8비트로 표현하기 때문에 일반적으로 1바이트를 8비트라고 이야기한다. 이는 골치 아픈 소리처럼 들릴 수 있지만, 혹시라도 여러분께 상식으로 기억될까 해서 필자가 그냥 몇 자 적어보았다.

■ 32비트, 64비트 시스템에서의 워드(word)

워드는 CPU가 한번에 처리할 수 있는 데이터의 크기를 의미하는 단위이다. 일반적으로 16비트 시스템에서는 한번에 처리할 수 있는 데이터의 크기가 16비트로 제한된다. 따라서 16비트 시스템에서는 1워드가 16비트이다.

마찬가지로 32비트, 64비트 시스템에서는 CPU가 한번에 처리할 수 있는 데이터의 크기가 각각 32비트, 64비트이다. 따라서 각각의 시스템에서는 1워드가 32비트, 64비트가 된다. 이처럼 워드라는 단위는 비트나 바이트 단위와는 그 개념이나 용도에 있어서 약간 차이가 있다. 자바를 공부하는 과정에서는 워드라는 단위를 사용할 일은 별로 없다. 그러나 알아두는 것이 좋다. 여러분이 공부하는 컴퓨터 관련서

적에서 워드 단위를 기준으로 무엇인가를 열심히 설명할지도 모르니 말이다.

■ 킬로 바이트(kilobyte), 메가 바이트(megabyte), 기가 바이트(gigabyte)

보통 단위에 K가 붙으면 1000을 곱하고, M이 붙으면 거기에다 다시 1000을 곱한다. 따라서 1킬로 바이트는 1×1000 바이트로, 1메가 바이트는 $1 \times 1000 \times 1000$ 바이트로 생각하는 경우가 많다. 그런데 메모리 공간의 크기를 나타내는 바이트 단위에서는 단위가 증가할 때마다 1000을 곱하는 것이 아니라 1024를 곱한다. 즉 킬로 바이트, 메가 바이트 그리고 기가 바이트는 다음의 관계를 갖는다.

- 1 KB(킬로 바이트) = 1×1024 바이트
- 1 MB(메가 바이트) = $1 \times 1024 \times 1024$ 바이트
- 1 GB(기가 바이트) = $1 \times 1024 \times 1024 \times 1024$ 바이트

1024를 대신해서 1000을 곱하는 경우도 많다.

요즘은 인터넷 강의가 많이 활성화되었다. 그리고 고교 학습으로 유명한 M사나 E사를 비롯한 여러 인터넷 교육 관련 회사가 1초당 1MB 이상의 고화질 서비스를 실시하고 있다. 이는 1초에 1MB 이상의 음성, 영상정보를 전송한다는 뜻이다. 불과 몇 년 전과 비교를 해도 상당히 고화질의 서비스가 이뤄지고 있는 것이다.

여기서 여러분이 M사의 동영상을 시청하고 있다고 가정해 보자. M사는 C사의 도움을 받아서 초당 1MB의 동영상 서비스를 여러분에게 제공하고 있다. 그렇다면 여러분이 초당 전송 받는 동영상의 크기는 몇 바이트가 될까? 정확히 계산한다면 1x1024x1024 바이트가 되어야 한다. 그런데 실제로는 1x1000x1000 바이트로 전송이 이뤄진다. 이처럼 경우에 따라서는 단위가 증가할 때마다 1024를 대신해서 1000을 곱하기도 한다. 그런데 이는 공학적 측면의 계산이 아니다. 그저 서비스를 사용하는 사용자에게 사용료를 청구하는데 사용하는 방식일 뿐이다.

그렇다면 1000이 아닌 1024를 곱하는 이유는 무엇일까? 그것은 1000이 2의 N승이 아니기 때문이다 (1024는 2의 10승이다).

위 단위들은 컴퓨터의 메모리 공간을 나타내는 단위이다. 따라서 메모리 공간의 크기를 표현하기에 편리하도록 단위가 책정될 필요가 있다. 그렇다면 2의 N승의 형태가 메모리 공간의 크기를 표현하기에 편리하다는 뜻인가? 그렇다! 매우 편리하다. 왜냐하면 메모리 공간의 크기도 2의 N승의 형태로 증가하기 때문이다.

APPENDIX A 문제의 답안

■ 문제 A-1의 답안

■ 문제 1

10진수 8에서부터 20까지를 2진수로 표현하면 다음과 같다.

```
1000, 1001, 1010, 1011, 1100, 1101, 1110, 1111, 10000, 10001, 10010, 10011, 10100
```

그리고 16진수로 표현하면 다음과 같다.

```
8, 9, a, b, c, d, e, f, 10, 11, 12, 13, 14
```

■ 문제 2

10진수 5에서부터 18까지를 8진수로 표현하면 다음과 같다.

```
5, 6, 7, 10, 11, 12, 13, 14, 15, 16, 17, 20, 21, 22
```

■ 문제 3

2진수 하나로 표현할 수 있는 데이터의 수는 0과 1 이렇게 둘이다. 그리고 2진수 두 개로 표현할 수 있는 데이터의 수는 00, 01, 10, 11 이렇게 넷이다. 그리고 세 개로 표현할 수 있는 데이터의 수는 000, 001, 010, 011, 100, 101, 110, 111 이렇게 여덟이다. 즉 2진수 하나가 늘 때마다 표현할 수 있는 데이터의 수는 두 배로 늘어난다. 따라서 2진수 N개를 가지고 표현할 수 있는 데이터의 수는 다음과 같이 공식화할 수 있다.

2^N 개

■ 문제 A-2의 답안

이 문제는 2진수와 16진수 사이의 변환을 연습하기 위해서 제시한 문제이다. 2진수 데이터를 4개씩 끊어서 16진수로 변환하는 것에 대한 연습이라고 보면 된다.

■ 문제 1

✔ 110000101001를 16진수로 변환하기

2진수 1100, 0010, 1001은 16진수로 각각 C, 2, 9이므로 2진수 110000101001은 16진수로 C29이다.

✔️ 100111000101를 16진수로 변환하기

2진수 1001, 1100, 0101은 16진수로 각각 9, C, 5이므로 2진수 100111000101은 16진수로 9C5이다.

■ 문제 2

✔️ 16진수 AD를 2진수로 변환하기

16진수 A와 D는 2진수로 각각 1010, 1101이므로 16진수 AD는 2진수로 10101101이다.

✔️ 16진수 12DE를 2진수로 변환하기

16진수 1, 2, D, E는 2진수로 각각 0001, 0010, 1101, 1110이므로 16진수 12DE는 2진수로 0001001011011110이다. 그리고 앞에 있는 0을 생략하여 1001011011110으로 표현할 수도 있다.

✔️ 16진수 DA10BF를 2진수로 변환하기

16진수 D, A, 1, 0, B, F는 2진수로 각각 1101, 1010, 0001, 0000, 1011, 1111이므로 16진수 DA10BF는 2진수로 110110100001000010111111이다.

APPENDIX B

자료형에 안전한 열거형

열거형은 여러분이 반드시 공부해야 할 내용 중 하나이다. 그럼에도 불구하고 이렇게 부록으로 뺀 이유는, 본문에서 언급했듯이 가장 마지막에 공부해야 쉽게 열거형을 이해할 수 있기 때문이다.

필자는 Chapter 17에서, 인터페이스 기반의 상수 선언 일부를 열거형이 대체할 것이라고 말하였다. 그런데 이에 공감하는 개발자도 있겠지만, 다음과 같이 생각하는 개발자도 분명히 존재할 것이다.

"무슨 소리! 열거형이 인터페이스 기반의 상수 선언을 완전히 대체할 텐데"

그런데 이는 틀린 말이 아니다. 문제는 시점이다. 시간의 흐름에 따라서 인터페이스 기반의 상수를 대신해서 열거형을 적용하는 비율이 점점 더 높아질 것이다. 참고로 필자는 이어서 설명하는 열거형을 주로 사용하려고 노력하고 있다.

■ 인터페이스 기반의 상수 선언이 뭐가 만족스럽지 못한 건데!

열거형이 등장한 이유를 알기 위해서는 인터페이스 기반의 상수 선언이 어떠한 문제점을 지니는지 이해할 필요가 있다. 따라서 다음 예제를 통해 인터페이스 기반의 상수 선언이 지니는 문제점을 확인하겠다.

❖ NonSafeInterfaceConst.java

```
1.  interface Animal
2.  {
3.      int DOG=1, CAT=2, BEAR=3;
4.  }
5.
6.  interface Person
7.  {
8.      int MAN=1, WOMAN=2, BABY=4;
9.  }
10.
11. class NonSafeInterfaceConst
12. {
13.     public static void main(String[] args)
14.     {
15.         whoAreYou(Person.MAN);
16.         whoAreYou(Animal.DOG);
17.
18.         int myFriend=Person.WOMAN;
19.         if(myFriend==Animal.CAT)
20.             System.out.println("고양이 이놈!");
21.         else
22.             System.out.println("아! 고양이인줄 알았습니다.");
```

```
23.        }
24.
25.     public static void whoAreYou(int man)
26.     {
27.         switch(man)
28.         {
29.         case Person.MAN:
30.             System.out.println("남자 손님입니다.");
31.             break;
32.         case Person.WOMAN:
33.             System.out.println("여성 손님입니다.");
34.             break;
35.         case Person.BABY:
36.             System.out.println("아기 손님입니다.");
37.             break;
38.         }
39.     }
40. }
```

해설

- 16행: 25행에 정의된 메소드 whoAreYou는 인자로 전달된 데이터가 MAN인지 WOMAN인지, 아니면 BABY인지를 구분해서 그에 따른 문장을 출력하는 메소드이다. 그런데 인자로 DOG가 전달되었다. 하지만 매개변수가 int형이고 DOG 역시 int형 데이터이기 때문에 이 부분에서 컴파일 오류가 발생하지 않는다. 뿐만 아니라, DOG는 MAN과 동일한 상수 값을 지니고 있기 때문에 엉뚱하게도 "남자 손님입니다."라는 문자열의 출력으로 이어진다.

- 19행: 말도 안 되는 비교연산이다. myFriend에 저장된 데이터가 MAN인지, WOMAN인지를 확인하고자 했을 것이다. 그런데 실수로 저장된 데이터가 CAT인지를 묻고 있다. 하지만 정수를 비교하는 문장이기 때문에 컴파일 에러가 발생하지 않는다.

❖실행결과:NonSafeInterfaceConst.java

```
남자 손님입니다.
남자 손님입니다.
고양이 이놈!
```

코드의 분석이 어렵지는 않을 것이다. 그리고 문제도 이미 파악했을 것이다. 위 예제에서는 MAN, WOMAN, BABY에 각각 상수를 부여하였다. 그리고 DOG, CAT, BEAR에도 상수를 부여하였다. 그런데 부여된 상수의 값이 중복되기 때문에 멍멍이가 인자로 전달되었는데, 남자 손님이라고 인사 하는 상황이 벌어졌고, 여자친구한테 "고양이 이놈!"이라고 큰 소리나 치는 이상한 상황이 연출되었다. 이 모든 것이 상수를 통해서 데이터를 구분하는 데서 비롯된 것이다.

■ 자료형을 부여하자!

앞서 보인 문제의 해결을 위해서는 MAN, WOMAN, BABY를 DOG, CAT, BEAR와 비교 조차 불가능하도록 해야 한다. 이를 위해서는 MAN, WOMAN, BABY를 하나의 자료형으로 묶고, DOG, CAT, BEAR도 별도의 자료형으로 묶어서 한다(자료형이 다른 두 개의 인스턴스는 비교가 불가능하므로). 그러면 위 예제에서 보인 문제점을 컴파일 과정에서 발견할 수 있다. 그래서 필자는 다음과 같이 클래스를 기반으로 자료형을 부여해 보았다.

❖ ClassBaseDataTypeSet.java

```
1.  class Animal
2.  {
3.      private Animal(){}
4.      public static final Animal DOG=new Animal();
5.      public static final Animal CAT=new Animal();
6.      public static final Animal BEAR=new Animal();
7.  }
8.
9.  class Person
10. {
11.     private Person(){}
12.     public static final Person MAN=new Person();
13.     public static final Person WOMAN=new Person();
14.     public static final Person BABY=new Person();
15. }
16.
17. class ClassBaseDataTypeSet
18. {
19.     public static void main(String[] args)
20.     {
21.         Person man=Person.WOMAN;
22.
23.         if(man==Person.MAN)
24.             System.out.println("남성이군요!");
25.         else if(man==Person.WOMAN)
26.             System.out.println("여성이네요!");
27.         else
28.             System.out.println("안녕 아가야!");
29.
30.         /*
31.         if(man==Animal.DOG)
32.             System.out.println("사람이 멍멍이냐!");
33.         */
34.     }
35. }
```

여성이네요!

위 예제 1~7행은 다음과 같이 클래스가 정의되어 있다.

```
class Animal
{
    private Animal(){}
    public static final Animal DOG=new Animal();
    public static final Animal CAT=new Animal();
    public static final Animal BEAR=new Animal();
}
```

Animal 클래스 내에서 Animal 클래스의 인스턴스 생성이 가능함은 이미 여러분이 알고 있는 사실이다(단계별 프로젝트에서도 보이고 있다). 따라서 위의 클래스 정의는 DOG, CAT, BEAR라는 이름에 Animal이라는 자료형을 부여하기 위한 것임을 알 수 있을 것이다. 또한 Animal의 생성자가 private으로 선언되어 있기 때문에, DOG, CAT, BEAR 이외의 Animal형 인스턴스는 존재하지 않는다고 확신할 수 있다. 마찬가지로 예제 9~15행에서는 MAN, WOMAN, BABY를 Person이라는 이름의 자료형으로 묶고 있다.

이로써 위 예제 31행에서 보이는 잘못된 비교연산은 컴파일 과정에서 에러를 발생시킨다. 자료형이 다른 두 인스턴스의 비교는 허용되지 않기 때문이다. 따라서 위에서 정의한 DOG, CAT, BEAR 그리고 MAN, WOMAN, BABY를 활용하면 예제 NonSafeInterfaceConst.java에서 보인 말도 안되는 상황은 컴파일 오류를 통해서 쉽게 발견이 된다. 단! 여기에는 한가지 문제가 존재한다. switch문의 레이블에는 정수형 데이터만이 올 수 있지 않은가? 따라서 위와 같이 클래스를 정의해서는 예제 NonSafeInterfaceConst.java를 완전히 대체할 수 없다.

■ 자료형을 부여를 돕는 열거형

예제 NonSafeInterfaceConst.java는 자료형에 안전하지 못하다(이는 자료형과 관련된 문제가 발생했을 때 이를 인식할 수 없다는 뜻이다). 인터페이스 Animal과 Person 안에 상수가 나뉘어서 선언되었음에도 불구하고, 이 상수들이 모두 int형으로 표현되었기 때문에, 인터페이스 Animal과 Person에 대한 경계가 무의미했다. 따라서 다음과 같은 코드가 작성되는 상황을 막을 수 없었다.

```
interface Animal { int DOG=1, CAT=2, BEAR=3; }
interface Person { int MAN=1, WOMAN=2, BABY=4; }
```

```
if(Person.MAN == Animal.DOG)      // 컴파일 OK!
    System.out.println("...");
```

반면 ClassBaseDataTypeSet.java는 자료형에 안전하다(이는 자료형과 관련된 문제가 발생했을 때, 컴파일 에러를 통해서 이를 인식할 수 있다는 뜻이다).

```
class Animal
{
    private Animal(){}
    public static final Animal DOG=new Animal();
    public static final Animal CAT=new Animal();
    public static final Animal BEAR=new Animal();
}

class Person
{
    private Person(){}
    public static final Person MAN=new Person();
    public static final Person WOMAN=new Person();
    public static final Person BABY=new Person();
}

if(Person.MAN == Animal. DOG)      // 컴파일 Error!
    System.out.println("...");
```

위 코드의 MAN과 DOG는 정수가 아닌 인스턴스의 참조변수이다. 때문에 서로 다른 자료형의 데이터를 피연산자로 하는 비교연산은 컴파일 에러로 이어진다. 하지만 위의 코드에서 정의하고 있는 인스턴스 형태의 DOG, CAT, BEAR에도 다음과 같은 문제가 있다.

- switch문에 활용이 불가능하다(앞서 한번 언급했다).
- 선언하기가 매우 복잡하다.

그래서 이 두 가지 단점을 보완하여 등장한 것이 바로 열거형(열거 자료형)이다. 열거형을 기반으로 위의 Animal 클래스는 다음과 같이 정의가 가능하다.

```
enum Animal
{
    DOG, CAT, BEAR;
}
```

위에 정의된 Animal도 클래스이다. 다만 키워드 enum을 이용해서 정의되었을 뿐이다. 그런데 이렇게 enum을 이용해서 클래스를 정의하면 다음과 같은 특징이 생기게 된다.

- 안에 선언된 DOG, CAT, BEAR는 Animal 클래스의 인스턴스이다.

- DOG, CAT, BEAR 이외에는 인스턴스 생성이 불가능하다.

- switch문의 레이블에 사용이 가능하다.

DOG, CAT, BEAR는 Animal 인스턴스를 참조하는 참조변수로 생각하면 이해가 빠를 것이다. 다만 그냥 참조변수가 아니라 디폴트 생성자 호출을 통해서 생성된 인스턴스를 각각 참조하는, 그리고 public, static으로 선언된 참조변수이다. 때문에 인터페이스 기반의 상수를 완전히 대체할 수 있는 것이다. 그럼 다음 예제를 통해서 enum에 대한 이해를 도우면서 활용의 예를 보이겠다.

❖ EnumBasic.java

```
1.   enum Animal
2.   {
3.       DOG, CAT, BEAR;
4.   }
5.
6.   enum Person
7.   {
8.       MAN, WOMAN, BABY;
9.   }
10.
11.  class EnumBasic
12.  {
13.      public static void main(String[] args)
14.      {
15.          whoAreYou(Person.MAN);
16.          // whoAreYou(Animal.DOG);
17.
18.          Person myFriend=Person.WOMAN;
19.          // Person myFriend=Animal.CAT;
20.
21.          /*
22.          if(myFriend==Animal.CAT)
23.              System.out.println("고양이 이놈!");
24.          else
25.              System.out.println("아! 고양이인줄 알았습니다.");
26.          */
27.      }
28.
29.      public static void whoAreYou(Person man)
30.      {
31.          switch(man)
32.          {
33.          case MAN:
34.              System.out.println("남자 손님입니다.");
```

```
35.              break;
36.          case WOMAN:
37.              System.out.println("여성 손님입니다.");
38.              break;
39.          case BABY:
40.              System.out.println("아기 손님입니다.");
41.              break;
42.          }
43.      }
44. }
```

해 설

- 15행: Person 클래스(열거형 클래스)의 인스턴스 MAN을 인자로 전달하고 있다. 이 문장에서 호출하는 메소드의 매개변수 위치에도 Person 클래스의 참조변수가 선언되어 있다. 따라서 Person형 이외의 데이터가 전달되면 컴파일 에러가 발생한다.

- 18, 19행: Person형 참조변수의 선언을 보이고 있다. 참조변수가 Person형이기 때문에, Person형 이외의 데이터가 저장될 수 없다. 즉 19행의 주석이 해제된다면 컴파일 에러가 발생한다.

- 22행: DOG, CAT, BEAR의 자료형과 MAN, WOMAN, BABY의 자료형이 엄연히 다르기 때문에, 이런 말도 안 되는 문장은 이제 컴파일 되지 않는다.

- 31~42행: 열거형이 switch문에서 사용될 수 있음을 보이고 있다. 그런데 여기서 Person.MAN이 아닌 MAN이, 그리고 Person.WOMAN이 아닌 WOMAN이 레이블에 사용되었음에 주목하자. 이는 switch문에 전달되는 31행의 변수 man을 통해서 Person 클래스의 인스턴스임이 확인 가능하기 때문이며, 이러한 제약사항을 통해서 Person 인스턴스 이외의 것이 레이블에 삽입되는 것을 막고자 한 것이다.

❖ 실행결과: EnumBasic.java

남자 손님입니다.

위 예제를 앞서 보인 예제 NonSafeInterfaceConst.java와 비교해 보면, 열거형의 장점을 보다 정확히 파악할 수 있을 것이다.

앞서 설명한 것은 열거형의 일부분이다. 아직 필자는 여러분에게 열거형 클래스의 특징을 전부 설명하지 못했다. 참고로 여러분이 기억해야 할 것은 열거형도 클래스라는 사실이다. 이를 잊는 순간부터 열거형은 여러분에게 큰 어려움의 대상이 될 것이다.

■ 생성자의 정의, 그리고 인스턴스 변수와 메소드의 삽입

열거형은 클래스이기 때문에 인스턴스의 생성을 위한 생성자 정의도 가능하고, 디폴트 생성자가 아닌 프로그래머가 직접 정의하는 생성자의 호출도 가능하다. 다음 예제를 통해서 이 사실을 보이겠다. 참고로 이 예제는 열거형 인스턴스도 변수와 메소드를 가질 수 있음을 함께 보이고 있다.

❖ EnumInstMember.java

```
1.   enum City
2.   {
3.       SEOUL(200), BUSAN(100), JEJU(50);
4.
5.       City(int popu)
6.       {
7.           population=popu;
8.       }
9.
10.      int population;     // 인구
11.      public int getPopulation()
12.      {
13.          return population;
14.      }
15.  }
16.
17.  class EnumInstMember
18.  {
19.      public static void main(String[] args)
20.      {
21.          System.out.println("서울의 인구: "+City.SEOUL.getPopulation());
22.          System.out.println("부산의 인구: "+City.BUSAN.getPopulation());
23.          System.out.println("제주의 인구: "+City.JEJU.getPopulation());
24.      }
25.  }
```

- 3행: 열거형 City의 인스턴스들이다. 그런데 이는 디폴트 생성자가 아닌, 정수를 인자로 전달받을 수 있는 생성자의 호출을 의미한다. 물론 이 생성자는 5행에 정의되어 있다.
- 5행: 열거형 클래스의 생성자는 private으로만 선언 가능하다(더 이상의 인스턴스 생성을 허용 안 하므로). 그리고 이렇게 아무런 접근 지시자도 선언하지 않으면 private으로 간주된다.
- 10행: 인스턴스 변수이다. 이는 열거형 City의 인스턴스 변수이니, 당연히 3행에서 생성된 인스턴스의 멤버로 각각 존재하게 된다.
- 11행: 열거형도 클래스이기 때문에 인스턴스 변수뿐만 아니라, 이렇게 인스턴스 메소드도 삽입 가능하다.
- 21~23행: 열거형 City의 인스턴스를 대상으로 인스턴스 메소드를 호출하고 있다.

❖ 실행결과: EnumInstMember.java

```
서울의 인구: 200
부산의 인구: 100
제주의 인구: 50
```

위 예제에서 보이는 열거형 클래스 City가 잘 이해되지 않는다면, City 클래스의 인스턴스 선언을 제외한 나머지만 관찰하자. 즉 다음과 같이 놓고 City 클래스를 분석하자.

```
enum City
{
    City(int popu)
    {
        population=popu;
    }

    int population;      // 인구
    public int getPopulation()
    {
        return population;
    }
}
```

이렇게 놓고 보니, 이해 안될 것도 없지 않은가? 다만 열거형 인스턴스의 생성방법이 조금 독특하긴 하다. 참조변수의 선언과 인스턴스의 생성이 하나로 결합된 형태이기 때문이다. 그래도 다음 문장을 통해서 열거형 인스턴스가 생성된다는 점을 이해하는 것은 어렵지 않다.

```
SEOUL(200), BUSAN(100), JEJU(50);
```

즉 참조변수의 이름이 SEOUL, BUSAN, JEJU이고, 인스턴스 생성시 호출되는 생성자에 각각 200, 100, 50이 전달되었다. 다만 이 문장이 열거형 클래스 내부에 존재할 뿐이고(때문에 인스턴스 생성과정에서 클래스의 이름을 명시할 필요가 없었다), 인스턴스 변수의 형태가 아닌 static 변수의 형태로 존재할 뿐이다.

사실 변수는 아니지요!

필자가 여러분의 이해를 돕기 위해서 열거형 인스턴스인 SEOUL, BUSAN, JEJU를 가리켜 참조변수라 하였다. 그런데 이들이 참조하는 대상은 변경이 불가능하기 때문에 변수라는 표현에는 사실 무리가 따른다. 다만 여러분의 이해를 돕기 위한 필자의 선택이었으니, 이 부분에 대한 오해가 없길 바라겠다.

■ 모든 열거형 클래스가 상속하는 Enum 클래스

모든 열거형 클래스는 Enum 클래스를 상속한다(물론 Enum 클래스는 Object 클래스를 상속한다). 그런데 이 클래스에 정의되어 있는 valueOf 메소드만 여러분에게 소개해도 될 것 같다. Enum 클래스에 정의되어 있는 메소드 대부분이 여러분이 알고 있는 clone, compareTo, finalize와 같은 메소드이기 때문이다. 반면에 valueOf 메소드는 switch문의 구성에 유용하게 사용할 수 있기 때문에 다음 예제를 통해서 별도로 설명하고자 한다.

❖ EnumValueOf.java

```
1.   import java.util.Scanner;
2.
3.   enum City
4.   {
5.       SEOUL(200), BUSAN(100), JEJU(50);
6.
7.       City(int popu)
8.       {
9.           population=popu;
10.      }
11.
12.      int population;
13.      public int getPopulation()
14.      {
15.          return population;
16.      }
17.  }
18.
```

```
19. class EnumValueOf
20. {
21.     public static void main(String[] args)
22.     {
23.         System.out.print("SEOUL, BUSAN, JEJU >> ");
24.         Scanner keyboard=new Scanner(System.in);
25.
26.         String where=keyboard.nextLine();
27.         where=where.toUpperCase();
28.
29.         City dest=City.valueOf(City.class, where);
30.
31.         switch(dest)
32.         {
33.         case SEOUL:
34.             System.out.println("가시려는 서울의 인구: "+dest.getPopulation());
35.             break;
36.         case BUSAN:
37.             System.out.println("가시려는 부산의 인구: "+dest.getPopulation());
38.             break;
39.         case JEJU:
40.             System.out.println("가시려는 제주의 인구: "+dest.getPopulation());
41.             break;
42.         }
43.     }
44. }
```

해설

- 26행: 프로그램 사용자로부터 문자열 데이터를 입력 받고 있다. SEOUL, BUSAN, JEJU중 하나의 입력을 요구하는 것이다.

- 27행: 입력된 문자열을 전부 대문자로 변환하는 과정을 거치고 있다.

- 29행: 이 문장에서 호출하는 valueOf 메소드는 두 번째 인자로 전달된 문자열에 해당하는 열거형 인스턴스를 얻기 위함인데, 이에 대해서는 잠시 후에 별도로 언급을 하겠다. 결과적으로는 두 번째 인자로 문자열 "SEOUL"이 전달되면, 열거형 클래스인 City의 인스턴스 SEOUL 이 반환된다.

❖ 실행결과: EnumValueOf.java

```
SEOUL, BUSAN, JEJU >> jeju
    가시려는 제주의 인구: 50
```

위 예제 29행을 다시 보자. 여기서 호출하는 valueOf 메소드는 Enum 클래스에 정의되어 있는 static 메소드이다.

```
City dest=City.valueOf(City.class, where);
```

이 메소드의 첫 번째 인자로는 열거형 클래스의 정보를 전달해야 한다. 그래야 두 번째 인자로 전달된 문자열에 해당하는 인스턴스를 반환해 줄 수 있기 때문이다. 따라서 첫 번째 인자로 City 클래스에 대한 정보를 전달해야 하는데, 이 때 전달된 대상이 다음과 같다.

```
City.class
```

이는 Class라는 이름의 클래스 인스턴스이다(그나마 글로 표현하니까 이 정도지, 이거 말로 표현하려면 아주 난감하다). API 문서를 참조하면 Class라는 이름의 클래스가 있음을 확인할 수 있는데, 이 클래스는 자료형 정보를 표현하기 위한 클래스이다. 즉 City.class는 열거형 클래스인 City의 자료형 정보를 담고 있는 Class 인스턴스의 참조변수로 이해할 수 있다(천천히 읽자. 빨리 읽으면 무지 헷갈린다).
자! 이렇게 해서 열거형 클래스인 City의 정보를 valueOf 메소드의 첫 번째 인자로 전달하였다. 때문에 두 번째 인자는 City의 인스턴스 이름을 담는 문자열이 되어야 한다. 즉 위 예제의 경우에는 다음 세 가지 중 하나가 인자로 전달되어야 한다.

```
"SEOUL", "BUSAN", "JEJU"
```

그렇지 않으면 영락없이 예외가 발생한다. 하지만 위의 세가지중 하나가 인자로 전달되면, 문자열과 동일한 이름의 인스턴스 참조 값이 반환된다. 때문에 이를 기반으로 switch문을 구성할 수 있는 것이다. 위의 예제에서 보이듯이 말이다.

맺음말

이로써 제가 생각하는, 자바 초보자가 알아야 할 모든 내용에 대한 설명을 마쳤습니다. 제 옆에 있는 아내는 저에게 책의 완성을 축하해 주지만, 저는 이 책을 끝까지 공부하신 여러분을 축하하고 싶습니다.

저는 여러분이 이 책을 공부하는 동안 최대한 많은 생각을 하게끔 유도하려고 노력했습니다. 적지 않은 시간을 프로그래머로 일하면서, 하나의 이론을 바라보면서 깊이 있게 생각하고 이해하는 것이 정말로 중요하다고 느꼈기 때문입니다. 내가 지금 알고 있는 것의 가치가 내일에도 유지될 수 있을지 모르는 것이 IT라고 생각합니다. 때문에 본문에서도 간혹 이야기했듯이 하나를 더 알고 덜 알고는 그리 중요하지 않습니다. 그보다 중요한 것은 다양한 기술을 접하면서 깊이 있게 생각하는 능력입니다.

자바의 기본을 탄탄히 하셨다면, 이제부터가 진정으로 자바의 재미를 느낄 수 있을 때입니다. 그러니 자바라는 멋진 무기를 바탕으로 여러분이 공부하고픈 다양한 응용분야를 마음껏 공부하시기 바랍니다. 하지만 그에 앞서 자료구조와 알고리즘, 그리고 UML 및 디자인 패턴과 같은 객체지향적 이론에도 충분한 학습이 이뤄졌으면 좋겠다는 생각도 해 봅니다.

끝으로 여러분은 자바 프로그래머가 아닌, 그냥 프로그래머가 되셨으면 합니다. 자바를 열심히 공부하다 보면, 다른 언어와 다른 기술의 습득 능력이 놀라울 정도로 향상됩니다. 그러니 굳이 자바만 고집할 필요는 없다고 생각합니다. 참고로 자바도 재미있지만, IT에는 다른 재미있는 것들도 참 많이 있습니다.

자바 기본서를 집필했다고 해서 제가 여러분보다 실력 있는 개발자라고 말할 수 없습니다. 그러니 혹시라도 실무에서 저와 만난다면, 그리고 제가 모르는 것이 많아서 여러분에게 이것저것 묻는다고 해서 실망하지 않으셨으면 좋겠습니다. 그냥 저도 집필이 좋아서 책을 좀 많이 쓰는 평범한 개발자에 지나지 않으니까요. 우리 그냥 평범하게 그리고 재미있게 일했으면 좋겠습니다. 고수다 아니다 뭐 이런 것 따지지 않고 말이죠.

2009년 장마가 걷힌 더운 여름에

저자 **윤 성 우** 드림

INDEX

ㄱ

가비지 컬렉션 (Garbage Collection)	531
가시성(Visibility)	161
가우시안(Gaussian)	573
객체	174, 189
객체지향	376
객체지향 프로그래밍	174
결합방향	72
관계 연산자	80
구분자(Delimiter)	576
기가 바이트 (Gigabyte)	860
기본 자료형 (Primitive Data Type)	41
기초 클래스 (Base Class)	379
깊은(Deep) 복사	545

ㄴ

나눗셈 연산자	75
나머지 연산자	75
난수 (Random Number)	572
냅킨(Napkin) 룩엔필	836
논리 연산자	82

ㄷ

다중상속	462
다차원 배열	348
단일상속	394
단항 연산자	89
대입 연산자	73
동기화 (Synchronization)	677
동기화 메소드	680
동기화 블록	687
디폴트 생성자 (Default Constructor)	200, 246

ㄹ

라이프 사이클 (Life Cycle)	672
램(RAM)	526
레이블을 설정하는 break문	141
레이아웃 매니저 (Layout Manager)	795

리터럴(Literal)	61

ㅁ

매개변수(Parameter)	155
메가 바이트 (Megabyte)	860
메소드	152, 183
메소드의 정의	153
메소드 영역 (Method Area)	527
메소드 오버라이딩	406
메소드 오버로딩 (Overloading)	286
메소드 재정의	406
메인 메모리 (Main Memory)	526
명시적 형 변환 (Explicit Conversion)	68
무한루프	134
문자 스트림	736
문자 자료형	53

ㅂ

바이트(Byte)	859
반복문의 중첩	137
반복자	623, 624
배열	338
배열 인스턴스	341
배치 관리자	795
배치 파일	213
버퍼 필터 스트림	741
버퍼 필터 입력 스트림	726
버퍼 필터 출력 스트림	726
변수	38, 160
변환문자	324
복합(Compound) 대입 연산자	78
부호 연산자	89
블록(Block) 단위 주석	30
비트단위 AND	97
비트단위 NOT	97
비트단위 OR	97
비트단위 XOR	97
비트(Bit)	859
비트 쉬프트(Shift) 연산자	98, 101

비트 연산자	95, 96, 101

ㅅ

산술 연산자	73
상대경로	760
상속	376, 377
상수	60
상수 형태의 인스턴스	293
상위 클래스 (Super Class)	379
상태(State)	175
상태 정보	175
생성자(Constructor)	190, 193, 196
서식문자	324
선언(Declaration)	40
스케줄링 (Scheduling)	667
스코프(Scope)	160
스택 영역 (Stack Area)	527, 528
스트림(Stream)	715
실수	41, 47
실수 자료형	51
쓰레드	660
씨드(Seed)	573

ㅇ

액션스크립트 (ActionScript)	783
얕은(Shallow) 복사	545
연산자	72
연산자 결합방향	73
연산자 우선순위	73, 85
열거형(enum)	458, 864
열거형 클래스	871
예외처리(Exception Handling)	489
예외(Exception)	490
예외 클래스	496, 504, 514

와일드카드	602, 605
우선순위	72
우선순위 컨트롤	667
워드(Word)	859
유니코드	54
유도 클래스 (Derived Class)	379
음의 정수	45
이름 규칙 (Naming Rule)	201
이름 없는 패키지	225
이벤트	803
이벤트 리스너 (Event Listener)	790, 803
이스케이프 시퀀스 (escape sequence)	322
이항 연산자 (Binary Operator)	72
인스턴스화 (Instantiation)	180
인스턴스(Instance)	180, 189
인스턴스 메소드	189, 190
인스턴스 멤버	276
인스턴스 배열	359
인스턴스 변수	189, 190
인코딩(Encoding)	736
입력 스트림 (Input Stream)	715

ㅈ

자동 형 변환 (Implicit Conversion)	67
자료형(Data Type)	41, 50
자료형의 변환	64
자바FX(JavaFX)	780
자바 가상머신(Java Virtual Machine)	23, 526
자바 바이트코드	25, 527
자바 런처	17, 19, 25
자바 컴파일러	17, 20, 25
재귀적 메소드	164

INDEX

재귀호출	163
재귀(Recursion)	163
재활용	376
접근제어 지시자 (Access Control Specifiers)	238, 241, 387
접미사	62
정밀도	48
정보은닉 (Information Hiding)	234, 239
정수	44
정수 자료형	50
제네릭(Generics)	584, 591
제네릭 메소드	593
제네릭 변수	602
제네릭 인터페이스	606
제네릭 클래스	588
제네릭 프로그래밍 (Generic Programming)	592
조건 연산자	116
주석	30, 31
지역변수 (Local Variable)	162
진리 표(Truth Table)	82

ㅊ

참조변수	181, 183
출력 스트림 (Output Stream)	715

ㅋ

캡슐화 (Encapsulation)	251
컬렉션 프레임워크	612
콘솔 입력 (Console Input)	326
콘솔 출력 (Console Output)	320
콤마 연산자	130
클래스의 경로	208
클래스(class)	176
클래스 메소드	270
클래스 변수	262
클래스 파일	185
클래스 패스 (Class Path)	208

키워드(Keyword)	43
킬로 바이트(Kilobyte)	860

ㅌ

토큰(Token)	576
트리(Tree)	636

ㅍ

패키지의 그룹	224
패키지(Package)	215, 219, 221
팩토리얼(Factorial)	163
프레임워크 (Framework)	612
프로세스(Process)	660
플렉스(Flex)	783
필터 스트림	723
필터 입력 스트림	723
필터 입력 스트림 클래스	725
필터 출력 스트림	723
필터 출력 스트림 클래스	725

ㅎ

하위 클래스 (Sub Class)	379
해시 알고리즘	631
행동(Behavior)	175
행(Line) 단위 주석	31
환경변수 path	211
환경변수 (Environment Variable)	18, 210
현재 디렉터리	210
힙 영역(Heap Area)	527, 530

A

abstract 메소드 (추상 메소드)	445
abstract 클래스 (추상 클래스)	444
Access 메소드	239
Access Control Specifiers	238
ActionEvent	804, 832
ActionListener	804, 807
actionPerformed	807

Adapter 클래스	813
addMouseListener	791
AdjustmentEvent	804
AdjustmentListener	804
Anonymous(익명) 클래스	478, 815
API Document	296
ArithmeticException	494
ArrayIndexOutOfBoundsException	497, 518
ArrayList⟨E⟩	615
Auto Boxing	563, 627
Auto Unboxing	563, 627
await	704
AWT	781

B

base class	379
BigDecimal	567
BigInteger	566
binary operator	72
bit	859
Blocked 상태	673
boolean	56
Boolean	560
Border	826
BorderFactory	828
BorderLayout	797
Boxing	561
break	121, 131, 134, 141
BufferedInputStream	726
BufferedOutputStream	726
BufferedReader	326, 741
BufferedWriter	741
byte	50, 859
Byte	560

C

case	118
catch	492

CBD	376
char	53
Character	560
ClassCastException	497, 518
classpath	211
Class Path	208
clone	540
Cloneable 인터페이스	540
CloneNotSupported Exception	540
close	716, 718
Collection⟨E⟩	614
Comparable⟨T⟩	638, 643
compareTo	300, 638
concat	300
Console Input	326
Console Output	320
Constructor	190, 193
continue	133
createEtchedBorder	828
createTitledBorder	828
currentTimeMillis	575, 732

d

DataInputStream	724
DataOutputStream	724
data type	41
Dead 상태	674
declaration	40
default	118, 240, 387
default 클래스	243
Default Constructor	200
derived class	379
Dimension	796
double	51
Double	561
do~while 반복문	126

e

encoding	736

INDEX

enum	458, 868	getComponent	792	I/O 스트림	764	local variable	162
Enum 클래스	873	getFilePointer	754			lock	701
equals	535, 632	getMessage	497	**J**		long	50
		getPreferredSize	796	javac.exe	17, 20	Long	561
Error 클래스	514	GridLayout	799	java.awt.Container	785	Look And Feel	834
Escape Sequence	322	GUI(Graphical User Interface)	780	java.exe	17, 19	**M**	
Event Listener	790, 803	**H**		java.io.Serializable	746	main 메소드	152, 278, 361
Exception 클래스	504, 515	hashCode	631, 632	java.lang 패키지	277	main memory	526
exit	788	HashMap⟨K, V⟩	646	java.sun.com	13, 297	Map⟨K, V⟩	614
Explicit Conversion	68	HashSet⟨E⟩	628, 631	java.util. concurrent 패키지	700	Math	571
extends	241, 602	hasMoreTokens	577			MAX_PRIORITY	669
e 표기법	52	hasNext	622	Java Virtual Machine(JVM)	23	Message Passing	188
F		HAS-A 관계	401	Java EE	14	method area	527
factorial	163	heap area	527	Java ME	14	mkdir	757
false	56	HORIZONTAL_ SCROLLBAR_ NEVER	823	Java SE	14	mkdirs	757
FileInputStream	715, 764			JCheckBox	823	MIN_PRIORITY	669
FileOutputStream	718, 764	**I**		JComboBox	829	MouseAdapter	814, 815
FileReader	738, 764	IEEE	49	JDK(Java Development Kit)	12, 15	MouseMotionAdapter	815
FileWriter	738, 764	if문	110	JFrame	785	MouseMotionListener	804, 812
File 클래스	756	if~else문	110	JFrame.EXIT_ON_ CLOSE	811	MouseListener	791, 804, 812
FilterInputStream	725	if~else문의 중첩	113	JLabel	817		
FilterOutputStream	725	if~else 중첩의 일반화	115	JPanel	801, 826	MouseEvent	804
final	177, 434	Implicit Conversion	67	JPasswordField	818	MotifLookAndFeel	835
finalize	532	import	226	JRadioButton	823	MSB(Most Significant Bit)	45
finally	502	Information Hiding	234	JScrollPane	821	**N**	
float	51	Inner 클래스	468, 473	JTextArea	819	NegativeArray SizeException	497, 518
Float	561	InputStream	715	JTextField	817	Nested 클래스	468
FlowLayout	786, 795	instance	180	**k**		next	622
flush	729	instanceof	418	keyword	43	nextBoolean	331, 572
for문의 중첩	138	instantiation	180	key-value	614, 646	nextByte	331
for-each문	356, 624	int	50	**L**		nextDouble	331, 572, 575
for 반복문	128	Integer	560	Layout Manager	795	nextFloat	331, 572
G		interface	447, 452	Lazy Evaluation	86	nextInt	331, 572
Garbage Collection	531	interface 상수	456	length	300	nextLine	331
Generic Programming	592	IS-A 관계	398	LinkedHashSet⟨E⟩	629		
		ItemEvent	804, 832	LinkedList⟨E⟩	615		
		ItemListener	804	List⟨E⟩	615		
		iterator⟨E⟩	622	literal	61		
		I/O	714	Local(지역) 클래스	474		
		I/O 모델	715				

INDEX

nextLong	331, 572
nextShort	331
nextToken	576
newLine	743
notify	697
notifyall	697
newCondition	704
New 상태	673
NORM_PRIORITY	669
null	186
NullPointerException	497, 518

O

Object	174
ObjectInputStream	746
ObjectOutputStream	746
Object 클래스	432
OutputStream	718

P

parameter	155
PATH	18,
postfix	92
prefix	90
primitive data type	41
println	277
printStackTrace	510
PrintWriter	744
private	236, 238, 387
Process	660
protected	240, 387
Pseudo-random number	573
public	238, 387
public 클래스	244

R

RAM	526
RandomAccessFile	753
Random 클래스	572
Random Number	572

read	716, 720, 728, 739
Reader	738
readLine	741
readObject	746
recursion	163
ReentrantLock	701
remove	622
renameTo	757
return	158, 159
RIA(Rich Internet Application)	780
Runnable 상태	673
Runnable 인터페이스	665
Runtime	789
RuntimeException	517
run 메소드	661

S

Scanner	327, 328
scope	160
seek	754
separator	759
separatorChar	759
setBorder	828
setDefaultClose Operation	811
setEnabled	805
setLayout	786
setText	792
Set⟨E⟩	628
short	50
Short	560
Short-Circuit Evaluation(SCE)	86
signal	704
signalAll	704
Serializable	750
stack area	527
start 메소드	665
static 메소드 (클래스 메소드)	270
static 변수 (클래스 변수)	262, 391
StringBuffer	312

StringBuilder	307
StringTokenizer 클래스	576
String 클래스	292
sub class	379
super	381, 605
super class	379
Swing	780, 781
switch문	118
Synchronization	677
synchronized	680, 687
System.exit	811
System.out.print	320
System.out.printf	323
System.out.println	277, 320
System 클래스	277, 278

T

TextEvent	804
TextListener	804
this	289
Thread-safe	312, 679
Thread 클래스	660
throw	504
Throwable 클래스	497
throws	515
toString	433
transient	751
TreeMap⟨K, V⟩	648
TreeSet⟨E⟩	636
true	56
truth table	82
try	492

U

UI(User Interface)	429
UML (Unified Modeling Language)	464
Unboxing	561
unlock	701

V

valueof	875

VERTICAL_ SCROLLBAR_ ALWAYS	823
Visibility	161

W

wait	696
while 반복문	124
windowActivated	809
WindowAdapter	815
windowClosed	810
windowClosing	810
WindowConstants. DISPOSE_ON_CLOSE	811
windowDeactivated	809
windowDeiconified	810
WindowEvent	804, 807
windowIconified	810
WindowListener	804
windowOpened	809
word	859
Wrapper 클래스	558
write	718, 720, 739, 742
writeObject	746
writer	738

기타

1차원 배열	341
2의 보수	46
2진수	854
2차원 배열	348
8진수	52, 854
10진수	854
16진수	52, 854
\n	322
\t	322
\"	322
\\	322